Martin Meyer

ERNST JÜNGER

Carl Hanser Verlag

ISBN 3-446-15904-5
Alle Rechte vorbehalten
© 1990 Carl Hanser Verlag München Wien
Satz: Fotosatz Reinhard Amann Leutkirch
Druck und Bindung: Pustet Regensburg
Printed in Germany

Inhalt

VI.
Weltgeschichtliche Betrachtung
358

VII.
Das Bild vom Menschen
405

VIII.
Sein als Zeit
468

»Wir reisen durch den Text...«

(Ernst Jünger,
»Strahlungen«)

Vorwort

Das 20. Jahrhundert wird nicht als ein Säkulum von Humanität, Aufklärung und Vernunft in die Geschichte des Menschen eingehen. Den ungeahnten Möglichkeiten, welche der Fortschritt als Komfort und Daseinserleichterung gebracht hat, stehen Kriege, Katastrophen und Genozide von bestürzendem Ausmaß entgegen. Und zum ersten Mal ist *die Welt*, einstens als ganze denn doch das Unverfügbare, dem Zugriff letzter Ermächtigungen ausgeliefert. Es wäre sinnlos, darüber spekulieren zu wollen, was daraus folgen wird, wie es sinnlos wäre, nach dem *einen* Grund zu forschen, daß kam, was die Epoche prägt.

Gründe allerdings, Ursachen, Motive, Kräfte, sind zu bestimmen, auch wenn sie niemals einer »Logik« historischer Entwicklung sich fügen. Zeugen, in der ausgezeichneten Bedeutung: Zeitzeugen, sind zu befragen. Unter ihnen nimmt der am 29. März 1895 geborene Ernst Jünger eine besondere Stellung ein. Dies zu rechtfertigen, bedarf es keiner Verklärungen.

Im Gegenteil tut man gut daran, zunächst auf den scheinbar äußerlichen Umstand eines überlangen Lebens hinzuweisen. Ernst Jünger erfährt das deutsche Kaiserreich der späten Gründerjahre. Er nimmt wahr, wie nach 1900 die Technisierung den Alltag zunehmend durchherrscht. 1913 entweicht der Achtzehnjährige für einige Wochen in die Fremdenlegion. Kurz nach dem Ausbruch des Ersten Weltkriegs befindet sich der Freiwillige an der Front. In die Ära der Republik von Weimar fallen die frühen literarischen Arbeiten. Dann erlebt Ernst Jünger den Aufstieg des Nationalsozialismus. Im Jahr 1939 wird er wieder eingezogen. Er sieht den Zusammenbruch der Diktatur aus der Nähe. Es folgen die Nachkriegsjahre und die Jahrzehnte der »Normalisierung« in Europa. Im April 1986 reist der Neunzigjährige nach dem Fernen Osten, um nochmals dem Kometen Halley zu begegnen, der dem Knaben 1910 vor der Schwärze des Rehburger Himmels erschienen war.

Daß *ein* Leben nicht mehr ausreicht, die Welt der modernen Beschleunigungen zu verstehen, geschweige denn als vertraut zu empfinden, ist mittlerweile mehr als nur eine Vermutung. Aber gilt nicht auch das andere: daß allein eine knapp bemessene Lebenszeit davor bewahrt, die Konfrontation mit dem Wandel und seinen Zwängen, Zumutungen und Beunruhigungen ertragen zu müssen? Solche Gunst ist Ernst Jünger nicht zuteil geworden, obwohl er sich manchmal danach gesehnt hat und im übrigen an Gelegenheiten kein Mangel war. Statt dessen kann der Sechzigjährige notieren: »Wie ist es möglich, daß sich die Zeit so schnell verdüstert hat – zu schnell für eine kurze Lebensbahn, ein einziges Geschlecht.« Die Frage bliebe ein Signal von Hilflosigkeit gegenüber der Macht des Faktischen, wenn sie nicht zugleich und insgeheim auf das Werk verwiese, an welchem Ernst Jünger seit der Veröffentlichung des Tagebuchs »In Stahlgewittern« von 1920 beharrlich schreibt.

Denn dieses Werk – Tagebücher, Essays, Kurzprosa, Romane, Erzählungen – dokumentiert von Anfang an die Anstrengung, der Zeit deutend beizukommen. Der Akzent liegt, vor allem im Blick auf die frühen, nationalrevolutionär bewegten Schriften, bei der Anstrengung – beim Versuch der literarischen Selbstermächtigung, dem Zeitgeschehen einen Sinn aufzuzwingen, mehr noch: die Zeit in die Richtung eines neuen »Reichs« der nationalen Größe zu harmonisieren. Damit stand Ernst Jünger nicht allein. Schon zu Beginn des Ersten Weltkriegs hatte Max Scheler mit seinem über vierhundertseitigen Pamphlet »Der Genius des Krieges und der Deutsche Krieg« die Aufbruchstimmung und den Wahn vom Weltbesitz sprachlich eingefaßt. Doch gehört es zur dauernden Provokation von Jüngers Frühwerk, mit welchen ästhetischen Mitteln die Zeitbewältigung vorangetrieben wird.

Wäre das alles nur Ausdruck eines – damals weit verbreiteten – antiliberalen, polemisch ein- und ausgrenzenden Affekts, Ernst Jünger wäre niemals ein Jahrhundertschriftsteller geworden. Indessen zeigen bereits die frühen Schriften auch die Hellsicht des Beobachters am Rand des Abgrunds. So enthüllen die 1929 in einer ersten Fassung vorgelegten Prosastücke des »Abenteuerlichen Herzens« die Nachtseite, das Dunkle, die unheimlichen Latenzen der modernen Kultur im Umbruch. Behutsam hat Karl Heinz Bohrer diese »Ästhetik des Schreckens« als ein Siegel von Jüngers Sensibilität hervorgehoben und zugleich die Erlebnis- und Schock-Kategorie des »Plötzlichen« für das Frühwerk fruchtbar gemacht. Das meint: die Zeit wird vom Künstler nicht mehr als wirkliches oder auch nur idealisiertes Kontinuum wahrgenommen. Vielmehr bricht sie sich in jähen Erscheinungen des Grotesken, des Grausigen, des Inkommensurablen. Damit aber wird das Vertrauen in den geschichtlichen Sinn erschüttert.

Im Maß, wie Ernst Jünger den epochalen Erschütterungen und Gefährdungen nachspürt, ist er ein moderner Autor. Es wäre abwegig, dem Diagnostiker eine Schuld an derjenigen Wirklichkeit vorwerfen zu wollen, von der er Zeugnis gibt. Allerdings hat der junge Ernst Jünger selten nur beschrieben. Er hat seinen literarischen Illuminationen oftmals eine nationalistisch überhöhende Stoßrichtung verliehen, deren aggressive Rhetorik nicht einfach als Produkt konservativer Verachtung für Demokratie und Republik abgetan werden kann. Der große, totalisierende Essay »Der Arbeiter« von 1932 markiert zugleich den Höhepunkt und den Abschluß des Bemühens, mit geschichtsphilosophischen Verheißungen die Weltzeit rücksichtslos dem deutschen Aufbruch gefügig zu machen.

Ernst Jünger hat nach dem Unheiljahr 1933 rascher und schärfer als viele andere gesehen, wohin die Diktatur mit ihrem Terror der Menschenächtung steuern würde. Dazu bedurfte es nicht einmal einer demokratischen Gesinnung – wohl aber einer ethischen und moralischen Festigkeit. Sie wird man dem Schriftsteller so wenig absprechen können wie den Mut, den es forderte, im Jahr 1939 in Deutschland die Widerstandsparabel »Auf den Marmor-Klippen« zu schreiben und erscheinen zu lassen. Das gilt auch für die Tagebücher der zweiten Generation, die später unter dem Titel »Strahlungen« vereinigt wurden. Sie sind nicht nur Dokumente der literarischen Kunst, sondern auch Belege eines Blicks, der das Schreckliche erfaßt und das Leid ausdrücklich macht.

Darf man angesichts solcher Erfahrungen noch nach einem Sinn fragen? Darüber wird man berechtigterweise verschiedener Meinung sein können. Ernst Jünger hat auch und gerade nach 1945 die Sinnfrage gestellt. In gewisser Weise grundiert sie das Œuvre der Nachkriegsepoche auf das Entschiedenste. Indessen richten sich die Perspektiven jetzt vermehrt auf die Natur und auf ein Sein, das sich der verfügenden Gewalt des Menschen entzieht. Und doch geht es zugleich auch um die Kultur der wissenschaftlich-technischen Herrschaft. Da äußert Ernst Jünger einen zivilisationskritischen Argwohn, der nichts mit »postmoderner« Behaglichkeit zu tun hat. So bietet sich dem aufmerksamen Leser das große, verzweigte Werk dar in seinen Ambivalenzen und Widersprüchen, in seinen Provokationen und Entdeckungen. Die vorliegende Studie muß dem Rechnung tragen. Jede einseitige Lektüre begäbe sich der Chance des Erkenntnisgewinns. Im Mittelpunkt steht das Œuvre. Schon Karl Heinz Bohrer hat allerdings im Umgang mit den frühen Schriften gezeigt, daß Erhellungen nur über Parallelführungen sinnvoll zu leisten sind: Ernst Jünger muß im Kontext der Zeitgeschichte gelesen werden und in der Konfrontation mit anderen Denkern und Dichtern. Daraus erst entsteht die Spannung, von der her Rang und Leistung sich bestimmen lassen.

Eine Biographie war aus mehreren Gründen nicht beabsichtigt. Zum einen ist sie kaum möglich, denn alle persönlichen Dokumente wie Manuskripte, Briefe, Briefwechsel, Entwürfe, Werkstatt-Notizen befinden sich, der Öffentlichkeit nicht zugänglich, in Jüngers Wilflinger Archiv unter Verschluß. Zum anderen trägt sich das Werk selbst, ohne daß der Autor in seinen Texten sich bis ins Ungreifbare zurückzöge. Endlich kann allein die künstlerisch verantwortete, publizierte Botschaft darüber aufklären, worauf die Bedeutung von Ernst Jünger beruht.

Jünger ist, nicht zum Nachteil seiner Schriften, ein schillernder Autor geblieben. Das kompliziert die Arbeit des Interpreten. Hans Mayer hat in seiner Studie über Thomas Mann darauf hingewiesen, daß Jünger als Gestalt in den Umkreis des »Doktor Faustus« gehöre. Das steigert das Geheimnisvolle und reizt die Neugierde. Sie kann nur über den Weg der genauen Lektüre befriedigt werden. Wenn Ernst Jünger nicht mehr nur im Schattenriß wahrgenommen sein soll, muß er sorgfältig, extensiv und neu gelesen werden.

I.
Anfänge.
Die Unmittelbarkeit
der Geschichte

Fragt man nach dem »Geist« einer Zeit, wird man sich mit ihren geistigen Antworten nicht begnügen können. Die Geschichte spricht eine härtere Sprache, als sie selbst den Apokalyptikern unter den Propheten gegeben ist, und sie holt die Ideen zumeist anders ein, als gedacht oder gar beabsichtigt war. Ob sich darin eine List ausdrückt, ist nach den Katastrophen und Untergängen – auch den moralischen Untergängen – des 20. Jahrhunderts eine Vermutung, die ernstlich nicht mehr der Erörterung würdig ist. Das Maß an Vergeblichkeit zeigt, daß das geschichtsphilosophische Vertrauen niemals weniger berechtigt war als in der Ära vor und zwischen den beiden Weltkriegen. Es war indessen niemals anspruchsvoller. Nicht praktische Vernunft, nicht die »Aufklärung« glaubte man durchsetzen zu müssen, vielmehr »planetarische« Revolutionen unbestimmten Inhalts, bei denen aber stets »das Ganze« auf dem Spiel stand. Selbst diejenigen, die sich auf das Zusehen spezialisierten, fühlten die Vibrationen eines titanischen Umbruchs; daß er mit den »Urkräften« korrespondierte, gehörte schon fast zu den Gemeinplätzen der damaligen Bildersprache. So gewann auch die Technik, das Produkt strengen wissenschaftlichen Kalküls, den magischen Glanz, ohne den ihre Wirkungen wohl anders hätten beurteilt werden müssen.

Ging es überhaupt um Urteile, ums Urteilen? Man muß schärfer hinsehen, will man den Geist der Urteilskraft aufspüren. Unter den nüchternen Analytikern der Epoche muß Max Weber schon deshalb genannt werden, weil er ihr mit dem Wort von der »Entzauberung« scheinbar endgültig den spezifischen Charakter nachgewiesen hat. Der große Soziologe starb zu früh, als daß er noch einen ähnlich suggestiven Gegen-Begriff zu prägen vermochte, in dem sich die zeitgeschichtliche Erfahrung, daß die Entzauberung, die Rationalisierung der Welt in das Stadium ihrer neuerlichen Verzauberung eingetreten war, verdichtet hätte. Immerhin ahnte er, daß man sich mit

Begriffen immer weniger Gehör verschaffte, das Unbegriffene ins Unbegriffliche der Sprache absank. Dort wurde es zwar nicht aufgelöst, bloß verwahrt. Aber in den Bildern und Metaphern rückte das Jahrhundert nahe an den Mythos heran, dessen Herrschaft gegenüber dem Verlangen nach Rechtfertigung bekanntlich wenig Verständnis zeigt.

Im August 1908 erschien in der Wiener »Zeit« ein kurzer Artikel von Hugo von Hofmannsthal, betitelt »Zeppelin«. Fünf Tage zuvor, am 4. August, war vor den Augen seines Erfinders und einer Menge von Schaulustigen ein Luftschiff des Grafen abgestürzt. Nicht Zufall habe das Himmelsgefährt auf die Erde zurückgeworfen, schrieb der Dichter. »Es ist gefährlich, den trügerischen und schillernden Begriff des Schicksals hereinzuziehen; aber man wird ohne Zweideutigkeit von einem Kampf des Individuums mit den chaotischen oder zumindest namenlosen und verschleierten Mächten reden können, die uns umlagern.«[1] Hofmannsthal war der Vorfall so bedeutungsschwer, daß er ihn mit Shakespeares Tragödien verglich, um danach auf Zeppelins Mut hinzuweisen, »die Essenz dieses Mannes«. Den Mut des Soldaten habe er im Krieg von 1870 bewiesen, den Mut der Geduld habe er als Erfinder aufgebracht. Was dem Zeitungsleser wie ein Nachruf vorkommen konnte, war keiner; Zeppelin selbst hatte sich unter den Zuschauern befunden. Die große Katastrophe ereignete sich dreißig Jahre später, als das Luftschiff »Hindenburg« am 6. Mai 1937 beim Landeanflug in Lakehurst explodierte. Da war Ferdinand von Zeppelin schon zwanzig Jahre tot. Hofmannsthal aber hatte aus dem Schweif von Assoziationen, die alles Technische damals umwitterten, die mythischen Bilder herausgefiltert: So konnte auch ein vergleichsweise bescheidener Untergang zum Drama werden, das alle späteren in nuce enthielt.

Der »Fortschritt« gewann hier eine literarische Einkleidung, nämlich »das Tragische«. Solche Stilisierungen waren in der Epoche dramatisch sich beschleunigender Überraschungen auf dem Gebiet von Wissenschaft und Technik üblich. Die Idee, daß dabei wenn nicht gleich »chaotische«, so doch geheimnisvolle, dem »Urgrund« der Natur zugehörige Kräfte mitspielten, beschäftigte Schriftsteller und Philosophen gleichermaßen. Während freilich Flaubert schon 1881 die Tragik des erfinderischen Geistes mit »Bouvard et Pécuchet« ins Komische gewendet hatte und Valéry an der modernen Technik wenig Mythisches zu entdecken vermochte, erhielt das Thema im deutschsprachigen Kulturraum Verdichtungen, die ans Dämonische rührten und keinen Zweifel darüber ließen, wo die entscheidenden Fassungen des »Faust« entstanden waren. Ideen entwinden sich häufig der strengen Genealogie. Wenn diejenige des Nationalismus mitsamt ihren imperialen Anleihen aus geschichtlichen Verlaufsformen leicht abgeleitet werden kann, bleibt immer noch ein Rest an Ungeklärtem, wo es um die kollektiven Träume geht, die daran anknüpfen. Nur acht Jahre trennen Hofmannsthals »Zeppelin«-Artikel von einer Antwort, die der Dichter dem Chefredakteur der Stockholmer Zeitung »Svenska Dagbladet« auf eine Rundfrage lieferte. Der Text »Krieg und Kultur« vom Juli 1915 beschwor »ein Ereignis gigantischer Art«, das »nichts anderes als der Abschluß einer ganzen Epoche« sein konnte, »deren tiefste Tendenzen er in sich zusammenfaßt und in einer grandiosen Dissonanz zum Abschluß bringt«. Hofmannsthal legte den Akzent nicht nur auf den Abschluß. Er verfehlte nicht, eine Tagebuchnotiz Grillparzers zu zitieren, der schon Jahrzehnte zuvor prophezeit hatte: »Von der Humanität – durch Nationalität – zur Bestialität.« Gleichwohl sah er sich von dem »Ereignis« gedrängt, das Wort des Dramatikers zu korrigieren. »Wir vermögen nicht so zu urteilen. Wir ahnen, daß dieser Weg gegangen werden mußte und daß die geistige Welt dadurch, daß Europa diesen Weg gegangen ist, bereichert wurde um Elemente, deren Kostbarkeit der ›Humanus‹ des achtzehnten Säkulums weder wahrnehmen noch vermuten konnte.« Die »materielle Zivilisation« werde sich weiterentwickeln – »gleichsam unter einem andern Stern und unter der Möglichkeit, sich selbst zu überwinden«.[2]

Dem Wort von der Zivilisation war, ohne daß es schon mit der antithetischen Polemik von Oswald Spengler ausgesprochen worden wäre, der »Kultur«-Begriff des Essaytitels zugeordnet. Was sich aber der Zeitgenosse unter einer neuen, zur Kultur gewandelten Zivilisation vorstellen sollte, verschwieg der Verfasser. Wie jedermann ahnte er das Bedeutende, das hinter der militärischen Auseinandersetzung und weit über die Politik hinaus sich vollzog. Doch war er nicht unglücklich, dessen Sinn dem »Verstand« entzogen zu sehen. Zu mächtig manifestierte sich »das gemeinsam Erlittene«, als daß den Erwartungen mit bloß historischen Projektionen vorgegriffen werden durfte.[3]

Zu den Eigentümlichkeiten der Idee des Nationalismus in ihrer Spätzeit gehört, daß sich kaum einer ihrer Apologeten wie ihrer Kritiker mit nur politischen oder sozialen Ergebnissen begnügen wollte. Ein Ganzes stand zur Entscheidung an, letztlich das »Leben«. Es gab mehr Rätsel auf, als es löste. Was immer die einzelnen lebensphilosophischen Entwürfe der Epoche in sachlicher und polemischer Hinsicht unterscheiden mag, das Gemeinsame war die Gewißheit, daß kein logisches, vernunftmäßiges Begreifen dem Leben auf die Sprünge kommen konnte. So korrespondierte es bequem mit der geschichtlichen Situation, wenn nicht mit der Geschichte überhaupt. Auch sie war »irrational«, undurchschaubar, vom Geheimnis umsponnen. Theodor Lessing, durchaus kein blinder Mystiker, gab dem geschichtsphilosophischen Vorbehalt in seinem während des Ersten Weltkriegs verfaßten Werk »Geschichte als Sinngebung des Sinnlosen« mit einem einzigen Satz die nötige Prägnanz. »Alles Heil der Zukunft erwarten wir von der Zerstörung des Geschichtswahns.«[4] Gemeint war »der fromme Wahn«, »daß Geschichte Vernunft und Sinn, Fortschritt und Gerechtigkeit« widerspiegele.[5] Daß in der Negation des historischen Progresses qua Aufklärung *auch* eine Geschichtsphilosophie sich offenbarte, war gleichsam die »positive« Kehrseite von Lessings Zivilisationskritik. Der Zunft der Wissenschaftler blieben solche Gedanken fremd. Sie stand noch nach 1900 weitgehend im Bann von Rankes »Historischer Schule«. Es waren die »Schriftsteller«, die über die Fakten hinausspekulierten und damit auch das Interesse ihrer Zeit weckten.

Wenn schließlich Spengler zum Erfolgsautor wie zum Spezialisten des »Untergangs« werden konnte, dann lag das nicht in erster Linie daran, daß sein Werk mit dem Erscheinungsjahr 1918 den magischen Augenblick gewonnen hatte. Schon vor dem Krieg hatte das Thema Konjunktur; in der »Décadence«-Bewegung des Fin de siècle oder im Dandyismus als Lebensform war die Idee vom Zerfall längst gegenwärtig, und auch an Metaphern und Gleichnissen organischer, vegetativer Provenienz herrschte kein Mangel. Spenglers Dreischritt-Theorie von »Blüte«, »Reife« und »Verfall« der Kulturen bedurfte nicht der militärischen und politischen Katastrophe, um ihre Wirkung zu entfalten. Der Zusammenbruch gab dem Buch bloß die situative Beglaubigung. Sein Autor entbehrte indessen des Blicks für die Realien, über denen sich seine Konstruktion wölbte. Noch im Dezember 1918 schrieb er einem Vertrauten von der Gewißheit, daß die Monarchie gestärkt aus der Krise hervorgehen werde. Fünfzehn

Jahre später, in »Jahre der Entscheidung« (1933), gab er dem Nationalsozialismus keine Zukunftschancen.

Daß der Geschichtsphilosoph, den Thomas Mann nach anfänglicher Bewunderung, die sich bis zur Ergriffenheit steigerte, in dem Essay »Über die Lehre Spenglers« von 1924 als »Snob« verhöhnte, so sehr irrte, wo er den Niederungen der Ereignisgeschichte nachsann, kam nicht von ungefähr. Spengler dachte »planetarisch«. Die deutsche Niederlage von 1918 war im Verhältnis dazu eine Begebenheit von minderem Gewicht. Sie war eingelassen in den ausgreifenden Prozeß, da eine Kultur, die »abendländische«, ihrer Erstarrung zur »Zivilisation« entgegenlief. Es gehört zu den Hinterlisten der Geschichte gegenüber ihren Philosophen, daß sie sie dazu verführt, auch Historiker sein zu wollen. Spengler vermochte in der Ära der Erschütterungen nach dem Weltkrieg der Versuchung nicht zu widerstehen, seine »Lehre« nun auch an die Zeitgeschichte heranzutragen. Dem war die »Morphologie« nicht gewachsen. Auch ließ sie sich nicht leicht harmonisieren mit den nationalistischen Absichten, die der Autor des Bestsellers seit 1920 in der Schrift »Preußentum und Sozialismus« verfolgte und die ihn, eigentlich wider die Dekadenztheorie, eine heroische Haltung gegenüber dem Niedergang beschwören ließen. Allerdings zeigten sich solche Ambivalenzen schon im Hauptwerk. Dort illustrierte Spengler seine Zivilisationskritik unter dem Titel »Die Seele der Stadt« mit Visionen einer Trümmerarchitektur, die den Bildern von erloschenen römischen Metropolen nachempfunden waren. Zugleich aber appellierte er an die Bereitschaft zum eigenen »Schicksal«; er begründete den Aufruf unter anderem mit dem Hinweis auf die moderne Technik. Der Formbesessene feierte die »klaren, hochintellektuellen Formen eines Schnelldampfers, eines Stahlwerkes, einer Präzisionsmaschine«.[6] Da sollte sich ein Geist ausdrücken, der der kommenden Epoche »des Kampfes um den Planeten« vorbereitend vorausgriff. Die Idee der Technik, die Hofmannsthal noch undeutlich mythisiert hatte, wurde schärfer auf die Möglichkeiten der Geschichte zentriert. Inzwischen hatte sie auch durch die Ereignisse an Anschaulichkeit gewonnen. Der Absturz eines Luftschiffs ließ sich mit den Wirkungen der modernen Kriegsmaschinerie nicht vergleichen.

Aber kein Untergang wird gedacht, der nicht schon den nächsten Anfang in sich trüge. Zur Suggestion des Endes gehört, daß es stets nur *ein* Ende war – oder gewesen wäre, wenn es denn nach der Voraussage seines Propheten so eingetroffen wäre. Zumal wo alles »organisch« verläuft, gibt es bloß Fermaten, welche den Gang der Geschichte manchmal kürzer, manchmal länger stauen. Insofern konnten weder Hofmannsthal noch Spengler ihre Gläubigen wirklich enttäuschen. Was der Dichter etwas heller mit der Metapher von der Dissonanz, die der Auflösung harrt, entwarf, färbte der Philosoph dunkler ein: Er empfahl die heroische Haltung, zu der der bewunderte Nietzsche sich schon bekannt hatte. Daraus durften verschiedene Aktivismen abgeleitet werden; je mehr die Wirklichkeit dem von Spengler visionär geschilderten Zerfall entsprach, je mehr sie der »Form« entbehrte, um so weniger hatten jene zu verlieren, die ihr verächtlich trotzten, denn sie waren die Erwählten des »Schicksals«, die, vielleicht mit Erfolg, den neuen Anfang bestellten. Das Bedürfnis dazu war da.

Spengler war zu sehr Demagoge, als daß er am Publikum der Jugendbewegten vorbeigeschrieben hätte. Er fand die »Lost Generation«, bevor sie sich selbst entdeckte, mit dem Wort von Helmuth Plessner eine »Jugend ohne Goethe und bürgerliche Sicherheiten«. Die Gefolgschaft verarbeitete seine Ideen, und es entstand schließlich eine literarische Wirkungsgeschichte, der der Meister bis zur Ratlosigkeit ausgeliefert war. – Zyklen, Kreisgänge, Verlaufskurven sind eines. Ein anderes die Realitäten, mit denen sie auf welche Weise auch immer korrespondieren. Wer auf der Fermate sitzt oder gar dem Eindruck nach sitzenbleibt, findet keine Tröstung bei dem Gedanken, daß die nächste »Blüte« aufgeht: aber ohne ihn. Solches mußte den 23jährigen Alfred Kubin bedrängt haben, als er das dem Kalender nach eben angelaufene Jahrhundert mit einer Tuschzeichnung porträtierte. Die »Todesstunde« sollte das Säkulum noch gleichnishaft verfolgen. Kubin zeigte in äußerster Kompression von Metaphorik und Realismus die Zeit. Vor finsterem, geschwärztem Hintergrund erhebt sich fast weiß ein Turm, dessen Stirnseite ein großes Zifferblatt trägt. Menschenköpfe ragen an Stelle der Stundenzeichen hervor; zwei hat der große Zeiger schon abgeschlagen, der zweite ist im Begriff, in das Fangnetz zu fallen, das unter dem Zifferblatt angebracht ist. Es macht die Symbolkraft, den »Einfall« des Bildes aus, daß es gegenüber allen »inhaltlichen« Bestimmungen indifferent bleibt. Das einzige, freilich nicht unerhebliche Zugeständnis an die Deutung gestaltete Kubin in einem scheinbaren Detail: Die Köpfe sind nicht symmetrisch angeordnet, die Zwischenräume unregelmäßig. Obwohl die Zeit im »Metrum« läuft, gewährt sie dem einen Aufschub, während sie den anderen jagt.

Das erste Tagebuch – »In Stahlgewittern«

Die Zeit bleibt das große, bewegende Thema des Jahrhunderts. Zu viel an geschichtlichen Beschleunigungen bis hin zur völligen Verfinsterung des Welt-»Sinns«, zu viel an Überraschungen und Anmutungen geschieht, als daß die Harmonie von Weltzeit und Lebenszeit vergangener Epochen noch nachzuklingen vermöchte. Hans Blumenberg hat beschrieben, wie der »Urkonflikt«: daß die Welt dem Menschen durch *Zeit* etwas vorenthält, Erwartungen unerfüllt läßt, Hoffnungen enttäuscht – in der Moderne sich verschärft. Als »Öffnung der Zeitschere« läßt sich dieser Prozeß bezeichnen; je rascher die Welt-Vertrautheiten dem Wandel unterliegen, je gefährdeter die Selbstverständlichkeiten werden, je provisorischer alles Behauste wird, um so deutlicher steigt der Verdacht auf, daß das eine Leben nicht mehr genügt, am »Sinn« der Welt Anteil zu gewinnen: Er liegt jenseits des menschlich Erreichbaren.[7] Zurück bleiben die Ideen, ihn wenigstens geträumt zu haben, in den Visionen, Bildern, Metaphern einer künftigen Ruhe, wo die Ordnungen so fest schließen, daß sie des »Fortschritts« – auch des wissenschaftlich-technischen Fortschritts – nicht mehr bedürfen. Die Zeit treibt nicht mehr ihren Keil zwischen den Rhythmus der Welt und jenen des Lebens.

Unter den Schriftstellern des 20. Jahrhunderts, die von solchen Erfahrungen und Beunruhigungen umgetrieben werden, nimmt Ernst Jünger schon deshalb einen spezifischen Rang ein, weil er gehärtete epochale Zeugenschaft beansprucht und zugleich gedanklich deren Überwindung in den geschichtlichen Sinn betreibt. Das »Werk« gibt Antworten auf den Weltzeitverlust. Dazu braucht es freilich präzise Enttäuschungen. Anders als die meisten zeitgenössischen Kommentatoren erlebt Jünger die Unmittelbarkeit der neuen Epoche in einem Krieg, dessen »planetarische« Wirkungen zu Beginn noch nicht absehbar sind. Man darf sich von den späteren

Stilisierungen des Autors nicht täuschen lassen. Was dem Freiwilligen des 1. Augusts 1914 seit dem 27. Dezember desselben Jahres, als er an die Front kommandiert wird, begegnet, ist zunächst nichts anderes als unhintergehbare Wirklichkeit. Dem gegenüber ist jede literarische Kunde davon bereits eine Milderung, wenn auch noch keineswegs ein Bedeutungsnachweis. Daß das Opfer nicht vergeblich sein durfte, der Gedanke einer historischen wie auch persönlichen Notwendigkeit, gibt den frühen Texten die Signatur. Er ist nicht von Anfang an einfach »da«. Die Anfänge des Schriftstellers zeigen vielmehr, daß auch da noch um den »Sinn« geworben wird, wo er ideologisch als gesteigertes Nationalbewußtsein einerseits, als heroisch-nihilistisches Selbstbewußtsein anderseits längst in der Luft der Zeitstimmung zirkuliert. Jünger erschließt sich drei Formen des literarischen Diskurses, die sich gegenseitig ergänzen: das Tagebuch, den Essay, die Novelle. Im Selbstverlag des Verfassers erscheint in einer ersten Auflage von zweitausend Exemplaren 1920 das Werk »In Stahlgewittern. Aus dem Tagebuch eines Stoßtruppführers«. Zwei Jahre später, 1922, folgt die Betrachtung »Der Kampf als inneres Erlebnis«, verlegt von Mittler in Berlin. Im April 1923 läuft in sechzehn Folgen mit acht Kapiteln im »Hannoverschen Kurier« der Abdruck der Erzählung »Sturm«. Als ob erst drei verschiedene Perspektiven demselben Ereignis gerecht zu werden vermöchten, setzt Jünger dreimal an, sich den Stoff vom Weltkrieg gefügig zu machen. Die ästhetische Ausdifferenzierung an sich ist noch kein innovatorischer Schritt. Metamorphosen dieser Art konnte Jünger schon bei Fontane beobachten.

Was den »Stahlgewittern« fast unmittelbar zum Publikumserfolg verhalf und sie aus der Flut scheinbar ähnlicher Produkte herausheben mußte, ist nicht einfach ihrem »Realismus« zuzuschreiben, obwohl es dem Text daran nicht mangelt. Es ist die Weise, wie dieser Realismus gesteigert wird, bis ihm nur noch der metaphysische Gedanke der Überwindung erlösend beizukommen vermag. »Aus dem Tagebuch eines Stoßtruppführers«: das läßt offen, wie die Aufzeichnungen zu lesen sind. Aber der Hinweis auf ihre redaktionelle Bearbeitung klingt immerhin an, und die Dramaturgie läßt schließlich keinen Zweifel daran. – Jünger verzichtet darauf, den zeitlichen Verlauf mit Datumsüberschriften kenntlich zu machen. Statt dessen teilt er das Geschehen nach Orten, »Schauplätzen« ein, seltener nach den Ereignissen (»Der Somme-Rückzug«, »Die große Schlacht«). Hätte er dafür eine literarische Vorlage beanspruchen wollen, so ist Fontanes Bericht »Kriegsgefangen«, der über »Erlebtes 1870« Auskunft gibt, nach demselben Prinzip organisiert. Und die Parallelen enden damit noch nicht. Denn wie ein Geschichtsstück aus dem 19. Jahrhundert heben die »Stahlgewitter« an. Selbst die erste Begegnung mit dem Tod, nachdem »ein eigenartiges, nie gehörtes Flattern und Rauschen über uns« ertönt und eine Granate im Quartier eingeschlagen ist, weckt erst vorübergehend Irritationen. »Das völlig außerhalb der Erfahrung liegende Ereignis machte einen so starken Eindruck, daß es Mühe kostete, die Zusammenhänge zu begreifen. Es war wie eine gespenstische Erscheinung am hellen Mittag.«8 Vergleicht man die Fassung der sechsten Auflage von 1925 mit späteren Versionen, so fehlen ihr einerseits die vielen Kommentare, anderseits die Bilder. Zu den nicht eben häufigen Metaphern gehört allerdings eine, die Kubins »Todesstunden«-Thema variiert: »So tief wirkte das Erlebnis in dem dunklen Land, das hinter dem Bewußtsein liegt, daß bei jeder Störung des Gewöhnlichen der Tod als mahnender Pförtner in die Tore sprang wie bei jenen Uhren, über deren Zifferblatt er zu jeder Stunde mit Sandglas und Hippe erscheint.« (SG, 3 f./1, 14)

In den ersten Kapiteln hält sich der Verfasser in der Regel an die genaue Beschreibung der Vorgänge: Er erzählt von Verschiebungen, einem Offizierskurs, den er im Vorfrühling 1915 absolviert, von der Verpflegung, von Exerzierstunden. Der Horizont ist dabei eng gefaßt. Nicht historische Situierungen werden vorgenommen, die dem damaligen Leser die »Zusammenhänge« offengelegt hätten, sondern alles kreist um den Mikrokosmos von Tag zu Tag, dessen idyllische Momente nicht verschwiegen sind. Das »planetarische« Geschehen schrumpft auf die Details, auf die kurzen Perspektiven, wie sie für den Infanteristen der ersten Monate gelten mußten. Sie sind erst aus späterer Sicht, nämlich schon aus der Optik des Publikationsjahrs 1920, Reduktionen; bewußt vorgenommene Reduktionen, wie hinzuzufügen ist. Denn in diesen Details sitzt zugleich der Teufel. Für die Wirkung – und die, man muß schon sagen: verhängnisvolle Wirkungsgeschichte – der »Stahlgewitter« ist es letztlich unerheblich, in welchem Maß der Autor wußte, welche Suggestionen er mit dem *ästhetischen* Prinzip des mikroskopischen Blicks entband. Die Nähe an den Dingen, die die Gemütlichkeit bis ins Genrehafte visualisieren kann (»regelmäßiges Abendessen mit Rührei und Bratkartoffeln«), kippt ins Grauen, wo der Krieg sein »Antlitz« wirklich zeigt. Jünger reflektiert wohl das Geschehen und selbst dessen »Betrachtung«, nicht aber die Methode, die ihrerseits die Sache und das Urteil in die Sprache zwingt.

Der erste wichtige Passus des Tagebuchs findet sich in dem Kapitel »Les Eparges«. Hier beginnen die Bilder vom Heiteren zum Schrecklichen zu changieren, und entscheidend tragen die Übergänge des Stils dazu bei. »In den Vormittagsstunden durchbrach die Sonne den Nebel und entsandte eine behagliche Wärme. Nachdem ich etwas auf der Grabensohle geschlafen hatte, ging ich durch den vereinsamten, am Vortage erstürmten Graben, dessen Boden mit Bergen von Proviant, Munition, Ausrüstungsstücken, Waffen und Zeitungen bedeckt war. Die Unterstände glichen geplünderten Trödelläden. Dazwischen lagen die Leichen tapferer Verteidiger, deren Gewehre noch in den Schießscharten steckten. Aus zerschossenem Gebälk ragte ein eingeklemmter Rumpf. Kopf und Hals waren abgeschlagen, weiße Knorpel glänzten aus rötlich-schwarzem Fleisch. Es wurde mir schwer, zu verstehen.« (SG, 19 f./1, 51)

Und doch riskiert der Verfasser weniger eine Theorie als eine halb phänomenologische, halb psychologische Annäherung an das »Verstehen« der Vorgänge, welche die Grenzen zwischen der Außenwelt und den Innenwelten des Erlebens sprengen müssen. Er schreibt:

»Obwohl ich mir vorgenommen habe, in diesem Buche die Betrachtung ganz zurückzustellen, so möchte ich doch hier diesen für das Kriegserlebnis so bedeutsamen Augenblick der ersten Erscheinung des Grausigen streifen. Das Grausige gehörte ja auch zu dem, was uns so unwiderstehlich in den Krieg hinausgezogen hatte. Eine lange Zeit der Ordnung und des Gesetzes, wie sie unsere Generation hinter sich hatte, bringt einen wahren Heißhunger nach dem Außergewöhnlichen hervor, der noch durch die Literatur gesteigert wird. So hatte uns neben vielen anderen Fragen auch die beschäftigt: Wie sieht wohl eine Landschaft aus, in der man die Toten über der Erde läßt? Und dabei ahnten wir noch nicht einmal, daß man in diesem Kriege die Leichen oft monatelang Wind und Wetter überlassen würde, wie einst die Körper der Gehenkten am Hochgericht. – Und nun beim ersten Anblick des Grausigen hatten wir das Gefühl, das sich sehr schwer beschreiben läßt. Da auch das Sehen und Erkennen von Gegenständen auf Übung beruht, läßt

sich etwas ganz Unbekanntes durch das Auge nur schwer entziffern. So mußten wir immer wieder auf diese Dinge, die wir noch nie gesehen hatten, starren, ohne ihren Sinn erfassen zu können – sie waren uns eben gänzlich unge-
wohnt. Wie in einem Traum, in einem Garten voll seltsamer Gewächse
schritten wir über diesen Boden, der überall Tote mit verrenkten Gliedern,
verzerrten Gesichtern und den schrecklichen Farben der Verwesung trug.
Erst später konnten wir klar erkennen, was uns umgab. Und zuletzt waren
wir so an das Grausige gewohnt, daß, wenn wir hinter einer Schulterwehr
oder in einem Hohlweg auf einen Toten stießen, dieses Bild in uns nur den
flüchtigen Gedanken löste: ›Eine Leiche‹, wie wir sonst wohl dachten: ›ein
Stein‹ oder: ›ein Baum‹.« (SG 20 f.)

Die »Betrachtung« führt weit über den Horizont des unmittelbaren
Erlebens hinaus, indem sie den Weg beschreibt, der einzelne Erlebnisse verkettet und am Ende, »zuletzt«, der Gewöhnung unterworfen hat. Und tatsächlich scheint damit auch das Pensum angedeutet,
dem der Soldat in der Stilisierung des Autors ausgeliefert wird; er
lernt den Umgang mit dem »Grausigen«. Wie eine Chimäre taucht
die Idee des Bildungsromans in ihrer spätromantischen Fassung
nochmals auf. Doch kann Jünger von keiner Auflösung mehr berichten, die den Gegensatz zwischen der Wirklichkeit und ihrem Bewohner harmonisiert hätte. Die »Lebenswelt«, in welcher sich der Infan-
terist bewegt, behält ihre Bedrohlichkeiten bei und gewährt lediglich
kurze Exile der Entspannung. Im übrigen erzwingt sie fortwährend
Anpassungen. Die vorletzte zeigt sich darin, wie sich der Soldat allmählich selbst zeigt: als »Krieger«, als »Kämpfer«, dem die
geschichtlichen Horizonte immer ferner werden. Die letzte Anpassung ist Überwindung ins Ästhetische, als Ästhetik – oder genauer –
als Ästhetisierung des Schreckens.[9]
Man muß hier ausführlicher werden. In keinem Nebensatz eines
Werks, das immerhin dem Ersten Weltkrieg gilt, ist vom August 1914
die Rede, also von der ersten deutschen Offensive, welcher der –
abgeänderte – Schlieffen-Plan zugrunde lag. Damals scheiterte von
Klucks Einfassungsmanöver, nicht an der Zeit, am Zeitplan, sondern an der Strategie. Der Verfasser der »Stahlgewitter« verweigert
sich – und dem Leser – eine »Betrachtung« dieser Ouvertüre. Der
Krieg ist seit den ersten Seiten »da«. Damit entbehrt er des Anfangs
und auch der historischen Situierung, kann aber, ja muß nachgerade
als reine Gegenwart erscheinen. Seine »Präsenz« verbirgt deren

Herkunft und läßt das Leben vor dem Grenzwert des Todes ohne Kontext zurück. In der *Darstellung* authentischer Grenzerfahrungen vertraut Jünger der Wirkung solcher Gegenwärtigkeit, denn sie war das Medium für die Überraschungen gewesen: des Grausigen, des Schocks, des Abenteuers. Hätte der Stoßtruppführer der theoretischen Einstimmung darauf bedurft, so wäre schon in Georg Simmels »Philosophischer Kultur« von 1911 über »Das Abenteuer« nachzulesen gewesen: »Von den Ereignissen des Tages und Jahres empfinden wir sonst, das eine sei zu Ende, indem oder weil das andere einsetzt. Sie bestimmen sich gegenseitig ihre Grenzen, und damit gestaltet oder spricht die Einheit des Lebenszusammenhanges sich aus. Das Abenteuer aber ist, seinem Sinne als Abenteuer nach, von dem Vorher und Nachher unabhängig, ohne Rücksicht auf diese bestimmt es sich seine Grenzen. Eben da, wo die Kontinuität mit dem Leben so prinzipiell abgelehnt wird oder eigentlich nicht erst abgelehnt zu werden braucht, weil von vornherein eine Fremdheit, Unberührsamkeit, ein Außer-der-Reihe-Sein vorliegt – da sprechen wir von Abenteuer.«[10]

Jünger brauchte Simmels »Rausch des Augenblicks« nicht zu kennen. Die Kriegswirklichkeit bot hinreichend Gelegenheit zur Wahrnehmung gesprengter Kontinuitäten, zu Konfrontationen mit dem »ganz Unbekannten«. Die erste Schlacht, so berichtet das Tagebuch, erlebt er, ohne einen Gegner zu sehen. Die ersten Geschosse beunruhigen durch eine Wirkung, deren Ursachen nicht einsehbar sind. Und was an zivilisatorischen Einrichtungen, an vertrauter »Kultur« zunächst noch die Schlachtfelder säumt oder durchsetzt – Gesehenes, das nicht erst »entziffert« werden muß –, zerfällt, wird zur Ruine, die den Hintergrund für den militärischen Aufbau gibt. »Alle Einrichtungen zerfielen, nur was zum Kampfe gehörte, war tadellos in Schuß. So waren Zäune und Hecken niedergebrochen oder zur besseren Verbindung weggerissen, dagegen blinkten an allen Ecken die großen Schilder mit den Fahrtrichtungen tadellos. Während die Dächer einstürzten und der Hausrat langsam verheizt wurde, entstanden Telephonanlagen und elektrisches Licht.« (SG 29/1, 42)

Das Stichwort, das diese Gleichzeitigkeiten zusammenzwingt, ist der »Kontrast«. Er muß beunruhigen, als Verfugung verschiedener Welten in *einer* Zeitachse, und zumal im Augenblick, der alles ohne

Ansehung seiner früheren Bedeutung erfaßt. Es gehört gleichsam zur Genese des literarischen Überschusses der »Stahlgewitter«, daß ihr Autor schon als Soldat jener Verdichtung von *objets trouvés* begegnen konnte, ohne sie erst in der Manier der Surrealisten herstellen zu müssen.

»Zerrissene Tornister, abgebrochene Gewehre, Zeugfetzen, dazwischen in grausigem Kontrast ein Kinderspielzeug, Granatzünder, tiefe Trichter der krepierten Geschosse, Flaschen, Erntegeräte, zerfetzte Bücher, zerschlagenes Hausgerät, Löcher, deren geheimnisvolles Dunkel einen Keller verrät, in dem vielleicht die Gerippe der unglücklichen Hausbewohner von den überaus geschäftigen Rattenschwärmen benagt werden, ein Pfirsichbäumchen, das seiner stützenden Mauer beraubt ist und hilfesuchend seine Arme ausstreckt...« (SG 32/1, 45)

Solchen Szenen ist der Charakter des Capriccios aufgeprägt, ehe sie der Autor so bezeichnet; ihr »Realismus« verlangt bloß ein Minimum an ästhetischer Organisation, daß sie, zum Bild geworden, in die letzte Fluchtlinie der Kunst des Manierismus einrücken können. – Anlaß zu persönlicher Gereiztheit gibt erst ein weiterer »Kontrast«. Jünger schildert in einem Einschub realistischer Präzisierung »den Verlauf eines normalen Tages«. Gegen Morgengrauen »kündet ein heller Strich hinter uns am östlichen Himmel den neuen Tag. Die Umrisse des Grabens werden schärfer; er macht im grauen Frühlicht einen Eindruck unsäglicher Öde. Eine Lerche steigt hoch; ich empfinde ihr Getriller als aufdringlichen Kontrast, es ärgert mich.« (SG 36/1, 52 f.) Der harmloseste aller Kontraste wird zur Störung im bereits eingespielten Rhythmus; nicht deshalb, weil es sich da um einen Gegensatz handelt, sondern weil das Signal der Natur deren Gleichgültigkeit ausdrückt, damit aber die Gleich-Gültigkeiten des Grabenkriegs indirekt ins Bewußtsein ruft: ohne geschichtliche Perspektiven fällt die Frontexistenz ins Naturhafte zurück. Im Erkenntnisprozeß der »Stahlgewitter« ist diese Einsicht spät, doch als Stimmung durchzieht sie das Tagebuch beinah von Anfang an. Die Theorie, oder eher die Idee, die Jünger in dem Kapitel »Gegen Inder«, das vom Frühsommer 1917 handelt, liefert, löst dann den »Ärger« mit Hilfe von Nietzsche in den Fatalismus auf. »Es fällt leichter, inmitten einer solchen Natur in die Schlacht zu gehen als aus einer toten und kalten Winterlandschaft heraus. Irgendwie drängt sich auch dem ganz einfachen Gemüt die Ahnung auf, daß seine Existenz in einen ewigen Kreislauf geschaltet, und daß der Tod des einzelnen gar kein so bedeutungsvolles Ereignis ist.« (SG 131/1, 151 f.) Nur das relativierend eingeschobene »gar« verrät noch Spuren des Unwillens gegenüber einem ständig zur Disposition gestellten Leben. Noch ohne solche gedankliche Entlastung erfaßt der Autor das Geschehen vom September 1915. Ein Verwundeter wird geborgen. »Die Bahre stößt hart gegen die winkligen Schulterwehren. Kaum ist sie entschwunden, ist alles wieder beim alten. Einer wirft einige Schaufeln Erde über die rote Lache und jeder geht seiner Beschäftigung nach. Man ist ja so stumpf geworden.« (SG 38/1, 54)

Daß der Erste Weltkrieg auch der erste Krieg der Moderne ist, der im Bewußtsein der Beteiligten die Zeitstrukturen von Anfang und Ende in unbestimmbare Dauer überführt, diese Wende vor dem Hintergrund rasanter geschichtlicher Beschleunigungen, ist in den »Stahlgewittern« fast unmittelbar gespiegelt. Man darf die Stilisierungen und gestalterischen Verformungen des »Tagebuchs« nicht überschätzen. Wenn Jünger keine deutlichen historischen Gliederungen zwischen 1914 und seiner letzten Verwundung im September 1918 vornimmt, wenn außer der Kennzeichnung einiger großer Schlachten – der Somme-Offensive, des Somme-Rückzugs, der Frühlingsoffensive von 1918 (mit dem Kapiteltitel »Die große Schlacht« allen zeitlichen Situierungen entrückt) – bloß Orte und Landschaften zusammengefügt werden, entspricht die Geschichtslosigkeit einer zur zweiten »Natur« gewordenen Lebensgegenwart. In ihr verschwimmen tendenziell sogar die nationalistischen Ideologien, um dem Anarchismus des »reinen Kampfes« und seiner zynischen Kommentierung zu weichen. Niemand konnte schon damals an den Unerträglichkeiten einer Autorschaft vorbeisehen, die neben dem mikroskopischen Blick die Rücksichtslosigkeit gegenüber humaner Betroffenheit im Maß der Kriegsdauer literarisch immer noch zu steigern vermochte. Nicht mit Verständnis kann Jünger dabei rechnen; allenfalls mit dem Verstehen des Prozesses, der diese Einstellung hervortreibt: als Reduktion aller Kultur auf einen »Urzustand« feindlicher Begegnungen hin, nachdem noch aus der Distanz von 1920 der »Sinn« der geschichtlichen Ereignisse dem vormaligen Stoßtruppführer stumm ist.

Dieser zweite Naturzustand, da die moralische Sensibilität nicht immer, aber häufiger an der Kälte des »Kriegers« abprallt, verdichtet sich in den »Stahlgewittern« seit Mitte April 1916, als der letzte Offizierslehrgang absolviert und die Somme-Offensive vorbereitet wird. Von Spaziergängen, Ausritten und einem »kleinen Abenteuer« erotischer Art ist zunächst die Rede; und in diesem Zusammenhang zitiert Jünger einen dunklen Satz von Stendhal, der den »Kontrast« – einen spezifischen, modernen Kontrast – in die Lebenssteigerung hineinverlegt. »Unter dem ständigen Donner der Geschütze, unter dem Schicksal, das sich ständig drohend über dem Bewußtsein wölbte, bot das Leben seine wenigen Freuden in einem bisher ungeahnten Glanz. Die Farben wurden inniger und der Wunsch, sich durch Genuß an das Dasein zu knüpfen, heißer, denn bei allem schlich sich der Gedanke ins Hirn: Vielleicht ist dieser Frühling der letzte, den du siehst. Das gab allen Äußerungen des Lebens eine nicht zu beschreibende Intensität. Aus diesem Gefühle heraus ist jener seltsame Satz Stendhals zu verstehen: 'La perfection de la civilisation serait de combiner tous les plaisirs délicats du XIXe siècle avec la présence plus fréquente du danger.'«

Als ob er die Wahrheit von Stendhals »Wunsch« hätte autobiographisch einholen wollen, läßt Jünger dann den Idyllen den Schrecken nächtlicher Patrouillengänge folgen. In dem Kapitel »Der Auftakt zur Somme-Offensive« ist es ein kompakter Abschnitt, der, ähnlich wie zuvor derjenige über »das Grausige«, nah sich an die Gestimmtheiten des *Entsetzens* herantastet. Der Anspruch der Passage sprengt die Optik des Tagebuchs; in nuce ist angelegt, was Jünger 1922 essayistisch in der Schrift »Der Kampf als inneres Erlebnis« entfaltet.

»Unvergeßlich sind solche Augenblicke auf nächtlicher Schleiche. Auge und Ohr sind bis zum äußersten gespannt, das näher kommende Rauschen der fremden Füße im hohen Grase nimmt eine merkwürdige, unheildrohende Stärke an, – es füllt einen fast ganz aus. Der Atem geht stoßweise; man muß sich zwingen, sein keuchendes Wehen zu dämpfen. Mit kleinem, metallischem Knacks springt die Sicherung der Pistole zurück; ein Ton, der wie ein Messer durch die Nerven geht. Die Zähne knirschen auf der Zündschnur der Handgranate. Der Zusammenprall muß kurz und mörderisch werden. Man zittert unter zwei gewaltigen Sensationen: der gesteigerten Aufregung des Jägers und der Angst des Wildes. Man ist eine Welt für sich, vollgesogen von

der dunklen, entsetzlichen Stimmung, die über dem wüsten Gelände lastet.«
(SG 62/1, 77)

Die Ausgesetztheit in der »phantastischen Wüste«, wo die Granaten
als »Eisenvögel« heranrauschen, das Feuer »eine wahnwitzige
Wucht« annimmt, der Himmel »ein brodelnder Riesenkessel«
scheint, reduziert durchschnittliche lebenszeitliche Erwartungen
auf Sekunden. *Daran* ist nichts dramatisiert. Auch nicht im Wort
vom »Gefühl stärkster Bedrohung«, dem die Nerven ausgeliefert
sind. »... das Gehirn verbindet ja jeden Einzelton schwirrenden
Eisens mit der Idee des Todes.« (SG 73/1, 87) Der Moment der Wahrnehmung, also der »richtige« Zeitpunkt, entscheidet zwar nicht über
das Leben, dessen Kontingenzen hier kaum mehr Gegensteuerun-
gen zulassen. Aber er ist ein letztes Hilfsmittel, sich der tödlichen
Folgen durch die entsprechende Reaktion zu erwehren. Reiz und
Reaktion sind auf ein temporales Minimum zusammengedrängt.
Der »niedere« Organismus vermag diese zeitliche Anspannung
nicht von verzögerten, längere Fristen beanspruchenden Wirkungen
zu unterscheiden; »Zeit« ist ihm fremd. Der Mensch hat das *Bewußtsein* davon, und zwar auch dann, wenn er instinktiv sich verhält. Er
weiß um den Instinkt. Deshalb bedarf die Antizipation des möglichen Endes, der »Schmerz« des »Gehirns«, der Entlastungen. Jünger zitiert sein »kleines Untergefühl«, das er – psychologisch ausgrei-
fend und damit zum ersten Mal auf eine Figur übertragend, die ihn
später noch beschäftigen wird – auch dem *Spieler* nachweist: »Zum
Glück hatte ich persönlich immer ein kleines Untergefühl der Zuversicht, jenes ›Die Sache wird schon gut gehen‹, das man auch beim
Spiel empfindet und das, wenn es auch keine Berechtigung hat, doch
wenigstens die Nerven entlastet. So nahm auch diese Beschießung
ihr Ende, und ich konnte meinen Weg, nun mit größter Beschleunigung, fortsetzen.« (SG 73) Doch kurz zuvor hat er einen Vergleich
gefunden, der die Bedrohung ohne Milderung, gleichsam absolut,
darstellen soll. Die Metapher weist schon stilistisch auf die »Capriccios« des »Abenteuerlichen Herzens« voraus und erinnert an Bilder,
wie sie am schärfsten Poe gesehen hat.

»Ich glaube einen Vergleich gefunden zu haben, der das besondere Gefühl
dieser Lage, in der ich wie jeder andere Soldat dieses Krieges so oft gewesen

bin, recht gut trifft: Man stelle sich vor, ganz fest an einen Pfahl gebunden und dabei von einem Kerl, der einen schweren Hammer schwingt, ständig bedroht zu sein. Bald ist der Hammer zum Schwunge zurückgezogen, bald saust er vor, daß er fast den Schädel berührt, dann wieder trifft er den Pfahl, daß die Splitter fliegen – genau dieser Lage entspricht das, was man dekkungslos inmitten einer schweren Beschießung empfindet.« (SG 73/1, 88)[11]

Die Empfindung, die »alle« Soldaten des Weltkriegs haben, ist eines; ein anderes, wie der Soldat, der darüber schreibt, sie bewältigt. Es fällt nicht leicht, zu entscheiden, in welchem Maß dem Verfasser der »Stahlgewitter« deren Gedankendramaturgie bewußt war – und damit auch die Situierung der Frage nach dem Menschen, dem »Typus«, der, in modellhafter Verknappung der von Darwin herauspräparierten Evolution, aus diesem Krieg gehärtet hervortreten sollte. – Vor der Somme-Offensive »weiß« Jünger, »daß es diesmal um eine Schlacht ging, wie sie die Welt noch nicht gesehen hatte«. Das in späteren Fassungen eingedeutschte Dante-Zitat – »Lasciate ogni speranza!« – präludiert die Rhetorik des Nihilismus. »Nichts schien zurückgeblieben als eine große und männliche Gleichgültigkeit... Mit solchen Leuten kann man kämpfen.« (SG 84/1, 99) Die Offensive gewinnt »im Brennpunkt« an Intensität. »Hunderte von schweren Batterien krachten um und in Combles, unzählige Granaten kreuzten sich heulend und fauchend über uns. Alles war in dichten Rauch gehüllt, der von bunten Leuchtkugeln unheildrohend bestrahlt wurde. Bei heftigsten Kopf- und Ohrenschmerzen konnten wir uns nur noch durch abgerissene, gebrüllte Worte verständigen. Die Fähigkeit des logischen Denkens und das Gefühl der Schwerkraft schienen aufgehoben. Man hatte das Empfinden des Unentrinnbaren und unbedingt Notwendigen wie einem Ausbruch der Elemente gegenüber.« (SG 87/1, 103)

Jünger begegnet in Guillemont der Materialschlacht und ihren »verheerenden Wirkungen«. Ein einziger, unauffälliger Satz antizipiert darauf ein Thema, dessen Doppelaspekt: der Technisierung einerseits, des »Menschen«, der ihr begegnet anderseits, bis in den großen Essay von 1932, »Der Arbeiter«, entfaltet wird. »Wir mußten uns ganz neuen Formen des Krieges anpassen.« (SG 98)

Dieser Anpassung in einer Landschaft, deren zivilisatorische Erinnerungen – Städte, Dörfer, Straßen – entweder von den Zerstörungen verfremdet oder überhaupt gelöscht sind, gilt nun die Aufmerksamkeit des Autors im Maß, da er ihr weltgeschichtliche Bedeutung unterstellt: ein Neuer Mensch, repräsentiert in der Figur des Materialkämpfers, versieht die »Maschinenarbeit«. Daß in Jüngers Gedankengänge Splitter von Nietzsches Geschichtsauffassung einschießen, ist unübersehbar und soll weniger die Authentizität des Erlebten als dessen philosophische Ortung beglaubigen. Schon in der Zweiten Unzeitgemäßen Betrachtung, »Vom Nutzen und Nachtheil der Historie für das Leben«, arbeitet Nietzsche, mit dem Wort Theodor Lessings, an der »Zertrümmerung des Geschichtswahns«, indem er Hegels Stufengang der historischen Entwicklung zum Bewußtsein der Freiheit die Diskontinuitäten des »Lebens« und seiner möglichen Steigerungen entgegenhält.[12] Auch wird dort die »antiquarische« Gesinnung der Historischen Schule zurückgewiesen. Jünger bedurfte keines Sinns für hermeneutische Gerechtigkeit gegenüber Nietzsches Ideen, ja er konnte sich mit der eigenen Geschichtsphilosophie – ohne es wissen zu müssen – in Widerspruch zur Lehre des Verehrten setzen, wenn er bloß Sätze wie diesen fand: »... die Geschichte wird nur von starken Persönlichkeiten ertragen, die schwachen löscht sie vollends aus«, der in der Schrift von 1874 mit dem antiken und dem Menschen der Renaissance als »starken Persönlichkeiten« verklammert ist, zugleich aber schon auf den »Übermenschen« des »Zarathustra« vorausweist.[13] Der Mensch, genauer: der »Typus«, der sich in bestimmten geschichtlichen Lebensordnungen ihnen stellt, lag als »Frage« in der Luft der Zeit und prägte auch die Soziologie von Simmel und Max Weber. Insofern artikuliert Jünger nur eine epochale Stimmung, freilich mit dem Pathos der Erwähltheit: der Autor ist mit dem Vorläufer des Neuen Menschen identisch. Wo aber Nietzsche den Menschen vom Ganzen der »Welt« abtrennt, um ihn nicht wieder der »Austreibung der Instincte durch Historie« auszuliefern – »Wenn man nur nicht ewig die Hyperbel aller Hyperbeln, das Wort: Welt, Welt, Welt, hören müßte, da doch Jeder, ehrlicher Weise, nur von Mensch, Mensch, Mensch reden sollte!«[14] –, da mutet ihm Jünger gerade die Aufgabe der Weltgestaltung zu.

Die Eindrücke des Schlachtfelds bieten dieser Perspektive nur scheinbar Widerstand. Je deutlicher die Ablösungen von historischen Vertrautheiten, von der »Herkunft« scheinen, je mehr die

»unbekannte Szenerie« der Schützengräben zum »aufgewühlten Kratermeer« oder zur »phantastischen Wüste« abflacht, um so schärfer zeichnet sich die Möglichkeit ab, alles neu zu machen; der Schutt der alten Kultur wird fortwährend abgeräumt. Der Suggestion einer solchen tabula rasa kann der Verfasser der »Stahlgewitter« um so weniger widerstehen, als das individuelle Leben dauernd von Vergeblichkeit und Sinnverlust bedroht ist. Die Zeit drängt, und sie stachelt dazu an, die Neubestellung der Welt mit dem eigenen Einsatz untrennbar verbunden zu denken.

Dieser Illusion aus extremer Gefährdung bleibt immerhin *eine* realistische Einsicht, die nicht ganz der Tragik entbehrt: daß der große Krieg die Entwicklung zeigt, »wo die Maschine an Herrschaft gewinnt«. Tragisch daran ist, daß die Herrschaft der Mechanisierung den Menschen, der sie steuert, gleichzeitig funktional niederzwingt. Man kann den »Stahlgewittern« nicht nachsagen, daß sich Jünger in reinem Enthusiasmus für die Wirkungen der Technik dieser Einsicht verschlossen hätte. Im Gegenteil biegt sich die Sprache metaphorisch unter der Last der Erfahrung, deren entlastende Hoffnung, das »neue Europa«, kein rechtes Gegengewicht bildet. »Das moderne Schlachtfeld gleicht einer ungeheuren, ruhenden Maschinerie, in der ungezählte verborgene Augen, Ohren und Arme untätig auf die eine Minute lauern, auf die es allein ankommt. Dann fährt als feurige Ouverture eine einzelne rote Leuchtkugel aus irgendeinem Erdloche in die Höhe, tausend Geschütze brüllen zugleich auf, und mit einem Schlage beginnt das Werk der Vernichtung, von unzähligen Hebeln getrieben, seinen zermalmenden Gang. – Befehle fliegen als Funken und Blitze durch ein engmaschiges Netz, um vorn zu gesteigerter Vernichtung anzuspornen und von hinten in gleichmäßigem Strome neue Menschen und neues Material in Bewegung zu setzen und in die Brandung zu schleudern. Jeder fühlt sich wie durch einen Strudel von weither durch einen rätselhaften Willen gepackt und mit unerbittlicher Präzision zu den Brennpunkten des tödlichen Geschehens getrieben.« (SG 107)

Zur »Anpassung« gehört eine »Nervenprobe«, die in Wahrheit niemals eine geglückte sein kann, nämlich die Immunisierung gegenüber Verwundung, Schmerz und Tod. »Der Soldat, der nach solchem Anblicke wieder in alter Frische ins Feuer geht, hat seine Nervenprobe bestanden, denn jeder neue, schreckliche Eindruck krallt sich im Hirn fest und reiht sich an den lähmenden Vorstellungskomplex, der die Zeitspanne zwischen Heranbrausen und Einschlag der Eisenklumpen immer furchtbarer gestaltet.« (SG 106) Es ist, wenn von allen konkreten Begegnungen mit dem Schrecken abstrahiert wird, wieder die *Zeit*, die sich der Vorstellung als vorwegnehmende Macht des Grauens eingeprägt hat. Wider alle Visionen des Welteroberers entwirft Jünger »Zustände« – des Rausches, des Traums, der Entrückung –, in denen sie »zerbrochen« werden soll, und wenn am Ende die Schlacht »wie ein berauschendes Morphium« erlebt wird, gipfelt der Wunsch nach der Zeitvernichtung in der Situation, die den Grenzwert der Zeit in sich trägt. Dagegen in der Etappe: »Man übermalte die Ruinen aller Art, von denen man umgeben war, mit den Farben des Humors und einer, wenn auch flüchtigen Glückseligkeit und verlor sich zuletzt in jenem unbekümmerten Gefühl der Zeitlosigkeit, das über jedem Rausche liegt. Man zerbrach die Zeit, die rings ihre Drohungen türmte, und fühlte sich für Stunden im Grenzenlosen wohl.« (SG 103)

Solche Reflexionen über die Zeit und mögliche Exile von Zeitlosigkeit sprengen den Duktus heroischer Bestandsaufnahmen. Sie häufen sich seit dem Kapitel über den Somme-Rückzug, dem bald jenes über »Langemarck« folgt, wo im Sommer 1917 Jüngers Bruder Friedrich Georg durch einen Lungenschuß verwundet wird. »Langemarck« hatte im Herbst 1914 erstmals die Wirkungen der Mechanisierung gesehen, als deutsche Kriegsfreiwilligen-Regimenter gegen englische Maschinengewehre anliefen. Darüber meditiert Jünger nicht – noch nicht. Aber er fügt dem Erlebnisbericht von 1917 einen Exkurs ein, der in der ungewohnten Form der zweiten Person Singularis gehalten ist und abermals das Entsetzen evoziert. Er fehlt in späteren Fassungen.

»Du kauerst zusammengezogen einsam in deinem Erdloch und fühlst dich einem unbarmherzigen, blinden Vernichtungswillen preisgegeben. Mit Entsetzen ahnst du, daß deine ganze Intelligenz, deine Fähigkeiten, deine geistigen und körperlichen Vorzüge zur unbedeutenden, lächerlichen Sache geworden sind. Schon kann, während du dies denkst, der Eisenklotz seine sausende Fahrt angetreten haben, der dich zu einem formlosen Nichts zerschmettern wird. Dein Unbehagen konzentriert sich auf das Gehör, das das Heranflattern des Todbringers aus der Menge der Geräusche zu unterscheiden sucht... Ja, warum springst du nicht auf und stürzt in die Nacht hinein, bis du in einem sicheren Gebüsch wie ein erschöpftes Tier zusammenbrichst? Warum hältst du noch immer aus, du und deine Braven? Kein Vorgesetzter sieht dich. – Und doch beobachtet dich jemand. Dir selbst vielleicht unbewußt, wirkt der moralische Mensch in dir und bannt dich durch zwei mächtige Faktoren am Platze: die Pflicht und die Ehre.« (SG 162)

Wäre nur der moralische Mensch von Pflicht und Ehre der »Übermensch«, so bliebe zwar Nietzsches Figur noch immer mißverstanden, doch wenigstens in erträglichen Dimensionen. In Wahrheit denkt Jünger einen Elitetypus, verkörpert in »jungen Offizieren«, der die »Masse« verachtet. Selbst da fänden sich Lineaturen zu Nietzsche.[15] Aber nicht mehr in Sätzen, die in späteren Versionen getilgt sind: wo Jünger »mit der gesteigerten Freude des Weidmannes« bemerkt, daß mehr als 150 Engländer gefangen wurden; wo es heißt: »In die Zwickmühle geratene Engländer versuchten, über freies Feld zu entkommen und wurden niedergeschossen wie bei einer Treibjagd.« (SG 209) – Ein Typus soll gezeigt werden, der, »in übermenschliche Landschaften verschlagen«, fähig ist, ihnen seinen Willen zur Macht aufzuprägen. Dabei dürfen ihm keinerlei Rücksichten oder Bedenken die Durchführung seiner »Arbeit« verschatten. Worin diese letztlich besteht, worauf sie ausgerichtet ist, läßt der Verfasser offen, und es bleibt ihm post festum, nach der Niederlage von 1918, auch nicht viel anderes übrig. Erst in den späten Kapiteln der »Stahlgewitter« offenbart das Tagebuch eigentümliche Ambivalenzen und Widersprüchlichkeiten. Es wäre ein leichtes gewesen, die letzte, von Ludendorff angestrengte Offensive vom Frühling 1918 in den zeitgeschichtlichen Zusammenhängen wenigstens umrißhaft darzustellen. Sie ist für Jünger lakonisch bloß »Die große Schlacht«. Indem er den Akzent auf den Vorgang – man möchte sagen: in seiner Unbedingtheit legt, vermeidet er, von den Folgen und der Niederlage sprechen zu müssen. Sie kann nicht gänzlich verschwiegen, doch mit feinen Andeutungen einer Dolchstoß-Legende relativiert werden; nicht den deutschen Soldaten, noch viel weniger den »jungen Offizieren« ist Schuld am verpaßten Sieg zu geben.

Die Stilisierung ist indessen so offensichtlich, daß sie – sieht man einmal vom antidemokratischen Effekt bei jenem Publikum ab, das der Republik feindlich gesinnt war – keiner wirkungsgeschichtlichen

Aufschlüsselung bedarf. Hätte Jünger mit den »Stahlgewittern«
bloß die Mythisierung eines nationalen Krieges beabsichtigt, wäre
das Werk längst vergessen. An diesem Punkt ist ein Text, ursprünglich als Rede gehalten, zu zitieren, dessen Verfasser nicht deutsch-
nationaler Umtriebe verdächtigt werden kann. Im November 1914
hielt Georg Simmel, vor kurzem an die dortige Universität berufen,
in Straßburg eine Ansprache zum Thema »Deutschlands innere
Wandlung«. Simmels Gedanken, auf den ersten Blick im Stil den
Antworten von Hofmannsthal und Thomas Mann auf die Rundfrage
der Stockholmer Zeitung nach der Bedeutung des Krieges verwandt,
erwiesen sich als von härterer Formung. Der Soziologe sprach von
einem Abgrund, der den älteren Zeitgenossen sich auftun mußte,
wenn sie das späte 19. Jahrhundert mit ihrer Gegenwart verglichen.
Die Jugend freilich habe »zu wenig schon erworbenen Lebensstoff,
um mit den Bindungen, unter denen er erworben ist, verwachsen zu
sein; sie wird sich in einheitlicher Anpassung an die neue Basis entwickeln«.[16]

Auch da das Wort von der Anpassung. Für Simmel war sie auf ein
Leben ausgerichtet, das eine »neue Organisierung« vornahm und
seine »Ganzheit« änderte. Die Zäsur von 1914 erhielt weltgeschichtliche Dimensionen. Vor allem werde das Verhältnis von Individuum
und Gesamtheit umgeformt, »dessen begrifflicher Ausdruck schwierig oder widerspruchsvoll ist und dessen reinste Anschaulichkeit der
Krieger im Felde ist: daß gleichsam der Rahmen auch des individu-
ellsten Lebens durch das Ganze aufgefüllt ist«.[17] Lange bevor ihn
Jünger als epochale Figur entdecken konnte, erhob ein Professor
den *Krieger* zum Symbol der neuen Zeit. Daß Simmel nicht den Soldaten nannte, mag als Zeichen seiner phänomenologischen Sensibilität gesehen werden: je abstrakter, je bindungsloser der neue
Mensch verstanden wurde, um so eher ließ er sich auch als »Arbeiter« in anderen Tätigkeitsbereichen beobachten. Simmel streifte
auch die Vorgeschichte der »Wende« – das »Transzendentwerden
des goldenen Kalbes« als Herrschaft des Materialismus »in unseren
großen Städten«, ferner das schon von Burckhardt beklagte »sinnlos
werdende Spezialistentum« –, bevor er den Krieg zum »Entweder-
Oder« hypostasierte. Wer nicht mitbauen könne am neuen Deutschland, müsse beiseite stehen. Die Ereignisse hätten zu einer »absoluten Situation« geführt. Der Anthropologe versagte sich die

geschichtsphilosophische Vision, indem er sie ganz den Möglichkeiten des Menschen anheim gab. »Seit einer Reihe von Jahren gehen die geistigen Bewegungen in Deutschland, wie aus der Ferne freilich, fragmentarisch, mehr oder weniger bewußt, auf das Ideal eines neuen Menschen zu.«[18] Simmel hatte ausreichend idealistische Bildung, ihn nicht »in concreto« realistisch sich vorzustellen, vielmehr als Idee, »wie der ›natürliche Mensch‹ Rousseaus es war«. Aber er konnte sich auch nicht der Einsicht in die Bedingungen verschließen, die den neuen Menschen soziologisch und geschichtlich flankierten; die Technik der modernen Arbeit rangiert dabei an prominenter Stelle.

Jünger war Simmels Straßburger Rede seit ihrer Publikation mit anderen Texten im Jahr 1917 theoretisch zugänglich. Doch auf eine Wirkungsgeschichte im strengen Sinne kann es dabei um so weniger ankommen, als solche Erwägungen in der Luft der Zeit lagen. Der Autor der »Stahlgewitter« hatte dabei trotz verspäteter Zeugenschaft einen suggestiven »Vorsprung« gegenüber dem Akademiker; er hatte das »Ideal«, den »Krieger«, in der Aktion erlebt, war Teil von ihm. Diesen authentischen Blick in den »Abgrund« ließ er sich nicht nehmen.

Auch in den »Stahlgewittern« ist es der »Krieger«, der symbolhaft die Zeitwende repräsentiert. Zusehends verschwimmen ihm aber die konkreten Ziele, und zumal seit der letzten deutschen Offensive, der »großen Schlacht«. In diesem Kapitel hebt indessen – parallel zu der sich abzeichnenden Niederlage – seine Mythisierung zum »Arbeiter« an. Es ist fraglich, ob sich Jünger dieser gedanklich-literarischen Überformung der Typusbildung ganz bewußt war. Er schildert zu Beginn des Kapitels den Niedergang und die Folgen einer Granate, die mitten in seiner Gruppe einschlägt. »Halb ohnmächtig richtete ich mich auf. Aus dem großen Trichter strahlte unsere in Brand gesetzte Maschinengewehrmunition ein intensives rosa Licht. Es beleuchtete den schwelenden Qualm des Einschlages, in dem sich ein dichter Haufen schwarzer Körper wälzte, und die Schatten der nach allen Seiten auseinanderstiebenden Überlebenden. Gleichzeitig ertönte ein vielfaches, grauenhaftes Gebrüll und Hilfegeschrei... Vor einer halben Stunde noch an der Spitze einer kriegsstarken, ausgezeichneten Kompagnie, irrte ich nun mit wenigen, seelisch vollkommen deprimierten Leuten durch das Grabengewirre. Ein blutjunges Milchgesicht, das vor einigen Tagen noch, von seinen Kameraden verspottet, beim Exerzieren der schweren Munitionskästen wegen geweint hatte, schleppte nun diese Last, die es aus der furchtbaren Szene gerettet hatte, getreulich auf unserem mühsamen Wege mit. Diese Beobachtung gab mir den Rest. Ich warf mich zu Boden und brach in ein krampfhaftes Schluchzen aus, während die Leute düster um mich herumstanden.« (SG 219f./1, 234f.) Der Schock präludiert die Wut des folgenden Sturms auf die feindlichen Linien. Sie hat, zum letzten Mal, ihr eigentliches Ziel, den Sieg. Gäbe es Momente, in welchen die Zeit schlagartig das Ganze der Welt dem Wunsch nach völliger Beherrschung zur Verfügung gibt, sie müßten von der Gewißheit begleitet sein, die Jünger in einem einzigen Satz formuliert: »Es ging um den Besitz der Welt.« (SG 226)

Sucht man ihn in der Stuttgarter Ausgabe der »Sämtlichen Werke«, so heißt es: »Es ging um die Zukunft der Welt.«[19] Die Differenz ist entscheidend. Der gemilderten Spätfassung, in der das Geschehen wieder auf die Zeitachse zurückgebracht ist, steht das frühe Bild vom Weltbesitz gegenüber. *Die* Welt zu haben, ein für allemal, der Sorge ihres ständigen Entgleitens im Maß der vorrückenden Lebenszeit enthoben zu sein: die Sehnsucht ist der schärfste Reflex des urgeschichtlichen Anfangs einer komplett zuhandenen Lebenswelt. Man darf sie nicht bloß als politische Vision sehen. Für die erweiterte Lesart liefert der Verfasser selbst Hinweise, wenn nämlich von den Enttäuschungen die Rede ist, die der Erfahrung der Unerfüllbarkeit folgen. Im vorletzten Kapitel, »Englische Vorstöße«, bekennt Jünger, mittlerweile von einer »Dekadenz« des kriegerischen Empfindens heimgesucht zu werden. Den Grund dafür glaubt er »in der übermäßigen Länge gesteigerten Erlebens« zu sehen; die ständig in Bereitschaft gehaltene Anspannung der Nerven führt schließlich zur Abstumpfung, wo sie der Tat ermangelt, die das geschichtliche mit dem persönlichen Schicksal sinnhaft zu harmonisieren vermocht hätte. – An dieser Stelle schlägt der Sinnlosigkeitsverdacht durch. Er wird behutsam artikuliert, indem das Geschehen im Feld empfindungsmäßig einer *Entgeschichtlichung* unterworfen ist. Die »Welt« entzieht sich dem Griff nach ihrem Besitz. »Ewig Krieg, ewig Gefahr, alle Nächte von Feuer durchzuckt. Die Jahreszeiten lösten sich ab, es wurde Winter und wieder Sommer, und man lag immer im Kampf. Man war müde geworden und an das Gesicht des

Krieges gewöhnt, aber gerade aus dieser Gewöhnung heraus sah man das Geschehen in einem gedämpften und vergeistigten Licht. Man wurde nicht mehr so durch das Äußerliche geblendet. Der Krieg warf seine tieferen Rätsel auf. Es war eine seltsame Zeit.« (SG 255/1, 271) Dazu ergänzt Jünger in späteren Fassungen einen präzisierenden Satz:»Auch spürte man, daß der Sinn, mit dem man ausgezogen war, sich verzehrt hatte und nicht mehr zureichte.«[20]

Was bleibt, nachdem auch die »elementare Äußerung deutscher Kraft« der Sommeroffensive 1918 ihren Adressaten nicht hinreichend gefunden hat? Die Geschichte kehrt im Bild ihres Zeugen zu naturalen Rhythmen zurück. Hätte er bloß die Stimmung der letzten Kriegsmonate charakterisieren wollen, er hätte nicht davon sprechen dürfen, daß es Winter und wieder Sommer wurde. Für den Soldaten war damals schon Sommer – zum letzten Mal –, und den Winter erlebte er schon in Hannover. Doch im Rückblick der »Stahlgewitter« gelten solche Wahrheiten wenig. Der Kreisgang der Ewigkeiten, dem Nietzsche im »Zarathustra« für Generationen von der Geschichte Enttäuschter und Abgefallener die scheinbar so einfachen Verse gewidmet hatte, ordnet sich den Krieg als ganzen unter. Dabei kann auch ein anderer mythischer Gedanke auftauchen.»Immer im Kampf«: unter solcher Belastung ist der Typus des Kriegers – mit Jünger zu sprechen – gehärtet worden. Erst wenn er nicht mehr nach dem historischen Ziel fragt, erfüllt er seine Aufgabe rein; dann kann er auch mit dem »Landsknecht« und selbst mit der Figur des Fliegers, dessen von der Technik bestimmter Korpsgeist die nationalen Trennungen überspringt, verglichen werden. In allen hat sich eine Funktion kristallisiert: das Handwerk des Tötens als Arbeit. Was Simmel undeutlich aufgegangen war, als er aus der Studierzimmerdistanz der Modernität der Epoche des Weltkriegs nachsann, daß nämlich für die Formung des noch idealistisch so bezeichneten »Lebensprozesses« nunmehr die Arbeit als »unmittelbares Element« hinzugehöre, erfaßt Jünger näher an den Dingen. Er kann den historischen Sinn preisgeben oder mindestens als verdunkelt ansehen, wenn nur der »neue Mensch« die Faktizität der Niederlage überwindet. Seine Energien rüsten ihn noch für ganz andere Ausgriffe. Je mehr sich der Autor einer Analytik des Kriegs verweigert, um so leichter fällt ihm das immer wiederholte Porträt des Kämpfers, das oft genug im Selbstporträt endet.

Es ist vielleicht ein unbeabsichtigter Effekt der Ironisierung dieses Selbstporträts, wenn Jünger berichtet, daß er in den Tagen vor seiner letzten Verwundung, schon angeschlagen, Sternes »Tristram Shandy« im Schützengraben las. Der Hinweis – übrigens der einzige im gesamten Tagebuch auf ein literarisches Werk – sollte viel eher die inzwischen verbreitete Gleichgültigkeit gegenüber den militärischen Operationen zum Ausdruck bringen. Der »Krieger« würde sich solche Exile wohl kaum leisten. Aber an seiner Idealtypik ändert sich nichts. Im Gegenteil gilt es, die Ausbildung fortzusetzen. Am Ende der »Stahlgewitter« gibt sich die Richtung zu erkennen, die für die folgenden Werke verbindlich wird. Jünger unterscheidet zwischen einer inzwischen selbstbewußten Elite und den »Mitläufern«. So verdunkelt sich ihm vorerst der Blick auf den »Arbeiter«. Was er zwischen 1914 und 1918 schärfer hätte wahrnehmen können: die wachsende Funktionalisierung des Menschen im Maß komplex gewordener Arbeitsvorgänge, schmilzt er in einfachere Alternativen ein. Eine später der Selbstzensur preisgegebene Passage gilt dem Mitläufer: »Ein Mann, dessen innerer Wert nicht über jeden Zweifel erhaben ist, muß bis zum Stumpfsinn gehorchen lernen, damit seine Triebe auch in den schrecklichsten Momenten durch den geistigen Zwang des Führers gezügelt werden können.« (SG 268) Zur Elite findet sich ein Passus in der Fassung letzter Hand: »Für den eigentlichen Stoß konnte man nur noch auf wenige Leute rechnen, die sich indessen zu einem Schlag von besonderer Härte entwickelt hatten...«[21] Es sind die Wenigen, die in einer metaphorisch zur Natur um- und zurückstilisierten Kriegslandschaft den Daseinskampf weitertragen.

Am 1. Dezember 1942 notiert André Gide in sein »Journal«: »Le livre d'Ernst Jünger sur la guerre de 14, *Orages d'Acier*, est incontestablement le plus beau livre de guerre que j'aie lu; d'une bonne foi, d'une véracité, d'une honnêteté parfaites.«[22] Dem Lektürekommentar eines jedenfalls nicht unpolitischen Schriftstellers war die persönliche Pariser Begegnung mit dem Autor der »Stahlgewitter« vorangegangen. Daß Gide den Akzent auf Wahrhaftigkeit und Aufrichtigkeit legte, ohne den heroischen Gestus und die Überhöhungen als störend zu empfinden, war vielleicht weniger das Verdienst Jüngers; die Zeit hatte das Buch inzwischen historisch eingeholt. Einem Zeugen des Zweiten Weltkriegs blieb es nur noch in seinem ästhetischen Anspruch gegenwärtig – und natürlich im Pathos der Autorschaft. Für letzteres hatte Jünger gesorgt: die »Stahlgewitter« lassen den geschichtlichen Vorhang im Augenblick der letzten Verwundung und der Verleihung des Ordens »Pour le mérite« niedergehen. So wird der Krieg auf die persönliche Lebenslinie abgestimmt.

Frühe Essayistik – »Der Kampf als inneres Erlebnis«

1919 dient Jünger als Zugführer im Reichswehr-Infanterieregiment 16 in Hannover. Es kommt zu »Einsätzen« im Landesinneren gegen »Schmuggler«, wohl eher gegen revolutionäre Kommandos. Im März 1920 wird das Bataillon gegen die sogenannte Welfenpartei geschickt, die nach dem Kapp-Putsch ihre Autonomiebestrebungen durchzusetzen versucht. Mittlerweile ist Jünger Mitarbeiter bei der Heeresvorschriftenkommission in Berlin, wo seit 1921 sein zweites Buch entsteht und 1922 erscheint. Die essayistische Schrift »Der Kampf als inneres Erlebnis« ist dem Bruder Friedrich Georg gewidmet.

Es gibt einen als »Rede« deklarierten Text von Gottfried Benn, der ungefähr aus demselben Zeitraum stammt. Benn ließ ihn 1920 in Heft 12 der »Tribüne der Kunst und der Zeit« veröffentlichen und bezeichnete ihn 1933 als »Jugendarbeit«: »Sie ist jugendlich, das heißt individualistisch und extrem.«[23] Der Lyriker der »Morgue« machte sich im expressionistischen Stil Gedanken zur Gegenwart, immer ein – reales oder imaginäres – Publikum von jungen Studenten im Blick, denen er die »Katastrophe« von 1918 zunächst mit metaphorischen Klischees ausdeutete. Zur geschichtsphilosophischen Entwicklung des Fortschritts, wie sie noch nicht allzu lange Comte definitiv festgelegt zu haben glaubte, fiel ihm nur ein Ausruf ein. »Fades Dakapo! Ach, die Idee der Geschichte.«[24] Ihr hielt der Geschichtsverächter Bergsons Prinzip vom »élan vital« entgegen. Doch nicht entelechetisch durfte es verstanden werden, als Ausfaltung dessen, was, in der »Urkraft« eingeschlossen, nur noch der planvollen Verwirklichung harrt, sondern »als das Prinzip, das… auf den vorhandenen Grundlagen schöpferisch das Unberechenbare erbaut«.[25] Benn folgte – wie später Jünger – entschlossen Nietzsches Distinktionen. Dem »Mitmenschen«, dem »Mittelmenschen«, dem

»Kleinen Format« stellte er das »autonome Ich« entgegen und dessen imaginative Potenzen. Freilich witterte der Skeptiker auch da noch Entelechetisches und Evolution. Indem er den *Weg* erinnerte, auf dem das Ich »Zug für Zug jenen Gedanken des Subjektivismus in sich bildet, daß die ganze äußere Welt als ein inneres Erlebnis ihm gegeben ist«[26], lieferte er mit der Formel vom »inneren Erlebnis« ein Stichwort, das Jünger zur zweiten Titelhälfte seines Essays machen konnte; aber er zerschlug auch diese Entwicklung von Augustinus bis zu Kants Erben, um das moderne Ich am Ende dem »Mittag« der dionysischen Räusche und Entgrenzungen zu überlassen. Hier sollte die schöpferische Inkommensurabilität aus »stygischer Flut« hervorbrechen können.

Auch Jünger läßt in seiner Schrift »Der Kampf als inneres Erlebnis« Bilder antiker Autoren anklingen. Ihm schmelzen – in der Einleitung – den Versen Ovids getreu die Formen ein, auf daß Neues sich gruppiere; mit dem präzisierenden Gegenwartsbezug: »in tausend Hochöfen«. Darauf wandelt der Autor das Wort von Heraklit ab. »Der Krieg ist es, der die Menschen und ihre Zeit zu dem machte, was sie sind.«[27] Und endlich folgt er Zarathustra, wenn er, nochmals den Krieg evozierend, schreibt: »Zwar haben wir ihn überwunden, wie der Sohn seinen Vater überwindet und überragt, doch bleibt er in uns, versteinertes Gebirge, von dem wir talwärts schreiten, Neuland zu suchen.« (KiE 2) Mit wenigen unwirschen Sätzen hatte Benn die Idee einer geschichtlichen Erfahrung abgetan. Was Jünger sich vornimmt, ist nicht weniger als das Porträt des »modernen Ich« unter den Bedingungen des kriegerischen Erlebens. Dafür reichen poetische Metaphern nicht aus. Es bedarf der Konjekturen, die aus dem Spannungsverhältnis der Zeit zu gewinnen sind.

Vor dem Krieg habe das Leben in der Großstadt »jede Stunde eine Neuigkeit« signalisiert; der Fortschritt schien »uns Vollendung, die Maschine der Gottähnlichkeit Schlüssel«. »Im Schoße versponnener Kultur lebten wir zusammen, enger als Menschen zuvor, in Geschäfte und Lüste zersplittert, durch schimmernde Plätze und Untergrundschächte sausend, in Cafés vom Glanze der Spiegel umstellt, Straßen Bänder farbigen Lichtes, Bars voll schillernder Liköre, Konferenztische und letzter Schrei, jede Stunde eine Neuigkeit, jeden Tag ein gelöstes Problem, jede Woche eine Sensation, eine große überdröhnte Unzufriedenheit am Grund.« (KiE 2/7, 12) Nachher, nach Kriegsbeginn, ist alles anders. Die Politur der Zivilisation wird brüchig, und es zeigt sich ein anderer Mensch: »... unter allen Gewändern, mit denen wir uns wie Zauberkünstler behingen, blieben wir nackt und roh wie die Menschen des Waldes und der Steppe.« (KiE 3/7, 12) »Versäumtes« ist es, nämlich die kulturelle Sublimation der Triebe, wofür sich der »wahre Mensch« »in rauschenden Orgien« kriegerisch entschädigt. In dem Essay spitzt Jünger die schon in den »Stahlgewittern« thematisierte Frage zu, in welchen physischen und psychischen Situationen der Mensch gleichsam auf sich selbst in seiner Ur-Verfaßtheit zurückgelangt. Er beschreibt damit eine Entelechie; allerdings eine, die den Prozeß fortschreitender Humanität und Vernunft rückwärts buchstabiert. Er *beschreibt* sie: in einzelnen Sequenzen und Bildern; denn nicht als Geschichte soll sie erzählt werden (wofür ihm Vico das passende Schema längst vorgezeichnet hätte), vielmehr gezeigt werden in Erlebnismomenten. Das Zeitgefüge der epischen Verknüpfungen, schon im frühen Tagebuch tendenziell erschüttert, ist nun vollends gesprengt. Dreizehn Kapitel mit Überschriften wie »Blut«, »Grauen«, »Eros«, »Kontrast« oder »Angst« gliedern den Text.

Der erste Kontrast ist der in der Einleitung herauspräparierte zwischen einer dämonisierten Stadt-Kultur und der Landschaft des Kriegs, aus deren Perspektive der Fortschritt eigentümlich als Dekadenz erscheint. Das Bild von den Metropolen des Lasters ist biblisch. Aber erst seit der Romantik gewinnt es seine spezifische Aura für das zivilisationskritische Bewußtsein vom Elend der Moderne: die Stadt ist der Moloch der Gleichgültigkeit und zehrt an der individuellen Substanz. Visionen der Leere entwarf De Quincey, als er 1813 in seinen »Confessions of an English Opium-Eater« das nächtliche London beobachtete. 1840 gab Poe mit der Parabel »The Man of the Crowd« das eindringliche Porträt des Massenmenschen. Baudelaire vollendete die Metaphorisierung in den Prosaskizzen des »Spleen de Paris«. Für die Haltung der Abwehr gegenüber den Versuchungen fand erst Nietzsche das wirkungsvolle Gleichnis. Der dritte Teil des »Zarathustra« enthält das Stück »Vom Vorübergehen«. »Also, durch viel Volk und vielerlei Städte langsam hindurchschreitend, gieng Zarathustra auf Umwegen zurück zu seinem Gebirge und seiner Höhle. Und siehe, dabei kam er unversehens auch an das Stadtthor der *großen Stadt*...« »Alle Lüste und Laster« seien hier zu Hause, meldet ihm vor den Mauern der Narr. Zarathustra geht an der Stadt vorüber; die Antwort an den Narren ist eine »Lehre«: »Mich ekelt auch dieser großen Stadt und nicht nur dieses Narren. Hier und dort ist Nichts zu bessern, Nichts zu bösern. Wehe dieser großen Stadt! – Und ich wollte, ich sähe schon die Feuersäule, in der sie verbrannt wird! Denn solche Feuersäulen müssen dem großen Mittage vorangehn. Doch diess hat seine Zeit und sein eigenes Schicksal. – Diese Lehre aber gebe ich dir, du Narr, zum Abschiede: wo man nicht mehr lieben kann, da soll man – *vorübergehn!*–«[28]

Es ist diese illusionäre Welt der »Geschäfte und Lüste«, der Jünger auf Nietzsches Spuren die Entfremdung nachweist. Man darf das Wort ganz konkret, nämlich entwicklungsgeschichtlich, verstehen. Im ersten Kapitel des »Essays«, betitelt »Blut«, handelt der Verfasser weniger vom Krieg als von einer hypothetischen Urgeschichte des Menschen, da er noch eingeflochten war »an das Wurzelwerk des Urwaldsumpfes, dessen gärende Wärme seinen Urkeim gebrütet«. Dieses Anfangs kann er niemals ganz entraten; im Krieg wird der residuale Grund des Tierischen nur besonders heftig reaktiviert. Daß »das menschliche Geschlecht« ein »geheimnisvoller, verschlungener Urwald« sei, daß es dem »Schlammboden« entstamme, solche und ähnliche Metaphern konnte Jünger in der Literatur der Epoche wie in den Ausfaltungen des philosophischen und biologischen Vitalismus zuhauf entdecken. Sie galten – wie das »Blut« – synonym für das »Leben«. Im ersten seiner zwei »Gesänge«, die am 26. Februar 1913 in der »Aktion« veröffentlicht wurden, dichtete Benn prophetisch: »O daß wir unsere Ururahnen wären. / Ein Klümpchen Schleim in einem warmen Moor. / Leben und Tod, Befruchten und Gebären / glitte aus unseren stummen Säften hervor.«[29] Jahrzehnte später bekennt Jünger, von den Versen schon als junger Mann fasziniert gewesen zu sein.[30] – Was Benn als scheinbar nie mehr verfügbare Vergangenheit der Sehnsucht auslieferte, bekam schon ein Jahr später greifbare Kontur: eine »Lebenswelt« ohne zivilisatorische Verstellungen durch Fortschritt und Vernunft, einfach eingerichtet nach dem Prinzip des Daseinskampfs.

Eben diese Angleichung der kriegerischen Wirklichkeit von 1914 bis 1918 an die gedachte des »Urmenschen« ist ein Leitthema von Jüngers Essay. Der expressionistische Stil mag über das spekulative Pensum hinwegtäuschen, es hält sich gleichwohl in den Tiefenstrukturen. Dabei kehren Widersprüche in die »Theorie« ein. Jünger denkt·entelechetisch; nicht nur Kulisse ist, was »in den Jahrtausenden« an Kultur hervorgebracht wurde. Andererseits drängt, wenn das Leben periodisch »auf seine Urfunktionen« sich einstellt, wieder der »Urmensch« hervor.

»Zwar hat sich das Wilde, Brutale, die grelle Farbe der Triebe geglättet, geschliffen und gedämpft in den Jahrtausenden, in denen Gesellschaft die jähen Begierden und Lüste gezäumt. Zwar hat zunehmende Verfeinerung ihn geklärt und veredelt, doch immer noch schläft das Tierische auf dem Grunde seines Seins. Noch immer ist viel Tier in ihm, schlummernd auf den bequemen, gewirkten Teppichen einer polierten, gefeilten, geräuschlos ineinandergreifenden Zivilisation, verhüllt in Gewohnheit und gefällige Formen, doch wenn des Lebens Wellenkurve zur roten Linie des Primitiven zurückschwingt, fällt die Maskierung; nackt wie je bricht er hervor, der Urmensch, der Höhlensiedler in der ganzen Unbändigkeit seiner entfesselten Triebe.« (KiE 7/7, 15)

Der modernen Wiederholung der tierischen Anfänge eignet freilich eine Spannung, und zwar in der Form der Reflexion. Nur noch – und dieses »noch«, die Intermission, kann später als »Schwindel« oder »Abenteuer« erkenntnishaft gedeutet werden – in den Momenten, wo die »Wollust des Blutes« beherrschend wird, vergißt der Mensch seine Geschichte. Das *Entsetzen* darüber ist der Augenblick des Erwachens, da ihm die Ursprünge bewußt werden; er sieht sein »Ebenbild«. Und so wird, anknüpfend an das Bild in den ersten Kapiteln der »Stahlgewitter«, das *Grausige* definiert als »die sekundenlange Erscheinung seines Ebenbildes«. (KiE 8/7, 16) Das hat eine lange ästhetische Vorgeschichte. Ohne sie im einzelnen seit dem romantischen Motiv des Doppelgängers rekonstruieren zu wollen, muß doch an einen Autor erinnert werden, dessen Schriften entscheidend auf Jüngers Frühwerk eingewirkt haben.[31] In der Erzählung »William Wilson« (1840) läßt Poe den Helden, ohne daß er dies beabsichtigt hätte, sich selbst ermorden. Der vermeintliche Feind gibt sich in einer Szene des *Entsetzens* als Wilson zu erkennen.

»Im gleichen Augenblick probierte Jemand außen die Klinke der Tür. Ich beeilte mich, eine unberufene Einmischung zu verhindern; und kehrte dann unverzüglich zu meinem sterbenden Widersacher zurück. Aber welche von

Menschen gesprochene Sprache kann *das* Erstaunen, *das* Entsetzen annähernd wiedergeben, das bei dem Schauspiel, das sich meinem Auge itzt darbot, Besitz von mir ergriff? Der kurze Zeitraum, wo ich den Blick abwandte, hatte anscheinend hingereicht, eine durchgreifende Veränderung der Zimmereinrichtung am oberen, entfernteren Ende zu bewirken. Ein hoher Spiegel – so schien es mir zuerst in meiner Verwirrung – stand nunmehr dort, wo vordem keiner sichtbar gewesen war; und als ich, in einem Übermaß von Grausen, darauf zutrat, kam mir mein eigenes Bild entgegen, aber ganz bleich im Gesicht und blutbespritzt, auch schwächlichen, wankenden Ganges.«[32]

Schon bei Poe transzendiert die Psychologie den Realismus der Schauermär, und die Geschichte wird nicht logisch aufgelöst; in dem sterbenden Gegenüber blickt das Ich zurück, der Mensch. – Man muß hier einen Satz aus dem Finale der »Stahlgewitter« zitieren: »Erst, wenn Blut geflossen ist, weichen die Nebel aus seinem Hirn; er sieht sich um wie aus schwerem Traum erwachend.« (SG 235) Im Essay findet das seine direkte Fortsetzung: »Er starrt um sich, ein Nachtwandler, aus drückenden Träumen erwacht. Der ungeheuerliche Traum, den die Tierheit in ihm geträumt in Erinnerung an Zeiten, wo sich der Mensch in stets bedrohten Horden durch wüste Steppen kämpfte, verraucht und läßt ihn zurück, entsetzt, geblendet von dem Ungeahnten in der eigenen Brust, erschöpft durch riesenhafte Verschwendung von Willen und brutaler Kraft.« (KiE 10/7, 17 f.) Als Traum soll abgemildert werden, was zugleich in den Ereignissen des Kriegs sich realistisch wiederholt: die »Urszene« des Tötens, der Brudermord, den in der Aufhellung des Erkennens das Entsetzen begleitet. – Nicht zu allen Zeiten bedeutet der Rückgriff auf mythische Anfänge dasselbe. Das Bedürfnis nach einer Genealogie der Gewalt zeitigt in der Literatur nach 1918 spezifische Antworten. Einem konservativen Denken, dem der Weltkrieg die Idee fortschreitender Zivilisierung endgültig verfinstert hat, kommt die Vorstellung zyklischer Einbrüche des »Tierischen« um so gelegener, als das anthropologische »Gesetz« suggeriert, von der Geschichte und den Niederlagen als von etwas Abgeleitetem abzusehen. So durfte sich Benn im Umgang mit der Historie als Zyniker gebärden. Mit solcher Indifferenz tut sich indessen schwer, wer wie Jünger dem Blutrausch denn doch auch die Prämie geschichtlicher Erfüllungen hinzudenkt. Daran hindert ihn schon die Beobachtung, daß der Tat der Schock, der Brutalität das Grauen als Bewußtseinsschmerz folgt. In diesem Hiatus offenbart sich auch der Zeitsprung zwischen der primordialen Lebenswelt und allen späteren Epochen, und am eindringlichsten wirkt er auf den Geist der Moderne, dem die Kultur längst Gewohnheit geworden ist. Ein Stück des »dunklen Lands«, »das hinter dem Bewußtsein liegt«, wie es in den »Stahlgewittern« heißt, schiebt sich in die Welt der Vernünftigkeiten vor. Man entschärft die Irritation, die aus Jüngers frühen Texten spricht, wenn man sie als letztlich ästhetische bezeichnet. Jeder Ästhetik sind Erfahrungen vorgelagert, ohne die sie nicht in Gang gebracht würde. Zwar heißt es in dem nächsten Kapitel des Essays, »Grauen«, daß nur ein Dichter, »ein poète maudit in der wollüstigen Hölle seiner Träume«, das Grauen des »Kontrasts« zwischen Leben und Vernichtung ermessen könne. (KiE 16/7, 22)

Aber der Hinweis ist bereits eine entlastende Stilisierung der Betroffenheit, die als Erlebnis noch absolut ist: »Der erste Tote, unvergeßlicher Augenblick, der Herzblut zu stockenden Eiskristallen zerfror.« (KiE 13/7, 20) Und etwas später: »In schwülen Nächten erwachten geschwollene Kadaver zu gespenstischem Leben, wenn gespannte Gase zischend und sprudelnd den Wunden entwichen. Am furchtbarsten jedoch war das brodelnde Gewühl, das denen entströmte, die nur noch aus unzähligen Würmern bestanden.« (KiE 15/7, 22)

Tote, die nicht begraben werden; in den »Stahlgewittern« schreibt Jünger: »So hatte uns neben vielen anderen Fragen auch die beschäftigt: Wie sieht wohl eine Landschaft aus, in der man die Toten über der Erde läßt?« (SG 20) Konnte er damals wissen, daß der Begründer der neuzeitlichen Geschichtsphilosophie als eines von drei Merkmalen des Kulturzustandes – neben der Religion und der Ehe – die Totenbestattung bezeichnet hatte? Aber in seiner »Scienza nuova« von 1744 gab *Vico* nicht nur Bestimmungen für die Zivilisiertheit des Menschen, sondern auch eine Theorie seiner Anfänge. Furcht vor den Erscheinungen der Natur, vor »schreckenerregenden Blitzen und Donner«, habe die ersten Kreaturen dazu bewegt, den Gedanken eines Gottes anzunehmen und in mythischen Bildern zu erweitern; so habe die göttliche Vorsehung den bestialischen Leidenschaften dieser verlorenen Menschen Form und Maß gegeben, und allmählich sei durch den freien Willen (»Sitz und Heimat aller Tugenden«) die Gesellschaft der Ordnungen von Familie und Staat entstanden. Doch nicht einen unendlichen Fortschritt leitete Vico daraus ab, sondern Niedergang und neuerliche Barbarei.

Die Idee des *ricorso*, des Kreislaufs, verweigerte dem cartesianischen Optimismus die Gefolgschaft und barg schon in der Epoche der Aufklärung kulturkritisches Potential. Übler als der barbarische Urzustand seien alle späteren Rückfälle im Maß der darauf verwandten Reflexion; die Dekadenz war *bewußt* geworden; sie mußte den Menschen nach Vico dazu führen, »die Städte zu Wäldern und die Wälder zur Wohnstatt« zu machen. – Es gibt Konjekturen des Denkens, die keiner nachweislichen Wirkungsgeschichte unterworfen sind, bloß den Bedürfnissen der Zeitdeutung zu entspringen scheinen. Vico selbst hätte sie als mythische Vorstellungen erklären können, mit deren Hilfe es dem Menschen gelingt, aus seinen Handlungen einen theoretischen Überschuß zu gewinnen. In Nietzsches Werk taucht der Verfasser der »Neuen Wissenschaft« nicht ein Mal auf, obwohl 1822 eine erste deutsche Übersetzung erschienen war. Erst über die Vermittlungen von Sorel und durch dessen Lehre von der Gewalt – die Arbeiterklasse sollte die dekadent gewordene bürgerliche Kultur aufbrechen und verjüngen – gewann Vico zunächst in Frankreich und Italien an Einfluß. In Deutschland erschien ein Auswahlband der »Scienza nuova« in einer Übersetzung von Erich Auerbach 1924.

Aber die Zeit war längst reif für Fragen nach dem Urmenschen und seinem neuerlichen Erscheinen, nachdem die Kulturzweifel des späten 19. Jahrhunderts den Blick wieder auf solche Anfänge gerichtet hatten. Seismographisch erfaßte Nietzsche das Strömungsgefälle nach der Seite des Tieres im Menschen hin, als er dem Positivismus wie dem Historismus der Epoche das Ende prophezeite. Der Mensch als das »noch nicht festgestellte Thier«: das durfte nun als ein lebenssteigernder Vorteil *gegenüber* geschichtlichen Zähmungen gesehen werden; die Formel nahm Arnold Gehlens Wort vom »Mängelwesen« um Jahrzehnte voraus. Im siebten Hauptstück der Schrift »Jenseits von Gut und Böse« ist der Gedanke geäußert, daß das Tier im Menschen nicht abgetötet, vielmehr »vergöttlicht« worden sei, indem die *Grausamkeit*, vergeistigt, sublimiert, die ästhetischen, religiösen und moralischen Affekte als Genuß am Leiden, als »überreichlichen Genuß auch am eigenen Leiden«, durchherrsche. »Es bleibt jenen späten Zeitaltern, die auf Menschlichkeit stolz sein dürfen, so viel Furcht, so viel *Aberglaube* der Furcht vor dem ›wilden grausamen Thiere‹ zurück, über welches Herr geworden zu sein eben den Stolz jener menschlicheren Zeitalter ausmacht, daß selbst handgreifliche Wahrheiten wie auf Verabredung Jahrhunderte lang unausgesprochen bleiben, weil sie den Anschein haben, jenem wilden, endlich abgetödteten Thiere wieder zum Leben zu verhelfen… Fast Alles, was wir ›höhere Cultur‹ nennen, beruht auf der Vergeistigung und Vertiefung der *Grausamkeit* – dies ist mein Satz; jenes ›wilde Thier‹ ist gar nicht abgetödtet worden, es lebt, es blüht, es hat sich nur – vergöttlicht.«[33]

Für Jünger bietet sich weniger die Grausamkeit denn das Grauen als ein Gefühl dar, das der Moderne die atavistischen Vergangenheiten anklingen läßt. Erst im Zusammenhang aber, richtiger: in der Dissonanz, da das Archaische in die Kultur eindringt, oder umgekehrt der kriegerischen Lebenswelt jäh ein Stück Zivilisation erinnert wird, erweist sich die Wirkung des Grauens. Sie kann, wie in der Erzählung des »alten Kriegers«, der, nach seinem »grausigsten Erlebnis« gefragt, folgende Geschichte gibt, die surrealistischen Träume vorwegnehmen. »Im Beginn des Krieges stürmten wir ein Haus, das eine Wirtschaft gewesen. Wir drangen in den verbarrikadierten Keller und rangen im Dunkel mit tierischer Erbitterung, während über uns das Haus schon brannte. Plötzlich, wohl durch die Glut des Feuers ausgelöst, setzte oben das automatische Spiel des Orchestrions ein. Ich werde nie vergessen, wie sich in das Gebrüll der Kämpfer und das Röcheln der Sterbenden das unbekümmerte Geschmetter einer Tanzmusik mischte.« (KiE 17 f./7, 24) Verdichtung des Ungleichzeitigen, differenter Welten im Zusammenprall des Erlebens weckt das Grauen, das immer dem Gefühl der Ortlosigkeit angenähert ist. Als epochaler Reflex gehört es dem allgemeineren Bewußtsein der Entfremdung zu: die Zeit nicht mehr zu besitzen, sondern ihren Sprüngen ausgeliefert zu sein. Insofern muß auch der Nihilismus als Beschleunigungsphänomen gesehen werden; kein kultureller Kontext trägt mehr als der Grund unbefragter Herkunft. – Doch nicht nur dem phänomenalen Nachweis solcher Verunsicherungen, prägnant erfahren in Situationen des Kriegs, gilt Jüngers Aufmerksamkeit. Solche Gegebenheiten erzwingen ihre geschichtsphilosophische »Erklärung«. Indem sie einem Prozeß eingegliedert werden, der trotz allem einen Sinn haben soll, verlieren die Schrecken ihren absoluten Charakter.

Dafür bedient sich der Autor zweier Metaphern. Die eine liest sich wie eine Paraphrase des von Vico erzählten hypothetischen Übergangs aus der Barbarei in den ersten Kulturzustand. Der Ausgangspunkt ist wieder das Grauen. »Dem Urmenschen war es steter, unsichtbarer Begleiter auf seinen Wanderungen durch die Unermeßlichkeit öder Steppen. Es erschien ihm in der Nacht, in Donner und Blitz und warf ihn mit würgendem Griff in die Knie, ihn, unseren Ahnen, der, seinen armseligen Kieselstein in der Faust, allen Mächten der Erde gegenüberstand. Und doch hob gerade dieser Augenblick seiner größten Schwäche ihn über das Tier hinaus. Denn das Tier kann wohl Schreck empfinden, wenn es verfolgt und in die Enge getrieben wird, doch das Grauen ist ihm fremd. Es ist das erste Wetterleuchten der Vernunft, Vorstufe der Religion.« (KiE 11/7, 18) Nur noch gestört, nicht endgültig wieder zurückgedreht kann dieser Vorgang der menschlichen Entwicklung werden. Ein zweites Bild erläutert ihn, indem ein Klischee der Epoche, nämlich die Mythe vom babylonischen Turmbau, gleichsam auf den Kopf gestellt wird. Benn hatte sie in ihrem biblischen »Realismus« verwendet. Für Jünger birgt sie einen utopischen Rest, die im Verhältnis zum Bibelgeschehen kontrafaktische Möglichkeit der Vollendung des Turms.

»Noch immer schaffen die Menschen an einem Turmbau von unermeßlicher Höhe, zu dem sie ein Geschlecht, einen Zustand ihres Seins mit Blut, Qual und Sehnsucht auf den anderen schichten. Langsam, unendlich langsam wachsen seine Quadern der Gottheit entgegen, lastend auf wilden Urgebirgen wie ein Sattel, auf den Rücken einer Bestie gezwungen. Noch ist das Bauwerk roh, eine große Gebärde, auf das unklare Ziel eines gelobten Landes gerichtet. – Wohl schwingt sich der Turm in immer steilere Höhe, seine Zinnen erheben den Menschen immer mehr zum Überwinder, geben seinem Blick immer größere, reichere Länder preis, doch schreitet der Aufbau nicht in ruhigem Gleichmaß fort. Oft ist das Werk bedroht, Mauern stürzen oder werden niedergerissen von Toren, Entmutigten, Verzweifelnden. Rückschläge längst bezwungen geglaubter Zustände, Ausbrüche elementarer Gewalten, die brodelnd kochten unter erstarrter Kruste, offenbaren die lebendige Macht uralter Kräfte. – So aufgebaut und geschweißt aus unzähligen Bausteinen ist auch der einzelne.« (KiE 6/7, 14f.)

Im Hinweis des Vergleichs, daß der Mensch in seinem Bauplan entwicklungsgeschichtlich dem gewaltigen Turmprojekt entspreche, ist

ihm eine Entelechie vorgezeichnet, die mit Nietzsches »Übermensch« anhebt und in Jüngers großem Essay über den »Arbeiter«
1932 ihre literarische Schlußfassung findet. Diese anthropologische
Bestimmung mündet in der vollendeten Geschichtsphilosophie. Ihr
hatte schon die Revolutionsarchitektur von Ledoux und Boullée
Bauwerke babylonischer Größe hinzugedacht, die – wie etwa Boullées monumentales Leuchtturmprojekt von 1785 – das geglückte
Unterfangen gesellschaftlicher Harmonisierung symbolisieren sollten. Ein Jahrhundert später wurde Rodins »Turm der Arbeit« von
den Zeitgenossen als »nouvelle Babel sans confusion« gefeiert.[34]
Schließlich begleitete die positive Babel-Metapher amerikanische
Architekturanstrengungen in den zwanziger und dreißiger Jahren
bis in die Kunst, die sie reflektierend darstellte. Auch in Blochs
»Prinzip Hoffnung« schlug das Pathos der Herausforderung durch,
wenn der Turm, Archetypus aller Bestrebungen, »die eine bessere
Welt abbilden«, als »herbste aller Bauphantasien« bezeichnet ist.[35]

Noch verbietet sich für Jünger, diese Vision zu Ende zu träumen.
Die nähere Wirklichkeit ist der »Graben« des Kriegs, dem ein weiteres Kapitel gewidmet ist. Schlafwandler seien die Soldaten,
»umschlossen vom Graben, seine Herren und Sklaven zugleich, in
Nacht verstossene Schar, eine Schiffsbesatzung, von Eisbergen
umtürmt« (KiE 22). Auch da ist ein geschichtliches Ereignis, die
Katastrophe des Untergangs der »Titanic«, zum Bild der Ausweglosigkeit metaphorisiert. Aber keine »Ewigkeit des Grabens«, wo noch
»im Schlafe die Hirne von lauerndem Schrecken umstellt« sind, fügt
den Krieger so unentrinnbar dem Rhythmus der Weltzeit ein, daß
nicht doch die »Triebe« einen Augenblick von Lebenszeit fänden, in
dem Entlastung geschieht. Es ist wirklich nur ein Augenblick, da –
in der Darstellung des Autors – der »Eros« sich zeigen darf. – Über
die Liebe hat Jünger kaum je geschrieben, und nie über ihre Psychologie. Sie ist ein Bedürfnis, natürlicherweise; als geschlechtliche
erfüllt sie eine Funktion. Aufschließend ist nicht, wie der Autor über
sie denkt, sondern wie er sie sprachlich faßt, denn immer stellt sie
ihn vor das Problem der Bewältigung. Man kommt nicht umhin, an
ein Buch, »Fragmente einer Sprache der Liebe«, von Roland Barthes
zu erinnern, in welchem der Semiologe zeigt, wie die schon vorfixier-
ten Codes, die Sprachgehäuse der Liebe, sie erst stiften.[36] Der Krieger einer »neuen Rasse«, geformt aus dem »Geist der Material-

schlacht«, hat keine Zeit mehr, die Partnerin in eine Geschichte zu verstricken. »Sie hatten keine Zeit zu langer Werbung, romanhafter Entwicklung.« (KiE 33/7, 38) Was für den Soldaten als Arbeiter gilt, soll auch für den Werbenden gelten. Er entwindet sich einer Bedrohung, die ihn eigentümlich an die Versuchungen der Kulturdekadenz erinnern könnte, indem er der »Liebe« das epische Vorspiel verweigert.

Wie sehr auch diese Reduktion als Verdrängung anmuten mag, sie hat ein literarisches Pendant für die Einsicht des Zeitverlusts. Hermann Broch, dem nicht vorgehalten werden kann, daß er psychologische Sensibilität einem heroischen Nihilismus geopfert hätte, beschreibt im ersten Teil seiner »Schlafwandler«-Trilogie von 1931/32 einen Kuß. »Es war ein Kuß, der eine Stunde und vierzehn Minuten dauerte.«[37] Doch nur im Zusammenhang des zeitgeschichtlichen Bogens, der von der Spätromantik über die Anarchie nach 1900 zur »Sachlichkeit« nach 1918 führt, erhält das ironisierte Ritual seine Bedeutung. Es gehört einem abgelebten Jahrhundert an und ist in den ersten Teil, »Pasenow oder die Romantik«, eingelassen. Während Broch sein erstaunliches Epos von der Herkunft in die Zukunft bewegt und dabei die Form schließlich in der Montagetechnik zerspringen läßt, weiß sich Jünger schon am Endpunkt, in Brochs Titel zum dritten Teil in der Epoche der »Sachlichkeit«. Nur noch von genealogischem Interesse ist, wie es dazu kommen konnte: durch den »Zerfall« der Werte, »deren Ineinandergreifen die Zeit in immer rasenderen Touren geschwungen«. »Verfeinerung des Geistes, zärtlicher Kultus des Hirns gingen unter in klirrender Wiedergeburt des Barbarentums.« (KiE 30/7, 35) Mindestens für die Liebe gilt, daß das Barbarische und das Sachliche kongruent sind. Der Ernte des Genusses, »sorglich auf die Felder der Jahre verteilt«, folgt deren Zerstörung durch die Kompressionen der Zeit. Sie empfehlen dem Soldaten die Konsumtion des Eros in den Abbreviaturen: »Hinein in die Brandung des Fleisches, tausend Gurgeln haben, dem Phallus schimmernde Tempel errichten. Soll der Schlag der Uhr auf ewig verstummen, so mögen die Zeiger noch rasch durch alle Stunden der Nacht und des Tages über das Zifferblatt schnurren.« (KiE 31/7, 36) In der physischen Enthemmtheit ist der Verzicht auf Begegnung beschlossen, die dem Schlachtfeld vorbehalten bleibt und nur dem Tod gilt.

Daß dieser Tod nicht vergeblich gewesen sein soll, ist ein Gedanke, der sich durch alle thematischen Erwägungen des Essays zieht. Er wird in dem Kapitel »Pazifismus« ebenso erörtert wie in jenem über »Mut«. Gegen die Idee des Pazifismus hält Jünger fest, daß der Krieg ein »Naturgesetz« sei, dessen »wahre Quellen« »tief in unserer Brust« sprängen. Über die Gefallenen – auch die gefallenen Gegner – heißt es, nicht einer sei »umsonst« gestorben. Die Natur kennt keine Vergeblichkeiten; ihr dient alles dazu, das Leben auszubalancieren. Doch kann der Autor nicht davon absehen, die existentielle Dramatik zu erinnern, die der Grenzwert des Todes im Bewußtsein des Soldaten gewinnt. Wieder ist es ein Vergleich mit dem *Spieler*, der den Einsatz, »das Ganze«, verdeutlichen soll. »Nichts Tathafteres als Sturmlauf auf Feldern, über denen des Todes Mantel flattert, den Gegner als Ziel. Das ist Leben im Katarakt. Da gibt es keine Kompromisse; es geht ums Ganze. Das Höchste ist Einsatz, fällt Schwarz, ist alles verloren. Und doch ist es kein Spiel mehr, ein Spiel kann wiederholt werden, hier ist beim Fehlwurf unwiderruflich alles vorbei. Das gerade ist das Gewaltige.« (KiE 50/7, 51 f.)

Von welcher Qualität ist dieses Ganze? Nicht mehr ist die Rede vom Besitz der Welt. Im Nachhall der Metapher vom Spiel beschreibt Jünger den Zustand des Kämpfers, nachdem das Entsetzen, das dem Sturmlauf folgte, wieder abklingt. »Lange floh sie auf ihren Pritschen der Schlaf, ihre Hände zitterten doch. So zittert der Spieler, von Leidenschaften durchspannt, wenn er im Morgengrauen durch leere Straßen schreitet, während noch das Schwarz und Rot der Kartenblätter vor seinen Augen tanzt.« (KiE 59/7, 59)

So wenig die Helden Stendhals und Dostojewskijs die Sensationen zu deuten vermögen, denen sie sich ausliefern, so unklar bleibt dem Soldaten der Beweggrund seiner Arbeit. Der Soldat ist auch darin mit dem Dichter identisch. In einem ausholenden Absatz legt Jünger dar, wie nicht der »kalte Verstand«, sondern das »Herz« denjenigen auszeichne, der von den Erlebnissen des Kriegs erzählt.

»Im Mut war diese Zeit so überreich wie keine. Mancher Hektor, mancher Achill blieb in den Nebeln der Feldschlacht. Auch sie werden ihren Homer finden. Nicht einen von den überklugen Literaten, die täglich ihr Fingerhütchen Gift verspritzen. Auch jene sind nicht berufen, die während des großen Rausches abseits in Genf oder Amsterdam am Feuerchen saßen und alles schon vorher wußten. Nicht das andere Erleben und nicht der kalte Verstand bezeichnen den Dichter, sondern das Herz, das zwischen allen Begeisterungen und Torheiten seiner Zeit im Strome treibend, unter den Strudeln und Wirbeln des Geschehens die göttliche Kraft errät und durch seine Kunst sich selbst und die Namenlosen ringsum erlöst. Verständnis ist alles. Künstler sein heißt alle Kräfte der Zeit bejahend umfassen, die Sonne der großen Liebe in sich tragen, die alles bescheint. Noch ist die Welt eiskalt.« (KiE 49)

Zum ersten Mal führt der Autor hier das »Herz« in einem emphatischen Sinn ein – als »Organ« der Erkenntnis mit dem Vorsprung der Authentizität gegenüber dem begrifflichen Wissen. Er schreibt damit eine Maxime von Vauvenargues weiter, daß jeder wahre Gedanke dem Herzen entspringe. Begrifflichkeit ist bereits eine Form der Distanz gegenüber der Welt, die für den Zeitgenossen des Weltkrieges wieder alle Inkommensurabilitäten des »Lebens« angenommen hat und nur »bejahend« umfaßt, gar »erlöst« werden kann. Auch da erhöht die Erinnerung an die Vorgeschichte dieser Zeugenschaft das Neue, und um so mehr, als ein autobiographischer Hinweis eingeflochten ist. Als Sohn einer durchaus vom Stoff überzeugten Epoche sei er in den Krieg gezogen, »ein kalter, frühreifer Großstädter, das Hirn durch die Beschäftigung mit Naturwissenschaften und moderner Literatur zu Stahlkristallen geschliffen«. Dann die Wende zum Herzen: »Ich habe mich sehr verändert und glaube, daß sich der Schwerpunkt meiner Erkenntnis dem Kern des Seins genähert hat. Mein Weltbild hat sich vertieft, aber an Schärfe verloren.« (KiE 82/7, 78) So muß von sich selbst Zeugnis geben, wer in der gelebten Vorwegnahme des Jahrhundertwerks »Sein und Zeit« nicht mehr die Vernunft, sondern die Gestimmtheit zum Kriterium des Aufschließens der Welt macht. Nicht als Ursache, sondern als »Äußerung« sei der Krieg zu begreifen, heißt es in dem Kapitel »Untereinander«. Im Verzicht auf die Kausalitäten bestätigt sich der Glaube an jenen »élan vital« Bergsons, der nur phänomenal zu erfassen ist.

Wo der Kulturzusammenhang als metamorph empfunden wird, ist es stets das »Andere« der Vernunft, das Konjunktur hat. Die Welt ist dann nicht mehr primär ein Thema des Verstehens, sondern der ewig entgleitende Gegenstand des Betrachtens, dessen Optik das Objekt schließlich surrealistisch überbietet: eine Welt wird hergestellt, da *die* Welt nicht mehr faßbar ist. Dabei ist auch die demiurgische Potenz auf die Lokalisierung dessen angewiesen, wo gerade nichts mehr gewonnen werden kann. Abermals verdanken wir Gottfried Benn eine epochale Urparabel des Überdrusses an der Vernunft. 1915 ließ der Dichter in »Die weißen Blätter« die Erzählung »Gehirne« erscheinen, der er später noch andere hinzufügte und, nach dem Namen des Protagonisten, zum »Rönne«-Zyklus formte. Rönne, ein junger Arzt, der früher Gehirne seziert hat, ist abgespannt und beginnt eine neue Arbeit in einer Anstalt. Nach und nach holen ihn die Schatten der zerteilten Organe ein, bis ihn der Wahnsinn streift. – Schon in den »Stahlgewittern« ist es das *Hirn*, das auf quälende Weise den kriegerischen Bedrohungen ausgesetzt ist. In den »Gehirnen« konzentriert sich schmerzhaft »der ungeheure Vernichtungswille, der über der Walstatt lastete« (SG 228). Und der schon zitierte Satz über den Kämpfer lautet: »Erst, wenn Blut geflossen ist, weichen die Nebel aus seinem Hirn; er sieht sich um wie aus schwerem Traum erwachend.« (SG 235) Im Essay heißt es, daß »auch im Schlafe die Hirne noch von lauernden Schrecken umstellt« waren; daß die Verfeinerung des Geistes, »zärtlicher Kultus des Hirns«, in der Wiedergeburt des Barbarentums unterging; »künstliche Gehirnekstasen« kennzeichneten die dekadente Literatur der Epoche; und endlich die autobiographische Einlassung, wo Jünger berichtet, wie dem frühreifen Großstädter, »das Hirn... zu Stahlkristallen geschliffen«, die Tiefe des Kriegs aufgeht.

Das »Hirn« ist der kriegerischen Wirklichkeit hinderlich. Hirn ist die Metapher für alles, was den Menschen zurückhält, in seiner Umgebung so aufzugehen, daß nicht die Fugen in den Passungen bemerkbar werden. Sei es die Sehnsucht nach den Sicherheiten des 19. Jahrhunderts, sei es die Hoffnung auf eine geschichtliche Erlösung aus dem Zwischenzustand des »Barbarentums«, stets begleitet den Menschen eine Idee von Kontingenz, die ihn die Gegenwart als eine Latenz erleben läßt, in der er niemals heimisch wird.[38] Aber den großen Rhythmen zwischen Vergangenheitsbeschwörung und Zukunftsvision, den historischen Projektionen, gesellt sich ein »existentieller« Schatten hinzu; scheinbar paradox ist, daß er gerade da sich verdichtet, wo das Leben keine Zweifel dulden soll: im Krieg steigern sich Furcht, Grauen, Todesangst. Sie als Funktionen des Gehirns zu bezeichnen, ist ein Akt des Unwillens, nicht einmal in der absoluten Situation von der spezifischen Zurüstung des Mängelwesens, dem Bewußtsein, verschont zu bleiben. Es gibt – in Jüngers Darstellung – freilich die Augenblicke, in welchen das »nicht festgestellte Thier« in die Träume des schon von Nietzsche so genannten »Urwaldmenschen« zurücksinkt; Momente des Blutrauschs, bevor das Erwachen wieder die Bande zur Kulturentwicklung zurückknüpft.

So läuft der verborgenere Gedankengang des Essays, eine Art von Trauerarbeit im Umgang mit der Macht, die allen Entfremdungen vom Ideal lebensweltlicher Verfügung und Einpassung die Grundierung gibt: der Zeit. »Wir haben die vorderste Linie erreicht und treffen die letzten Vorbereitungen. Wir sind emsig und genau, denn wir spüren Drang, uns zu betätigen, die Zeit zu füllen, um uns selbst zu entfliehen. Die Zeit, die uns im Graben schon so unendlich gemartert hat, ein Begriff, der alle denkbare Qual umschließt, eine Kette, die nur der Tod zersprengt.« (KiE 73/7, 71) Dennoch konstruiert Jünger einen »Typus«, der – in der Vorwegnahme der »organischen Konstruktion« des »Arbeiters« von 1932 – der Zeitbedrängnis eher gewachsen sein soll, nämlich den »Landsknecht«; ihm ist ein eigenes Kapitel gewidmet. Zuerst wird sein Pendant geschildert, in den »Abendländern«, die »bequem wie die Greise« geworden seien. Sie sind die »Masse«. In Erinnerung an Nietzsche und Spengler kann Jünger steigern: »donnernde Masse«. »Tausendköpfige Bestie liegt sie am Wege, zertritt, was sich nicht verschlucken läßt, neidisch, parvenühaft, gemein.« Das Abenteuer des Lebens zieht ihr auf der Leinwand des Lichtspiels stellvertretend vorbei. »Man hockt im Polster, und alle Länder, alle Abenteuer schwimmen durchs Hirn, leicht und gestaltig wie ein Opiumtraum.« (KiE 54/7, 54 f.) Dagegen repräsentiert der Landsknecht seit der Zeit der asiatischen Despoten die »Vollendung« des Kriegers. Im sechsten Hauptstück von »Jenseits von Gut und Böse«, betitelt »Wir Gelehrten«, hatte Nietzsche die Krankheit des Willens für Europa diagnostiziert: »Die Krankheit des Willens ist ungleichmäßig über Europa verbreitet: sie zeigt sich dort am größten und vielfältigsten, wo die Cultur schon am längsten heimisch ist, sie verschwindet im dem Maaße, als ›der Barbar‹ noch – oder wieder – unter dem schlotterichten Gewande von westländischer Bildung sein Recht geltend macht… am allerstärksten und erstaunlichsten in jenem ungeheuren Zwischenreiche, wo Europa gleichsam nach Asien zurückfließt, in Rußland.«[39] In Jüngers Porträt des Landsknechts sind auch dessen asiatische Ahnen vergegenwärtigt; eine neue Bewährungsprobe erwächst aber dem modernen Typus durch die Zeit.

»Die Vollendung. Das ist der springende Punkt. Scharfe Durchdringung bis an die Ränder des Vermögens, Gestaltung des Gegebenen in die geschliffenste Form. Vollendet in diesem Sinne, – vom Standpunkt der Front – erschien nur einer, der Landsknecht. In ihm schlugen die Wellen der Zeit ohne Mißklang zusammen, Krieg war sein ureigenstes Element. Er trug den Krieg im Blute, wie ihn römische Legionäre oder mittelalterliche Landsknechte im Blute trugen. Daher stand er allein als feste Gestalt vor dem Hintergrunde aus Grau und Rot, formhaft und sicher umrissen.« (KiE 55/7, 55 f.)

Der »Mißklang« ist auf die Beobachtung zurückzuführen, daß der moderne Mensch *gleichzeitig* in Wirklichkeiten – der Herkunft, der Bildung, der Arbeit, der Weltanschauung – verstrickt ist, die ohnehin schwer zu harmonisieren sind, im Krieg aber als Störung beim »Handwerk« immer wieder eindringen. Insofern gilt das Konstrukt des Landsknechts einem Typus nihilistischer Bindungslosigkeit, den kein »Kontrast« zu quälen vermag. Hätte Jünger selbst diesem Ideal auch bloß näherungsweise entsprochen, was der Essay suggerieren möchte, der Text wäre nie geschrieben worden; dem absoluten Krieger darf die Idee reflexiver Differenz niemals gegeben sein. Statt dessen heißt es autobiographisch: »Ich erwache. Wo bin ich? Ach so! Tatsächlich, ich liege in einem Bett, in einem vorzüglichen Bett sogar.« (KiE 62/7, 61)

Der Satz ist dem Kapitel »Kontrast« zugehörig. Nur vordergründig ist der Kultursprung zwischen dem Graben und der Etappe beschrieben. Das Wort vom *Erwachen* trägt schon hier Bedeutungen einer Erlösungsmetaphorik in sich, die in den ästhetischen Schriften seit 1929 entwickelt wird. Noch ist sie allerdings ex negatione umkreist. Jeder Kontrast setzt die Wahrnehmung einer Verschiebung voraus; so erwacht der Soldat »wie aus schwerem Traum«, wenn Blut geflossen ist. Schmerz begleitet diese Erweckung, so lange der dissonante Klang zweier Welten bestehen bleibt. Eine der wenigen Passagen, wo der expressionistische Rhythmus unvermutet in die poetische Authentizität wechselt, wie sie später im »Abenteuerlichen Herzen« verwirklicht wird, schildert einen Fronturlaub in Brüssel.

»Am Nachmittage gehe ich wieder in die Stadt, von erwachendem Treiben umflutet. Mit der geschärften Witterung des Großstädters durchschreite ich den Trubel, während das Hirn leicht und präzise die Überfülle wechselnder Bilder zerschrotet. Schaufenster, Buchhandlungen, stampfende Straßenbahnen und Automobile, deutsche, französische, flämische Satzfetzen, Frauen, trotz völkertrennender Wälle immer noch von den Einflüssen der Stadt Paris umwiegt; das alles trifft und vereint sich zu strahlendem, tausendarmigem Bilde des Lebens. Und diese Flut verschiedenster Beziehungen zum Sein wirft ihre Wellen mir um so stärker entgegen, als ich noch vor vierundzwanzig Stunden ganz der Primitive war, der Urmensch, der in Höhlen hauste und um das nackte Dasein kämpfte. Da fühle ich, daß Dasein Rausch und Leben, wildes, tolles, heißes Leben ein brünstiges Gebet. Ich muß mich äußern, äußern um jeden Preis, damit ich erschauernd erkenne: Ich lebe, noch lebe ich. Ich tauche meine Blicke in die Augen vorüberschreitender Mädchen, flüchtig und eindringlich wie Pistolenschuß und freue mich, wenn sie lächeln müssen. Ich trete in einen Laden und kaufe mir Zigaretten, die besten, bien entendu. Ich bleibe vor jedem Schaufenster stehen, Wäsche, zierliche Schmucksachen und Bücher betrachtend. Ich esse in einer kleinen Taverne und nichts darf fehlen, auch nicht der Mokka und die Likörkaraffe zum Schluß.

Dann schreite ich wieder über Straßen und Plätze, die nun in Lichtern schwimmen. Allmählich komme ich in eine Vorstadt, deren Häuserblöcke kahl und düster in den Abend ragen. Nur in weiten Zwischenräumen glimmen Laternen. Ich bleibe am Geländer einer Brücke stehen und starre in den schwarzen Spiegel des Kanals. Ich bin traurig geworden, alles ist einsam und unbekannt. Der Wind reißt ganze Hände voll Blätter aus den Bäumen, treibt sie raschelnd vorüber und wirft sie ins Wasser. Ein Schleppkahn gleitet unhörbar unter der Brücke hervor, ein langer, schwarzer Sarg. Wie feindlich das alles ist. Die Dinge schwanken im Nebel, bald sind sie wie Rauch, wie spukhaftes, unwirkliches Flattern, bald treten sie höhnisch in kalter Starrheit hervor. So fröstelt man, wenn man in irgendein fremdes Hotelzimmer verschlagen ist in unbekannter Stadt oder beim Lesen eines melancholisch irrsinnsnahen Russendichters. An dieses Eisengeländer gelehnt, das sich über einen Kanal spannt, von dem ich nicht weiß, woher er kommt und wohin er fließt, wird meine Seele von jener Wehmut überfallen, die zuweilen wie bleierner Nebel in uns aufsteigt und uns die Dinge leer und farblos macht, indem sie ihnen das Wesen raubt. Der Raum zergleitet in kalte Unendlichkeit und ich empfinde mich als winziges Atom, von tückischen Gewalten rastlos umhergewirbelt. Ich bin so müde, so überdrüssig, daß ich wünschte, tot zu sein. Ein Landsknecht, ein fahrender Ritter, ein Don Quixote, der manche Lanze zersplittert und dessen Trugbilder in höhnisches

Gelächter zerfließen. Ich fühle mit unzweifelhafter Klarheit, daß irgendein fremder Sinn, eine furchtbare Bedeutung hinter allem Geschehen lauert.« (KiE 66ff./7, 66f.)

Vom Heiteren, von der Lebensfülle wechselt das Stadt-Bild ins Unheimliche und Nächtliche des Verdachts, daß der Anteil des Subjekts an der Welt atomar ist. Man kann sehen, wie dieser »Kontrast«, komprimiert zu Stunden und zugleich entfaltet in einer großen erzählerischen Geste, keiner geschichtsphilosophischen Auflösung mehr fähig scheint; die ästhetische Übersetzung der phänomenalen Erfahrung wird absolut, der »Sinn« der Erscheinungen herrscht nur noch im Verborgenen, wo Furchtbares zu vermuten ist. In der Dramaturgie, mit welcher das Gefühl der Einsamkeit gesteigert wird, bis es im Todesrausch maßloser Enttäuschung kulminiert, gemahnt das Prosastück an Baudelaires Szenen des »Spleen de Paris«, auch an die realistischeren Digressionen jener »Chants de Maldoror«, die Isidore Ducasse, »Lautréamont«, 1869 veröffentlichen ließ.

Doch als hätte er damit Dinge und Namen genannt, die der Moral des Kriegers abträglich sein müssen, erinnert sich Jünger in den letzten fünf Kapiteln wieder an die Aufgabe, die Erlebnisse mit Zuversicht auszurüsten. Einmal noch, in dem Abschnitt »Vom Feinde«, legt er den Einbruch des Gespenstischen in die Wirklichkeit dar. Er berichtet, wie ein Melder in den Graben kommt und davon flüstert, daß eine Verbindungsleitung zerschossen worden sei. »Gewiß: Das Hirn denkt Telephon, Drähte zerrissen, Verbindung mit Führung wichtigste Aufgabe der Truppe, jawohl, jawohl. Kriegsschule, Felddienstordnung: oh, man weiß Bescheid. Aber plötzlich wird dieses Verstehen lächerliche Nebenerscheinung in einem geisterhaften Gespräch. Die Worte bekommen einen Untersinn, durchschlagen die Oberfläche und wirken unmittelbar in dem Verständnis ewig verschlossenen Tiefen. Das Empfinden wallt um einen anderen Schwerpunkt, man tastet im Grauen.« (KiE 103 f./7, 93) E.T.A. Hoffmann und Dostojewskij hätten solche Durchbrüche in die Regionen des Traums dargestellt. Aber im literarischen Anspruch dessen, der sie als realistische Abschnürung – die Telephonleitung ist gestört – erfahren konnte, wirkt untergründig ein Überlegenheitsgefühl. Wenn er der Angst darauf den Vitalismus folgen läßt, der sie besiegt hat, erweist sich dieses »Gespenstische« als gebannt. Man kann fragen, ob die ergänzende psychologische Erklärung dafür eine zusätzliche Kompetenz des Kriegers beansprucht oder eher auf die Minderung seiner Sensibilität verweist: sie alle seien »Vergeß-Maschinen« geworden.

Vergessen können, das paßte jedenfalls zum Porträt des Sturmpioniers als »neuem Menschen«. Seine Arbeit, sofern er zum »Baumeister... auf den zertrümmerten Fundamenten der Welt« erkoren wird, kollidiert allerdings seltsam mit jener anderen Tätigkeit des Werks am Babylonischen Turm in der Zeit der Moderne. Hier verwischt ein anthropologisches Bedürfnis das geschichtsphilosophische Bild von den welthistorischen Kontinuitäten. Ein Widerspruch wird offenbar, der auch die späteren Schriften, vor allen den »Arbeiter«, durchziehen wird. Der neue Mensch soll nicht im Schutt der Vergangenheit nach Wegen suchen müssen. Seit ein Aufsatz Marinettis vom 20. Februar 1909 im Pariser »Figaro« den Futurismus ausrief, der von der Literatur auf die Malerei und die Architektur übergriff und bald dem italienischen Faschismus und der russischen Revolution nicht nur ästhetische Vorgaben lieferte, wurde dem »neuen Menschen« alle Herkunft gründlich ausgetrieben. Jünger konstruiert ihn aus Beobachtungen des Weltkriegs. »Wenn ich beobachte, wie sie geräuschlos Gassen in das Drahtverhau schneiden, Sturmstufen graben, Leuchtuhren vergleichen, nach den Gestirnen die Nordrichtung bestimmen, erstrahlt mir die Erkenntnis: Das ist der neue Mensch. Die Sturmpioniere, die Auslese Mitteleuropas. Eine ganz neue Rasse, klug, stark und Willens voll. Was hier im Kampfe als Erscheinung sich offenbart, wird morgen die Achse sein, um die das Leben schneller und schneller schwirrt. Über ihren großen Städten wird tausendfach brausende Tat sich wölben, wenn sie über die Asphalte schreiten, geschmeidige Raubtiere, von Kräften überspannt. Baumeister werden sie sein auf den zertrümmerten Fundamenten der Welt. Denn dieser Krieg ist nicht, wie viele meinen, Ende, sondern Auftakt der Gewalt. Er ist die Hammerschmiede, die die Welt in neue Grenzen und neue Gemeinschaften zerschlägt.« (KiE 74/7, 72 f.)

Es fügt sich gut in die »Philosophie« des Essayisten, wenn er der tabula rasa einer aus dem Nichts zu schaffenden Zukunft auf der anderen Seite den horror vacui, »das Entsetzen vor der Zivilisation in den Stunden der Einkehr«, entsprechen läßt. Kultur, wie sie sich ihm vor allem in den Anflutungen und Reizen der großen Städte zu erkennen gibt, ist dem »Baumeister« überdeterminiert: die ewige Versuchung, sich der »décadence« anheimzugeben. Aber bei allem Pathos, das er für den Konstruktivismus aufbringt – »Die Maschine ist die in Stahl gegossene Intelligenz eines Volkes«, schreibt er, Spengler variierend –, klingt zuletzt wieder Organisches an. »Ist das Ganze denn mehr als ein Mückentanz, der in Nacht und Wind zergleitet? Und es hat doch einen Sinn. Eherne Kräfte stoßen uns vorwärts auf unserer Bahn, wenn Denken und Deuten lange versagten. Das Werden ist der Sinn der Welt und der Kampf seine beste Form... Ja, wir finden unseren Weg, obwohl Angst uns erfüllt, aber das gerade ist unser Mut, ein Mut, der eben nur den Menschen gegeben ist. Selbst ein Gott muß Mensch werden, will er sich so für seine Sache opfern.« (KiE 99 f.)

Hellsichtig hatte Nietzsche den Deutschen nachgesagt, sie hätten kein »Heute«. Alles sei ihnen »Entwicklung«, »Werden«. »Und wie jeglich Ding sein Gleichniss liebt, so liebt der Deutsche die Wolken und Alles, was unklar, werdend, dämmernd, feucht und verhängt ist: das Ungewisse, Unausgestaltete, Sich-Verschiebende, Wachsende jeder Art fühlt er als ›tief‹.«[40] Das »Gleichniss«, die Metapher erfüllt eine Funktion im Maß, da das quälende Jetzt der Zeit in die Ordnung des Lebens aufgehoben ist, die den Tod mit begütigendem Vergessen umfängt. »Man stirbt mit der Hoffnung, daß es der Welt gut gehe, und fühlt im letzten Zucken gerade noch, wie flüchtig man im Grunde an Menschen und Dingen vorübergeschritten ist. Der große Abend, Lösung, Vergessen, Untergehen und Rückkehr aus der Zeit in die Ewigkeit, aus dem Raum in das Unendliche, aus der Persönlichkeit in jenes Große, das alles im Schoße trägt.« (KiE 112)

»Sturm« –
eine verschollene Novelle

Ein Jahr nach dem Essay »Der Kampf als inneres Erlebnis« veröffentlicht die Zeitung »Hannoverscher Kurier« zwischen dem 11. und dem 27. April 1923 in sechzehn Folgen Jüngers erste Erzählung, »Sturm«. Sie wird danach nicht in Buchform publiziert und verfällt, so will es die bibliographische Rechenschaft, dem Vergessen, bis sie schließlich als Oltner Liebhaberdruck 1963 erneut zugänglich, später den beiden Werkausgaben eingegliedert wird. Fraglich ist, ob der seither greifbare Text als authentisch, »aus der Zeit«, angesehen werden kann oder nicht eher eine redigierte Fassung des ursprünglichen Zeitungsabdrucks ist – was stilistische Besonderheiten nahelegen. Über das »Vergessen« eines Autors, dessen archivarische Leidenschaft sonst bei jeder Gelegenheit sich bezeugt, erfährt man so wenig wie über mögliche Eingriffe in die Gestalt der Erzählung von 1923.[41]

»Sturm« bleibt unabhängig davon eher eine Gelegenheitsarbeit, beendet, eigentlich abgebrochen nach acht Kapiteln, deren Thema ein Fronterlebnis ist, dasjenige des Leutnants Sturm. Sturm kommandiert einen Zug im Grabenlabyrinth der Westfront. Wenig ereignet sich, sieht man von dem kurzen, dramatisch sich überstürzenden Finale ab, weshalb der junge Offizier Muße hat, einerseits in geschichtlichen Betrachtungen sich zu ergehen, andererseits »an einer Reihe von Novellen« zu arbeiten; es sind Prosafragmente, die so entstehen, kurze Skizzen. Leitend für Sturms historische Meditationen ist die Vorstellung, daß kein epischer Überblick mehr gegeben werden kann, sowohl was das Zeitalter der Moderne, wie auch das Schicksal des Menschen betrifft; der Held als Autor nimmt sich deshalb vor, »eine Reihe von Typen in festgeschlossenen Abschnitten« zu zeigen. Nur von der verknappenden Typologie her soll das Menschenbild einige Verdeutlichungen erfahren. – Schon früh läßt Jünger seine Figur über den Staat nachdenken, zuerst über den hypothetischen »Urstaat«, jene Fiktion eines sozialen Gebildes, das seine Kräfte unterschiedslos aus der funktionalen Gleichwertigkeit seiner Glieder bezieht; alle verbürgen in ihren Kenntnissen und Fähigkeiten das Ganze. »Der Urstaat als Summe nahezu gleichwertiger Kräfte besaß noch die Regenerationsfähigkeit einfacher Lebewesen: Wurde er zerschnitten, so schadete das den einzelnen Teilen wenig. Bald fanden sie sich zu neuem Zusammenschluß und bildeten leicht im Häuptling ihren physischen, im Priester oder Zauberer ihren psychischen Pol.« (Sturm 11/15, 15) Was metaphorisch mit dem Bild vom niederen Organismus erläutert wird, die relative Harmlosigkeit einer »Verletzung« dieses Urstaats, verschärft sich bei der Gefährdung des modernen Staates, »der die Funktionen des Einzelnen immer rücksichtsloser auf die einer spezifischen Zelle beschränkt«. (Sturm 10/15, 15) Durch die »systematische Ausschaltung einer ganzen Reihe an sich sehr bedeutender Werte« würden Menschen erzeugt, »die allein gar nicht mehr lebensfähig« seien. Der Verlust an Anschaulichkeit und lebensweltlicher Einpassung steigert sich nochmals, wo die Kriegstechnik das »Einzelschicksal« determiniert und vereinnahmt. »Die Weite und tödliche Einsamkeit des Gefildes, Fernwirkung stählerner Maschinen und die Verlegung jeder Bewegung in die Nacht zogen eine starre Titanenmaske über das Geschehen.« (Sturm 12/15, 16)

Nicht zu übersehen ist, daß die Erzählung Züge eines Selbstporträts aufweist: Sturm trifft sich mit seinem Autor in den zeitgeschichtlichen Reflexionen, in der Vorliebe für weitgespannte Lektüre, schließlich im Metier des Schriftstellers. Wie eine »atavistische Springflut« sei der Krieg in die an den Luxus gewöhnte Kultur eingebrochen; der Gedanke ist schon in Jüngers Essay von 1922 entwikkelt, erhält in der Erzählung aber Lebensfarben. Sturm ist es, in dessen Physiognomie der »Kontrast« aufleuchten soll: der Krieger widmet sich als Leser Juvenal, Rabelais, Li-tai-pe, Balzac, Huysmans und bezeichnet diesen eklektischen Geschmack »als Freude am Duft des Bösen aus den Urwäldern der Kraft«. Der Leutnant, der in einer merkwürdigen Vorwegnahme von Jüngers Nachkriegsstudium noch *vor* dem Krieg in Heidelberg Zoologie studiert hat, unterhält freundschaftliche Beziehung zu zwei anderen Offizieren des Abschnitts – zu dem Juristen Döhring und zu dem Maler Hugershoff. Von Sturm heißt es, »daß er in ganz ungewöhnlichem Maße vom Geschehen der Zeit abstrahieren konnte. So gab er den Freunden durch seinen Verkehr das, was sie unbewußt im Trunke, in ihren literarischen und erotischen Gesprächen suchten: die Flucht aus der Zeit.« (Sturm 17/15, 20)

Aber nicht als Mitteilung für die Gefährten ist geeignet, was der dilettierende Literat über diese Zeit mehr fühlt als denkt. Daß etwa die Technik bloß »Form« und »Stil« in spezifisch epochaler Ausprägung sei, während das »Gewaltige« der kriegerischen Ereignisse als das »Eigentliche« davon nicht berührt werde: »... das schien in der Erde zu ruhen wie ein Tier und kreiste als Geheimnisvolles im Blut«. (Sturm 21/15, 23f.) Jünger läßt es bei den substantivierten Adjektiven, um das Unbehagen Sturms an den Widersprüchen der Zivilisation indirekt auszudrücken. Im scheinbaren Nachweis, daß jenseits der Oberflächen die Bedeutung der Zeit als moderne Epiphanie ältester Gefühle und Affekte zu verstehen sei, klingt auch die Klage über die hochgetriebene Kultur des Geistes an. Von der Erde geht alle Bewegung aus, bis sie sich den Höhen der Abstraktion und der Vergeblichkeit entgegenwindet. Dafür soll die expressionistische Metapher vom Seiltänzer, dem Nietzsche im »Zarathustra« noch die Ambivalenz eines stolzen Scheiterns mitgegeben hatte, bürgen: »... der Intellekt hatte sich überspitzt, er sprang als paradoxer Seiltänzer zwischen unüberbrückbaren Gegensätzen hin und her. Wie lange noch, und er mußte im Abgrunde eines irrsinnigen Gelächters zerschmettern.« (Sturm 23/15, 25) – Bis in den Krieg hinein lasse sich diese intellektuelle Entfremdung beobachten. Auch Sturm gelingt es nicht, ihn schlicht als »Urnebel psychischer Möglichkeiten« anzuerkennen. Die Erfahrung lehrt, daß an der »Oberfläche« das Geschehen in beunruhigenden »Formenwirbeln« wirkt, und zumal da, wo die Funktionalisierung schon so weit fortgeschritten ist, daß keine Verständigung zwischen dem »gehirnpotenzierten Kriegsakademiker« und dem »als Ersatzreservisten eingezogenen Fabrikarbeiter« mehr möglich scheint; »zwei fremde Welten« stehen sich gegenüber. Schmerz begleitet denjenigen, der sehen muß, wie mehr als eine Welt ist und die primordiale einer komplett zuhandenen Wirklichkeit allenfalls noch als »Urnebel« geistert. Ein erster Gedanke von platonischem Zuschnitt meldet sich hier: unfroh stimmt der Dualismus den Unbehausten. Weniger ein philosophisches als ein psychologisches Mißbehagen schlägt allerdings durch: »Viel lieber hätte er sich entweder als einen Mann der reinen Tat gesehen, der sich des Hirnes nur als Mittel bediente, oder als einen Denkenden, dem die Außenwelt lediglich als ein zu Betrachtendes von Bedeutung war.« (Sturm 31/15, 31)

Aber zur Konstitution des Helden – und seines Autors, der sich damit den Spiegel schafft – gehört, daß ihn kein Entweder-Oder aus der Doppelung von »Gehirn« und »Tat« herauszulösen vermag. In den literarischen Versuchen Sturms soll daher der als modern empfundene Widerspruch eine künstlerische Ableitung finden. Das Unglück wird ästhetisch sublimiert. Keinen Roman vermag der Literat auszubreiten, dafür sei es »noch zu früh«. »So hatte er sich entschlossen, eine Reihe von Typen in festgeschlossenen Abschnitten zu entwickeln, jede aus ihrem eigenen Zentrum heraus. Er plante, sie durch einen Titel zu verknüpfen, der das Gemeinsame ihrer Zeit,

Unrast, Sucht und fieberhafte Steigerung, aussprechen sollte.«
(Sturm 31/15, 31) Die Rahmenerzählung will es, daß Sturm den
Freunden in ruhigen Stunden aus den Aufzeichnungen vorliest. Das
erste Stück ist einem »späten Stadtmenschen« mit Namen Tronck
gewidmet; nur über drei Seiten spinnt der Verfasser den Text. Dabei
zeigt sich, wie ein Dreißigjähriger an einem Frühherbstvormittag –
Jüngers bevorzugter Saison für Novellistisches – seinen gewohnten
Gang über die Straßen einer großen Stadt geht. Tronck ist als Typus
nur insofern gestaltet und bemerkenswert, als er wie die dandyhaften, spätromantischen Figuren von Baudelaire, Gautier oder Huysmans besonderen Wert auf seine Kleidung legt. Aber er ist über seine
Ahnen schon hinaus, indem die Erscheinung nicht bloß Freiheit,
sondern auch »Gebundenheit« ausdrücken soll, »Sehnsucht nach
Form«, wie sie auch der Priester oder der Offizier habe. Sturm läßt
das Fragment enden, ehe er sich entschlossen hat, ob er Tronck »im
Käfig einer Bohème oder einer Beamtenschaft« einbürgert. Das
Wichtigste sei, »daß sein Dasein überhaupt einer Form sich fügt«.
(Sturm 39/15, 37)

Zehn Jahre später gab Hermann Broch in seiner »Schlafwandler«-Trilogie dem Bedürfnis nach Form und Uniform die endgültige
kulturkritische Analyse. In einer längeren Einlassung darf Bertrand,
eine der Romanfiguren, für sich aussprechen, was in Jüngers Erzählung bloß der Hermeneutik aufgehen kann: daß die Maske der Kleidung bis in die Wilhelminische Epoche und über sie hinaus das
säkularisierte Kompensat des einstens vom Glauben an Macht und
Wahrheit der Religion aufgehaltenen Wertzerfalls darstelle.

»Und war es einst die bloße Tracht des Klerikers, die sich als etwas
Unmenschliches von der der anderen abhob, und schimmerte damals selbst
in der Uniform und in der Amtstracht noch das Zivilistische durch, so mußte,
da die große Unduldsamkeit des Glaubens verloren ward, die irdische Amtstracht an die Stelle der himmlischen gesetzt werden, und die Gesellschaft
mußte sich in irdische Hierarchien und Uniformen scheiden und diese an
der Stelle des Glaubens ins Absolute erheben. Und weil es immer Romantik
ist, wenn Irdisches zu Absolutem erhoben wird, so ist die strenge und eigentliche Romantik dieses Zeitalters die Uniform, gleichsam als gäbe es eine
überweltliche und überzeitliche Idee der Uniform, eine Idee, die es nicht gibt
und die dennoch so heftig ist, daß sie den Menschen viel stärker ergreift, als
irgendein irdischer Beruf es vermöchte, nicht vorhandene und dennoch so

heftige Idee, die den Uniformierten wohl zum Besessenen der Uniform macht, niemals aber zum Berufsmenschen im Sinne des Zivilistischen, vielleicht eben weil der Mensch, der die Uniform trägt, von dem Bewußtsein gesättigt ist, die eigentliche Lebensform seiner Zeit und damit auch die Sicherheit seines eigenen Lebens zu erfüllen.«[42]

Ob Jünger, der damals selbst als Mitarbeiter der Heeresvorschriftenkommission zu Berlin und als Schriftsteller zwischen Beamtenschaft und Bohème lebte, sich des Romantischen bewußt war, das dem Formbedürfnis als Sehnsucht nach verlorenen Fügungen innewohnt, bleibt zweifelhaft. Die Frage kann um so eher verneint werden, als die szenische Unterbrechung, die Sturms Lesung folgt, die Angst vor dem Unbegriffenen absolut werden läßt. Ein feindlicher Feuerstoß hat den Graben getroffen. Den Leutnant schreckt nicht der Tod, »sondern dieses Zufällige, diese taumelnde Bewegung durch Zeit und Raum... Dieses Gefühl, Werte zu bergen und doch nicht mehr zu sein als eine Ameise, die der achtlose Tritt eines Riesen am Straßenrande zertrat.« (Sturm 49/15, 45) Das letzte, existentielle Unbehagen gilt nicht mehr einer sich auflösenden Kulturordnung, sondern dem drohenden Verdacht, nichts von der Welt verstanden zu haben, obwohl der Mensch dafür bewußtseinshaft »eingerichtet« ist. Es äußert sich in der vertrauten Klage, als Tier, »Ameise«, sich zu fühlen, ohne es zu sein. »Wozu, wenn es einen Schöpfer gab, schenkte er dem Menschen diesen Drang, sich in das Wesen einer Welt zu bohren, die er niemals ergründen konnte? War es nicht besser, man lebte wie ein Tier oder wie eine Pflanze im Tal als immer mit dieser furchtbaren Angst unter allem, was man auf der Oberfläche handelte und sprach?« (Sturm 49/15, 45) Wie um die dem Menschen eigentümliche Unschärfe seiner organischen Bestimmtheit ästhetisch zu kompensieren, läßt Jünger dem Helden aus der »Wüste seines Hirns« eine Vision erstehen. Sturm träumt sich in einer großen Buchhandlung seiner Vaterstadt, wo die Bücher plötzlich zur Weltbibliothek werden: »Das Wissen und die Kunst aller Länder und aller Zeiten waren hier auf engstem Raume gedrängt.« (Sturm 50/ 15, 45) Die Metapher muß ein Versprechen bleiben, bis der Autor nach und nach jene Lehre entdeckt, die der raumzeitlichen Realisationen des Wissens gar nicht bedarf, weil es in den »Ideen« uranfänglich enthalten ist: den Platonismus.

Auch die zweite Skizze Sturms gedeiht über ein paar Striche nicht hinaus, wenngleich der autobiographische Bezug noch schärfer hervortritt. Ein Fähnrich auf Fronturlaub, Kiel, verkörpert den Typus. Er wird zum Flaneur in der Stadt und sucht ein erotisches Abenteuer. Den Erwägungen des Essays von 1922 gemäß verweigert er der Liebe das romanhafte Vorspiel und sucht sich eine Prostituierte. Ein Bild erinnert direkt an die ausholende Passage von »Der Kampf als inneres Erlebnis«, wo Jünger beschreibt, wie er, auf einer Brücke das Gleiten des Wassers beobachtend, melancholisch wird. Die Position des Brückenstehers war in ihrem symbolischen Gehalt längst eine Kunstszene der Epoche geworden. Schon Benn hatte Rönne, die Figur des Kurzgeschichtenzyklus »Gehirne«, die Zeit im Blick auf den Fluß entgleiten sehen lassen. Von Kiel heißt es: »So durch das Gefühl des Gegensatzes der Zeiten und dahinfließenden Generationen zum Eintagsleben des Einzelnen merkwürdig dunkel und wehmütig gerührt, lehnte er oft am Geländer alter Brücken und starrte in das schmutzige Gewässer des Flusses, der unter feinem Abendnebel um ausgewaschene Mauern spülte.« (Sturm 62/15, 55) Abgesehen von dieser Autozitation – eine zweite nimmt Jünger vor, wo er den Fähnrich mit Passantinnen Blicke wechseln läßt wie ein »Pistolenschuß« – bleibt das Porträt des Typus blaß.

Erst in dem letzten Tableau, das Sturm fast unmittelbar danach vorliest, gewinnt das Fragmentarische den Anflug von Aura, die den Leser auf eine Fortsetzung sensibilisiert, und zwar deshalb, weil die Distanz gegenüber der doppelten Autorschaft Sturms und Jüngers zusehends einschmilzt. Falk, die dritte Figur, ist selbst Schriftsteller, ein skeptischer, die Kultur mit Argwohn beobachtender Literat, der oft tagelang in seinem Zimmer brütet, liest und die eigenen Seiten dabei leer läßt. Dem Typus nach entspricht er jenem ebenfalls autobiographisch geprägten Helden von Huysmans Roman »A rebours«, Des Esseintes, dem die Welt in den einsamen Träumen seines Landhauses als künstliches Paradies ersteht. Die Absicht, »die Abstraktion bis zur Halluzination zu treiben und den Traum von der Wirklichkeit an die Stelle der Wirklichkeit zu setzen«,[43] kehrt als Bedürfnis Falks wieder, lesend eine »Form des Lebens« zu gewinnen, die, »im Geistigen rollend, ohne Reibung ihn zu allen denkbaren Leiden und Wonnen riß«. (Sturm 68/15, 60) Nichts Überflüssiges, Zufälliges herrschte in einer solchen ganz vom Künstler bestimmten Realität.

Erstmals ist es der ästhetische Akt, den Jünger, indem er auf die »Großen«, Gogol, Dostojewskij, Balzac, verweisen läßt, als demiurgische Potenz feiert. Die *geschaffene* Welt enthebt der Verlegenheit, in der erlebten stets nur der gefährdete Mitspieler zu sein. »Man kämpfte mit Helden, verriet mit Verrätern, mordete mit Mördern und mußte, in ihre Kreise gebannt, Kampf, Verrat und Mord als innere Notwendigkeiten erkennen. Und über allen als Sonne, unbeweglich, stand der Dichter, der Künstler, schleuderte Strahlen gegen das Geschehen und ließ es in gewollter Bahn um seine Achse schwingen. Er war ein Begnadeter, ein bewußt in den großen Stromkreis Geschlossener, ein Auge Gottes.« (Sturm 69/15, 60)

In seiner dunkelsten Vision hatte Poe dem Menschen die Gottähnlichkeit in »Erinnerungen an ein größer gestaltetes, in früher Vergangenheit weit zurückliegendes und unendlich furchtbares Geschick« zugesprochen. Was dem Vergessen verfallen war, sollte der Künstler wieder entdecken. »Heureka«, die spekulative Schrift, ist darin ein Stück Platonismus, daß die ästhetische Kraft die Verbindung zur Ideenwelt herstellt; ihr soll nichts mehr zufällig bleiben. Für Jünger ist das Wort vom Auge Gottes noch ein verschatteter, kaum gereifter Gedanke in die Richtung der so bezeichneten »Erlösung«. Wenn aber Falk von seinen Träumen in die Wirklichkeit zurückkehrt, ist er über seinen eigenen »Mangel an Fruchtbarkeit« ebenso enttäuscht wie über die epochale Kunst. Die Klage enthüllt, wo der Mangel an Linie und Stil seine Ursache hat, nämlich im Auftauchen der Maschine. »Es gab keine Natur, keine Kunst, keine große Linie, selbst keinen Stil mehr; alles, was man so nannte, war Krampf und Selbstbetrug. Seit dem Auftauchen der Maschine war alles von sausenden Schwungrädern zur Fläche geschliffen. Wie eine rasende Pest hatte die Mechanisierung des Menschen Europa zur Wüste gewandelt.« (Sturm 71/15, 62) Es ist die Technik, die nun ihre andere Seite enthüllt und eigentümlich das Mimesis-Verhältnis von Natur und Kunst durchbricht; ihr innovatorischer Anteil ist nicht mehr »einzusehen«, mehr noch: sie mechanisiert den Menschen. – Wie bedeutungsvoll diese Vorstellung auf Jüngers spätere Schriften einwirkt, kann aus dem Fragment der Novelle kaum ermessen werden. Der Verdruß am Sinnentzug, an der Uneinsehbarkeit dieses modernen Vorgangs empfiehlt dem Helden das Studium der Oberflächen. Oberfläche, »Schöpfungen von Schneidermeistern und ihren Äußerungen« seien die Menschen des Tages, und glücklicher seien sie als der Dichter, der vergeblich nach Erkenntnis, dem »Durchbruch durch die Komposition der Welt«, strebt. (Sturm 72/15, 63)

Hart und enttäuschend endet die Vision vom demiurgischen Künstler, der sich nunmehr selbst zuwider ist. Der fingierenden Arbeit am Text bleibt stets der Schatten des Unmuts, Welten zu gestalten, ohne die Welt verstanden zu haben. Unter dieser Verzweiflung muß auch die Idee einer Entelechie zum Höheren brüchig werden. »Manchmal wünschte er, ein ganz einfaches Tier zu sein, eine Pflanze, Leben schlechthin, noch nicht im mindesten verzweigt. Er haßte den Gedanken einer Entwicklung, deren immer feiner organisierte Wesen auch jede Qual unendlich gesteigert empfinden mußten.« (Sturm 72/15, 63) Benns lyrische Sehnsucht nach dem »Klümpchen Schleim in einem warmen Moor« setzt der Erzählung ihren gedanklichen Schlußpunkt. Falks Bemerkung zu einem Mädchen, das er kennengelernt hat, »wie wenig der Mensch im Grunde in sich zu Hause« sei, läßt Jünger alsbald den Tod seines Schriftstellers folgen. Sturm fällt, ohne sich ergeben zu haben, nachdem Engländer in den Graben eingedrungen sind. Als Ideen für spätere Schriften bleiben wichtig: jene von der Unbehaustheit einerseits, andererseits die andere, daß es sinnvoller sein könnte, nicht mehr nach dem Sinn zu forschen, sondern *phänomenologisch* die Oberflächen abzutasten, den Mantel, in welchem die Welt sich verbirgt.

Chronik und Ausschnitt –
»Das Wäldchen 125«

So abrupt Jünger sein erstes belletristisches Werk abbricht, indem der Held im Graben getötet wird, so bedenkenswert muß die auch in ihren ästhetischen Konsequenzen wichtige Einsicht bleiben, daß der Tod auf dem modernen Schlachtfeld des Lebens Entelechie, sollte es sie denn geben, nicht rundet, sondern zerschneidet. Dürfte man sich eine Kontingenzskala denken, wäre dieser Tod, durch eine Kugel, eine Mine, eine Granate bewirkt, der Steigerung durch den Zufall kaum mehr fähig. Die »Geschichte« wird um die Angemessenheit des Endes geprellt. Selbst Thomas Mann, dessen epischer Atem seine Romane und Erzählungen in ganz andere Weiten dehnte, konnte oder wollte davon nicht absehen, als er Hans Castorp, die Figur des Hauptwerks »Der Zauberberg«, nach tausend Seiten noch in das Abenteuer des Weltkriegs schickte. Ungeduld gegenüber dem diskursfreudigen, aber nach dem Verständnis seines Erfinders »simplen« Geschöpf mochte vielleicht den Schriftsteller dazu bewogen haben, es in die neue, fremde Wirklichkeit zu versetzen. Den »faustischen« Abgang sparte er sich für später auf. Allerdings hielt ein feines – episches – Zögern Thomas Mann ab, Castorp sterben zu lassen. Zwar sei die Geschichte aus. »Zu Ende haben wir sie erzählt; sie war weder kurzweilig noch langweilig, es war eine hermetische Geschichte.« Doch erfährt der Schluß eine Abmilderung. »Und so, im Getümmel, in dem Regen, der Dämmerung, kommt er uns aus den Augen.«[44]

Wichtig – und nur absichtsvoll lose mit dem Ende verknüpft – ist, was sich vorher ereignet hat. Thomas Mann bedrängte nicht wie Jünger der Wunsch, gerade in dem zufälligen Tod den verborgenen »Sinn« des Lebens aufgehoben zu wissen. Der »Einsatz« seines Helden war nicht im Felde, vielmehr in der spekulativen Höhenluft des Gebirges geleistet worden. Jünger aber schreibt: »So Tag und Nacht ohne Atempause auf dem Sprunge zu stehen, immer bereit sein zu müssen, die große Frage des Schicksals nach den höchsten Werten durch das Aufgeben des eigenen Lebens zu bejahen – sollte das nicht eine Erziehung sein, die tiefer und nachhaltiger als jede andere ist? Und darüber hinaus den äußeren Erfolg, den erhofften und wohlverdienten Lohn in einem nie geahnten Schiffbruch versinken zu sehen, das ist die schwerste Probe, die einem Volke wie jedem Einzelnen, der sich wirklich und innerlich dem Ganzen verbunden fühlt, auferlegt werden kann.«[45] Der Satz entstammt dem Buch »Das Wäldchen 125. Eine Chronik aus den Grabenkämpfen 1918«, der vierten, im Stil des Tagebuchs präsentierten literarischen Arbeit, die 1925 bei Mittler in Berlin erscheint. – An biographischen Rahmendaten bleibt nachzutragen, daß sich Jünger am 26. Oktober 1923 in Leipzig als Student der Biologie und der Philosophie immatrikuliert hat und Vorlesungen von Hans Driesch und Felix Krüger besucht. Während kurzer Zeit ist er auch als Landesführer Sachsen des Freikorps Rossbach tätig. Anfang April 1925 beendet er einen dreimonatigen Aufenthalt in Neapel am Aquarium der Zoologischen Station Anton Dohrns. Im August 1925 heiratet er Gretha von Jeinsen, und bald beginnt eine intensivere publizistische Tätigkeit für Zeitschriften konservativen und nationalistischen Gepräges.

»Das Wäldchen 125« ist mehr als eine Chronik. Im Vorwort erwähnt der Autor, was ihn dazu bewogen habe, »aus einer Reihe von Tagebuchfetzen« einen Text zu gestalten, der über die militärische Einzelaktion der Verteidigung und späteren Preisgabe einer Stellung berichtet und zugleich darüber hinausgreift: dem Sinn zu geben, »was eine auf niederer Stufe stehende Anschauung als Widersinn und Äußerung menschlicher Unvollkommenheit betrachten mag, ist eine heilige Pflicht gegenüber den Gefallenen wie gegenüber den Werdenden...« (Wä X) Schärfer als in den früheren Veröffentlichungen zeichnet sich der Versuch ab, den geschichtlichen Prozeß zwischen Herkunft und Zukunft im Licht der Kriegserfahrung zu vermitteln, weshalb das nur vordergründig als Verfehlung eingestandene Unvermögen, die Eindrücke der Nachkriegszeit von denen des Kriegs zu trennen, der Absicht zugute kommt. Jünger geht abermals von der Beobachtung einer neuen Zeit und eines neuen »Menschenschlags« aus. »Ohne Blutscheu« dürfe sich das neue Geschlecht Europas gebärden, dem die Maschinen als »Organe der Macht« zur Verfügung stünden. Der Aspekt der Technisierung ist wichtig. Allerdings steht der Feststellung, daß der Krieg durch Flugzeuge und Tanks beweglicher geworden sei, die Tatsache entgegen, daß das Gebiet von tausend Metern Länge und fünfhundert Metern Tiefe, das Kampfterrain des Wäldchens 125, von dieser Mobilität nichts erfährt: in den Verteidigungsgräben staut sich das Geschehen während Wochen. Neben den taktischen Exkursen des ehemaligen Mitarbeiters der Berliner Heeresvorschriftenkommission sind es wieder die spekulativen Erwägungen, die dem Text, halb stilisiertes Tagebuch, halb Essay, die Signatur geben. Indem Jünger den Konvergenzpunkt von Lebenszeit und Weltzeit evoziert, soll ihm auch die Bedeutung feinster Wahrnehmungen offenbar werden. »Zeit und Schicksal... treten nur einmal an uns heran.« (Wä 27/1, 321) Doch zum »babylonischen« Zeitmaß muß gehören, daß erst die Enkel »die große Linie des Schicksals« zu erkennen fähig seien. Die eigene Lebenszeit reicht dafür nicht aus.

Diese Dilatanz der Ernte läßt den Kämpfer in einem geschichtlich zwar als Verheißung gefühlten, real aber als Vakuum erlebten Zeitraum zurück. Nietzsche hatte nicht an den Weltbesitz gedacht, als er seit »Zarathustra« die Idee vom Willen zur Macht zu entwickeln begann. Aber sie mußte bloß geschichtsphilosophisch umgedeutet werden, um in der Ungewißheit der historischen *Übergänge* das sein zu können, woran sich der um den militärischen Sieg Gebrachte festzuhalten vermochte. »Wille zur Macht« wird bei Jünger zu einer erlösenden Formel der Bereitschaft. Allein die Disposition, heftiger zu wollen als der Gegner, rettet dem Autor den Sinn alles Erlittenen noch in der Niederlage: sie war kein Ende, sondern ein Durchgang. Nur so wird verständlich, weshalb das Frühwerk das einzige Thema des Weltkriegs gestaltet, bis in die Vergrößerung jenes Ausschnitts, der innerhalb der vierjährigen Schlacht denkbar peripher anmuten muß; das Wäldchen 125, im Sommer 1918 während einiger Wochen unter härtesten Bedingungen verteidigt, war strategisch ohne jeden Wert. In der bis zur Obsession gesteigerten literarischen Wiederholung der Ereignisse sucht Jünger immer neu die Spuren des Sinns zu lesen.

Dabei kommt es mehr und mehr zu phänomenologischen Beobachtungen an der »Oberfläche«. Daß der Mensch »nächtlich« geworden sei, seine Verrichtungen in die Dunkelheit verlege, entspreche dem »plutonischen« Geschlecht der Moderne. Was in der »unterirdischen Schmiede der Zukunft« wirklich geschieht, entzieht sich dem Wissensdrang des Geschichtsphilosophen. Was er an abgeleiteten Handlungen einzusehen vermag, läßt ihn oft nur Irritation empfinden: die Wahrnehmung hält mit ihrer Deutung nicht Schritt. Aus dieser eigentümlichen Spannung, die »existentiell« das Gefühl äußerster Verlorenheit evoziert, wie sie in schärferer metaphorischer Verdichtung auch aus Kafkas später Erzählung »Der Bau« spricht, holt Jünger mehr unbewußt als kalkuliert den ästhetischen Überschuß einzelner Passagen. Man kann das an einer längeren Einlassung vom 7. Juli 1918 demonstrieren. Der helle, ungetrübte Sommertag lädt zu einem Gang auf dem Weg nach der Ortschaft Puisieux ein. Alles ist ruhig, nur zwei Flieger liefern sich ein kurzes Duell. Sie erwecken mit ihren zierlichen und eleganten Bewegungen den Neid dessen, der die »saubere und klare Form« des Kampfes bewundert. Nicht »alltägliche, mühsame Arbeit«, eher Sport, »kurze, wilde Zusammenfassung«, sei es, worin sich die Duellanten auszeichneten. Als der Pfad weiter dem Dorf entgegenführt, tauchen die ersten, surrealistisch anmutenden Bilder der Zerstörung auf.

»… der ganze Schutt und Abraum einer großen Offensive, der hier eine eiserne Faust Halt geboten hatte, wetteiferte mit dem Trümmerwerk der Häuser, die schmalen Straßen zu versperren. Dazwischen lagen, ganz sinnlos, friedliche Geräte verstreut, ein Pflug, eine zerschlagene Suppenschüssel und ein Heiligenbild aus Holz, von dem der Regen die Vergoldung abgewaschen hatte.« (Wä 63/1, 345 f.) Alsbald schiebt sich befreiend vor dieses Capriccio der Zerstörung der Eindruck, den die Natur in ihrer sommerlichen Präsenz gewährt.

»So sah ich überall die Pflanze Besitz ergreifen, sie hing in die alten Trichter hinein, Kamille, Johannisbeere und Goldlack hatten sich auf die Mauerreste geflüchtet, die Schutthaufen waren von Brennesseln erstürmt, und die Steinplatten der Gartenwege unter goldbraunen Moospolstern versunken. Und ich dachte mir, daß, wenn diese Wut zu leben und zu wachsen für unsere Ohren vernehmbar wäre, sich in dieser scheinbar friedlichen Stille ein Gebrüll erheben würde, das auch die größte Schlacht der Menschen übertönen müßte.« (Wä 65/1, 347)

Endlich geht der Blick »durch ein rundes, von einer Granate in eine Mauer geschlagenes Loch« auf den Kirchhof, »auf dem wie ein Jüngstes Gericht die Verwüstung niedergegangen war«. Da hält es der Betrachter nicht mehr beim Betrachten aus. Er erinnert sich eines Bildes von Ruisdael, »Der Judenfriedhof«, auf welchem der Meister den Zwiespalt gestaltet habe, »der zwischen dem Sinn des Todes liegt und der Bedeutung, die der Mensch ihm gibt«. Unwillen müsse die Natur erfüllen über den Grabmälern, mit denen der Mensch die Persönlichkeit verewigen möchte. In Puisieux will ihm jedes zerschlagene Kreuz zurufen: »Es gibt keinen ewigen Frieden, es gibt nur eine ewige Bewegung, die auch das kleinste Teilchen nicht aus seinen Diensten läßt.« (Wä 65) Bis zum Widersinn steigert sich die Szenerie, als auf einem Grabmal die Schrift kenntlich wird, »Concession à perpétuitée«; »ein schmerzliches Hohngelächter über den Menschen und sein Verhältnis zur Zeit.« (Wä 66) Schließlich hat Jünger eine Anhöhe erreicht, und wie eine Vision wird ihm von da das Wäldchen 125 zurückgerufen, als dort plötzlich Granaten einschlagen. »So, in der Weite der Front verloren und durch einen großen Abstand von mir getrennt, sah das Geschehen da unten harmlos und winzig aus, und es kam mir seltsam vor, daß dieses Waldstück gestern einen so starken Eindruck auf mich machen konnte. Und ich glaube, wenn es ein großes Wesen gäbe, das seinen Blick mühelos von den Alpen bis zum Meere ausspannen könnte, so würde ihm dieses Treiben vorkommen wie eine zierliche Ameisenschlacht, wie ein feines Gehämmer an einem einheitlichen Werk. Uns aber, die wir nichts als einen mikroskopischen Ausschnitt sehen, drückt unser kleines Schicksal nieder, und der Tod erscheint uns in furchtbarer Gestalt. Wir können nur ahnen, daß das, was hier geschieht, in eine große Ordnung gegliedert ist, und daß die Fäden, an denen wir scheinbar sinnlos und auseinanderstrebend zappeln, sich irgendwo zu einheitlichem Sinn verknüpfen.« (Wä 67/1, 349) Ein Tag drängt Natur und Geschichte, Leben und Tod zum Erlebnis zusammen, das am Ende wieder in der Ratlosigkeit dessen mündet, der am Trost von der ewigen Bewegung nicht genug haben kann.

Das alles mag sich dem ästhetischen Blick als überraschende Reihung anbieten, aber es entzieht sich dem gestaltenden und verfügenden Zugriff, der hier eher seine Grenzen als seine Möglichkeiten kennenlernt. Kultur als das vermöge geschichtlicher Leistungen Hervorgebrachte wird durch den Krieg zum Zerfallsprodukt, ohne daß sich dem in nächster Nähe anwesenden Betrachter schon die ordnungsstiftenden Folgen dieses vorerst ex negatione auftretenden »Fortschritts« zu erkennen gäben. Immer wieder insistiert Jünger darauf, nicht »nach ursächlichen Zusammenhängen zu forschen«. Wenn der Krieg Atavistisches im Menschen geweckt hat, hat er ihn auch mit dem »Wunderbaren« in Berührung gebracht. Die Spannung der Ungewißheit ist es, welche dabei über alle Formen eines als gleichförmig empfundenen Alltags der Vorkriegszeit triumphieren soll; im besonderen Maß liefere sich ihr der Flieger aus, der »an Steigerung des Lebens durch die Maschine« gewöhnt sei. Man vergißt leicht, daß der Prozeß der Mechanisierung noch in den zwanziger Jahren seine »Kinderseite«, mit Benjamin zu sprechen, zeigte, den magischen Glanz der noch nicht zu Ende gebrachten Bändigung des Risikos. Dem Piloten erwachse daraus der doppelte Reiz der Kampf-Technik, wobei er dem Typus nach dem Spieler und dem Dandy verwandt sei. »Der unausbleibliche Höhepunkt ist eine Dekadenz, oder besser ein Dandytum, das in seltsamem Gegensatz steht zu der furchtbaren Kraft, die es maskiert. Wenn sie in leichten, offenen Röken, mit weichem Kragen und Schlips, den sie sehr zum Ärger der

Armee zu tragen pflegen, beisammensitzen, so sprechen sie über Leben und Sterben mit derselben Frivolität, mit der der Kavalier des ancien régime über die Liebe sprach.« (Wä 79/1, 357) Die lobenden Zwischentöne des Grabenkämpfers, der sich über das Auftreten des Fliegers bis zu dessen Kleidung seine Gedanken macht, sind nicht zu überhören: der Pilot hat gegenüber dem Frontsoldaten den verführerischen Vorteil, dem Dämon der Langeweile kaum ausgeliefert zu sein. – Jünger ist mit der Deutung der lebenssteigernden Anspannung, wie sie dem Krieg eigne, auch als Theoretiker nicht allein. Schon sechs Monate nach Kriegsausbruch schrieb Sigmund Freud über die Entzweiung, die die moderne Kultur durchherrsche und ihr den Tod in seinem »Urzustande« entfremdet habe. »Es ist leicht zu sagen, wie der Krieg in diese Entzweiung eingreift. Er streift uns die späteren Kulturauflagerungen ab und läßt den Urmenschen in uns wieder zum Vorschein kommen. Er zwingt uns wieder, Helden zu sein, die an den eigenen Tod nicht glauben können; er bezeichnet uns die Fremden als Feinde, deren Tod man herbeiführen oder herbeiwünschen soll; er rät uns, über den Tod geliebter Personen hinwegzusehen.«[46]

Was Freud 1915 in den beiden Essays »Die Enttäuschung des Krieges« und »Unser Verhältnis zum Tode«, vereint unter dem Titel »Zeitgemässes über Krieg und Tod«, entfaltete, war nicht weniger als die letztlich von Nietzsche inspirierte Lehre, daß der Krieg nicht Anlaß zur Indignation geben solle, sondern als Entäußerung von Triebregungen »elementarer Natur« verstanden werden müsse, in welcher der »Kulturgehorsam« zeitweilig suspendiert sei. Dem Menschen sei trotz aller Humanisierung über Entwicklungsstufen der Trieb »ursprünglicher Bedürfnisse« in der Form der »Koexistenz« eigen. Freud, stets fasziniert von allem, was sich als Kompensation deuten ließ, sah als einen Mangel der Kulturkonventionen an, daß der Tod zunehmend verdrängt und verleugnet werde und daher auch das Leben überschatte. »Das Leben verarmt, es verliert an Interesse, wenn der höchste Einsatz in den Lebensspielen, eben das Leben selbst, nicht gewagt werden darf... Wir getrauen uns nicht, eine Anzahl von Unternehmungen in Betracht zu ziehen, die gefährlich, aber eigentlich unerläßlich sind wie Flugversuche, Expeditionen in ferne Länder, Experimente mit explodierbaren Substanzen... Die Neigung, den Tod aus der Lebensrechnung auszuschließen, hat so

viele andere Verzichte und Ausschließungen im Gefolge.«⁴⁷ Es
könne daher nicht anders kommen, als daß der Mensch, der Kulturmensch, in der Welt der ästhetischen Fiktionen von Literatur und
Theater Ersatz, Kompensation suche. »Dort finden wir noch Menschen, die zu sterben verstehen, ja, die es auch zustande bringen,
einen anderen zu töten.«⁴⁸

Wie eine Vorwegnahme der Passagen aus Jüngers Essay »Der
Kampf als inneres Erlebnis«, wo von den Ersatzsuggestionen des
Kinos gesprochen wird, liest sich das. Hätte Jünger einen unverdäch-
tigen, »analytischen« Zeugen für die eigenen Erwägungen gesucht,
er hätte sich kaum einen Autor von ähnlichem Ansehen wünschen
können. Schon Freud bediente sich der Figur des »Urmenschen«,
um einen naturnäheren Umgang mit dem Tod frühgeschichtlich zu
konstruieren. »Die Urgeschichte der Menschheit ist denn auch vom
Morde erfüllt.« Während jedoch dieser »Urmensch« die »Blutschuld« als ein »Stück ethischer Feinfühligkeit« verspürt habe, sei
der »Kulturmensch« davon kaum mehr betroffen. »Wenn das wilde
Ringen des Krieges seine Entscheidung gefunden hat, wird jeder der
siegreichen Kämpfer froh in sein Heim zurückkehren, zu seinem
Weibe und seinen Kindern, unverweilt und ungestört durch Gedanken an die Feinde, die er im Nahkampfe oder durch die fernwir-
kende Waffe getötet hat.«⁴⁹

Aber Freud urteilte zu früh. Er konnte 1915 weder die Länge des
Kriegs in Betracht ziehen noch die Heftigkeit, mit der er geführt
wurde. Vor allem konnte er noch nicht sehen, daß die »Blutschuld«
bei manchen so stark nachwirkte, daß sie nicht mehr den »alten«,
sondern einen »neuen« Menschen daraus hervortreten lassen wollten. Dem Opfer mußte eine Genesis als Erlösung hinzugedacht
werden. Was Jünger diesem neuen Menschen wünscht, nachdem
sich seine »Kraft« erwiesen hat, ist »Form«. Nicht die deutschnationalen Passagen und die Klage, daß die Niederlage deshalb unvermeidlich war, weil die moralische Bereitschaft des letzten Engagements entbehrte, bilden die gedankliche Herausforderung von »Das
Wäldchen 125«. Der spekulative Kern ist von härterer Beschaffenheit. Nämlich, Jünger fingiert beharrlich den Typus, der dem Zeitalter der Mechanisierung durch die Unbetroffenheit gewachsen sein
soll, mit der er auf den Angriff des Schmerzes reagiert. »Wir werden
Züge durch Maschinengewehre, Kompagnien durch Panzerwagen,

Kavallerie-Regimenter durch Flugzeuggeschwader ersetzen und scheinbar alles auf die Maschine stellen können – aber nur, wenn wir zu einer raffinierten Qualitätsarbeit am Menschen übergehen.« (Wä 88) Seit der Aufklärung und lange bevor sich die Auswirkungen der Technisierung auf die Lebenswelt zu erkennen gaben, faszinierte die Idee künstlicher, von einem Mechanismus angetriebener Menschen. Sie findet die letzte Steigerung, wo der Roboter im »echten« Menschen so realisiert ist, daß dieser in einer Maschinenwirklichkeit als deren Funktionär seine exakt bemessene Leistung erbringt. Ohne schon die Konsequenzen zu bedenken, wie sie in dem Essay »Der Arbeiter« von 1932 reflektiert werden, spricht Jünger von dem Neuen und Entscheidenden, das sich durch das Auftreten der Maschine im Krieg angebahnt habe. Macht drücke sich darin aus, beispielhaft in der Erscheinung des modernen Schlachtschiffs, aber auch in jener des Tanks, des Flugzeugs, des Unterseeboots. Freud hatte nicht unterschieden, als er die Fernwirkung der Waffen und den Nahkampf erwähnte. Für Jünger wird die Differenz dank dem Erlebnisvorsprung zum Ausgangspunkt einer Vision, wie der Krieg ohne das »Grausige« der Begegnung »Aug' in Aug'« entschieden werden könnte. »Intelligente« Kämpfer würden über ein Arsenal von Waffen verfügen, mit denen sie praktisch durch reine Geisteskraft umgingen. »... es gilt eine Maschine herzustellen, einfach, praktisch, durchdacht, von höchster Leistungsfähigkeit und ohne Verschnörkelungen, die man mit derselben Zuversicht in den Kampf schicken kann wie etwa eine große Automobilfirma ihren besten Wagen in ein internationales Straßenrennen.« (Wä 118) Nun kehrt sich dem Verächter alles Verstandesmäßigen, wo er den Vorteil psychischer Entlastung durch die Fernwirkung erwägt, das Verhältnis zum »Gehirn« unversehens um. Künftig könnte die Maschine durch Qualität aufwiegen, ja übertreffen, was zuvor »die reine Masse« leisten mußte. Sodann sei das »Zauberhafte« eines solchen Entwicklungsganges, »daß bei ihm die Überlegenheit des Verstandes sich sofort im Tatsächlichen offenbart. Wir erleben es jeden Tag in allen Zweigen unserer Industrie, daß ein neues Wunderwerk dieser in Stahl gegossenen Intelligenz alles bisherige mit einem Schlage verdrängt.« (Wä 121 f.)

Der Autor geht noch weiter, als es sich die Konstrukteure je hätten träumen lassen. In einer Einlassung, die in späteren Fassungen wohlweislich gestrichen ist, sinniert er darüber, wie der Tank, in welchem Bewegung, Wirkung und Deckung vereint seien, noch zu verbessern wäre, »und zwar in Form des ›fliegenden Tanks‹«. »Das werden schwere, niedrig fliegende Flugzeuge sein, hinreichend gepanzert gegen Infanteriebeschuß, die nur zum Kampf auf dem Boden bestimmt sind, während ihre Flugvorrichtung zur Fortbewegung dient. Sie landen, greifen als durch Propeller gezogene leichte Kampfwagen in das Gefecht ein und fliegen wieder ab, wenn stärkere Artilleriewirkung einsetzt, um sich anderen wichtigen Punkten zuzuwenden.« (Wä 119 f.)

Über den Eifer des selbsternannten Militärtechnikers ist leicht lächeln. Es mochte ein Stück weit Ausmünzung der Phantasie sein, die für einen Verlag, der vorwiegend militärische Schriften publizierte, zu leisten sich Jünger bemüßigt fühlte. Doch neben dem Tribut an eine »Praxis«, die um so wirklichkeitsferner anmuten mußte, als die geschlagene Nation von anderen Sorgen bedrängt wurde, zeigt sich das theoretische Interesse am alten Thema der beherrschbaren Wirklichkeit. Betrachtet man diesen »fliegenden Tank« genauer, so reduziert sich die Idee des Erfinders freilich auf ein letztlich mimetisches *Wiederfinden*: das unheimliche Luftgefährt ist nichts anderes als die zur Maschine mutierte Gattung des Käfers, dem der Entomologe seit Kindheitstagen sammelnd nachstellt.

Die Epoche gab dem »Ingenieur« keinen Anlaß, an Verwirklichungen solcher Pläne zu denken. Ohnehin kann die utopische Position auf die Dauer nicht behauptet werden, wenn die redigierte Authentizität des »Tagebuchs« nicht Schaden nehmen soll. Wie nahe sich die Hoffnung auf eine Zukunft mit neuen Menschen und neuen Waffen einerseits und die Enttäuschung über den unwiederbringlich verlorenen Krieg andererseits kommen, verdeutlichen zwei Passagen. Unter dem Datum des 20. Juli erörtert Jünger, was er damit meint, wenn er vom »Wunderbaren« spricht, das der Krieg seinen Teilnehmern gebracht habe. Er beschreibt zuerst das Nahen einer Granate. Während der Verstand plötzlich aussetze und den Soldaten wehrlos dem Schicksal überlasse, springe der »Instinkt« oder das »Unterbewußtsein« ein und weise eine vorher nicht gesehene Höhle oder ein Loch als Deckung zu. Ein »inneres Geschehen« reguliere die Lebenssicherung und konditioniere den Menschen dazu, »unüberwindlich« zu werden. Er hat die Passungen der primordialen Lebenswelt wieder gefunden, die ihm Kultur und »Verstand« entfremdet hatten. Entscheidend dabei aber ist, daß im Erleben bei diesen Vorgängen und Erleuchtungen »... bedeutsamerweise die Zeit gar keine Rolle spielt«. (Wä 138) Gleichwohl geschieht es, daß der Körper die richtige Reaktion versäumt. Nun, da der Einsatz vergeblich geworden ist, dürfe das Leben dem Tod »frei ins Gesicht blicken«. »Ich selbst habe das erlebt, ich will mich damit nicht rühmen, denn es geht jedem so, und ich würde vielleicht besser sagen: Es hat sich in mir zugetragen. Das ist sehr schwer zu beschreiben, es ist ein Gefühl, als ob man aus einem Sturm in einen wellenlosen Hafen führe. Man gibt sich dem, was erst so furchtbar schien, gerne hin. Und ich erinnere mich an den eigenartigen, halb spöttischen, halb freundlichen Gedanken: ›Mehr ist das nicht?‹ Ich glaube bestimmt, daß dieser Augenblick jedem Sterben vorangeht, der Todeskampf mag noch so langwierig und erbittert gewesen sein.« (Wä 138)

Wir besitzen keine Quellen, die uns solche Momente mit der Überzeugungskraft vermittelten, die erst der nachfolgende Tod beglaubigte. Jünger selbst gibt indirekt den *metaphorischen* Kern des Vorgangs zu erkennen, wenn er ihn dem »Leben« schlechthin einschreibt: »Es gibt sich lächelnd auf, nachdem es sich bis zum letzten Blutstropfen geschlagen hat.« Ein ästhetisches Bedürfnis meldet sich, den definitiven Abgang des »Helden« formbewußt zu imaginieren. Er wäre auch da noch ein Stück weit Maschine, insofern kein Widerstand, kein organischer Aufruhr das Schlußwort hätte. – Die Verweigerung des Staunens beim Eintreten des Todes ist ein alter, seit der Stoa gebräuchlicher Topos, allen Jenseitsspekulationen den Garaus zu machen. Für die Moderne fand Baudelaire eine neue Fassung. Das 125. Gedicht der »Fleurs du Mal« ist betitelt »Le Rêve d'un Curieux«. Nachdem der Sterbende von Angst und »frischer Hoffnung« getrieben war, enthüllt sich ihm die »kalte Wahrheit«: »Ich war gestorben ohne zu erstaunen, und gräßlich umleuchtete mich rings das Morgenrot. – Wie? ist das alles? Der Vorhang war aufgegangen, und ich harrte immer noch.«[50] Was bei Baudelaire noch »ennui«, enttäuschte Erwartung, ist, die selbst den Toten unbefriedigt läßt, steigert sich bei Jünger zum »halb spöttischen, halb freundlichen Gedanken«, die Furcht besiegt zu wissen: »Mehr ist das nicht?« Nicht die Leere nach dem »Übergang« soll beschworen werden, sondern das nicht mehr unangenehme Gefühl beim Lebensende.

Aber in derselben Tagebuchsequenz zeigt sich, wie schwer sich Jünger aus der Welt der kriegerischen Einspannung zu lösen vermag. Die Passage ist nicht nur deshalb befremdlich, weil der Autor in gespielter Antizipation vom Leben »nach dem Krieg« spricht, als ob es nicht längst Wirklichkeit geworden wäre. Beschrieben wird, wie er »unter dem Keller meines väterlichen Hauses« einen »kunstgerechten Stollen« bauen und dort einen Unterstand mit allen entsprechenden Geräten einrichten werde. Dort müßten sich die Soldaten, »echte Frontschweine«, zum Umtrunk treffen. »An diesem Ort will ich mich der Zeit erinnern, die für mich die wesentlichste meines Lebens ist, und nicht dort, wo man mit Zylinderhüten erscheinen und die großen Reden anhören muß, an denen es voraussichtlich nicht fehlen wird.« (Wä 132) Die Huysmans nachempfundene Phantasie einer gestauten Zeit darf nicht nur als spätromantischer Regreß in jene Höhle vorgeschichtlicher Identitäten verstanden werden, aus welcher der Mensch durch Aufklärung hinausgeführt – man müßte hier sagen: vertrieben ward. Es eignet ihr zugleich ein demagogischer Effekt, der den Unmut gegenüber der Politik der Republik verstärken mußte. In die Fluchtlinie der Vision des Verweigerers gehört die Aussage, daß Preußens »trockener und undämonischer Zug« und »subalterne Zähigkeit« Deutschland verspätete Weltgeltung gebracht hätten. Jünger nimmt das Lächerliche seines gotischen Gewölbes in Kauf, um zu demonstrieren, wie dort das »vitale Gefühl« dem epochalen Zug zur Versachlichung widersteht, ja als »Urgefühl« überlebt. Die Niederlage habe dem »Volk« vor Augen gebracht, »daß es in Formen in den Kampf geschritten ist, die zu dieser Zeit nicht genügende Widerstandskraft besaßen«. (Wä 177) Nicht an verpaßte Rationalität denkt der Autor dabei, vielmehr an den Mangel an »dämonischer« Entschlossenheit. Es mutet seltsam an, diesen Vorwurf gegenüber dem Wilhelminismus zu hören, der gerade im Umgang mit dem Mythischen zur Legierung imperialer Ausgriffe nicht kleinlich war. Wenn Faschismus unter anderem die »völkische« Sozialisierung des Nationalismus bedeutet, trägt Jünger zu seiner ideologischen Festigung bei, indem er ihn noch stärker, als es das Kaisertum vermochte, mit dem »Gefühl« in Verbindung bringt. Ein einziger Satz genügt dem Essayisten, die Zeitwende zu markieren. »Die Zeiten der Aufklärung sind vorbei, der Krieg vollendet ihren Untergang, er wirft uns mit Notwendigkeit auf das Gefühl zurück.« (Wä 185)

»Gefühl« ist ein Wort von metaphorischem Überschuß. Wolf Lepenies hat gezeigt, wie schon im 19. Jahrhundert der Gegensatz Gefühl versus Vernunft nicht nur das politische Denken Europas zu prägen begann, sondern auch die scheinbar reinen Lehren der Soziologie.[51] Ein Schriftsteller wie Jünger sieht sich durch seine theoretischen Interessen dazu verleitet, diese Antinomie weiterzutreiben, in die Ästhetik hinein. Der Apologie auf den Dichter Hermann Löns, der bereits im Herbst 1914 gefallen war, folgt eine Kritik an zeitgenössischer Kunst. Nur Sternheim wird als Beispiel genannt, um die Herrschaft des »blanken, eisigen Verstandes« zu denunzieren, während Nietzsche, früher schon Büchner und Balzac eine andere Richtung vorgegeben hätten. Wichtig wird dem Kulturkritiker dabei die Idee des »Bodens«, »denn nur aus dem eigenen Boden wächst alles Große und Starke hervor«. »Mit allem, was ebensogut in Stockholm wie in Paris oder Berlin geschrieben sein könnte, lohnt es nicht, sich zu beschäftigen. Es muß Substanz vorhanden sein, wenn ein Ewiges sich binden soll.« (Wä 155) Dieses Bodengefühl hätte Löns zu evozieren gewußt: »So zwischen Blumen und Gräsern den Leib an die Erde zu pressen, scheint uns eine heidnische Lust, ein pantheistischer Rausch, dessen Gefühl uns vielleicht nur noch der Amerikaner Walt Whitman durch Worte zu übermitteln weiß.« (Wä 158) Es ist kaum möglich und überdies wenig sinnvoll, in den oft verworrenen Einlassungen nach gedanklicher Stringenz suchen zu wollen. Hatte Huysmans, der Zola vorgezogen wird, Sinn für den Boden, die »Heimat«? Empfand Baudelaire »völkisch«? Bei Löns fällt Jünger ein erlösendes Stichwort ein: das Land. »Hier ist eine der Grenzen, an denen dem Intellekt ein Halt geboten wird, und wir sehen mächtige Begabungen scheitern, wenn sie sich von der Stadt aufs Land wagen. Hier ist die Energie, mit der die Zivilisation geheizt wird, noch ruhend, die Erscheinungen sind stetig...« (Wä 160)

Jünger, der selbst im Dezember 1933 von der Stadt auf das Land, von Berlin nach Goslar übersiedeln wird, arbeitet, noch undeutlich, den lebensschonenden Vorteil der naturalen Rhythmen gegenüber den Beschleunigungen in den großen Städten heraus; »Landzeit«

wäre im Unterschied zu »Stadtzeit« von einer klimatischen Erträg-
lichkeit, die nicht durch die »Sensationen« und Reize des babylonischen Anspruchs gestört würde. Das Thema wird den Autor noch
länger beschäftigen. Im Tagebuch hat der spekulative »Kontrast«
eine realistische Vorgabe. In ruhigen Stunden und Gefechtspausen
verwandelt sich dem Kämpfer der Graben vom bloßen Warteraum
zur naturnahen, frühgeschichtlich angehauchten Lebenswelt. »Man
hat die anspruchslosen Gewohnheiten des Naturmenschen wieder
angenommen, in der Sonne liegen und das Fließen der Zeit unmittelbar als Genuß empfinden, wenig denken und höchstens einen einfachen Kunsttrieb betätigen – viel anders kann man in den Pfahldör-
fern auch nicht gelebt haben, wenn man von der Jagd oder vom
Kampfe zurückgekehrt war.« (Wä 196/1, 391)

In einer Notiz vom 24. Juli läßt Jünger einen Gefährten die Vermutung äußern, daß der Krieg verloren sei. »Ich kann wohl sagen, daß
da zum ersten Mal im Krieg ganz klar der Gedanke in mir auf-
tauchte: ›Was dann, wenn wir verlieren würden?‹« Die Passage leitet
den Schlußteil von »Das Wäldchen 125« ein; er ist gegliedert in weitere Reflexionen, die dem »Sinn« der Niederlage gelten, und in eine
dichte Beschreibung, wie die Einsatzkompanie bei der Verteidigung
scheitert und das Wäldchen schließlich im feindlichen Feuer untergeht. Im Bestreben der Sinnrettung spricht Jünger vom Konzentrat
der seelischen Erlebnissumme, welches für die Betrachtung wichtiger sei als der materielle Vorgang. Kraftfelder der Affekte glitten
unsichtbar an der »Masse« vorüber, um sie gleichwohl »wie einen
Haufen von Eisenfeilspänen zu wechselnden magnetischen Gebilden« zu ordnen. Mit solchen Feldern – ein anderes Mal fällt das Wort
von der chemischen Reaktion – sich zu beschäftigen sei »eine wichtige Aufgabe der modernen Psychologie«.

»Psychologie« wäre nicht bloß die Ergründung des Seelenlebens
auf dem Weg mehr oder weniger hermeneutischer Annäherungen
an die Triebstruktur, sondern weit mehr, nämlich die objektiv gewordene Wissenschaft vom menschlichen Verhalten. Die wenigen
Sätze, die Jünger darüber wagt, lassen das Ungeheuerliche des
Anspruchs, in instrumenteller Absicht geklärt zu wissen, was dabei
»vorgeht«, kaum deutlich werden. Gleichwohl, es ist an ein Verfahren gedacht, unter dessen messendem Zugriff der Soldat, indem er
verstanden wäre, auch beliebig gesteuert werden könnte. Was den

Schriftsteller seit den »Stahlgewittern« zunehmend irritierte, war nicht der Krieg, sondern das unberechenbare Verhalten, das – gleichsam der Dichotomisierung von »citoyen« und »bourgeois« parallel – den Soldaten mit dem Menschen im Widerstreit offenbarte. Für künftige Kriege soll die Kenntnis des abschwächend so bezeichneten »moralischen Faktors« unerläßlich sein.

»Dieses Herausarbeiten der seelischen Geschichte eines Krieges, bei dem von der Muskulatur nur die Stellen zu berücksichtigen wären, die nötig sind, um das Aufliegen der motorischen Nerven darzustellen, und das von dem gebildeten Soldaten oder dem soldatisch empfindenden Gebildeten vorgenommen werden müßte, würde nicht nur geschichtlichen, sondern vor allem lebendigen Wert besitzen. Das Verfahren müßte selbstverständlich nicht literarisch, sondern streng wissenschaftlich sein, schon um der Kritik jener ewig Unvermeidlichen die Spitze abzubrechen, deren Hornhaut nicht fein genug für diese Kräfte ist.« (Wä 167)

Dem ersten Schritt der Erkenntnis folgte der zweite der Lenkung. Nachdem die Gesetzmäßigkeiten festgestellt wären, setzte deren praktische Anwendung ein. »Denn wir müssen dazu fähig werden, eine Art Demagogie von oben zu betreiben, gerade in den Augenblikken auf die Masse zu wirken, die sie in der Glut großer und unerwarteter Ereignisse jenen Grad der Weichheit und Auflösung erreichen lassen, in dem sie nicht mehr durch die einleuchtendsten Verstandesschlüsse, sondern lediglich durch Gefühle zu formen ist.« (Wä 165) Solcher demagogischer Steuerung verschließe sich der Ordnungsstaat ebenso wie der »behördlich wohlgeregelte Patriotismus«. Um aber dem Verdacht des Anarchismus entgegenzutreten, empfiehlt Jünger der »Revolution« für Volk und Vaterland die nationalistische Steigerung. »Wir können gar nicht national, ja nationalistisch genug sein.« (Wä 185) – Es sind Gedanken Spenglers und seiner Ideologie der Formgebung einerseits, der »Nationalen Revolution« um Schriftsteller und Publizisten wie Ernst Niekisch und Arthur Moeller van den Bruck andererseits, die Jünger dabei einschmilzt und einer Leserschaft unterbreitet, der die Demokratie längst wieder obsolet geworden ist.[52] Für das Werk in seiner *literarischen* Physiognomie blieben solche Spekulationen, wie bedenklich sie auch in ihrem Politisierungseffekt sein mochten, nicht entscheidend, wenn sie nur der verwandelte Reflex der Lektüre von Machiavelli wären. Der Autor selbst legt die Spur zur tieferen Genealogie der Lehre von der Gefühlserkundung. Es habe ihn immer geärgert, wenn er Kriegsberichte und Entdeckungsschilderungen gelesen habe, diese »so trocken aufgezeichnet« zu finden. Als Kind sei er Stanley auf seinen afrikanischen Abenteuern gefolgt, später habe er sich Reisebeschreibungen gekauft. Doch erst als ihm einige Erzählungen des Schweden Jürgen Jürgensen in die Hände gerieten, »merkte ich, was es heißt, den Geist einer fremden Landschaft zu erfassen«. »Hier hatte es endlich einer verstanden, nicht nur ein Spiegelbild der Netzhaut, sondern der Seele zu geben, das auch jemanden, der diese Gegenden nie gesehen hatte, zwang zu sagen: So muß es sein. Hier war etwas, das auch durch die Zerfaserung, durch das feinste Detail nicht zu fassen ist, jenes Ungewisse, das weite Ausblicke in den starren Bau der Sprache bricht, und das zuweilen in Lichtern schillert, deren Glanz jenseits der Skala des Wortes liegt.« (Wä 188)

Die Seelenkunde, das »Erleben«, wird zur Aufgabe für den Künstler. Die Unverträglichkeit dieses Bekenntnisses zu einer Sprache, die nicht den Erwartungen des »Verstandes« nach bloßen Bezeichnungen gehorchen soll, mit dem Hinweis auf strenge Wissenschaftlichkeit markiert die Bruchstelle zwischen Theorie und Praxis. Dem revolutionär bewegten Praktiker weitet sich die Aufschlüsselung des »Gefühls« unversehens zur endlosen Aufgabe ästhetischer Übersetzungen, mehr noch: zum magischen Ausblick »jenseits der Skala des Wortes«. Das Pensum des Schriftstellers, zuerst exemplifiziert anhand der Texte des harmlosen Schweden, führt ihn – immer die Antinomie von Verstand und Gefühl im Blick – dem ungleich gewichtigeren Vorbild Hamanns entgegen. – Mannigfacher und bunter spiele das Leben an Straßenecken und in Salons. »Aber *empfunden* wird am stärksten im Krieg.« (Wä 189) Es sind gerade nicht die »moralischen« Passagen der frühen Tagebücher, welche solcher Empfindung den geforderten Raum geben, sondern die literarischen, deren bildhafter Überschuß weder wissenschaftlicher Verwertung je genügen könnte, noch die politische Ausmünzung im Dienst der konservativen Revolution gestattete. Für letztere bedient sich Jünger denn auch zwischen 1923 und 1933 des Mittels des Zeitschriftenessays.[53]

Dennoch wird die »Demagogie von oben« in ihrer praktischen

Anwendung noch etwas näher erläutert; es mögen solche und ähnliche Ausführungen gewesen sein, die auch Goebbels' Aufmerksamkeit auf den Verfasser der »Stahlgewitter« lenkten. Im Film sieht Jünger das machiavellistische Mittel, den Zuschauer affektiv zu bewegen. Es scheine, »daß sich im Film eine Art von großzügigen und keineswegs harmlosen Volksspielen vorbereitet, die sehr wohl imstande sind, mächtige sinnliche Erschütterungen auszulösen, weshalb man sie auch schon mit Mißtrauen betrachtet, anstatt daran zu gehen, sie nutzbar zu machen. Das Wesen des Films verlangt Tat, Beweglichkeit, Handlung und Macht – es ist kein Zufall, daß er immer mehr Stoffe der Renaissance, der großen Revolution und cäsarischer Zeiten zu bevorzugen beginnt. Er würde auch für die Verherrlichung der modernen Schlacht vorzüglich geeignet sein, die abzulehnen oder zu verschleiern schon ein Zeichen der inneren Schwäche ist«. (Wä 193 f.) Das Lichtspiel hätte den Vorteil, als Multiplikator auf »Millionen« einzuwirken und das Volk zum »dämonischen Glauben« zu bekehren. Was mit einigen Sätzen angedeutet ist, wird sich seit 1933 mit einem Sinn für den Realismus von Propaganda erfüllen, vor welchem Jünger nur noch zurückschrecken kann. Aber schon im Jahr 1925 verbirgt sich hinter der Sprache des Zynikers, der als Machtstratege rezipiert werden möchte, das Bedürfnis nach dem *geteilten* Erlebnis. Alle Welt soll mitfühlen, wie der Krieg sich denen, die ihn führten, aufprägte, und sei es in der verdunkelten Bequemlichkeit eines Kinosessels. Der Autor des Essays »Der Kampf als inneres Erlebnis« hatte dafür nur Verachtung empfunden. Wo aber »revolutionär« die Mobilisierung des Volkssturms gegen die Demokratie auf dem Spiel steht, die Nation als Einheit sich zu erkennen geben soll, verliert der Vorbehalt zugunsten der größeren Wirkung seine Funktion. Gleichwohl schlägt Jüngers Herz weniger für die Masse als für die »extravaganten Kräfte«, Anarchisten, Einzelkämpfer, »Kerle«. Erinnerungen an die eigene Zeit in der Fremdenlegion kommen, als der Achtzehnjährige im Spätherbst 1913 über Frankreich nach Algerien entwich und erst dank energischer Maßnahmen des Vaters wieder nach Hannover zurückkehren konnte. Einmal »nicht nach Ausweispapieren, vormundschaftlicher Erlaubnis und Vorstrafen zu fragen«: das wäre die Voraussetzung dafür, Männer zu finden und »Orte« zu schaffen, »wo der Kerl als solcher anerkannt wird, und wo man versucht, diese extravaganten Kräfte positiv nutzbar zu machen, anstatt sie zwangsläufig in eine Kampfstellung gegen Staat und Gesellschaft zu drängen«. (Wä 192 f.)

Es war das Verdienst eines Regisseurs, den Kinogänger über die Dämonie solcher Wünsche und ihrer Folgen aufzuklären; ohne großen Erfolg. 1926, nur ein Jahr nach der Publikation von »Das Wäldchen 125«, war in deutschen Lichtspielhäusern der Film »Metropolis« von Fritz Lang zu sehen. In expressionistischer Konzentration, doch nicht ohne die Einsprengungen einer beunruhigenden Sachlichkeit, wurde gezeigt, wie die Tyrannei der Maschine in den Händen der Macht den Menschen sich unterwarf, ihn zum willenlosen »Arbeiter« degradierte. Aber nicht nur für Funktionalisierungsträume großen Stils hatte Lang den empfindlichen Blick. In der Trilogie um Dr. Mabuse entwarf er das Porträt eines genialen Verbrechers, eines Anarchisten, der die Gesellschaft von innen her unterminierte, und in »M« war zwei Jahre vor Hitlers Diktatur mit aller Deutlichkeit das Menetekel einer Verbrechergruppe an die Kinowand gemalt, die ihre menschenverachtenden Operationen im Schatten der Quasi-Legalität durchführte.

Zu solcher Aufklärung findet sich Jünger erst in den beiden Fassungen des »Abenteuerlichen Herzens«, vor allem in der revidierten Version von 1938, bereit, als er das Böse herauszupräparieren beginnt, das der Epoche in vielerlei Gestalt begegnet. Im »Wäldchen 125« wird am Ende noch einmal das »Blut« angerufen. Karl Heinz Bohrer hat nicht nur auf den besonderen Stellenwert des Wortes in Jüngers Frühwerk hingewiesen, sondern auch Lineaturen aufgezeigt, die Jüngers »Blut« mit Vorstellungen von Barrès, Scheler und Spengler verbinden.[54] »Blut« ist synonym für Leben, Volk, Rasse, Empfinden – und als solches dem »Gehirn« wie dem »Verstand« entgegengesetzt. Unerträgliche Sätze, die in späteren Auflagen gestrichen sind, empfangen ihre Legitimation aus dem Auftrag des Blutes. »Gestern waren wir Bürger, Bauern, Kinder, friedliche Menschen, heute sind wir Krieger, unsere Sittlichkeit und unsere Pflichten sind andere. Heute heißt es töten, und es ist kein Zweifel, daß wir töten werden: gut, mitleidslos und nach allen Regeln der Kunst.« Vorher hat es geheißen: »Nur aus dem Blute empfangen die großen Begriffe: Geschichte, Ehre, Treue, Männlichkeit, Vaterland, die in der wechselnden Beleuchtung des Verstandes kalt und seelenlos erscheinen, ihre lebendige Kraft. Nur hier ruht das tiefe Zusammengehörigkeitsgefühl eines Volkes und das unerschütterliche Bewußtsein des guten Rechtes, mit dem der Soldat die Waffe für sein Land ergreift, aus welchem Grunde es auch immer sei.« (Wä 229) Aber was der Essayist ohne theoretische Anstrengung dekretiert, schlägt dem Träumer als Entsetzen entgegen. Wie ein Bote einer Welt jenseits der Unterstände und Gräben, der sargähnlichen Kammern und Trichter erscheint ihm jener Meldegänger, der berichtet, daß das Wäldchen 125 vom Feind genommen sei. In dieser Figur offenbart sich eine sehr späte Spiegelung des platonischen Gleichnisses von der Gefangenschaft in der Höhle und ihrer Auflösung. »In dem Halbdunkel des Kerzenlichtes, das dem Blut eine dunkle Farbe wie von fast schwarzen Blumen gibt, und um das Haar goldne Reflexe schimmern läßt, erscheint er zwischen diesen zusammengedrängten Höhlenbewohnern wie der Abgesandte einer freieren und mutigeren Rasse, die es vorzieht, draußen im Lichte zu sterben, wenn doch einmal gestorben werden muß.« (Wä 228)

Er selbst hat kurz zuvor einen Traum gehabt, der ihn mit Gewalt im Gewirr der Höhlengänge des Schreckens festhält. Es ist ein langer, auf mehreren Seiten abgesponnener Alp, in welchen Jünger – so will es das Tagebuch – sich gleiten sieht, eben noch im Graben Gedanken nachhängend. Verfolgungen finden statt, Bomben explodieren, Räume öffnen sich für ausweglose Gefangenschaft.

»»Der arme Hensch‹, höre ich neben mir eine unbekannte Stimme, ›der ist nun auch gefallen. Da liegt sein ganzes Gehirn.‹ Ich sehe mich um und sehe auf einer distelartigen Pflanze wie auf Salat angerichtet einen häßlichen grauen Brei. Mitten darin liegt der Messingzünder einer Granate. Nein, hier kann man nicht bleiben, nur weiter fort! Wir beginnen wieder zu laufen. Mitten im Rennen spüre ich einen Schlag gegen den Kopf und fühle, daß ich ein riesiges Loch in den Schädel bekommen habe. Mein Gehirn fließt aus, und ich merke, wie ich immer schlechter einen klaren Gedanken fassen kann. Trotzdem laufe ich weiter, bis ich bei einer Feldküche in Sicherheit bin. Dort hat sich schon eine Schar von Flüchtlingen versammelt, die hungrig darauf warten, daß der Deckel geöffnet wird. Ich werde beauftragt, ihnen Reis in die Teller zu füllen. Unfähig zu denken, halte ich indessen statt der Teller meinen Kopf unter den Kübel. Dann lasse ich die Reiskörner wieder auf die Teller fließen und merke zu meinem Entsetzen, daß Blutklümpchen dazwischen schwimmen. Voll namenloser Angst versuche ich, sie mit den Händen zu zerrühren, damit es die anderen nicht merken sollen, denn ich fühle, daß ich ihrer Bosheit völlig ausgeliefert bin, weil ich nicht den kleinsten Gedanken mehr fassen kann, wie sehr ich mich auch bemühe, Gründe zu suchen, durch die ich mich entschuldigen und verteidigen könnte.« (Wä 203/1, 397 f.)

Als dürfte es nicht die Inkommensurabilitäten ästhetischer Prosa geben, die später, im »Abenteuerlichen Herzen«, realisiert sind, fühlt sich der Autor des Traums genötigt, ihn mit einer Erklärung zu rechtfertigen, die den Verfasser der »Traumdeutung« wohl ebenso sehr interessiert hätte wie das Produkt selbst. »Solche Träume habe ich sehr oft in den Unterständen, sie sind nicht angenehm, die schlechte Luft und die Wände, die sich fast berühren, müssen sie begünstigen. Ich habe manche von ihnen aufgezeichnet, sie bilden eine sonderbare Unterbrechung meiner Tagebücher.« (Wä 205/1, 399) Nicht das Blut, sondern der Verstand hat hier das letzte Wort – gerade da, wo Bilder von erstaunlicher Kraft zugeströmt sind.

Kriegerische Apokalyptik:
»Feuer und Blut«

Noch im Publikationsjahr von »Das Wäldchen 125« erscheint in dem Magdeburger Frundsberg-Verlag das letzte der frühen Tagebücher – ein Werk, für welches das »Blut« titelwürdig geworden ist: »Feuer und Blut. Ein kleiner Ausschnitt aus einer großen Schlacht.«[55] Das Buch, von kleinerem Format als die früheren, umfaßt knapp zweihundert Seiten, und abermals hat Jünger ein Fragment aus dem Geschehen des Weltkriegs gewählt, nämlich die deutsche Frühjahrsoffensive 1918, die schon auf dreißig Seiten in den »Stahlgewittern« unter der Überschrift »Die große Schlacht« aus der Sicht des Stoßtruppführers dargestellt worden war. Inzwischen sind alle zeitgeschichtlichen Präzisierungen getilgt; selbst im Vorwort verweigert Jünger dem Leser das Minimum an Daten, das zur historischen Situierung hätte dienen können. Immerhin läßt sich eine Gliederung in sechs Kapitel erkennen, und die Chronologie der Ereignisse führt von der Wartestellung zum Abend vor der Schlacht, dann zu den Vorbereitungen des Aufbruchs, weiter zum Antritt in die Kampfstellung, schließlich zu den beiden Schlußsequenzen der Schlacht selbst; die erste schildert die Anfänge der Offensive, die zweite deren Fortgang, der sich allmählich am Widerstand des Gegners erschöpft.

»Filmisch« ist die Dramaturgie nicht nur insofern gestaltet, als sie dem Prinzip der Beschleunigung folgt; auch in der Verschiebung vom weiten, mit Reflexionen durchsetzten Ausblick zur Verengung des Sehwinkels auf die kriegerischen Vorgänge hin gibt sich eine optische Absicht zu erkennen. Weniger aber die militärische Bedeutung dieser späten deutschen Anstrengung, den Sieg zu erzwingen, dürfte den Schriftsteller zu ihrer Rekapitulation bewogen haben als ein traumatisches Erlebnis, das schon in den »Stahlgewittern« den Sprachduktus erschüttert hatte. Noch bevor der Leutnant seine Truppe gegen den Feind führen konnte, schlug eine Granate mitten in die Kompanie ein; von 160 Mann blieben 63 unverwundet. Um diesen größten Schock, den er in den vier Jahren erfuhr, legt Jünger verschiedene Kreise der Gedankenarbeit. Zu unterscheiden sind erstens Reflexionen, die mit den Vorgängen als deren Beschreibung verbunden sind; zweitens Betrachtungen zum Thema des instinktiven Verhaltens, wo wieder die Dichotomie von »Blut« und »Verstand« vorherrscht; drittens Visionen einer künftigen, auf den Geschehnissen des Kriegs und seiner zunehmenden Mechanisierung aufbauenden Wirklichkeit, die an die Utopien des Futurismus gemahnen.

Während einer Nachtwache in der Wartestellung meditiert der Autor über den Schmerz, den der Mensch empfinde, wenn er den Ablauf der Zeit bedenke; aber schon beim Anblick der Natur verschwinde »das Kleinliche des Augenblicks«. Der sich so als Verfasser der tagebuchartigen Erzählung ausweist, darf sich ein wenig abgeklärt geben, »satt« von Erlebnissen im Umgang mit dem Blut und erfahren genug, daß er über das Verhältnis von Mensch und Maschine zu theoretisieren sich legitimiert fühlt. Vom Material ist die Rede. »Ja, dort hinten wird es fabriziert in den peinlich geregelten Arbeitsgängen einer riesenhaften Produktion, und dann rollt es auf den großen Verkehrswegen an die Front als eine Summe von Leistung, als eine gespeicherte potentielle Energie, die sich als kinetische vernichtend gegen den Menschen entlädt. Die Schlacht ist ein furchtbares Messen der gegenseitigen Produktion und der Sieg der Erfolg einer Konkurrenz, die billiger, zweckmäßiger und schneller herzustellen versteht. Hier deckt das Zeitalter, aus dem wir stammen, seine Kehrseite auf. Die Herrschaft der Maschine über den Menschen, des Knechtes über den Herrn wird offenbar, und ein tiefer Zwiespalt, der schon im Frieden die wirtschaftlichen und gesellschaftlichen Ordnungen zu erschüttern begann, tritt auch in den Schlachten dieses Zeitalters tödlich hervor. Hier enthüllt sich der Stil eines materialistischen Geschlechts, und die Technik feiert einen blutigen Triumph.« (FuB, 25/1, 449 f.)

Zur selben Zeit schrieb der Schriftsteller und Journalist Bernard von Brentano eine Reihe von Berliner Feuilletons, in denen er vom Genrehaften des Treibens in der großen Stadt bis zu Themen und Motiven vordrang, deren Erklärung keine Aufgabe des Zeitgenossen sein sollte. Er blieb hartnäckig an der Oberfläche dessen, was zu sehen war. So auch in dem Text »Wo in Europa ist Berlin?«, der mehr von Ahnungen als von Gewißheiten kündete. Ein Flieger war von New York gestartet, um den Atlantik zu queren, und nun wurde er auf dem Tempelhofer Feld von einer Menge von Schaulustigen erwartet, auch von deutschen Piloten, die in die Juninacht aufgestiegen waren, den Gast zu empfangen. Inzwischen hatte der Amerikaner sein Ziel verfehlt; er war bereits bei Cottbus gelandet, »auf einer kleinen Wiese«. Brentano blieb die Ironie des Ereignisses nicht verborgen. Während die Menschen danach trachteten, wissend an den Innovationen der Technik teilzuhaben, spielten sich diese im Ungesehenen ab. »Vor einiger Zeit wurde in Berlin-Rummelsburg das Großkraftwerk Klingenberg eingeweiht. Es ist das größte Werk seiner Art in der Welt. Ingenieure und Techniker sagen, daß es ein großartiges Werk ist. Ein Laie wie ich geht stumm über die Korridore, durch Säle so groß wie Schwimmhallen, die mit Kacheln tapeziert sind. An den Wänden sind Schalttafeln, Zeichen, Zahlen, Hebel, Räder. In der Mitte sitzen zwei Männer am Tisch. Sie haben Macht über Kräfte, die die Erde erschüttern könnten. Es standen ein paar Zeilen in den Zeitungen, als dieses Werk eröffnet wurde. Man las sie und schwieg. Die neuen Taten, die *wirklichen* Ereignisse des Jahrhunderts, welche sein Gesicht zeichnen, sind schweigend. Wir tun, was wir wissen, aber wir wissen nicht, was wir tun.«[56]

Der Metapher des Schweigens hätte der Feuilletonist auch jene der Blindheit hinzufügen können. Daß die Technik im Gang ihrer neuzeitlichen Akzeleration die Anschaulichkeit, das Einsehbare, verloren habe, wurde etwas später zum Ausgangspunkt für großes und ausgreifendes philosophisches Nachdenken in Husserls zwischen 1934 und 1937 entstandenem Werk »Die Krisis der europäischen

Wissenschaften und die transzendentale Phänomenologie«. Dem Menschen ist der Sinn dieses Prozesses, der ihn längst eingeholt hat, abhanden gekommen.[57] Ein Text wie »Feuer und Blut« belegt die These unter den dramatischen Bedingungen des Schlachtfelds. Daß hier gestorben wird, ist epochenspezifisch weniger relevant als die Frage, *wie* der Tod einbricht, der eigene, wie der fremde, den man selbst veranlaßt hat. Dem Verfasser ist die geschichtliche Beschleunigung der Modalitäten bewußt, wenn er diagnostiziert, daß seit der Sommeroffensive von 1916 der Krieg durch die Technisierung gegenüber 1914 nochmals eine Zuspitzung erfahren habe. Man übersieht diese – wenn man so will: theoretische Unruhe leicht, liest man »Feuer und Blut« bloß als literarisches Produkt einer wesentlich von Décadence und Lebensphilosophie geprägten Einbildungskraft. »Feuer« ist das Bild für den ins Unabsehbare sich steigernden Vorgang der Mechanisierung der Waffen. Aber mit »Blut« wird bezahlt. Und erst auf einer zweiten Ebene drängt sich Jünger der mystische Gedanke auf, daß der »Sinn« durch dieses Blutopfer neu errungen werden könnte.

Der alten Frage nach der »Quelle«, »aus der alles entspringt«, ist deshalb jene nach der Beherrschbarkeit des »Materials« vorgelagert. Beobachtungen von der Art, daß die Granaten die Toten wieder ans Licht zerrten, mögen das Sinnverlangen verschärft haben; es führt gleichwohl über die psychischen Erschütterungen von Grauen und Entsetzen hinaus. Den ersten drei Kapiteln ist es als Frage nach der »Qualität« der technischen Veränderungen eingeschrieben. Der Krieg zeichne sich aus durch »beschleunigte Entwicklungsgänge«. Als Erfahrung seiner Technisierung ist vorweggenommen, was Husserl später in den Gedanken faßte, daß der Mensch im Sprunge vorankommen wolle. Nicht mehr als Opfer ihr hinterherzueilen, sondern die Entwicklung willensmäßig zu bestimmen, subjekthaft über sie zu verfügen, wird zur Herausforderung für den Schriftsteller. »Gewiß haben wir den Ansturm des Materials würdig ertragen, aber darin liegt nicht unsere höchste Sittlichkeit, die mächtige europäische Sittlichkeit der Tat. Wir wollen nicht nur erdulden, wenn wir auch das Erdulden nicht fürchten, wir wollen gestalten, wir wollen den Meißel an das Gesicht der Erde legen, wir wollen die äußere Welt in unsere eigensten Formen zwingen. Das kann nur geschehen, wenn unser Wille sich im Material zum Ausdruck bringt. Wir haben das Material erduldet, wir sind eisenhart geworden dabei, aber wir müssen nun lernen, mit ihm in Freiheit zu schalten. Die inneren Kräfte mächtig nach außen zu kehren, wie es im zweiten Teile des Faust geschieht, ganz einig zu sein im Fühlen, im Denken und in der Tat, das Schicksal nicht zu ertragen, sondern zu führen: das ist unsere Aufgabe.« (FuB 30 f.)

Von Spengler hatte Jünger gelernt, daß Formverlust die Kulturen ihrem Untergang entgegentreibe und Formgewinn die erste Bedingung für den Aufstieg einer neuen Ära sei. Parallel dazu muß die Genese des »neuen Menschen« verlaufen, dessen »Arbeit« die Zukunft organisiert. Nicht zum ersten Mal deute sich »ein neuer Lebenswille und ein neuer Schlag« im Krieg an: mächtig sehe man ihn aufwachsen, »den Herrn des Materials und den Herrn seiner selbst, der aus einem Zauberlehrling zum Meister geworden ist«. (FuB 31 f.) Ähnlich wie im »Wäldchen 125« spiegelt die Passage eine Zuversicht vor, die von den Ereignissen längst getäuscht ist, doch um der Suggestion von Authentizität willen bewahrt werden soll; die Chronologie des »Tagebuchs« darf nicht davon wissen, daß die »große Schlacht« vom Frühling 1918 statt den erhofften Sieg die Niederlage einleitet. Dieser eigentümliche Regreß aus der Sicht von 1925, in welchem sich so etwas wie die *Wiederholung* des Geschehenen offenbart, als ob es noch nicht geschehen, die Zeit noch zur Disposition wäre, ist mehr als bloß Erinnerung. Wie alle frühen Tagebücher gewinnt »Feuer und Blut« die geschichtsphilosophische Spannung aus einer Dialektik, die den Anteil des Faktischen an der Geschichte relativiert, indem es – nacherzählend – in statu nascendi gezeigt wird. Damit umhüllt die Aura der Kontingenz die Fakten: es hätte auch anders kommen können. Und es wird noch anders kommen, denn nicht kontigent sind die geistigen und materiellen, die »menschlichen« wie die technischen Bedingungen als Tiefenstrukturen der Geschichte. »Aber unser Heldentum ist nicht das duldende, das mag für den indischen Menschen passen, das unsere ist das der Tat, in der die unsichtbare Kraft die sichtbare Welt in die ihr dunkel vorschwebenden Bilder zwingt.« (FuB 41) In dem »aber« ist nicht nur die Philosophie Schopenhauers abgewiesen, sondern auch der Pessimismus seit der Niederlage von 1918.

Es gebe Zeichen und Hinweise für eine geschichtliche Latenzzeit, deren Sprengkraft noch schlummere. Dazu gehört die Physiognomie der modernen Bauten. »Wir kommen aus einer unsicheren Zeit, die nicht das rechte Maß in sich trug; der Krieg hat uns eine neue Sicherheit und frische Instinkte gebracht. Wir bauen heute keine Kirchen mehr, wir bauen im Stile einer imperialistischen Zeit. Wir kommen aus einer Zeit, in der man Postanstalten wie romanische Schlösser, Bahnhöfe wie gotische Burgen und Elektrizitätswerke wie Jahrmarktspaläste errichtete, aus einer Zeit, in der man neue Formen mit alten Fassaden behing, und in der man der mechanischen Entwicklung seelisch noch nicht gewachsen war. Möge dieses eiserne Zwischenspiel dazu dienen, daß wir uns über uns selbst ins Klare kommen.« (FuB 41) Der Krieg fördere die Einpassung des neuen Menschen in die neue Zeit. »Hier lernt man das Blut schätzen und den Intellekt verachten, wenn man der Feuerprobe gewachsen ist. Und das ist auch ein Auf- und Untergang.« (FuB 50)

Als der Donner der Kanonen vor dem Aufbruch in die Kampfstellung vernehmlich wird, ist der Moment gegeben, nochmals über die Maschine nachzudenken. Wer sie beherrschen wolle, müsse sich selbst beherrschen können. Und nun, da es um die Steuerung der Arbeitswelt durch ihren Funktionär, den »Arbeiter«, geht, mindert Jünger auch die Bedeutung jenes élan vital, den er noch in der essayistischen Schrift »Der Kampf als inneres Erlebnis« zum Merkmal des Kämpfers erhoben hatte: nicht in den »Durchbrüchen des Primitiven«, »die rätselhaft im Feuer der Erregung lebendig waren«, liege der Mut, »der unserem Wesen entspricht, und den wir in uns züchten müssen«. (FuB 61) Vielmehr müsse Selbstbeherrschung vorausgesetzt werden können, wenn der Umgang mit der Maschine aus dem Dienst- und Herrschaftsverhältnis verwandelt werden solle. Zum ersten Mal verschiebt sich Jüngers »Trieblehre« in die Richtung der von Max Weber soziologisch freigelegten Sublimationstheorie, daß der Geist des Kapitalismus dem protestantischen Gedanken der Verinnerlichung von Lebensäußerungen entsprungen sei. Es geht darum, Bedürfnisse nicht mehr unmittelbar zu befriedigen, ohne Ansehung der Folgen, sondern sie als zeitliche Ressourcen zu akkumulieren: die technische Welt erheischt eine Art von Speicherenergie, wenn sich ihr Potential dereinst als Herrschaftswillen durchgesetzt haben soll. Im Hintergrund wirkt Nietzsches Abwehr des Darwinismus als eines Prozesses, in welchem der Mensch dem Daseinskampf blind ausgeliefert ist. Doch in der »Renaissancelandschaft« des Philosophen habe die Maschine keinen Raum gefunden; sie als *ästhetisches* Produkt auszuweisen sei Jüngers Generation vorbehalten. »Erst unsere Generation beginnt sich mit der Maschine zu versöhnen, und in ihr nicht nur das Nützliche, sondern auch das Schöne zu sehen. Das ist ein bedeutsamer Schritt, vielleicht der erste aus jener grauen, fürchterlichen Welt des Utilitarismus heraus und aus jener Landschaft von Manchester, deren Kohlendunst alle Werte verschleiert, und die den Menschen mit teuflischer Folgerichtigkeit bis in die Hölle der Materialschlacht getrieben hat. Es muß einen Ausweg geben, schon deutet er sich dem fühlenden Herzen an, wo der Verstand noch alle Schranken geschlossen sieht, und vielleicht ist dieser Krieg unsere große Möglichkeit. Und eine Möglichkeit in dieser Richtung ist mit Millionen von Toten noch billig bezahlt.« (FuB 66) – Wenn der Autor darauf die große Stadt betrachtet, erscheint sie ihm nicht mehr als Renaissancelandschaft, sondern als eine »märchenhafte Landschaft«. Dem »Märchen« wohnte jener höhere Sinn inne, der als Lohn seinen Figuren erst am Ende der Geschichte aufgeht; was als fremd empfunden ward, verändert sich geschichtsphilosophisch zur Kenntlichkeit des erlösenden Schlusses. »Kindheit« oder »Märchenzeit« war den utopischen Vordenkern des Jahrhunderts von Bloch bis zu Benjamin die Metapher für das Unbegriffene und Unentwickelte, das seiner Aufschließung harrt.

»Es ist eine märchenhafte Landschaft, in der wir leben. Zuweilen, wenn man mit dem Zuge in eine große Stadt einfährt, und durch die unendlichen Zaubergärten technischer Gewächse rollt, durch diese stählernen Phantasien eines tätigen Geschlechts, wenn man in den Zentren dieser Städte unter einem künstlichen Himmel flammender Bogenlampen sich am tausendfachen Toben und Aufschrei der Maschine berauscht, empfindet man eine Ahnung von dem Sonderbaren und eigentlich ganz Unmöglichen dieser Welt. Wohin sind wir gekommen, seit Goethe am Ende des Wilhelm Meister noch so ganz erdhaft von der Industrie sprechen konnte? Und wohin treiben wir?« (FuB 67 f.)

Die Gegenwart des Märchens entzieht sich dem begreifenden Blick des Verstands. Diese Präsenz, die so sehr Latenz ist, teilt sich freilich den »Nerven« mit, und dem »Blut«, »das an jeder Achse zischt«. Jünger zitiert am Ende seiner Meditationen die Metapher von Jean

Paul, um zu verdeutlichen, daß hinter aller Last der »Schwung« und die »Macht« sich dem Gefühl aufdrängten. »Jean Paul hat das Bild gebraucht vom Menschen, der als Sieger auf den Hügeln seines Hirnes steht.«

Schön darf eine Technik, die in ihrem ornamentalen Überfluß übrigens noch eigentümlich als mimetisches Werk erfahren werden kann, so lange sein, als sie ein Phänomen der Lesbarkeit bleibt, dem sich der Philosoph ungestört nähert und in dem er physiognomisch den Futurismus verankert. Mit dem vierten Kapitel von »Feuer und Blut« kehren wieder die Schrecken des Krieges ein. Sie beginnen unerwartet, noch ehe die große Offensive eröffnet wird, als ein Führer die Kompanie des Leutnants in die Irre lenkt, statt ihr die vorgesehenen Unterstände zuzuweisen. Eine Granate fährt zwischen die Truppe und reißt einen gewaltigen Trichter auf. In den »Stahlgewittern« hatte Jünger, näher an den Ereignissen, den Vorfall knapper geschildert, ohne allerdings die Erschütterung zu verschweigen, die ihn für Augenblicke besinnungslos machte. »Ich warf mich zu Boden und brach in ein krampfhaftes Schluchzen aus, während die Leute düster um mich herumstanden.« (SG 226) Nun erfährt dasselbe Ereignis eine dramatische Ästhetisierung in der Art von Poes Malstrom-Bild. »Aber was ich dann sehe, von meiner kleinen Nische aus, von diesem Balkon, von dem ich in den gähnenden Trichter wie in eine schauerliche Arena hinunterblicke, das fährt wie ein eisiger Messerschnitt durch die Seele und macht mich mit einem Schlage ganz hilflos und gelähmt, wie eine grelle Erscheinung in einem gespenstischen Traum... Der Trichter ist wie ein Krater von einer dicken, milchweißen Wolke erfüllt. Ein Rudel von schattenhaften Gestalten klimmt die steilen Wände hinan... Aber was ist das, was sich da unten in dieser rötlichen Glut vielfältig und schwerfällig wälzt, als ob es entfliehen möchte und durch eine teuflische Kraft an den Boden gebunden wäre? Dieses Gewühl von Leibern, das sich windet wie Amphibien in einem kochenden See, wie die Verfluchten in einer Danteschen Vision? Das Herz möchte dieses Bild von sich abwenden, und nimmt es doch mit seinem ganzen Grauen in sich auf.«[58] (FuB 80 f./1, 473)

Noch einmal zeigt sich das Grauen, als der Offizier die Effekten und Erkennungsmarken der Gefallenen einsammelt und dabei auf Photographien stößt; es ist die Urszene, in der sich die lebenslange

Abneigung gegen das Lichtbild und dessen Totenstarre formt, ein später als ästhetisch erklärter Protest gegen die Hundertstelsekunde, die den Menschen bannt. Als ob es nur den Weg der physiognomischen Entlastung von solchen Begebenheiten gäbe, heißt es indessen schon im nächsten Absatz: »Alles ist nur ein Ausdruck, und in den Waffen der Menschen hat sich die Härte und Unbarmherzigkeit der das Leben treibenden Kräfte trefflich auszudrücken gewußt.« (FuB 94) Die verwandelte Applikation der Schlußverse des zweiten Teils des »Fausts« auf die Waffentechnik zählt zu den frühen Versuchen, das Entsetzen als eine vordergründige Reaktion gegenüber dem *noch* verdeckten Sinn des Ganzen abzumildern: es wird zur Oberflächenreaktion.

Die letzten beiden Kapitel gelten der Offensive – ihren Anfängen, der Durchführung, schließlich der Phase, da sie an Kraft verliert und der Gegner zum Widerstand ansetzt. In der Beobachtung, wie der Sekundenzeiger, »dieses kleinste Stückchen Stahl in diesem stählernen Meer«, vorrückt und dem Beginn der Schlacht entgegenläuft, schlägt noch einmal die Empfindung einer Koppelung von Lebenszeit und Weltzeit durch, die Autosuggestion, »am Neubau der Welt« gearbeitet zu haben. Es folgt die Schilderung des Kampfs in epischer Breite, und als das Blut fließt, spricht Jünger von Erlösung. Und doch vermag sie ihn nicht in jene hypothetische, primordiale Lebenswelt der unbedachten Grausamkeit zurückzuführen; eine Kollision von Lebenswelten, wie sie Freud theoretisch in »Zeitgemäßes über Krieg und Tod« als Erscheinung der Moderne erläutert hatte, findet statt, eine Bannung des Triebs, von dem es imperativisch noch drei Seiten vorher hieß: »Schnell, nur schnell, jetzt muß getötet werden!« Die Nutzung der Todeszeit, von dem Kulturmenschen ahnungsvoll als knapp verspürt, als Rausch, der nicht lange anhalten wird, mißlingt, als Jünger eben ansetzt, einen Engländer zu erschießen: der zeigt ihm im »letzten Augenblick« eine Photographie, »auf der ein Mann in Uniform neben einer Frau und inmitten einer Schar von Kindern steht. Das war ein letzter, verzweifelter Appell – und dieser Appell ist geglückt! Wie durch ein Wunder gelingt es mir, mich in jene versunkene Welt zu versetzen, deren Werte inmitten dieses titanischen Werkes wenig am Platz sind.« (FuB 116 f.)[59] Mindestens als »Wunder« muß bezeichnet werden, daß die Erinnerung an die Kulturwelt vom Töten abhält.

Das Buch endet mit der eigenen Verwundung – einer weiteren, die den Leutnant mutmaßen läßt, daß es die letzte gewesen sein könnte. Wie ist das, wenn der Tod erwartet wird? In den »Stahlgewittern«, dann im »Wäldchen 125« hatte der Schriftsteller von solchen Begegnungen berichtet, und stets mit der gesteigerten Wahrnehmung dessen, der dabei mehr als je zuvor gesehen haben will, zugleich aber mit dem Erstaunen, daß dies nun alles gewesen sein sollte. Der literarische Topos des einfachen Sterbens nach durchlittenen Kämpfen war von Baudelaire für den Dandyismus des späten 19. Jahrhunderts erneuert worden, als Geste des schmerzlosen Abschieds. Jünger wiederholt sie, gemäß der Vorgabe im »Wäldchen 125«, in »Feuer und Blut«. »Während meine Knie durch die Wucht des Sprunges noch eingeknickt sind, erhalte ich auch schon einen harten Schlag vor die Brust, der mich im Augenblick nüchtern macht. Mitten im Tumult, zwischen den beiden rasenden Parteien, bleibe ich stehen und besinne mich. Es war die linke Seite, gerade an der Stelle des Herzens, da wird wenig zu machen sein. Gleich werde ich lang hinschlagen, wie ich es schon bei vielen gesehen habe. Jetzt ist es vorbei. Und sonderbar, während ich zu Boden starre, sehe ich auf dem gelblichen Grunde des Weges die Steine, schwärzliche Feuersteinbrocken und weiße, geschliffene Kieselsteine. Ich sehe in diesem furchtbaren Durcheinander genau jeden Einzelnen, und ihre Lage zueinander prägt sich mir ein, als ob das jetzt das Allerwichtigste wäre. Ganz unbeteiligt an den mörderischen Vorgängen ringsum merke ich, wie die Gedanken verschwimmen. Nur ein einziger, fröhlicher bleibt: ›Wenn das nicht schlimmer ist! Das tut ja gar nicht weh!‹ Dieses Stehen und Sinnen dauert eine lange Zeit.« (FuB 181 f./ 1, 532) Es bleibt bei einer schweren, obzwar nicht lebensgefährlichen Verwundung. Als der Verletzte ins Lazarett transportiert wird, sinkt der Vorhang über der Schlacht. »Dann falle ich in das Lederpolster zurück und ein schwarzer Schleier fällt über die Wirrnis bunter, wunderbarer und schrecklicher Vorgänge, die wie ein Traum aus blutig dunklen und feuerroten Farben und in die Seele einer deutschen Generation gebrochen sind. Lange wird es dauern, ehe sich das Bewußtsein dieses Traumes bemächtigen wird.« (FuB 194/1, 538) Dem »Traum« ist ein eschatologischer Überschuß mitgegeben, der die reale Geschichtszeit verwandelt: die große Schlacht soll nicht die Niederlage präludieren, sondern in den Bestand jener wunderbaren und schrecklichen Vorgänge eingerückt werden, aus welchem der Stoff einer »imperialistischen« Zukunft geformt wird. »Feuer« und »Blut« sind auch eschatologische Bilder. In einem dunklen Satz seiner »Aesthetica in nuce« hatte Hamann gesagt: »Die Meynungen der Weltweisen sind Lesarten der Natur und die Satzungen der Gottesgelehrten, Lesarten der Schrift. Der Autor ist der beste Ausleger seiner Worte; Er mag durch Geschöpfe – durch Begebenheiten – oder durch Blut und Feuer und Rauchdampf reden, worinn die Sprache des Heiligthums besteht.«[60] Die Urfassung der Wortverbindung findet sich freilich in der Apostelgeschichte, II. 19. In seiner großen Pfingstpredigt zitiert Petrus das Wort des Propheten Joel, der seinerseits berichtet, was Gott für die Letzten Tage verheißen hat. »Und ich werde Wunder tun oben am Himmel und Zeichen unten auf der Erde, Blut und Feuer und Rauchqualm. Die Sonne wird sich in Finsternis wandeln und der Mond in Blut, ehe der große und herrliche Tag des Herrn kommt.« Der *säkularen* Apokalyptik, der Jünger sieben Jahre nach »Feuer und Blut« mit dem Essay »Der Arbeiter« genauere Prägung geben wird, ist das Heilsgeschehen nur noch in der Fassung weltgeschichtlicher Selbstermächtigungen gegenwärtig.

II.
Übergänge.
Vom Surrealismus zur Theorie
des »Arbeiter«

Zeitkritik als Kritik an der Vernunft betrieb mit dem Bewußtsein der
säkularen Apokalyptik erstmals die romantische Bewegung im
Reflex auf die Französische Revolution von 1789 und ihre Folgen.
Sie hatte hierin einen Vorläufer, den sie freilich als solchen um so
weniger wahrnahm, als er ihr in allem nur Anlaß zur literarischen
Polemik und zum Hohn der Avantgarde gegenüber dem Klassiker
gab. In seiner Schrift »Über die ästhetische Erziehung des Menschen, in einer Reihe von Briefen«, zunächst als Korrespondenz mit
dem Prinzen von Augustenburg zwischen dem 13. Juli 1793 und den
ersten Monaten des folgenden Jahres entfaltet, 1795 umgearbeitet
in den »Horen« veröffentlicht, legte Schiller dar, weshalb Frankreichs Unterfangen, sich in seine Menschenrechte einzusetzen, in
Unwürdigkeit und Barbarei gescheitert sei; es habe die wahre Vernunft gefehlt, die über »grobe Mechanik« und abstrakte Prinzipien
hinaus auch das Gefühl für das Moralische geweckt hätte.[1]
   Ohne daran zu denken, die Vernunft im Grundsätzlichen abzuwehren, welcher der Dichter auch insofern verpflichtet war, als er
philosophisch seine Theorie nach Kants Methode deduzierte, ließ er
seinen Kulturpessimismus gleichwohl in den einzigen Ausweg münden, daß die ästhetische Stimmung des Gemüts als moralische Freiheit nur im Reich des schönen Scheins verwirklicht werden könne.
Dort entsage die ungesellige Begierde ihrer Selbstsucht, und der
»Kindersinn« kehre wieder. Schiller war sich der Utopie des ästhetischen Staats bewußt, die als solche den Möglichkeitssinn nur um so
heftiger umtrieb. »Existiert aber auch ein solcher Staat des schönen
Scheins, und wo ist er zu finden? Dem Bedürfnis nach existiert er in
jeder feingestimmten Seele, der Tat nach möchte man ihn wohl nur,
wie die reine Kirche und die reine Republik in einigen wenigen auserlesenen Zirkeln finden, wo nicht die geistlose Nachahmung fremder Sitten, sondern eigne schöne Natur das Betragen lenkt, wo der

Mensch durch die verwickeltsten Verhältnisse mit kühner Einfalt und ruhiger Unschuld geht, und weder nötig hat, fremde Freiheit zu kränken, um die seinige zu behaupten, noch seine Würde wegzuwerfen, um Anmut zu zeigen.«[2]

Mit dem Stichwort der auserlesenen Zirkel lieferte er nicht nur der politischen Romantik das Idealbild elitärer Gegnerschaft zum Zeitgeist. Als eine zweite Revolution reüssierte – zum ersten Mal seit Jahrhunderten in Deutschland –, konnte die Reaktion auf eine Tradition der Kulturkritik zurückgreifen und ihre Position mit geschichtlichen Vorgaben wenn nicht gerade legitimieren, so doch stärken.

1919, nur wenige Monate nach dem Novemberaufstand, der das Reich in die Republik von Weimar verwandelte, legte Hugo Ball, Schriftsteller, Essayist, Mitbegründer des Dadaismus und später christlicher Mystiker, ein Buch vor, »den Führern der moralischen Revolution gewidmet«. »Zur Kritik der deutschen Intelligenz«, erschienen in Der freie Verlag, Bern, war ein Werk der Polemik und der polemischen Unschärfen, in welchem es der Autor unternahm, die deutsche Geschichte als Prozeß fortschreitender moralischer Entfremdungen auszulegen. Seit Luther, dem Patriarchen aller Schriftgelehrten oder Philologen der Nation, der den Primat der Gewalt über die Idee provozierte, habe sich der Nationalismus als Machtstaatgedanke verfestigt – »eine verderbliche, staatspragmatisch gerichtete protestantische Filiation, als deren Hauptvertreter Luther, Hegel und Bismarck erschienen«.[3] Wieder war eine Konspiration zur Zerstörung der Moral zu beschreiben, und es war im Nachgang der Revolution von 1789, daß sich Napoleon als »größter Satanist der neueren Geschichte« erwies. Es handle sich seit der Französischen Revolution nicht mehr darum, Selbsterlösung zu treiben und von der unannehmbaren Realität in die Kunst und in die Illusion zu flüchten. »Es handelt sich vielmehr um die Auflösung dieser Realität, um die *Erlösung der Gesellschaft* bis ins letzte verlorenste Glied. Es handelt sich um die materielle und geistige Befreiung all derer, die leiden; um christliche Demokratie.«[4]

Balls Messianismus war insofern ein Stück politischer Mystik, als es dem vormaligen Kriegsfreiwilligen des August 1914, der inzwischen unter dem Eindruck der Ereignisse und in der geistigen Auseinandersetzung mit anarchistischen Lehren von Thomas Münzer bis zu Bakunin zum Pazifisten geworden war, keineswegs um die

Realien demokratischer Herrschaft ging. Wo er vom Volkssouverän hätte sprechen müssen, sah er nur die große Masse des Landes, der er Mangel an Überzeugung, Sachlichkeit und Verantwortung vorwarf. Ihr stellte er die gütige Konspiration der Geister entgegen, »die ich die Kirche der Intelligenz nennen möchte, jene Gemeinschaft der Auserwählten, die zugleich Freiheit und Heiligung in sich tragen«.[5] Schon in einem Aufsatz von 1915, »Die Russen in der Mandschurei und – in Polen«, hatte Ball mit dem Blick nach Osten eine neue Religion erwartet; darin unterschied er sich nicht von Spengler, der später aus anderen Überlegungen heraus eine mögliche Zukunft des Abendlandes einzig von Rußland her sah. In einem Text vom Juni 1914, »Das Psychologietheater«, der sich mit Wedekind beschäftigte, schrieb er gegen Aufklärung und Vernunft und für die Individualermächtigung des Expressionismus.[6]

In der Geschichtsphilosophie des Essays von 1919 fanden Gedanken der deutschen Mystik und der Romantik, Theoreme des Anarchismus und des Pazifismus zusammen zu schneidender Kritik an der Geschichte und an der Vernunft. »Verstand und Vernunft sind sträflich und Hochmut, Sünde.« So schrieb Ball im März 1918 an die Lebensgefährtin Emmy Hennings.[7] Die historisch-politische Inkarnation des Vernunftübels erkannte er im modernen Staat, und beispielhaft in Preußen. Der Schriftsteller, der im Sommer 1920 zum Katholizismus seiner Kindheit zurückfand und im Juni 1924 im »Hochland« den Aufsatz »Carl Schmitts Politische Theologie« erscheinen ließ, eine durchaus positive, enthusiastische Würdigung der Werke des Staatsrechtlers, evozierte in der »Kritik der deutschen Intelligenz« die Utopie einer Identität von Revolution und politischer Moral jenseits von staatlichen Verfestigungen. Er inspirierte – mit seinen Hinweisen auf Thomas Münzer – nicht nur Ernst Bloch, sondern auch Walter Benjamin, der ihm in der Zeit des Berner Exils freundschaftlich verbunden war, zu einem »Theologisch-politischen Fragment«.[8]

Es mochte das Gespür des Anarchisten für anarchistische Umtriebe der Reaktion sein, das ihn gegen die Gefahren einer konservativen Revolution sensibilisierte. Hellsichtiger als andere warnte Ball, der sonst gern in die Literarisierung des Politischen auswich, vor den antirepublikanischen Tendenzen der Freikorps. Im September 1919 publizierte die Berner »Freie Zeitung« den Artikel »Der

Bürgerkrieg des Herrn Lüttwitz«; im März 1920 kommentierte Ball den Kapp-Putsch unter dem Titel »Das wahre Gesicht«. Doch im Zusammenhang seiner Preußen-Polemik in der »Kritik der deutschen Intelligenz« fand er das eindringlichste Bild für die kriegerischen Aktivitäten der Rechten. Die Genealogie sollte zeigen, daß Preußen den *miles perpetuus* hervorgebracht habe.

Oder in dem Wort von Ernst Jünger: den Landsknecht, den ewigen Soldaten, der diente, so lange ihn die Obrigkeit unter Schutz stellte. »Der preußische Militarismus in seinen Grundlagen ist eine Institution ›praktischen Christentums‹. Das ist hinreichend ersichtlich. Die von Gott eingesetzte Obrigkeit begnadigt den Sünder. Es ist ein religiöser Militarismus. Bei einer Exaltierung des Bußbegriffes ließe sich daraus ein preußischer Militärkatholizismus abstrahieren. Soweit sind wir noch nicht gekommen, weil es an produktiven Köpfen fehlt. Aber wenn Herr Scheler sich einmal damit beschäftigen wollte, ließe sich denken, daß man Katholizismus in diesem Punkte sogar mit Preußentum vereinigen kann. Dann würde es Freiwillige geben aus Dandyismus.«[9] Die dunkle Anspielung auf den Dandyismus traf mehr, als vielleicht beabsichtigt war. Aus einem Gefühl für den *ennui* an der Zeit war dem Dadaisten aufgegangen, daß Langeweile und Verlorenheit jene Freiwilligen, die Dandys, dem Ordnungsgefüge des Militärs auch nach 1918 zuführen konnte.

Zeitkritik und politisches Pamphlet

Es war jedenfalls eine Diagnose, die auf die militärische Karriere Ernst Jüngers nach 1918, als er in den Freiwilligenverbänden diente und kurz sogar Landesführer Sachsen des Freikorps Rossbach war, gepaßt hätte. Man kann von diesen Aktivitäten, die das schriftstellerische Werk begleiten, um so weniger absehen, als sie seit 1925 in einer expandierenden publizistischen Tätigkeit münden, die bis 1933 andauert; dabei verschmäht Jünger auch extremistische Blätter nicht: zwei Beiträge von seiner Hand erscheinen im »Völkischen Beobachter«, 1923 »Revolution und Idee«, 1927 »Der neue Nationalismus«.

Eine größere Zahl von politischen oder zeitkritischen Texten druckt zwischen 1926 und 1927 die von Jünger, Helmut Franke und

Wilhelm Weiß herausgegebene »Kampfschrift für deutsche Nationalisten« mit dem Titel »Arminius« ab, darunter den Kurzessay »Nationalismus und Nationalsozialismus« und die ins Philosophische
schweifende Betrachtung »Die Schicksalszeit«. Andere, zumeist
kurzlebige Organe, in welchen Jünger als Publizist auftritt, sind »Das
Reich«, »Der Tag«, »Der Vormarsch«, »Die Standarte«. Vom Januar
1930 bis zum Juli 1931 betreut der Schriftsteller als Mitherausgeber
»Die Kommenden. Überbündische Wochenschrift der deutschen
Jugend«; neben einer Rezension, »Trotzkis Erinnerungen«, ist es vor
allem der Artikel »Die Arbeitsmobilmachung«, der über die politische Agitation hinausführt und das Thema des »Arbeiter«-Essays
von 1932 anklingen läßt. Seit 1927 – ein Jahr nach dem Abbruch des
Studiums – verkehrt Jünger freundschaftlich mit Ernst Niekisch, für
dessen Zeitschrift »Der Widerstand« er vom April 1927 bis zum September 1933 regelmäßig Beiträge verfaßt. Die Übersiedlung nach
Berlin bringt ihn in Kontakt mit anderen Nationalisten – Friedrich
Hielscher, Franz Schauwecker, Ernst von Salomon, Otto Strasser;
auch bahnen sich Beziehungen zu Dichtern der Linken – Bert Brecht,
Arnolt Bronnen, Erich Mühsam – an; zu Carl Schmitt, der seit 1926
an der Handelshochschule Berlin lehrt; zu den Verlegern Ernst
Rowohlt und Benno Ziegler; schließlich zu Alfred Kubin.[10]
    Es fällt schwer, diesen journalistischen Versuchen eine einheitli-
che gedankliche Absicht abzugewinnen. Unverkennbar ist der
Widerstand gegen die Republik, überhaupt gegen die geschichtliche
Entwicklung Deutschlands seit 1918, der Jünger allerdings mit sehr
vielen Intellektuellen der Epoche verbindet. Deutlicher wird die
Richtung, wenn man an die frühe Biographie von Ernst Niekisch
erinnert, dessen widersprüchlichen Denkstil und dessen polemisches Engagement Jünger damals wenn nicht übernimmt, so doch
teilt. Niekisch, sechs Jahre älter, geboren 1889 in Trebnitz (Schle-
sien), wird 1917 Lehrer in Augsburg, im selben Jahr Gewerkschafter
und Mitglied der SPD, 1919 Präsident des Zentralrats der bayeri-
schen Arbeiter-, Bauern- und Soldatenräte. Darauf nähert er sich
den Anarchisten Landauer und Mühsam an, 1922 wird er Jugendse-
kretär des Deutschen Textilarbeiterverbandes, 1924 übernimmt er
die Herausgeberschaft der Zeitschrift »Der Firn« und gründet
gleichzeitig die eigene Zeitschrift »Der Widerstand«. Was später
Spengler spekulativ als Ziel vorschwebt, ein »preußischer Sozialis-

mus« jenseits von bürgerlichen Wertvorstellungen, sucht Niekisch auch praktisch einzuholen, indem er Gruppierungen bildet, die ihn lebensmäßig ausdrücken sollen. Schon in den späten zwanziger Jahren sieht Niekisch Hitler mit der Schwerindustrie und dem Bürgertum liiert; 1932 läßt er in seinem »Widerstandsverlag« die Schrift »Hitler – ein deutsches Verhängnis« erscheinen, fünf Jahre später folgt das von Jüngers »Arbeiter« beeinflußte Werk »Die dritte imperiale Figur«, eine Apologie des »neuen Menschen« des Industriezeitalters. Von der Politik der Nationalsozialisten schon früh enttäuscht, seit Mitte der dreißiger Jahre vom Regime mit Argwohn beobachtet, wird Niekisch 1939 verhaftet und zu lebenslänglichem Zuchthaus verurteilt. Im April 1945 befreien ihn sowjetische Truppen aus dem Gefängnis Brandenburg. Später tritt er der SED bei, überwirft sich in den fünfziger Jahren mit dem DDR-Staat; er stirbt am 23. Mai 1967 in Westberlin.[11]

Es ist das Durchspielen verschiedener politischer Theorien – vorwiegend sozialrevolutionärer Utopien –, das Jünger mit Niekisch zusammenbringt. Abgelehnt wird nicht nur alles »Bürgerliche«, sondern auch das bürgerliche Kulturerbe des 19. Jahrhunderts. Der antiinstitutionelle Affekt, der im übrigen ein wichtiges Kriterium für die Feststellung der theoretischen Differenzen zwischen Jünger und Carl Schmitt bei gegenseitiger Sympathie im Persönlichen bildet, bestimmt die Aktivitäten rund um die Zeitschrift »Der Widerstand«. Jüngers erster Beitrag datiert von 1927. Es folgen, als Vorabdruck, 1928 Auszüge aus der ersten Fassung des »Abenteuerlichen Herzens«, Nachträge zu den »Stahlgewittern«, auch Rezensionen, darunter die wichtige von Kubins Roman »Die andere Seite«. Nochmals läßt sich Jünger 1933 auf Kubin in einem größeren Essay, »Die Staubdämonen«, ein; er findet ein Jahr danach Eingang in den Band »Blätter und Steine«.

Bei der publizistischen Tätigkeit, die insgesamt über 140 Artikel in den verschiedenen Periodika umfaßt, ist zu unterscheiden zwischen den literarisch wenig ergiebigen Manifesten politischen Inhalts und den mehr »philosophischen«, auch stilistisch ambitionierten Ergänzungen zur Zeit. Was Jünger 1926 in dem Heft »Arminius« unter dem Titel »Der Nationalismus der Tat« ausbreitet, ist nicht weniger als ein Aufruf zur Revolution. Der Text richtet sich an »Nationalisten, Frontsoldaten und Arbeiter«. Nachdem der Autor wie vor ihm schon

Spengler über Plattheit und Großsprecherei geklagt hat, verlangt er »die Gruppierung der Kreise um eine zentrale Idee« für den großen Kampf, »der ausgefochten werden muß, wenn wir in diesem Staate und statt dieses Staates das Deutsche zur Herrschaft bringen wollen«.[12] Im Rückblick auf die jüngsten Bestrebungen eines Vorstoßes »im faschistischen Sinne« kritisiert Jünger die politische Trägheit wie die Art ihrer Exponenten. Sie seien mehr gutmütig als staatsgefährlich gewesen, und selbst im »Stahlhelm« habe Verwirrung geherrscht über Mittel und Ziele. Nicht mit dem Staat dürfe politisiert werden, sondern gegen ihn müsse gekämpft werden.[13] Wo dem Polemiker seinerseits die Idee eines politisch realisierbaren Ziels fehlt, muß er das Prozeßhafte des Angriffs, den Charakter der *Bewegung* hervorheben. »Zunächst sei betont, daß die Stärke einer solchen Aktion darin liegt, daß sie zu hundert Prozent Bewegung bleibt. Keine neue Organisation, kein Körper, der zu fassen ist und auf den man mit dem Finger zeigen kann, keine Beteiligung am Konkurrenzkampf um Stimmen und Groschen der Anhänger. Was zu fordern ist, ist die Beteiligung des Herzens, Beteiligung an der Bewegung...«[14]

»Bewegung« ist spätestens seit Hegel die Metapher für die Geschichte, wenn ihr Vollendung und Erfüllung prozeßhaft zugemutet wird. Der Geist der Weltgeschichte kann nicht ruhen, erhebt sich dialektisch über gegebene Gestalten hinaus. Daß dabei von einem Instinkt gesprochen wird, der den Lauf der Historisierungen begleitet, ist auf einem Blatt bezeugt, das vermutlich Vorlesungsnotizen für die Rechtsphilosophie enthält. Hegel notiert: »Histor.-Geist hervortreiben / instinctartig, / Maulwurf«.[15] Absolut muß diese Bewegung gedacht werden, wo das Vertrauen in die Folgerichtigkeit des Prozesses geschichtliche Sedimentierungen nicht mehr als vorbereitende Phasen zu erkennen vermag: der Weg führt nicht über Stufen, sondern nur noch durch die Annihilierung alles Bestehenden zum Ziel, und so lange den Auserwählten, die ihn gehen, die Zweck-Mittel-Relationen verborgen sind, bleibt, gleichsam zur Erhaltung der revolutionären Energie, allein die Forderung nach einer totalen Motorik. Der Instinkt wird abgelöst vom Willen zur Macht, der seinerseits »Beteiligung des Herzens« ist. – Als Hitler die Macht errungen hatte, erinnerte er gleichwohl an den großen Parteitagen der dreißiger Jahre an die Bewegung des Nationalsozialismus; nun mochte die Furcht hineinspielen, wieder verschwinden zu sehen, was inzwischen an »Aufbau« erzwungen worden war.[16]

Jüngers Text »Nationalismus der Tat« deutet das Bewegungsbedürfnis nur an, das in späteren Schriften, in dem Aufsatz »Die totale Mobilmachung« von 1931 und in »Feuer und Bewegung« von 1934, titelwürdig wird. Zu sehen bleibt, daß der Autor über alle ideologischen Unterschiede, welche die auserwählten Gruppen trennen mögen, die »Zeichen des Herzens« und die »unsichtbaren Fäden des Blutes« hebt. Nicht entscheidend sei, ob der eine vom Marxismus komme und der andere von der preußischen Armee.

Solange sich der Nationalsozialismus noch in den Phasen der Formation befand, konnten solche Einschmelzungen als instrumentell akzeptiert werden. Doch schon in der Unterhaltungsbeilage des »Völkischen Beobachters« vom 23./24 September 1923 – die Zeitung läuft in ihrem ersten Jahrgang – schreibt Jünger über »Revolution und Idee«, und aggressiver als später. Hier geht es nicht um Legierungen, sondern um Aussonderungen. Die Novemberrevolution habe zunächst den Anschein eines großen Augenblicks erweckt und eine Idee vorgetäuscht. Die Geschichte habe indessen gelehrt, daß die deutsche Erhebung »kein Schauspiel der Wiedergeburt« gewesen sei, »sondern das eines Schwarmes von Schmeißfliegen, die sich auf einen Leichnam stürzten, um von ihm zu zehren«.[17] Eine Idee sei dabei nicht kenntlich geworden, nichts Neues habe sich gezeigt. Allerdings habe die »Revolution des Materialismus« Erfolg gehabt, indem sie den alten, unentschlossenen Staat erledigte, doch statt des Neuaufbaus herrschten die Formen der Verwesung.

Man muß mit Nachdruck darauf hinweisen, daß sich der agitierende Schriftsteller hier ausdrücklich zur Politik des Hakenkreuzes bekennt, und schon damals beschwört er als ideologisches Bindemittel das Blut. »Die echte Revolution hat noch gar nicht stattgefunden. Sie marschiert unaufhaltsam heran. Sie ist keine Reaktion, sondern eine wirkliche Revolution mit all ihren Kennzeichen und Äußerungen, ihre Idee ist die völkische, zu bisher nicht gekannter Schärfe geschliffen, ihr Banner das Hakenkreuz, ihre Ausdrucksform die Konzentration des Willens in einem einzigen Punkt – die Diktatur. Sie wird ersetzen das Wort durch die Tat, die Tinte durch das Blut, die Phrase durch das Opfer, die Feder durch das Schwert.« – Es entbehrt nicht der Ironie, daß dem Artikel von Jünger, wo von der Ersetzung der Tinte durch das Blut die Rede ist, eine Kulturmeldung »Aus der Geschichte des Bleistifts« auf derselben Seite der Unterhaltungsbeilage unmittelbar folgt. »Seitdem Papier, Federn und Bleistifte so teuer geworden sind, sucht man in den Schulen das Schreiben tunlichst einzuschränken.«[18]

Schon ein Jahr später urteilt der Publizist vorsichtiger, und man darf vermuten, daß der Einfluß von Niekisch dazu beigetragen hat, den Nationalismus gegen die Bewegung des Nationalsozialismus abzugrenzen. Diese Grenzziehung ist bekundet in einem Beitrag von 1927 für die Zeitschrift »Arminius« mit dem Titel »Nationalismus und Nationalsozialismus«, obwohl Jünger scheinbar daran gelegen ist, die Nähe der beiden Ideologien zueinander hervorzuheben. Den zeitgeschichtlichen Hintergrund liefert ihm ein Ereignis, das nur wenige Wochen nach dem Erscheinen des Texts im »Völkischen Beobachter« stattgefunden hat: Hitlers und Ludendorffs Putsch gegen die Münchner Regierung vom November 1923, der mit einem Debakel und der Festungshaft des »Führers« endet. Die reale Macht des Staats hat den Angriff nicht nur zum Stillstand gebracht, sondern auch seine treibende Kraft gestoppt. »Warum konnte der Münchener Aufstand einen so erstaunlichen Ausgang nehmen? Durch Verrat – schön. Aber der Verrat ist hier ebenso wenig das eigentlich Wichtige wie der Dolchstoß am Ende des Krieges. Das Wesentliche ist, daß der Nationalsozialismus sich über die Besonderheit seiner Aufgabe noch so wenig im klaren war, daß er über die Möglichkeit von Bundesgenossen, die von einer ganz anderen inneren Struktur waren, noch nicht entscheiden konnte.«[19] Gemeint sind mit diesen »Bundesgenossen« die Nationalisten.

Aber der Autor unterläßt es, den weitgefaßten Begriff soziologisch und ideologisch enger zu führen, nicht bedenkend, daß der Hitlerpartei zur Zeit ihrer bewußt militanten Profilierung gegenüber anderen Gruppierungen kaum daran gelegen sein mochte, die Basis ins Ideelle zu vergrößern. Jünger dagegen hält sich ganz bei den Ideen auf, nicht einmal das Wort von der »völkischen« Gesinnung fällt mehr. Rhetorische Begabung, wie sie Hitler, »vielleicht der größte deutsche Redner«, zeige, reiche nicht aus; schon Thiers habe nachgewiesen, daß die politische Botschaft bei Lesern länger als bei Hörern sich festsetze, so daß nur diejenige Bewegung die deutsche Arbeiterpartei der Zukunft sein könne, die Kräfte stellen könne, aus welchen Werke hervorgingen, die heute dieselbe Autorität und Überzeugungskraft besäßen wie das Fundamentalwerk des Marxismus, »Das Kapital«.

Es ist leicht zu sehen, daß die Selbstberufung des Schriftstellers, an der Seite Spenglers Werke zu schaffen, die alle Tagesrhetorik überdauerten und die Nation mobilisierten, den Nationalsozialisten um so abwegiger und anmaßender erscheinen mußte, als Jünger Hitlers erst vor kurzem vorgelegtes Bekenntnis »Mein Kampf« überhaupt nicht erwähnt. Obwohl der Autor den Eindruck vermeiden will, ist der Kerngedanke des Artikels nicht mißzudeuten: Nationalsozialismus und Nationalismus verschmelzen, wenn die nationalsozialistische Bewegung die Idee des Nationalismus »rein« zu vertreten in der Lage sein wird.[20]

Weder Niekisch noch Spengler hatten Sympathien für den Nationalsozialismus. Arthur Moeller van den Bruck, der mit seinem politisch-mystischen Elaborat »Das dritte Reich« von 1923 zuerst den Jungkonservativen, später den Nationalsozialisten weniger harte Ideen als Stimmungen und Parolen geliefert hatte, starb durch Freitod zu früh, als daß er sich zur Ideologie und zur Politik der braunen Bewegung ausführlich hätte äußern können. Doch wie Spengler richtete er den Blick auch auf Rußland und auf das Italien des Futurismus und des Faschismus. Das »Endreich« wollte er den Deutschen verheißen.[21] – Spengler, der die Revolution von 1918 als schmutzig bezeichnet und vom ersten Tag an gehaßt hatte, dachte weiterhin in planetarischen Dimensionen und in Begriffen eines Vitalismus, der – jedenfalls den Intentionen des Verfassers nach – keine realpolitische Ausmünzung gestatten sollte. Als Ideal verhieß er den *Preußischen Sozialismus*, wie er ihn in der Auseinandersetzung mit dem angelsächsischen »Milliardärsozialismus« entwickelt hatte. Noch im Juli 1933 schrieb er im Vorwort zu »Jahre der Entscheidung«, daß sich Hitlers Machtergreifung in einem Wirbel von Stärke und Schwäche vollzogen habe.[22] Weder immun gegen den Kitsch panoramaartiger literarischer Historiengemälde noch gegen die Architekturträume, wie sie der Futurismus in Aussicht gestellt hatte und inzwischen in Italien zu verwirklichen begann, verweigerte er der nationalsozialistischen Bewegung gleichwohl die Anerkennung; den von ihm prophezeiten und herbeigewünschten »Cäsarismus« großen Stils traute er ihr nicht zu, und Hitler hielt er für einen »Dummkopf«.[23] Es war ein Verdikt, das damals wenigen überhaupt zu Bewußtsein kommen wollte.

Wenn Jünger über die Revolution schreibt, denkt er zwar weniger geschichtsphilosophisch als Spengler, aber auch weniger politisch als die führenden Praktiker des braunen Aufstands. Sie bleibt ihm eine »nationalistische« Aufgabe, zu verwirklichen mit militärischen Mitteln. Joseph Goebbels, der über sein Germanistikstudium hinaus die Literatur pflegte und 1923 den Roman »Michael Vormann« beendete, urteilte anfangs begeistert über die »Stahlgewitter«. »Ein glänzendes, großes Buch, grauenerregend in seiner realistischen Größe. Schwung, nationale Leidenschaft, Elan, das deutsche Kriegsbuch«, notierte er am 20. Januar in sein Tagebuch.[24] Aber schon wenige Monate später kritisierte er den »neuen Nationalismus der Jünger, Schauwecker...« aus der Optik des Massenagitators. »Man redet doch an den Problemen vorbei. Und dann fehlt das Letzte: die Erkenntnis der Aufgaben des Proletariats.«[25] – Hätte Jünger nach einer soziologischen Legitimierung seines im Kern elitären Nationalismus gesucht, er hätte sie nicht bei Trotzki, sondern bei Vilfredo Pareto gefunden, der seit 1900 seine Theorie der gesellschaftlichen Schichtungen ausbaute und sie als Lehre von den Eliten 1916 in seinem »Trattato die sociologia generale« präsentierte.

Aber noch zeichnet sich die eigene Theorie vom »Arbeiter«, die auch den Elitegedanken enthalten wird, kaum ab. 1927 erscheint in der Zeitschrift »Arminius« ein Aufsatz »Die Schicksalszeit«, dessen ästhetische Sättigung auf andere Themen und Fragestellungen verweist. Jünger unterscheidet in der Tradition von Bergson zwei Formen von Zeit, die astronomische, »zu messen nach dem Gange der Uhr«, und die »Schicksalszeit«, die »keinen regelmäßigen Gang« habe. Eingeleitet wird die Erläuterung der Differenz mit einem doppelt aspektierten Bild. Wie lange es dauere, bis ein Dachdecker vom vierten Stock auf das Pflaster falle, könne man »genau ermessen«; aber »kein Gehirn ermißt, was in genau derselben Zeit in der Seele des Dachdeckers vor sich geht.«[26] Es ist die Idee von der im Erleben gleichzeitig der Kompression und der Ausdehnung unterworfenen Dauer, welche, illustriert an dem Sturz-Beispiel, entfaltet wird. Das Motiv der empfindungsmäßig verlängerten oder verkürzten Spanne, von De Quincey, später von Poe und Baudelaire dramatisiert, taucht schon in den Kriegstagebüchern auf. Allgemeiner heißt es jetzt:

»Ertrinkende erleben ihr ganzes Leben in Sekunden und Bruchteilen von Sekunden noch einmal, mit allen Tatsachen, Nichtigkeiten und Gedankenblitzen, ein zwölfstündiger Schlaf ist wie eine Sekunde vorbei, im Rausche des Angriffs merken wir nichts von der Zeit, wie immer, wenn das Leben am höchsten schlägt; in einer beschossenen Stellung kriecht sie endlos dahin. Die Zeit fliegt, die Zeit schleicht, der Einzelne stirbt, ein Volk geht unter, – die Zeit steht still. Das ist die Schicksalszeit.«[27]

Sie soll, als *temps vécu*, wie in den Opiumträumen von De Quincey und den Schreckensvisionen von Poe, eine apokalyptische, das Geschehen enthüllende, aufhellende Dimension haben. Indem Jünger aber das individuelle Schicksal mit dem der historischen Zäsuren und Wenden in die Parallele bringt – Tage und Stunden gebe es, in denen durch die Verbindung oder durch den Zusammenprall von Notwendigkeiten die Uhr gestellt werde auf hundert Jahre hinaus –, beschwört er eine eigentümlich organische Konstruktion von Geschichte. Auch sie ist insofern »Leben«, als die Zeichen, unter denen sie sich formt, nur gewertet, nicht gemessen werden könnten.[28]

Gegen den dominierenden Positivismus des 19. Jahrhunderts hatte schon Nietzsche den Wertgedanken vorgebracht und bereits in den »Unzeitgemäßen Betrachtungen« an die Geschichte herangetragen. Sie sollte in bestimmten Lagen als Wirklichkeit *überhistorischer* Augenblicke erkannt werden können, als Medium überraschender Symbolbildung, als »eine ganze Welt von Tiefsinn, Macht und Schönheit«. Es blieb der Lebensphilosophie vorbehalten, den Akt der Wertsetzung gegenüber dem bloßen Kausalitätsdenken näherhin zu legitimieren und zu versuchen, den Werten selbst eine Rangordnung zu unterlegen. Max Scheler errichtete in seinem Werk »Der Formalismus in der Ethik und die materiale Wertethik« von 1913 eine Stufenordnung, die von den Vitalwerten bis zum Heiligen geht. Nicolai Hartmann stellte ein System des objektiven Zusammenhangs einer realen Welt in Schichten auf, deren unterste das Anorganische, deren höchste das Geistige sein sollte. Max Weber sah mit dem Blick des Soziologen freilich nicht nur die Faktizität der individuellen und kollektiven Entscheidungsprozesse, durch welche Werte zur Geltung kommen, sondern auch das aggressive Potential, das dabei befreit werden kann: die »Angriffspunkte« der Wertung.[29]

Zu den Angriffspunkten, die Jünger bei seiner Deutung der

Geschichte als Schicksalszeit markiert, gehört der Gedanke ihres Verstehens durch »das Mittel des Blutes«. Abgewiesen wird meßbare, quantifizierbare Objektivität der historischen Prozesse. Die Blutmetapher steht dabei weniger für »völkische« oder »rassische« Erkenntnisdispositionen; sie ist abstrakter zu nehmen, als Figur der Idee von der »organischen« Beschaffenheit der Historie, wie sie Spengler längst mit den Bildern von Blüte und Verfall kommentiert hatte.[30] Immer wieder stellt sich dem Schriftsteller die Frage nach der Zeit, genauer: nach der Beschaffenheit der eigenen Zeit, der Gegenwart, über die zu verfügen die Utopien auch des Nationalismus nährt. Aber Jünger kompliziert seine Metaphorik, wenn er ergänzend feststellt, daß der Einzelne nicht nur in seiner Zeit lebe. Zugleich lebe er in der Schicksalszeit seines Geschlechts, seines Volks, seiner Kultur, und diese Verschiedenheit der Zeiten sei eine der großen Quellen des dramatischen Konflikts.

Halb fasziniert, halb erschreckt hatte der Soldat des Ersten Weltkriegs die Überlagerung verschiedener Zeiten in der komprimierten Gleichzeitigkeit apokalyptischer Augenblicke erlebt – als Friedhöfe in surrealistische Tableaus, Dörfer in Ruinen verwandelt wurden und die Technik die Kulturbindungen lockerte. Jetzt erkennt er darin ein spezifisches Merkmal *seiner* Zeit, die *Beschleunigung*. »Wir, durch den schnelleren Ablauf unserer Schicksalszeit weit von der vorhergehenden Tradition getrennt, haben das besonders empfinden müssen.« Tradition kann dennoch gerettet werden, wenn sie der Vorstellung von einem entwicklungsfähigen Organismus unterworfen wird. Immer noch operiert der Autor mit der Metapher vom Blut und dessen Bahn. Die Deutschen seien ein Volk, das langsam lebe, weshalb das Imperium Germanicum noch ausstehe. Dies hätten Deutschlands Feinde während des Weltkrieges mit Entsetzen realisieren müssen. Dem Gefühl der geschliffenen Überlegenheit gegenüber den Barbaren habe auf der anderen Seite das Erschrecken »vor einer jüngeren, ursprünglicheren, reißenderen, und damit höchst gefährlichen Bahn des Blutes« entsprochen.

Mit solchen literarischen Vergleichen füllt der Nationalist seine Prosa. Geschichte reduziert sich ihm auf das Schicksal. Als Wirklichkeit, die unter dem wertenden Zugriff erst ihre Physiognomie preisgibt, wird sie ihrem Deuter plötzlich disponibel: man fühle schließlich, ob man jung oder alt sei. Es ist der Satz von der *Aktivierung* der

Zeit, der trotz der Skepsis gegenüber dem Verstehen jener Überfülle der Bewegungen, die kein irdischer Geist ermessen könne, am Ende haften soll. »Wir müssen... auch die Zeit aktiv machen, wie wir alles aktiv und lebendig machen müssen. Sehen wir in ihr einen Sinn, *unseren* Sinn, spüren wir die roten Fäden des Blutes auf, durch die wir zeitlich verbunden sind.«[31]

Zwei Jahre nach diesem Aufruf, der den Konvergenzpunkt von Lebenszeit und Weltzeit als deutsches Schicksal evoziert, legt Ernst Jünger den Band »Das Abenteuerliche Herz« in seiner ersten Fassung vor.

»Das Abenteuerliche Herz«:
erste Fassung

Das Werk beansprucht nicht nur im Zusammenhang der frühen Schriften einen besonderen Rang. Nach Büchern, die alle dem Ersten Weltkrieg gegolten haben, präsentiert der Schriftsteller nun einen Text, der das Literarische rein verwirklichen soll. Jünger komponiert teils kurze, teils längere Prosastücke – insgesamt 25 – zu einem Ganzen, dessen motivische Spannung jeder formalen Ordnung sich scheinbar entzieht. Erst bei genauerer Lektüre zeigt sich, daß nicht nur der Tagebuchstil wiederaufgenommen wird, sondern auch die essayistische Betrachtung nach dem Vorbild von »Der Kampf als inneres Erlebnis« Eingang in das Buch gefunden hat. Die fünfundzwanzig Teile – der Autor bezeichnet sie in der zweiten Fassung von 1938 als »Figuren und Capriccios«, doch paßte der spätere Untertitel auch auf die erste Version – tragen als Überschriften Ortsnamen; die meisten sind mit »Berlin« oder »Leipzig«, den damaligen Wohnsitzen von Jünger, eingeleitet, einige wenige sind mit anderen Städten verbunden: Neapel, Paris, Zinnowitz, Leisnig.[32]

Was sind diese »Aufzeichnungen bei Tag und Nacht«, wie es der Untertitel will, für ein Buch? Jünger erzählt von Naturbeobachtungen, von Stadtszenen, häufig von Lektüreerfahrungen; acht Stücke sind reine, dunkel eingefärbte Traumberichte; in anderen holt der Essayist zu längeren Exkursen über die Zeit aus. Sie ist das offene oder verdeckte Grundthema; als »Schicksalszeit« erzwingt sie ihre Bestimmung an den Phänomenen, die dem Schriftsteller begegnen. Ein Hamann-Zitat in roter Kursivschrift ziert das Titelblatt: »Den

Samen von allem, was ich im Sinne habe, finde ich allenthalben.« Was Jünger zunächst findet und gegenüber dem Erfundenen abzuheben trachtet, ist die »Nachtseite« des Lebens; alles bilde sich auf der Nachtseite, heißt es einmal: im Traum, im Rausch, im Vorbewußten, und oft sind es Gefühle des »Dämonischen«, die dabei wach werden. Johann Georg Hamann ist der philosophische Kronzeuge für jene Vorgänge des Erkennens, die nicht dem Verstand, sondern dem Gefühl, nicht der Vernunft, sondern dem Herzen sich mitteilen. Sie sind für den, der sie überhaupt wahrzunehmen vermag, ein Abenteuer. – In einer ausführlichen Rezension von Hamanns Schriften kurz nach Erscheinen der ersten Gesamtausgabe hatte Hegel 1828 in den »Jahrbüchern für wissenschaftliche Kritik« den entscheidenden Gedanken des Sprachphilosophen auf den Punkt gebracht. Hamann habe behauptet, daß das ganze Vermögen, zu denken, auf Sprache beruhe. »Nun erklärt er sich gegen die Kantische Trennung der *Sinnlichkeit* und des *Verstandes*, als welche Stämme der Erkenntnis aus *einer Wurzel* entspringen, als gegen eine gewalttätige, unbefugte, eigensinnige Scheidung dessen, was die Natur zusammengefügt.«[33]

Es ist die von Jünger in Literatur verwandelte These Hamanns, wie hermeneutisch korrekt auch immer interpretiert, die das Wasserzeichen für die Prosa des »Abenteuerlichen Herzens« bildet. Der Autor erinnert an die Beschreibung eines Rausches bei Maupassant.

»Endlich blieb bei diesem Absturz in den Brunnen der Erkenntnis eine einzige Stimme zurück, ein dunkles Gemurmel, das sich dem absoluten Punkte, der Zone der Urworte zu nähern schien. Und als nichts mehr zu denken, nichts mehr aufzuschließen blieb, schwieg auch sie. Es wurde still; die letzte Lust und die letzte Erkenntnis schnitten sich in der Bewußtlosigkeit. – Tritt bei diesem Zustand nicht die Rolle der Gedanken sehr einleuchtend hervor? Jene Rolle, deren Einsicht Hamann veranlaßt, das Denken ein Kleid der Seele zu nennen, und Rimbaud, den Vokalen ein verborgenes Leben zuzuschreiben, das den Worten eine unergründliche Bedeutung verleiht? Es ist ein Denken ohne Gedanken, die Sensation des Denkens, die hier geschildert wird. Gedanken sind bunte Frachten, die auf dunklen Wassern schwimmen, und alles Wissensgut hat etwas sehr Zufälliges, sehr Aufgelesenes.« (AH 1, 79/9, 73)

Der sich an solche Gedanken und Assoziationen aus der Tiefe der Urworte angeschlossen fühlt, ist der Schriftsteller als Ich-Erzähler.

Er führt sich dem Leser schon im ersten Stück ein, indem er noch kaum von seinen Empfindungen, vielmehr von dem »bestimmten Gefühl« handelt, daß er im Grunde einem fremden und rätselhaften Wesen nachspüre. Dieses Gefühl, so fährt er fort, habe ihn vor jener pöbelhaften Eigenwärme bewahrt, die ihm am »Anton Reiser« unangenehm sei. Nicht dem psychologisierenden Zugriff von Karl Philipp Moritz' autobiographisch inspiriertem Hauptwerk gedenkt sich Jünger zu überlassen, sondern der Ahnung, »als ob ein aufmerksam beobachtender Punkt aus exzentrischen Fernen das geheimnisvolle Getriebe kontrollierte und registrierte«; dennoch bleibt unerörtert, was »dort oben«, am Ort der Erfassung des Lebens, wirklich vorgeht. Das zweite, unpersönliche Bewußtsein kann als Auge imaginiert werden, das allen Erscheinungen als platonische Idee das Maß der Variationen nimmt. »Von dort aus gesehen, wird das Leben von noch etwas anderem als von Gedanken, Empfindungen und Gefühlen begleitet, seine Werte werden gleichsam noch einmal gewertet, ähnlich wie ein bereits gewogenes Metall trotzdem von einer besonderen Instanz einen zweiten Stempel erhält. Von dort aus gesehen, erhält dieses Treiben auch erst einen fesselnderen Reiz als den innerhalb der Bezirke einer selbstbewußten Vitalität möglichen.« (AH 1, 6/9, 33) Selbst das »für meine Generation typische Erlebnis« ist insofern bloß als eine »an das Zeitmotiv gebundene Variation« zu verstehen; der »Sinn« wird anderswo verwaltet.

Die Einleitung, mit der das »Abenteuerliche Herz« anhebt, gehört zu den schwierigeren, man möchte meinen: bewußt provokativen Stücken der Sammlung. Es wohnt ihr, ohne daß Jünger ausdrücklich darauf zu sprechen käme, ein *Platonismus* inne, der fortan nicht nur das Sinnbedürfnis des Autors reguliert, sondern auch »in den verworrensten Augenblicken« – »etwa denen der Angst« – als deren erlösende Ableitung hinzugedacht wird. Noch bevor die Abenteuer beginnen können, sind sie so auf jenen fernen Punkt ausgerichtet, von dem aus sie mit einem »mokanten Lächeln« kommentiert werden. Es ist die Petitio principii, in den Kriegstagebüchern aus einem Bedeutungsnotstand heraus geboren, die von Anfang an das Erleben in eine höhere Ordnung aufhebt.[34] Nichts als der Glaube an eine Ideenwelt von platonischem Zuschnitt bereitet Jünger auf die Reize und Reizungen, die Dämonien und Abgründe jener Welt vor, die er im Folgenden illuminiert.

Im zweiten Stück notiert er: »Überall hängt das Unsichtbare seine geheimen Angeln nach uns aus, und das kleinste, entfernteste Ding ist von jenem mystischen Leben erfüllt, von dem wir selbst ein Teilchen sind.« (AH 1, 8 f./9, 35) Zu den Korrespondenzen, den geheimen Verbindungen, die schon früh sich bemerkbar gemacht hätten, gehört die Begegnung mit den Büchern von Huysmans, Rimbaud, Lautréamont, Baudelaire. Sie sind die Schriftsteller, die den »Aufzeichnungen bei Nacht«, den nächtlichen der Stücke, die literarische Vorprägung leihen.

*

Spätestens an dieser Stelle muß von der ästhetischen und philosophischen Bewegung gesprochen werden, die der französischen Spätromantik folgte und seit den Weltkriegsjahren nach verschiedenen Richtungen ausstrahlte: vom Surrealismus. Unübersehbar ist die Verwandtschaft von Jüngers Prosa des »Abenteuerlichen Herzens« mit den surrealistischen Vorstößen zu einer Kunst jenseits von Vernunft und gedanklicher Kontinuität.[35] Die Wege laufen zunächst nichts weniger als parallel. Schon die von Hugo Ball, Hans Arp und Tristan Tzara buchstäblich in Szene gesetzte Revolution des Dadaismus, die alsbald von Zürich nach Paris übersprang und den Surrealismus von Breton, Soupault und Aragon antizipierte, engagierte sich energisch gegen den Krieg und dessen Politik. Es artikulierte sich ein Verdruß an der Geschichte, den schon Rimbaud und Lautréamont nicht nur empfunden, sondern auch gelebt hatten, der zur Gewißheit gesteigerte Verdacht absoluter Vergeblichkeiten.

André Breton konstatierte aus der Rückschau seiner Schrift »Qu'est-ce que le surréalisme?« von 1934: »Was die anfängliche Weltanschauung der Surrealisten mit der Grundeinstellung Lautréamonts und Rimbauds gemein hatte und was für alle Zeiten unser Schicksal an das ihre band, war die Abscheu vor dem Krieg, der Defaitismus.«[36] Nur Apollinaire, der der Bewegung zu ihrem Kennwort verhalf, als er in einem Brief vom März 1917 an Paul Dermée dem »Surrealismus« gegenüber dem Begriff des »Surnaturalismus« den Vorzug gab, urteilte anders. Jenseits der politischen Motive und Absichten konnte der Krieg als Lebensäußerung gedeutet werden, als Phänomen des *élan vital*, den Bergson in seinen Vorlesungen am

Collège de France über alle Logik und Vernünftigkeit von Handlungen hinausgehoben hatte. Das Leben, irrational und undurchdringlich, verschließt sich jeder psychophysikalischen Messung. Zu ihren geistigen Vorläufern bestimmten die Surrealisten deshalb auch Sade, den Dichter des Bösen, der den »contrat social« literarisch unterminierte, kaum daß er philosophisch entworfen worden war; Freud, der die Wahrheit über den Menschen in die dunkle Zone der Träume verlegte; Nerval, der den Franzosen die deutsche Romantik neu erschlossen hatte.

Aber nicht nur von der Weltanschauung, auch von den Formen ihrer Darstellbarkeit her trachtete die Bewegung ihre Legitimität zu gewinnen. Was der Dadaismus halb spielerisch schon eingeleitet hatte, die Zerschlagung der Sprache als des Kontinuums vernünftiger, mindestens verständlicher Diskurse, trieb der Surrealismus weiter. Fast vierzig Jahre nach dem »Aufstand gegen die Tyrannei einer gänzlich entwerteten Sprache« konnte Breton aus dem Abstand des gestandenen Revolutionärs sich erinnern. »Worum also ging es? Um nichts Geringeres als das Geheimnis einer Sprache wiederzufinden, deren Elemente nicht mehr wie Treibgut an der Oberfläche eines toten Meeres schwömmen. Zu diesem Zweck mußte man sie aus ihrem zunehmend nur zweckhaften Gebrauch herauslösen... Dieses Bedürfnis, mit drakonischen Mitteln gegen die Herabwürdigung der Sprache vorzugehen – hierzulande durch Lautréamont, Rimbaud, Mallarmé, in England zur gleichen Zeit durch Lewis Carroll demonstriert –, hat sich seither unausgesetzt gebieterisch manifestiert.« Beweise seien beim Dadaismus und beim Futurismus, aber auch in den Werken von Joyce, E. E. Cummings und Henri Michaux zu finden.[37]

Einer Epoche, der sich unter den Einwirkungen der Technik und unter dem Eindruck des Weltkriegs die Traditionen aufkündigten und der sich die Geschichte als die Wirklichkeit des Fortschritts vom Kollektivsingular wieder in die Pluralität von Geschichten zurückverwandelte, wurde auch die Zeit zum Medium diskontinuierlicher Erlebnisse. Aber solche »atomare« Situationen lassen sich nicht auf Dauer stellen. Es ist alles andere als Zufall, daß die meisten Surrealisten nach den ersten gemeinsamen Aktionen und Gesellschaftsskandalen in Zwist gerieten und erst in der Doktrin des Marxismus den Begriff und die Idee *der* Geschichte neu entdeckten. Was bei

Jünger die platonische Assekuranz für die Eindrücke des Schrekkens in der Lebenswelt ist, entspricht der Kehre zur Geschichtsphilosophie bei den französischen Surrealisten.

Es bleibt weitgehend spekulativ und ein kaum lösbares Problem jeder Rezeptionsästhetik, in welchem Maß der Verfasser des »Abenteuerlichen Herzens« die Manifeste und Werke des Surrealismus zur Kenntnis genommen und verarbeitet hat. Nicht alles, was sich ähnlich sieht, ist mit »Rezeption« zu erklären. Zu den magischen Parallelen innerhalb dieser Ära gehört, daß Louis Aragon 1926 das Buch »Le paysan de Paris«, zunächst in einzelnen Teilen wie das »Abenteuerliche Herz« vorabgedruckt, präsentierte, dessen Duktus jenem der »Aufzeichnungen bei Tag und Nacht« manchmal auf frappierende Weise gleicht. Es sind Stadtbeobachtungen, Gänge in den Pariser Passagen, Beschreibungen von Auflösungsprozessen, nächtliche Streifzüge und essayistische Exkurse zu einer »mythologie moderne«, welche Aragon collagenartig verklebt und in eine kühle, genaue Sprache faßt.

*

Das ästhetisch-gedankliche Prinzip ist die Gleichzeitigkeit des Ungleichzeitigen: die Überlagerung von Realitäten, Eindrücken, Ideen, denen eigentlich eine temporale oder räumliche Differenz innewohnt. Solche Verschneidungen hatte Jünger im Weltkrieg erlebt, als das Werk der Zerstörung plötzlich verschiedene Wirklichkeiten zu kompakten Gebilden arrangierte; während im Keller gekämpft wird, spielt im oberen Geschoß ein Harmonium. Und solche Verschneidungen finden sich wieder in den Traum-Passagen des »Abenteuerlichen Herzens«, in den Evokationen des Schreckens, wie ihn das nächtliche Gesicht der Großstadt verbreitet, in den Tableaus, wo selbst die Natur ihre »andere Seite« freigibt. Nicht mehr Stoff für ein Epos, überhaupt für das Erzählen ist die Welt, sondern ein Konglomerat von Objekten und Bewegungen, die sich ihrem empfindlichen Beobachter als »Sensationen« aufdrängen und weiterwuchern.

Franz Hessel, der Essayist, Literat und Freund von Walter Benjamin, konnte nicht wissen, daß er mit dem Wort von der »Lektüre« ein Stichwort lieferte, das den Stadtgänger der »Aufzeichnungen bei Tag und Nacht« auf weniger gemütliche Weise beschäftigte und zum

Nachdenken über den Hintersinn der gewonnenen Eindrücke zwang. In seinem Buch »Spazieren in Berlin« – ebenfalls in dem magischen Jahr 1929 erschienen – notierte Hessel: »Flanieren ist eine Art Lektüre der Straße, wobei Menschengesichter, Auslagen, Schaufenster, Café-Terrassen, Bahnen, Autos, Bäume zu lauter gleichberechtigten Buchstaben werden, die zusammen Worte, Sätze und Seiten eines immer neuen Buches ergeben.«[38] Mit der Gleichberechtigung, also dem Kontinuum der Kontingenzen, hätte sich auch der Surrealismus anfreunden können.

Benjamin selbst war einer der ersten, die in Deutschland das französische Phänomen vorstellten. Wieder war es das Jahr 1929, als sein Aufsatz »Der Sürrealismus. Die letzte Momentaufnahme der europäischen Intelligenz« in der »Literarischen Welt« erschien. Was Momentaufnahmen, und gar letzte, auszeichnet, ist das Pathos der Unwiederbringlichkeit, das sie umwittert. Die zehn Jahre der Bewegung, die Benjamin überblickte, genügten, den Surrealismus in seiner »ursprünglichen Spannung« zu blockieren; aus einer »Traumwelle«, die über ihre Stifter hereingebrochen war, wurde ein »profaner Kampf um Macht und Herrschaft«, um Ansehen und politisch-ideologische Geltung. Vorher sei es anders gewesen. »Das Leben schien nur lebenswert, wo die Schwelle, die zwischen Wachen und Schlaf ist, in jedem ausgetreten war, wie von Tritten massenhafter hin und wider flutender Bilder, die Sprache nur sie selbst, wo Laut und Bild und Bild und Laut mit anatomischer Exaktheit derart glücklich ineinandergriffen, daß für den Groschen ›Sinn‹ kein Spalt mehr übrigblieb.«[39] Benjamin verfolgte von diesem Höhepunkt her, zu datieren auf das Jahr 1924, die Genese bis in die französische Romantik des 19. Jahrhunderts zurück. Von »Erfahrungen« sei der Surrealismus ausgegangen, vom Traum, vom Rausch – und schließlich vom Aufstand gegen den Katholizismus, wie ihn Rimbaud, Lautréamont, Apollinaire als Vorläufer geübt hätten. Für den späteren Autor des gewaltigen, ins Fragmentarische aufgesplitterten Werks über die Pariser Passagen mußte sich die Konjektur zu Lenin einstellen, zu einer Erweckungsbewegung, die er als »profane Erleuchtung« mit einer materialistischen, anthropologischen »Inspiration« identifizierte.

Breton und Aragon hätten revolutionäre Energien im »Veralteten« aufgespürt. Wie eine Antizipation des Katalogs der »Passagen«

nimmt sich aus, was ihr Interpret als Beispiele anführt: die ersten Eisenkonstruktionen, die ersten Fabrikgebäude, die mondänen Versammlungslokale, das matt gewordene Plüsch der Salons. »Wie diese Dinge zur Revolution stehen – niemand kann einen genaueren Begriff davon haben, als diese Autoren. Wie das Elend, nicht nur das soziale, sondern genauso das architektonische, das Elend der Interieurs, der versklavten und versklavenden Dinge in revolutionären Nihilismus umschlagen, das hat vor diesen Sehern und Zeichendeutern noch niemand gewahrt.«[40] Dem materialistischen Geschichtsphilosophen, den das Eschatologische bis zu seinen Thesen »Über den Begriff der Geschichte« von 1940 umtrieb, bot sich der Surrealismus dar als eine Kraft der Entwertung alles Bürgerlichen. Die Bourgeoisie aber hätte die Surrealisten nach links getrieben, bevor diese überhaupt zu sagen gewußt hätten, was ihr politisches Ziel war. Bewußt ließ Benjamin im Dunkeln, ob die folgende Politisierung in die Richtung des Marxismus legitim, genauer: der ästhetisch befreiten Subversion angemessen war. Doch nicht offen ließ er, daß eine Bewegung der Negationen, auch wenn sie ihre Sache noch nicht deklarieren konnte, einen Überschuß an revolutionärer Energie barg. Das »noch nicht« faszinierte den heimlichen Apokalyptiker, der damals Bakunin näher als Marx stand und den radikalen Begriff der Freiheit, wie ihn anarchistisch die Surrealisten zunächst behaupteten, nicht der Orthodoxie preisgeben wollte. Schon Rimbaud und Lautréamont hätten den »Kult des Bösen« gepflegt »als einen wie auch immer romantischen Desinfektions- und Isolierungsapparat der Politik gegen jeden moralisierenden Dilettantismus«. Die anstehende Revolutionierung der Welt konnte verfehlt werden, wo sie zu schnell in der Verständlichkeit erstarrte.

Wechselt man die politischen Chiffren aus, so gleicht sich der nationalrevolutionäre Horizont des »Abenteuerlichen Herzens« jenem linken der französischen Surrealisten durchaus an. Nicht um das, was »hinter« der Kunst liegt, geht es jedoch zunächst, hier wie dort, sondern um die Erschütterung der Wirklichkeit mit den Mitteln der Kunst. Wo die Surrealisten später den Marxismus entdeckten, findet Jünger zu seiner Theorie des »Arbeiters«, mit der entscheidenden Differenz freilich, daß diesem geschichtlichen »Sinn« schon längst jener von platonischen Idealitäten vorgelagert ist. Was die Lektüre von Jüngers »Aufzeichnungen bei Tag und Nacht« so schwierig macht, liegt an den gedanklichen Gleichzeitigkeiten. Den schockierenden Erfahrungen in der Welt der Träume und nächtlichen Stadtgänge wird eine Bedeutung hinzugedacht, die nur von dem fernen Wesen, von dem die Einleitung spricht, eingesehen wird; zugleich wohnt ihr ein Drang inne, sich in der Zeit, geschichtlich, zur Kenntlichkeit des nationalrevolutionären Umsturzes hin zu verändern. – Zu den ersten Bildern, welche diesen apokalyptischen Prozeß einfassen sollen, gehört die berühmt gewordene »Blechsturz«-Metapher.

»Ich glaube, daß folgendes Bild das *Entsetzen* besonders treffend zum Ausdruck bringt: Es gibt eine Art von sehr dünnem und großflächigem Blech, mittels dessen man an kleinen Theatern den Donner vorzutäuschen pflegt. Sehr viele solcher Bleche, noch dünner und klangfähiger, denke ich mir in regelmäßigen Abständen übereinander angebracht, gleich Blättern eines Buches, die jedoch nicht gepreßt liegen, sondern durch irgendeine Vorrichtung voneinander entfernt gehalten werden.

Auf das oberste Blatt dieses gewaltigen Stoßes hebe ich dich empor, und sowie das Gewicht deines Körpers es berührt, reißt es krachend entzwei. Du stürzt, und stürzt auf das zweite Blatt, das ebenfalls, und mit heftigerem Knalle, zerbirst. Der Sturz trifft auf das dritte, vierte und fünfte Blatt und so fort, und die Steigerung der Fallgeschwindigkeit läßt die Detonationen in einer Beschleunigung aufeinander folgen, die den Eindruck eines an Tempo und Heftigkeit ununterbrochen verstärkten Trommelwirbels erweckt. Immer noch rasender werden Fall und Wirbel, in einen mächtig rollenden Donner sich verwandelnd, bis endlich ein einziger, fürchterlicher Lärm die Grenzen des Bewußtseins sprengt.

So pflegt das Entsetzen den Menschen zu vergewaltigen – das Entsetzen, das etwas ganz anderes ist als das Grauen, die Angst oder die Furcht. Eher ist es schon dem Grausen verwandt, das das Gesicht der Gorgo mit gesträubtem Haar und zum Schrei geöffnetem Mund erkennt, während das Grauen das Unheimliche mehr ahnt als sieht, aber gerade deshalb von ihm mit mächtigerem Griffe gefesselt wird. Die Furcht ist noch von der Grenze entfernt und darf mit der Hoffnung Zwiesprache halten, und der Schreck – ja, der Schreck ist das, was empfunden wird, wenn das oberste Blatt zerreißt. Und dann, im tödlichen Sturze, steigern sich die grellen Paukenschläge und roten Glühlichter der Schreckempfindungen bis zum Entsetzlichen.

Ahnst du, was vorgeht in jenem Raume, den wir vielleicht eines Tages durchstürzen werden, und der sich zwischen der Erkenntnis des Unterganges und dem Untergange erstreckt?« (AH 1, 10 f./9, 35 f.)

Die Frage ist keine rhetorische. Sie ist die Frage nach der Zeit und ihrer Qualität, apokalyptischer: nach der Frist, die angesetzt ist zwischen der Offenbarung des Endes und der Erfüllung. Alttestamentliches durchweht diese Prosa, vor allem im Tonfall der Anrede, wo dem »du« ein Unbekannter den durch Schichten dramatisch gesteigerten Fall ins Nichts verheißt.

Seit der Romantik gewann die Metapher vom Sturz, der jene von der Tiefe verbunden ist, die Wende zum Existentiellen, zum Schreckensbild des Lebens, das ins Uferlose weggleitet. Bei E.T.A. Hoffmann, gleichzeitig in den Gemälden von Caspar David Friedrich sollten die Vertikalen das Kontinuum scheinbarer Sicherheit durchkreuzen und den Menschen jäh vor seinen Abgrund führen. Der Schrecken des ersten Eindrucks verändert sich zum Gefühl des Entsetzens, das der Steigerung fähig ist, solange das Bewußtsein die Sprünge der Zeit wahrzunehmen vermag. – Poe, dem wir durch seine Erzählungen der »Phantastischen Fahrten« und der »Faszination des Grauens« die eindringlichsten Szenen der Tiefenangst, des möglichen Falls ins Leere verdanken, hatte das Phänomen nicht nur literarisch »absolut«, sondern auch essayistisch bearbeitet. In der weniger bekannten Schrift »Der Alp der Perversheit« (»The Imp of the Perverse«) von 1845 assoziierte er dem Drang nach der Tiefe eine psychologische Erklärung – oder eher Beschreibung hinzu. Zu den »Perversionen« des Bewußtseins gehöre jene der *Vorstellung*, was wohl wäre, wenn man sich dem Sturz überließe. Was bei Jünger keinerlei Freiwilligkeit zu unterliegen scheint, stellte der große Analytiker der Angst als Spiel mit der Möglichkeit dar.[41]

Kein intelligibles Prinzip vermöge den Tiefendrang verständlich zu machen, weshalb ihn Poe zu den »Perversionen« schlägt. In seiner berühmten Novelle »Ein Sturz in den Malstrom« ließ er einen Seefahrer ein ähnliches Abenteuer erleben. Noch ehe er die psychologische Ergänzung von 1845 lieferte, schilderte er die Faszination, der sich ein alter Mann, der dem Ich-Erzähler davon berichtet, halb freiwillig, halb vom Schicksal gedrängt aussetzt. Es gelang Poe, die Episode magisch aufzuladen, indem er auf alle Magie verzichtete und dem merkwürdigen Naturvorgang des gewaltigen Strudels mit dem Bericht des Seemanns eine scheinbar wissenschaftliche Erklärung aufzwang. In Wahrheit sollten sich jene theoretischen Erwägungen aus der Rückschau des Geretteten ihrerseits als Mythen erweisen. Erst dem aufgeklärten Bewußtsein kann das Grauen ganz aufgehen: wenn kein illusionärer Ersatz mehr davon dispensiert, genau zu registrieren, was sich in dem Sog an Unglaublichem ereignet. Nicht ohne Ironie zitierte Poe im Vorspann zu seinem Prosastück den englischen Philosophen Joseph Glanvill, einen Vorläufer von Hume, der schon 1665 eine »Scepsis scientifica or confessed ignorance« vorgelegt hatte. »Die Wege Gottes in der Natur als auch in der Vorsehung sind nicht unsere Wege; noch vermögen die Gleichnisse, welche wir uns bilden, nur irgend die Unermeßlichkeit, Unergründlichkeit und Unerforschlichkeit Seiner Werke zu fassen, die eine Tiefe in sich tragen – abgründiger denn der Brunnen Demokrits.«[42]

In der Prosa des »Abenteuerlichen Herzens« ist Poe nicht nur als Visionär des Schreckens, sondern auch als Kritiker der Vernunft gegenwärtig. Aber Jünger verlegt das Entsetzen nicht nur an den Ort der Vorstellungen und selbstquälerischen Phantasien. Obwohl er wie Poe davon ausgeht, daß es ein *antizipierendes* Gefühl sei, das es schließlich hervorrufe, und nicht der erste Schock, wendet er das Gleichnis auch ins Geschichtsphilosophische. – Bevor davon die Rede sein soll, muß eines Kindheitserlebnisses des Autors gedacht werden, das dieser erst 1967, nämlich in dem Buch »Subtile Jagden«, preisgegeben hat. Der Vorfall ist zu suggestiv, als daß dem Interpreten nicht die Verbindung zum »Blechsturz« aufgehen müßte; er ist eine mögliche Urgeschichte der Metapher des »Abenteuerlichen Herzens«. Jünger berichtet, daß er mit dem Bruder Friedrich Georg auf Käfersuche in den Wäldern von Rehburg gegangen sei. Einmal seien sie bis zu einem stillgelegten Bergwerk vorgedrungen und nach einigem Zögern in den Stollenhals hinabgestiegen.

»Nachdem wir auf einer Reihe von Plattformen gerastet hatten, wurde es dunkler, und es begann zu regnen; das Wasser tropfte aus dem Gestein. Endlich erreichten wir die Sohle und sahen im Schein der Kerze die Gänge abzweigen. Bis auf das Rauschen des Wassers, das sich am Grunde zu einem Bach vereinte, war es unheimlich still. Da verließ uns der Mut, uns weiter in die hohle Welt zu wagen; wir kehrten um.
Ich war, den Bruder hinter mir, wieder zur Hälfte emporgeklommen, als ich den furchtbaren Sturz hörte. Er krachte von Plattform zu Plattform und endete im freien Fall durch den Förderschacht auf dem untersten Grund. Dem folgte Stille, und ich fühlte, wie sich die Hände von der glitschigen

Sprosse lösen wollten, an die sie sich klammerten. Endlich wagte ich seinen Namen zu flüstern – er antwortete. Einer der schweren Brocken, die aus der Wand gebrochen waren und auf den Brettern lagen, hatte sich unter seinem Fuß gelöst. – Wir suchten seitdem den Ort nicht wieder auf und mieden sogar den Forst, in dem er gelegen war.«[43]

Auch wenn hier eine Übertragung des frühen Schockerlebnisses in die metaphorische Prosa des »Abenteuerlichen Herzens« stattgefunden haben mag, so läßt es Jünger nicht dabei bewenden, das Gleichnis vom Blechsturz nur existentiell zu belehnen. Von einem *wir* ist ja auch die Rede; und die Frage nach der Qualität des Raumes, »den wir vielleicht eines Tages durchstürzen werden«, stellt sich nicht bloß dem Einzelnen, sondern auch einer Gesellschaft. Was Kollektive unter anderem verbindet, ist die Kultur, der sie zugehören. Von Rimbaud und Lautréamont wie von Baudelaire konnte der Autor erfahren, wie eine solche Kultur – die bürgerliche des 19. Jahrhunderts – auf ihre Auflösungsprozesse hin gelesen wurde.

In den Dichtungen von »Une Saison en Enfer« hatte Rimbaud von den Sümpfen des Abendlandes gesprochen, denen er – wie etwas später Nietzsche und vor ihm Schopenhauer – die Paradiese des Orients als Orte des ursprünglichen Vaterlandes entgegenhielt. Seine Klage gipfelte in der absoluten Verwerfung der Moderne, nachdem er ihr ihre Gifte – Trunksucht, Unwissenheit, den Stolz der Erfinder, die Gier der Plünderer – nachgewiesen hatte. »Pourquoi un monde moderne, si de pareils poisons s'inventent!«[44] In dem kurz zuvor vollendeten Stück »Angoisse« der »Illuminations« lockte noch die Hoffnung jener »féerie«, von der dann auch der Geschichtsphilosoph Benjamin träumen sollte. »Wäre es möglich, daß die Begebenheiten des wissenschaftlichen Märchenspiels und die Regungen sozialer Verbrüderung geliebt würden als die stufenweise Wiederherstellung der ursprünglichen Freiheit?«[45] Die Antwort lieferten die verzweifelten Gesänge der »Zeit in der Hölle« nach.

Eben diese apokalyptische Drohung wirkt in dem Bild vom Blechsturz. Daß es als Ouvertüre dem »Abenteuerlichen Herzen« vorgelagert ist, ist kennzeichnend für den ganzen Zyklus. Jünger sucht den »Raum« nach Spuren des Untergangs ab, nach den Erscheinungen von Zersetzung und Zerfall, die vom möglichen Ende künden. Man wird diese Vergegenwärtigungen in surrealistischer Manier nicht einfach als Manifestationen einer für das Saeculum inzwischen üblich gewordenen Zivilisationskritik deklarieren wollen. Im siebten Stück, dem ersten längeren der Sammlung, spricht der Autor von der Furcht vor den Gewöhnlichkeiten des Lebens. »Seien wir auf der Hut vor der größten Gefahr, die es gibt – davor, daß uns das Leben etwas Gewöhnliches wird.« Dieser Furcht vermöge die Fähigkeit zum Erstaunen, solange sie frisch bleibe, Widerstand zu bieten, »jene Innigkeit im Aufnehmen der Welt und die große Lust, nach ihr zu greifen wie ein Kind, das eine gläserne Kugel sieht«. (AH 1, 20/9, 40)

Unter der Einwirkung des Erstaunens würden die unscheinbarsten Dinge des Tages und der Nacht ihre *andere Seite* zeigen. Sie gewinnen Zeichencharakter. Für den, der Lektüre der Welt betreibt und dabei ihre vordergründigen Bedeutungen nach der Richtung des Dämonischen aushöhlt, ist der physiognomische Blick nicht das einzige, aber ein entscheidendes Instrument der Wahrnehmung. Auch diese Vorstellung hat ihre Geschichten. Als Lautréamont seinen Helden die »Chants de Maldoror« anstimmen ließ, faßte er die Reizbarkeit gegenüber den Gegenständen in einen einzigen Satz. »Rien n'est indigne pour une intelligence grande et simple: le moindre phénomène de la nature, s'il y a mystère en lui, deviendra, pour le sage, inépuisable matière à réflexion.«[46]

Bis hin zu Ernst Bloch und Walter Benjamins Wort von der »Kinderseite« der Geschichte spannt sich der Gedanke jener entbergenden Beobachtung, die den Stand der Welt und der Zeit wie eine Epiphanie anzugeben vermöchte, indem sie den kleinsten Erscheinungen gegenüber Wachsamkeit übt. Sie entwickelten die Surrealisten zur Kunst der Überraschungen. Apollinaire notierte in seinem programmatischen Manifest »Esprit nouveau«: »Es kann von ganz Alltäglichem ausgegangen werden: Ein zu Boden fallendes Taschentuch kann dem Dichter der archimedische Punkt sein, von dem aus er eine ganze Welt in Bewegung setzt und erschließt.«[47] Er dürfte Max Klingers Graphikzyklus »Ein Handschuh« von 1881, wo die Taschentuchszene bildlich vorgeprägt ist, gekannt und in seinem symbolischen Gehalt erkannt haben.

Wachsamkeit gegenüber den Dingen, bis zum Erstaunen gesteigert, ist es, die Jünger nicht nur einfordert, sondern auch autobiographisch erläutert. Als Kind habe er im Treibhaus seiner Eltern von

Afrika geträumt, dem dunklen Erdteil – der freilich in den Berichten von Stanley bloß reportagemäßig erfaßt worden sei; die »Gefühle des eigenen Herzens, das mit einer feindlichen, rätselhaften Welt im Kampfe steht«, hätten gefehlt. Näher waren dem Kind Cervantes, Grimmelshausen, Stendhal, von den Malern vor allen anderen Breughel, »den man den Sammetbrueghel nennt« und dem es in seinen winzigen Gemälden gelungen sei, »eine Tiefe zu bannen..., die ein Gefühl des Schwindels erregt und den Betrachtenden wie mit körperlichen Armen in den Bildhintergrund zieht«. – »Schwindel« ist mehr als die bloße Betroffenheit des Zuschauers, nämlich zugleich Metapher für den Zustand, der sich einstellt, wenn sich die Zeit beschleunigt oder plötzlich – im Rausch, im Traum – gewaltig retardiert.

Den ersten »Traum« der Sammlung berichtet Jünger unter der Ortsangabe von Leipzig; er ist zugleich das vierte Prosastück des »Abenteuerlichen Herzens«. Zur Rahmenhandlung – und dieses Schema, das Jünger später auch theoretisch erörtert, wird sich wiederholen – gehört, daß der Ich-Erzähler träumt, aus dem Schlaf zu erwachen und durch gewisse Indizien festzustellen, daß er nicht träumt. »Traum: Ich schlief in einem altertümlichen Hause und erwachte durch eine Reihe seltsamer Töne, die wie ein nasales ›dang, dang, dang‹ klangen und mich sofort auf das Höchste beunruhigten. Ich sprang auf und lief mit gelähmtem Kopfe um einen Tisch. Als ich an der Tischdecke zog, bewegte sie sich. Da wußte ich: Es ist kein Traum, du bist wach.« (AH 1, 12/9, 36) – Schon dem Hinweis auf die Örtlichkeit des alten Hauses wohnt die Spannung einer Zeitverschiebung inne, die sich steigert, als der Erzähler zum Fenster geht; er erkennt eine alte, ganz schmale Gasse und eine Gruppe von Menschen, »Männer mit hohen, spitzen Hüten, Frauen und Mädchen, altertümlich und unordentlich angetan«; auch hört er den Satz: »Der *Fremde* ist wieder in der Stadt.«

Nicht in eine zukünftige, in eine vergangene Welt vielmehr wird der Träumer zurückgeworfen, während sein Verstand aussetzt. Der eigentliche Akzent der Parabel liegt auf dem *Erwachen* und seinen Folgen. Nichts Schrecklicheres konnte den Helden der romantischen Märchen widerfahren, als in einer fremden Zeit sich plötzlich zu finden, als Wissende oder Ahnende in einem Land, das ihnen längst nicht mehr bewohnbar war. Anders als den Romantikern hat

sich Jünger die *Erfahrung* solcher temporaler Irritationen eingeprägt: Während des Weltkriegs, präziser: in den Dörfern und Städten
auf fremdem Gebiet lief das Leben diskontinuierlich zwischen der
von der Technik angedeuteten Zukunft neuer Ordnungen und der
als residual empfundenen Vergangenheit. »Cambrai ist ein ruhiges,
verträumtes Städtchen des Artois, an dessen Namen sich manche
historische Erinnerung knüpft. Enge, altertümliche Gassen schlingen sich um das mächtige Rathaus, verwitterte Stadttore und viele
Kirchen. Wuchtige Türme ragen aus einem Gewirr winkliger Gie-
bel.« So notierte der Autor der »Stahlgewitter«; und immer wieder
beschrieb er auch, wie er durch feindliches Feuer oder Alarmgeräu-
sche jäh aus dem Schlaf gerissen wurde. Ein »Fremder« war er nicht
nur in der »altertümlichen« Umgebung, sondern auch gegenüber
ihren Menschen.

Natürlich läßt sich das Traumstück nicht auf solche Reminiszenzen reduzieren. Es ist mehr, nämlich die tendenziell absolute Metapher für den Befund, in einer »eigenen« Zeit nicht mehr heimisch zu
sein. Zu den ersten Schriftstellern, die den Riß in der Zeit visionär
gestalteten, zählt neben E.T.A. Hoffmann auch Poe. Die französischen Nachromantiker von Nerval bis zu Rimbaud, Baudelaire und
Huysmans entwarfen vor dem Treiben des modernen Lebens den
finsteren Hintergrund eines Mittelalters, das als Chiffre für die Melancholie des Verfalls wie für Schrecken und Grausamkeiten sich
niemals verjähren sollte. Auch läßt sich auf einen jener utopischen
Romane verweisen, die H.G. Wells in rascher Folge niederschrieb.
1899 präsentierte er »When the sleeper awakes«, ein Werk, das
bereits 1906 vom Georg Müller-Verlag, München, in der Reihe der
»Galerie der Phantasten«, die auch Texte von Poe, Gogol, Nerval
und Kubin vorstellte, unter dem Titel »Wenn der Schläfer erwacht«
ins Deutsche übertragen wurde.

Ein Mann, der an Schlaflosigkeit leidet und die Welt als ein »Tal
der Tränen« empfindet, fällt plötzlich in tiefen Schlaf; zweihundert
Jahre später – »Grahams Pilgerreise aus der ungeheuren Nacht
zurück in den Tag schien über Abgründe hinwegzugehen und Epochen zu dauern...« – erwacht er, in einer ihm unverständlichen
Wirklichkeit, um alsbald von Gruppen der Bevölkerung als geheimnisvoller Retter angesehen zu werden; dem »Schläfer«, wie er
genannt wird, werden messianische Qualitäten zugemutet.[48] Was

Wells mit den Mitteln seiner »Zeitmaschinen«-Idee in die Zukunft projizierte, den Alb einer technischen und sozialen Diktatur, gestaltet Jünger in einem Vergangenheitstraum – der fast alles offen läßt. Aber hier wie da entbindet das Erwachen zuerst Verstörung, dann Angst. Der Text des »Abenteuerlichen Herzens« endet in einer Vision von Poeschem Zuschnitt, die mit dem Doppelgänger-Motiv wie von ferne spielt.

»Als ich mich umwandte, saß jemand auf meinem Bette. Ich wollte aus dem Fenster springen, aber ich war wie an den Boden gebannt. Die Gestalt erhob sich ganz langsam und starrte mich an. Ihre Augen waren glühend und nahmen mit der Schärfe des Anstarrens an Umfang zu, was ihnen etwas grauenhaft Drohendes verlieh. In dem Augenblick, in dem ihre Größe und ihr roter Glanz unerträglich wurden, zersprangen sie und rieselten in Funken herab. Es war, als ob glühende Kohlenbrocken einen Rost durchglitten. Nur die schwarzen, ausgebrannten Augenhöhlen blieben zurück, gleichsam das absolute Nichts, das sich hinter dem letzten Schleier des Grauens verbirgt.« (AH 1, 12 f./9, 36 f.)

Das absolute Nichts als Summe der Offenbarung ist die negative Vision, daß das Verhältnis zwischen Welt und Mensch niemals mehr ins Lot gebracht werden könnte. Dieser gleichermaßen »existentielle« wie geschichtsphilosophische Verdacht markiert als Kontrapunkt den futuristisch inspirierten Glauben an eine technisch und gesellschaftlich dereinst zur Stimmigkeit gebrachte Lebenswelt. Für Jünger ist die Zukunft bis in die frühen dreißiger Jahre vorwiegend »positiv« besetzt, ein utopisches Potential, für das er das Wort von der »Planlandschaft« prägen wird. Doch wie sehr er auch die Nachtseite der Kultur in den »Träumen« vergangener Zeiten zu sehen wähnt, der metaphorische Überschuß gestattet, diese auch in die Zukunft zu lesen. So gewinnen manche Szenen – der Folterung, der namenlosen Angst – einen prophetischen, von auktorialen Absichten befreiten Glanz. Der nächste Traum in »mittelalterlicher« Staffage führt eine Folterszene vor.

»Traum: Wir standen in einer alten Klosterkirche beisammen, in prächtige, rot- und goldgestickte Gewänder gehüllt. Unter den versammelten Mönchen waren einige, darunter auch ich, die im geheimen einem neuen Glauben anhingen. Unser Führer war ein noch junger Mensch, der kostbarer als alle anderen gekleidet war. Es lag eine unheimliche Stimmung über dem gotischen Raum, in dem sich bunte Lichtbalken kreuzten, und von dessen Altären Steine und Metalle schimmerten. Es war sehr kalt. – Plötzlich wurde unser Führer hinterrücks ergriffen und auf eine Chorbank gerissen. Vor sein Gesicht wurden zwei vergoldete Wachskerzen gehalten, die sprühend brannten und einen betäubenden Geruch verbreiteten. Dann wurde er bewußtlos auf einen Altar geschleppt. Eine Gruppe von Mönchen mit Gesichtern von einer Bosheit, wie sie bei den Folterknechten der alten Passionsbilder zu finden ist, umringte die liegende Gestalt; blanke Messer blitzten auf. Es war nicht zu sehen, was geschah; ich nahm nur mit Entsetzen wahr, daß die Mönche Kelche zum Munde führten, mit einer milchigen Flüssigkeit gefüllt, auf der sich ein blutiger Schaum kräuselte. – Alles ging sehr schnell vor sich. Die furchtbaren Gesellen traten zurück, und der Gemarterte erhob sich. Sein Gesicht sagte, daß er nicht wußte, was mit ihm vorgegangen war. Er war alt geworden, eingefallen, blutleer und weiß wie gebrannter Kalk. Mit dem ersten Schritt, den er vorwärts tun wollte, schlug er leblos zu Boden. – Dieses Exempel erfüllte uns mit ungeheurer Angst.« (AH 1, 67 f./9, 66 f.)

Es braucht keine Phantasie, dabei an Schwarze Messen zu denken, für deren literarische Wiederkehr wirkungsreich Huysmans gesorgt hatte, wie überhaupt Jüngers »Träume« bis in die Details der Wahrnehmung realistisch beinah überdeterminiert sind.

Für den Zeitsprung, das Bedürfnis, aus der eigenen Epoche auszuscheren, oder die Ahnung, zugleich in mehr als einer Welt zu leben, fand Huysmans schon 1884 in »A Rebours« die entscheidenden Worte. Sein Held, Des Esseintes, dekadent und doch zum Widerstand fähig durch Einbildungskraft, erreicht die Entbindung von den Gewöhnlichkeiten des wissenschaftlichen Jahrhunderts, indem er sich den Drogen überläßt, mit ausgesuchten Essenzen experimentiert, seltene Pflanzen in seinem abgelegenen Haus aufstellt, vor allem aber durch die Betrachtung von Bildern und tagelanger Lektüre. Von den Malern bevorzugt er Goya, Moreau, Rodin; sein Eklektizismus sondert die Literatur in die Richtung des Abseitigen, Dämonischen, zu Poe, Baudelaire, Barbey d'Aurevilly, Rimbaud; von Flaubert schätzt er mehr »La Tentation de Saint-Antoine« als die »Education sentimentale«, von Zola mehr »La Faute de l'Abbé Mourel« als »L'Assommoir«. Diesen Präferenzen schickt Huysmans eine zugleich psychologische und soziologische Erklärung von der Fremdheit in der eigenen Zeit nach.[49]

Als ob erst die Grausamkeiten der Antike und des Mittelalters den vom Schmerz der Langeweile und von den Visionen seines Gehirns gequälten Dandy sich seiner Vitalität zu vergewissern vermocht hätten, sollten ihn Werke voller entsetzlicher Phantasien inspirieren. Der Schriftsteller zeigte beispielsweise seinen Protagonisten beim Studium einer Stichfolge des Jan Luyken.[50] Je mehr Gedanken entstünden, um so heftiger werde der Schmerz, notierte Huysmans in »A Rebours«.

Konsequent steigerte er die Sensibilität des Dandys, bis dieser von Albträumen heimgesucht wird und sich vor dem Einschlafen zu fürchten beginnt.[51] Huysmans schilderte nicht den genauen Inhalt der Schreckensträume, wie in Befolgung der von ihm selbst zitierten Forderung des Buches Levitikus, welche deren Auslegung untersagt. Das Bedrängende mußte sich enthüllen in der Beschreibung ihrer Wirkung. Sieben Jahre nach »A Rebours«, 1891, legte er mit »Làbas« den Roman vor, dem die Themen von Sadismus, Folter und Inquisition nicht mehr über den Umweg ästhetischer Surrogate eingeschrieben sein sollten. Durtal, der Held, der an einem wissenschaftlichen Werk über Gilles de Rais arbeitet, wird nach und nach aus der aufgeklärten Gegenwart in die Gleichzeitigkeit des real praktizierten Kults mit dem Bösen gezogen und wohnt schließlich einer Schwarzen Messe bei. Des Hermies, ein Freund, merkt dazu an, daß der Satanismus inzwischen administrativ geworden sei.

Seitwärts von der Zeit zu existieren, wie es Huysmans seinen Figuren ermöglichte, gelingt dem Träumer des »Abenteuerlichen Herzens« scheinbar leichter, ohne den Aufwand komplizierter Initiationen. Vor allem, so wollen es die »Aufzeichnungen«, fällt ihm oft zu, was er gar nicht gewollt hat. Die namenlose Angst, wie sie die mittelalterliche Mordszene hervortreibt, ist nicht intendiert, sondern aufgezwungen; im Schlaf strömen die Bilder des Schreckens zu. Daß ein Gesicht wie jenes des jungen Führers plötzlich »alt…, eingefallen blutleer und weiß wie gebrannter Kalk« geworden ist, ist vom Lebenshintergrund des Autors her kein Novum. Solche physiognomische Verwandlungen hatte der Tagebuchschreiber des Ersten Weltkriegs am realen Gegenstand zu sehen bekommen. – Spätestens da ist zu fragen nach dem Stellenwert der Deklaration »Traum«, die alle surreal anmutenden Stücke der Sammlung einleitet.

*

Als die Surrealisten den Traum zum Stoff ihrer Entdeckungen machten, hatten sie den methodischen Zugriff, wie ihn die »écriture automatique« ermöglichte, schon entdeckt. Alle Neigungen und Empfindungen sollten im Augenblick ihres Auftretens niedergeschrieben, die Literatur zur Kongruenz mit dem Leben gezwungen werden. Der Verfasser der »Traumdeutung« bestätigte dieses Unterfangen nicht als der Hermeneutiker, dem das Material zur Herausforderung der Lesbarkeit wurde, sondern als Verkünder jenes »Unbewußten«, das jenseits von Verstandesarbeit pulsiert. Diesen Puls galt es unmittelbar zu fühlen, ohne schon nach erklärenden Ableitungen zu schielen; so entstanden die hieroglyphischen Texte der surrealistischen Traumprotokolle, Belege einer gesprengten Kontinuität der »vernünftigen« Lebenszusammenhänge.

Man muß zur Aufhellung dieser Genese an zwei Briefe von Arthur Rimbaud erinnern, die der Dichter im Mai 1871 an Georges Izambard und an Paul Demeny richtete: bevor das lyrische Hauptwerk seine Gestalt gewann und die als poetologische Antizipationen unter dem Titel der »Voyant«-Briefe bekannt wurden. Der »Seher« stellte den zweiten Brief an Demeny vom 15. Mai 1871 unter das Motto »Voici de la prose sur l'avenir de la poésie.«[52] Nachdem er kurz die Querelle des Anciens et des Modernes gestreift hatte, kam er zum Kern seines Programms, das die seherische Kraft des künftigen Schriftstellers thematisieren sollte. Er sprach von den Resonanzen in der Tiefe – die sich dem dichterischen Ich mitteilen müßten. »Je dis qu'il faut être *voyant*, se faire voyant.« Wie es zu bewerkstelligen sei, das Ich »seherisch zu machen«, führte Rimbaud des näheren aus, und dabei bezeichnete er die Autoren der Zukunft mit dem dunklen Wort der »travailleurs«; »Arbeiter« an der Revolution der Wirklichkeit mußten sie werden, und dazu bedurfte es vor allem der visionären Überwältigung.[53]

Nicht verstehen, nur sehen muß der Poet seine Visionen. Bis ins Pathos der Tautologien ließ sich Rimbaud treiben, wenn er die Überlegenheit der Einbildungskraft gegenüber der Prosa der »Vernunft« ausweisen wollte. Unsagbare Dinge zu sagen, das brachte ihn in die Richtung des Gedankens von der absoluten Metapher, die nicht mehr in eine Übersetzung abzuführen ist. Es war diese frühe Apologie einer Kunst des Unerklärlichen, welche die Surrealisten in ihren Anfängen begleitete und gegen das Denken in Begriffen und Kausalitäten imprägnierte. Erst später ging Breton, inzwischen kritisch gegenüber Rimbaud, noch einen Schritt weiter. Er hatte bei einem Besuch des Pariser Flohmarktes bemerkt, wie gewisse Gegenstände die »Faszination des Nochniegesehenen« abstrahlten – eine metallene Halbmaske, eine Alraune, ein Holzlöffel. Ein solcher Zufallsfund wirke wie ein Traum, denn er befreie den Finder von Hemmungen und lähmenden Bedenken. Die Dinge gewinnen, aus ihrem funktionalen Alltagsverbund herausgelöst, eine magische, die Wirklichkeit unterlaufende Qualität. Nun folgerte Breton, nachdem er die Idee schon in seiner »Introduction sur le peu de Réalité« gestreift hatte, daß es möglich sein müßte, »surreale Gegenstände« *herzustellen*. Dabei war ihm bereits mit dem Instinkt des Malers für die visuelle Wirkung des damit ausgelösten Schocks Dalí vorausgegangen.

Es sind in diesem Sinne hergestellte Träume, die in die Prosa des »Abenteuerlichen Herzens« eingelassen sind. Vergleicht man sie mit den Traumprotokollen der französischen Avantgarde, zeigen sie mit aller Schärfe ihren poietischen Charakter. Kein Grund besteht, sie beim Nennwert zu nehmen, zumal sie von der Sprache her niemals hinter die Diskursivität zurückfallen. Was sie aber ihrer Funktion nach auszeichnet, ist nichts anderes, als was Rimbaud und in seiner Nachfolge die Surrealisten versuchten: sie durchbrechen das Medium der linearen Zeit.[54] Dem Mittelalter waren die Romantiker verfallen, als sie ihre Epoche nach Exilen hin zu überschreiten trachteten. Als Schüler von Burke entdeckte Horace Walpole in seinen Schauergeschichten jene »gothic novel«, welche die subjektiven Gefährdungen des modernen Menschen in eine scheinbar entlegene Epoche zurückverlegt. Den Raum der Angst und des Entsetzens zu ermessen, unterminiert Jünger die Fiktion einer stetig fortschreitenden Zeit. Da er kein Dichter ist und für die poetischen Verknappungen Baudelaires kein Talent hat, bleiben ihm die Prosaparabeln, die eher bei Huysmans und Poe als bei Rimbaud und Lautréamont anknüpfen.

Im zwölften Stück gibt Jünger abermals einen »Traum« wieder, in welchem er zu erwachen träumt, um alsbald in einen noch unheimlicheren Traum zu gleiten. Danach reflektiert er den Vorgang, und in dieser Reflexion deutet er indirekt die metaphorische Wirklichkeit des Traums an. Mehr noch kommt es auf das Erwachen an.

»Dies ist eins der verborgenen Blendwerke und magischen Fangnetze, über welche die Traumwelt verfügt: Das Gefühl des Erwachens innerhalb des Traumes selbst, hervorgerufen durch den Übergang in eine scheinbar hellere und bewußtere, in Wahrheit jedoch dunklere Schicht. Dort, wo der Almadin am klarsten funkelt, ist der Stollen am dunkelsten.

Von Traumbildern umstellt, sucht der geängstigte Geist ihre Macht zu bannen durch den Zweifel an ihrer Wirklichkeit. Man träumt zu träumen und man erweckt sich zu einem neuen Traum. Nunmehr, nachdem man das Tor eines vermeintlichen Erwachens durchschritten hat, gerät man in die Gewalt jener Gespenster im Mitternachtslicht, an deren Erscheinung jeder Zweifel wie Glas zerschellt. Alles ist überzogen vom Anstrich der Wirklichkeit.

Der Zweifel, dieser Vater des Lichtes, ist zugleich einer der Erzväter der Finsternis. Wir sind in die zuckende Nacht des Unglaubens getaucht, von der der höllische Aspekt unserer im Lichte flimmernden Städte ein schreckliches Gleichnis ist. Die Geometrie der Vernunft verschleiert ein diabolisches Mosaik, das sich zuweilen erschreckend belebt; wir erfreuen uns einer furchtbaren Sicherheit. Unser Weg führt durch eine Landschaft, die die Wissenschaft immer enger mit ihren Kulissen verstellt – jede ihrer Großtaten macht ihn zwangsläufiger, und über sein Ende kann kein Zweifel sein. Nicht mehr zweifeln können, selbst der Schattenseite des Glaubens nicht mehr teilhaftig sein: das ist erst der volle Zustand der Gnadelosigkeit, der Zustand des Kältetodes, in dem selbst die Verwesung, dieser letzte dunkle Hauch des Lebens, sich verloren hat.« (AH 1, 87 f./ 9,77 f.)

Es gibt innerhalb der ersten Fassung des »Abenteuerlichen Herzens« kaum eine zweite Passage, die so unverstellt – wenn man will: ungeschützt, Auskunft erteilt über Jüngers Irritation gegenüber der eigenen Zeit, die er kurz darauf präzisierend als eine »absolute Zivilisation« bezeichnet. Schon Huysmans hatte in den bewegten Schlußkapiteln von »Là-bas« seine Figuren vom Verlust des Glaubens sprechen lassen, um im gleichen auszuführen, daß das von Comte und anderen als »positiv« gefeierte Jahrhundert gerade in seiner Wissenschaftlichkeit neuen Mystifikationen sich annäherte.[55] Aber der Verfasser von »A Rebours«, der nach dem auch autobiographisch gesicherten Zwischenspiel des Okkultismus zum Katholizismus zurückfand, hatte nicht den scharfen Blick für diese Dialektik der Aufklärung. Erst dem Teilnehmer am Weltkrieg geht auf, was es mit den Versachlichungen der Moderne auf sich haben könnte, wo sie sich auf der »Nachtseite« niederschlagen: Verstellungen, »Kulissen«, hinter denen die Wirklichkeit als Alp und als babylonische

Wiederholung erlebbar wird. Der *Traum*, näher: der Traumzustand, ist die Metapher für die Begegnung mit einer säkularen Apokalypse.

Deutlicher als Huysmans, genauer als Léon Bloy, den er später zustimmend zitieren wird, muß für den Verfasser des »Abenteuerlichen Herzens« Alfred Kubin mit seinen Federzeichnungen und Aquarellen, vor allem aber mit seinem Roman »Die andere Seite« von 1908 die Erschütterungen und Abgründe der Zeit gebannt haben. 1929, im Erscheinungsjahr der »Aufzeichnungen«, legt Jünger in der Zeitschrift »Widerstand« den Essay »Die andere Seite« vor.[56] Er setzt sich darin mit Kubins Werk in einer Weise auseinander, die keinen Zweifel an dessen Einfluß auf die Traum-Prosa läßt. Kubin gehöre zu den wenigen, die den pompeianischen Charakter der modernen Kultur gespürt hätten, »denen die Vorahnung des Zukünftigen bereits wie ein Alpdruck auf dem Herzen lag«. Die Einleitung des Aufsatzes beschwört zu Zeugen Volney, den Autor der »Ruinen«, auch Cazotte; beide seien der Französischen Revolution vor ihrem Ausbruch auf der Spur gewesen. Auch in den Träumen aber tauchten Bilder und Gestalten auf, »die nicht zu sehen, sondern zu ahnen und vorauszuahnen sind«, und der Künstler sei für sie besonders empfänglich.[57] Den Untergang der bürgerlichen Welt, »in dem wir noch mitten darinnen sind«, wie der konservative Revolutionär mit dem Unwillen des Neuerers bekennt, hätten etwa Van Gogh und Trakl, »der Salzburger Dichter«, vorausgeahnt als ein »Zerfließen«.

Für Kubins Buch beansprucht der Exeget nicht die organische Metapher, sondern das härtere Wort vom Verfall. Es demonstriere den Verfall in einer konsequentesten und vom Willen abgelöstesten, kurz in seiner bürgerlichsten Form. Jünger steht nicht an, »Die andere Seite« als bedeutendste Leistung auf dem Gebiet des Phantastischen seit E.T.A. Hoffmann zu loben; lange vor dem »Zauberberg« habe Kubin den langsamen Angriff der Verwesung, ihr unterirdisches Kriechen, ihre auflösende Unerbitterlichkeit, ihre Schauder, ihre Visionen, ihre verräterische Süßigkeit erfaßt. – Was hatte Kubin gezeigt?

Exkurs:
Alfred Kubins Roman »Die andere Seite«

Kubin ließ einen Ich-Erzähler von München aus eine Reise nach Asien antreten und damit der Einladung seines Jugendfreundes Patera Folge leisten. Dort hat Patera die Stadt Perle gegründet. Der Erzähler findet einen Ort, der aus alten, verwitterten Versatzstücken europäischer Architektur zusammengebaut ist, eine ungeheure Stätte des Eklektizismus, müde und verwohnt. Die Menschen, die in der Stadt, welche stets von dichtem Nebel umhüllt wird, ihre Tage verbringen, gleichen Träumern; sie bewegen sich wie Schattenwesen innerhalb dieses Zeitstaus. Das Zentrum des Ganzen bildet Patera, der Einsiedler in seiner Residenz. Was er träumt, fällt in Träumen auf seine Untertanen zurück. Und da er krank ist, steigen in Perle die Temperaturen von Chaos und Verfall.[58]

Als Patera stirbt, öffnet sich ein Strudel, vergleichbar der infernalischen Spirale Dantes, die Welt von Perle aufzunehmen.

»Von dem hochgelegenen französischen Viertel schob sich langsam wie ein Lavastrom eine Masse von Schmutz, Abfall, geronnenem Blut, Gedärmen, Tier- und Menschenkadavern. In diesem, in allen Farben der Verwesung schillernden Gemenge stapften die letzten Träumer herum. Sie lallten nur noch, konnten sich nicht mehr verständigen, sie hatten das Vermögen der Sprache verloren. Fast alle waren nackt, die robusteren Männer stießen die schwächeren Weiber in die Aasflut, wo sie, von den Ausdünstungen betäubt, untergingen. Der große Platz glich einer gigantischen Kloake, in welcher man mit letzter Kraft einander würgte und biß und schließlich verendete.«[59]

Für die zweite Ausgabe des Romans verfaßte Kubin ein längeres Vorwort in Form einer autobiographischen Skizze, die Kindheit und Jugend heraufrief und den Leser bis in die Zeit des Ersten Weltkriegs führt. Es konnte kaum als hermeneutischer Einstieg in die Traumwelt von Perle gedacht sein, obwohl der Künstler Gedanken und philosophische Assoziationen preisgab, die sich unschwer als Grundierungen des Buches ausdeuten ließen. Kubin bekannte, als junger Mann nachdrücklich von Schopenhauer und seiner pessimistischen Weltanschauung beeinflußt gewesen zu sein. Damals sei ihm auch der Einfall einer seltsamen »Kosmogonie« gekommen. Wie eine Paraphrase von Poes »Heureka«-Essay mutet an, was sich nach Spaziergängen im Englischen Garten von München nieder-schlug, nämlich das Konstrukt einer Vater-Sohn-Welt.[60] Unausdrücklich bleibt der Bezug zur gnostischen Vorstellung vom »Demiurgen«, der in abgeleiteter Kompetenz die Welt der Ideen auf »unreine« Weise nachbaut. Kubin, für den die Übermacht des realen Vaters zeitlebens bestimmend blieb, hätte diesem Konstrukt, das als Karikatur von »Sinn« in den Roman hineinwirkt, ohnehin wenig Kredit zu geben vermocht. Etwas später, so fährt er in der Autobio-graphie fort, sei er mit den Schriften von Paul Scheerbart und mit Klingers »Handschuh«-Zyklus bekannt geworden. Es ist nicht Zufall, daß diese ästhetisch eher ins Plakative ausschweifende Folge von Radierungen nicht nur Kubins Stil, sondern auch den Surrealis-mus inspirierte. Klinger hatte ins Bild gesetzt, wie ein zufälliger Anlaß – der Verlust eines Damenhandschuhs beim Eislaufen – ins Unabsehbare sich ausweitet. Da ließ sich nichts mehr mit »Kausali-täten« erklären. Wiederum etwas später entdeckte Kubin bei seinen Streifzügen und Nachtgängen durch München eine merkwürdig von den Ursachen gelöste Wirklichkeit.

Den Anfang sollte ein Varieté-Besuch machen. »Wie nämlich das kleine Orchester mit dem Spiel begann, erschien mir auf einmal meine ganze Umgebung klarer und schärfer, wie in einem anderen Licht. In den Gesichtern der Umhersitzenden sah ich auf einmal eigentümlich Tiermenschliches; alle Geräusche waren sonderbar fremd, von ihrer Ursache gelöst; es klang mir wie eine hohnvolle, ächzende, dröhnende Gesamtsprache, die ich nicht verstehen konnte, die aber doch deutlich einen ganz gespensterhaften inneren Sinn zu haben schien…« Im Teesalon darauf ähnliche Erlebnisse. »Der ganze Hintergrund mit der Spielorgel und dem Büfett war ver-dächtig, erschien mir wie eine Attrappe, welche nur das eigentliche Geheimnis – vermutlich eine trüb erleuchtete, stallartige, blutige Höhle – verbergen sollte.«[61] Das fehlende Verstehen kompensiert die Ahnung geheimer Bedeutungen.

Aus der Rückschau des Weltkriegsgeschehens ist der Vorlauf der Kultur auf ihr Ende hin leicht zu dämonisieren. Erstaunlich bleibt gleichwohl, daß der »Sturz von Visionen schwarz-weißer Bilder«, wie der Autor seine Zivilisationsirritationen umschreibt, ihn sechs Jahre vor der großen Explosion zwang, den prophetischen Roman innerhalb von sechs Wochen niederzuschreiben. Und ebenso erstaunlich erscheint die Mitteilung, daß Kubin »den Traum, wie er sich unmittelbar nach dem Aufwachen noch im Gedächtnis spiegelt, auch im Bild festzuhalten« begann, noch ehe die Surrealisten die Welt mit ihren »Protokollen« überraschten. – Zwei scheinbar nebensächliche Hinweise auf das Profil der Zeit führen näher an die Arkana des Romans heran. Bereits im Januar 1914 sei das Gesicht der Großstadt mit ihren Cafés, Kinos und Nachtlokalen greller geschminkt gewesen; »alles war amerikanisierter«. Seit dem Ausbruch des Kriegs habe er intensiv Nietzsche gelesen, der »unser Christus« gewesen sei.

In seinem Essay unterläßt es Jünger, auf den dramaturgischen Wendepunkt hinzuweisen, von welchem »Die andere Seite« bestimmt ist. Den Anstoß zum Untergang von Perle gibt das plötzliche Auftauchen von Herkules Bell, einem reichen Amerikaner aus Philadelphia. Bell stachelt die Bevölkerung nicht nur auf, den Luxus zu leben, er setzt auch eine Politisierung gegen Patera in Gang, indem er das »Erwachen« aus den Träumen und das Heraustreten aus den Verstellungen der alten, mürben Wirklichkeit fordert. Als der Kampf zwischen Patera und Bell beginnt, hat die Apokalypse des asiatischen Kleinstaates das Stadium der Reife gewonnen. – Man muß dabei an Kubins »kosmogonische« Phantasien, wie sie in dem autobiographischen Vorspann mitgeteilt sind, denken; mit der Differenz, daß nun das »außerzeitliche« Vater-Prinzip der Verzeitlichung, das heißt hier: der Auflösung, unterworfen wird. Unübersehbar ist die semantische Anspielung von Patera auf »Vater« ohnehin. Aber diesem Vater ist nicht mehr beschieden, die Metamorphosen des »qualvollen Weltprozesses«, wie sie vom »Sohn« erprobt werden, letztinstanzlich zu beherrschen. Er ist müde geworden mit der Welt, die er verwaltet. Absichtsvoll hatte sie Kubin allegorisiert: die Häuser von Perle durften nicht später als 1870 gebaut sein. »Diese Häuser das waren die starken, wirklichen Individuen.« Die Amtsstellen sollten, nach dem Beispiel der kaiserlich-österreichischen Bürokratie, alle Eingaben oder Beschwerden dilatorisch behandeln. Die Einwohner müssen sich mit Kulten und Gebräuchen abfinden, deren Bedeutung diffus ist.

Der Verfasser imaginierte Perle als einen Ort, wo die Säfte der Kultur ins Stocken geraten sind, die Zeit still steht. Die zwingende Parabel dafür schuf er mit dem Ritual vom »Uhrbann«. Der Ich-Erzähler – der fremde Besucher, seit der Aufklärung die Figur, durch deren Optik die Wirklichkeit karikiert wird – berichtet davon: in einem Brief an einen Freund, der indessen den Weg nach Europa, nach »draußen«, nicht findet und nach Jahren dem Absender wieder zugestellt wird. Nachdem er mitgeteilt hat, daß man in Perle »wie Großvater im Vormärz« lebe und auf den »Fortschritt« pfeife, schildert er den »großen Uhrbann«, wie »hier sein Name« sei.

Auf dem Hauptplatz stehe ein grauer Turm. Er ist mit einem mächtigen Zifferblatt versehen, das auch nachts die »Normalzeit« angibt und alle übrigen Uhren des Landes reguliert. Das Merkwürdige sei, daß dieser Turm auf die Einwohner eine mysteriöse Anziehungskraft ausübe; niemand könne Gründe dafür angeben. Die Leute versammeln sich regelmäßig vor dem Turm, um durch zwei kleine Pforten ins Innere zu gelangen. »Kurz entschlossen riskierte ich's auch einmal, wurde jedoch grob enttäuscht. Weißt Du, was da drinnen war? Auch Deine Erwartungen werden sinken. Man kommt in eine kleine, winklige, leere Zelle, zum Teil mit rätselhaften Zeichnungen, wohl Symbolen, bedeckt. Hinter der Mauer hört man das gewaltige Pendel mächtig hin- und herschwingen. So! tick... tack... tick... tack. Über die Steinwand strömt Wasser, ununterbrochen strömt es. Ich tat wie der Mann, der nach mir eintrat, blickte die Wand starr an und sagte laut und deutlich: ›Herr, hier stehe ich vor Dir!‹ Dann geht man wieder hinaus.«[62]

Dem Ticken zu lauschen, um zugleich dem Herrn über die Zeit zu huldigen, »glücklich«, jedenfalls erleichtert wieder den Turm zu verlassen mit dem Gefühl, von allem Künftigen entbunden zu sein: auch wenn Kubin diesen »Uhrbann« bis in die Nähe des Wortspiels ironisierte, sollte er doch symbolisch für eine Welt stehen, die sich dem Fortschritt verweigert, indem sie sich den väterlichen Träumen Pateras unterwirft. »Der Herr besaß unseren Willen, trübte unsere Vernunft.« Der Verfasser hütete sich, in dem Roman für oder gegen diese Utopie der Willenlosigkeit nach dem Vorbild Schopenhauers Partei zu nehmen. Alles mußte darauf ankommen, der Epoche vor dem Weltkrieg die Ambivalenzen und Ungleichzeitigkeiten in Bildern nachzuweisen; ihre »Amerikanisierung« konnte nicht ausbleiben: die Vernichtung scheinbarer Zeitlosigkeit durch eine neue, demiurgisch gesättigte Zeit.

Was Alfred Kubin an »Angst« beschwor, bezog sich auf die *Übergänge*. Übergangslandschaften, wie sie auch die Surrealisten zu bannen versuchten, sind es, die Jünger schildert, wenn er vom »höllischen Aspekt« »unserer im Lichte flimmernden Städte« handelt. Der Spannung zwischen Stadt und Land hatte sich Kubin – wie Jünger – ausgesetzt, bis er sich auf Schloß Zwickledt bei Wernstein am Inn zurückzog. »Stadt« ist in der Prosa des »Abenteuerlichen Herzens« die Chiffre, die Verräumlichung jener geschichtlichen Prozesse, die für die Moderne konstitutiv sind. Jünger notiert: »Ich glaube, in dem bemerkenswerten Roman von Kubin ›Die andere Seite‹, in dem sich die tiefe Angst der Träume niedergeschlagen hat, fand ich zum ersten Male das Gefühl angedeutet, daß ein Großstadtcafé einen teuflischen Eindruck erwecken kann. Es ist sonderbar, daß dieses Gefühl an Stellen, an denen die Technik bereits fast rein auftritt, noch so selten empfunden zu werden scheint. Die Lichtreklame in ihrer glühend roten und eisblau gleißenden Faszination, eine moderne Bar, ein amerikanischer Groteskfilm – dies alles sind Ausschnitte des gewaltigen luziferischen Aufstandes, dessen Anblick den Einsamen mit ebenso rasender Lust wie erdrückender Angst erfüllt.« (AH 1, 89 f./9, 79) »Werdet alle Söhne Luzifers«, heißt es bei Kubin, als Herkules Bell zum Widerstand gegen Patera aufruft.

Aber bei Kubin war die Lichtseite der Zivilisation, die er entwicklungsgeschichtlich mit ihrer Amerikanisierung identifizierte, schon 1908 zur Ausweglosigkeit geronnen. Weder die alte noch die neue Welt sollten Zukunft haben.[63] Dem Künstler blieb die Idee einer durch den Untergang sich realisierenden Parusie mit entsprechendem Neubeginn fremd. Hellsichtig kommentierte Paul Klee 1915, nachdem er Kubins »Sansara«-Zyklus gesehen und die Einflüsse von Goya, Redon und Bresdin bemerkt hatte: »Er floh diese Welt, weil er es physisch nicht mehr machen konnte. Er blieb halbwegs stecken, sehnte sich nach dem Kristallinischen, kam aber nicht los vom zähen Schlamm der Erscheinungswelt. Seine Kunst begreift diese Welt als Gift, den Zusammenbruch.«[64]

Der »Traumzustand« der Moderne

»Kristallinisches« sucht auch Jünger, wo er die Erscheinungswelt platonisch grundiert, und findet es im Prozeß seiner Sinn-Befragungen, weshalb seinen Nachtstücken nicht Kubins Ausweglosigkeit eignet. Das 17. Stück des »Abenteuerlichen Herzens« ist mit »Neapel« überschrieben, wo sich der Schriftsteller in den späten zwanziger Jahren während einiger Monate aufhält, immer noch ein wenig der verspätete Student der Zoologie, nun an der Dohrnschen Meeresstation tätig. Äußerlich mag es die zeitentrückte Wirklichkeit der Unterwassernatur sein, die ihn dazu inspiriert, hinter den Phänomenen der Moderne auch und gerade das »Andere« zu beschwören.

»Es kann dem aufmerksamen Auge doch nicht verborgen bleiben, daß hinter dem scheinbar absolut mechanischen Getriebe unserer Städte ein ungeheurer Instinkt sich enthüllt, daß die Wirtschaft noch etwas anderes als Wirtschaft, die Politik noch etwas anderes als Politik, die Reklame noch etwas anderes als Reklame, die Technik noch etwas anderes als Technik ist – kurz, daß jede unserer vertrautesten und alltäglichsten Erscheinungen sich gleichzeitig als Symbol eines wesentlicheren Lebens erfassen läßt. Diese Kunst, zu greifen, unser Tun und Lassen in wirklicheren Schichten zu bejahen, ist es, in der wir uns üben müssen, wenn wir an unserer Würde nicht verzweifeln wollen. So ist auch der Gedanke tröstlich, daß sich hinter der Wissenschaft noch etwas anderes verbirgt als Wissenschaft.« (AH 1, 126f./9, 99f.)

Augustin, Pascal, Swedenborg – und unausgesprochen Hamann – sind es, die zu Zeugen aufgerufen werden, bevor Jünger im Stil der französischen Moralisten die Maxime prägt, daß die Tatsachen und Feststellungen ihren Wert erst gewönnen, »wenn das *Herz* die Armeen der Gedanken kommandiert«. Vauvenargues verdanken wir den Satz, daß jeder echte Gedanke aus dem Herzen geboren sei.

Fast genau in der Mitte der Prosasammlung wendet sich das abenteuerliche Herz gegen die »Richtung des Fortschritts«. Doch nicht die Anarchie des Verstandes dürfe dabei triumphieren, denn im Maß, da der Verstand vernichte, werde er unfruchtbar, sondern die Anarchie des Herzens. Was das dunkle Wort meinen könnte, deutet Jünger an, wenn er etwas später von einem Flug nach Paris, damals noch ein Ereignis, berichtet. Der glücklose ehemalige Flugschüler sitzt mit der Bequemlichkeit des Passagiers in einem »dieser stählernen Vögel«. Der raffinierte Anstrich von Sicherheit, wie er bemerkt, gebe ihm Gelegenheit, »über mein Lieblingsgebiet, den verwickelten Traumzustand der modernen Zivilisation, diese und jene Betrachtung anzustellen«. (AH 1, 158/9, 117) Und zwar ist es die gefühlsmäßige Empfänglichkeit für diese Verwicklungen, welche ihrer verstandesmäßigen Durchdringung überlegen sein soll. Die

Welt als ganze träumt. Kein Analytiker vermöchte sie zu verstehen, da er selbst in ihrem so beschaffenen Ambiente gefangen ist. Wie nah da Jünger der Kernidee von Benjamins gleichzeitig entstehendem »Passagen-Werk« kommt, bleibt zu zeigen. In Träumen – und in Bildern, Metaphern, Parabeln – findet die Wahrheit über die Epoche einen gültigeren Niederschlag.

Daß dieser »Traum« der Kultur, ähnlich wie bei Benjamin, einen politischen Einschluß hat, daß er nach dem Willen des konservativen Revolutionärs ebenso wie nach dem Wunsch des Marxisten dem »Erwachen« einer gesellschaftlichen Neuordnung weichen soll, läßt sich der ersten Fassung des »Abenteuerlichen Herzens« ohne Anstrengung entnehmen. Was Jünger an Folterszenen visualisiert, als hätte er Callots »Misères de la guerre« zu schildern gehabt, ist die stoffliche, wenn man will: surreale Erläuterung des Vorgangs. Der Essayist hält nicht damit zurück, ihn diskursiv zu kommentieren. Jeder Mensch stoße mit seinem Wesen »in eine ganz bestimmte Schicht des Bösen«. Nach den »Eiszeiten« des Protestantismus, des Rationalismus und der Aufklärung habe sich die Romantik dieser Wahrheit wieder zugewandt, bis die Demokratie das Böse und mit ihm die »Teufel« verdrängt habe. Nur verdrängt, nicht erledigt könne solche Ursubstanz werden. Doch im Rausch, wie ihn Baudelaire und auf andere Weise Poe gestaltet haben, durchbricht das vitale Prinzip das Gehäuse scheinbarer Sicherheiten. Deshalb spricht der Kulturphilosoph von der »seelischen Qualität« der Wirklichkeit. Sie sei nicht ein für allemal festgestellt, sondern verändere sich.

Jünger nennt Beispiele, denen er die Bedeutung von Offenbarungen zumißt. Schon die Surrealisten hatten auf den »Kontrast« gesetzt. Ihre »Gegenstände« sollten, gelöst aus der Umgebung der Alltäglichkeit, diese plötzlich als fremd und ungefügig erscheinen lassen. Der Autor des »Abenteuerlichen Herzens« verweist seinerseits auf den »dämonischen Eindruck« eines Wachsfigurenkabinetts. Zu markieren ist das Phänomen der Scheidelinie zwischen Lebendem und Totem, die der Markierung gerade unzugänglich sei. »Ich erinnere mich hier eines Verkäufers in einem Warenhause, der plötzlich inmitten einer Gruppe von Modepuppen Leben zu gewinnen schien…« Und schärfer: »… ich erinnere mich der ersten Toten im Kriege, die ich für schlafende Soldaten hielt.« (AH 1, 204/9, 143)

Daß die ganze moderne Zivilisation auf einer Täuschung beruhen könnte, ist der Verdacht dessen, der als Zeitkritiker essayistisch und literarisch und auf den Spuren Baudelaires, Rimbauds und Huysmans das Geschäft ihrer Veränderung betreibt. Seit 1927 konnte man auch philosophisch erfahren, was es mit der »Uneigentlichkeit« des Menschen auf sich hat, der sich an die unbefragten Verhaltensweisen eines sinnentleerten Lebens ausliefert. Bei oberflächlicher Lektüre von »Sein und Zeit« war es ein Leichtes, Heideggers Gedanken über das »Dasein« zu politisieren – wozu der Verfasser später selbst mit seiner Freiburger Rektoratsrede vom 27. Mai 1933 beitrug. Davon später mehr. – Jünger unterläßt es nicht, auf den Heroismus hinzuweisen, den es auszubilden gelte, um dem »Traumzustand« der Moderne standzuhalten.

Der erste Schritt in die Richtung dieser Selbstbehauptung gegenüber den epochalen Entfremdungen ist die Einsicht, daß die Wirklichkeit eigentümlich metamorph strukturiert ist. Ihr schreibt sich das »Böse« als Metapher jenseits von moralischen Qualitäten ein: es ist der Ort, wo die Vitalität über das kulturelle Gehäuse triumphieren soll. Dasselbe gilt für das Wort vom »Anderen«. Augenblicke einer »stärksten Verwandlung« habe er empfunden, »wenn man im Kriege, vielleicht aus einer Rauchwolke heraustretend, in einer scheinbar toten Landschaft den Gegner zum Leben erwachen sah... Nichts war so geeignet, die mechanisch taktische Welt des Soldaten mit einem Schlage in die dämonische des Kriegers zu verwandeln wie dies. Nur so, nur durch einen plötzlichen Einsturz des Bewußtseins, kann ich mir auch die furchtbare Angriffslust erklären, die sich selbst von Grund auf vorsichtiger Naturen bemächtigte«. (AH 1, 204 f./9, 143) Dann skizziert Jünger die Umrisse einer Theorie von der Gleichzeitigkeit des Ungleichzeitigen, die nicht nur das poetische Unterfangen des »Abenteuerlichen Herzens« in der äußersten Fluchtlinie der aristotelischen Bestimmungen aufhellt, sondern auch als Erläuterung des surrealistischen Vorstoßes dienen mag.

»Auf diesen Moment der Erschütterung ziele ich ab bei einer Angelegenheit, die sich eigentlich der Erklärung, der Rechenschaft, entzieht. Ihn zu vermeiden, ist das Bestreben des Bewußtseins, ja, bewußter Zeiten, wie des 19. Jahrhunderts, überhaupt, das sich gleichsam auf einer künstlichen Straße durch eine unsichere Landschaft bewegt. Dieser Moment, in dem sich zwei

Erscheinungen übereinanderschieben, und in dem das Unerwartete, das ›Andere‹ hervortritt, markiert die Eingangspforte zur dämonischen Welt. Er wirkt durch Überraschung, er reißt dem Bewußtsein plötzlich den Boden unter den Füßen weg und ruft ein Gefühl des Absturzes, ein Stocken des Herzschlages hervor. Es stellt sich eine Empfindung der Leere ein, gleichsam eine Interferenzerscheinung der inneren Optik, die die scharfen Merkzeichen des Denkens erblassen läßt. Ein neuer, ungewohnter Raum tut sich auf, in den der Mensch wie durch eine plötzlich in den Boden gerissene Spalte stürzt.« (AH 1, 205 f./9, 143 f.)

Es bedarf vielleicht bloß der gespannten Aufmerksamkeit, daß sich dem argwöhnischen Beobachter »zwei Erscheinungen übereinanderschieben«. Der Weltkrieg bot hier Gelegenheiten, die nicht gesucht, geschweige denn poetisch erst hergestellt werden mußten; es ergab sich alles auf schmerzhafte Weise von selbst, »mit einem Schlage«. Schon jene Übergänge, die der Mensch in der Lebensalltäglichkeit erfährt, verlangen eine höhere Empfänglichkeit für das Phänomen des »Anderen«: das Einschlafen, der Traum. Das Einschlafen finde nicht plötzlich statt, obwohl es einen ganz bestimmten Wendepunkt besitze.

»Der Schläfer gleicht einem Menschen, der den Eingang einer Höhle betritt, an deren Wände noch einige Zeit das Tageslicht seine immer blasser werdenden Figuren wirft... Dieser Augenblick ist wirklich sehr bezeichnend, denn mit jedem Schritte tiefer in den Schlaf werden die Farben des Tages durch nächtliche Farben ersetzt... An irgendeiner Stelle faßt man den Fries von Bildern, an dem man gedankenlos entlangschlenderte, schärfer ins Auge und wird durch einen neuen, geheimen Sinn erschreckt, der sich plötzlich offenbart. Nun tritt gleichsam die Komplementärfarbe des Tageslichtes auf der inneren Netzhaut hervor. Man gleicht einem Soldaten, der bemerkt, daß er während eines friedlichen Spaziergangs unversehens in die gefährliche Zone geraten ist, die ganz andere Gesetze des Handelns verlangt.« (AH 1, 207 ff./9, 145 f.)

Es gehört ins Kapitel der noch zu schreibenden Geistesgeschichte des frühen 20. Jahrhunderts als eines Systems von unterirdischen Bezügen und Verbindungen, daß der größte Roman des Säkulums anhebt mit einer Beschreibung des Einschlafens. Proust brachte das Epos seiner »Recherche«» auf den Weg, indem er den Erzähler

zunächst mit Traumbildern umstellte: sie sind die Vorboten einer auf-
gehobenen Zeit, die allmählich im Erinnern sich dem gestaltenden
Zugriff unterwirft, bis nach und nach die gelebte Vergangenheit ans
Licht gehoben ist.

Für den Autor des »Abenteuerlichen Herzens« bietet sich der
Übergang in die Traumwelt als Anlaß dar, ihn zu dramatisieren.
Nicht der ästhetische Gewinn durch Suspension der »linearen« Zeit
beschäftigt ihn primär, sondern die daraus entspringende Epiphanie
des Dämonischen. Als Jünger einen Traum außerhalb der »Traum«-
Reihe der Sammlung beschreibt, in welchem eine Gestalt auftaucht,
»die man wohl als einen Teufel bezeichnen könnte«, die ihn narrt
und mit Spiegeln täuscht, fehlt dem Bericht die Kraft der Parabel,
welche die literarisierten Gegenstücke auszeichnet. Breton führte in
seinem Roman »Nadja« aus, daß »gewissen sehr starken Eindrük-
ken« eine »besondere, zweifellos außerordentlich enthüllende, im
Freudschen Sinne im höchsten Grade ›überdeterminierende‹ Rolle«
zukomme; »in keiner Weise von der Moralität anzusteckende, im
Traum und in der Folge auch in dem, was man ihm sehr künstlich
unter dem Begriff der Wirklichkeit entgegensetzt, wahrhaft ›jenseits
von Gut und Böse‹ empfundene Eindrücke.«[65] Diesen »enthüllen-
den« Überdeterminationen des Erlebens gegenüber, die in die
Traumwelt hineinwirken, bleibt Jünger unempfindlich: »im Freudschen Sinne«; er unterläßt es, den wirklichen »Teufel«-Traum autobiographisch zu deuten. Erst wo die geheimere, »metaphysische«
Korrespondenz mit der Welt im »Traumzustand« erwiesen ist, wo
sich die Dämonie der äußeren Wirklichkeit medial in den Bilder-
strom des Schläfers mischt, wo schließlich das Abenteuer des Erwachens gefordert wird, zeigt Jünger Interesse.

Man wird nicht sagen wollen, daß Breton sich dieser Idee verschlossen hätte. Er ließ die wirkliche Begegnung mit »Nadja« ein
Stück Literatur werden, das von einem revolutionären, antibürgerlichen Pathos durchaus erfüllt sein sollte. Um »Befreiung der Menschen, endgültig begriffen in ihrer einfachsten Form« ging es. Das
medial begabte Mädchen treibt sie auf seine Weise voran.[66]

Léon Bloy war den Surrealisten zu religiös, als daß er einer ihrer
Säulenheiligen hätte sein können. Für Jünger rückt der Schriftstel-
ler mit der Visitenkarte »Abbruchunternehmer« in die Reihe jener
Autoren ein, die die Zivilisation nach ihren verschleierten Schrecken

hin erforschen. Und er fügt an: »Unsere Hoffnung ruht in den jungen Leuten, die an Temperaturerhöhung leiden, weil in ihnen der grüne Eiter des Ekels frißt, in den Seelen von Grandezza, deren Träger wir gleich Kranken zwischen der Ordnung der Futtertröge einherschleichen sehen. Sie ruht im Aufstand, der sich der Herrschaft der Gemütlichkeit entgegenstellt, und der der Waffen einer gegen die Welt der Formen gerichteten Zerstörung, des *Sprengstoffes* bedarf, damit der Lebensraum leergefegt werde für eine neue Hierarchie.« (AH 1, 222 f./9, 153 f.)

Schon die italienischen Futuristen im Gefolge Marinettis hatten die Jugend gegen das Alter ausgespielt, das ihnen jene traditionsgehemmte Wirklichkeit repräsentierte, die es mit revolutionärer Aggressivität zu zerstören galt, damit die Moderne sich Bahn brechen konnte. Schon sie unterschätzten dabei die Eigendynamik geschichtlicher Prozesse, die auf die, welche sich als ihre Subjekte ermächtigt sehen, sie zu steuern, nicht Rücksicht nimmt. Zu wenig Zeit bisher gehabt zu haben, die Welt zu erneuern, bleibt eine klagende Grundmelodie auch der ersten Fassung des »Abenteuerlichen Herzens«. Für die Glaubwürdigkeit der Suggestion, daß der Weltgeist selbst gegen die Epoche angetreten sei, kommt alles darauf an, sie als »gefährliche Zone« auszuweisen.

Der surrealistische Kunstgriff bestand darin, die Vitalität des Traums die scheinbaren Sicherheiten des bürgerlichen Zeitalters aufsprengen zu lassen, und Jünger übernimmt ihn, um von den Dämonien und Gefahren der »Zivilisation« sprechen zu können. Aber einen »Lebensraum« aus dem Nichts zu schaffen ist ein Stück nihilistischer Illusion, deren Heraufkunft bereits Nietzsche mit Bedenken beobachtet hatte. Am Ende münde das ganze Unternehmen in den Wunsch, nicht mehr fürchten zu müssen. »Wer das Gewissen des heutigen Europäers prüft, wird aus tausend moralischen Falten und Verstecken immer den gleichen Imperativ herauszuziehen haben, den Imperativ der Heerden-Furchtsamkeit: ›wir wollen, daß es irgendwann einmal Nichts mehr zu fürchten giebt!‹ Irgendwann einmal – der Wille und Weg dorthin heißt heute in Europa überall der ›Fortschritt‹.«[67] Zu den verdeckten Wünschbarkeiten des »Abenteuerlichen Herzens« gehört keineswegs der Gedanke, das Gefährliche auf Dauer zu stellen; es soll bloß die Dramatik des Übergangs in eine »neue Hierarchie« indizieren, die fugenlos sinnfällig wäre: Harmonie zwischen Mensch und Welt.

Diese Hoffnung ist der Prosasammlung nicht bloß als Pensum revolutionärer Ermächtigungen eingeschrieben. Im ersten Stück fingiert der Autor einen betrachtenden Pol, ein »Wesen«, das auch gegenüber den geschichtlichen Trübungen die Durchsicht behält und den Sinn verwaltet, wo den Zeitgenossen alles bloß widersinnig erscheint. Auch ist schon früh von einer »doppelten Buchführung« die Rede. »Wo ist das Bewußtsein geblieben, daß Gedanken und Gefühle ganz unvergänglich sind, daß etwas wie eine doppelte Buchführung besteht, in der jede Ausgabe an einer sehr entfernten Stelle als Einnahme wieder in Erscheinung tritt?« (AH 1, 18/9, 40) Der Bilderstürmer bedarf, um seinen Angriff nicht der Vergeblichkeit preiszugeben, der Assekuranz einer Welt, in welcher nichts endgültig verlorengehen kann. Noch im Verfall der Kirchen und Schlösser aus fernen Epochen leuchtet ihm ein »magischer Hintergrund«. Man sei dem »Geist« dieser Zeit nahe, auch wenn deren Realität für immer entschwunden sei. »In jeder geprägten Form liegt etwas verschlossen, das mehr ist als Form; eine Zeit hat ihr Siegel hinterlassen, das wieder aufglüht, wenn es vom tieferen Blicke getroffen wird.« Jünger verlegt sein Bedürfnis nach solchen Doppelungen schon in die Jahre der Kindheit.

»Früh schon hatte ich eine Ahnung, als ob weite Gebiete des Lebens unserer Zeit verschlossen wären, als ob alle Dinge viel brennender empfunden werden müßten, und als ob es eigentlich nur unsere Masken wären, die mit solcher Geschäftigkeit ihr Wesen trieben. Schon als ich noch nicht zur Schule ging, hegte ich Verdacht, daß die Großen irgendwie Theater trieben, daß das, was ich zu sehen bekam, nur das Belanglose wäre, und daß das Wichtige und Entscheidende in geheimen Zimmern abgehandelt würde. Es war die Frage nach dem Warum, die sich bei einer andersartigen Begabung vielleicht in der Form eines ersten erkenntniskritischen Zweifels geäußert hätte, so aber nur als drohende Kälte empfunden und abgewehrt wurde durch den festen Glauben an einen zwar verborgenen, doch unbedingt vorhandenen Sinn.« (AH 1, 51/9, 58)

*

145

Jüngers seit den frühen Tagebüchern dokumentierte Neigung zur Beschwörung einer Korrespondenz zwischen Sinn und Erscheinung ist der unmittelbare Reflex einer Kriegserfahrung, die mit der Wahrnehmung der tendenziellen Bedeutungslosigkeit des Individuums auch die Frage nach der Bedeutung von Geschichte in Erinnerung rief. Was kindlichem »Warum« entsprungen sein mochte, steigerte sich später zur Unermeßlichkeit des Anspruchs, hinter allen Metamorphosen die »Urbilder« zu wissen. Das Tiefste im Leben sei, wiederzuerkennen. »Wiedererkennen, uns erinnern, das ist eine der tiefsten Anstrengungen, deren wir fähig sind, deshalb führt sie uns mit Sicherheit auf unseren magischen Ursprung zurück.« (AH 1, 74/9, 71) Es ist schwer abzuschätzen, in welchem Maß Jünger den »Magus des Nordens«, Hamann, nicht bloß gelesen, sondern wirklich studiert hat. Das Hamann-Zitat auf dem dritten Deckblatt des »Abenteuerlichen Herzens« jedenfalls stellt genau die geforderte Kongruenz her. »Den Samen von allem, was ich im Sinne habe, finde ich allenthalben.« Unüberhörbar ist da der platonisierende Nachklang.

Im 14. Stück mit der Überschrift »Berlin« wird der Gedanke weitergeführt, und zwar in die Richtung der vom Autor so bezeichneten »stereoskopischen Sinnlichkeit«, die ihn auch in den nachfolgenden Schriften beschäftigen wird. Stereoskopische Sinnlichkeit scheint zunächst bloß eine Art von Synästhesie zu meinen. Jünger erwähnt die Farbmuster eines Fisches, den er im Berliner Aquarium betrachtet hat. Die Farbe sei hier mehr als reine Farbe gewesen, ein Tastwert habe sich offenbart. »Stereoskopisch wahrnehmen heißt also, ein und demselben Gegenstande gleichzeitig zwei Sinnesqualitäten abzugewinnen, und zwar – dies ist das Wesentliche – durch ein einziges Sinnesorgan.« (AH 1, 98/9, 83) Schon E.T.A. Hoffmann, dann Gautier hätten etwa die Verwandlung von Tönen in Farben betrieben. Darauf schweift der Autor ab, um diese Sinnlichkeit auch am Exempel der Kochkunst zu demonstrieren. Immer noch in demselben Stück äußert sich Jünger schließlich zur Stereoskopie des Reims und zu den Vokalen und Konsonanten, denen – wie etwa dem U, dem »schrecklichsten aller Vokale« – bestimmte Empfindungen zugeordnet werden. Jünger wird diese Betrachtung in der Schrift »Lob der Vokale« von 1934 weiterführen.

Die Wirkung der Stereoskopie liege darin, daß man die Dinge mit der inneren Zange erfasse. Für den Dichter stellt sich die Aufgabe, Worte und Bilder zu finden, »die uns seltsam aufhorchen lassen, und denen der wunderbare Glanz, eine farbige Musik zu entströmen scheint«. Noch ist damit nicht viel an theoretischer Deutlichkeit gewonnen. Näher kommt der Schriftsteller der Sache, wenn er die »merkwürdige Erscheinung« berührt, die sich mit dem Stil des so genannten magischen Realismus verbinde. Ihn beansprucht er für die eigenen Arbeiten der nachexpressionistischen Zeit – im Grund zuerst für die Prosa des »Abenteuerlichen Herzens«. Gleichwohl spricht er nicht vom literarischen Zugriff, sondern von jenem der Malerei, wie er sich in den zwanziger Jahren hervorbildete. Er bringe, so heißt es, die der Maschinenwelt innewohnende Präzision besser zum Ausdruck als die Maschine selbst. Weshalb? Weil die ästhetische Reflexion näher am Wesen der Technik sei als die technischen Realisationen, oder anders, platonischer: »muß nicht die Idee der Präzision präziser sein als die Präzision?«

Der scheinbare Umweg der Stereoskopie soll die Welt der Erscheinungen da treffen, wo sie noch oder wieder ihre Prägungen, die Urbilder, zu erkennen gibt. Jünger fingiert, um die Distanz kenntlich zu machen, welche zwischen den Phänomenen und ihrer stereoskopischen Durchdringung liegt, eine Figur, der er, wieder etwas später, einen Essay widmen wird: den Mann vom Mond. Ihm, dem fernen Betrachter, eignet per definitionem ein Standort, der die Kontemplation begünstigt. Er ist nicht verstrickt in menschliche Aktivitäten und also zu nahe, um sehen zu können. Besinnung zeichnet ihn aus, die Wahrnehmung mit dem Abstand der Unvoreingenommenheit zu betreiben. »So sollten wir auch in den seltsamen Lagen, in die das Leben uns versetzt, mit einer größeren Inbrunst an uns Anteil nehmen, indem wir uns betrachten wie ein Jäger, der ein Tier in seiner Landschaft verfolgt. Aus diesem Grunde wählte ich mir gern einen Mann vom Monde zum unsichtbaren Begleiter, wenn mich ein nächtlicher Marsch durch die Phantastik zerschossener Dörfer zur Stellung führte. Ihm diesen unerhörten Vorgang bis in seine kleinsten Einzelheiten zu erklären und mich an seinem Erstaunen zu weiden, war mir ein einsamer Genuß.« (AH 1, 113/9, 92)

Nimmt man diesen Genuß bloß in seiner ästhetischen Façon, taucht die Gestalt des spätromantischen Dandys mit ihrer gespielten Unbetroffenheit zwangsläufig auf, und allerdings begleitet sie den

Verfasser der »Aufzeichnungen«. Aber mehr als solche Kompensation der Mißlichkeiten und Zumutungen des Daseins steht an. Was dem Dandy in seiner reinen Form verachtenswert sein muß, quält den, der als Autor auftritt, um so mehr. Die Sinnfrage läßt ihn nicht los. Den Versen aus Dantes »Divina Commedia«, die von der Hölle berichten, läßt Jünger den Wunsch folgen, »diese wilde Bewegung einem Fremdling zu erklären, dem ihre hunderttausend Erscheinungen in eine andere, gültigere Sprache zu übersetzen sind«. Und dann:

»Was treibt ihr hier, und wo steuert ihr hin? Worauf bezieht sich eure kriegerische Brüderlichkeit? Diese Armeen von Arbeitern, diese Heere von Maschinen, diese Gedanken, Träume und Lichter, diese Händler, Gelehrten und Soldaten, Müßiggänger und Verbrecher, diese Türme, Straßen und Schienen, die stählernen Chimären und Vögel aus Aluminium – was sprechen sie aus, und was verbindet sie? Sagt an, wie verwaltet ihr die Zeit, die euch nur einmal gegeben wird? – Vielleicht, daß euch dann einmal, inmitten dieser brausenden Musik und der Überfülle der Lichter, jene Erstarrung, jenes tiefere Erstaunen überfällt, in dem sich dies alles wie ein geheimnisvoller Schleier, wie ein Vorhang des Wunderbaren leise bewegt – vielleicht, daß es euch sehr rätselhaft und doch auch sehr beglückend erscheint, daß dieses Leben möglich sein kann und ihr in ihm. – Auch hier spielt Stereoskopie eine Rolle – die Stereoskopie des Wandelnden. Zwei Augenpaare sind uns gegeben, ein körperliches und ein geistiges. Mit ihnen beiden schauen wir die Physiognomie der Welt erst recht, die wie das menschliche Gesicht ihre Form einem Totenschädel, ihre Prägung einem hieroglyphischen Stempel verdankt.« (AH 1, 113 f./9, 92 f.)

Es ist das alte, wenn man will hybride und vergebliche Bedürfnis nach der Lesbarkeit der Welt, das alle Abenteuer des Lebens plötzlich als Oberflächenphänomene zurücktreten läßt. Deshalb schreibt Jünger, daß das Erstaunen »unser bester Teil« sei. In ihm drückt sich eine Interesselosigkeit aus, die die Suspension des Willens ist. Und deshalb kann er, entgegen seinem Temperament, vom »Künftigen« auch so handeln, als sei es ein Geschick, an dem der Mensch nur mittelbar Anteil hat. Die Arbeit dieses Künftigen werde nicht durch die Anstrengungen einer menschlichen Generation geleistet, sondern durch ein kosmisches Walten, das wunderbar und daher unerklärlich sei. Das Leben bedient sich bestimmter Fassungen. Sie bleiben zurück als Abbildungen, während der wesentliche Kern davon unbetroffen ist. Eigentümlich durchdringen sich Platonismus und Vitalismus in dem Satz, daß das Leben sich je und je in die mütterliche Tiefe zurückziehe. »Dort, in den dunklen Zonen einer chaotischen Fruchtbarkeit, rüstet es zum neuen Vorstoß in die Zeit, dort, in der wärmeren Nähe des Wunderbaren zeugt es die glänzenden Urbilder, um sie wiederum als Bilder über die Barrieren der Erscheinung zu schleudern.« (AH 1, 144f./9, 110)

So bliebe dem von der Sinnfrage umstellten Dichter, könnte er sich von seinen demiurgischen Visionen befreien, bloß noch das Glück der Anamnesis von Fall zu Fall: das Wiedererkennen der Urbilder in den zeitlichen Ausfällungen. Um dieses Glück wird Jünger im Spätwerk nicht mehr ringen müssen; er hat sich dann mit der Welt in einer Weise arrangiert, daß es ihm problemlos zuteil wird. Aber in den unruhigen Jahren des »Abenteuerlichen Herzens« ist die Erlebnisqualität »Sinn« mehrheitlich den Gefährdungen und Zweifeln unterworfen. »Negative«, dämonische Erfahrungen müssen dem Schriftsteller ergänzen, was als Ordnung nur geahnt, nicht geschaut werden kann.[68] Statt der ungeteilten Daseinsfülle sind es die Mangelerscheinungen des Sinnlosigkeitsverdachts und immer wieder des »Schwindels«, die in dialektischer Spannung das Interesse am eigentlichen Inhalt nähren, ohne es zu befriedigen. Dieser Schmerz hat Tradition. Er ist schon virulent als das romantische Ungenügen am Sosein des Lebens.

»Aber was der eigentliche Inhalt all dieser Formen des Lebens, die sich so einmalig, einzigartig und unwiderruflich vollendeten, gewesen ist, und ob es auch wirklich ein Auge gab, das alles dieses sah, aufnahm und würdigte, oder ob es nur ein flüchtiges Spiel war, das wie eine Welle am Strande der Ewigkeit verrauschte, und das wir trotzdem bejahen und mit unseren unvollkommenen Mitteln zu würdigen suchen müssen – *das* ist der tiefere Schmerz, der hinter diesen Vorstellungen brennt.« (AH 1, 230/9, 158)

Selbst dieser Klage wohnte noch Erbaulichkeit inne, philosophierte Jünger nicht über das Sinnproblem hinaus in die Richtung jenes Buches, das sein berüchtigtstes werden sollte: »Der Arbeiter« von 1932. Neben der surrealistisch durchbrochenen, von den Bedrohungen der modernen Zivilisation zeugenden Ebene und jener, die von

der »Tiefe« der Urbilder handelt, zieht der Autor eine dritte gedankliche Schicht in die Prosa des »Abenteuerlichen Herzens« ein.

*

Die Welt als künftige einem »Geschick« zu überlassen, das als Vorsehung oder Weltgeist auf die Historie einwirkt, ist eines. Ein anderes
ist die Frage nach der Weise, wie der Mensch die Zeit – *seine* Zeit –
verwaltet. Jünger kann ihn von daher sich nicht nur und nicht einmal
vorrangig als Zuschauer an diesem Prozeß vorstellen. Mehr wird
ihm zugemutet als die Beobachtung platonischer Korrespondenzen;
er soll solche Verhältnisse als geschichtlicher Agent mit herbeiführen
können. Damit wird die spätidealistische Geschichtsphilosophie
plötzlich wieder subjektiver. Der Widerspruch bleibt im »Abenteuerlichen Herzen« selbst unaufgelöst. Aber näher kommt der Autor
dem Titel der Prosasammlung jetzt insofern, als es um abenteuerliche Herzen geht. Im sechsten Stück führt er – man möchte, die Ter-
minologie des »Arbeiters« vorwegnehmend, sagen: den »Typus« ein,
auf welchen diese Auszeichnung zutreffen soll.

»Ich hege einen Verdacht, der die Grenzen der Gewißheit streift: daß unter
uns eine erlesene Schar, die sich längst aus den Bibliotheken und dem Staub
der Arenen zurückgezogen hat, im innersten Raume, in einem dunkelsten
Tibet, an der Arbeit ist. Ich glaube an Menschen, die einsam in nächtlichen
Zimmern sitzen, unbeweglich wie Felsen, durch deren Höhlen die Strömung
funkelt, die draußen jedes Mühlrad dreht und das Heer der Maschinen in
Tempo hält – hier aber jedem Zweck entfremdet und von Herzen aufgefangen, die als die heißen, zitternden Wiegen aller Kräfte und Gewalten jedem
äußeren Lichte für immer entzogen sind... Ihr Brüder, durch diese unzähligen und schrecklichen Nachtwachen in der Finsternis habt ihr für Deutschland einen Schatz angesammelt, der nie verzehrt werden kann. – Der Glaube
an die Einsamen entspringt der Sehnsucht nach einer namenloseren Brüderlichkeit, nach einem tieferen geistigen Verhältnis, als es unter Menschen
möglich ist.« (AH 1, 16ff./9, 39 f.)

Einsamkeit wird zur Voraussetzung erhoben, daß revolutionäre
Energie unterirdisch am Werk ist. Nicht in den großen Massenbewe-
gungen darf sich dem Elitedenker die Kraft des Künftigen verkör-
pern, sondern in den Einzelnen, die ein geheimes Band zusammen-
hält. Ihre Arbeit tun sie nachts. »Nacht« ist die Zeit, da der Einsatz

doppelt wiegt. Sie bereitet den Morgen vor, bahnt das Werk des Tages an, ohne daß der davon weiß.

Schon Poe, E.T.A. Hoffmann und Baudelaire hatten sie zum heimlichen Schauplatz des Lebens erklärt, vor allem aber zur Stunde, da der Dichter seine Arbeit entfaltet. »La Fin de la Journée« titelte Baudelaire ein Gedicht der »Fleurs du Mal«, in welchem von »erfrischenden Finsternissen« die Rede ist, denen das »Herz voll düstrer Träume« sich überläßt. – Wenn Hegel in den vorbereitenden Notizen für die Vorlesungen zur »Rechtsphilosophie« den historischen Geist an die Metapher vom Maulwurf anschloß, wollte er illustriert wissen, wie der Welt des Lichts jene des Dunkels die Weichen schon gestellt hat. Einer kleinen, in der Stille wirkenden Schar, »auserlesenen Zirkeln«, glaubte Schiller die Gestaltung seines ästhetischen Staats anvertrauen zu dürfen. Doch blieb es Hugo von Hofmannsthal vorbehalten, dem Jahrhundert der Weltkriege das Potential ruhiger und um so unheimlicherer Arbeit in einem Bild aufgedeckt zu haben. Am 10. Januar 1927 hielt er an der Universität München den Vortrag »Das Schrifttum als geistiger Raum der Nation«, den er Karl Vossler, dem damaligen Rektor, widmete. Als »Träger produktiver Anarchie« feierte er jene, die bereits Nietzsche in der ersten »Unzeitgemäßen Betrachtung« als »Suchende« bezeichnet hatte: Vertreter einer »deutschen Geisteshaltung«, die »alles Hohe, Heldenhafte und auch ewig Problematische« lebten. Wie zwei Jahre nach ihm Jünger erkannte Hofmannsthal als Zeichen einer Veränderung der Geschichte das Symptom des Schwindels. »Dies Suchen und Treiben und Drängen ist überall da, es manifestiert sich in jedem Wort höherer geistiger Rede, das zwischen uns hin und her geht. Es ist da als ein Schwindel unter unseren Füßen, es bringt dies Gefährliche und Abwegige, mit Überraschungen und Zweifeln Schwangere in jede Unterhaltung, es durchsetzt die Atmosphäre mit der Ahnung, daß beständig alles möglich ist – mit diesem Knistern wie vom Zerfall ganzer Welten, diesem hahlen Heranwehen eines ewig Morgigen...«[69]

Auch Hofmannsthal suchte nach dem Typus, der ihm als »Geistiger« »mit dem Anspruch auf Lehrerschaft und Führerschaft« die Avantgarde der Epoche repräsentieren mußte. Einsam, verbunden mit Gleichgesinnten und einigen »Adepten«, schuf »dieser unser Ungenannter« das Werk der Zukunft; »... er schleppt sich aus der

Ferne der Zeiten die widerspenstigsten Blöcke herbei, seinen Tempel zu bauen, Urworte von da und dort, sibyllinische Sprüche der vorplatonischen Denker, Orpheus oder Hamann, Lionardo oder Laotse...«[70] Der Dichter sah sich freilich nicht durch einen geschichtsphilosophischen Aktivismus gedrängt, diesen Typus randscharf zu zeichnen. Er könne sich auch im Mann der Wissenschaft verwirklichen. Ein schwermütiger Ernst umfließe dann die Gestalt, »aber geistige Leidenschaft ist auch in ihr der dunkelglühende Kern, etwas Heroisches ist in ihr, heroisch der nie entspannte Wille, dem Überschwellen geistiger Erkenntnis immer wieder die sittliche Norm, das absolute Maß zu entreißen...«[71]

Solche Suchende, führte Hofmannsthal aus, gebe es vom Bodensee bis an die Kurische Nehrung, von der Weser bis ins steirische Gebirge, »und ihr geheimer Konsensus – all dieser Abseitigen, Ungekannten, von Geistesnot sich selber berufen Habenden – ist die wahre und einzig mögliche deutsche Akademie«.[72] Gegenüber ihren geistigen Vorläufern der Generation von 1780 bis 1800 sei ihnen ein »strengeres, männlicheres Gehaben« unverkennbar eingeprägt, kurz »etwas Fanatisches und Asketisches«. Für den Stoßtruppführer des Ersten Weltkrieges und Autor der »Stahlgewitter« hätte wie eine Offenbarung wirken müssen, was er da lesen konnte. Von der Überwindung der Zweiteilung und der Hinführung zur »geistigen Einheit« redete Hofmannsthal und skizzierte mit ein paar raschen Strichen den Menschen der Zukunft, dem Jünger mit dem »Arbeiter«-Essay ein ganzes Buch widmen würde. »Sehr strenge Zeichen der Männlichkeit sind seiner Miene eingezeichnet: sein intellektuelles Gewissen hat eine unbegrenzte Schärfung erfahren, es ist etwas von dem Verantwortlichkeitssinn der Wissenschaft über ihn gekommen...«[73] Nietzsches Übermensch hinterließ seine Spuren. Hofmannsthal hatte vielleicht zuviel Kulturgefühl, ihn unmißverständlich zu politisieren, den Typus aus der »Akademie« herauszulösen und in diejenige Wirklichkeit zu versetzen, wo nicht gesprochen, sondern gehandelt wird.

Und selbst der politischere Ernst Jünger sieht noch davon ab, seine abenteuerlichen Herzen gegen die Welt von gestern zu mobilisieren. Er beschwört keinen Aufstand, er begnügt sich mit der Schilderung einer Latenz. Vieles ist im Umbruch begriffen, Entscheidendes bereitet sich vor. Die davon etwas ahnen, sind die Ver-

trauten der Nacht, »Anarchisten«, denen die Stille der Unerkannt-
heit wichtiger ist als der große Aufmarsch. Der antibürgerliche
Affekt ist freilich nichts, was verborgen werden müßte. In der langen, schon erwähnten Einlassung, wo er von autobiographischen
Dingen und Erlebnissen der Kindheit handelt, wo er auch davon
spricht, daß das Leben sowohl »durchaus kriegerisch« als auch »von
Grund auf bewegt« sei, erwähnt der Schriftsteller den Zustand, der
ihn bereits während der Adoleszenz bedrückt habe. »Es war der, vielen jungen Herzen wohlbekannte, Zustand der Heimatlosigkeit
inmitten einer engen, durch Erziehung und bürgerliche Gewohnheiten mit mancherlei Stoffblenden künstlich verspannten Welt.«
(AH 1, 61/9, 64)

In diese Zeit dringt die verändernde Kraft der Moderne ein, deren
Erscheinungen und technische Innovationen ihn etwas später als
einen luziferischen Aufstand beschäftigen. An dem apokalyptischen
Vokabular, begünstigt durch die Niederlage von 1918, wäre als
Epochenbewußtsein nichts Besonderes, dächte Jünger der solcher-
maßen dämonisierten Lage nicht *seine* Version von der Parusie
hinzu. Denn da fällt der Satz – der bemerkenswerte, entscheidende
Satz –, daß man der Zivilisation nicht in die Zügel fallen dürfe. Vor
dem Ausblick des Geschichtsphilosophen schmilzt der seit Rickert
geläufige Gegensatz von Kultur und Zivilisation zu bloßer Rhetorik
ein: das ist einerlei. Nicht um die Wahrung der einen vor dem Einbruch der anderen könne es jetzt noch gehen. Man müsse, statt den
Gang der Zivilisation zu hemmen, »Dampf hinter die Erscheinungen setzen«. Das Maß an Bedrohung erzwingt die *Beschleunigung*
der Zeit auf ihre Offenbarung hin. Das Ungeheure des Anspruchs
läßt sich erst ermessen, wenn man ihn mit dem »Arbeiter«-Essay
konfrontiert. Dort drückt sich die realistische Seite, die der Hand-
lungsermächtigung aus.

Ein einfaches physiognomisches Studium genüge, die Bewegtheit
der Epoche zu erfassen, wie sie sich am eindringlichsten in den großen Städten zeige. »Man wird feststellen, daß das Gesicht des
modernen Großstädters einen zweifachen Stempel trägt: den der
Angst und des Traums, und zwar tritt das erste mehr in der Bewegung, das zweite mehr in der Ruhe hervor.« An keiner anderen Stelle
der ersten Fassung des »Abenteuerlichen Herzens« wird kenntlicher,
was mit der Traum-Metapher gemeint ist: der geschichtliche Über-

gang, die eschatologische Latenz, die den Menschen mit Trance schlägt. Diese Angst zu bannen, ja zu überwinden gibt es zwei Möglichkeiten; die Akzeleration der Vorgänge, die sie gestiftet haben, bis in das Stadium des Umschlagens in die neue Ordnung einerseits, das individuelle Standhalten anderseits. Dem Traum soll das Erwachen, der Angst die Tapferkeit folgen. »Und die Ahnung, daß ›alles dies‹ eigentlich ganz unmöglich ist, hat doch wohl jeder von uns schon zuweilen gehabt? Die Ahnung, daß dieses Treiben durch eine kräftigere, durch eine heroische Bestimmung beherrscht und gerichtet werden muß? – *Erwachen und Tapferkeit*, das könnte auf unseren Fahnen stehen.« (AH 1, 93/9, 81)

»Passagen« –
Walter Benjamins Theorie vom Erwachen

Sieht man von der langen, aus biblischen Urgründen aufsteigenden Tradition der Erwachens- und Erweckungsmetaphorik ab, von allen Variationen gnostischer Hoffnung auch bis hin zu jener, die am wirkungsreichsten Karl Marx der Menschheit versprach, so bleibt immer noch an einen anderen Schriftsteller und Zeitgenossen Jüngers zu erinnern, für dessen Werk das »Erwachen« spätestens seit den Vorarbeiten zum Buch über die Pariser Passagen eine zentrale Chiffre ist. Walter Benjamin hat es, wie vor ihm die Surrealisten, nicht nur als politische Kategorie herauspräpariert, sondern auch beim Betrachten ästhetischer Konstellationen, überhaupt des Alltags, in Anschlag gebracht.[74] Die Welt der Moderne träumt noch. Sie lebt noch immer in den Verstellungen und Drapierungen des bürgerlichen 19. Jahrhunderts. Entbindet sie aber ihre revolutionär-subversive Sprengkraft, erwacht sie; der Mensch wird frei.

Daß diesem Begriff des Erwachens mehr an theoretischen Erwägungen zukommt, als Marx dem Proletariat mit Blick auf die philosophische Exegese der Geschichte verhieß, gibt allein schon die Sensibilität zu erkennen, mit der Benjamin Historie auch als Kulturhistorie behandelte. Gleichwohl verhielt sich ihr Ausdeuter nicht weniger denn marxistisch, wenn er nach der Dynamik der Moderne fragte, nach dem »Sinn«, den sie für ihn barg. Benjamins »Erwachens«-Thematik ist da nachzuweisen, wo sie ihre letzte Fassung

gefunden hat, nämlich in dem Fragment gebliebenen, ins Kaleido-
skopische versplitterten Werk über die Pariser Passagen, das erst seit
1982 in den zwei dicken Bänden der Gesamtausgabe vorliegt. Natürlich gehören in die Fluchtlinie des Œuvres, das Benjamin von 1927
bis kurz vor seinem Tod am 27. September 1940 in »saturnischem«
Tempo vorantrieb, auch der große, ebenfalls unbeendete Essay über
Baudelaire, der Aufsatz »Das Kunstwerk im Zeitalter seiner technischen Reproduzierbarkeit« und die sehr späten Thesen »Über den
Begriff der Geschichte«.

Worum sollte es in den *Passagen* gehen? Um die Konkretion von
geschichtsphilosophischen Zusammenhängen. Sie verlangte, das
19. Jahrhundert in seinen materiellen und geistigen Erscheinungen,
in seinen Träumen und Symbolen, in seinen sozialen und ästhetischen Vorgaben darzustellen; in der Mode und in der Architektur, im
bürgerlichen Interieur und in den Barrikaden der Revolution, im
Typus des Flaneurs und des Sammlers, in den Formen der Reklame
und der Straßenbeleuchtung. Und eben auch in den Passagen: den
geschlossenen Durchgangssystemen zwischen den Straßen, mit
ihren Geschäften und Cafés, wie sie beispielhaft Paris zwischen
1822 und 1839 hervorgebildet hatte. »Dort stocken die Säfte.« Die
Passagen dem ganzen Werk titelwürdig aufzuprägen lag deshalb
nahe, weil sie ihrem Analytiker stellvertretend den träumenden
Zustand der ganzen Epoche repräsentierten.

Aus der Optik marxistischer Theorie, der sich Benjamin in freier,
assoziativer Geste bediente, erweist sich die Zeit des 19. Jahrhunderts als erste Epoche des Kapitalismus. Die Produktivkräfte wirken
tief hinein in die Lebens- und Bewußtseinsformen der Gesellschaft;
umgekehrt fördert diese teils absichtlich, mehr noch vorbewußt den
Fetischcharakter der Ware. Die Ware wird sinnlich verklärt, die Kul-
turgüter werden zu Wunschsymbolen und bilden »Rückstände einer
Traumwelt«. Als Zwiespalt sah Benjamin den Hiatus zwischen den
materiellen Bedingungen und ihrer symbolhaften Verklärung. Ihn
sollte es aufzudecken und mit der Idee des »Erwachens« zu überwinden gelten, und den ersten Schritt dachte der Autor selbst mit seiner
materialistischen Physiognomik zu tun.

Doch für den Physiognomiker schlüsselte sich die Geschichte
nicht einfach nach ihren materialistischen Gesetzmäßigkeiten auf.
Was Marx lediglich als Kausalzusammenhang von ökonomischer

Basis und kulturellem Überbau ausgefaltet hatte, gewann bei Benjamin einen Ausdruckszusammenhang. Der Überschuß schlug sich nieder in der Kapitel um Kapitel konkretisierten Theorie, daß die »Traumwelt« des kollektiven Unbewußten nicht mit ihren materiellen Bedingungen identisch sei, sondern einen Rest von Eigendignität wahre. Einer Randbemerkung vertraute der Autor die wichtige Frage an: »Was ist der historische Gegenstand?« Und er antwortete: »Das dialektische Bild.«[75] Kein abgeschlossenes, der Objektivierung zugängliches Faktum sei er als solches, vielmehr trage er in sich eine Kraft, die vom Vergangenen aus das Jetzt beschatte. Im Erwachen verscheuche das Jetzt die Schatten und erkenne blitzartig, was der Vergangenheit stumm bleiben mußte. »Das Jetzt der Erkennbarkeit ist der Augenblick des Erwachens.«[76] Als Alptraum des historischen Bewußtseins bezeichnete Benjamin die Lehre von der ewigen Wiederkunft, und als »kopernikanische«, dialektische Wendung stellte er ihr die Lehre vom Erwachen als von einem Eingedenken entgegen. Literarisch hatte ihm Proust schon den Weg zur Struktur von Erwachen und Erinnern geebnet; er selbst dramatisierte die *Gegenwärtigkeit* der historischen Wahrnehmung zu einigen Gedanken von epigrammatischer Schärfe. »Die kopernikanische Wendung in der geschichtlichen Anschauung ist diese: man hielt für den fixen Punkt das ›Gewesene‹ und sah die Gegenwart bemüht, an dieses Feste die Erkenntnis tastend heranzuführen. Nun soll sich dieses Verhältnis umkehren und das Gewesene zum dialektischen Umschlag, zum Einfall des erwachten Bewußtseins werden. Die Politik erhält den Primat über die Geschichte. Die Fakten werden etwas, was uns soeben erst zustieß, sie festzustellen ist die Sache der Erinnerung... Es gibt Noch-nicht-bewußtes Wissen vom Gewesenen, dessen Förderung die Struktur des Erwachens hat.«[77]

Daß die Jugenderfahrung einer Generation viel gemein habe mit der Traumerfahrung, war eine Idee, der auch Jünger sich nicht verschlossen hätte. Und selbst die umgreifendere, daß das 19. Jahrhundert ein Zeitraum gewesen sei, in dem das Individualbewußtsein in immer tieferen Schlaf versunken sei, hätte der Verfasser des »Abenteuerlichen Herzens« im Maß ihrer Kenntnis durchaus geteilt. Für Benjamin führt der letzte, abschließende Durchgang der stufenweise vorangebrachten Bewußtwerdung freilich über das Individuelle hinaus und in den Bereich des Politischen. Die Pointe der materialistischen Geschichtsphilosophie müßte sich als Ablösung und Erlösung von der Vergangenheit revolutionär erfüllen: im Handeln. Dem Historiker komme die Vor-Arbeit zu, die Gegenstände erkenntniskritisch aus ihrem Verlauf herauszusprengen, indem er ihre Dialektik zünde.

Was aber am Individualbewußtsein zu zeigen war, leistete Benjamin in der Auseinandersetzung mit den großen Schriftstellern und Künstlern der Epoche – mit Baudelaire, Hugo, Balzac; mit dem Photographen Nadar; mit dem Radierer Meryon, den auch Jünger zu seinen Vertrauten zählt. Der Heros, wie ihn Baudelaire verkörperte, bleibt einsam, und »Züge des unstet in einer sozialen Wildnis schweifenden Werwolfs« sind ihm mitgegeben. Benjamin faßte die Leistung des Autors der »Fleurs du Mal« bei aller Bewunderung für dessen analytische und poetische Sensibilität in den Satz, der Schriftsteller habe »den sich selbst entfremdeten Menschen im doppelten Sinne des Wortes ding-fest gemacht – agnosziert und gegen die verdinglichte Welt gepanzert«.[78] Im Vorgang der Panzerung witterte der Marxist eine ästhetische Verklärung, das neuerliche Heraufsteigen des Traumzustands, den der Einzelgänger Baudelaire zwar heroisch, doch auch regressiv lebte. Das l'art pour l'art bemächtigte sich seiner. Benjamin zitierte den Gedanken von Marx. Der Urvater hatte in seiner »Bilanz der preußischen Revolution« davon gesprochen, daß in der bürgerlichen Gesellschaft die Faulheit aufhöre, heroisch zu sein, und ein »Sieg… der Industrie über die heroische Faulheit« stattgefunden habe. An Baudelaires Dandytum ging die Geschichte vorbei. Schärfer als in den »Passagen« führte Benjamin diese Kritik in dem Essay »Das Paris des Second Empire bei Baudelaire« durch. »Es gibt eine besondere Konstellation, in der sich Größe und Lässigkeit auch im Menschen zusammenfinden. Sie waltet über dem Dasein von Baudelaire. Er hat sie entziffert und nannte sie ›die Moderne‹. Wenn er sich an das Schauspiel der Schiffe auf der Reede verliert, so geschieht es, um ein Gleichnis an ihnen abzulesen. So stark, so sinnreich, so harmonisch, so gut gebaut ist der Heros wie jene Segelschiffe. Aber ihm winkt vergebens die hohe See. Denn ein Unstern steht über seinem Leben. Die Moderne erweist sich als sein Verhängnis. Der Heros ist nicht in ihr vorgesehen; sie hat keine Verwendung für diesen Typ. Sie macht ihn für immer im sicheren Hafen fest; sie liefert ihn einem ewigen Nichtstun aus. In dieser seiner letzten Verkörperung tritt der Heros als Dandy auf.«[79] Als Dandy leistet er nicht einmal die ästhetische Subversion der bürgerlichen Wirklichkeit auf ihre Revolution hin.

Prophetischer hätte Benjamin nicht markieren können, was sich auch im Duktus von Jüngers Werk als Übergang von der Prosa des »Abenteuerlichen Herzens« zu dem Essay von 1932 anbahnte: die Verwandlung des beobachtenden Flaneurs in den »Arbeiter«. So heißt es: »Die Erfahrung ist der Ertrag der Arbeit, das Erlebnis ist die Phantasmagorie des Müßiggängers.«[80]

Was Benjamin wie jeder echte Geschichtsphilosoph besaß, war der Sinn für die bewegenden Kräfte seiner Zeit, und die Technik rangierte dabei an prominenter Stelle. Sie war das Lieblingskind der italienischen Futuristen gewesen, die ihr erstmals metaphysische Qualitäten zugeschlagen hatten. Doch gerade mit dem Futurismus rechnete Benjamin in seinem bekanntesten Essay, »Das Kunstwerk im Zeitalter« seiner technischen Reproduzierbarkeit«, mit einer Entschiedenheit ab, welche dekretierte, was der historischen Wahrheit nur teilweise entsprach: die Legierung dieser Bewegung mit dem Faschismus. Schon 1920 hatten sich Mussolini und Marinetti gestritten, als letzterer in seinen radikalen weltanschaulichen Forderungen dem Politiker, der eben die Versöhnung mit Kirche und Monarchie betrieb, zu weit ging. Für Benjamin war die Konjektur kein Thema hermeneutischer Abwägungen. »›Fiat ars – pereat mundus‹ sagt der Faschismus und erwartet die künstlerische Befriedigung der von der Technik veränderten Sinneswahrnehmung, wie Marinetti bekennt, vom Kriege. Das ist offenbar die Vollendung des l'art pour l'art. Die Menschheit, die einst bei Homer ein Schauobjekt für die olympischen Götter war, ist es nun für sich selbst geworden. Ihre Selbstentfremdung hat jenen Grad erreicht, der sie ihre Vernichtung als ästhetischen Genuß ersten Ranges erleben läßt. So steht es mit der Ästhetisierung der Politik, welche der Faschismus betreibt. Der Kommunismus antwortet ihm mit der Politisierung der Kunst.«[81] Aber die Technik bot nicht nur denen, die sie der faschistischen Ordnung als movens hinzuwünschten, Suggestionen, und diese wiederum waren nicht nur von ästhetischer Beschaffenheit.

Benjamin selbst, sonst meistens allem Mythischen gegenüber ein abwehrender Aufklärer, glaubte in den Akzelerationen, welche die Technik hervorbrachte, den Zusammenhang zwischen der »Urgeschichte« und der Moderne als einen zunehmend engeren zu erkennen. Den »Passagen« sind Aufzeichnungen zu entnehmen, welche gerade davon handeln sollten, wie die »technische« Seite des eschatologischen Prozesses wahrzunehmen sei, nämlich als beschleunigte Zersetzung der Merkwelten, für die die Technik fortlaufend die Unterminierung lieferte. »Das urgeschichtliche Moment im Vergangenen wird – auch dies Folge und Bedingung der Technik zugleich – nicht mehr, wie einst, durch die Tradition der Kirche und Familie verdeckt. Der alte prähistorische Schauer umwittert schon die Umwelt unserer Eltern, weil wir durch Traditionen nicht mehr an sie gebunden sind. Die Merkwelten zersetzen sich schneller, das Mythische in ihnen kommt schneller, krasser zum Vorschein, schneller muß eine ganz andersartige Merkwelt aufgerichtet und ihr entgegengesetzt werden. So sieht unter dem Gesichtspunkt der aktuellen Urgeschichte das beschleunigte Tempo der Technik aus.«[82] Dem fügte der Autor, etwas abgerückt vom übrigen Text und graphisch hervorgehoben, ein einziges Wort hinzu: »Erwachen«. Etwas vorher hatte Benjamin davon gehandelt, daß jede Kindheit in ihrem Interesse für die technischen Phänomene und in ihrer Neugier »für alle Arten von Erfindungen und Maschinerien« die Technik an die alten Symbolwelten zurückbinde. Die Technik, selbst ein Stück Traumwelt, leistete dem Abbau von Vergangenheiten Vorschub, die sich dem »Erwachen« vorgelagert hatten, indem sie sie immer rascher historisierte. Insofern meldete sich in ihren Realisationen die »List« der Geschichte.

Daß die Maschinenwelt ihrer Genese nach keineswegs ein Werk des 19. Jahrhunderts ist, sondern ihren ersten Stempeldruck innerhalb der Neuzeit bereits im 18. Jahrhundert – dem Säkulum von Vernunft und Aufklärung – erhält, vermochte Benjamin nicht mit zureichender Deutlichkeit festzustellen. Niemals zuvor und später kaum mehr strahlte die Mechanisierung ihre Aura so hell in den Horizont der Historie hinein. Jünger spürt etwas von diesem Erbe, wenn er im 23. Stück des »Abenteuerlichen Herzens« das »heroische Bild« wiedergibt, das ihn während eines nächtlichen Berliner Streifzugs überrascht hat. Es ist die Maschine, die, halb schon ein lebendes Wesen, in Betrieb ist und das Gemüt des Betrachtenden zugleich mit Stolz und Schrecken erfüllt.

»Gestern noch, bei einem nächtlichen Spaziergang durch entlegene Straßen des östlichen Viertels, in dem ich wohne, bot sich ein einsames und finster heroisches Bild. Ein vergittertes Kellerfenster öffnete dem Blick einen Maschinenraum, in dem ohne jede menschliche Wartung ein ungeheures Schwungrad um die Achse pfiff. Während ein warmer, öliger Dunst von innen heraus durch das Fenster trieb, wurde das Ohr durch den prachtvollen Gang einer sicheren, gesteuerten Energie fasziniert, der sich ganz leise wie auf den Sohlen des Panthers des Sinnes bemächtigte, begleitet von einem feinen Knistern, wie es aus dem schwarzen Fell der Katzen springt, und vom pfeifenden Summen des Stahles in der Luft – dies alles ein wenig einschläfernd und sehr aufreizend zugleich. Und hier empfand ich wieder, was man hinter dem Triebwerk des Flugzeugs empfindet, wenn die Faust den Gashebel nach vorn stößt und das schreckliche Gebrüll der Kraft, die der Erde entfliehen will, sich erhebt, oder wenn man nächtlich im D-Zug sich durch die zyklopische Landschaft des Ruhrgebietes stürzt, während die glühenden Flammenhauben der Hochöfen das Dunkel zerreißen und inmitten der rasenden Bewegung dem Gemüte kein Atom mehr möglich scheint, das nicht *in Arbeit* ist. Es ist die kalte, niemals zu sättigende Wut, ein sehr modernes Gefühl, das im Spiel mit der Materie schon den Reiz gefährlicherer Spiele ahnt, und der ich wünsche, daß sie noch recht lange nach ihren eigentlichen Symbolen auf der Suche sei. Denn sie als die sicherste Zerstörerin der Idylle, der Landschaften alten Stils, der Gemütlichkeit und der historischen Biedermeierei wird diese Aufgabe um so gründlicher erfüllen, je später sie sich von einer neuen Welt der Werte auffangen und in sie einbauen läßt. – O, du stählernste Schlange der Erkenntnis – du, die wir verzaubern müssen, wenn du uns nicht erwürgen sollst.« (AH 1, 223 f./9, 154)

Eigenartig berührt die Ouvertüre, der erste Satz dieses fraglos eindringlichen, in der Schilderung des Schwungrads metaphorisch komprimierten Stücks. »Gestern noch…« Als ob das alles, wenn auch kaum, schon vorbei wäre. Ob damit nochmals die Allegorie des »verwickelten Traumzustands der modernen Zivilisation« dargestellt ist, bevor von dem Morgen gesprochen wird, da der Mensch die stählerne Schlange der Erkenntnis gänzlich in seinen Dienst nimmt? Von Übergangslandschaften sprach Benjamin und davon, wie ihre »vulkanische« Kraft die Idylle sprengt – um das Neue zu schaffen. Daß Jünger bis zuletzt verschattet, wen er als das Subjekt diesem Vorgang von weltgeschichtlichen Dimensionen einsetzen soll, zeigt die erste Fassung des »Abenteuerlichen Herzens« ohne Anstrengung. Am Schluß endlich, im vorletzten Kapitel, hat er ihn gefunden, den Repräsentanten. Ein Heros ist er, und einsam dazu – ein später Nachfahr jenes Dandy, den Baudelaire schließlich für Benjamin verkörperte, im Gegenzug zur Geschichte; ein Randgänger, ein Abenteurer.«... er ist die höchst seltsame Erscheinung des preußischen Anarchisten, möglich geworden in einer Zeit, da jede Ordnung Schiffbruch erlitt, und der, allein mit dem kategorischen Imperativ des Herzens bewaffnet und nur ihm verantwortlich, das Chaos der Gewalten nach den Grundmaßen neuer Ordnungen durchstreift.« (AH 1, 257/9, 173)

Für diesen Typus, der Neigungen gleichzeitig nach der Seite der Disziplin wie nach jener der Subversion alles Bürgerlichen entwikkeln soll, gab es eine Vorgabe in Oswald Spenglers Schrift »Preußentum und Sozialismus«, die erstmals im Herbst 1919 erschienen war. Noch ganz im Bann des Zusammenbruchs von 1918, befand Spengler, daß das Leben kein »Ziel« habe; dasselbe gelte für die Menschheit. Indem der Münchner Privatgelehrte den Entwicklungsgedanken insbesondere Hegelscher Provenienz dem 19. Jahrhundert eingemeindete, glaubte er auch die Nachfolgebewegung des Marxismus erledigt zu haben.[83] Man befinde sich heute »mitten in der deutschen Revolution«. Während aber Marx veraltete Literatur sei, sei der Sozialismus, »das noch immer unverstandene Preußentum«, »ein Stück Wirklichkeit höchsten Ranges«. Spengler brauchte Nietzsches Bild von den mit Blut geschriebenen Ideen, um immer wieder vom Leben und der »tiefen Ordnung« zu schreiben, in der es sich verwirkliche. Den »wahren« Sozialismus, wie ihn Bebel noch vertreten hätte, fand er freilich nicht in der politischen Wirklichkeit seiner Epoche, sondern bloß noch als Hoffnung, im preußischen »Ordnungsgedanken«.[84]

Spengler schrieb in ein geschichtliches Vakuum hinein. Das war seine Chance, und nur deshalb konnten seine bis ins Abstruse entgleitenden Lehren ihre merkwürdige Plausibilität entfalten. Es bedurfte keiner tiefgreifenden Überlegung, den preußischen Sozialismus mit dem preußischen Anarchismus auszutauschen, solange sich dieser nationalrevolutionäre Sozialismus noch nicht etabliert hatte.

So war der Anarchist der Vor-Arbeiter der Bewegung. Wie Spengler fordert Jünger vor allem Entschiedenheit. Auch er bemüht das Leben, das mehr sei als seine Formen. Er geht noch weiter, bis zur

Apologie des Nihilismus, wie ihn schon Sorel verkündet hatte, wenn er von Gewalt und Zerstörung handelt. Die »Merkwelten« wollen gesprengt sein; darin gründet das epochale Abenteuer. Was es erheischt, ist die Fähigkeit zum Dezisionismus.[85] – Geistreich hatte Georg Simmel den Abenteurer als »das stärkste Beispiel des unhistorischen Menschen, des Gegenwartswesens« bezeichnet. »Er ist einerseits durch keine Vergangenheit bestimmt (was seinen... Gegensatz zum Alter trägt), andererseits besteht die Zukunft für ihn nicht.«[86]

Als Abenteurer kann der »preußische Anarchist« so lange auftreten, als er die Aushöhlung und politische Auskernung *beobachtet*. Als Stadtgänger und Physiognomiker betreibt er ästhetische Verweigerung. Ihr kann durchaus Aufklärung innewohnen, durch die literarische Verdichtung des Gesehenen zu allegorischen Bildern. Nicht auf der Seite der Weltgeschichte muß sich befinden, nicht den Tritt des Weltgeistes muß fassen, wer den »Ausdruckszusammenhängen« der Moderne nachgeht. Aber damit will sich Jünger nicht begnügen. Sein Wort vom »Erwachen« führt ihn der Eschatologie entgegen, daß die Historie einem letzten Zustand, einer festen Lebensordnung, einer »Planlandschaft« sich annähert. Den Weg dazu bestimmt er mit dem Begriff der »Arbeit«.

III.
Theorie als Praxis.
Die Welt des »Arbeiter«

Im Jahr 1932 veröffentlicht die Hanseatische Verlagsanstalt Hamburg das Buch »Der Arbeiter« von Ernst Jünger. Der Untertitel lautet »Herrschaft und Gestalt«. Mit dreihundert Seiten ist es nicht nur das bisher umfangreichste Werk des Schriftstellers; es ist auch die erste und in mancher Hinsicht letzte rein theoretische Schrift, die Jünger vorlegt. Das Buch als einen Essay zu bezeichnen, mag angesichts seines Anspruchs befremden, denn nicht weniger ist beabsichtigt als eine abschließende Analyse der modernen Industriegesellschaft. Mit dem Gedanken des Abschlusses verbindet der Verfasser einerseits die Stringenz seiner Darstellung; anderseits einen Zustand der Geschichte selbst: das Ende, mindestens die Auflösung des bürgerlichen Zeitalters. Gleichwohl ist »Der Arbeiter« kein Dokument wissenschaftlichen Beharrungsvermögens. Gemessen an den soziologischen oder ökonomischen Zeugnissen der Epoche von Max Weber über Sombart bis zu Tönnies, Mannheim und Troeltsch fehlt ihm sowohl die harte empirische Grundlage als auch die »Logik« der Forschung. Jünger verfährt assoziativ, wertend, unbehindert von der Sekundärliteratur, und oft ersetzen gewagte Konjekturen die Detailschärfe des Historikers. Das Vorbild ist Oswald Spengler. Ohne Spenglers Untergangsvisionen zu teilen, übernimmt Jünger doch dessen Kulturkritik nach Stil und Inhalt – mit der entscheidenden Differenz, daß der Autor des »Arbeiters« der mürbe gewordenen und zur Starre sich härtenden Zivilisation nicht das Ende schlechthin verheißt, sondern die Transformation in einen »imperialen« Raum.[1]

Es ist die geklärte, endgültig ausgedeutete Zeit, die dem Essay den Rahmen vorgibt. Dabei sollen historische und systematische Perspektiven hervortreten, von den politischen und wirtschaftlichen Umwälzungen des 19. Jahrhunderts bis in die unmittelbare Gegenwart des Verfassers und darüber hinaus in eine Zukunft, deren »Ordnung« schon festgestellt ist. Von einer »neuen Wirklichkeit« ist die Rede; ihre Erfassung hänge ganz von der Schärfe der Beschreibung ab. Und obwohl sich das geschichtsphilosophische Pensum des Werks nicht mit »Beschreibungen« bewältigen läßt, gehören sie zu den ergiebigeren, manchmal hellsichtigen und aufschließenden Partien des Buches, dessen hypertrophe Anlage noch innerhalb eines durchaus erhitzten Epochenbewußtseins erratisch wirkt. In einem ersten, kürzeren Teil entwirft Jünger sein Panorama der Zeitgeschichte. Für Deutschland gelte, daß der dritte Stand nur eine Scheinherrschaft ausgeübt habe; schon Spengler habe darauf hingewiesen, daß der Deutsche bisher kein guter Bürger gewesen sei. Allerdings habe das Land auch keine Revolution kennengelernt, sondern »heimliche Umwälzungen« erlebt, zu denen der Autor den Einbruch »elementarer Mächte« zählt, wie sie vor allem im Ersten Weltkrieg aufgetreten seien. Das Blut habe über den Geist, die Natur über die Moral triumphiert. Nicht ohne tiefe Irritationen sei dem Bürgertum diese Wahrheit aufgegangen.

Ihre wesentlichen Impulse verdankt Jüngers Art, Geschichte zu betrachten und auf den Punkt zu bringen, da sie des »Fortschritts« als eines als unendlich verstandenen Zeithorizonts enträt, der Philosophie von Nietzsche. Gedacht ist nicht mehr an jene Perfektibilität der Welt, die seit der Aufklärung als universales Menschenwerk in Gang gesetzt werden sollte, sondern an eine historische Kompression, die zunächst das »Gefährliche« berührt. Von ihm wollte der Autor des »Abenteuerlichen Herzens« Kunde geben, und zwar mit Zeichen und Symptomen. Im »Arbeiter« drängt Jünger zur Synthese dieser Erscheinungen, wobei ihm das Erbe der Aufklärung eine eigentümliche Dialektik enthüllt. »Unsere Aufgabe ist es, nicht die Gegen-, sondern die Vabanquespieler der Zeit zu sein, deren voller Einsatz sowohl in seinem Umfange wie in seiner Tiefe zu begreifen ist. Der Ausschnitt, den unsere Väter zu überscharf belichteten, ändert seine Bedeutung, wenn er im größeren Bilde gesehen wird. Die Verlängerung eines Weges, der zur Bequemlichkeit und Sicherheit zu führen schien, schneidet nunmehr in die Zone des Gefährlichen ein.«[2]

Schon Nietzsche hatte von der Genealogie dieses Umschlagens gesprochen, als er im siebten Hauptstück von »Jenseits von Gut und Böse« das 19. Jahrhundert und mit ihm den »historischen Sinn« porträtierte. In Europa sei es »durch die demokratische Vermengung der Stände und Rassen« zu einer »Halbbarbarei« gekommen und zur

Geburt jener »modernen Seelen«, deren Instinkte durch die verschiedensten Vergangenheiten affiziert würden. Das Zeitalter war für Nietzsche gleichsam überdeterminiert, es förderte deshalb das Interesse am Maßlosen und Unbegrenzten. »Das Maß ist uns fremd, gestehen wir es uns; unser Kitzel ist gerade der Kitzel des Unendlichen, Ungemessenen. Gleich dem Reiter auf vorwärts schnaubendem Rosse lassen wir vor dem Unendlichen die Zügel fallen, wir modernen Menschen, wir Halbbarbaren – und sind erst dort in unsrer Seligkeit, wo wir auch am meisten – in Gefahr sind.«[3] Was Nietzsche unbestimmt als das Unendliche bezeichnete, geschichtlich nicht vorgeprägte Zukunft, findet bei Jünger eine genauere Markierung.

Er selbst beruft sich – ohne den Namen zu nennen (im »Arbeiter« fällt – der »Sachlichkeit« wegen? – kein einziger Name) – auf Nietzsche, wenn er die lebenssteigernden »Mittel und Mächte« des 20. Jahrhunderts so herauszupräparieren versucht, wie es jener an den Gestalten der Renaissance gezeigt habe. Der Mensch, das »dämonische Wesen«, lebt immer auch »elementar«.[4] Was dem Bürger als Romantik erscheine, die Sehnsucht nach der Gefahr, durchbreche je und je die Grenzmauern der Vernunft. Spezifisch modern sei die Rückkehr zum Elementaren innerhalb einer »Landschaft des reinen Bewußtseins«.

Man darf sich den so evozierten Regreß in die Richtung der Urnatur nicht nur als kollektive Erinnerung an die vitalen Prinzipien vor Augen bringen, wie sie sich etwa in der Begeisterung vom August 1914 äußerte; man muß die Rückkehr mit Blick auf den »Arbeiter« in einer erweiterten Bildlichkeit fassen. Dazu gehört der Prozeß der Technik. Er realisiert einerseits mit einer ubiquitär geltenden Sprache den »Fortschritt«. Anderseits bereitet er auch auf die Virulenz des »Gefährlichen« vor, das zuerst im Ersten Weltkrieg jäh sich offenbart. Es wirkt als Schock, um später den Eindruck der Dauer zu erwecken. »Bei allen Spannungen dieser Zeit liegen die Wetterwinkel, die die ersten Blitze erzeugen, außerhalb. Nunmehr aber flammen die gesicherten Bezirke der Ordnung selbst wie Schießpulver auf, das lange trocken gelegen hat, und das Unbekannte, das Außerordentliche, das Gefährliche wird nicht nur das Gewöhnliche, – es wird auch das Bleibende. Nach dem Waffenstillstand, der den Konflikt nur scheinbar beendet, in Wahrheit aber alle Grenzen Europas

mit ganzen Systemen von neuen Konflikten umzäunt und unterminiert, bleibt ein Zustand zurück, in dem die Katastrophe als das
Apriori eines veränderten Denkens erscheint.« (A, 55 f./8, 61)
»Gefährlich« sind alle Entwicklungen, die den Menschen aus den
gewohnten Lebensordnungen herausdrängen oder die Verläßlich-
keit des Selbstverständlichen angreifen. Der Technisierung, die im
»Abenteuerlichen Herzen« sowohl an der allegorisch verknappten
Bildlichkeit der Lichtreklame als auch an der sinnbildlichen Kraft
des großen Schwungrades abgelesen wird, eignet dieses Überra-
schungsmoment insofern, als sie die geschichtliche Beschleunigung
der Epoche am reinsten zum Ausdruck bringt; sie konsumiert die
Zeit so sehr, daß ihre Einwirkungen auf die Lebenswelt allmählich
den Charakter des Außerordentlichen einbüßen. Gleichwohl vermag dieser Prozeß Gewöhnung nur da zu stiften, wo der Mensch
darauf vorbereitet ist. Damit ist die anthropologische Grundfrage
des Buches gestellt.

Sie wird beantwortet mit dem Hinweis auf den »Arbeiter«. Als
originäre gedankliche Leistung muß gewürdigt werden, wie Jünger
das Wort aufgreift und umformt. Nicht den Stand der Arbeiter meint
er, der seit dem Ende des 18. Jahrhunderts auftritt und Mitte des
19. Jahrhunderts von Friedrich Engels mit jenem der Proletarier
identifiziert wird. Auch beschäftigt ihn die »soziale Frage« nur indirekt, denn anderes und mehr ist gemeint als eine wirtschaftliche
Herausforderung oder ein Klassenproblem. Jüngers »Arbeiter«, dessen Anfang mit dem Aufgang Deutschlands zusammenfallen soll, ist
eine »Gestalt«. »Über die Rangordnung im Reiche der Gestalt entscheidet nicht das Gesetz von Ursache und Wirkung, sondern ein
andersartiges Gesetz von Stempel und Prägung; und wir werden
sehen, daß in der Epoche, in die wir eintreten, die Prägung des Raumes, der Zeit und des Menschen auf eine einzige Gestalt, nämlich
auf die des Arbeiters zurückzuführen ist... In der Gestalt ruht das
Ganze, das mehr als die Summe seiner Teile umfaßt, und das einem
anatomischen Zeitalter unerreichbar war.« (A, 31/8, 37)[5]

Der »Arbeiter« verkörpert einen noch näher zu bestimmenden
Typus des Menschen. Nur aus den Beschreibungen der epochalen
Spannungen heraus will ihn Jünger zunächst Kontur gewinnen lassen. Heroischer Realismus zeichne ihn aus, er sei gegen die Vernunft
wie gegen Empfindsamkeit eingestellt. Auch trete er auf »als der

Herr und Ordner der Welt, als gebietender Typus im Besitze einer bisher nur dunkel geahnten Machtvollkommenheit«. Ein eigentümlich dynamisierter Platonismus schießt ein, wenn Jünger davon spricht, daß er, im Gegensatz zum Bürger, als Gestalt der Ewigkeit angehöre. »Der Bürger aber gehört nicht den Gestalten an, daher frißt ihn die Zeit, auch wenn er sich mit der Krone des Fürsten oder mit dem Purpur des Feldherrn schmückt.« (A, 37/8, 43) Die Zeit, das alte, seit den Tagebüchern des Ersten Weltkriegs bedrängende Thema, erheischt gebieterischer als zuvor die Entdeckung jenes Menschen, der ihr als »Herrscher« gewachsen ist, indem er zugleich auf ihrer Höhe sich bewegt und der Herkunft aus Ewigkeit sich versichert, zu gleichen Teilen der Neue und der ganz Alte.

Was als polemische Verdrehung der ursprünglichen Bedeutung des Wortes, als Angriff auf den Marxismus erscheint, kann doch in der Abwehr die Wahlverwandtschaft nicht gänzlich leugnen. Marx hatte den Arbeiter als das heimliche Subjekt der zum Weltgericht sich steigernden Weltgeschichte erkannt, und Proudhon wie Sorel waren ihm darin gefolgt. Allerdings ging es um die revolutionäre Ermächtigung einer *Klasse*, der Historie die Zukunft zu bestimmen. Auch Jüngers Arbeiter ist der Agent der Zukunft – der einzige, der dazu befähigt ist, den Dauerzustand des Gefährlichen nicht nur zu ertragen, sondern schließlich zu verwandeln in *seine* »Diktatur«. Doch sollen alle gesellschaftlichen Eingrenzungen an ihm abprallen. Insofern ist dieser Arbeiter die schärfere Fassung dessen, den bereits Simmel und Scheler als den Neuen Menschen bezeichnet hatten. Es liegt nahe, ihn mit einer anderen »Gestalt« zu konfrontieren, von der er teilweise die – mißverstandene – Ableitung ist: mit Nietzsches Übermensch.

Im zweiten Teil des »Zarathustra« läßt Nietzsche seine Figur wiederholt vom Willen zur Macht sprechen. Der Distanzierung von den »Predigern der Gleichheit« schließt das Bekenntnis der Liebe zum »Übermenschen« an und weiter die Apologie des »Lebens«, das sich immer wieder selbst überwinden müsse. Am Bild einer Tempelruine entspringt ihm deren Symbolik. »Wahrlich, wer hier einst seine Gedanken in Stein nach Oben thürmte, um das Geheimnis alles Lebens wußte er gleich dem Weisesten! Daß Kampf und Ungleiches auch noch in der Schönheit sei und Krieg und Macht und Übermacht: das lehrt er uns hier im deutlichsten Gleichniß.«[6] Die Stelle gehört zu den Engführungen, wo der Wille zur Macht mit dem Übermenschen konjugiert wird. Aber kein Zufall war, daß dem Allegoriker das Lebensprinzip im Ruinentableau sich eröffnete, denn der Verdacht durfte nicht aufkommen, daß geschichtsphilosophischer Zuversicht das Wort geredet wurde. Nietzsche unterlegte dem »Leben« keine historische Teleologie; »immer wieder«, also auch immer wieder neu, sollte es sich überwinden. »Übermensch« war ihm der, welcher offen wäre für das Grenzenlose, nicht fixiert gegenüber bestimmten »Tugenden« oder Vorstellungen. Im Willen zur Macht aber spricht sich das Leben selbst aus, wenn es zu seinen Selbstidentifizierungen drängt.[7]

Daß der »Arbeiter« näher am Leben wirke als etwa der Bürger, ist dem Essay leicht zu entnehmen. Das »Elementarische« strahlt auf ihn aus. Aber Jünger historisiert, was Nietzsche einem nicht gerichteten Werden und Vergehen überlassen hatte: im »Arbeiter« erhält der »Übermensch« jene geschichtliche Physiognomie und jenen geschichtsbezogenen Willen, wovon der Philosoph des »Zarathustra« gerade abgesehen hatte. Das hängt wesentlich mit der unkritischen Nietzsche-Rezeption seit dessen Tod bis in die fünfziger Jahre unseres Jahrhunderts zusammen; näherhin damit, daß schließlich schon 1906 mit dem apokryphen Titel »Der Wille zur Macht« ein »Werk« ediert wurde, das aus den Fragmenten der Spätzeit vor allem zusammengeklittert war, seinen Lesern jedoch die Illusion gab, nun liege nicht nur ein philosophisches, sondern auch ein politisches Testament vor. Es ist vergeblich, über solche Wirkungsgeschichten klagen zu wollen. Jünger reiht sich mit seiner Adaptation unter eine Schar von ernsthaften Gelehrten und Schriftstellern. Unbefangen schreibt er seinem Typus den Willen zur »totalen Diktatur« und zur »totalen Mobilmachung« zu, und wohl weniger solche Worte waren es, die damalige Leser irritierten als das Ärgernis, daß der Verfasser auf über fünfzig Seiten noch keine stringente Definition des »Arbeiters« geliefert hatte.

Diese definitorische Verlegenheit soll etwas später kommentiert werden. Nochmals öffnet der Autor den zeitgeschichtlichen Horizont, wenn er davon handelt, wie seit dem Ausbruch des Ersten Weltkriegs Aktion und Anarchie die Romantik abgelöst hätten. Freiheit bedeute es innerhalb dieser Zerstörungen, daß die Gewißheit empfunden werden könne, »Anteil zu haben am innersten Keime der

Zeit… Diese Erkenntnis, in der sich Schicksal und Freiheit wie auf Messers Schneide begegnen, ist das Anzeichen dafür, daß das Leben noch am Spiele ist, und daß es sich als Träger geschichtlicher Macht und Verantwortung begreift.« (A, 57/8, 63 f.) In der Schrift »Der Kampf als inneres Erlebnis« bezeichnete Jünger den Landsknecht als diejenige Gestalt, in der die Wellen der Zeit ohne Mißklang zusammenschlügen. Dieselbe Harmonisierungsleistung wird nun auf den Arbeiter übertragen; er soll die Zeit dominieren können. Wie ein elegischer Einschub mutet danach an, daß Jünger im 17. Kapitel eine ausführliche, stilistisch ausgreifende Paraphrase der oben zitierten Ruinen-Metapher von Nietzsche gibt, ohne auf die literarische und gedankliche Vorgabe hinzuweisen. Aus den Ruinen, »die uns als Zeugnisse versunkener Lebenseinheiten hinterlassen sind«, spreche nicht bloß Zerstörung. »Diese Steine, die unter dem Efeu oder im Sande der Wüste verborgen sind, sind nicht nur ein Denkmal der Macht der Gewaltigen, sondern auch der namenlosen Arbeit, des geringsten Handgriffes, der hier verrichtet worden ist.« (A, 60/8, 67) Was leicht ins Klischee einer »Geschichte von unten« abgleiten könnte, rettet Jünger, indem er nach Nietzsches Vorprägung aus »diesen Stätten« den *Willen*, der sie errichtete, herausliest. Im letzten Satz wird Nietzsches »Lebens«-Philosophie auf die Bahn der Geschichtsermächtigung gebracht. »Dieser Wille aber lebt auch in uns und unserer Tätigkeit.«

Als Sinnbild der Realisationen, hinter welchen er wirkt, wählt Jünger die große Stadt. Sie wird bewegt von den raschen Passagen der Menschen, die sie mit Leben füllen, von den Verrichtungen, die sich schneiden und wieder entfernen, von Produktion und Konsum, von Ordnung und Verbrechen. »Die Kälte der Beziehungen zwischen den Einzelnen, den Passanten, ist außerordentlich. Es gibt hier den Erwerb, das Vergnügen, den Verkehr, den Kampf um die wirtschaftliche und politische Macht. Jedes Gebäude ist aus einem bestimmten Entschlusse und zu seinem bestimmten Zwecke erbaut. Die Stile haben sich mannigfaltig ineinander eingeschachtelt; die alten Kultstätten sind von Bahnhöfen und Warenhäusern umringt, in den Vorstädten sind noch Bauernhöfe in das Netz von Fabriken, Sportplätzen und Villenvierteln eingesprengt.« (A, 61/8, 67f.) Ganz im Stil von Balzac und Baudelaire entwirft der Autor das Bild von der modernen Metropole; wie Balzac und Baudelaire zerlegt er es in einzelne Segmente.[8] Bis dahin spricht der Verfasser des »Abenteuerlichen Herzens«, der von den Verwirklichungen und Träumen berichtet, die in den Stadtlandschaften sich kristallisieren. Aber dann wechselt Jünger das optische System und den Punkt der Wahrnehmung. Man möge sich diesen Ort der »menschlichen Komödie« aus einer hohen Entfernung vorstellen – »etwa so, als ob sie von der Oberfläche des Mondes aus teleskopisch zu betrachten sei«. Das gewünschte Resultat stellt sich unverzüglich ein. »Auf eine so große Entfernung schmilzt die Verschiedenheit der Ziele und Zwecke ineinander ein… Was vielleicht gesehen wird, ist das Bild einer besonderen Struktur, von der aus mannigfaltigen Anzeichen zu eraten ist, daß sie sich aus den Säften eines großen Lebens ernährt… Einem Blicke, der durch kosmischen Abstand vom Spiel und Gegenspiel der Bewegungen geschieden ist, kann es nicht entgehen, daß hier eine *Einheit* ihr räumliches Abbild geschaffen hat.« (A, 62/8, 69)

Schon in dem Kriegstagebuch »Das Wäldchen 125« rückten dem Stoßtruppführer während eines sommerlichen Geländeganges die kriegerischen Vorkehrungen beider Seiten plötzlich auf eine Distanz, von der her alles »wie ein feines Gehämmer an einem einheitlichen Werk« erschien. Zwei Jahre vor der Publikation des »Arbeiters«, 1930, läßt Jünger in einem Sammelband mit Beiträgen von verschiedenen Autoren den Aufsatz »Sizilianischer Brief an den Mann im Mond« veröffentlichen, dessen Thematik die Betrachtung der modernen Welt im Sehwinkel größtmöglicher Abstraktion ist.[9] Im »Arbeiter« selbst soll es darum gehen, der Vielfalt die Einheit, den Phänomenen die steuernde Absicht, den Rasterpunkten des Lebens die Grundstruktur nachzuweisen. Die entscheidende, alle epochalen Bewegtheiten zusammenzwingende Deutung gibt Jünger im 20. Kapitel. »Man muß wissen, daß in einem Zeitalter des Arbeiters, wenn es seinen Namen zu Recht trägt und nicht etwa so, wie sich alle heutigen Parteien als Arbeiterparteien bezeichnen, es nichts geben kann, was nicht als Arbeit begriffen wird. Arbeit ist das Tempo der Faust, der Gedanken, des Herzens, das Leben bei Tage und Nacht, die Wissenschaft, die Liebe, die Kunst, der Glaube, der Kultus, der Krieg; Arbeit ist die Schwingung des Atoms und die Kraft, die Sterne und Sonnensysteme bewegt.« (A, 65/8, 72, gekürzt)[10] Daß kein Atom mehr denkbar sei, das nicht »in Arbeit« sich befinde, hatte Jünger bereits drei Jahre vorher festgehalten, nach einem nächtlichen Gang durch Berlin, als ihn das mächtige Schwungrad faszinierte.

»Arbeit« ist mehr als Arbeit. Es ist leicht zu sehen, wie der Begriff alle herkömmlichen Bedeutungen hinter sich läßt und von keinem Oppositionsbegriff mehr gehemmt scheint. Zur Herkunft dieses Prozesses teilt Jünger noch wenig mit, und eine Schwäche des Buches ist der einschneidende Mangel an historischen Evidenzen. Man erfährt, daß etwa der preußische Pflichtbegriff sich in seinem intelligiblen Charakter durchaus in der Arbeitswelt unterbringen lasse. Im Preußentum habe sich allerdings eine Bändigung des Elementaren vollzogen. »Der einzig mögliche Erbe des Preußentums jedoch, das Arbeitertum, schließt das Elementare nicht aus, sondern ein; es ist durch die Schule der Anarchie, durch die Zerstörung der alten Bindungen hindurchgegangen, daher es denn seinen Freiheitsanspruch in einer neuen Zeit, in einem neuen Raume und durch eine neue Aristokratie vollstrecken muß.« (A, 66/8, 73 f.) Man kann bloß vermuten, daß Spengler solche Einsichten mit Skepsis bedachte. Er hatte, vorsichtiger, dem Prinzip des Preußentums jenes des Sozialismus folgen lassen, als er über Deutschlands Zukunft schrieb. Fremd mußte ihm Jüngers aggressiverer geschichtsphilosophischer Aufwand sein, der sich lebensmäßig als »Wille zur Macht« äußert. Wie Gott zu werden, Allmacht, Allgegenwart und Allwissenheit ausspielen zu können, ist das Ziel des Arbeiters. In seiner Gestalt repräsentiere sich »Herrschaft«. Diese Verwirklichung betreibe das »neue Menschentum«, »über den Arbeitsgang einer Kette von Kriegen und Bürgerkriegen«. An dem Punkt, wo die Utopie ihrer demiurgischen Steigerung nicht mehr fähig zu sein scheint, endet der erste Teil des Buches. Im zweiten Teil wendet sich der Verfasser der *Physiognomie* der Arbeitswelt zu. Er begründet das Verfahren mit dem Hinweis auf die epochale Lage: man lebe in einem Zustand, in dem man zunächst »sehen lernen« müsse.

Ein Buch von solcher Absichtlichkeit wird nicht geschrieben, ohne daß eine literarische Vorgeschichte bestünde, da die Themen und Motive schon erprobt sind. Den Tagebüchern zum Ersten Weltkrieg hatte Jünger mit zunehmender Sensibilität gegenüber den Ereignissen anvertraut, wie sehr ihn die Modernität der großen Schlacht irritierte. Als die Stellungskämpfe begannen, zeigte sich plötzlich das Einzugsgebiet in seiner Tiefe; nicht stehende Heere traten zur Entscheidung an, sondern Welten rieben sich aneinander. Der gehegte Krieg war vorbei, und mit ihm war das alte europäische Völkerrecht untergegangen.[12] Aber erst in zwei kürzeren Schriften theoretischen Gepräges erhält die Frage nach der Arbeitswirklichkeit als der umfassenderen Realität, aus der heraus der Krieg gespeist ward, ihr Gewicht. 1930 erscheint in der Zeitschrift »Widerstand« der Essay »Kriegerische Mathematik«, ein Jahr darauf als selbständige Publikation der Text »Die totale Mobilmachung«.[13] Als journalistische Ouverture für letzteren muß ein Artikel angesehen werden, den die »Überbündische Wochenschrift der deutschen Jugend« mit dem Kopf »Die Kommenden« »Freitag, am 1. Erntings 1930« veröffentlicht. Er trägt den Titel »Die Arbeits-Mobilmachung«.

Da heißt es, daß die Heere, die am Tag der Mobilmachung in Gang gesetzt wurden, noch Heere des 19. Jahrhunderts gewesen seien, Heere der »bürgerlichen Welt«, deren Kampfkraft bei kriegerischen Auseinandersetzungen auf das System der allgemeinen Wehrpflicht gegründet war. Man habe geglaubt, daß in ihnen »letzte Möglichkeiten des menschlichen Organisationstalents« zum Ausdruck gekommen seien, doch der Verlauf des Kriegs habe gezeigt, »daß weit umfassendere Reserven in Anspruch genommen werden mußten als jene, die im Begriff der allgemeinen Wehrpflicht enthalten sind«. Und Jünger fährt fort: »Diese Reserven konnten dem Bestande der bürgerlichen Welt, deren letzter Vorrat an Substanz im Feuer des Krieges verbrannte, nicht entnommen werden. Sie aufzuschließen und dem Schicksal dienstbar zu machen, war die Aufgabe eines neuen, von der historischen Verantwortung noch unberührten Standes, der im Weltkrieg zum ersten Male entscheidend in die Schranken der Geschichte trat. Es war dies der vierte Stand, der Stand der Arbeiter, und seine Aufgabe deutet sich, kriegerisch gesehen, dadurch an, daß die Heere der Bürger durch die Heere der Arbeiter abgelöst wurden...«[14] Verloren worden sei der Krieg deshalb, weil es Deutschland nicht gelungen sei, die »gewaltige Energie des vierten Standes« ausreichend zu mobilisieren; die Fähigkeit etwa, »sehr schnell die Waffen zu wechseln« und technische Entwicklungen wie jene des Flugzeugs, des Unterseeboots und des Tanks zielgerichtet zu absorbieren, sei zu wenig ausgeprägt gewesen. Die mißverständliche – vom Autor selbst noch nicht restlos geklärte – Formel vom vierten Stand konnte damaligen Lesern suggerieren,

Jünger habe die soziale Klasse der Arbeiter gemeint und sie national-
bolschewistisch identifiziert. Sieht man zunächst von der »Gestalt« ab
und nur auf den geschichtlichen Horizont, an dem sie der Schriftsteller erscheinen läßt, so ist der Aufsatz »Kriegerische Mathematik«
ergiebiger. Jünger stellt ihn 1934 unter den genaueren, endgültigen
Titel »Feuer und Bewegung oder Kriegerische Mathematik«.[15]

Er beobachtet für die Epoche des Weltkriegs die wachsende Kraft,
die das Feuer der Bewegung entgegensetzt, und die man schon vor
1914 im Burenkrieg, dann im Russisch-Japanischen Krieg habe feststellen können. Auf den Kampfplätzen der Mandschurei hätten sich
bereits die Verhältnisse des Stellungskriegs vorgezeichnet, »dessen
Kennzeichen darin besteht, daß beide Gegner, beim Besitze eines
Höchstmaßes an Feuer, fast bewegungsunfähig sind«.

Die Entwicklung habe dann auf den Weltkrieg übergegriffen, und
zwar in drei Phasen; in der ersten sei die Entscheidung vergeblich
»durch die Bewegung alten Stiles« gesucht worden, die zweite habe
sich ausgezeichnet »durch die absolute Herrschaft des Feuers«, in
der dritten habe man versucht, »die Bewegung durch neue Methoden wieder in Fluß zu bringen«. Zum Symbol der wechselseitigen
Hemmungen wird der schmale Erdstrich des Niemandslands. Was
aber die dritte Phase des vorab technischen Experiments betrifft, die
Staukraft des Feuers mit neuen Waffen zu unterminieren, so sei
weder dem Flugzeug noch dem Tank damals dezisive Funktion
schon zugekommen. Und erst jetzt, da er ein wenig länger bei der
Erfindung des »Sturmwagens« verweilt, wendet sich Jünger wieder
dem Thema seines dynamischen Platonismus zu. Die Sonne sehe
nichts Neues, das Anrollen von Tanks habe sich schon vielfach vollzogen, bereits mit Pferden, Kriegswagen und Elefanten seien Versuche unternommen worden, erstarrte Aufstellungen zu durchbrechen. Auch der Sturmwagen sei nur ein Mittel, »nur eines der Mittel
des Kampfes im technischen Raum... Er ist ein Ausdrucksmittel
einer neuen kriegerischen Epoche, ebenso wie die Maschine selbst
nicht das Wesen, sondern den Ausdruck einer neuen Epoche des
Geistes repräsentiert. Daher *schafft* der Sturmwagen nicht das Bild
der technischen Schlacht, sondern er ist eine Erscheinung, die in
ihren Rahmen gehört.«[16] Weniger der erfinderische Akt gestaltet die
Wirklichkeit um als der »Geist«, von dem er sich herleitet. Sichtbares
ist nur Ausdruck, wie etwa der Stoßtrupp, die »wunderliche

Akkordarbeit des menschlichen Angriffs«, seinerseits den Sinn, der in der Zeit sich kristallisiert, nur abbildet.

Jeden politischen Dezisionisten und jeden Militärtheoretiker mußte Ungeduld überfallen, wenn er solche Sätze las. Nicht genug damit; Jünger krönt die Betrachtung mit einem Schlußabschnitt, da er den Weltkrieg als ein »riesenhaftes Fragment« bezeichnet, zu dem jeder der neuen Industriestaaten seinen Beitrag geliefert habe. Fragmentarisch muten die Versprechungen der Technik an, als Fragment muß »unser Leben überhaupt« empfunden werden; »auch hier vermochte der Geist, der hinter der Technik steht, die alten Bindungen zu zerstören, während er im Aufbau einer neuen, aus eigenen Mitteln lebenden Ordnung das Stadium des Experimentes noch nicht verlassen hat«.[17] Hätte sich Jünger bloß bei solcher beruhigenden Art, die Dinge zu betrachten und in ihren mimetischen Verkoppelungen zu kommentieren, aufgehalten, der »Arbeiter« wäre nie geschrieben worden. Aber der *dynamische* Platonismus trägt etwas Gefährliches und Gefährdendes in sich. Nichts verbietet, dem »Geist« auf die Sprünge zu helfen, die Rolle des Demiurgen zu erproben. Wenn der Prozeß der Verwirklichungen zu träge läuft, muß er beschleunigt werden. So kommt man wie von selbst zur »Mobilmachung«. Die platonische »Häresie« steckt dann natürlich in dem hinzugebundenen »total«.[18]

»Die totale Mobilmachung«, Jüngers Schrift von 1930/31, hat ihrem Autor wenig Nachruhm beschieden.[19] Sie gehört, im Gegenteil, zu seinen berüchtigten Texten. Das ist nicht verwunderlich, wenn man an die Verbreitung des »totalen« Anspruchs im Sprachgebrauch des nationalsozialistischen Deutschland erinnert, von Ludendorffs Schrift »Der totale Krieg« (1936) bis zu Hitlers und Goebbels' Hetzkampagnen; und so »total« war auch die Realität selbst mit der Diktatur verschränkt. Man wird nicht einmal sagen können, daß der literarische Erfinder dieser Mobilmachung die politische Entwicklung, wie sie sich ihm noch im Jahr 1933 anbot, nicht begrüßt hätte. Gleichwohl verdient der Aufsatz in dem Maß genauere Beachtung, als neben die nationalrevolutionäre Ermächtigungspolemik *beschreibende* Theorie, eine Art von Ausdruckslehre, tritt. In »Feuer und Bewegung« hatte Jünger die Bewegung ins Künftige vor allem dem »Geist« überlassen. Nicht unbeabsichtigt war, daß in das ursprünglich rein militärtechnisch verwendete Wort am Ende die

Metaphorik einer im ganzen zugleich ruhenden und sich bewegenden Welt einfloß. »Mobilmachung« erweist sich schon vom Wortgehalt her als Ausdruck von schärferer Handlungsbezogenheit. Jünger weist zunächst darauf hin, daß der Erste Weltkrieg, ein »vulkanisches« Ereignis, von allen bisherigen Kriegen sich unterscheide; mit der gleichzeitig angesetzten Weltrevolution von 1917 teilt er den Charakter eines Geschehens von »kosmischer Art«. Er markiert weniger den geschichtlichen Fortschritt in der herkömmlichen Bedeutung als vielmehr dessen Grenzwert: den Punkt, da der Fortschritt seine »geheimere, ganz andersartige« Bedeutung zu offenbaren beginnt und die »Maske der Vernunft« fällt. Wer ihn als Komödie dargestellt sehen wolle, lese Flauberts »Bouvard et Pécuchet«; von seinem »Geheimnis« hingegen hätten Pascal und Hamann gesprochen. »Unterdessen stehen auch unsere Phantasien, Illusionen, fallaciae opticae und Trugschlüsse unter Gottes Gebot.« Das Hamann-Zitat dient der eschatologischen Vorgabe, vor deren Horizont sich die totale Mobilmachung vollzieht.

Nicht total, sondern erst partiell sei sie noch zur Zeit der Monarchien gewesen. Doch mit der wachsenden Umsetzung des Lebens in Energie wird die Beweglichkeit der Kriegsführung immer einschneidender; sie unterwirft sich in einem »gigantischen Arbeitsprozeß« den Verkehr, die Ernährung, die Rüstung, die Technik, die Wissenschaft. Der Angriff auf die individuelle Freiheit geht aus vom Staat, der alles in seinen Bann zu ziehen sucht. Für die Ubiquität der kriegerischen Durchdringung des Lebens gibt der Autor das Beispiel der tödlichen Gaswolke: sie unterscheidet nicht mehr nach Fronten und Kombattanten. – Natürlich muß Jünger den *anonymen* Urheber solcher geschichtlicher Vorgänge anerkennen. Sie haben kein Subjekt. »Die totale Mobilmachung wird weit weniger vollzogen, als sie sich selbst vollzieht, sie ist in Krieg und Frieden der Ausdruck des geheimnisvollen und zwingenden Anspruches, dem dieses Leben im Zeitalter der Massen und Maschinen uns unterwirft. So kommt es, daß jedes einzelne Leben immer eindeutiger zum Leben eines Arbeiters wird, und so kommt es, daß auf die Kriege der Ritter, der Könige und Bürger die Kriege der *Arbeiter* folgen, – Kriege, von deren rationeller Struktur und deren hohem Grade von Unbarmherzigkeit uns bereits die erste große Auseinandersetzung des 20. Jahrhunderts eine Ahnung gegeben hat.« (TM, 131 f./7, 128) Dennoch klingt eine Spur von Irritation an, daß sich dieser Arbeitsprozeß dem gestaltenden Willen, wie es scheint, entzieht; das »heroische Gemüt« müsse als »peinlich« empfinden, was sich an den Fließbändern der großen Fabriken abspiele. Allerdings habe der Historische Materialismus statt des symbolischen Gehalts und des »Kultischen« nur die Oberfläche erfaßt.[20]

Bis dahin hat sich Jünger hauptsächlich mit dem physiognomischen und entwicklungsgeschichtlichen Profil der Epoche befaßt. Nun erörtert er die Frage nach dem verlorenen Krieg. Deutschland sei es im Gegensatz zu Amerika nicht gelungen, Ressourcen ausreichend zu mobilisieren, auch habe es den Mittelmächten an einer deutlichen Ideologie gefehlt; der deutsche Wille, von »dumpfer Glut«, habe sich nicht zur »Gestalt« entwickelt. Auf solchen Höhen der Spekulation verweigert sich der Schriftsteller jeden Blick auf die Realitäten: daß Amerika bezüglich seiner Mobilisierungsmöglichkeiten mit Europa schon damals nicht mehr zu vergleichen war. Von einem der seltenen antisemitischen Ausfälle ist hingegen zu berichten; Jünger hat ihn später getilgt. Im Zusammenhang mit der Arbeitsmobilmachung muß der Name Rathenau fast zwangsläufig fallen. Der Minister wird Jünger just zum Repräsentanten jener »jüdischen Intelligenz«, die zwar Gespür für alles Technische, doch keinen Glauben besessen habe.[21] Immer mehr im Mythischen verliert sich dann, was zuvor noch hellsichtige Interpretation der Zeit gewesen ist. Der Urmeter der Zivilisation werde in Paris verwahrt, doch die deutsche Sprache gehöre zu den Ursprachen. Während die Abstraktheit, »also auch die Grausamkeit aller menschlichen Verhältnisse«, ständig zunehme, während der Kult der Technik und der Fetischismus der Maschine dominierten, während Schmerz und Tod der Zeit sich eingeschrieben hätten, gelte es, diese Räume »gerüstet« zu betreten. Von einem »tieferen Deutschland« ist die Rede. »Hier waltet eine fruchtbare Anarchie, die den Elementen der Erde und des Feuers entsprungen ist und in der sich der Keim einer neuen Herrschaft verbirgt.« (TM, 152 f.)

Exkurs:
Zum neuzeitlichen Arbeitsbegriff

Man kann sich den utopischen Gehalt dieses Anspruchs von »Mobilmachung«, der im »Arbeiter« rücksichtslos weiterentwickelt wird, in der Erinnerung an andere – ähnliche, abweichende – Herrschaftslehren vergegenwärtigen, welche die europäische Geschichte seit der frühen Neuzeit hervorgebracht hat. »Arbeit« ist dabei eine entscheidende Prämisse für das Erreichen des in Aussicht gestellten Ziels. Sie prägt bereits das Leben von Campanellas »Città del Sole«, geschrieben in den Gefängnissen der Inquisition zu Neapel, veröffentlicht 1602. Im strengen Rhythmus unterwerfen sich ihr die Bürger des »Sonnenstaats«, nach strenger funktionaler Teilung erfüllen sie sie: als Uniformierte; dies in einer Epoche, da nicht einmal die Soldaten uniformiert waren. Friedrich Meinecke hat davon gesprochen, daß Campanellas Kampf gegen die Staatsraison »eine Reihe von Todessprüngen« gewesen sei. Dem Gesamtplaner mußte Rücksicht auf politische Pragmatik als Zeitverschwendung erscheinen. Daß Leidenschaften den Menschen bewegen, konnte er detailliert Machiavellis »Principe« entnehmen – einem Jahrhundertwerk, das indessen vor allem lehrte, wie der Fürst klugerweise mit ihnen umzugehen habe. Campanella aber drängte darauf, sie durch ein genaues Regime unter Kontrolle zu halten. Nicht die Theologie, sondern die Staatsutopie griff hier nach dem Instrumentarium der Sublimation; selbst die ästhetische Freiheit sollte auf den Staat hin funktionalisiert werden, autonome Kunst ward abgeschafft.[22]

Campanellas Idee der allgemeinen Arbeitspflicht war der mittelbare Reflex auf den Prozeß der Reformation, der die Legitimität der vita contemplativa bereits radikal in Zweifel gezogen hatte. Sie bedeutete einen Akt der Disziplinierung des Lebens innerhalb der Alltagsgegebenheiten. Nach und nach verlor sich die Spur zurück zur Bibel; den »Arbeitern im Weinberg des Herrn« fiel keine eschatologische Prämie mehr zu, die Tätigkeit selbst sah Mühsal und Anstrengung als Formen ihrer Authentizität vor. Instrumente zur Erkundung des Wetters wie zur Messung der Zeit wollte der Verfasser des »Sonnenstaats« einrichten: zwischen Arbeit und Muße herrschte das Regelwerk von Verhalten und Kontrolle. – Generalisierende, den Menschen bestimmten Normen unterwerfende Gesetze

sind ein Kennzeichen aller Utopien; sie erleichtern der konstruktiven Absicht nach den Umgang mit den Inkommensurabilitäten der
Geschichte.[23] Aber Campanella dachte noch nicht historisch. Ihm
stellte sich die Frage, wie das »anthropologische« Ärgernis divergie-
render, häufig im Streit miteinander liegender Wünsche und Begierden auszuräumen sei. Hätte er schon historisch gedacht, dann hätte
er die Wahrscheinlichkeit der Errichtung des Sonnenstaats argu-
mentativ steigern können, indem er seine Utopie verzeitlichte. Dem
Neuplatoniker blieb fremd, was im Jahrhundert der Aufklärung
schließlich radikal anhob: die Transposition des idealen Ziels auf die
Achse der Zeit.[24] Zu den eindringlichsten Beispielen einer in die Zukunft geworfenen und für die Zukunft verheißenen endgültigen Gesellschaft gehört Louis-Sébastien Merciers »L'an deux mille quatre
cent quarante. Rêve s'il fût jamais«, Amsterdam 1770. Anders als
Condorcet in seiner 1793 vollendeten »Esquisse d'un tableau histori-
que des progrès de l'esprit humain« ging es Mercier nicht um eine
Theorie des Fortschritts, sondern um eine seiner möglichen Schluß-
fassungen. Paris sollte im Jahr 2440 einer harten Systematisierung
und Ordnung unterliegen, der Doktrin der absolut gewordenen Vernunft sich beugen und den Bürgern bis in die Modalitäten von Verkehr, Handel und Arbeit die entsprechenden Passungen vorgeben.

Bei Bacon taucht der Gedanke wirkungsreich auf, daß die Natur
durch Arbeit zu besiegen sei. Die griechische Techne-Vorstellung
fand ihre Adaptation, indem ihr das ungeheure Potential der neuzeitlichen Wissenschaft plötzlich wie ein demiurgisches Geschenk
zuströmte. »Scientia et potentia in idem coincidunt«, prägte Bacon
als Motto für sein »Nova Atlantis«. Dem alsbald erwachenden
Geschichtsbewußtsein mußte die *dynamische* Qualität der Arbeit
aufgehen. Als Locke sie als wertschöpfenden Akt bezeichnete, war
die Position der nur in Weisen der Landwirtschaft denkenden Phy-
siokraten obsolet, lange bevor sie überhaupt gestiftet wurde. – Jeder
geschichtliche Grundbegriff unterliegt der Politisierung. Wenn
Adam Müller, unter den politischen Romantikern und Gegenrevolu-
tionären einer der heftigsten, von der »Universalfabrik des städti-
schen Lebens« sprach, schwebte ihm die korrigierende Entwicklung
eines Staatsgebildes vor, das freilich den Prozeß der Industrialisierung niemals hätte lenken können. Für das öffentliche Bewußtsein
im Deutschland des 19. Jahrhunderts war vielleicht weniger folgen-

reich, was Marx, der Arbeitstheoretiker und Verächter alles Konservativen, über die Arbeit sagte, als was die näheren und ferneren Parteigänger der Sozialdemokratie verlauten ließen. Ferdinand Lassalle
verdanken wir die knappste Formel, gleichsam die säkularisierte Engführung des Bibelwortes. »Arbeiter sind wir alle.« Und weiter heißt
es im »Arbeiter-Programm«, als Vortrag gehalten 1862 in Berlin:
». . . insofern wir nur eben den Willen haben, uns in irgendeiner Weise
der menschlichen Gesellschaft nützlich zu machen.« Und dann:
»Dieser vierte Stand, in dessen Herzfalten daher kein Keim einer
neuen Bevorrechtung mehr enthalten ist, ist eben deshalb gleichbedeutend mit dem *ganzen Menschengeschlechte.* Seine Sache ist daher
die Sache der gesamten Menschheit, seine Freiheit ist die Freiheit der
Menschheit selbst, seine Herrschaft ist die Herrschaft aller.«[25]
Nicht ohne Interesse ist, wie Lassalle den individualistischen Frei-
heitsgedanken naturrechtlicher Provenienz auf die politischen
Ansprüche der Arbeiterklasse zu applizieren versuchte: indem er
diese zum ersten wahren Subjekt der Geschichte erhob, die in auf-
steigender Linie den Menschen schlechthin ansteuerte. Es war der
pars-pro-toto-Trick eines Geschichtsphilosophen, bei den Arbeitern
für verwahrt zu erklären, wonach die gesamte Menschheit dürstete.
Auch blieb sich Lassalle durchaus bewußt, daß »alle« nicht alle sein
durften; er betrieb noch nicht wie spätere Sozialdemokraten die Eingrenzung in das bestehende Staats- und Gesellschaftsgefüge, sondern verhieß ausschließlich dem vierten Stand bei gleichzeitigem
Absterben der bürgerlichen Welt die Zukunft. Wenn aber Karl Liebknecht dreizehn Jahre darauf feststellte: »Durch Arbeit wird der
Mensch erst zum Menschen. Arbeiter heißt also Mensch – als
Mensch sich betätigender Mensch . . . Arbeiterpartei heißt: die Partei
der für Kultur und Menschentum ringenden Menschen«, ging es
trotz des »anthropologischen« Syllogismus um die Annäherung an
das herrschende System, nicht um eine Philosophie des Neuen Menschen, sondern um politische Pragmatik.[26]
Den Menschen als Menschen über seine Tätigkeit zu bestimmen,
mußte im Maß an Attraktivität gewinnen, als die Wirklichkeit selbst
ihr immer mehr unterworfen wurde. Erst dem 19. Jahrhundert
begann die geschichtsverändernde Saat dessen aufzugehen, was
man an Arbeit scheinbar bloß für die Befriedigung von »Bedürfnissen« investierte. Daß arbeiten gleichbedeutend mit beten sei, konnte

Carlyle in seinem »Evangelium der Arbeit« nur deshalb so lakonisch im Geist der frühen Protestanten verkünden, weil mittlerweile für das Beten die Zeit knapp geworden war: die Arbeitswelt mit ihren Formierungen und Einordnungen entstand. Sie war nicht das Produkt einer Utopie, im Gegenteil schien sie sich dem gestaltenden Willen um so mehr zu entziehen, je mehr Energie auf sie verwandt wurde. Doch nun – und deshalb – erwuchs die letzte Idee von Utopie: direkt ins Bestehende und Werdende planend einzugreifen, den Prozeß der Industrialisierung und Technisierung, den »Fortschritt« an sich auf die gedachte Zukunft auszurichten. Diese Utopie operierte damit, daß ihr historischer Nullpunkt längst passiert war.

Als Hegels Erbe trieb sie Marx Schritt um Schritt aus der Polemik seiner philosophischen Anfänge zur Deutlichkeit der politischen Manifeste und schließlich in den endgültigen Status der »Wissenschaftlichkeit«, von der »Das Kapital« Zeugnis geben sollte. Der Prozeß der allmählichen, dann sich beschleunigenden Proletarisierung der westlichen Welt schien ihm unvermeidlich, daher er auch jeden revolutionären Aktivismus als Störfall für die Gesamtentwicklung abwehrte; die Weltrevolution fand von selbst statt, sie bedurfte weder der genossenschaftlichen Parzellierung, von der Fourier träumte, noch der Bombenleger, die die Anarchisten aufboten. »Arbeit«, wie er sie in den Fabriken und Betrieben der Industrie erkannte, hatte nur einen energetisch gleichsam negativen Wert: sie drückte in der bestehenden Form den Menschen unter sein Menschsein hinab, doch was hier an Freiheit und Selbstbestimmung verdrängt wurde, strömte subversiv als revolutionäre Kraft zurück. Dem negativen Erfahrungsbegriff der Arbeit stand als Gegenbegriff entgegen, daß der befreite Mensch seine gesamte Tätigkeit überblicken und endlich als »geistige Arbeit« verstehen sollte.[27]

Marx hatte wenig Sinn für die Heroisierung des Arbeiters. Sofern dieser ein Held war, war er es auf die anonyme Weise dessen, dem das Bewußtsein davon fehlt. Auch konnte ihn noch nicht faszinieren, was später Lenin wie die Futuristen anzog: die Bindung des Menschen an die Maschine. Für den Autor der »Grundrisse der Kritik der politischen Ökonomie« war sie ein Instrument in Händen des Kapitals, das den Arbeiter »in bloßes lebendiges Zubehör dieser Maschinerie« verwandelte; er trat nicht als ihr Herr auf, steigerte lediglich ihren Effekt. – Natürlich erblickte auch Marx in der Gestalt des

Arbeiters den Menschen der Zukunft. Doch war er ihm gerade nicht »Gestalt«, sondern Zugehöriger einer Klasse, auf die es ankam, und um der Utopie von der Weltrevolution die Chance zu geben, mußte nicht etwa der Heroismus dieser Klasse gesteigert werden; das Heil lag in der unterstellten Zunahme ihrer Verelendung. – Das fügte sich freilich schlecht zusammen mit jenen Lehren, die die Gewalt zur Bedingung des Gelingens machten. Es blieb vor allem Lenin vorbehalten, die Theorie mit der Praxis zu harmonisieren, und kein Argument wirkte dabei so schlagend wie jenes der im Handstreich durchgeführten russischen Erhebung vom Oktober 1917. Kurz darauf ließ Lenin seine Schrift »Staat und Revolution« erscheinen. Immer wieder deutete er das Pensum der Vermittlung an, wenn er darauf hinwies, daß Marx beispielsweise den Aufstand der Pariser Commune nach anfänglichem Zögern leidenschaftlich begrüßt habe. »Marx versteifte sich nicht auf eine pedantische Verurteilung der ›unzeitgemäßen‹ Bewegung…«[28] Mit dem Erfolg war sie freilich zeitgemäß geworden, wenn auch nur für Monate. Der Berufsrevolutionär aber mußte den Eindruck erwecken, als entscheide er souverän, was wie an der Zeit war: sie sollte ihm völlig disponibel sein.

Der geglückte Aufstand läßt für Momente vergessen, wie sehr auch innerhalb einer Totalveränderung, ja gerade hier Weltzeit und Lebenszeit auseinanderklaffen. Denn der Anfang ist ja erst die Negation; vom Aufbau ist zu erwarten, daß eingelöst wird, was sich die Utopie vorgenommen hatte. Doch wenn Reiche gegründet werden sollen, wissen die Stifter, daß es darauf ankommt, eine Idee von Legitimität zu verkünden, die weit in die Zukunft trägt; so wiederholen die politischen Führer bewußt und bis in die Rhetorik ihrer Selbstdarstellung hinein das prototypische Schicksal dessen, der die Gesetzestafeln vom Berg holt, aber der Früchte des gelobten Landes niemals ansichtig wird: das Leben reicht nicht hin, den mächtigen Prozeß in seinem Finale zu übersehen. Als Lenin schon fünf Jahre tot war, wurde Trotzki von Stalin und dessen Gefolgsleuten aus der Sowjetunion ausgewiesen und in die Emigration geschickt. Ein Jahr später legte der Berufsrevolutionär die autobiographische Schrift »Mein Leben« vor, die vom S. Fischer-Verlag in deutscher Übersetzung ebenfalls 1930 herausgebracht wurde. Trotzki selbst sah sich bereits kurz nach Lenins Tod dazu gezwungen, die Geschichte, die Moses widerfahren war, als Vorgabe fallenzulassen. Seit den »Verfälschungen« der Revolution während den späteren zwanziger Jahren lief für ihn das Ganze schief, und nun wurde die Lebenszeit plötzlich quälend lang – sie genügte vollauf, die gewaltige Enttäuschung in ihrem ganzen Umfang wahrzunehmen.

Wenn Ernst Jünger als Rezensent von Niekischs Zeitschrift »Widerstand« das Buch würdigt, wirft der »Arbeiter«-Essay längst seinen Schatten voraus. An Trotzki fällt ihm auf, daß dieser sich »in einem sehr geordneten, in einem sehr einheitlichen, nämlich im intellektuellen Raum« aufhalte.[29] Dessen Klage über den Verfall der revolutionären Sitten sei insofern einseitig, als er das spezifisch Russische der Erscheinung nicht verstanden habe, nämlich den Einbruch des Elementaren in die Geometrie des reinen Machtdenkens. »In diesem Falle ist es der russische Raum, der wie eine bodenlose Spalte plötzlich das Erdreich unter seinen Füßen zerreißt. Dies ist sein Schicksal: Die Mächte des Intellekts werden durch die Mächte des Bodens besiegt. Und dies ist der Sinn seines Buches: Der Intellekt versucht zu beweisen, daß der Boden im Irrtum war, aber seine Logik geht spurlos wie ein Rauch über das Erdreich dahin.«[30] Das »Leben« hat die Theorie eingeholt.

Wie abwegig auch immer es erscheinen mag, den aufkeimenden Stalinismus ihm zuzuschlagen, mit der Kritik an Trotzkis kalkulierendem Geist verbindet der Rezensent die Abwehr der marxistischen Doktrin; sie entbehre der »tieferen und fruchtbareren Kräfte des Lebens«. Nicht ohne Emphase ist beschrieben, wie die Agenten der Revolution – »Seltsame Existenzen…, kosmopolitische Wanderer, Verbannte der ersten russischen Revolution, eine sibirische Aristokratie, Herausgeber kleiner, unterirdischer Zeitschriften, halb Gelehrte, halb Bohemiens« – ihre Miniergänge vorangetrieben hätten: ihre Arbeit lief parallel zu den Haupt- und Staatsaktionen, die in den Ersten Weltkrieg mündeten. Dem Schriftsteller kann die physiognomische Ähnlichkeit zwischen der linken Vorkriegsbewegung und der rechten Aktion nach 1918 nicht verborgen bleiben. Aber bei aller Bewunderung für Trotzkis organisatorisches und militärisches Genie versucht Jünger den Glauben an die »Macht der Konspiration« zu brechen; die Revolutionäre von Beruf seien eher Objekte denn Subjekte der Revolution gewesen. Zuviel Rationalität umwittert sie für denjenigen, der *seine* revolutionäre Gestalt – den Arbeiter – aus dem Elementarreich hervortreten läßt.

Daß die weltverändernde Erhebung eher einem Naturereignis als einem exakt berechneten Plan vergleichbar sei, lehrte allerdings auch Marx, ohne natürlich an der »Wissenschaftlichkeit« der Zwangsläufigkeit ihres Eintretens Abstriche vorzunehmen. Lenin wiederum sah keinen Grund, am Konzept seiner Handlungssubjektivität irre zu werden: sie hatte ihn zum Erfolg geführt, und ohnehin starb er zu früh, um Trotzkis Unmut zu teilen.[31] Auch nannte er jenen Autor einen notorischen Wirrkopf, dessen »Réflexions sur la violence« von 1908 auf die linken wie rechten Intellektuellen der Epoche mehr Eindruck machten als etwa seine eigene Schrift »Materialismus und Empiriokritizismus«: Georges Sorel.

Sorel war kein Stratege, sondern ein Mystiker der Gewalt. Obwohl er an der Pariser Ecole Polytechnique gewirkt hatte, besaß er wenig Gespür für Praxis. Politisches Handeln spitzte sich dem Befürworter der seit 1880 schärfer konturierten Arbeiterbewegung auf eine einzige konsequente Situation zu: auf die Entscheidung für den Generalstreik. Von Vico, dessen Wiederentdecker nach Michelet er in Frankreich wurde und dem er 1896 eine »Etude« widmete, hatte er gelernt, daß jede Kulturwelt dem *ricorso*, dem Kreislauf von Werden und Vergehen, unterliegt. Wie vor ihm Marx und nach ihm Lenin glaubte er an den Untergang des Bürgertums und seiner Institutionen. Aber Sorel, der mehr mit Proudhon als mit Marx, mehr mit Bergson als mit Lenin dachte, wandte sich gegen jede Form von Determinismus. Er lehnte ihn in der Fassung ab, die ihm einflußreich noch wenige Jahrzehnte zuvor Auguste Comte gegeben hatte, und er bekämpfte ihn auch an der vermeintlichen Quelle – die Aufklärung war ihm verhaßt, der Vernunft galt seine Polemik. Sorel engagierte sich auf seiten des »Lebens« und der »Volksmoral«. Demokratische und liberale Ideen blieben ihm fern, für den Staat hatte er keinerlei Sympathien. Daß er spät in seiner Laufbahn noch zum reaktionären Nationalisten werden konnte und zwischen 1908 und 1914 mit der Action française paktierte, ist nicht nur dem polarisierenden Schub der Dreyfus-Affäre zuzuschreiben. Sorel feierte die irrationale Kraft, die das Nationalgefühl dem Intellektualismus entgegensetzte.

Erst 1928 publizierte der Innsbrucker Universitäts-Verlag Wagner in der Übertragung von Ludwig Oppenheimer die erste deutsche Fassung des Hauptwerks. Doch lag, was Sorel 1908 propagiert hatte, inzwischen in der Luft einer mit der Rückkehr des Mythos befaßten

Zeit. Interessierte Kreise mußten sich nicht erst durch die über dreihundert Seiten einer oft verworrenen Schrift hindurchquälen, wenn der Kerngedanke so faßlich war, daß selbst Mussolini nach ihm gegriffen hatte.[32] Der Bewegung der Arbeiter stand der Entscheidungskampf gegen die alte Welt der Bourgeoisie bevor. Ihn zu gewinnen, bedurfte sie der revolutionären Gewalt des Generalstreiks. Diese lagerte im Mythos, der für Sorel eine Ausdrucksweise des Lebenselans, der Begeisterung für das Irrationale und Heroische war. In der Apologie des Kriegs war ihm Proudhon bereits 1861 mit der Schrift »La Guerre et la Paix, recherches sur le principe et la constitution du droit des gens« vorausgegangen. Sorel steigerte den Nationalkrieg zum Bürgerkrieg. Die Zukunft sollte jenen gehören, die mit ihrer Arbeit ihr Leben realisierten.

Man muß bis in die Schlußpassagen von »Über die Gewalt« vordringen, um abschätzen zu können, welche Wirkung Sorel auch bei jenen hatte, die nicht primär am Syndikalismus in seiner militantesten Art interessiert waren. In drei Typen wollte der Verfasser die »geheime Tugend« verwirklicht sehen, die den zivilisatorischen Prozeß sichert: im Soldaten, im Künstler, im Arbeiter. Derjenige verdiene im Krieg ein Held genannt zu werden, der nicht nach dem Sold frage, sondern kämpfe. »Wenn man eine Sturmtruppe ansetzt, wissen die Männer, die an der Spitze marschieren, daß sie in den Tod gesandt werden, und daß der Ruhm denen zufallen wird, die über ihre Leichen hinweg in die feindliche Festung einrücken werden; indessen denken sie über diese große Ungerechtigkeit keineswegs nach, sondern gehen vorwärts.«[33] Meisterwerke hätten jene gotischen Steinmetze hervorgebracht, die die Denkmäler an den Kathedralen schufen, »die jedoch stets in der Masse der Gesellenschaft aufzugehen schienen«. Endlich verkörpere auch der Arbeiter, unerkannt in der Menge, die Moral: wo er nicht an den unmittelbaren materiellen Lohn denke, sondern die vitale Begeisterung für die Gewalt des Generalstreiks aufbringe. »Dieses Streben zum Besseren nun, welches sich offenbart, obwohl ihm eine persönliche, unmittelbare und verhältnismäßige Belohnung nicht zuteil wird, stellt die *geheime Tugend* dar, die den stetigen Fortschritt in der Welt sichert.«[34]

Was sich oberflächlich wie die Vorwegnahme des »Rationalitäts«-Gedankens von Max Weber liest, nämlich den Triebverzicht als Prämie anzusetzen und den Dienst an der Sache zur Bedingung des

Progresses der menschlichen Gattung zu erheben, mochte für Sorel seinen seinsmäßigen Urgrund im Leben selbst haben oder in dessen mythischen Ausgestaltungen – jedenfalls durfte nicht der Eindruck entstehen, als sei solche Sublimation die Wirkung aufgeklärter Vernunft. Nicht als Folge eines kategorischen Imperativs identifizierte der Autor der »Réflexions« die Arbeit des bloß mittelbaren Gewinns, die »geheime Tugend« war eben deshalb geheim, weil sie keiner bestimmenden Maßnahme sich verdankte, sondern dem »natürlichen«, vom bürgerlichen Profitdenken unberührten Leben entsprang. Rousseau, nicht Kant, hieß hier der Vordenker. Wie sehr auch Pareto dem Philosophen der Gewalt in manchem verbunden war, seine Idee der Eliten züchtenden Erziehungsdiktatur mußte Sorels Abwehr hervorrufen; sie blieb auf dem Boden mechanistischer Aufklärung.

Befreiend klang einem Jahrhundert, das sich eben anschickte, die geschichtliche und die moralische Kartographie mit Weltkriegen zu verwüsten, die Apologie der Gewalt. War man beim Verfasser von »Jenseits von Gut und Böse« und beim Konstrukteur des Willens zur Macht nie ganz des Verdachts enthoben, daß die Sätze nicht bloß Sätze, sondern komplexe Metaphern waren, so blieb diese hermeneutische Unruhe dem Leser Sorels erspart: der frühere Brückenbauer meinte wirklich die Gewalt und er meinte die wirkliche Gewalt. Daß er sie nur auf den Generalstreik ausrichtete, der bei größerer Tiefenschärfe des historischen Blicks schon deshalb als relativ harmlos erscheinen konnte, weil Paris selbst um 1900 noch kein Zentrum der Großindustrie mit entsprechenden Verletzlichkeiten war, trat dabei in den Hintergrund. Denn Sorel verhieß, indem er von »violence« sprach, die Zukunft einer neu zu bestellenden Wirklichkeit.

Es konnte nicht ausbleiben, daß das Wort – »Gewalt« – von den zeitgeschichtlichen Kristallisationen, die dem Syndikalisten vorschwebten, wieder abrückte; es gewann eine metaphorische Dynamik, die noch die künstlerische Diskussion anspannte. Die ästhetischen Konsequenzen einer Welt nach Nietzsche und Sorel zogen als erste die italienischen Futuristen, und zwar bereits mit jenem berühmten »Manifeste«, das Filippo-Tommaso Marinetti am 20. Februar 1909 in einen Artikel einrückte, den er mit dem Titel »Le Futurisme« auf der Titelseite des Pariser »Figaro« erscheinen ließ.

Zu nächtlicher Stunde sei ihm und seinen Gefährten der futuristische Blitz erschienen, meldete der Verfasser. So sei, im Erleben von Epiphanien der Technik, beschlossen worden, der Vernunft abzuschwören und dem Unbekannten und Absurden sich hinzugeben. Dann folgte, verteilt auf elf programmatische Punkte, das eigentliche Manifest. Unter Punkt eins wurde lapidar mitgeteilt: »Nous voulons chanter l'amour du danger, l'habitude de l'énergie et de la témérité.« Der zweite Punkt lautete: »Les éléments essentiels de notre poésie seront le courage, l'audace et la revolte.« Im siebten ward der Kampf verherrlicht. »Il n'y a plus de beauté que dans la lutte. Pas de chef-d'œuvre sans un caractère aggressif. La poésie doit être un assaut violent contre les forces inconnues, pour les sommer de se coucher devant l'homme.« Schließlich folgte die Apologie des Krieges in Punkt neun. »Nous voulons glorifier la guerre – seule hygiène du monde –, le militarisme, le patriotisme, le geste destructeur des anarchistes, les belles idées qui tuent et le mépris de la femme.«[35]

Große Worte rufen nach großen Taten. Als Marinetti vor französischem Publikum mit seiner Rhetorik auftrumpfte, war an futuristischer Substanz noch wenig da. Erst nach und nach, immer wieder begleitet von Manifesten, entstanden die »Werke«, und wie nun die bildende Kunst den Anspruch dieser Avantgarde einzulösen begann, wurde es schwierig, die Praxis an der Theorie zu messen. Zeugten die Gemälde der Futuristen von der Verachtung der Frau? Von der Liebe zur Gefahr? Mit Ausnahme von Marinetti waren die entscheidenden Exponenten der ersten Stunde Maler – Umberto Boccioni, Carlo Carrà, Luigi Russolo, Giacomo Balla, Gino Severini. Wichtiger als die Ideologie ihres Wortführers erschien den Männern der Mailänder Gruppe die Frage nach der ästhetischen Umsetzung der Erfahrung, in einer neuen Zeit zu leben; es galt, die Dynamik der Epoche nicht nur motivisch, sondern auch formal zur Darstellung zu zwingen.

Damit öffnete sich, schärfer als bisher, die Perspektive auf den Rezipienten. Der Leser von Marinettis Roman »Mafarka futuristica« (1910) sollte ebenso dem Schock ausgeliefert werden wie der Betrachter der Bilder von Carrà oder Russolo; zugleich aber sollte er die Konjektur zu seiner Lebenswelt herstellen können, der sich Industrie und Technik, Aktion und Bewegung, Unruhe und der Prozeß nie versiegender Arbeit einprägten. In Dingen der Weltanschauung optierten die Futuristen von Anfang an gegen Liberalismus und Demokratie und für das Nationalgefühl. Die »serata futuristica«, vergleichbar den späteren Séancen der Surrealisten, bot die spielerisch-aggressive Mischung aus Theater, Vernissage und Gesellschaftsskandal. Der Sozialismus von Labriola und Turati war den Mailändern ein ewiges Gespött, doch während des Ersten Weltkriegs engagierten sie sich auf seiten der französischen Arbeiter gegen die »Reaktion« Österreichs und Deutschlands. Wie vor ihnen Sorel empfingen sie die antideterministische Weihe aus dem Werk von Bergson. Dem *élan vital* und nicht den Mächten der Tradition sollte die Zukunft gehören, im geschichtsschwangeren Augenblick konnte mehr Kraft eingelagert sein als in Jahrzehnten eines linearen Zeitverlaufs. Die neue Welt mußte aus der Hülse der gewordenen herausgesprengt werden.

Zur erfolgreichen Avantgarde gehört das blinde Auge, das bis zum Provinzialismus verleiten kann. Als die Futuristen während ihrer Propagandareisen nach Paris kamen, mußten sie erst mit der Ästhetik des Kubismus bekannt gemacht werden. Unübersehbar freilich war, daß D'Annunzio, ohne je einen »futuristischen« Anspruch erhoben zu haben, schon 1892 eine »Ode« auf ein Torpedoboot der adriatischen Flotte verfaßt hatte, und Marinetti blieb das Dauerärgernis, weder der erste noch der berühmteste Dichter des Neuen zu sein. Weniger in seinen Gedichten als in den Bildern der Maler indessen gewann das Epochenbewußtsein künstlerische Identität. Die Themen waren die Großstadt, das Getriebe der Arbeit, die Geschwindigkeit; Eisenbahn und Flugzeug tauchten leitmotivisch auf. Boccioni ließ das Gelände von Fabriken an der Porta Romana aus der Vogelschau vibrieren, er zeigte die Gewalten der Straße und in dem Zyklus der »stati di mente« die Bewegung von Ankommenden und Abreisenden. In dem Gemälde »Der Lärm der Straße dringt in das Haus« von 1911 gelang es ihm, Innen und Außen in den Sog des Schwindels aufzulösen. Kein Bild aber kam zu der prototypischen Berühmtheit von Carràs vornehmlich in leuchtenden Rot- und Gelbtönen gehaltenem »Begräbnis des Anarchisten Galli«.

Nicht die Werke der Künstler, ob sie nun Marinettis Forderung nach Gewalt erfüllten oder nicht[36], trugen dem Futurismus die Aura des Totalitären zu. Was an Wahrnehmungspsychologie und assoziierender Sensibilität vorgeführt wurde, war als Leistung der Einbildungskraft der politischen »Finalisierung« weitgehend unzugänglich. Diese Kunst blieb elitär. Eine andere Wirkung entfalteten die Manifeste – und mit ihnen die Prosa Marinettis, der, obwohl er sich zeitweise mit dem »Duce« zerstritten hatte, schließlich doch in den engeren Kreis Mussolinis einrückte und die Legierung der futuristischen Bewegung mit dem Faschismus betrieb. Durch und durch anschaulich aber wurde die totalitäre Idee einer von allen Vergangenheiten und Kontingenzen gereinigten Welt in den Architekturvisionen. »Lacerba«, das publizistische Organ der Futuristen, präsentierte die zahllosen Entwürfe und Zeichnungen von Antonio Sant'Elia, der ein modernes Babel von scheinbar zwingender Funktionalität, doch trostloser Weitläufigkeit ansteuerte. Schon vorher hatten die Futuristen gegen die »alten« Städte wie Venedig und ihre Apologeten wie John Ruskin polemisiert. In den geschwärzten Phantasien von Sant'Elia kippte der Traum von Metropolis in finstersten Symbolismus. Nicht zufällig hatte der Architekt auch als Illustrator gewirkt: von Poes Erzählungen und Dantes Inferno.

War diesen architektonischen Zukunftsbildern bereits wieder das Signum absoluter Statik eingestanzt, die als Produkt der Ordnungsmacht kaum eine politische Utopie unberührt läßt, so galt doch sowohl dem Futurismus wie dem Faschismus in seinen Anfängen die Vorstellung von der *Bewegung* als zwingendster Ausdruck der Moderne. Die »sensations« des Menschen, von denen Bergson gesprochen hatte, sollten der ständigen Veränderung unterworfen sein, und das Bewußtsein, das ihnen Homogenität gleichsam überstülpt, »zivilisiert« sie bloß in die Richtung der kommunikativ geregelten Gemeinschaft; auf diese Weise, meinte Bergson, entstehe ein zweites Ich.[37] Indessen herrsche in der »Tiefe« das Ineinander der Bewußtseinszustände: näher am Leben, an seinem energetischen Urquell, sind die Eindrücke noch nicht gesondert. Es brauchte damals nicht viel konjekturale Phantasie, dem organischen Dynamismus dessen in der Außenwelt zu beobachtendes Pendant gegenüberzustellen. Das Zeitalter der Mechanisierung und der Maschine, das in den zwanziger und dreißiger Jahren des Jahrhunderts seinen sichtbaren Höhepunkt fand, ließ Beschleunigungen und Bewegungen zum ersten Mal im größten Stil wahrnehmen. Daß Verkehrsmittel wie das Flugzeug oder die Eisenbahn dabei besonderes Interesse weckten, lag daran, daß sie die neue Herrschaft über Zeit und Raum buchstäblich vor das Auge brachten. Während Marx ein halbes Jahrhundert zuvor schon den zerstörenden Zugriff der Maschine auf den Menschen und seine Arbeitskraft bloßgelegt hatte, sahen die Futuristen – und etwas später übrigens auch die Führer der Russischen Revolution – nur das demiurgische Potential der Technisierung. Der Arbeiter sollte ihr Steuermann sein. Es blieb Marcel Duchamp vorbehalten, diesen ins Ästhetische vorgetriebenen Optimismus wiederum ästhetisch zu unterhöhlen; mit seinem Bild »Akt, eine Treppe hinabschreitend« von 1911 schuf er nicht nur ein Werk, das Statik und Bewegung zur Synthese verdichtete: es kündigte prophetisch die Zergliederung des Körpers an, die das Säkulum wenig später einleitete.

Der Macht der Fortschritts konnte bei Gelegenheit selbst jener deutsche Geschichtsphilosoph nicht widerstehen, dem alles Futuristische vor dem Panorama seiner ins Ungeheure gedehnten Weltzeitrhythmen hätte peripher und vergeblich vorkommen müssen; Oswald Spengler war als Bewunderer der Form lebenslang fasziniert vom Erscheinungsbild der Technik. »Ich liebe die Tiefe und Feinheit mathematischer und physikalischer Theorien, denen gegenüber der Ästhetiker und Physiolog ein Stümper ist. Für die prachtvoll klaren, hochintellektuellen Formen eines Schnelldampfers, eines Stahlwerkes, einer Präzisionsmaschine, die Subtilität und Eleganz gewisser chemischer und optischer Verfahren gebe ich den ganzen Stilplunder des heutigen Kunstgewerbes samt Malerei und Architektur hin«, notierte er in der Einleitung eines Buches, das dem Nachweis des Untergangs des Abendlandes gewidmet sein sollte.[38]

Spengler malte mit dem breiten Pinsel der »weltgeschichtlichen« Betrachtung. Das hinderte ihn nicht, in seinen politischen Schriften, in den Aufsätzen und Essays, die sich mit Preußentum und Sozialismus, mit den politischen Pflichten der deutschen Jugend, mit dem »Doppelantlitz« Rußlands oder der »Weißen Weltrevolution« befaßten, Partei zu nehmen im Streit der Gegenwart. Der abendländische Untergang, wiewohl unabwendbar, war für ihn immerhin ein Prozeß von Jahrhunderten, und die Zivilisation, die als Zeichen für die Dekadenz die Kultur abgelöst hatte, barg noch einen Fundus an vorübergehender Neuerung. Die Texte der Nachkriegszeit offenbaren, daß Spengler nach der deutschen Niederlage sensibler gegenüber dem Aufschub reagierte, welcher den Niedergang vom schließlichen

Ende trennt. Komprimierter als in dem Hauptwerk umschrieb er in dem Essay »Preußentum und Sozialismus« vom Herbst 1919, enttäuscht, doch aufgestört, den Prozeß, und gleichzeitig lag ihm an der Betonung, daß innerhalb der Frist noch viel – wenn auch nicht mehr mit der authentischen Gebärde, über die der Mensch zur Blütezeit einer Kultur verfügt – erreicht werden könne. »Denn zuletzt, nach einer abgemessenen Reihe von Jahrhunderten, verwandelt sich jede Kultur in Zivilisation. Was lebendig war, wird starr und kalt... Und so bezeichnet Sozialismus in diesem späten Sinne, nicht als dunkler Urtrieb, wie er sich im Stil gotischer Dome, im Herrscherwillen großer Kaiser und Päpste, in spanischer und englischer Gründung von Reichen ausspricht, in denen die Sonne nicht untergeht, sondern als politischer, sozialer, wirtschaftlicher Instinkt realistisch angelegter Völker eine Stufe unserer Zivilisation, nicht mehr unserer Kultur, die um 1800 zu Ende ging.«[39]

Doch diesem »ganz nach außen gewandten Instinkt« sei der »alte faustische Wille zur Macht« eingegeben, »zum Unendlichen weiter in dem furchtbaren Willen zur unbedingten Weltherrschaft im militärischen, wirtschaftlichen, intellektuellen Sinne, in der Tatsache des Weltkrieges und der Idee der Weltrevolution, in der Entschlossenheit, durch die Mittel faustischer Technik und Erfindung das Gewimmel der Menschheit zu einem Ganzen zu schweißen. Und so ist der moderne Imperialismus auf den ganzen Planeten gerichtet«.[40] Das »Planetarische« der Entwicklung, die ja bereits auf der kulturellen Schwundstufe, auf der Ebene der Zivilisation stattfinden sollte, war einerseits das Produkt einer Universalisierung. Die wissenschaftlich-technische »Weltsprache« hatte, wie Spengler natürlich richtig beobachtete, längst ihre Ansprüche auf ubiquitäre Geltung angemeldet. Andrerseits mußte es für den eifernden Nationalisten die Mischung von Preußentum und Sozialismus sein, die erst den Menschen dazu befähigen würde, ein Ganzes, den Planeten, zu bestellen. Der Franzose, schrieb Spengler, sei im Jahr der Französischen Revolution zum Bourgeois befördert worden; »aber jeder echte Franzose war und ist heute noch Bürger...« Die Kulturen schafften bestimmte »Typen« und »Rassen«. »Jeder echte Deutsche ist Arbeiter. Das gehört zum Stil seines Lebens.«[41]

Damit war das Wort, das für Jüngers Essay von 1932 titelwürdig werden sollte, in einer Bedeutung gefallen, die sich grundsätzlich von den rein ökonomischen, auf den vierten Stand bezogenen Zuordnungen unterschied. Spengler knüpfte an bei jenem Arbeitsbegriff, der, wie schon die Bibel lehrt, der Tätigkeit Opfermut und Pflichtgefühl, Disziplin und Hingebung assoziiert. Seit Luther war der Deutsche, und vor allem der Repräsentant Brandenburg-Preußens, im besonderen Maß dazu ausersehen, der Arbeit zu dienen. Dem Engländer, verkündete Spengler im Anschluß an Max Schelers »Kategorientafel«, seien Reichtum und Glück Formen des »comfort«, während der Preuße diese verachte. »Arbeit gilt dem frommen Independenten als Folge des Sündenfalls, dem Preußen als Gebot Gottes. Geschäft und Beruf als die zwei Auffassungen der Arbeit stehen sich hier unvereinbar gegenüber.«[42] Bereits Fichte habe gezeigt, wie das Triebrad des Staates die Pflicht zur Arbeit sei.

Das alles hätte einen militanten Kulturphilosophen mit der phänomenologischen Begabung Jüngers noch nicht als gedankliche Epiphanie heimsuchen müssen, hätte Spengler nicht auf eine folgenreiche Dichotomie verwiesen, welche er schärfer als andere heraushob, und zwar in antimarxistischer Absicht. Vor dem Hintergrund eines neuen, schließlich die Welt umspannenden Cäsarismus spalte sich die Arbeiterfrage nach zwei Seiten hin; einerseits werde sie thematisch als Problem des materiellen Notstands; dieses beschäftige die Nationalökonomie. Andererseits aber gewinne sie ihre demiurgische, »faustische« Dimension zurück: hier werde sie zum Gegenstand der Metaphysik. Wäre Spengler noch einen Schritt weitergegangen, den »Arbeiter« als »Typus« und »Gestalt« im metaphysischen Sinne zu bezeichnen, Jüngers Intention wäre auf entscheidende Weise vorweggenommen gewesen. Doch statt der metaphysischen Richtung des Spaltprozesses nachzudenken, besann sich der Polemiker auf seinen eigentlichen Auftrag, nämlich den »preußischen Sozialismus« als einzige *politisch* wünschbare Form einer zukünftigen Herrschaft in Deutschland auszuweisen. Der vierte Stand, orakelte Spengler, sei der »Weltstadt« zuzuschlagen, die ihrerseits das Land vernichte, indem sie es assimiliere. Das Heer der Arbeiter erscheine ihm als eine Menge, die »nomadenhaft als formlose und formfeindliche Masse durch die steinernen Labyrinthe wogt...«[43] Als Symbolfigur der Moderne und ihrer technischen Sklaverei fühle sich der Maschinenarbeiter. Aber Marx, dessen geschichtsphilosophisches Endziel der Erlösung von aller Fron letztlich der Faulheit das Wort geredet, habe unrecht getan, dem vierten Stand die Charakterstärke von Preußentum und Sozialismus zuzuschreiben. Nur mit dem Preußentum stehe und falle der Ordensgedanke des »echten Sozialismus«. Die Deutschen, »eingeflochten mit unserm Dasein in das der faustischen Zivilisation«, hätten »reiche, unverbrauchte Möglichkeiten in uns und ungeheure Aufgaben vor uns«. Spengler hütete sich, sie genauer zu bestimmen. Ihm genügte der Gedanke an eine Restitution der großen preußischen Disziplinierungsleistungen. Gerade hier verließ ihn der prophetische Instinkt. Er übersah, daß die Arbeit den Menschen nun nach ganz anderen geschichtlichen Vorgaben formieren würde. Der Privatgelehrte betrieb einen Konservativismus, der längst überlebt war: er erkannte nicht, daß gerade in der »formfeindlichen Masse« der Industriestädte die Zukunft sich herausbildete. Insofern blieb er weit hinter den Futuristen zurück.

Ein Jahr vor Jüngers »Arbeiter«, 1931, legte Spengler unter dem Eindruck der Weltwirtschaftskrise und der zunehmenden Politisierung Deutschlands das Buch vor, das endgültig wie ein Abgesang auf jede Theorie des Fortschritts wirkte: »Der Mensch und die Technik. Beitrag zu einer Philosophie des Lebens«. Daß Lebensphilosophisches schon im Untertitel aufschien, ergab sich zwingend aus der Hypothese, der Mensch habe sich als erfinderisches Raubtier von Anfang an der Technik bedient, um seinen Willen zur Macht auszudrücken. Die »Taktik des ganzen Lebens« fordere sie ein. Indem er die Technikgeschichte mit der Menschheitsgeschichte auf das Entschiedenste sich berühren ließ, konnte sie Spengler dort verankern, wo der Mythos wohnt: sie wurde ihm zum Ausdruck des prometheischen Schicksals, zum Prozeß »einer unaufhaltsamen, fortschreitenden, verhängnisvollen Entzweiung zwischen Menschenwelt und Weltall, die Geschichte eines Empörers, der dem Schoße seiner Mutter entwachsen die Hand gegen sie erhebt«.[44] Wandte Spengler den Blick den praktischeren Fragen und Themen zu, so mußte er erkennen, was schon Marx beschrieben hatte, daß die Herrschaft der Technik komplizierte Organisationsformen und natürlich vor allem die Arbeitsteilung verlangte. Dadurch erzwang sie die »Entwurzelung«, und gleichzeitig nahm die Funktionalisierung des Menschen zu. »Der Herr wird zum Sklaven der Maschine«, notierte der Kulturphilosoph; die Mechanisierung der

Welt sei in ein »Stadium gefährlichster Überspannung« eingetreten.

Nicht mehr die der Macht verbundene Phantasie ihrer Wirkung beschäftigte Spengler in der Spätphase seiner Karriere. Auf die Visionen der demiurgischen Potenz kam es ihm um so weniger an, als er diese mittlerweile steuerlos wähnte. Der Pareto-Schüler glaubte, daß die »Herren« das Feld immer mehr der Masse der Arbeiter überließen. »Die Flucht der geborenen Führer vor der Maschine beginnt.«[45] Deshalb konnte er in Jüngers Essay keine Zukunftsperspektiven entdecken: der Autor des »Arbeiters« legte die Elite-Theorie anders aus, und er feierte in der allmählich ubiquitär auftretenden »Gestalt« jene Epochenwende, die Spengler nur Dunkelheit und Auflösung verhieß.

In den zivilisatorischen Endphasen abendländischer Kultur, mochten sie sich über Jahrhunderte noch abspinnen, büßte für Spengler der Wille zur Macht allmählich die »Form« ein. Der Urvater der Theorie vom Willen zur Macht hatte freilich teleologisch vorsichtiger gedacht. Im 329. Stück der »Fröhlichen Wissenschaft« unter dem Stichwort »Muße und Müßiggang« präparierte Nietzsche die »amerikanische« Art des Strebens nach dem Gold als eine »athemlose Hast der Arbeit« heraus, die inzwischen durch Anstekkung auch das alte Europa wild zu machen beginne. »Man denkt mit der Uhr in der Hand, wie man zu Mittag ißt, das Auge auf das Börsenblatt gerichtet – man lebt, wie Einer, der fortwährend Etwas ›versäumen könnte‹.«[46] Man habe keine Zeit und keine Kraft mehr für die »Verbindlichkeit mit Umwegen«; das Leben auf der Jagd nach Gewinn zwinge fortwährend dazu, den Geist bis zur Erschöpfung auszugeben, die eigentliche Tugend sei jetzt, »Etwas in weniger Zeit zu tun, als ein Anderer«. Mit dem »man« meinte Nietzsche den »werdenden Europäer«, von dem er wenig später in »Jenseits von Gut und Böse« das Porträt gab. Nicht im Licht des Untergangs malte er ihn, wohl aber im Halbschatten einer eigentümlichen Transformation: dieser Mensch besitze, als ein wesentlich übernationaler und nomadischer Typus, ein Maximum von Anpassungskunst und Anpassungskraft. Der Prozeß, in welchem er zur Gestalt komme, laufe indessen auf Resultate hinaus, mit denen die Apologeten der »modernen Ideen« am wenigsten rechnen würden. »Die selben neuen Bedingungen, unter denen im Durchschnitt eine Ausgleichung und Vermittelmäßigung des Menschen sich herausbilden wird – ein nützliches arbeitsames, vielfach brauchbares und anstelliges Heerdenthier Mensch –, sind im höchsten Grade dazu angetan, Ausnahme-Menschen der gefährlichsten und anziehendsten Qualität den Ursprung zu geben.«[47] Gerade die Erzeugung eines zur »Sklaverei« vorbereiteten Typus bringe die »Züchtung von Tyrannen, – das Wort in jedem Sinne verstanden, auch im geistigsten« mit sich; der »starke Mensch« werde reicher und stärker als je geraten.

Im geistigsten Sinn: da konnte den von Hofmannsthals Vision der einsam zu nächtlicher Stunde arbeitenden Gelehrten zur Identifikation verführten Leser die Ouvertüre der »Morgenröte« als ursprünglichere Metapher überfallen. Nietzsche komprimierte in den einleitenden Sätzen alles, was sich der romantische Geist von Rimbaud bis zu Huysmans als das Subversive der Arbeit vorgestellt haben mochte, und nahm vorweg, was die Surrealisten wieder entdecken würden: die unterminierende Abgeschiedenheit des Künstlers, der eine Welt aus den Angeln zu heben trachtet. »In diesem Buche findet man einen ›Unterirdischen‹ an der Arbeit, einen Bohrenden, Grabenden, Untergrabenden. Man sieht ihn, vorausgesetzt, daß man Augen für solche Arbeit der Tiefe hat –, wie er langsam, besonnen, mit sanfter Unerbittlichkeit vorwärts kommt, ohne daß die Not sich allzusehr verriete, welche jede lange Entbehrung von Licht und Luft mit sich bringt; man könnte ihn selbst bei seiner dunklen Arbeit zufrieden nennen. Scheint es nicht, daß irgend ein Glaube ihn führt, ein Trost entschädigt? Daß er vielleicht seine eigne lange Finsternis haben will, sein Unverständliches, Verborgenes, Rätselhaftes, weil er weiß, was er auch haben wird: seinen eignen Morgen, seine eigne Erlösung, seine eigne Morgenröthe?... Gewiß, er wird zurückkehren: fragt ihn nicht, was er da unten will, er wird es euch selbst schon sagen, dieser scheinbare Trophonios und Unterirdische, wenn er erst wieder ›Mensch geworden‹ ist. Man verlernt gründlich das Schweigen, wenn man so lange, wie er, Maulwurf war, allein war – – –«[48]

Was der Verfasser des »Arbeiters« niemals zur gedanklichen Deutlichkeit trieb, was ihm aber als essentielle Idee seines ganzen Entwurfs vorschweben mußte, hatte Nietzsche enthüllt: die metaphorische Qualität der »Arbeit«, die schon der Autor der »Morgenröte« mit dem demiurgischen Aspekt verklammerte. So konnte die Offenbarung der »Moderne« gerade gegenläufig zu den Vorstellungen Spenglers zur Parusie des Arbeiters werden. Zum Jubel bestand gleichwohl kein Anlaß. Unter denen, die die Heraufkunft der neuen »Arbeit« geradezu verdammten und dem damit verbundenen Leid der Anstrengung keinerlei sinnfördernde Qualität beimaßen, muß als einer der prominentesten der vormalige Apologet des Deutschen Weltkriegs Max Scheler genannt werden. 1920/21 hielt er den Vortrag »Arbeit und Weltanschauung«, der 1921 im Jahrbuch Katholischer Akademiker veröffentlicht wurde. Scheler stellte die Nachkriegsfrage, wie dem Volk »neue, lebendige, religiöse und moralische Motoren« gegeben werden könnten, »die ihm den Willen, die Kraft, und die Lust und Freude zur Arbeit wieder zurückgeben« würden.[49]

»Welches ist die rechte Arbeitsauffassung?« fragte er, und er wollte diese Frage »in das geistig-seelisch-leibliche Gesamtleben des Menschen« hineintragen. Gefährlich sei für das Volk die besonders seit 1870 zu beobachtende Erscheinung des »norddeutschen preußischen Arbeitsgeistes«, der schon als eine »Arbeitsüberhastung« bezeichnet werden müsse. Scheler konzedierte jetzt großzügig, daß die Arbeit um des Menschen und seiner Seele willen da sei; im »Urstand« des Paradieses sei das »gottgleichnishafte Schaffen« noch nicht Mühsal gewesen. In einem kurzen Überblick wehrte er die nach dem »Sündenfall« zwangsläufig erscheinende Weltanschauung ab, die immer mehr die messianischen Züge des Macht gewordenen Wissens hervorhebe. »Arbeit heißt der Heiland der neueren Zeit. Wie Christus schon eine große Anzahl Proselyten gemacht hatte, bevor sich seine Kirche organisierte, so hat auch der neue Prophet, die Arbeit, schon seit Jahrhunderten gewirkt, bevor sie in der Gegenwart daran denken kann, sich auf den Thron zu setzen und das Szepter in die Hand zu nehmen.«[50] Mit fortschreitender Zivilisation aber und mit der Heraufkunft der durch die Maschine geforderten Arbeitsteilung sei die Arbeit immer weniger Lust geblieben; nun verlange sie im allgemeinen »herbe Überwindung der Triebimpulse, Selbstbeherrschung, sklavische oder freie demütige Beugung des Menschen unter fremde Sachgesetze«. Scheler nannte den Beugungsakt der Spezialisierung, Teilung und Zerlegung der Arbeit eine Sklaverei. Der Antike habe solche Opfervorstellung gänzlich gefehlt, und zwar deshalb, weil noch nicht die formschöpfende Kraft im Menschen entdeckt gewesen sei: in der platonischen Selbstkontemplation des Gottes drücke sich eine tiefe Ruhe gegenüber dem So-Sein der Welt aus. Zu Beginn der Neuzeit habe der Protestantismus die Idee der pflichtgemäßen Berufsarbeit gefördert, die zum Gottesdienst sans phrase ward. Der Fachbeamte sei erschienen und endlich der selbstsüchtige Unternehmer der liberalen Bewegung. Gegen diesen Jahrtausende umspannenden Prozeß half sich Scheler mit einem einzigen Satz: »Der Mensch muß Herr seiner Arbeit bleiben.« Die katholische Weltanschauung erheischte die Umkehr zur vita contemplativa.

Nur in einer Fußnote gedachte der Philosoph des Soziologen, der wie kein anderer mit dem Scharfblick des Analytikers diese neuzeitliche Transformation von Bewußtsein und Leben bereits thematisiert hatte. Max Webers zentrale wissenschaftliche Intention ging dahin, zu zeigen, wie der Mensch im Lauf der modernen Rationalisierung seine Lebensführung ändert. Das Werk, das zum Ausgangspunkt dieses Nachweises wurde, war die Schrift »Die protestantische Ethik und der Geist des Kapitalismus« von 1904/1905, auf deren letzten Seiten das berühmte Wort von dem »stahlharten Gehäuse« fallen sollte, zu welchem sich die Lebenswirklichkeit verfestigt habe. Und dann: »Fachmenschen ohne Geist, Genußmenschen ohne Herz: dies Nichts bildet sich ein, eine nie vorher erreichte Stufe des Menschentums erstiegen zu haben.«[51]

Es kam Max Weber nicht darauf an, eine Anthropologie zu gründen. Zu erhellen war der geschichtliche Gang, der mit den Stichworten von »Entzauberung« und »Rationalität« erst markiert, aber noch nicht in seiner Tragweite erschlossen war. »Einer der konstitutiven Bestandteile des modernen kapitalistischen Geistes, und nicht nur dieses, sondern der modernen Kultur: die rationale Lebensführung auf Grundlage der Berufsidee, ist – das sollten diese Darlegungen erweisen – geboren aus dem Geist der christlichen Askese«, heißt es in der »Protestantischen Ethik«.[52] Doch erst in den Repliken und Antikritiken auf Karl Fischer und Felix Rachfahl präzisierte Weber die Absicht. Nicht der Kapitalismus in seiner Expansion interessiere ihn vornehmlich, sondern die Entwicklung des *Menschentums*, welches durch das Zusammentreffen religiös und ökonomisch bedingter Komponenten geschaffen wurde.[53] Unerfüllt blieb das Forschungsprogramm der »Protestantischen Ethik«. Doch sollte es um eine Entwicklung und um Wahlverwandtschaften gehen: die Askese, der puritanische Lebensstil, trifft auf den kapitalistischen Habitus, und nun wird der Weg, der das okzidentale Menschentum der Moderne entgegenführt, immer enger. Dieser »Sieg in der ›Seele‹ des Menschen« sei zugleich ein »Verhängnis«. Max Weber sah den Prozeß der Versachlichungen und funktionalen Zwänge insofern nicht grundsätzlich anders als Scheler. Aber er war für ihn ein Schicksal ohne Alternativen. Die Entwicklung von der »Allseitigkeit des Menschentums« zum »Berufsmenschen« betrachtete er als irreversibel; ihr folgte die »Parzellierung der Seele«.

In der Bildlichkeit, mit welcher er der soziologischen Wahrheit die literarische Glasur gab, blieb Weber um nichts hinter dem Stil der Epoche zurück, und als »wertfrei« sollten Ausdrücke wie »fachmännische Verengung« oder »mechanische Versteinerung« natürlich nicht intendiert gewesen sein. Wenn er in den Skizzen zur »Wirtschaftsethik der Weltreligionen« komparatistisch ausgriff, beleuchtete er indirekt wiederum nur das »Verhängnis« – der Vergleich mit orientalischen Ausprägungen mußte erweisen, wie singulär der Prozeß abendländischer Geschichte und ihrer »Disziplinierungen« ablief. Weber bezeichnete Religionen unter anderem als Systeme der Lebensreglementierung, die dem Menschen nicht nur den Blick für das Transzendente öffnen, sondern auch den politischen, ökonomischen und privaten Alltag durchherrschen. Im Lauf der Jahrhunderte habe die religiöse Kraft des Asketismus ein Menschenbild geformt, das untrennbar verbunden sei mit dem Geist von Wirtschaft, Wissenschaft und Technik, der wiederum für die Konstituierung der Moderne stehe. Doch habe sich allmählich das Fundament verloren: der Grund der Religion; nun gelte der Alltag absolut.

Weniger dieser Strukturwandel der Öffentlichkeit an sich beschäftigte den Soziologen als die Wirkung, die er im Charakter des Menschen erreichte. Schon in der Freiburger Antrittsvorlesung vom Mai 1895 über »Nationalstaat und Volkswirtschaftspolitik« nannte Weber die Ökonomie eine Wissenschaft vom Menschen, die auch nach dessen »Qualität« zu fragen habe. In späteren Enquêten sollte es die »charakterologische Eigenart« der modernen Arbeiter sein, die das Forschungsprogramm bestimmte. Selbst in den Untersuchungen über das Zeitungswesen ging es um den Einfluß der Presse auf Gefühlslagen und Denkgewohnheiten: also um einen Funktionalismus, der die Dinge zugleich versachlicht und emotional einfärbt. – Weber hoffte, daß trotz diesen Vereinnahmungen »ein Rest von Menschentum« gegenüber den Parzellierungen geborgen werden könne. An diesem Punkt mußte seine verstehende Soziologie Wissenschaft vom Handeln werden. Die Leitbegriffe, deren er sich dabei bediente, tauchen bis in die späten Münchner Vorträge vom Winter 1918/1919 – »Wissenschaft als Beruf« und »Politik als Beruf« – auf: die Begriffe von Lebensordnung und Lebensführung. Für den »Kulturmenschen« sei es unvermeidlich, »daß wir in verschiedene, untereinander verschiedenen Gesetzen unterstehende Lebensordnungen hinein gestellt« sind.[54] Zur Logik der Betriebsrationalität gehöre die Verwandlung, dramatischer gesprochen: die Atomisierung der sogenannten Arbeitsverfassung. Menschen würden nunmehr wie Produkte geformt. Aber der Vorgang enthüllte auch das Spannungsverhältnis zwischen den Lebensordnungen und ihren verschiedenen Gesetzlichkeiten einerseits und der Lebensführung andrerseits.

Lakonisch stellte Weber fest, Klassen hätten keine Lebensführung. Wo der Pluralismus von Ordnungen herrscht, wo Funktionalisierungen andrängen, wo das »stählerne Gehäuse« bald diese, bald jene Leistung einfordere, verliere der Mensch seine Mitte: der Kapitalismus brauche den Menschen nur partiell. »Ganze« Menschen seien noch die Menschen des Mittelalters gewesen und selbst die Pioniere des protestantischen Asketismus, während im Verlauf der Säkularisierungen die Lebensführung gesprengt worden sei. Charakteristikum der modernen Entwicklung sei »der Wegfall der persönlichen Herrschaftsverhältnisse als Grundlage der Arbeitsverfassung«.[55]

Man muß diese Diagnose für den beschreibenden Teil des »Arbeiter«-Essays im Auge behalten. Mit einem merkwürdigen Wort bezeichnete Weber die Welt der so vorangetriebenen Versachlichungen als eine *anethische* Wirklichkeit. Siegfried Landshut, einer der ersten bedeutenden Weber-Interpreten, erläuterte es später mit der Formel von der Unverbindlichkeit der Öffentlichkeit. Weber sah darin die »Dialektik« der Aufklärung, an der es für ihn freilich nichts mehr zu ändern oder zu steuern gab.[56] Von Nietzsche hatte er ein Philosophieren übernommen, in welchem der Argwohn gegenüber der Zivilisation durchdringend geworden war. Aber das Schicksal, daß »Gott« tot ist, kündete ihm keine Morgenröte. Was hätte Weber eigentlich hindern sollen, den Menschen des stählernen Gehäuses, der Einsamkeit und Bindungslosigkeit als den Arbeiter der Moderne zu bezeichnen?

Als am 12. Oktober 1929 in Barcelona auf der Tagung des Europäischen Kulturbundes Carl Schmitt den Vortrag »Das Zeitalter der Neutralisierungen und Entpolitisierungen« hielt, hatten sich Max Webers Ideen dem Bewußtsein der Epoche längst eingesenkt. Schmitts Rede, ohne die Vorgabe des Soziologen nicht denkbar, war ebenso ein Stück geistesgeschichtlicher »Trauerarbeit«, wie sie der Versuch einer Lagebeurteilung war. Man lebe heute in Mitteleuropa »sous l'œil des Russes«, stellte der Staatsrechtler fest, und zwar deshalb, weil »auf russischem Boden mit der Antireligion der Technizität Ernst gemacht wurde und...hier ein Staat entsteht, der mehr und intensiver staatlich ist als jemals ein Staat des absolutesten Fürsten«.[57] In den letzten vier Jahrhunderten habe der europäische Geist vier Stadien durchlaufen, die zugleich, als Ideenräume, »Zentralgebiete« darstellten: vom Theologischen zum Metaphysischen, von dort zum Humanitär-Moralischen und schließlich zum Ökonomischen. Für den von der »Säkularisierung« durchdrungenen Juristen war der Weg klar; der »Fortschritt« ließ ein Zentralgebiet nach dem anderen hinter sich, indem er es neutralisierte – es büßte seine ideologische Intensität ein. Am Ende stehe der technische Fortschritt. »Unter der ungeheuren Suggestion immer neuer, überraschender Erfindungen und Leistungen entsteht eine Religion des technischen Fortschritts, für welche alle anderen Probleme sich eben durch den technischen Fortschritt von selber lösen.«[58] Als Apologet aller Staatlichkeit konnte Carl Schmitt der technischen so wenig wie der ökonomischen Sphäre die entpolitisierte Unabhängigkeit lassen. Eben das faszinierte ihn an Rußland, daß dort, anders als in Mitteleuropa, der Staat wieder eingriff und die »Zentralgebiete« unter seine Herrschaft zwang. Daß eine Sphäre neutral bleiben könne, sei eine Illusion. »Immer wandert die europäische Menschheit aus einem Kampfgebiet in neutrales Gebiet, immer wird das neu gewonnene neutrale Gebiet sofort wieder Kampfgebiet und wird es notwendig, neue neutrale Sphären zu suchen.«[59]

So mußte der Autor der Freund-Feind-Theorie sprechen. Trügerisch sei die Vorstellung, die Technik könne neutral sein. Sie sei eine Waffe, obwohl sie selbst »kulturell blind« sei. Schmitt sah natürlich, durchaus in der Perspektive von Max Weber, den abstrahierenden, »nihilistischen« Eingriff der Technik in die Lebenswelt, und ebenso war ihm klar, daß sie aus sich selbst keine »Führung« entwickeln könnte. »Nachdem man erst von der Religion und der Theologie, dann von der Metaphysik und dem Staat abstrahiert hatte, schien jetzt von allem Kulturellen überhaupt abstrahiert zu werden und die Neutralität des kulturellen Todes erreicht.«[60] Aber dabei sollte es nicht sein Bewenden haben. Der endgültige »Sinn« des Jahrhunderts zeige sich, wenn sich auch zeige, welche Art von Politik stark genug sei, sich der neuen Technik zu bemächtigen.

Es war, zumal nach den italienischen Erfahrungen, kein prophetisches Wagnis mehr, die Staatsdiktatur in den Blick zu fassen, die seit 1933 auch in Deutschland wieder »entneutralisieren« würde. Max Weber hatte vielleicht in größeren Zyklen gedacht – ohne zu verharmlosen, was das Vakuum der Kultur nach den Versachlichungen auffüllen könnte. Für Carl Schmitt aber war die Möglichkeit einer steuerlos gewordenen technischen Welt unerträglich, gleichsam ein nicht zu denkender politischer »Atheismus«. Schon von daher wird verständlich, weshalb er Nietzsches Klage über die lebensfeindliche Wirkung des asketischen Ideals niemals teilen konnte. »Alle neuen und großen Anstöße, jede Revolution und jede Reformation, jede neue Elite kommt aus Askese und freiwilliger oder unfreiwilliger Armut.«[61] Drei Jahre später war es Jüngers »Arbeiter«, der dafür einstehen sollte, um als Mensch des technischen Zeitalters die Welt zu beherrschen: im »planetarischen« Stil. Gegenüber dieser Anmaßung hatte der Jurist sich mit der nationalstaatlichen Vision beschieden.

Politisierung der Arbeitswelt

Den zweiten Teil des großen Essays leitet Jünger mit Beobachtungen ein, die in die Richtung einer phänomenalen Erfassung der Arbeitswelt getrieben werden. Nicht mehr die Geschichtsphilosophie in ihrer Tiefenbewegung bemüht hier der Schriftsteller, sondern er tastet – ähnlich wie Walter Benjamin in der ornamentalen »Lektüre« seines Passagen-Werks – die Oberflächen ab: den Stil, der ins Auge springt. Die Wirklichkeit des »Arbeiters« lasse etwa die wachsende Sinnlosigkeit der Sonn- und Feiertage erkennen; ferner sei festzustellen, wie das Individuum zusehends seine Plastizität verliere – die Kleidung gleiche sich in ihrer Einheitlichkeit der Uniform an, und selbst das einzelne Gesicht verschwinde in der Bewegung »automatischer Disziplin«. Sogar die Verschiedenheit der Stände und Berufe beginne sich abzuschleifen. Die Arbeit sei von einer feststehenden und teilbaren Größe zu einer »Funktion« geworden, »die sich total in Beziehung setzt. Daher treten hier nicht nur sehr viele Dinge als Arbeit auf, von denen das früher kaum zu träumen war, etwa Fußballspielen, sondern es fließt auch ein *totaler Arbeitscharakter* immer mächtiger in die speziellen Gebiete ein.« (A, 99/8, 107) In einer solchen Welt muß der Bohemien provinziell werden; sein Widerstand ist, gemessen am realen Druck, lächerlich. Schon im Krieg habe sich dieser Druck angebahnt, nämlich als das Prinzip, »das als Verneinung erscheint«. »Die Verlassenheit, in der sich hier das tragische Schicksal des Individuums vollzieht, ist das Sinnbild der Verlassenheit des Menschen in einer neuen, unerforschten Welt, deren stählernes Gesetz als sinnlos empfunden wird.« (A, 105/8, 113 f.) Was so Max Weber formuliert haben könnte, kulminiert in der Erkenntnis der geschichtlichen Erfahrung nach Langemarck. »Der Einzelne wird von der Vernichtung ereilt in kostbaren Augenblicken, in denen er einem Höchstmaß von vitalen und geistigen Anforderungen untersteht. Seine Kampfkraft ist kein individueller, sondern ein funktionaler Wert; man fällt nicht mehr, sondern man fällt aus.« (A, 106/8, 115)

Dies alles beansprucht nicht die Euphorie der Mitteilung, wie sie den Sozialutopisten erfüllen müßte, der dabei ins Werk gesetzt sieht, was er sich längst gewünscht hat. Ein tragisches Schicksal hatte Max Weber seiner Epoche bezeugt, und dunkle Farben malt auch Jünger. »Verwesungsstimmung« überlagere »ganze Stadtbilder«; wie ein Stück Kubinscher Prosa nimmt sich aus, was er über die architektonische Stimmung des 19. Jahrhunderts sagt. Dem Übergang in die Zukunft aber entspreche physiognomisch die »gewisse Leere und Gleichförmigkeit« des Typus, der sich auch im täglichen Leben unterschiedlicher Masken zu bedienen wisse: der Gasmaske, der »Gesichtsmaske für Sport und hohe Geschwindigkeiten«, der Schutzmaske bei der Arbeit. Die Maskenhaftigkeit greife auch auf die ganze Figur über, in der Form des Trainings, das gleichmäßig ausgebildete Körper hervorbringe. Das Stichwort dafür und für die

vielen anderen Wahrnehmungen ist jenes vom »Verfall der individuellen Physiognomie«. Der Dekompositionsprozeß sei abzulesen an
der Malerei und an der modernen Photographie und schließlich an
den Weisen, in welchen der Mensch in Funktion genommen werde.
Es gebe zwar keinen »Maschinenmenschen«; »es gibt Maschinen
und Menschen – wohl aber besteht ein tiefer Zusammenhang zwischen der Gleichzeitigkeit neuer Mittel und eines neuen Menschentums. Um diesen Zusammenhang zu erfassen, muß man sich allerdings bemühen, durch die stählernen und menschlichen Masken
der Zeit hindurchzusehen, um die Gestalt, die Metaphysik, zu erraten, die sie bewegt.« (A, 124/8, 134) Noch nicht ums Erraten ist es
Jünger zu tun, wenn er die originelle Deutung für die Publikumswir-
kung von Filmen zum Thema technischer Mißgeschicke – vier Jahre
vor Chaplins fast schon elegisch zu nennendem Meisterwerk
»Modern Times« – liefert: die Komik gehe auf Kosten des Individuums, der Typus amüsiere sich über den Einzelnen.

Sehen, nicht werten will der Autor. »Noch einmal wollen wir uns
hier erinnern, daß unsere Aufgabe im Sehen, nicht aber in der Wertung besteht.« (A, 130/8, 140) Natürlich läßt sich das eine vom anderen nicht trennen, und um so weniger für den Physiognomiker, der
von der geschichtsphilosophischen Bedeutung des Wahrgenommenen erfüllt ist. Gleichwohl gelingen ihm dabei Einblicke in die
Umänderung der Technik von den Möglichkeiten zu den Realisationen. Daß der Automatismus zunehme, konnte Jünger Jahr für Jahr
während des Weltkriegs erleben; jetzt nennt er den Krieg einen
»Werkvorgang«, der wiederum dem Übergang in jenen »präzisen
und konstruktiven Raum« eingegliedert wird, von dem die Maschinenwelt immer mehr Zeugnis gibt. Sie automatisiert den Verkehr
und sie schließt das Abenteuer aus dem Leben aus. Es leuchte ein,
»daß sich in diesem sehr präzis, sehr konstruktiv gewordenen Raum
mit seinen Uhren und Meßapparaten das einmalige und individuelle Erlebnis durch das eindeutige und typische ersetzt. Das Unbekannte, das Geheimnisvolle, der Zauber, die Mannigfaltigkeit dieses
Lebens liegt in seiner abgeschlossenen Totalität, und man nimmt an
dieser Welt teil, insofern man in sie einbezogen ist, nicht aber, insofern man ihr gegenübersteht«. (A, 140 f./8, 151) Entdeckungen »in
diesem Raum« seien nicht mehr wunderbar, sondern Selbstverständlichkeiten des Lebensstils.

Dies stellt ein Schriftsteller fest, der noch drei Jahre zuvor von der Mission des »Abenteuerlichen Herzens« durchdrungen war. Wenn es im »Arbeiter« heißt, daß der Mensch *Schmerz* über die Passivität und Gleichförmigkeit des Lebensprozesses inzwischen empfinden müsse, ist der gedankliche Hiatus noch lange nicht geklärt. Die Kluft markiert indessen den Punkt, der schon in der Schrift »Die totale Mobilmachung« berührt worden war. Alles Lebensphilosophische tritt nun hinter den »futuristischen« Anspruch zurück, eine Welt herstellen zu können, die einmal endgültig eingerichtet wäre: eine Art von demiurgisch erzwungenem Paradies der totalen Zuhandenheiten. Dem Zeitgenossen der großen technischen Veränderungen zeigt sich in der Verheißung freilich auch die Differenz. Dieser temporale Rückstand – faßbar im »Wunder«-Erbe des 19. Jahrhunderts – wird aufgehoben im Wort vom *Übergang*, das zu den zentralen Losungen des Essays gehört. »Langemarck« steht als Beispiel. »Im Mittelpunkte der Auseinandersetzung steht nicht etwa die Verschiedenartigkeit der Nationen, sondern die Verschiedenartigkeit zweier Zeitalter, von denen ein werdendes ein untergehendes verschlingt.« (A, 151/8, 161 f.) Jeder Avantgarde muß die Gleichzeitigkeit des Ungleichzeitigen als in die spätere Eindeutigkeit aufhebbar erscheinen. Das Mittel, das Jünger zum Katalysator bestimmt, ist die Technik. Sie sei die Art und Weise, in der die Gestalt des Arbeiters die Welt mobilisiert. »In der Technik erkennen wir das wirksamste, das unbestreitbarste Mittel der totalen Revolution. Wir wissen, daß der Umkreis der Zerstörung einen geheimen Mittelpunkt besitzt, von dem aus sich der scheinbar chaotische Vorgang der Unterwerfung der alten Mächte vollzieht. Dieser Akt deutet sich an, indem der Unterworfene, sei es freiwillig oder unfreiwillig, die neue Sprache akzeptiert.« (A, 162/8, 173)

Was Spengler mit Argwohn erfüllte, wird für Jünger zur Voraussetzung der Utopie. Es ist etwas Messianisches in der Projektion, daß der Fortschritt, den sich ein »rationalistisches Zeitalter« als einen unendlichen, »gleichsam als schwimmendes Licht auf dem unheimlichen Strom«, vorgestellt habe, einmal abgeschlossen sein könnte. Das tiefste Fundament des »Arbeiters« ist die Teleologie des *geschichtlichen* Endes. »Werkstättencharakter« trage bisher jedes Mittel der Epoche, von der Wissenschaft bis zur Kunst. Das provisorische Verhältnis, der »wirre unaufgeräumte Zustand«, erkläre sich indessen durch den unvollkommenen Zustand der Technik selbst. »Diese Städte mit ihren Drähten und Dämpfen, mit ihrem Lärm und Staub, mit ihrem ameisenhaften Durcheinander, mit ihrem Gewirr von Architekturen und ihren Neuerungen, die ihnen alle zehn Jahre ein neues Gesicht verleihen, sind gigantische Werkstätten der Formen, – sie selbst aber besitzen keine Form. Es fehlt ihnen an Stil, wenn man nicht die Anarchie als eine besondere Stilart bezeichnen will.« (A, 165/8, 177) Die Städte seien entweder Museen oder Schmieden. Doch sei die Entwicklung der Technik nicht grenzenlos, vielmehr »in dem Augenblick abgeschlossen, in dem sie als Werkzeug den eigentümlichen Anforderungen entspricht, denen die Gestalt des Arbeiters sie unterstellt«. Das Ziel ist die »imperiale Einheit«.

Erst da, nachdem er den Traumzustand der modernen Zivilisation, wie es im »Abenteuerlichen Herzen« geheißen hat, für seine Vision geklärt glaubt, berührt Jünger das Problem des »Metaphysischen« der Gestalt des Arbeiters. Jetzt fließt eine anthropologische Projektion ein, wenn es um die Präzisierung des Essaytitels geht. Was den spekulativen Anteil am Arbeiter betrifft, so definiert ihn das bewußt als Oxymoron gehaltene Wort von der »organischen Konstruktion«. Doch nicht nur der Arbeiter soll sie repräsentieren, sondern auch die Technik, deren er sich als Herrschaftsmittel bedient. Der entscheidende Passus kommt zu Beginn des 50. Kapitels.

»Die Mobilmachung der Materie durch die Gestalt des Arbeiters, wie sie als Technik erscheint, ist also in ihrer letzten und höchsten Stufe noch ebensowenig sichtbar geworden wie bei der ihr parallel laufenden Mobilmachung des Menschen durch dieselbe Gestalt. Diese letzte Stufe besteht in der Verwirklichung des totalen Arbeitscharakters, die hier als Totalität des technischen Raumes, dort als Totalität des Typus erscheint. Diese beiden Phasen sind in ihrem Eintritt aufeinander angewiesen, – dies macht sich bemerkbar, indem einerseits der Typus der ihm eigentümlichen Mittel zu seiner Wirksamkeit bedarf, andererseits aber sich in diesen Mitteln eine Sprache verbirgt, die nur durch den Typus gesprochen werden kann. Die Annäherung an diese Einheit drückt sich aus in der Verschmelzung des Unterschiedes zwischen organischer und mechanischer Welt; ihr Symbol ist die organische Konstruktion.« (A, 169/8, 181)

Eine »enge und widerspruchslose Verschmelzung des Menschen mit den Werkzeugen« fordert der selbsternannte Demiurg, und dabei soll »die Technik jenen höchsten Grad von Selbstverständlichkeit« erreichen, »wie er tierischen oder pflanzlichen Gliedmaßen innewohnt«. Über diesen Schöpfungsentwurf ist leicht lächeln. Aber er ist nichts anderes als der Ausdruck des Wunsches, alles Störende, was den Menschen daran hindert, vollkommen in einer als geschlossen erlebbaren Lebenswelt aufzugehen, zu beseitigen. Die Urstörung, der Grundkonflikt, gründet natürlich in'dem Spaltprozeß, der entstanden ist, seit das *geschichtliche* Wesen der Natur sich entfremdet hat. Die Prämie einer total realisierten »organischen Konstruktion« müßte mithin auch das Ende des Ärgernisses der Historie bedeuten. Ähnlich wie Carl Schmitt in dem Text über das Zeitalter der Neutralisierungen und Entpolitisierungen gesteht Jünger der Technik nur den Charakter des Mittels zu. Doch stellt sich ihm nicht mehr die Frage nach dem *politischen* Subjekt ihrer Verfügung; wenn sie nämlich die Wirklichkeit »auf eine höhere Stufe der Organisation« gehoben hat, ist die »Ablösung eines dynamischen und revolutionären Raumes durch einen statischen und höchst geordneten Raum« in einer Weise vollzogen, daß eine »planetarische« Ordnung Probleme der Legitimität nicht mehr kennt. Sie ist absolut selbstreferentiell geworden.

Sie kennt daher auch nicht Probleme der Entfremdung, wie sie Max Weber als Folgen gesellschaftlicher Parzellierung und Ausdifferenzierung beschrieben hatte und wie sie für den Prozeß der Moderne konstitutiv geworden sind. Am Endpunkt geschichtlicher Divergenzen stiftet die Utopie den Zusammenschluß alles Getrennten – also auch die Legierung von Technik und Natur, die »keine Gegensätze« seien; würden sie als solche empfunden, so sei dies ein Zeichen dafür, »daß das Leben nicht in Ordnung ist«. Es ist, wenn man dem Gedanken des Autors folgte, indessen nur *noch* nicht in Ordnung, und am härtesten manifestiert sich diese ungefüge, gleichsam amorphe Latenz im Ungleichzeitigen der Lebenszeit. Jünger operiert ausführlicher mit dem Lebenszeitbegriff im 58. Kapitel, welches das Thema »Die Kunst als Gestaltung der Arbeitswelt« einleitet. Was er hier zum ästhetischen Diskurs der Epoche zu sagen hat, ist wenig ergiebig. Auf die Wahrnehmung der zeitlichen Verschneidungen kommt es an. »Man muß... wissen, daß die unbarmherzigen Wertungen, denen diese Zeit unterzogen wird, und die wir durch so viele Einzelheiten bestätigt finden, zugleich treffend und unzutreffend sind. Dies liegt daran, daß die einheitliche Einteilung der Zeit in Vergangenheit, Gegenwart und Zukunft wohl für die astronomische, nicht aber für die Lebens- oder Schicksalszeit anwendbar ist. Es gibt eine astronomische Zeit, aber zugleich eine Mannigfaltigkeit von Lebenszeiten, deren Rhythmus wie der Pendelschlag unzähliger Uhren nebeneinander schwingt. So ist es auch nicht eine, nicht *die* Zeit, sondern eine Mehrzahl von Zeiten, die auf den Menschen Anspruch erhebt.« (A, 195 f./8, 208 f.)

Der Unwille des Geschichtsphilosophen gilt natürlich jenen Zeiten, die den Menschen in eine »museale Tätigkeit« einspannen, ihn daran hindern, lebenszeitlich mit jenem Duktus zu harmonieren, der ihn der planetarischen Endgestaltung entgegenbringt. Nach platonischer Maßgabe beschäftigt sich die »museale Welt« noch mit den Abbildern, »ohne des Urbildes teilhaftig zu sein«. Der dynamische oder eher dynamisierte Platonismus aber wäre hier nichts anderes als die Idee, daß in der »Werkstättenlandschaft«, deren Teleologie durch den antiquarischen Trieb »wie durch einen formalen Schleier verhüllt« wird, die Kongruenz mit dem Urbild insgeheim gleichwohl hergestellt wird. Man muß sich fragen, weshalb es dann noch des Ansporns bedarf, sie zu realisieren, wenn ohnehin kommt, was im »Plan« angelegt ist.

Der Arbeiter ist der Agent der *Beschleunigung*. Nur so wird verständlich, daß Jünger schreibt: »Je zynischer, spartanischer, preußischer oder bolschewistischer... das Leben geführt werden kann, desto besser wird es sein. Der gegebene Maßstab liegt in der Lebensführung des Arbeiters vor. Es kommt nicht darauf an, diese Lebensführung zu verbessern, sondern darauf, ihr einen höchsten, entscheidenden Sinn zu verleihen.« (A, 201/8, 214 f.) Jahrzehnte zuvor hatte Max Weber das Wort von der Lebensführung gebraucht, um den Verlust einsichtig zu machen, der mit ihrer Auflösung in die »Parzellierungen« anhob. Nun kehrt es wieder im rücksichtslosen Appell dessen, der die neue »Führerschaft« für die »totale Mobilmachung« beansprucht. Der Anteil der organischen Konstruktion am Arbeiter zeigt sich darin, daß er nicht mehr mit dem Pluralismus der Lebenszeiten existieren soll, sondern in seinem Handeln von allen Ungleichzeitigkeiten absieht, um in der »Einheit mit seinen Mitteln« und in wachsender Uniformierung den Übergang zum »Arbeitsstaat« durchzusetzen. Einer Welt »von der geschlossenen

Dichte eines Zauberringes« nähere sich dieser Typus, und um so mehr, je mehr er die individuellen Eigenschaften von sich abstößt. »Im Verzicht auf Individualität liegt der Schlüssel zu Räumen, deren Kenntnis seit langem verlorengegangen ist.« Um welche Räume handelt es sich? Jünger umschreibt sie mit Bildern. Nichts Selbstverständlicheres, Gleichmäßigeres und Gleichförmigeres gebe es etwa als Gräber- und Tempellandschaften, in denen sich einfache und konstante Maßverhältnisse, Monumente, Säulenordnungen, Ornamente und Symbole »in feierlicher Monotonie« wiederholten. Das Akanthusblatt, die Kobra, die Sonnenscheibe, die große Pyramide oder der einsame Tempel von Segesta drückten diese Wiederholung aus. Dem Platoniker sind sie Indizes einer Produktion, die von den Urverhältnissen her abgeprägt ist.[62]

Dennoch bleibt diffus, wie er sich den Übergang von der liberalen Demokratie zum Arbeitsstaat vorstellt, der nicht durch die Wunder der natürlichen Entelechie, sondern durch das widerständigere Medium der Historie zustande kommen muß. Es ist schwer zu entscheiden, in welchem Maß hier die Politik des Nationalsozialismus gutgeheißen oder im Gegenteil verworfen wird. Nicht einem »obskuren Volksbegriffe« dürfe die Staatsgewalt zugeschrieben werden. Auch sei die Freiheit, »die die beiden Prinzipien des Nationalismus und des Sozialismus zu schaffen vermögen«, nicht substantieller Natur – zwar eine »mobilisierende Größe«, aber kein »Ziel«. Andrerseits erscheine der Sozialismus »als die Voraussetzung einer schärfsten autoritären Gliederung« und der Nationalismus »als die Voraussetzung für Aufgaben von imperialem Rang«.

Dem Weltplaner ist jedes Mittel recht, das mobilisiert. Doch der »organischen Konstruktion«, der nun auch der Staat unterworfen wird, muß eine höhere Notwendigkeit unterlegt werden, als sie eine »Person oder ein Personenkreis« zu stiften vermag. Es ist insofern zwecklos, darüber spekulieren zu wollen, ob damit die Zurückweisung Hitlers gemeint war, als das Ziel der planetarischen Herrschaft alles übertrifft, was sich der Nationalsozialismus auszusinnen vermochte. Aus der Verlegenheit, die jeden utopischen Weltkonstrukteur befällt, wenn der *Übergang* erwogen wird, rettet sich Jünger mit einer Theorie, die Carl Schmitt schon 1927 mit der Schrift »Die Diktatur« entwarf, als er den Ermächtigungsartikel 48 der Weimarer Reichsverfassung über die Kompetenzen des Reichspräsidenten in

Ausnahmesituationen interpretierte und in das geistesgeschichtliche Umfeld der kommissarischen Herrschaft verortete. »Man könnte geneigt sein«, heißt es im »Arbeiter«, »die Arbeitsdemokratie für einen Ausnahmezustand zu halten, – für eine jener entscheidenden Ordnungsmaßnahmen, für die im republikanischen Rom die besondere und *befristete* Einrichtung der Diktatur vorgesehen war.« (A, 257/8, 274) Doch könne dieser Ausnahmezustand nicht mehr rückgängig gemacht werden, denn die Ablösung der liberalen Demokratie sei endgültig. Denkbar ist für Jünger nur noch jene Steigerung, »Verschärfung«, des Arbeitscharakters, da er definitiv umschlägt in die Herrschaft des »totalen Raums«. Man hat sich darunter eine Wirklichkeit vorzustellen, in der jeder Punkt »zugleich die Bedeutung eines Mittelpunkts« besitzt. Es gibt nicht mehr Zentrum und Peripherie. »Es hat etwas Beängstigendes und erinnert an das stumme Aufglühen von Signallampen, wenn plötzlich irgend ein Ausschnitt dieses Raumes, sei es eine bedrohte Provinz, ein großer Prozeß, ein Sportereignis, eine Naturkatastrophe oder die Kabine eines Ozeanflugzeuges, zum Zentrum der Wahrnehmung und damit auch der Wirkung wird, und wenn sich um ihn ein dichter Ring von künstlichen Augen und Ohren schließt.« (A, 266/8, 284) Die Gestalt schafft diesen Raum; und wenn diesseits der Konstruktion das anthropologische Problem noch immer nicht erledigt ist, so soll der Arbeiter mindestens nichts »mit jenen Phantasien von Auslese und Rassenverbesserung« zu tun haben, die schon in den frühen Staatsutopien eine Rolle gespielt hätten. Rasse sei nichts anderes »als die letzte und eindeutige Ausprägung der Gestalt«. Ihr Ziel ist die Planlandschaft, die »planetarische Herrschaft«. »Hier allein ruht der Maßstab einer übergeordneten Sicherheit, der alle kriegerischen und friedlichen Arbeitsgänge übergreift.«

*

Hätte Jünger nur die Funktionsanalyse des modernen Menschen als des »Arbeiters« gegeben, an der Originalität der Theorie wäre nicht vorbeizusehen. Aber im Maß, da er ihm die sinnfördernde Herrschaft über die Welt zuschreibt, kippt alles ins Geschichtsphilosophische. Nicht bei der phänomenalen Erfassung und ihren »Negationen« darf verweilen, wer einem »Typus« doch auch das Letztmögliche zutraut: eine zweite Weltschöpfung. Es mag auf den ersten Blick befremdlich anmuten, auf ein Werk hinzuweisen, das diesen phänomenalen Zugriff auf die technische und technisierte Wirklichkeit leistete, als sie im politischen Alptraum sich bereits in die Luft gesprengt hatte. Sechzehn Jahre nach dem »Arbeiter«, 1948, präsentierte Siegfried Giedion nach langen Studien seine epochale Untersuchung »Mechanization Takes Command«.[63]

Schon 1935 begann der Kunsthistoriker mit Skizzen und einem provisorischen Titel, »Ordnung und Chaos«. Als er 1938 von Walter Gropius an die Harvard University geholt wurde, nahm das Werk eine andere Richtung, denn Amerika und die amerikanische Kultur öffneten entscheidende Perspektiven für das Thema der Mechanisierung, in der Technik, in der Industrie, in der wissenschaftlichen Neugierde und in den feinsten Regungen des Lebensstils. Zweitens aber wurde Amerika zur Folie, zum bestimmenden Hintergrund für das Urteil, das Giedion über die europäische Zivilisation, über ihre Ideen und Ideologien und über ihre lange Entwicklung aus mittelalterlichen Anfängen sprach. Auf achthundert Seiten sollte *eine* Frage aufgeworfen und ausgebreitet werden – die Frage nach der Herrschaft der Mechanisierung. Wie die Mechanisierung den Menschen in ihren Bann zieht, wie sie auf die Lebensgewohnheiten einwirkt und schließlich das Leben überhaupt in der Substanz verändert. Was Giedion in seinem Nachruf auf Léger ausführte, daß dessen Kunst »aus dem Fleisch der Realität gerissen« sei, gilt nicht weniger für seine eigenen Beobachtungen, welche am Ende in die Theorie der »Formung des heutigen Menschen« münden mußten.

Damit hatte er den anthropologischen Kern des Buches gefunden, der seine Energien abstrahlt auf die Erforschung der humanen Einrichtungen, auf den Alltag in seiner empirischen Härte und auf den technischen Pulsschlag des Lebens. Zur Sprache kommen ließ der Autor Industrialisierung und Komfort, Wohnen und Ernährung, Landwirtschaft, Haushalt, Möbel, und alle diese Einrichtungen benannte er unter dem Stichwort der »anonymen Geschichte«. Es ging ihm um die unbemerkten, scheinbar subjektlosen Prozesse der Historie und um die »List«, die sich in ihnen verbirgt. In einem Satz, den Walter Benjamin geschrieben haben könnte, wurde das Vorgehen eingefaßt. »Wie Eisenfeilspäne, diese kleinen und bedeutungslosen Teilchen, durch einen Magneten Form und Gestalt erhalten und vorhandene Kraftfelder enthüllen, so können auch die unscheinbaren Einzelheiten anonymer Geschichte die Grundtendenzen einer Epoche sichtbar machen.«[64]

Konstitutiv wurde für Giedions Denken die alte philosophische Überzeugung, daß die Welt in dauernder Bewegung ist; sogar die Perspektivik der gotischen Kathedralen atme etwas Ruheloses. Aber der Weg von den antiken Erfindungen über die archimedischen Schrauben, die Wasserräder und Pumpanlagen der Renaissance und die zauberischen Androiden und Automaten des 18. Jahrhunderts bis hin zum produktiven Eifer des 19. Jahrhunderts bot sich dem Forscher als ungeheures Pensum dar, obwohl das Grundprinzip der Mechanisierung einfach ist: sie zerlegt die Arbeit in Teilprozesse. Giedion wies nach, daß der Sprung in die reine, kalkulierte Leistung eine Lebenshaltung voraussetzte, die erst nach 1800 anhob. Noch in der Mitte des 18. Jahrhunderts konstruierte Vaucanson, als ob er Lammetries »L'Homme Machine« auf seine Weise realisieren wollte, einen künstlichen Flötenspieler und eine mechanische Ente. Das Fieber der Neugierde drängte zur Nachahmung der Natur, zu einer mimetischen Anverwandlung, die eine vertraute Oberfläche vortäuschte, während im Inneren die Räder kreisten. Erst jetzt wandte sich der geniale Konstrukteur den Spinnereimaschinen zu, nachdem er den Scheintribut an die Natur entrichtet hatte, um sich später von ihr zu befreien. In Amerika, in den Wäldern von Delaware, erfand Oliver Evans zwischen 1783 und 1785 die mechanische Mühle; das Getreide wird von Fuhrwerken und Booten entladen, gewogen, darauf in das Innere befördert, dann von einem Becherwerk ins oberste Stockwerk geführt; die Körner fallen auf ein endloses Band, dann zu den Mühlsteinen hinab, alles »ohne menschliches Zutun«.

Da schlug auch die Stunde des Fließbands, das den endlosen Kreislauf und zugleich die Minimalisierung des Arbeitsvorgangs ermöglichen konnte. Später, im 19. Jahrhundert, lieferte die Betriebswissenschaft die Statistiken für die Steigerung des Ablaufs, für die Kostensenkung und für die Rationalisierung. In einem Atemzug nennt Giedion den Betriebswissenschafter Taylor mit Freud, um die Konjektur herzustellen, welche in der »Analyse innerer Prozesse«, im »Eintauchen« in die Verborgenheit der Bewegung die Gemeinsamkeit verdeutlichen sollte. Es ist der mähliche Vorgang der Automatisierung, der Handgriff um Handgriff ersetzt durch die Maschine. Hier stellte sich Giedion in der Nachfolge Max Webers die Frage nach dem Sinn und der Beschaffenheit der menschlichen Arbeit überhaupt. Und wie Max Weber sah er, wie selbst der Bauer zum Spezialisten wird, dessen Lebensraum die Aura des autarken Maßes verliert. Unheimlich sei, wie unmerklich sich die Übergänge vollzögen und die Anpassung eine Weile noch Schritt halte. Die Dreschmaschine von 1770 bildet in ihrer Unbeholfenheit nur die Bewegung des Armes nach. Geisterhaft wirke, wie diese Nachbildung zunehmend verfeinert wird, bis schließlich nichts mehr zu sehen ist, was das Auge an die Vertrautheit von Jahrhunderten erinnern könnte. Als eindrücklichstes Beispiel wählte der Autor die Entwicklung des McCormick-Mähers, wie sie auf Werbeprospekten aufschien. Ein frühes Modell zeigt drei Männer und die Maschine, einer bedient die Ganghebel und hält die Zügel für die Pferde, die anderen besorgen das Binden des Korns. Auf der folgenden Illustration ist eine automatische Bindeeinrichtung installiert: zwei Männer sind verschwunden.

Das frühe Beispiel der Mechanisierung, die später alle Bereiche des Lebens durchdringen wird, sollte die Metamorphose veranschaulichen, die den Menschen von den naturalen Ordnungen entfremdet, bis der erfinderische Geist in der Anonymität stummer Prozesse eingetaucht ist. Der Preis ist der Verlust der Anschaulichkeit. Es mußte Giedion das Schauerliche bewußt sein, das weit über den eigentlichen Anlaß hinausgriff, als er solche Arbeitsverdichtungen auch am Objekt der großen Schlachthöfe von Chicago und Cincinnati demonstrierte. »Unverhüllte Sachlichkeit« zeige der moderne Umgang mit dem Tod. Im Wort vom »Totentanz unserer Zeit« ließ er die Erschütterung anklingen, die Begebenheiten heraufruft, als menschliches Leben mit dem Triumph der Technik auf dieselbe sachliche Weise ausgelöscht wurde.

Im zweiten Teil des Werks wollte Giedion den Menschen in seiner Umgebung zeigen. Auf die Einzelheiten der Einrichtungsgegenstände und des Komforts kann es hier nicht ankommen. Doch der Entwicklung ins 19. Jahrhundert gewann der Verfasser einen zentralen Gedanken seines Werkes ab: in der Kunst – und auf andere Weise im Möbel, in der Wohnkultur – sei mehr enthalten, als man eigentlich sagen wolle. Die verborgene Botschaft, die »Lektüre« der

Gegenstände werfe Licht auf den Geist, der die Epoche beherrscht. In einer Art von Parallelaktion zu Benjamins »Passagen-Werk« offenbarte sich dem Forscher das 19. Jahrhundert als eine Zeit, die Denken und Fühlen scheidet; während die Mechanisierung den Menschen immer stärker funktionalisiert, entstehen die Draperien und Verstellungen des bürgerlichen Interieurs. Schon in der Gestalt von Napoleon zeige sich ein »Riß«; da der Feldherr und Selfmademan, dort der Mann, der träumend in die üppigen Formen des Empire-Stils eintauche. Genauso zerrissen enthüllt ihn später die Collage von Max Ernst.

Giedion dachte aufklärerisch, und im aufklärerischen Pathos der kulturellen Avantgarde der zwanziger Jahre, des Werkbundes, des Bauhauses, der Ideen und Werke von Le Corbusier, Léger, Gropius, Duchamp wurzelte seine Kritik an den Kompensationen der Maschinenwirklichkeit. Doch er sah auch die Nachtseite, die sich über der Technik als Daseinserleichterung öffnet. Die Herrschaft der Mechanisierung erwies sich als ein Vorgang, der den Menschen als Subjekt seiner Freiheit immer mehr bedrängt. Der Verlust der Autonomie ist auch der Verlust der Anschaulichkeit, dem zwischen den Weltkriegen Husserl in seinem letzten Werk, »Die Krisis der europäischen Wissenschaften und die transzendentale Phänomenologie«, nachdachte.

In diesem Absetzungsprozeß von der »Natur« nach anfänglicher Überzeugung, ihr Buch doch mimetisch nur weiterzuschreiben, markiert der »Arbeiter«, von dem Jünger handelt, eine merkwürdig »letzte« Position. Nachdem er sich im Lauf der Jahrhunderte von ihr entfernt, sie beherrscht und niedergezwungen und dabei auch den Preis der schwindenden Selbstbestimmung entrichtet hat, soll er so wieder in ihr aufgehen und heimisch werden, daß kein Gegensatz mehr zwischen Natur und Geschichte, »Lebenswelt« und demiurgisch bestellter Wirklichkeit mehr sei. Darauf hat in einem Aufsatz schon 1957 Hans Blumenberg mit ausdrücklichem Bezug auf den Verfasser des »Arbeiters« hingewiesen. »Die Natur hat nicht nur ihre exemplarische Verbindlichkeit verloren und ist zum Objekt nivelliert worden, dessen theoretische und praktische Bemeisterung seine Bedeutung ausschöpft: sie ist vielmehr so etwas wie die Gegeninstanz des technischen und künstlerischen Willens geworden. Ihre Wirkung auf die emotionelle Empfänglichkeit des Menschen erweckt Mißtrauen: das In-sich-Beruhende, Ausreifende, Zu-sich-Zurückkehrende der Natur hat den Charakter der Versuchung für die Eindeutigkeit des menschlichen Werkwillens angenommen. In unserem Jahrhundert hat sich dazu die Erfahrung eingestellt, daß das natürliche Material einerseits, die physische Ausstattung des Menschen andererseits auf eine lästige Weise den Anforderungen nicht gewachsen sind, die das technische Werk an sie stellt. Eine eigentümliche Trägheit enthüllt sich als Qualität des Organischen; das Konzept, sie zu überwinden, ist zuerst in der Idee der ›organischen Konstruktion‹ des *Arbeiters* von Ernst Jünger rücksichtslos entwickelt worden.«[65]

Diese hypothetische Überwindung der natürlich gegebenen Grenzen ist ein Vorgang, der mit dem Willen zur heroischen Selbstbehauptung nicht mehr identifiziert werden kann. Jeder Heroismus, und sei er Ausdruck des finstersten Elitenwahns, setzt das Moment der Dezision voraus. Wenn die »Werkstättenlandschaft« so beschaffen ist in ihren geistigen und materiellen Vorgaben, wie sie Jünger nicht ohne prophetische Weitsicht schildert, entscheidet der Mensch nicht mehr darüber, ob er »Arbeiter« ist oder nicht; sein Schicksal hat sich schon erfüllt, und es bleibt ein Akt nachholender Sinngebung, das funktional belastete Wesen so zu erhöhen, daß es klaglos der technischen Welt sich einpaßt, mehr noch: ihr Regisseur wird. Auf die Überhöhung kommt es dem Verfasser an: einen Menschen zu denken, der bis zum Äußersten seiner Funktionstüchtigkeit gebracht würde, wo ihm das Leben jenseits aller Entzugserfahrungen zur zweiten Natur geworden ist.

IV.
Ästhetische Distanz

Kein literarischer Held der Moderne war mehr dazu ausersehen, die ihn umgebende Welt der Verrichtungen, Ereignisse und Zufälle durch reine Geistesmacht von sich fernzuhalten als Paul Valérys Monsieur Teste. Es muß als Geniestreich des damals Fünfundzwanzigjährigen gewürdigt werden, eine »nouvelle« – wie die Zeitschrift der Erstveröffentlichung »Le Centaure« in der zweiten Nummer des Jahrgangs 1896 anmerkte – zu publizieren, deren Protagonist nur eine kurze Zeitspanne Gestalt annehmen durfte; er sollte, wie Valéry 1925 für die zweite englische Übersetzung einleitend ausführte, als »Chimaira der intellektuellen Mythologie«, als »Dämon der Möglichkeit« erscheinen; seine Existenz ließ sich »nicht über die Dauer einiger Viertelstunden hinausdehnen«.[1] Der Autor, der an anderer Stelle die Gattung des Romans als »genre naif« abtat, wollte eine Figur, die so wenig wie möglich mit den Kontingenzen und Anmutungen der »Lebenswelt« in Berührung gerät, sich nicht in Geschichten verstrickt, denen sie am Ende ausgeliefert ist.

Er habe sich zur Zeit der »Soirée avec Monsieur Teste« zur Regel gemacht, die Meinungen und geistigen Gewohnheiten für nichtig oder verächtlich zu halten, die aus dem Leben in Gemeinschaft und aus unseren äußeren Beziehungen mit den anderen Menschen entstehen und die in freiwilliger Einsamkeit sich verflüchtigen, bekannte Valéry in dem Vorwort von 1925. »Und ich vermochte sogar nur mit Ekel an alle Vorstellungen und alle Empfindungen zu denken, die im Menschen einzig durch seine Leiden und seine Ängste, seine Hoffnungen und seine Schrecken erzeugt oder bewegt werden, und nicht frei, durch reine Schau über die Dinge und in sich selbst.«[2] Das davon abgeleitete Gegenprodukt hieß Edmond Teste: ein »Ideenungeheuer«. »Der Gedanke an die Gesamtheit dessen, was er kann, beherrscht ihn. Er beobachtet sich, er manövriert, er will sich nicht manövrieren lassen.«[3] Was Valéry ungefähr gleichzeitig theoretisch in seiner »Introduction à la Méthode de Léonard de Vinci« entwickelte, die Idee der Kongruenz von konstruktiver Absicht und praktischer Verwirklichung, fand auch Eingang in die Teste-

Geschichte. Ihr Protagonist sollte als Herr seiner Gedanken auftreten können, dem hypothetischen Menschen war die Gabe zu verleihen, die Valéry dem großen Leonardo nachrühmte: gedanklich über die Wirklichkeit wie über ein Material zu verfügen. Pascals Versuchung, den Abgrund, die Angst vor dem Nichts, hatte Leonardo nicht zu fürchten. »Un abîme le ferait songer à un pont.«[4] Das war die kürzeste Formel zur Charakterisierung des uomo universale, der ganz im Denken der Möglichkeiten aufging. Edmond Teste durfte als projektive Gestalt noch weiter getrieben werden. Bei der Abfassung des ersten Prosastücks zum Teste-Zyklus sei er gequält worden von »den unbestimmten Dingen und den unreinen Dingen, denen ich mich mit ganzem Herzen versagte«, bekannte der Schriftsteller.[5] Er imaginierte im Gegenzug einen Menschen, der von keinen Gefühlen verwirrt wird, niemals lacht, alles »Lebendige« von sich wegrückt. »Sprach er, so erhob er nie den Arm oder nur den Finger: er hatte die Marionette getötet.«[6]

Die Verwandtschaft mit Nietzsches Übermensch konnte Valéry erst ex post ins Auge springen, als er 1899 die soeben im »Mercure de France« erschienenen Übersetzungen von »Also sprach Zarathustra« und »Jenseits von Gut und Böse« gelesen hatte. Jahrzehnte später, 1930, vertraute er indessen den »Cahiers« an, Nietzsche habe mit schlecht definierten Termini gearbeitet, »mit seinen manchmal sehr anregenden, jedoch stets willkürlichen Produktionen«.[7] Nicht als Vorprägung im strengen Sinn war der Übermensch zu nehmen, eher als Parallelfall eines Wesens, das an dem Ungefähren der Welt vorübergeht. Teste gefällt sich mehr noch als der von Nietzsche entwickelte Typus in der reinen Rolle des Zuschauers. Den Höhepunkt der »Soirée« fingierte Valéry, als er ihn zusammen mit dem Ich-Erzähler eine Opernaufführung besuchen ließ. Während die Dämmerung des Saals das Publikum in eine passive Masse verwandelt, triumphiert der Einzelgänger; er überblickt das Geschehen wie ein Demiurg aus der Vogelschau. Sein Interesse für die »menschliche Bildsamkeit« hat eine anschauliche Szenerie gefunden.

»Que peut un homme?... Que peut un homme!...« Was Teste mehr zu sich selbst als zu seinem Gegenüber spricht, war 1896 noch nicht als jene Grundfrage einsehbar, zu der der Ausspruch schließlich innerhalb von Valérys Œuvre aufrückte. Noch 1938 notierte der Dichter in die »Cahiers«: »›Was vermag der Mensch?‹ (Teste) ist entschieden die größte Frage. Doch *vermögen, können* hat 2 Bedeutungen – eine passivische und eine aktivische.«[8] Die »aktivische« Bedeutung gehe in die Richtung der Fähigkeiten unter dem Aspekt des Handelns; die »passivische« führe in jene der Empfänglichkeit unter dem Aspekt der Sensibilität. Als Beispiel für letztere fungieren: ertragen, verändert werden, erleiden. Damit war die Nachtseite der menschlichen Verfaßtheit berührt, das Erdulden von Kontigenzen, das in erster Linie mit der Leiblichkeit, zweitens mit dem Unwillen des Geistes, mit ihr untrennbar zusammengekoppelt zu sein, verbunden ist. Lange vor dem späten Notat, das zu einer Zeit abgefaßt wurde, da sich der Himmel über Europa immer kriegerischer verfinsterte, dachte Valéry über die Bedingungen und Bedingtheiten des Körpers nach; sie sollten schon in der »Soirée avec Monsieur Teste« die geistige Überlegenheit des Helden auf eigentümliche Weise kontrapunktieren.

Dem Besuch der Oper folgt in der Novelle der nächtliche Gang zur Wohnung von Teste. Dieser spielt dabei auf alte Leiden an, und dann kommt erstmals die zentrale Frage. »Er hustete. Er sagte für sich: ›Was vermag ein Mensch? Was vermag ein Mensch!…‹«[9] Das Zimmer erweist sich als ein karger, nur mit dem Notwendigsten eingerichteter Raum. Teste bittet den Freund, noch eine Weile zu bleiben und begibt sich zu Bett. Was jetzt noch sich ereignet, verschwindet zusehends im gemurmelten Selbstgespräch. Nebelhafte Stellen entstünden in seinem Wesen, klagt Teste; auch spricht er von Zahlen und Kurswerten der Börse, die dem Beobachter unverständlich sind. Nach Einnahme eines Schmerzmittels wird Teste ruhiger, der Körper verschmilzt mit den Bettlaken, leise, eine Kerze mitführend, macht sich der Besucher davon.[10]

Dieses Ende des Abends hätte wirkungsvoller nicht sein können, um zu zeigen, wie der Dualismus zwischen Weltdurchdringung und Hinfälligkeit spielt. Seinem Erzähler gab Valéry das Mißtrauen gegenüber dem absoluten Geist mit: er sollte sich vorstellen, wie Teste Dinge tut, »die ich ihn nie tun sah«. »Was wird aus Herrn Teste, wenn er leidet? – Wie denkt er als Verliebter? – Kann er traurig sein? – Wovor hätte er Angst?« Und die Zusammenfassung: »Er liebt, er leidet, er langweilt sich. Alle Welt ahmt sich nach. Aber ich will, daß er in den Seufzer, in den ursprünglichen Schmerzlaut die Regeln und Kurven seines Geistes mische.«[11] – Früh schon irritiert von den

unberechenbaren Kräften, die den Geist bei seiner Tätigkeit unter-
brechen und seine Kraft mindern, zeigte Valéry hier jene Dialektik,
die ihn bis zu seinem Tode beschäftigte. Schmerzen und starke Empfindungen seien neben bestimmten Gedanken das Medium, durch
das sein Selbst in der Differenz zu anderen sich wahrzunehmen vermöge, schrieb er 1902/1903 in die »Cahiers«. Und das Thema kehrt
wieder in den Stücken, die der Autor von 1924 an der »Soirée«
anfügte, sie zum Zyklus rundend – in der »Lettre d'un ami«, der
»Lettre de Madame Emilie Teste«, vor allem in den »Extraits du
Log-book de Monsieur Teste«. In der im November 1934 vollendeten Skizze »Pour un portrait de Monsieur Teste«, wo auch die Bedeutung des Namens mit der Eintragung »Conscious – Teste, Testis«
belegt wurde, fixierte der Autor die Relation zwischen Körper und
Geist in dem Apophthegma »Au bout de l'esprit, le corps. Mais au
bout du corps, l'esprit.«[12] Im »Logbuch« entwarf Valéry unter dem
Titel »Der gläserne Mensch« eine Physiognomie des reinen, vollständig erkennenden Geistes, der sich »vom Ende der Welt bis in
mein leisestes Wort« durchdringt. Daß mit einer solchen Ausstattung
nicht zu leben ist, sollte indessen auch deutlich werden. Das Leben
sei nicht Leben ohne Einwände, ohne Widerstand, ohne Hindernisse und Schatten. Wie ein stenographischer Kürzel, dessen Umfeld
nicht berührt sein wollte, mutet an, was die letzten Seiten verzeich-
nen. »Meine Schwäche, meine Hinfälligkeit.«[13]

Man braucht den Zeitgeist nicht zu strapazieren, um eine Ähn-
lichkeit zwischen Valérys Teste und Ernst Jüngers »Arbeiter« fest-
zustellen. Hier wie da wird der Typus konstruiert und mit einem
Weltverhalten belehnt, dessen charakteristisches Moment auf der
Selbsterhebung über die Mißlichkeiten und Störungen des Daseins
beruht. Während aber Valérys Held einsam bleiben muß, um den
Ansprüchen der geistigen Schau zu genügen, soll der Arbeiter als
Modell für ein Kollektiv »neuer«, gehärteter Menschen figurieren.
Entscheidender als solche Parallelen und Differenzen innerhalb
eines Entwurfs menschlicher Überlegenheit ist die merkwürdige
Verwandtschaft der beiden Gestalten, wenn sie dem Einbruch der
Kontingenz ausgesetzt sind. Jünger thematisiert wie Valéry ausdrücklich diese Unhintergehbarkeit des Faktischen; noch nicht in
dem Essay von 1932, wohl aber in einer Schrift, die zwei Jahre später
erscheint und als Ergänzung in dem Sinne gelesen werden muß, wie

auch Valérys »Ideenungeheuer« plötzlich mit seiner Endlichkeit und Begrenztheit konfrontiert wird. Jüngers Text trägt den Titel »Über den Schmerz«.

Eine Theorie vom Schmerz

Er ist dem Essayband »Blätter und Steine« (1934) eingefügt, als vorletzter Beitrag vor dem »Epigrammatischen Anhang«. Die Entstehungsgeschichte einzelner Texte führt bis in das Jahr 1930 zurück, als Jünger in Zeitschriften die Aufsätze »Die totale Mobilmachung«, »Feuer und Bewegung« und »Sizilischer Brief an den Mann im Mond« veröffentlichen läßt. 1931 wird der Essay über Kubin, »Die Staub-Dämonen«, gedruckt. Originalbeiträge sind die Vorrede »An den Leser«, die Reiseskizze »Dalmatinischer Aufenthalt«, »Lob der Vokale«, »Über den Schmerz« und »Epigrammatischer Anhang«. Daher liegt der Band im Ganzen quer zur Linearität der literarischen Progression. Manches – wie »Die totale Mobilmachung« oder »Feuer und Bewegung« – diente der Einstimmung auf den »Arbeiter« und erscheint in der zwei Jahre nach dem Essay vorgelegten Anthologie wenn nicht überholt, so doch theoretisch »aufgehoben«; anderes, vor allem »Lob der Vokale« und »Über den Schmerz«, weist über den Horizont hinaus, der mit dem »Arbeiter« abgesteckt ist.

Den Schmerz zum Thema des modernen, arbeitsteiligen Lebens zu machen, hätte Jünger auch dann reizen müssen, wenn er Valérys Vorläuferschaft gekannt hätte. Diese Kenntnis darf nicht ausgeschlossen werden, doch berichtet Jünger nichts davon; auch entbehrt der Schmerz bei Valéry der Ausdrücklichkeit, die ihn innerhalb eines verzweigten und schwer zugänglichen Werks als kompaktes Motiv hätte auszeichnen können. Jüngers Einstieg in die Schmerzensproblematik unterscheidet sich allerdings nicht grundsätzlich von dem Grundgedanken, den der Autor des »Teste«-Zyklus bewegte. Selbsterkenntnis gewinne man unter anderem durch das Verhältnis, das man zum Schmerz habe. Doch nicht als philosophische Frage nach dem Wesen der Menschen jenseits geschichtlicher Erfahrung soll das Problem erörtert werden, es geht um die Rolle des Schmerzes »innerhalb jener neuen, sich in ihren Lebensäußerungen eben erst abhebenden Rasse, die wir als den *Arbeiter* bezeichneten«.[14]

Da gilt es eine Lücke zu schließen, welche innerhalb der »Arbeiter«-Thematik als Rest geblieben war. Der Schmerz schneidet in die »elementare Zone« ein; er gehört dem Grundstoff des Lebens zu. Anderseits ist nachzuweisen, wie er von der Stoßrichtung her eine neue Qualität erhält durch die zunehmende »Kälte« des mechanischen Angriffs. Boschs Bilder »mit ihren nächtlichen Feuern und höllischen Schloten« liest Jünger insofern als Antizipationen der modernen Industrielandschaft, die den Schmerz nicht mindert, sondern bloß technisch verkleidet. Es seien ungewöhnliche Zeiten, da die Bedrohung des Lebens den Charakter der Wahllosigkeit angenommen habe, der Zufall den Soldaten auf dem Feld einhole wie den Passanten zum Opfer des Verkehrs mache. Unübersehbar ist die aufklärungskritische Argumentation. Einerseits habe die Aufklärung für die Verbreitung des schmerzfreien Raumes gesorgt, indem sie die Kultur von Hemmung und Rücksicht, von unmittelbarer Daseinsentlastung und Komfort entwickelte. Darüber belustige sich nur noch der romantische Dandyismus. Andererseits kenne die moderne Zivilisation auch die andere, »bösartige« Seite: Pazifismus neben einer gewaltigen Steigerung der Rüstungen, Luxusgefängnisse neben den Quartieren der Arbeitslosigkeit, Abschaffung der Todesstrafe, »während sich des Nachts die Weißen und die Roten die Hälse abschneiden, – das alles ist durchaus märchenhaft und spiegelt eine höchst bösartige Welt, in der sich der Anstrich der Sicherheit in einer Reihe von Hotelfoyers erhalten hat«. (S, 164/7, 153)

Denn zur »List« des Schmerzes gehöre, daß er sich nicht aufheben, bloß verdrängen lasse. Dem Kulturkritiker stellt sich diese Veränderung nach den Randzonen hin nur als Verlagerung bei einer gleich bleibenden »Summe« dar. Insofern sieht er sich genötigt, die Epiphanie des Schmerzes innerhalb zeitlicher Ausfällungen auf ein Grundverhältnis des Menschlichen zurückzuführen. Kein Anspruch sei gewisser, notiert Jünger in anthropologischer Absicht, als derjenige, den der Schmerz an das Leben besitze. Noch die Langeweile sei nichts anderes als Auflösung des Schmerzes in der Zeit. Ein eigentümlicher Physikalismus läßt den Autor dekretieren, daß der verdrängte Schmerz als unsichtbares Kapital sich anhäufe, um in einer entsprechend gesteigerten Bedrohung wieder Gestalt anzunehmen. Eben diese Bedrohung ist es, der sich Jünger zuwendet, wenn er im folgenden von der Härtung gegenüber dem Schmerz handelt.

Während die Schmerzenssumme konstant bleibt, gilt dies nicht für die Wertung, die der Mensch mit Hinblick auf den Schmerz aussetzt. Sich von der Macht des Schmerzes zu lösen, bedeute zunächst, »den Leib als einen *Gegenstand* zu behandeln«. »Dieses Verfahren setzt freilich eine Kommandohöhe voraus, von der aus der Leib als ein Vorposten betrachtet werden kann, den man gewissermaßen aus großer Entfernung im Kampf einzusetzen und aufzuopfern vermag. In diesem Raume laufen alle Maßregeln nicht darauf hinaus, dem Schmerze zu entrinnen, sondern ihn zu *bestehen*. Wir finden daher sowohl in der heroischen als auch in der kultischen Welt ein ganz anderes Verhältnis zum Schmerz als in der Welt der Empfindsamkeit.« (S, 171/7, 158f.) – Valéry, dem nicht daran gelegen war, den Schmerz als Phänomen der Moderne über die Unterscheidung verschiedener »Kulturen« und ihnen entsprechender Verhaltensweisen, gleichsam soziologisch, zu bestimmen, hatte in »existentieller« Modifikation derselbe Gedanke umgetrieben: Hinfälligkeit zu bannen durch geistige Übung. Brächte der Mensch die Fähigkeit auf, den Schmerz als Objekt zu betrachten, müßte sich das Leiden zugunsten einer Wahrnehmung der »Ordnung« des Körpers auflösen.[15] Was der Erfinder von Monsieur Teste zur Wünschbarkeit erhob, damit die Erkenntnis ungetrübt von den Einbrüchen der körperlichen Bedingtheit vonstatten gehen kann, funktionalisiert der Autor des »Arbeiter« in die Richtung einer Herrschaft nicht nur über das Selbst, sondern auch der geschichtlichen Wirklichkeit. Die »höhere Ordnung«, welche bei der priesterlich-asketischen Disziplin durch Abtötung, bei der kriegerisch-heroischen durch Stählung angestrebt werde, erhält bei Jünger eine politische Konnotation; die Welt soll dem neuen Menschen besser als bisher greifbar werden.

1934 war leicht zu erkennen, daß der Nationalsozialismus mit dem Typus des Herrenmenschen Ähnliches beabsichtigte. Dem Verfasser des »Arbeiters« bleibt die Idee der Züchtung, überhaupt alles Rassische mit Blick auf den Biologismus der Selektion, fremd. Die »organische Konstruktion« jedenfalls konnte, was immer man damals in sie hineindeuten mochte, nicht einfach hergestellt werden: sie sollte sich von selbst ergeben. Schärfer als in dem Essay von 1932 grenzt Jünger jetzt den Härtungsprozeß gegenüber dem

Schmerz von der Intention ab, ihn willentlich in Gang zu setzen. Die »Kommandohöhe«, von der aus gesehen der Angriff des Schmerzes eine rein taktische Bedeutung gewinne, könne durch »künstliche Mittel« nicht geschaffen werden. »Insbesondere reicht die Anstrengung des Willens nicht zu, denn es handelt sich hier um eine seinsmäßige Überlegenheit. Man kann also etwa eine ›heroische Weltanschauung‹ nicht künstlich züchten oder von den Kathedern herab proklamieren…« (S, 173/7, 160). Präzisierend bemüht Jünger das Theologem, daß die Annäherung eines Gottes unabhängig von den menschlichen Bemühungen sei.

Was die »seinsmäßige Überlegenheit« allen Programmen voraushat, liegt offen: sie bedarf keines Kausalzusammenhanges und entbindet damit auch den Philosophen von Nietzsche über Valéry bis zu Heidegger von der Verlegenheit, angeben zu müssen, was denn getan werden müßte, damit das Ziel erreicht wird. Jünger selbst gefällt sich in der Rolle des Phänomenologen, der beschreibt, was ohnehin ist; zum Beispiel die »Erfindung« jenes japanischen Torpedos, das nicht mehr durch mechanische, vielmehr durch menschliche Kraft gelenkt wird; der Steuermann sprengt sich mit seinem Gefährt selbst. Für den Apologeten der organischen Konstruktion ist das von unüberbietbarer Anschaulichkeit. »Der Gedanke, der dieser seltsamen organischen Konstruktion zugrunde liegt, treibt das Wesen der technischen Welt ein wenig vor, indem er den Menschen selbst, und zwar in einem buchstäblicheren Sinne als bisher, zu einem ihrer Bestandteile macht.« (S, 174/7, 160) Es ergebe sich so das Bild eines Menschenschlags, den man zu Beginn einer Auseinandersetzung wie aus Kanonenmündungen abfeuern könne.[16]

Daß sich etwas »ergibt«, dient der Befriedigung dessen, der es unter Umständen gar nicht gewollt hat. Auch für die Geschichte gälte dann das platonische Muster einer von Absichten letztlich unberührten Entfaltung ihrer Anlagen. Die Täuschung beruht darauf, den subjektlosen Prozeß der Historie als ganzen mit den Einzelaktionen, der Ereignisgeschichte, zusammenfallen zu lassen, die nichts weniger als Produkt der Absichtslosigkeit ist. Leicht verkommt zur leeren Ontologie, was Herausforderung an die Ethik gewesen wäre. Wer wie Jünger gewohnt ist, in planetarischen Dimensionen zu denken, vergißt bis in den schwärzesten Zynismus der Münchhausen-Anspielung, daß es immerhin einer »Weltanschauung« bedurft hatte, die Torpedos auszusenden. Davon sieht der »Arbeiter«-Philosoph freilich um so mehr ab, als ihm alles bloß Indiz ist für die große Veränderung der geschichtlichen Welt vom Individuum in den Typus. »Die Veränderung, die sich am Einzelnen vollzieht, bezeichneten wir an anderer Stelle als die Verwandlung des Individuums in den Typus oder den Arbeiter. Am Maßstabe des Schmerzes betrachtet, stellt sich diese Verwandlung als eine Operation dar, durch welche die Zone der Empfindsamkeit aus dem Leben herausgeschnitten wird, und damit hängt es zusammen, daß sie zunächst als Verlust empfunden wird.« (S, 175/7, 162)

Den Vorgang der Zersetzung des individualistischen – »bürgerlichen« – 19. Jahrhunderts unter dem formenden und verallgemeinernden Zugriff der Technik hatte auch Max Weber beobachtet. Seiner Klage über den Verlust von Lebensführung lag die Einsicht in die Irreversibilität der modernen Disziplinierungen zugrunde: statt des »ganzen« Menschen trete immer mehr der Fachmensch, der Spezialist für eine bestimmte Aufgabe, hervor. Insofern Jünger von einer »spezialisierten Ausbildung« spricht, welche für die Epoche konstitutiv sei, bewegt er sich im Rahmen der von Weber längst gelieferten Diagnosen – mit der entscheidenden Abhebung, daß er die Klage in Apologetik verwandelt. Die Welt des wissenschaftlich-technischen Geistes wird zunehmend uniformer, das heißt, sie läßt sich zunehmend über die funktionalen Zuordnungen, die in ihr herrschen, definieren. Die Einschnürung der individuellen Freiheit, von der Valéry das Schlimmste befürchtete, steigert nur die Angleichung alles Menschlichen an den Arbeiter. »Schmerz« ist etwas, das im Funktionshaushalt dieser Wirklichkeit keinen Ort haben darf. Doch offenbart sich hier eine merkwürdige Dialektik. Einerseits kehrt die von der Aufklärung bestimmte Moderne die Schmerzseite plötzlich wieder hervor in der Schonungslosigkeit des kriegerischen und technischen Anspruchs, den sie an den Menschen stellt. Andererseits soll ihr der »Arbeiter« in besonderem Maß gewachsen sein. Valéry wollte sich solche »Rüstung« nur als Rückzug in die Unberührbarkeit vorstellen, um zugleich zu sehen, daß die Empfänglichkeit von Empfindungen – der Liebe, des Hasses, des Leidens – auf Dauer nicht abzutöten ist. Eben davon zeigt sich Jünger noch nicht überzeugt. Viel wäre für ihn schon gewonnen, wenn der Störfaktor Liebe relativiert werden könnte. Die Einsicht, daß unter den Bedingungen der arbeitsteilig funktionalisierten Gesellschaft auch das Verhältnis der Geschlechter zueinander anders definiert werden muß – wofür Georg Simmel schon früh eingetreten war –, mündet in den verräterischen Satz, »daß die Entdeckung des Arbeiters irgendwie mit der Entdeckung eines dritten Geschlechtes gleichbedeutend ist« (S, 180), später abgewandelt und entschärft in, »daß die Entdeckung des Arbeiters von der Entdeckung eines dritten Geschlechtes begleitet wird«. (7, 165).

Es hat seine Logik, wenn die Einlassung unter dem Thema des Schmerzes erfolgt. Alle Affekte sind mögliche Quellen des Schmerzes. Das war sich Valéry während der Abfassung des ersten »Teste«-Stücks, der »Soirée«, bewußt: er ließ seinen Helden im Bordell verkehren, um ihm erst Jahrzehnte später eine Gattin, Emilie, hinzuzufingieren. Wer aber so automatisch und unabgelenkt seiner Tätigkeit ausgeliefert ist wie der Arbeiter, nähert sich im Blick seines »Entdeckers« einem geschlechtlosen Wesen an. Das ist zwar am Leben vorbeigedacht, nicht aber an der Ideologie, die zeitgleich in Deutschland die Einschränkung der Liebe in die Richtung einer instrumentalisierten Produktivität verlangte. So definiert Jünger das Geschlechtliche ex negatione als jene subversive Macht, die sich dem Arbeitscharakter entzieht.

»Die Technik ist unsere Uniform.« Sie absorbiert die Aufmerksamkeit auf die Zwänge der Sache hin. Der Kampf etwa nimmt einen »speziellen Arbeitscharakter« an, auch der Verkehr mit seinen Normierungen ist ihm unterworfen. »Diese Verkehrsdisziplin selbst ist eins der Kennzeichen der sachlichen Revolution, die den Menschen unauffällig und ohne Widerspruch einer veränderten Gesetzmäßigkeit unterstellt.« (S, 198/7, 179) Die Photographie schließlich sei, als »Ausdruck der uns eigentümlichen, und zwar einer sehr grausamen Weise zu sehen«, Indiz für »ein seltsames und schwer zu beschreibendes Bestreben …, dem lebendigen Vorgange irgendwie den Charakter des Präparats zu verleihen« (S, 203/7, 183). Die Bannung der Inkommensurabilitäten des Lebens durch »technische« Objektivierungen, die Ablösungen ritueller Akte durch Versachlichung, die Einweisung verschiedenster Bedürfnisse unter die Herrschaft der Mechanisierung – all dies dient nicht nur, aber auch, der Entlastung. Die affektive Temperatur sinkt. »In der Welt des Arbeiters wird der Ritus durch den präzisen, in gleichem Maße amoralischen und unritterlichen technischen Ablauf ersetzt. Das Ethos dieses Vorganges, – und gerade die Tatsache, daß Schmerz in höherem Maße ertragen werden kann, deutet auf ein solches hin, – ist heute allerdings noch unsichtbar.« (S, 205/7, 184 f.) Es wird Jünger auch weiterhin verborgen bleiben, bis er, wie Heidegger, es als Phänomen des Nihilismus entlarven wird. Niemals aber hätte sich die dem Beginn des Jahrhunderts so mächtig sich einschreibende Lebensphilosophie träumen lassen, so um ihr Eigenstes gebracht zu werden. Die scheinbar an den Phänomenen schlüssig nachgewiesene Entwicklung, daran ist dem Autor des »Arbeiters« auch noch 1934 gelegen, endet damit, daß Leben zu reinen Sachbezügen erstarrt.

Es ist kaum mehr als ein beschönigendes Alibi, wenn Jünger zum Abschluß der Schrift auch vom Verlust spricht, den der Mensch dabei empfinde. Die ohne Rest entzauberte Welt ist unwohnlich geworden. Gleichwohl wird vom Menschen verlangt, »sich aus sich selbst herauszustellen«. Es bedürfte dazu einer Position, die der Schriftsteller schon hält: alle Funktionalismen als notwendig, also als sinnerfüllt, zu verstehen. Zur geschichtsphilosophischen Version von Tröstung gehört der leicht zu habende Hinweis, bisher sei alles noch Stellvertretung. Das neue Jerusalem, das auf dem Grundriß der babylonischen Anstrengung errichtet wird, wäre die Utopie einer Welt ohne Schmerz. In dem »noch nicht«, in der Verfaßtheit des Bestehenden, begleitet ihn das vorwegnehmende Gefühl der Angst.

Das Leben unter den Bedingungen der Moderne als Existenz in einer »bösartigen Welt« darzustellen, hatte Jünger nicht nur in den Tagebüchern zum Ersten Weltkrieg die durch Erfahrung vermittelte Gelegenheit, sondern auch in den freieren, phantastischen Stücken des »Abenteuerlichen Herzens«. Der Fortschritt bringt mit dem Potential der wissenschaftlich-technischen Bedrohung auch die Draperien hervor, hinter welchen das Böse als Gestalt der Sachlichkeit wirkt. Nur der Schmerz zerreißt diesen Vorhang: als Störung im Organismus, die unvorhergesehen kommt, bleibt er buchstäblich der wunde Punkt im Scheingefüge der Sicherheiten; er läßt sich nicht eliminieren. Daran kann auch der Verfasser des »Arbeiters« nichts ändern, und als Aufklärungskritiker hat er keine Veranlassung, das Thema zu umgehen. Doch wäre der »Arbeiter« nicht der Typus der vollendeten Moderne, wenn er der Unausweichlichkeit des Schmerzes nicht die List der »organischen Konstruktion« entgegensetzte. Indem er sich gegen das Leiden zu immunisieren versucht, soll das konstruktive Element seiner Beschaffenheit über das Organische der »naturhaften« Vorgabe triumphieren. Die Technik, die gerade für die neuen Formen des Schmerzes gesorgt hat, kommt ihm dabei zu Hilfe. Man muß nochmals den Satz zitieren, nun in seinem vollen Zusammenhang, »Es ist... die technische Ordnung selbst, jener große Spiegel, in dem die wachsende Vergegenständlichung unseres Lebens am deutlichsten erscheint, und die gegen den Zugriff des Schmerzes in besonderer Weise abgedichtet ist. Die Technik ist unsere Uniform.« (S, 191/7, 174)

Es ist ein Grad von Absorption und Einspannung in die Maschinenwelt vorstellbar, der im Menschen jenes Gefühl bis zur Unempfindlichkeit abdämpft, das der Schmerz in der Form seiner Antizipationen weckt. Der Mensch befindet sich nun in dem eigentümlichen Zustand der Objektbeziehung zu sich selbst, deren Wahrnehmung allerdings zum Zweck der Funktionserfüllung ausgeschaltet ist. Das Verhältnis geht erst dem Beobachter auf – wovon Siegfried Giedion mit der Sensibilität dessen, der das Ausmaß solcher Vergegenständlichungen schon überblicken konnte, Zeugnis gab; wovon Jünger mit dem Eifer des Demiurgen nur der unerfüllbare Wunsch bleibt, daß der Sinn sich noch weisen werde. Etwas vom Unbehagen des Weltkrieg-Veteranen geistert gleichwohl hinein. »Wir befinden uns in einem Zustande, in dem wir noch fähig sind, den *Verlust* zu sehen; wir empfinden noch die Vernichtung des Wertes, die Verflachung und Vereinfachung der Welt. Schon aber wachsen neue Generationen auf, sehr fern von allen Traditionen, mit denen wir noch geboren sind, und es ist ein wunderliches Gefühl, diese Kinder zu beobachten, von denen so manches das Jahr 2000 noch erleben wird. Dann wird wohl die letzte Substanz des modernen, das heißt des kopernikanischen Zeitalters entschwunden sein.« (S, 210/7, 188f.) Man braucht nicht bei den Prognosen für das Millenium zu verweilen, um der Prophetie des Jahres 1934 die suggestive Kraft zu attestieren, die in die Richtung der Gleichzeitigkeit beginnender Barbarei gelenkt werden kann. Darum geht es in der Schmerz-Schrift weniger als um die mögliche »Erlösung«, die von jener fernen Zukunft erwartet wird. Das Losungswort ist die Vision der schon im »Arbeiter« herauspräparierten »Planlandschaft« – eines Ordnungsgefüges ohne die Turbulenzen geschichtlicher Korruption.

Jeder Beunruhigung über den Zeitenlauf drängt sich die Frage nach dem Kommenden auf. Jede Faszination über die neuen Symbole zieht die Frage nach dem Sinn der Erscheinungen nach sich. Und wo der Beobachter glaubt, daß der geschichtliche Einschnitt so tief geführt ist, daß er das Kontinuum unterbricht, setzen eschatologische Reflexionen ein. Innerweltliche Eschatologie tendiert dazu, die Zukunft zu entzeitlichen. Seit den Vorstudien zum »Arbeiter« entwickelt Jünger eine Perspektive der schließlich abgeschlossenen, definitiv eingerichteten Räume, und was er in den Phänomenen der Technik erkannt zu haben meint, nämlich ihre universale »Sprache«, ihre formende Potenz und der Mangel an Zufälligem, der sie so unangreifbar macht, veranlaßt ihn, ihr am Ende ihres Prozesses eine Planlandschaft des ungestörten, berechenbaren Verkehrs zu unterstellen.

Der einzige Faktor, der dem Zufall nicht entzogen ist, der nicht zur Gänze lesbar wird und einen Rest von Schicksal mit sich führt, ist der Mensch. Doch auch er ist modifizierbar: wird er entschieden genug in den Schulen der technischen Welt ausgebildet, verliert er nach und nach seine unbestimmte Offenheit – die im Prinzip seine Stärke, im Vollzug des technischen Plans jedoch seine Schwäche ist. Als letztes Relikt von Unverfügbarkeit bleibt der Schmerz, von dem man zu wissen bekommt, daß er als Maßstab unveränderlich ist.

Nach den »heroischen« Zuschreibungen, die der neue Mensch in dem Essay über den »Arbeiter« erhielt, wird ihm nun das letzte und äußerste Zeichen seiner Stärke gleichsam von innen her, aus der Substanz seiner anthropologischen Eigenart, abverlangt. Es wäre falsch, darin nur die stilisierende Geste eines kriegerischen Pathos zu sehen. Daß die Schrift »Über den Schmerz« nur zwei Jahre nach dem »Arbeiter« erscheint, ist so wenig Zufall, wie es evident ist, daß sie die Thematik des Essays weiterentwickelt. – Man muß diesen eigentümlichen, oft scharf beobachtenden, oft gestisch übersteigernden Text auf eine heimlichere Bedeutung hin befragen, als sie der Autor im Auge hatte. Weshalb vom Schmerz sprechen, wenn eine Epoche sich formt, die wie keine frühere ihm gewachsen ist? In Wahrheit mag es sich umgekehrt verhalten: jeder Schmerz weist über sich hinaus; das gehört zu den Reaktionen, die er erwirkt. Der Reiz zieht die Absicht seiner Linderung, im Prinzip seiner Aufhebung nach sich, direkte körperliche Betroffenheit sucht die unverzügliche Einpendelung in das vormalige Gleichgewicht. Wird solche Rückkehr unmöglich – sei es, daß der Schmerz alle Heilkunst überbietet, sei es, daß er dem *Bewußtsein* geschlagen wurde –, wird eine andere Art von Entlastung aufgeboten: die Metaphysik der Ergebenheit setzt ein, wo nur der Glaube das Unerträgliche zu mildern vermag. Konsequent gründet auch Jünger die überlegene Haltung gegenüber dem Schmerz auf einer Verheißung. Ohne das Bewußtsein von der besonderen Dignität der Rasse der »Vorposten« und ohne die Gewißheit, daß dieser in das Neuland einer »anderen Seite« hineinragt, bliebe solche Tröstung inhaltsleer.

Im »Abenteuerlichen Herzen« war die Devise gegeben: »Erwachen und Tapferkeit«. Das Motto sollte den Willen und die Aufforderung zum Austritt aus der Wirklichkeit der Verfügungen bezeichnen, deren Lichtkreis dem Verfasser so dämonisch erschien. »Über den Schmerz« ist die abgewandelte Weiterführung der Devise – unter der Prämisse, die Schmerzensproblematik dem geistigen Bereich des »alten« Menschen zuzuordnen, während die Auflösung dieser »Empfindungsschwäche« der neuen »Rasse« zugemutet wird.[17] Keine Metaphysik der Tröstungen wird hierbei zur Verfügung gestellt, vor allem keine Ethik; es ist der geschichtliche Prozeß selbst, der aussondert und die Sensibilität verstählt.[18]

Bliebe das alles im Rahmen einer gleichsam darwinistisch aufzufassenden Evolution, müßte allerdings keine Legitimation dafür gefunden werden. Wenn indessen der *stereoskopische Blick* die künstliche Seite – undeutlich zwar – wahrnähme, daß der höchste Schmerz darin besteht, daß unter der Gewalt der Vergegenständlichungen der Mensch der Maschine sich annähert, dann wären die Widersprüche und argumentativen Brechungen der Schrift plötzlich verständlich. Man muß sie also in ihrer unterirdischen Semantik erforschen. An keiner Stelle wird erwähnt, daß die Immunisierung gegenüber dem Schmerz, mithin die Fähigkeit zur Vergegenständlichung der Leiblichkeit, auch auf den *anderen* Menschen zielt, das Gegenüber, dessen Objektwerdung damit beschlossen ist. Ohne daß Jünger den Gedanken aussprache, birgt der Ansatz die erschreckende Wahrheit, daß in und mit der Technik ein Verhalten des Menschen zu seinesgleichen möglich wird, das nur noch auf der Basis der Objekte läuft. Jahre nach Auschwitz öffnete Siegfried Giedion die Perspektive, die von den technischen Innovationen in der Landwirtschaft über die Automatisierung der großen amerikanischen Schlachthöfe schließlich in die Todeskammern von Auschwitz führt.[19] Jünger erkennt die Bedingungen, die »technisch« *und* der Mentalität nach erforderlich sind, früher – mit einer phänomenologischen Begabung, die durch die Anthropologie vom Arbeiter in ihrer Wahrheit entstellt und verfremdet wird. Es ist eine unheimliche Pointe, daß der nationalsozialistische Terror die Ideologie der Objektivierung nicht konsequent in ihrer eigentümlichen Rationalität zu Ende dachte, sondern mit dem Mythos von rassischer Auserwähltheit durchzog, welcher der Abstraktion der reinen Mechanik eine teuflische »Seele« einsetzte.

Zum metaphorischen Vorhof des Begriffs vom Schmerz gehört jener der Angst. Die Angst der Moderne ist nicht nur, aber zeitspezifisch die Angst gegenüber dem technischen Prozeß und dessen völligem Mangel an Transzendenz. Zwei Arten von »Überwindung« sind denkbar. Die erste mindert die Angst dadurch, daß der Mensch mit seiner Wirklichkeit verschmilzt. Das Unerwartete, das Plötzliche, die Dissoziation zur Gegenwart, von der schon Kierkegaard handelte, dies alles verringert sich um so mehr, je mehr sich der Mensch als Teil jener Vorgänge versteht, die er nicht versteht. Insofern bewirkt die Vergegenständlichung allerdings nicht die beschriebene Überlegenheit über sich selbst; in der Trance der Objektwerdung erblindet lediglich die Fähigkeit, diese Form der Selbst-Preisgabe zu durchschauen.

Die zweite Art der Überwindung leistet die Aufklärung. Wo das Dämonische der Wirklichkeit als Maske ihres eigentlichen Sinnes erscheint, schwindet seine Aura. Ich möchte diesen Vorgang mit einem einzigen Beispiel aus dem Arsenal der literarischen Antizipationen erläutern. Poe hat in dem Prosastück »Grube und Pendel« die Vision von Folter und Todesfurcht gegeben. Ein Ich-Erzähler gerät in die Gefängnisse der Inquisition, die in Toledo vollzogen wird. Ein »Sehnen nach Empfindungslosigkeit« bewegt zu Anfang den Gefangenen, der indessen nach und nach seine zur Gänze von Finsternis erfüllte Zelle erfoscht. Als er im Zwielicht später des ungeheuren Pendels gewahr wird, dessen Klinge sich auf ihn niedersenkt, steigert sich die Furcht ins Unermeßliche – bis er »vielleicht nach Tagen« zum erstenmal zu *denken* beginnt. Der analysierende Geist erfaßt die Bedrohung in ihrer Anordnung, und deshalb gelingt die

Befreiung aus der Zwangssituation. »Meine Berechnungen hatten mich nicht getäuscht...«

Solche Aufklärungsarbeit setzt die Einsicht voraus, daß auch die Inszenierung des Dämonischen einer gewissen rationalen Logik folgt und gebunden ist an Intentionen, deren Handlungsstruktur dem rekonstruierenden Vermögen sinnfällig wird. »Sinn« erweist sich jedoch da als Thema prinzipieller Undurchdringlichkeit, wo er einem Ganzen, sei es der Welt, sei es der menschlichen Geschichte, zugemutet wird. Jüngers Formel möglicher Annäherung an solche Totalität lautet deshalb »Aufklärung tiefer als Aufklärung«; so transzendiert der Glaube die Vernunfttätigkeit, und wie den Gläubigen die Skepsis heimlich quält, bleibt dem Schriftsteller die Unruhe, daß es mit dem Schmerz niemals zu Ende sein könnte und das »naturgeschichtliche« Ideal der Überwindung der Mängelwesen-Beschaffenheit als Chimäre der Teleologie vom »Arbeiter« plötzlich erscheint.

Lunarer Abstand –
»Sizilischer Brief an den Mann im Mond«

Die Form des Schmerzes, welche der Vergänglichkeit von Hervorbringungen und gründenden Akten im Gang der Historie inne wird, ist die Trauer. Ihre »Arbeit« verrichtet sie als Archäologie; »...sie spürt in den Schichten der Erde Reiche und Reiche auf, von denen selbst die Namen verlorengegangen sind.« Doch wer wie der Autor der »Totalen Mobilmachung« die Dynamik einer Welt hinter sich weiß, deren Geist bei allen temporären Aberrationen und Stauungen doch spätestens seit der Aufklärung beharrlich sich entwickelt und sich in den Produkten von Wissenschaft und Technik handgreiflich und zugleich als Potenz zu erkennen gibt, dem bleibt das Verlorene nur in der Melancholie, die nach Nietzsche alles *Fertige* ausstrahlt.

Von einem anderen, ungleich schwerer wiegenden Verlust sah sich Edmund Husserl bedrängt, als er zwischen 1934 und 1937 sein Spätwerk »Die Krisis der europäischen Wissenschaften und die transzendentale Phänomenologie« verfaßte. Nicht erst seit Descartes, schon seit der ersten theoretischen Einstellung durch die Griechen sei der unabsehbare wie folgenreiche Prozeß des abstrahierenden, messenden und formalisierenden Denkens in Gang gebracht worden, welcher in immer stärkerem Maß den Verfall der Anschaulichkeit mit sich führe. Die »Lebenswelt« als das »Universum vorgegebener Selbstverständlichkeiten« verändert sich zur Reduktion ihrer Theoretisierung, und zum Stigma dieser Verwandlung gehört die Zersetzung »der universalen Selbstverständlichkeit des Seins der Welt... in eine Verständlichkeit«.[20] Was das für die europäische Geistesgeschichte der Neuzeit bedeutet, faßte Husserl in den Begriff der Formalisierung, der die ursprüngliche Anschaulichkeit abhanden gekommen ist. »Die Naturwissenschaft der Neuzeit hat, als Physik sich etablierend, ihre Wurzel in der konsequenten Abstraktion, in der sie an der Lebenswelt nur Körperlichkeit sehen *will*... Die Welt reduziert sich in solcher mit universaler Konsequenz durchgeführten Abstraktion auf die abstrakt-universale Natur, das Thema der puren Naturwissenschaft. Hier allein hat zunächst die geometrische Idealisierung, dann alle weitere mathematisierende Theoretisierung ihren möglichen Sinn geschöpft.«[21] Deshalb sei Galilei, der Prototyp des neuzeitlichen Forschers, ein »zugleich entdeckender und verdeckender Genius« gewesen. Verdeckt wird im Zugriff einer verfügenden, funktionalisierenden Vernunft, wie Hans Blumenberg formuliert hat, »die Redlichkeit des einsichtigen, auf originärer Anschauung bestehenden Vollzuges« der Praxis. Technisierung ist insofern Maskierung; der Mensch bedient sich seiner Mittel, ohne deren Genese mehr überschauen zu können.

Man liest Husserl nicht gegen seine Intentionen, wenn man einen kulturkritischen Impetus in dem monumentalen Vermächtnis der »Krisis«-Schrift feststellt. Hätte der Philosoph den Essay Jüngers »Über den Schmerz« gekannt, er hätte in manchen zeitdiagnostischen Ausführungen eigene Gedanken erkannt, in dem programmatischen Aufruf zur »Vergegenständlichung« des Körpers aber die letzte Steigerung, die äußerste Hypertrophie der ursprünglichen Ermächtigung über die Lebenswelt sehen müssen.

Die Parallelisierung der beiden Autoren hinsichtlich des Themas der Technisierung und ihren Wirkungen ist nicht gesucht. Sie drängt sich um so mehr auf, als nicht nur das »magische« Jahr 1934 davon Zeugnis gibt, denn schon 1930 läßt Jünger die Schrift »Sizilianischer Brief an den Mann im Mond« innerhalb eines Sammelbandes »Mondstein. Magische Geschichten« mit Beiträgen verschiedener Autoren erscheinen, die 1934 mit dem abgeänderten Titel »Sizili-

scher Brief an den Mann im Mond« in die eigene Sammlung »Blätter und Steine« aufgenommen wird und unter anderer Perspektive
der Frage nach den modernen Verfügungen gewidmet ist. Der
»Brief« ist an den Mond adressiert, dessen helle Scheibe »groß und
schrecklich« vor den Nächten der Kindheit erschienen sei. Der
Kunstgriff liegt darin, den Blickwinkel nun umzudrehen, aus luna-
rer Distanz sich die Erde und deren Bewohner vorzustellen, wobei
sich jene »neue Topographie« wenigstens andeutungsweise zeigen
müßte, von deren Notwendigkeit Jünger schon deshalb überzeugt
ist, weil er gegen herrschende Weisen der Darstellung – der Sprache
wie des Rechnens – geltend macht, sie vermöchten die wahre Bedeutung der geschichtlichen Vorgänge weder in ihrer Tiefe noch in ihren
Zeichen zu erkennen.

»Die Sprache hat uns die Dinge zu sehr verachten gelehrt.« Das
klingt wie eine Variation auf Husserls Vorstellung der »Krisis« als
eines Vergessens von seiten der »operationellen« Einstellung gegenüber den lebensweltlichen Erfahrungsbeständen. Es gebe, schreibt
Jünger, eine Grenze, an der die Zahl in das Zeichen verfließe, und ob
man sich das Unendliche als Zahl oder als Zeichen denke, sei die
entscheidende Frage an den modernen Menschen, auch wenn die
Beantwortung je individuell ausfalle. »Zahlen« können nur Relationen und Bestände der »vermessenen« Welt ausdrücken; sie haben
keinen symbolischen Hintergrund. »Zeichen« jedoch verweisen
direkt auf diesen: ein Verhältnis von »Urbild« und »Abbild« wirkt in
ihnen. Wenn es vom Rätsel, das die Erscheinungen aufgeben, heißt,
daß nur der Text, nicht aber die Lösung mitteilbar sei, dann stellt sich
das Verhältnis dem Betrachter unter der einschränkenden Bedingung einer Annäherung dar; die »Urschrift« bleibt verborgen. Was
mit solcher Aneignung der platonischen Idee beispielhaft gemeint
sein kann, illustriert der Schriftsteller mit einem Phänomen der
Technik, nämlich der Geschwindigkeit. »Wunderliche Tibetaner,
deren eintöniges Gebet von den Felsklöstern der Observatorien
erschallt! Wer möchte über die Gebetsmühlen lachen, der unsere
Landschaften mit ihren Myriaden von kreisenden Rädern kennt, –
diese wütende Unruhe, die den Stundenzeiger der Uhr und die
rasende Kurbelwelle des Flugzeugs bewegt? Süßes und gefährliches
Opium der Geschwindigkeit! Aber ist es nicht so, daß im innersten
Zentro des Rades die Ruhe verborgen liegt? Die Ruhe ist die Urspra-

che der Geschwindigkeit. Durch welche Übersetzungen man auch die Geschwindigkeit steigern möge, – jede dieser Steigerungen kann nur eine Übersetzung der Ursprache sein.« (SiB, 116 f./ 9, 18 f.)

Übersetzung bedeutet allerdings auch Verfremdung. Es ist frappierend, wie dem Passagen von Husserls »Krisis«-Abhandlung ähneln, wo es von der Technisierung heißt, sie sei »etwas durchaus Rechtsmäßiges, ja Notwendiges«, insofern sie »*vollbewußt* verstandene und geübte Methode« sei. »Das ist... aber nur, wenn dafür Sorge getragen ist, daß hierbei gefährliche *Sinnverschiebungen* vermieden bleiben, und zwar dadurch, daß die *ursprüngliche Sinngebung der Methode*, aus welcher sie den Sinn einer Leistung für die *Welt*erkenntnis hat, immerfort aktuell verfügbar bleibt.«[22] Hans Blumenberg hat das so thematisierte Verhältnis zwischen der Technisierung und ihrer Sinngebung dahingehend interpretiert, daß die Rolle der Philosophie nun darin bestehe, stellvertretend den Schatz der durch die Technisierung übersprungenen Sinnstrukturen zu verwalten. Hinter dem philosophisch-phänomenologischen Auftrag ist die Traditionsreihe des Platonismus wirksam, indem Wahrheit sowohl als absoluter Wert anerkannt ist, als auch in einem bedingenden Verhältnis zur menschlichen Daseinserfüllung steht.[23] Nachzuweisen ist vom Philosophen die Rekonstruktion der Relation zwischen »entfremdeter« Technisierung und sie ursprünglich stiftender Idee. Von Husserl als »unendliche Aufgabe« verstanden, die den einzelnen konkreten Menschen überfordert, wird sie bei Jünger zur »literarischen« Antwort auf die Frage nach dem Zeichencharakter des Unendlichen. So gilt etwa von der *Erinnerung*, daß sie die Kontingenz der Existenz durchkreuzt und den Triumph des Seins erweist. »O Erinnerung, Schlüssel zur innersten Gestalt, die Menschen und Erlebnisse bewohnt! Ich bin gewiß, daß Du selbst im dunklen, bitter berauschenden Wein des Todes enthalten bist als der letzte und entschiedenste Triumph des Seins über die Existenz.« (SiB 113/ 9, 16) Eine andere Form von Erfahrbarkeit des »Urgrunds« gewährt die Natur, deren *beschränkte* Lesbarkeit mit dem Unvermögen korrespondiert, die Ideenwelt »rein« zu sehen. Das Buch schlägt sich von selbst auf – und wieder zu. »Die großen weißen Dolden, die wie seltsame Signale vorübergleiten, der Geruch einer heißen, gärenden Erde, die bitteren Dünste der wilden Möhre und des gefleckten Schierlings, – dies alles gleicht den Seiten eines Buches, die sich von selbst aufschlagen, und auf denen von immer tieferen, wunderbareren Verwandtschaften berichtet wird. Keine Gedanken mehr, die Eigenschaften schmelzen dunkel ineinander ein.« (SiB 114/ 9, 16 f.)

Verwandtschaften, Bezüge, Verweise sind es, auf die es dem ankommen muß, der sich nicht mit der Disparatheit unmittelbarer Erscheinungen begnügen will. Mit der Isoliertheit der Dinge und Lebensmomente innerhalb einer als abweisend und »böse« empfundenen Moderne hatte sich auch der Surrealismus nicht abgefunden, vielmehr die Einzelheiten in der scheinbar sinnlosen Reihenfolge ihrer Wahrnehmung zu befremdlichen Tableaus arrangiert. Beispielhaft konnte dies der ohne Absicht verfolgte Weg durch einen Flohmarkt zeigen: alles und nichts gehört zusammen. Die anti-surrealistische Pointe des »Sizilischen Briefs« ergibt sich schon daraus, daß die Froschperspektive mit entsprechend verzerrenden Näherungen zugunsten einer Vogelschau ausgewechselt wird, die zwar wiederum zusammenrückt, doch die Spannungen, welche zwischen den Teilen herrschen, mindert; sie werden aus solcher Ferne, wie es Jüngers Metapher zwingend ausdrückt, eingeschmolzen. Er läßt also den Mann im Mond auf die Welt »herabschauen«. »Siehe, Du blickst auf unsere Städte herab... Aus einer so großen Höhe jedoch gewinnen diese riesigen Speicher organischer und mechanischer Kräfte ein anderes Bild. Selbst einem Auge, das sie durch die schärfsten Fernrohre betrachten würde, könnte der große Unterschied nicht entgehn. Zwar ändern sich die Dinge nicht für den, der über ihnen steht, aber sie kehren eine andere Seite hervor. So schmilzt in diesem entfernten Bilde die Verschiedenheit der Zeiten ineinander ein. Es ist nicht mehr zu sehen, daß die Kirchen und Burgen tausendjährig, und daß die Warenhäuser und Fabriken von gestern sind, dafür tritt etwas hervor, was man ihr Muster nennen könnte, – die gemeinsame kristallinische Struktur, in der sich der Grundstoff niedergeschlagen hat.« (SiB, 117 f./ 9, 19)

Dem Menschen sei es nicht vergönnt, »den Zweck dem Sinne eingeschmolzen zu sehn«, gleichwohl gelte das höchste Bemühen dem »stereoskopischen Blick«. Was dieser sein kann, geht in die Richtung einer Zusammenschau des Notwendigen und seiner Projektionen. Nicht die messende Methode erreicht solche Doppelung, sondern nur »Zeichen, Gleichnisse und Schlüssel mancher Art« vermögen als Stellvertretungen die Annäherung zu bewirken. Damit weist Jünger der Metapher eine Funktion zu, die schon Hamann hervorgehoben hatte: sie fängt, wenn auch nur indirekt, ein, was einer in ihren Bedeutungen restlos fixierten Sprache niemals gelingt.

Im letzten der acht kurzen Kapitel gibt der Schriftsteller ein Stück Autobiographie preis, ohne Zeit und Ort genauer auszuweisen. An einem Vormittag sei er in den Schluchten des Monte Gallo emporgestiegen, als er plötzlich dicht über dem Höhenkamm die bleiche Scheibe des Mondes gesehen habe. Da erreicht ihn eine dem Mont-Ventoux-Erlebnis des Petrarca vergleichbare Erschütterung. Er erkennt – und hat natürlich schon längst erkannt –, daß die Mondlandschaft nicht bloß ein Gebiet ist, das der astronomischen Topographie ihre Aufgaben stellt, sondern daß sie sich auch, als ein Gebiet der Geister, der magischen Trigonometrie öffnet.»... das Unerhörte für mich in diesem Augenblicke war, diese beiden Masken ein und desselben Seins unzertrennlich ineinander einschmelzen zu sehn.« Damit habe sich ein quälender Zwiespalt aufgehoben, denn das Wirkliche sei ebenso zauberhaft, wie das Zauberhafte wirklich sei.»Das war das Wunderbare, das uns an den doppelten Bildern entzückte, die wir als Kinder durch das Stereoskop betrachteten: Im gleichen Augenblicke, in dem sie in ein einziges Bild zusammenschmolzen, brach die neue Dimension der Tiefe in ihnen auf.« (SiB 121/9, 22)

Es könnte mit dieser dramatisch zugespitzten Epiphanie von Platonismus sein Bewenden haben. Sie wäre dann eine frühe Fassung jenes Quietismus wider die Brüche und Ungereimtheiten der Historie, den Jünger seit 1934 nach und nach entwickelt. Aber mit dem Datum der Erstpublikation des »Sizilischen Briefs« von 1930 ist die Gleichzeitigkeit zur Arbeit am »Arbeiter«-Komplex gegeben. Deshalb liefert der Schlußabsatz gleichsam aus der Summe der vorher exponierten Einsichten auch die geschichtsphilosophische Legierung für das gegenwärtige Zeitalter. »Ja, so ist es, die Zeit hat uns den alten Zaubersprüchen, die lange vergessen, aber immer gegenwärtig waren, wieder nahegebracht. Wir fühlen, wie, zögernd noch, Sinn in das große Werk einzuschießen beginnt, an dem wir alle beschäftigt sind.« (SiB 121/9, 22) So wird der demiurgisch ausgreifende Prozeß der Technisierung in die Zeitlosigkeit von Urbild-Abbild-Verhältnissen gerettet, aus der er, nun sinnhaft gegründet, wieder hervorgeht.[24]

Was dem Leser von »Blätter und Steine« nicht einsehbar gemacht wird, ist die »lebenszeitlich« bedingte Entstehung des »Briefs«. Es bleibt bei der knappen Erwähnung des Monte Gallo, von dem man immerhin auf Grund des Titels damals annehmen durfte, er befinde sich auf Sizilien. Es dient nicht nur biographischer Erhellung, wenn man dazu nachträgt, daß sich Jünger im April 1929 mit seiner Frau auf der Insel aufhielt. Während dieser Zeit entsteht ein Tagebuch, das indessen erst 1944 in der Vierteljahresschrift »Frankreich – Deutschland« veröffentlicht wird. Zweimal, nämlich unter den Daten vom 20. April und vom 3. Mai, findet der Monte Gallo Erwähnung. Weder ist vom Mond die Rede noch von der Idee der projektiven Inversion, die den »Brief« bestimmt. Etwas ominös notiert Jünger am 3. Mai: »Noch einmal durchirrte ich die Hänge des Monte Gallo und ritzte mit dem Nagel das Datum dieses Tages in die saftigen Blätter der Opuntie ein.« – Erst 1968, in einem Nachtrag zu dem Buch »Subtile Jagden«, spricht Jünger unverhüllt von seinem Unbehagen an der Kultur, das 1930 zugunsten geschichtsphilosophischer Sinnvermittlung nur gedämpft zum Ausdruck kommt. »Die Meßkunst triumphiert notwendig über das Erhabene, das durch sie an Glanz, doch nicht an Schrecken verliert. Ein Beispiel bietet die Verwandlung der Mondkruste in unserer Vorstellung. Dem folgt ein Unbehagen, wie es mich in den zwanziger Jahren bei einem Gange durch das kahle Massiv des Monte Gallo überfiel. Im ›Sizilischen Brief an den Mann im Mond‹ suchte ich mich davon zu befreien; es gibt keinen Rückzug mehr.«[25] Ungesagt bleibt, daß diese »Befreiung« damals das Unbehagen überspielte. Die Legitimität der »Arbeiter«-Welt stand auf dem Spiel; noch war Jünger nicht bereit, die Kritik an der Meßkunst, die Husserl zeitgleich vorbrachte, in die Vision eines Verhängnisses ohne Umkehr münden zu lassen.

*

Während am Ende der »Sizilische Brief an den Mann im Mond« die Korrespondenzen zwischen Urbild und Abbild in die geschichtliche Welt zurückholt, dient »Lob der Vokale«, zuerst veröffentlicht 1934 in »Blätter und Steine«, der Erörterung eines ästhetisch-hermeneutischen Zusammenhangs. Es geht um die Bedeutung der vokalischen und konsonantischen Einheiten der Sprache vor dem Hintergrund der Vermutung, daß in ihnen mehr zutage tritt als nur das auf kommunikative Verständigung beschränkte Zeichensystem. Nicht der linguistische Aspekt der Buchstaben – etwa als Phoneme oder Morpheme – beschäftigt den Schriftsteller, sondern deren Fundierung im Ursprungssinn. Sie werden damit zu jenen »Zeichen, Gleichnissen und Schlüsseln«, die schon der »Sizilische Brief« als *stellvertretende* Phänomene erkannt haben will: in ihnen spricht der »Urgrund«. Deshalb heißt es im zweiten der insgesamt 18 kürzeren Kapitel, daß auch die Geschichte einen Sinn verberge, »der sich ihr weder mit Hebeln noch mit Schrauben abzwingen läßt, und keine Tatsachenkenntnis, keine Überlieferung zaubert diesen Sinn zurück. Vielleicht ist kein Schmerz größer als dieser, der dem Schmerz über eine unwiederbringlich verlorene Jugend gleicht.« (LdV 49)[26] Was nicht erklärt oder geklärt werden kann, drückt sich doch in der Offenbarung aus, deren Wesen etwa in der persönlichen Erfahrung der *Erinnerung* aufscheint. Bevor Jünger die einzelnen Vokale und gewisse Konsonanten in ihrer Abbild-Leistung deutet, setzt er die Möglichkeit des Erlebnisses der platonischen Anamnesis voraus – Erinnerung sei nichts anderes als die Entdeckung des gültigen Kerns innerhalb einer vergänglichen Welt. »Der Dichter entziffert die Urlaute der Welt.«

Dann gilt für die Konsonanten, daß sie eher eine besondere Bedeutung anklingen lassen, das Mannigfaltige und auch geschichtliche Sedimentierungen, während die Vokale für das Allgemeine und Ungesonderte stehen.[27] Diesem Unterschied gemäß sei beispielsweise die Ballade der Zeichnung, dem Willen, dem Konsonanten, das lyrische Gedicht jedoch der Farbe, der Ruhe und dem Vokal zugeneigt. Auf einer anderen Ebene bezeichnet Jünger die Wortsprache als einer »Mittellage« angemessen: sie versage sofort, wenn der Mensch seine Bedingung, den »menschlichen Zustand«, verlasse; sowohl in der Richtung des Dämonisch-Numinosen wie in jener des Elementaren stellten sich die »Urlaute« des Schreis ein, wie auch jeder bedeutende Schmerz sich nicht mehr durch Worte, sondern durch Laute ausdrücke. Diese akustische Physiognomik wird so weit getrieben, daß ihr auch die »bedeutenden Begegnungen zwischen Menschen« insofern nicht mehr rätselhaft sind, als die reine Lautbedeutung durch die Wortbedeutung hindurchstoße; den Feind erkenne man mehr an seiner Stimme als an dem, was er sagt, und deshalb sei es auch schwieriger, in dunklen Räumen zu lügen.

Man sieht schnell, wohin es den Autor zieht. Er sucht die Funktionsweisen der Sprache auf Universalien des Ausdrucks und der Bedeutung zurückzubringen. Das A und O teilen sich sowohl die Lust als auch den Schmerz, in Zurufen drücken sie vor allem Bewunderung, Zuneigung, Beifall aus. Trauriger und gefährlicher Natur sind die Laute, welche in den großen Städten vorherrschen: fast alle seien auf das U oder I gestimmt. Das E wiederum halte eine Mittellage, Anrufe auf E zielten meistens auf die Erregung einer zunächst inhaltslosen Aufmerksamkeit ab. Angenehm werde das Lachen auf dem A empfunden, während das E das Hämische streife und das I Spott, Ironie und Schadenfreude melde. Zusammenfassend heißt es, daß der Vokal der »eigentliche Lebenslaut« sei – als Symbol stehe er ohnehin »außerhalb der Sprache und ihrer Bewegungen«. »Die Sprache reicht mehr oder weniger an diese Bedeutung heran, und die Worte zeichnen sich mehr oder weniger scharf im Spiegel des Urbildes ab.« – Es folgt, beginnend mit dem A, eine genauere Charakterisierung der Vokale, wobei Beispiele in der Art von Induktionen die Grunddeduktion legitimieren sollen. Darauf kann es hier im Detail nicht ankommen. Zitiert sei die abschließende Synopsis. »Das A bedeutet Höhe und Weite, das O die Höhe und Tiefe, das E das Leere und das Erhabene, das I das Leben und die Verwesung, das U die Zeugung und den Tod. Im A rufen wir die Macht, im O das Licht, im E den Geist, im I das Fleisch und im U die mütterliche Erde an. An diese fünf Laute, in ihrer Reinheit und in ihren Trübungen, Vermischungen und Durchdringungen tragen die Mitlaute die Mannigfaltigkeit des Stoffes und der Bewegung voran. Durch wenige Schlüssel erschließt sich so die Fülle der Welt, soweit sie sich dem Ohre durch die Sprache offenbart.« (LdV 84 f./ 12, 46)

Sechs Jahre später wird Arnold Gehlen in seiner Fundamentalanthropologie »Der Mensch« (1940) die Sprachbedürftigkeit zum Merkmal des Mängelwesens erklären, das in seiner spezifischen Verfaßtheit nicht mehr gegen das unendliche Sein Gottes oder einen »intellectus archetypus«, sondern gegen die komplette Ausstattung der Tiere abgegrenzt wird. Die Frage stellt sich, warum es »der Natur eingefallen« sei, »ein Wesen zu organisieren, das der ungemeinen Irrtumsfähigkeit und Störbarkeit des Bewußtseins ausgesetzt ist«.[28] Jenseits des beschreibenden Zugriffs schwingt in den Worten des Anthropologen eine Irritation über so viel Verletzbarkeit des Sonderwesens mit, die bereits der Verfasser des »Arbeiters« – allerdings gebunden an die Hoffnung einer geschichtlich sich vollziehenden Überwindung – ausgedrückt hatte. Der Mensch ist gegenüber dem Tier offen, in seiner Freiheit biologisch »unfertig«.

Was Gehlen im unterscheidenden Blick auf das Tier herauspräpariert, ist bereits bei Johann Georg Hamann vorgeprägt – freilich noch in der doppelten Absetzung und Abhebung des Menschen gegenüber der Vollkommenheit Gottes und der »Vollkommenheit« der Tiere. Insofern ist Jüngers Wort von der *Mittellage*, mit welcher sowohl die Wortsprache wie auch die menschliche Lage korrespondiert, eine Übernahme des Gedankens von Hamann, daß zum Menschen spezifisch dieses Zwischenreich gehöre, und ebenso findet sich schon bei Hamann die Abweisung der Beantwortbarkeit der Frage nach dem Sprachursprung. Vico hatte angenommen, daß die Ursprache aus gesungenen Vokalen gebildet gewesen sei. Hamann verweigerte sich einer solchen Anfangsidee und wehrte auch die Vorstellung ab, daß Vernunft und Sprache als identisch gesetzt werden können. Der Mensch muß sich fortwährend als »selbstbewußtes Jetzt« in gelingender Anerkennung erfahren, weshalb Vernunft nicht als das Apriori aller möglichen Erfahrung gedacht werden kann, sondern stets an ihre Erfahrbarkeit gebunden bleibt. Damit wird das Subjekt zu einem Subjekt von »Sinnen und Leidenschaften«, die »nichts als Bilder« »reden und verstehen«. »In Bildern besteht der ganze Schatz menschlicher Erkenntnis und Glückseligkeit.«[29] Vernunft bedeutet etwas in ihrem *Gelingen* Gegebenes, das vom Menschen nicht bewirkt werden kann, vielmehr dauernd göttlichen Ursprungs ist. Gegen Kant machte Hamann geltend, dessen Vernunftphilosophie gleiche einem Kunstwerk, das die »Biederkeit der Sprache« verarbeitet habe: der normale Sprachgebrauch wird zu transzendentalen Reflexionen umgeformt. Seine eigene Sprachphilosophie mußte als von einer im Wesen ästhetischen Sprache her erschlossen werden.

»Lob der Vokale« folgt Hamann nicht nur darin, daß auch Jünger die antipoietische Pointe gegen das Argument der vom Menschen gemachten Sprache vorbringt, sondern auch insofern, als in den Buchstaben – wie Hamann in seiner Schrift »Neue Apologie des Buchstabens h« polemisch ausführte – eine Resonanz des Seins hörbar wird, und besonders da, wo die Wortsprache sei es durch den

Blitz des Numinosen, sei es durch den Einbruch des Elementaren zugunsten der reinen Laute verstummt. Als »Lob« erscheint so das die sprachlich-kommunikative Vermittlungsleistung transzendierende oder unterlaufende Element der Vokale: sie werden zu Symbolen und Offenbarungen für den Empfindungsbereich. In literarischer Absicht geht es um die adäquate Darstellung des Verhältnisses zwischen Bezeichnendem und Bezeichnetem; hier soll die Mimesis als künstlerischer Nach-Druck ihre Feinarbeit leisten, und das Gelingen erweist sich, wenn der »stereoskopische Blick« gewonnen ist.

Die Schwierigkeit liegt natürlich darin, daß der Platoniker nie genug haben kann. Die Anamnesis verfolgt die Sprache bis in die Nuancen von Endungen und zwingt sich den Vokalen bis in die langen, von Jünger vorgebrachten Beispielketten auf. Da muß es zu Kollisonen zwischen den einzelnen Sprachen kommen, die der Autor herunterspielt und dennoch erkennen läßt, wenn er die Unübersetzbarkeit der Lyrik statuiert. Der Transfer durchschneidet das behutsam gesponnene Band zwischen Urbild und Abbild, die Buchstaben stehen plötzlich quer im Sinn, der ihnen vorher, im »Original«, innewohnte. Dieser Hiatus ist platonisch unüberbrückbar. Der Schriftsteller tut daher gut daran, ihn geflissentlich zu übersehen, wie er auch alle genetischen und etymologischen Fragen – und das heißt ja: geschichtlichen Verschiebungen – ausklammert.

Rimbaud war Jünger – nicht ganz so weit – vorausgegangen, als er innerhalb der frühen, 1869 bis 1871 entstandenen Lyrik das Gedicht »Voyelles« verfaßte, in welchem er jedem der Vokale nicht nur Farben, sondern ihnen auch entsprechende Visionen zuordnete: A sollte für Schwarz, E für Weiß, I für Rot, U für Grün und O für Blau stehen, und im Bild wurden Zelte und Gletscherkönige, Meere und Herden, Kreise und Hörner entworfen. Die deutsche Übersetzung veranschaulicht schon das Dilemma, am deutlichsten da, wo das französische U zum deutschen Ü werden muß. In »Délires II« des Zyklus »Une saison en enfer« unter dem Titel »Alchimie du Verbe« kam der Dichter nochmals auf das Unternehmen zurück – indem er die »Geschichte einer meiner Narrheiten« erzählte. »Ich erfand die Farbe der Vokale! – A schwarz, E weiß, I rot, O blau, U grün. – Ich bestimmte Form und Bewegung jedes Konsonanten, und mit Hilfe triebhafter Rhythmen schmeichelte ich mir eine poetische Sprache zu erfinden, die, früher oder später, allen Sinnen zugänglich sein würde. Die Übersetzung sparte ich einstweilen auf. – Das war zunächst nur Übung. Ich schrieb das Schweigen, die Nächte, ich zeichnete das Unaussprechliche auf. Ich hielt den Taumel fest.«[30] Vom Erfinden Rimbauds zum Finden und Wiederfinden Jüngers ist es ein großer Schritt, der von der subjektiven Ungeborenheit mitsamt dem Risiko ästhetischer Grenzüberschreitung zur seinsmäßig fundierten *Erinnerung* führt. Ruhig kann die Welt betrachten, wer ihrer Lesbarkeit so gewiß ist, daß er ihr nichts hinzuerfinden muß.

Erinnerungen – »Afrikanische Spiele«

Keinen direkten Widerhall findet in Jüngers Schriften das Jahr der Machtergreifung des Nationalsozialismus mitsamt den Entwicklungen und Folgen, die nach dem 30. Januar 1933 Monat für Monat spürbar werden. Der Autor früherer Zeitschriften-Artikel schweigt.[31] Fühlt sich der einstige nationalbolschewistische Revolutionär in seinen Idealen verraten? Hätte die Geschichte die Prophetie der vom »Arbeiter« zu bestellenden Planlandschaft auch nur um wenige Schritte ihrer Realisierung entgegengebracht, wäre es ein Leichtes gewesen, nun die Ernte der Praxis gegenüber der Theorie auszuweisen. Solche »Beweise« verschenkt nicht, wer als Geschichtsphilosoph stets auf den Übergang vom »Vernünftigen« zum »Wirklichen« angewiesen ist. Es ist sinnlos, über Kommentare zu spekulieren, deren man nicht habhaft wird. Statt dessen sei an jene Einschätzung des Jahres 1933 erinnert, die Oswald Spengler im Vorwort von »Jahre der Entscheidung« fixierte.

Irritierend mußte die neuen Machthaber anmuten, daß Spengler dort mit der ihm eigenen Selbstherrlichkeit bekannte, er habe das Buch, das er seit dem November 1932 in Arbeit hatte, nach dem 30. Januar 1933 nicht geändert: Der Druck sei schon bis Seite 106 gediehen gewesen, und kein Anlaß habe bestanden, es neu zu formulieren, »denn ich schreibe nicht für Monate oder das nächste Jahr, sondern für die Zukunft. Was richtig ist, kann durch ein Ereignis nicht aufgehoben werden«. [32] Für die Nationalsozialisten war das Datum nicht einfach »ein Ereignis«, auch wenn sie wissen konnten, daß Spengler den Umsturz im Prinzip begrüßte. Aber der Kulturphilosoph dachte in anderen Perioden, weshalb er auch statuierte, man stehe »vielleicht schon dicht vor dem zweiten Weltkrieg mit unbekannter Verteilung der Mächte und nicht vorauszusehenden – militärischen, wirtschaftlichen, revolutionären – Mitteln und Zielen«.[33] Seine Weltzeit-Rhythmen verschlossen ihm das Gehör für die innenpolitische Veränderung, deren Singularität schon bald der »Jahre« nicht mehr bedurfte, um zur Kenntlichkeit zu gelangen.

Es fällt schwer, glauben zu dürfen, daß es Repräsentaten eines verschärften Nationalismus damals gab, die Hitler von der ersten Stunde, nicht seiner politischen Karriere, wohl aber seiner Kanzlerschaft an ablehnten. Doch konnte eine Lehre, wie sie Spengler seit seinem Bestseller-Erfolg vertrat und wie sie Jünger an der Gestalt des »Arbeiters« entwickelte, gegen voreilige Identifikationen mit Tagespolitik immunisieren. Eben diese betrachtende und daher auch weniger verbindliche Anteilnahme war den Juristen nicht vergönnt. Man soll eine Charakterschwäche, wie sie Carl Schmitt nun zu erkennen gab, nicht zur Tragik der Rolle umstilisieren; gleichwohl läßt sich das unverweilte Einschwenken auf die Parteilinie nach einer langen und abwehrenden Distanz gegenüber dem Nationalsozialismus damit leichter erklären. Als der Theoretiker des Dezisionismus von der Situation her – anders als der Philosoph oder der Schriftsteller – zum ersten Mal ernstlich zur Entscheidung gedrängt wurde, versagte er kläglich; er lief eilig mit, was ihm von 1936 an den Vorwurf des Opportunisten von seiten der SS eintrug.[34]

Den seit dem 12. Dezember 1933 in Goslar lebenden Ernst Jünger beschäftigen jetzt andere Dinge. 1935 reist er mit dem Bruder Friedrich Georg nach Norwegen, wovon später das Tagebuch »Myrdun« (1943) Zeugnis geben wird. 1936 folgt eine Fahrt nach Brasilien, den Kanarischen Inseln und Marokko, über welche Jünger in »Atlantische Fahrt« (1947) berichtet. Und zwischen dem Sommer 1933 und dem 29. Februar 1936 entsteht die Erzählung »Afrikanische Spiele«, die noch im gleichen Jahr, als erste Buchpublikation nach »Blätter und Steine«, veröffentlicht wird. Das Thema des autobiographischen Werks könnte kaum weiter von den zeitgeschichtlichen Erschütterungen entfernt sein. Das Prinzip der Erinnerung holt die Tage vom November 1913 bis zum 20. Dezember desselben Jahres herauf, da Jünger als Fremdenlegionär dem Elternhaus entweicht.

»Afrikanische Spiele« ist nur auf den ersten Blick ein konventionelles Erinnerungsbuch. Jünger berichtet über seine Erlebnisse in Nordafrika mehr als fünfundzwanzig Jahre nach dem eigentlichen Geschehen, und die im Frühwerk entwickelte Philosophie ist präsent, wenn scheinbar nur von Übermut und frühem Ennui geschrieben wird. Indessen wirkt die Erzählung entspannter, ruhiger und ästhetisch freier als die meisten der vorangegangenen Arbeiten. Zum ersten Mal beschäftigt sich Jünger in einem längeren Text nicht unmittelbar mit den Signaturen des Zeitalters; das Thema erlaubt vielmehr eine Verkleidung der zeitgeschichtlich bedrängenden Fragen, indem aus der Distanz des Imperfekts darüber nachgedacht wird. »Es ist ein wunderlicher Vorgang, wie die Phantasie gleich einem Fieber, dessen Keime von weit her getrieben werden, von unserem Leben Besitz ergreift und immer tiefer und glühender sich in ihm einnistet. Endlich erscheint nur die Einbildung uns noch als das Wirkliche, und das Alltägliche als ein Traum, in dem wir uns mit Unlust bewegen wie ein Schauspieler, den seine Rolle verwirrt.«[35]

So beginnt der Erzähler seinen Bericht. Er schildert das Bedürfnis nach Flucht, die ihn der Langeweile des Gymnasiums entzöge, er denkt an Abenteuer in fernen Ländern, und seine Imaginationen sind jener Vision verwandt, die schon in der ersten Fassung des »Abenteuerlichen Herzens« zu finden ist: das Kind sitzt im Gewächshaus des elterlichen Gartens und stellt sich die von keiner Zivilisation berührte Wildheit des äquatorialen Afrika vor. – Mit dem träumenden Ausblick nach der »anderen Seite« ist schon ein Gegensatz zur Realität der eigenen Zeit geschaffen. Was die Aufzeichnungen des »Abenteuerlichen Herzens« literarisch früher, von der Biographie her gesehen viel später beschwören: die Erkenntnis von Gleichzeitigkeiten, wo Kultur und Chaos, Zivilisation und Anarchie sich verbinden, gestaltet Jünger in den »Afrikanischen Spielen« aus der Selbsterfahrung heraus. Die Gleichzeitigkeiten gestatten nämlich die räumliche Auflösung, den »Schritt aus der Ordnung in das Ungeordnete«. Heimlich verläßt Jünger das Elternhaus, gelangt über Trier und Straßburg nach Marseille und von dort aus als Soldat der Legion nach Nordafrika. Der Aufenthalt währt nur kurz; der Vater erwirkt nach einigen Wochen die Entlassung und die Rückkehr.

Dies der erzählerisch-epische Grundriß. Allein darauf ließe sich eine bemerkenswerte Geschichte gestalten, und »Afrikanische

Spiele« ist ein bemerkenswertes Buch. Doch im Kontext der Beschäftigung, die der epochalen Wahrheitsfrage dient, kann es Jünger nicht nur um die anekdotische Schilderung von Abenteuern gehen. In die Handlung hineingewoben sind Reflexionen, die das Erinnern weit transzendieren; die Handlung gibt den Rhythmus vor, der das Nachdenken in epische Schritte teilt. Die Abkehr von der Ordnung ist einerseits Abkehr von der bürgerlichen Welt des 19. Jahrhunderts; der Ära der Sicherheiten und Gewöhnungen stemmt sich »das Wunderbare, das Reich der sagenhaften Zufälle und Verwicklungen« entgegen, von dem der Autor träumt und das er schließlich auch sich erobert. Es geht um den alten, schon früher entfalteten Gegensatz von Gesetzmäßigkeit und Anarchie. Der Anarchie entspricht die »Abneigung gegen das Nützliche«, gegen ein funktionales, nach Einsatz und Gewinn ausgerichtetes Denken – das freilich mehr ist als der Reflex des 19. Jahrhunderts: es spiegelt auch die technische Zeitgenossenschaft. »Das Außerordentliche jenseits der sozialen und moralischen Sphäre« aufzusuchen, darum geht es; »... mich zog... eine Zone an, in der der Kampf natürlicher Gewalten rein und zwecklos zum Ausdruck kam.« (AS, 11/ 15, 82)

Das sind Begründungen und Motivationen, denen kaum die ursprünglichen Absichten schon entsprachen. Vielmehr entstammen sie dem gedanklichen Umfeld der Autorschaft. Eine Zone, in der der Kampf »natürlicher Gewalten« rein sich ausdrückt: da kann es nicht mehr um einen geschichtlichen Schauplatz sich handeln, sondern nur noch um das Urverhältnis zwischen Mensch und Natur. Ungeordnet ist die Natur freilich nur nach der Maßgabe einer menschlichen Ordnung, und dieser Verfügbarkeit zu entrinnen ist die Absicht des künftigen Legionärs, der in der Erzählung zum Abtrünnigen sich stilisiert, als Typus dem Landsknecht oder dem anarchisch die Zivilisation fliehenden Einzelgänger verwandt. – Doch in der Komposition des Stoffs verläuft der Weg in die afrikanische Unmittelbarkeit, wenn es sie denn je gegeben haben sollte, weniger geradlinig, als es der schlichte Gedanke von Ordnung und Unordnung suggerieren könnte. Die Übergänge und Zonenwechsel werfen ein diffuses Licht auf die Wirklichkeit im ganzen. Als Berger – wie Jünger sich nennt – in einem größeren Bahnhof Zwischenhalt macht, zieht ihn die Großstadt, die ihrer Struktur nach ja Rationalität und Sicherheit abstrahlen müßte, in ihren Sog. Selten ist Walter

Benjamins ästhetische Evokation der Passagen, jener eingedunkelten und überdachten Verbindungsgänge zwischen Straßen und Häuserzeilen, so »existentiell« in der Wahrnehmung eines Betroffenen gespiegelt worden. »Bald wirkte jedoch die Schwerkraft auf mich ein, mit der jede Großstadt sich den Obdachlosen unterwirft, um ihn an ganz bestimmte Punkte zu ziehn. Ich folgte dem Verkehr, der noch sehr lebendig war, bis in die Hauptstraße, um endlich von einem jener geschlossenen Verkaufsgänge eingesogen zu werden, die man Passagen nennt und in denen man zu jeder Stunde auf Gestalten stoßen wird, deren einzige Aufgabe im Schlendern oder im Verweilen besteht.« (AS, 16/15, 85 f.)[36]

Während dieses Aufenthalts begegnet der Ich-Erzähler einem »neuen Treiben«, »das dem Müßiggange, dem Verbrechen, dem Vagantentum gewidmet ist«, und damit öffnen sich auch die Türen zum Dämonischen. Die Straße nimmt »etwas von der verdächtigen Wärme eines rot beleuchteten Hausflures« an; einige Zeit wird damit verbracht, »die zweifelhaften Postkarten zu studieren, die in ungeheuren Mengen hinter den Schaufenstern aushingen«; darauf »der grelle Eingang eines Wachsfigurenkabinetts« – »vor dem letzten Zimmer wurde noch ein besonderes Eintrittsgeld erhoben: eine Sammlung von anatomischen, elektrisch beleuchteten Gebilden war dort unter Glaskästen aufgebaut. Unerhörte Krankheiten waren da mit blauen, roten und grünen Farben auf wächserne Körperteile gemalt. Bei den ganz schrecklichen dachte ich mit einer halb grausenden Befriedigung: ›Die kommen gewiß nur in den Tropen vor!‹« (AS, 17/15, 86) Der beinah kindliche Ausklang, wo Naivität den Schrecken dämpft, darf nicht darüber hinwegtäuschen, daß das Unheimliche hier hinter der Maske der Kuriositäten sich verbirgt.

Der Besuch der Passage wird in einem Restaurant abgeschlossen, in einer automatisierten Verpflegungsstätte, deren Getriebe schon an die Erfindungen in der späten Erzählung »Gläserne Bienen« vorausdenken läßt. »Die verschiedensten, für das Auge bunt zubereiteten Speisen standen auf runden Platten oder in kleinen Aufzügen zur Wahl, und man brauchte nur ein Geldstück einzuwerfen, um durch ein schnurrendes Uhrwerk bedient zu werden. Ebenso konnte man kleine Hähne veranlassen, alle Getränke, die man sich denken mochte, in ein daruntergehaltenes Glas zu sprudeln. Für den, der so, von unsichtbaren Kräften bedient, gespeist und getrunken hatte, standen andere Apparate bereit, die bunte Bilder zeigten oder in Hörmuscheln kurze Musikstücke ertönen ließen. Selbst der Geruchssinn war nicht vergessen, denn es gab auch sinnreiche Zerstäuber, aus denen man sich durch winzige Düsen wohlriechende Flüssigkeiten mit exotischen Namen auf den Anzug sprühen lassen konnte.« (AS, 18/ 15, 87)

Eine Welt tut sich auf, die den Menschen nur noch als passiv duldenden Empfänger ihrer Reizwirkungen versteht. Es ist mehr als Zufall oder Pose, wenn der Flaneur von den Grausamkeiten des Wachsfigurenkabinetts unverzüglich in das automatische Restaurant gelenkt wird, wo ihm die Bedürfnisse gestillt werden, als wäre er selbst ein Teil der Mechanik. Alles kommt aus zweiter Hand, von den Imaginationen über die Speisung bis zur vagen Bildererotik. Dem ersten Blick bietet sich solche Realität als Ordnung, als durchorganisiertes, in seinem Ablauf sinnreich ausgesteuertes Ganzes dar. So läßt Jünger vor der Abreise nach Afrika mit Geschick für die Dramaturgie das Dämonische der technischen Welt hervorspringen. »Diese Zerstreuungen bereiteten mir ein Vergnügen, das, wie jede Berührung mit der automatischen Welt, nicht ohne einen Stich von Bösartigkeit war. Auch war mir unbekannt, daß gerade an solchen Orten die Polizei ihre besten Fischgründe besitzt.« (AS, 18/ 15, 87) Der Mensch ist in solchen Regelkreisen der automatischen Verlockung zum Objekt geworden, gefangen im Mahlwerk einer gefälschten Authentizität, nicht gewahr, daß er seiner Freiheit beraubt und dem Zugriff der Wächter ausgeliefert ist.

Gegenüber dieser künstlichen Welt – von Liebe, von wächsernen Gebilden, von Essen und Trinken – soll sich die afrikanische Wirklichkeit durchsetzen. Was in den früheren Schriften als Metapher dem Leben in seinen ursprünglichen Verhältnissen galt, wird erlebensmäßig nun eingeholt. Erlebensmäßig? Es gehört zum Kunstgriff der Erzählung, daß sie poetisch und gedanklich zu verstärken sucht, was in der einfachen Form des Erlebnisberichts dargestellt wird. So erwiese sich die Begebenheit der »Afrikanischen Spiele« in abermaliger Überhöhung als Gleichnis.

Gleichnis für die Begegnung mit unvermischten, ursprünglicheren Ausformungen der Wirklichkeit: dem Menschen, der in ihnen sich einzurichten strebt, stehen nicht mehr die zivilisatorischen Hilfestellungen zur Verfügung, doch entgeht er dadurch den tranceartigen Zuständen der Automatenwelt. Nachdem Jünger sich bis in die metaphysischen Spekulationen der technisch ausgeprägten Sphäre des »Arbeiters« vorgetastet hat, kehrt er über den Umweg der Erinnerung zu einfachen, von einem geschichtsphilosophischen Optimismus her als hoffnungslos rückständig zu betrachtenden Realitäten zurück. Die poetische Intensivierung und Kompression der Großstadtnacht sollte den Übergang in diese – vielleicht nur imaginäre – Authentizität nur um so dramatischer machen. Entscheidend ist weniger, ob der Autor der »Afrikanischen Spiele« eine »historisch« korrekte Schilderung seiner Reise in die Kolonialverhältnisse gibt; bedeutsamer für seine gedankliche Entwicklung ist die Frage, welche *symbolbildende* Leistung sich hinter dem autobiographisch inspirierten Bericht konturiert.

»Afrika« bleibt auch nach den Andeutungen des »Abenteuerlichen Herzens« noch Stück einer Symbolik. Der Weltentwurf, der ihr entspricht, fügt sich nicht mehr herkömmlicher geschichtlicher Anschauung. Was der Soldat des Ersten Weltkriegs schon gefühlt hatte, die Schrumpfung der kulturellen Überformungen und Regulative auf ein elementares Empfinden hin, auf die »Urkräfte«, die Reduktion auf vitale, »natürliche« Gesetze, erfährt der Fremdenlegionär in anderer Weise. Doch erfährt er diesen Sog nicht in der dramatischen und dramatisierten Abhängigkeit vom technischen Vulkanismus, sondern in einer Art des spielerischen Regresses zu den Quellen naturhaft gegebener Auseinandersetzungen: Selbsterhaltung gewinnt eine beinah vorgeschichtliche Dimension zurück.

Der nun auf diese Probe sich einläßt, weiß von sich zu melden den »starren Hang zur Selbstherrlichkeit«, die »Abneigung gegen den gebahnten Weg«, die »unmittelbare Art, das Leben zu fristen«. »Es gab da Dinge, die ich vor allem verabscheute. Zu ihnen gehörte die Eisenbahn, dann aber auch die Straßen, das bestellte Land und jeder gebahnte Weg überhaupt. Afrika war demgegenüber der Inbegriff der wilden, ungebahnten und unwegsamen Natur und damit ein Gebiet, in dem die Begegnung mit dem Außerordentlichen und Unerwarteten noch am ehesten wahrscheinlich war.« (AS, 22/ 15, 90) Das in die Vergangenheit verlegte Selbstporträt soll ein Charakterbild entstehen lassen, dessen Struktur einerseits den Wunsch nach dem Abenteuer jenseits der Gesetzmäßigkeiten hervorbringt, anderseits den Situationen, die daraus entstehen, ganz gewachsen ist. Solche Distanz zu den Institutionen und Institutionalisierungen der Moderne, die Jünger der Fiktion nach in eine fern gewordene Jugend projiziert, wird dem Autor ohnehin immer wichtiger. Insofern gehört es zur List der »Afrikanischen Spiele«, daß diese »Desinvoltura«, wie der Schriftsteller seine Abstandnahme gegenüber den Faktizitäten schon im »Abenteuerlichen Herzen« bezeichnet hat, nicht auf den Legionär, sondern auf den Dichter zutrifft, der von ihm schreibt. Was in der Jugend aus der Luft der antibürgerlichen Affekte gegriffen war, wird seit Mitte der dreißiger Jahre eine lakonische Haltung gegenüber den geschichtlichen Emanationen. Die Faszinationen kommen nicht mehr aus der technischen Zauberwelt, sondern aus der »stereoskopisch« zu ergründenden Natur.

Als ob Jüngers Vertrauen in die schöpferischen Kräfte der demiurgischen Ausgriffe brüchig geworden wäre, erkennt er den Sinn der Wirklichkeit nicht mehr in den technischen Hervorbringungen, sondern in den Tiefen der »Urformen«. Insofern leistet die Rekonstruktion jener »Afrikanischen Spiele«, die nach anderen Regeln als denen der fortgeschrittenen Zivilisation gespielt wurden, einen Beitrag auch zur Klärung des eigenen Weltentwurfs. Das »Bedürfnis, mich zuweilen einem Geiste von starkem und durchdringendem Verständnis anzuvertrauen, der die geheimen Wurzeln unserer Pläne und Taten mühelos erfaßt«, führt zur Erinnerung eines Kindheitstraums. Die Großmutter besucht das Elternhaus, später am Abend spricht sie noch lange mit der Mutter im Nebenzimmer. Das Kind hört noch das leise Gemurmel, die Stimmen, dann schläft es ein. Da erscheint ihm im Traum plötzlich ein Besucher, »groß, in mittleren Jahren und von schwerfälliger Figur«. Ein Gespräch beginnt, das bald zum Spiel sich steigert. Man redet über Gegenstände des Haushalts, das Kind erklärt, wofür sie gebraucht werden, doch der Besucher führt ihnen »besondere und weit hergeholte Eigenschaften« und ein »eigenes Leben« zu. Als der junge Legionär nachträglich sich zu erinnern versucht, sind sie ihm entfallen. Doch habe der Besucher den Gegenständen »eine durchaus gutmütige Erklärung« gegeben und »ein schwerfällig träumendes Dasein« ihnen zugeschrieben. Der graue Gast erscheint dem Kind noch oft im Traum; später wird er abgelöst von einer anderen Gestalt, von der romantischen Dorothea, einem Mädchen »von knisternder Intelligenz«, das den Träumer durch seine Landschaften begleitet, ihn beschützt und ihm die Gabe des »stereoskopischen« Sehens vermittelt:

> »So sah ich nicht nur vom Boden aus die Landschaft, die ich durchwanderte, sondern ich beobachtete aus raubvogelhafter Höhe mich selbst noch einmal innerhalb dieser Landschaft, die von riesenhafter Ausdehnung war, ja die Erde völlig zu bedecken schien. Und ich sah in großer Entfernung, in der Entfernung von Jahren, ein anderes Wesen durch diese ausgestorbenen, mit weißgrünen Flechten verhangenen Wälder auf mich zuschreiten, ich sah unseren Weg wie durch Magnetnadeln bestimmt.« (AS, 32/ 15, 98)

Die Suspension von räumlicher und zeitlicher Beschränkung innerhalb des Wahrnehmungsakts – Jünger wird daraus die Ästhetik seines »magischen« Realismus entwickeln – erbringt den »stereoskopischen Blick«, der die raumzeitlichen Gesetze aufsprengt. Deshalb kann der Autor die Zeit nun als »geformtes Stückwerk der Ewigkeit« deuten.[37]

Nach der Bahnhofepisode dient ein zunächst seltsamer Traum der Einstimmung auf die Erlebnisse bei der Legion – doch auch hier gilt, daß diese Vorbereitung mit dem Schutzengel-Motiv, das ihr zugehört, weniger auf die faktischen Anteile der Autobiographie zentriert ist als vielmehr auf den Prozeß der poetischen Exegese, den sie mitkonstituiert. Die »geheimen Wurzeln unserer Pläne und Taten« mühelos zu erfassen: dieses Sinnbedürfnis erreicht Jünger erst in der Autorschaft. Ebenfalls auktoriale Absicht ist es, die Dinge und Gegenstände, seien sie noch so profan, aus ihrem funktionalen Netz herauszulösen, um sie auf ihre »platonische« Identität hin abzutasten. Das ist ein Schritt über die Arbeitswelt hinaus, die ja nur deshalb im Schwung bleibt, weil an die Dinge keine Fragen gestellt werden, die über den reinen Verwendungszusammenhang hinausführten. Das Nachdenken verzögert den Gang der Welt als Maschine.

Vollends das Sehen, das das Mädchen Dorothea lehrt, soll die Distanz zur unmittelbar gegebenen Wirklichkeit aufzeigen. Wer von sich selbst auch »aus raubvogelhafter Höhe« zu berichten weiß, berichtet über eine andere Welt, als sie vom linearen Erzählen geschaffen wird. Ein so gerüsteter Beobachter entdeckt für sich die Gleichzeitigkeiten des Wirklichen, erblickt den Raum zugleich aus verschiedenen Sichtwinkeln, und wie der Gegenstand des Hausrats neben seiner offensichtlichen auch eine geheime Bedeutung hat, gibt auch die *Zeit* dem Erwählten die mannigfachen Aspekte ihres Sinns preis. Der Fluß des schlichten »früher« oder »später« wird gestaut, die Zeiten überlagern sich.

Daraus, nämlich aus der Begabung, aus dem Anblick der Erscheinungen die Tiefe ihrer Vorgaben zu gewinnen, hatte Jünger schon in der ersten Fassung des »Abenteuerlichen Herzens« geschöpft. Der Kindheitstraum in den »Afrikanischen Spielen« mitsamt seiner Deutung läßt diese Fähigkeit einer geheimnisvollen, sonderbar unzugänglichen Initiation entspringen. Als ob Autorschaft als Kunst, die das bloß Intentionale des Künstlers überwindet, einer solchen Zuweisung bedürftig wäre, stilisiert der Schriftsteller seinen Traum zur spendenden Epiphanie. Das mag gestisch zur Verwandlung gehören, die Jünger auch an sich selbst beobachtet, indem er vom Propheten der geschichtlich sich zu erfüllenden Planlandschaft zum Deuter naturhafter Anfangsgründe des Wirklichen wird. So wird das »stereoskopische«, die Gleichzeitigkeiten erfassende Sehen nach dem Monte-Gallo-Erlebnis des »Sizilischen Briefs« und nach dem Kindheitsgeschenk der »Afrikanischen Spiele« weiter entwickelt, in die zweite Fassung des »Abenteuerlichen Herzens«, dann in die Tagebücher aus dem Zweiten Weltkrieg hinein. Doch schon »Afrika« muß aus der doppelten Darstellungsleistung heraus verstanden werden; was dem Gymnasiasten widerfährt, gestaltet, dem Erfahrenen die Bedeutungen unterlegend, der Autor der Jahre zwischen 1933 und 1936.

Im Fortgang der Erzählung erreicht »Berger« Verdun, wo ein Offizier der Legion die Rekrutierung vornimmt und den Rekruten in die Kaserne einweist, bevor die Fahrt nach Marseille beginnt. Berger hat im Rucksack ein dickes Afrika-Buch mitgenommen, nun wird die Lektüre, die schon früher Bilder des Wilden und Ursprünglichen freigesetzt hat, wieder betrieben. Etwas später macht der Legionär Bekanntschaft mit anderen Männern, die nach Afrika wollen. Ähnlich wie in der frühen Novelle »Sturm« wirkt auch hier die menschliche Begegnung weniger auf die Beschreibung der individuellen, psychologisch unverwechselbaren Züge ein als auf die Einordnung in einen Charaktertypus. Darin bleibt Jünger seiner Physiognomik, zuletzt entfaltet in der Passage der »Schmerz«-Schrift, treu, und entsprechend treten die Personen im Muster der Typologie auf. Der »fürchterliche« Reddinger, ein Mann von Jähzorn und Gewalt, die »trübe Kälte« Frankes, eines listenreichen und verschlagenen Menschen, der »kleine« Jakob, weinerlich und schwächlich – der Zugang zu den Gefährten erfolgt weniger über die Einfühlung in deren Geschichten als über das beinah naturkundlich betriebene Studium der Charakterkunde. Mit demselben Eifer für das Verhältnis zwischen der Typologie und der konkreten Erscheinung, welche solche Systematik erst zum Schwingen bringt, wird der Autor auch in den großen Romanen – »Heliopolis«, dann »Eumeswil« – die Striche seiner Figuren ziehen. Schon in den »Afrikanischen Spielen« gehorchen alle Menschen, auf die der Legionär trifft, einem festen Charakter. Darin gründet nicht nur ein Mangel an psychologischer Sensibilität, es zeigt sich ein Zug ins Reduktionistische. Das Problem jeder solchen Physiognomik ist ihre Statik: sie nimmt einerseits die Ursachen – die Herkunft –, die zur Hervorbildung eines bestimmten Menschen geführt haben, als naturgegeben hin; die zeitliche Entwicklung, die der Mensch demgegenüber erfahren hat, ist sekundär. Anderseits ist ein solcher Typus so sehr von seinen Charaktereigenschaften her bestimmt, daß er nicht mehr entwicklungsfähig scheint. Der Mensch ist auch im Individuum Spezies, es gibt nicht das Unikat.[38]

Auf Verdun folgt Marseille; ein mittelalterliches Hafenfort dient als Unterkunft der Legionäre, bevor es nach Nordafrika geht. Innerhalb des Bollwerks herrschen teilweise anarchische Zustände; bunte Uniformen wechseln ab mit Zivilanzügen, und dem Beobachter des Getriebes drängt sich sein »bösartiger und ungesetzlicher Charakter« auf. Im Fort lernt Berger neben anderen einen Studenten aus Freiburg kennen, Leonhard, der durch ungewöhnliche Sensibilität auf sich aufmerksam macht und dem Zuhörer die Theorie der »letzten Wahrheit« über den Menschen entwickelt. »Wissen Sie – über jeden Menschen gibt es, wenn ich mich so ausdrücken soll, eine Art von letzter Wahrheit, die er selbst nicht kennt oder sich nicht eingesteht, und von der er auch nie etwas ahnen darf. Wenn Ihnen diese Wahrheit durch irgendeinen Zufall sichtbar wird, dann ist es, als ob Ihnen der Boden unter den Füßen weggerissen wird.« (AS, 84) Später fügt Jünger hinzu: »Man stürzt in seinen eigenen Abgrund wie ein Schlafwandler, der unvorsichtig angerufen wird.« (15, 139) Statt sich solcher apokalyptischer Wahrheitsverkündung auszusetzen, entzieht sich Berger dem Gespräch, um einen einsamen Ort des Forts aufzusuchen und den Geist von Dorothea zu beschwören, die ihn in seiner Selbstachtung festigen soll. »Die Einsamkeit, die hier oben herrschte, schien mir wie geschaffen, mich in eine meiner Träumereien zu vertiefen, um die ich nie verlegen war – sie bestand in der Vorstellung, daß eine Pest alle Menschen ausgerottet hätte, und daß nur die reine Landschaft zurückgeblieben sei. Je mehr es mir gelang, die Welt als ausgestorben zu denken, um so wunderbarer trat das Schweigende hervor... Die Landschaft war von hoher geistiger Kraft – ihre Rundung bildete einen Zauberring, mit dessen Hilfe die Beschwörung Dorotheas mühelos gelang.« (AS, 86/15, 140f.)

Leonhard, so teilt die magische Schutzgestalt mit, sei aus Todesfurcht zu seinen Einsichten gekommen. Indem Berger bereits vorher im Gegenzug zur Lehre von der letzten Selbsterkenntnis die leere Welt beschworen hat, kann es auf menschliche Schicksale nicht mehr entscheidend ankommen; sie würden sich zu den Idealitäten des Kosmos als kontingent verhalten. Daß dem Menschen eine Wahrheit offenbart würde, die ihn im Innersten träfe, dann in den »Abgrund« stürzte, setzte eine Schwächung voraus, wie sie mit einer Prämisse von der Art des Sündenfalls angenommen werden müßte. Es ist verlockend, in dieser Abwehr, deren Pendant die humane Typologie bildet, auch die Abweisung psychoanalytischer Zudringlichkeiten zu sehen. In der Tat läge ein Vorzug der typisierenden Charakterkunde darin, daß sie den Menschen darin schonte, daß ihm keine individuell letzte Erkenntnis zugemutet würde; er bleibt gegenüber der seelischen Durchleuchtung auf eigentümliche Weise immun – um den Preis, daß er die Möglichkeiten und Gefährdungen des Lebens nur innerhalb einer »typischen« Grundstruktur erfährt. Grenzüberschreitungen, wie sie für die moderne Literatur paradigmatisch Dostojewskijs Raskolnikow vollzieht, finden in Jüngers Figurenwelt nicht statt, weshalb auch der Romanstoff des Tragischen niemals in Angriff genommen wird.

Als sich der Legionär von den Ideen der »letzten Wahrheit« zu distanzieren beginnt und träumend wie der Demiurg die Schweigsamkeit genießt, lernt er den Militärarzt der Festung kennen, der sich an abgelegenem Ort der Festung ein Zimmer eingerichtet hat. Goupil, ein melancholischer, zugleich belesener und scharfsinniger

Mann, durchschaut das ganze Unterfangen der Flucht aus gesicherten Verhältnissen und empfiehlt Berger die Rückkehr. Also doch eine Begegnung, die wenn nicht die letzte, so doch eine unangenehme Wahrheit über den Abenteurer enthüllt ? Jedenfalls spielt der Arzt die Tatsachen der Legion gegen die Projektionen des Legionärs aus. Er überschätze die Wirklichkeit der Bücher, aber Ausflüge dieser Art unternehme man am besten, wenn man bequem auf dem Rücken liege. Statt der erwarteten Abenteuer finde man in Afrika nur das Fieber, den Überdruß und den Cafard, eine besonders bösartige Form des Deliriums.

Wirklichkeiten gegen Phantasien, Erfahrung gegen Erwartung. Daß der junge Mann solche Aufklärung ablehnt, versteht sich von selbst. Aber darum geht es nicht; sie hat ihre Funktion wiederum weniger im Zusammenhang einer realistischen Rekonstruktion eines Stücks Biographie als vielmehr darin, daß sie eine Theorie des Wahrnehmungsverhaltens impliziert. Zwischen der vorgreifenden Imagination und ihrer wirklichen Entsprechung klafft stets der Riß. Gerade hier gründet indessen die ästhetische Produktivität, deren Symbolisierungen tiefer das Wesen der Dinge erfassen sollen, als es das bloße Protokoll vermöchte. Der Autor komponiert die Welt, in der er sich sonst verliefe. Insofern behandelt »Afrikanische Spiele« dem Eindruck eines Jugendwerks entgegen das Verhältnis zwischen dem unmittelbaren Erleben und der künstlerischen Durchdringung und verlegt in eine Frühzeit, was dem Schriftsteller erst seit Mitte der dreißiger Jahre zur entscheidenden Frage wird: wie groß ist der Anteil an direkter Erfahrung, wenn Dichtung welthaltig sein will ? Der Arzt rät dem Soldaten, sich wieder seinen Büchern zuzuwenden. Hinter der Sorge um einen jungen Menschen, der seiner physischen und psychischen Konstitution nach dem Dienst noch kaum gewachsen sein kann, verbirgt sich ein anderer Gedanke. Die Welt ist es nicht mehr wert, daß man sich ihr auf ungeschützte Weise opfert. Drei Jahre nach dem Ausbruch der deutschen Diktatur spricht Jünger in der Verhüllung der poetischen Reminiszenz davon, daß Einsatz als reiner Dienst keinen Sinn und keine Legitimität mehr hat. »'Sie sind noch zu jung, um zu wissen, daß Sie in einer Welt leben, der man nicht entflieht. Sie wollen da außerordentliche Dinge entdecken, aber Sie werden nichts finden als eine Langeweile tödlicher Art. Heute gibt es nichts als Ausbeutung…'« (AS, 92 f./15, 146)

Nachdem der »Arbeiter«-Essay die funktionalen Verhältnisse mit der Aussicht auf künftige Planlandschaften gerechtfertigt hatte, die auch den Opfergang der »Vorposten« nicht ausschlossen, verweist eine Figur der Erzählung auf den aufzehrenden Charakter des epochalen Gefüges. Und wenn der Legionär diese Wahrheit auch kaum beachtet und schließlich das kurze afrikanische Abenteuer beginnt, aus dem ihn nach einigen Wochen die Demarche des Vaters befreit, markiert das Gespräch mit dem Militärarzt auf der Reflexionsebene doch eine Wende in die ästhetisch produktive Innerlichkeit. »Die Mauer zu durchbrechen, an der schon Rimbaud scheiterte« – dies mochte der Gymnasiast im Sinn gehabt haben. Doch wenn ein Vierteljahrhundert danach aus dem jungen Mann sein eigener Autor geworden ist, der dieses Gespräch inszeniert, hat sich Rimbauds Problem für ihn geklärt. »Vielleicht war es doch möglich, dachte ich mir, so zu leben, wie man es an den Tieren und Pflanzen sieht, ohne Hilfe, ohne Geld, ohne Brot, ohne alles, was Menschenhand je berührte und erschuf – zu leben aus der innersten Kraft.« (AS, 96/15, 148) Aber längst hat der *Erzähler* entdeckt, daß im Fall eines Wesens, das von Natur aus kein unvermitteltes Verhältnis zur Wirklichkeit besitzt, diese innerste Kraft nur dem Leben des schöpferischen Vermögens zukommt. Die Kunst erzeugt Gegenwelten der Wirklichkeit.

Auch das Künstlerleben steht in den Korrelationen. Aber anders als der Soldat, dem weder der Plan seines Handelns noch der Sinn seines Tuns durchsichtig ist, weiß der Künstler, wonach ihn die »innere Kraft« drängt. Die »Afrikanischen Spiele« entfalten diese Entwicklung zur ästhetischen Urheberschaft in einem erzählerischen Rhythmus, der »autobiographisch« nachbildet, was Jünger selbst seit den »Stahlgewittern« widerfährt. Der Tatendrang weicht allmählich der freien, distanzierten Beobachtung.

Eine zweite Begegnung vermittelt folgerichtig dem Legionär ein »stereoskopisches« Panorama. Benoit, ein älterer Soldat, der in der Form einer ausholenden Erzählung von seinen Abenteuern in Ostasien Bericht gibt, liefert das Beispiel, indem er einen Opiumrausch schildert. Als erstes bemerkenswertes Phänomen ist die schon von De Quincey hervorgehobene Schrumpfung der Zeit zu nennen. Dann beginnt sich der Träumer Geschichten auszudenken. In der Erstfassung bemüht sich Jünger mit sichtlicher Anstrengung, die authentische Sprachgeste zu treffen. »Mußt dir nicht denken, daß ich so einfach geträumt habe wie Kinder, die träumen, daß sie König sind. Wenn ich mir ein Königreich erdacht hab', durfte nichts Ähnliches sein in irgendeinem Lande der Welt. Hab' zuerst 'ne besondere Sprache ersonnen und die Regeln, nach denen man die Wörter stellt. Hab' dann die Maße und Gewichte, die Kleider und Uniformen, die Gesetze und Kirchen, die Häuser und Städte, die Menschen und Einrichtungen bestimmt und alles besser und mächtiger ersonnen, als du's irgendwo triffst.« Zuletzt, gegen Morgen, hört das Denken auf, Bilder stellen sich ein, Figuren, Dreiecke, Ringe, »mancherlei Muster«. »Sind die Figuren gewesen, nach denen die Welt errichtet ist; hab' sie selber gesehn. Mußt wissen, daß die Welt nicht groß ist, sondern unendlich klein.« (AS, 111 f./15, 161 f.)[39]

Der alte Legionär nimmt erlebnismäßig wahr, wovon schon im »Sizilischen Brief« und in »Lob der Vokale« die Rede war. Es geht, in Annäherungen, um die Urformen, um die »kristallische Struktur« der Welt, um die ersten Bauprinzipien des Wachsens und Werdens. Dem Opiumraucher wird die Fülle dieser kosmischen Logik ohne eigenes Zutun zuteil. Die Zeit, deren ständiger Sog dem Menschen sonst die ungefährdete Ruhe der Betrachtung verwehrt, setzt aus. Dann fallen dem Träumenden demiurgische Kompetenzen zu; er fingiert eine Wirklichkeit, die an Ordnungsstiftung und Zweckmäßigkeit ihre realen Gegenbilder übertrifft. Endlich werden ihm auch die Grundmuster einsichtig, die alles zusammenhalten. Damit kehrt Jüngers dynamischer Platonismus als ästhetisches Credo wieder. Auch der Künstler ist ein Demiurg, wenn er die Leere füllt, wenn ihm die Zeit beiläufig wird, wenn er Wirklichkeiten neu zusammenfügt und des Geheimnisses der Ewigkeit teilhaft wird. Ein Demiurg – aber kein Schöpfer aus voraussetzungslosem Nichts. Die »letzten« Figuren können nur geschaut werden; sie sind schon da. Kein neuer Prometheus vermöchte die Substanz an Unvergänglichkeit erst zu schaffen, die die Prämisse des Künstlertums ist. Die Urstiftung hat schon stattgefunden, bevor ihr der Mensch überhaupt nachdenken konnte; Annäherung an sie erweist sich als einzige sinnvolle Aufgabe.

Benoits Bericht hinterläßt keinen Schweif an wirkungsästhetischen Reflexionen. Als »Education sentimentale« halten die »Afrikanischen Spiele« ihre Philosophie unter der Oberfläche der Abenteuer und Ereignisse. Ohnehin könnte ein Siebzehnjähriger nicht über solche Problemstellungen sich auslassen. Der gedankliche Duktus der Erzählung zeigt sich mithin auch im Raffinement der Montage. Ein Ich-Erzähler, der dies eigentlich gar nicht sein kann; dazu seine Begegnungen, die Berichte von anderen. Und doch entsteht daraus ein Ganzes, dessen Zauber gerade darauf beruht, daß die Themen nicht ausgesprochen, sondern nur angesprochen werden. Im Prinzip eines erinnernden Erzählens, das über das Imperfekt hinaus auch ausdrücklich manchmal den Schnitt durch die Kontinuität des Berichts legt, verbindet sich der Autor mit dem früheren Ich. Er schiebt Bemerkungen ein, die in der Art von Prousts Konjekturen die Geschichte des »Damals« in einer jüngeren Vergangenheit aufheben. »Ich wußte damals noch nicht, daß das Gesetz der Wiederholung, das so viele Figuren in unserem Leben bestimmt, mich manches Jahr später zu dieser Insel zurückführen würde…« Gemeint ist eine Insel der Balearen, die mit einem einsamen Turm den Legionären auftaucht, als diese auf dem Schiff nach Nordafrika sind. Viel später, während eines Ferienaufenthalts auf derselben Insel, erkennt Jünger den Turm wieder. »Ein solcher Anblick ruft in uns ein Gefühl des Schwindels hervor – es ist, als ob die Zeit Löcher besäße, durch die wir auf unseren eigentlichen Zustand zurückfallen.« (AS, 121 f./ 15, 169)[40]

Hier, so scheint es, hat die Metapher vom Fall ihre Beunruhigung eingebüßt. Der Sturz durch die Zeit, in der Parabel des »Abenteuerlichen Herzens« noch Ausdruck einer surrealistisch zu Ende gedachten Bedrohung, führt den Stürzenden in seine Vorzeit zurück. Die Wiederholung ist die Anamnesis. Und Wiederholung ist auch in der biographischen Autorschaft gegeben, deren Sinnstiftung das Zufällige gegenüber dem Wesentlichen aussondert. Wie in dem Bericht des Opiumträumers schmilzt die meßbare Zeit, und »Schicksalszeit« stellt sich ein. Wenn es daher gegen den Schluß der Erzählung hin, kurz vor dem Ende des dreiwöchigen Kasernendienstes in Oran, heißt, daß das, »was man an Aussichten verliert, an Einsichten gewinnt«, ist das Abenteuer ins Wiedererkennen aufgehoben. – Das zweitletzte Kapitel evoziert nochmals einen Vorgang, wie ihn Marcel Proust, psychologisch endgültig, erfaßt hat. Der Soldat ist am Einschlafen. »Keine Spanne unseres Tages ist geheimnisvoller als der Augenblick, der dicht vorm Einschlafen liegt. Wir treten zögernd in den Schlaf wie in eine Höhle ein, die in ihren ersten Windungen noch vom Eingange her der matte Abglanz des Tageslichtes erhellt. Während wir in einer immer tieferen Dämmerung die inneren Formen zu entziffern suchen, fallen wir einem Zustande der Faszination anheim, in dem der Gegenstand höhere Kraft als das ihn betrachtende Auge gewinnt. Dann plötzlich tauchen leuchtende Bilder auf wie Transparente, deren verborgener Sinn ein neues und unbekanntes Licht durchstrahlt. Dies ist der Augenblick, in dem wir oft noch einmal aus dem ersten Schlummer fahren, wie durch eine verbotene Annäherung erschreckt.« (AS, 215 f./15, 243)[41]

Der Moment, wo »der Gegenstand höhere Kraft als das ihn betrachtende Auge gewinnt«: ähnlich ist dem Kind im Traum die tiefere Bedeutung der Haushaltgeräte geoffenbart worden. Anders als Proust, der solche Bilder zwar mit der Personalität des Einschlafenden verschmelzen läßt, doch dies aus dem psychischen Zustand des Halbschlafs ableitet, deutet Jünger die Wahrnehmung der anflutenden Eindrücke als eine Begegnung im platonischen Sinn. Im Übergang nach der »anderen Seite«, in einen nicht funktional-logisch strukturierten Raum, öffnet sich dem Menschen das Verborgene der Gegenstände wenigstens als ästhetische Ahnung. Will er mehr wissen ? Ein letztes Mal tritt, im Traum, Dorothea auf. Der Träumer fragt sie aus »nach vergangenen als auch nach künftigen Dingen«. Sie antwortet in kurzen Sätzen, von denen manche in der Erinnerung haften. Im Grunde weiß der junge Mann die Antworten bereits. In der späteren Fassung: »Im Grunde war die Zukunft Vorgeschautes und Vorgewußtes: sie war Erinnerung.« Der Schutzengel wird entbehrlich.

Evident ist, daß damit der Geschichtlichkeit wie auch den Kontingenzen und Zufälligkeiten sowohl jeder »Biographie« wie der Welt überhaupt eine Sperre geschoben ist. Man mag sich über die nähere Geburtsstunde dieser »Posthistoire«-Philosophie streiten, und für die Idee an sich lassen sich verschiedene Beweggründe angeben. Natürlich ist die Verlegung der Erkenntnis der Vorbestimmtheit alles Zeitlichen in die Jugendzeit der Legion nicht beim Nennwert zu nehmen; eher schließen die »Afrikanischen Spiele« den langen Prozeß der Inkubation ab. Wenn der Krieg, dann auch die Technik in ihrer »totalen Mobilmachung« von den »Urkräften« Zeugnis gaben, war die Verwirklichung fundiert im Prozeß der Geschichte als Vorgang der Abspiegelungen. Entschieden hatte der »Arbeiter«-Essay

den Prozeß der Moderne von der Werkstättenlandschaft zur Planlandschaft beschworen. Aber die Schrift über den Schmerz hatte,
vielleicht entgegen gewissen zeitkonformen Absichten, den Autor
gegen den Verlust an Humanität nicht immun, sondern besonders
reizbar und hellhörig gemacht. Nach 1936 mußte jedem Denkenden
klar werden, was sich gegen Sitte und Kultur formierte. In dieser
Krise, die dem Schriftsteller zur Krise seiner »organischen Konstruktion« wird, endet jeder Historizismus in Aporien: er kapituliert vor
der unmenschlichen Macht des Faktischen.

Geschichte kann nun nicht mehr im großen Stil vermessen und in
die Zukunft geworfen werden. Das sah auch Spengler. Wo ist sie
noch faßbar ? In der Biographie – im Tagebuch individueller Ereignishaftigkeit. Was dem Einzelnen eingeschrieben ist, bestätigt oder
verwirft kein Weltgericht mehr. Das Leben der Person wird zum
kleinsten Zeit-Raum, der nun auch als Zukunft *Erinnerung* ist. Es ist
weder Laune noch Eitelkeit, daß Jünger nach seinen geschichtsphilosophischen Ausflügen auf ein Stück Autobiographie zurückkommt. An sich selbst zu entdecken, wie ein Charakter sich formt
und ein »Plan« sich zu erkennen gibt, bedeutet nicht bloß die
Anknüpfung an eine große Tradition seit Montaigne. Die Wende von
der Geschichtsphilosophie zur Lebenswelt und ihrer phänomenalen
Ausstrahlung wird an unverfänglichem Ort erprobt. »Immerhin läßt
sich sagen, daß man auf diese Weise das, was man an Aussichten verliert, an Einsichten gewinnt; und auf die Schilderung dieses Vorgangs zielt unsere Erzählung ab.« Der Satz reflektiert unauffällig,
was im Gang der »Afrikanischen Spiele« nicht nur Heiterkeit und
Selbstironie ist. Vor den Zeichen der Zeit und vor dem Hintergrund
der eigenen früheren Schriften geht es um Trauerarbeit: statt Aussichten die Einsichten, statt Zukunft Erinnerung.

»Das Abenteuerliche Herz«
– zweite Fassung

Wenn Jünger daher 1938 eine zweite, stark revidierte Fassung des
»Abenteuerlichen Herzens« vorlegt, folgt die Entscheidung auch
der inneren Logik des Werkzusammenhangs. Man hat darauf hingewiesen, daß dieser neuen Version die beunruhigende Schärfe und

die seismographische Empfindlichkeit fehle und hat dies in Zusammenhang gebracht mit Jüngers Hinwendung zur stoizistischen Haltung gegenüber den Wechselfällen des Lebens wie auch gegenüber dessen unwandelbaren »Gesetzen«. Daran ist Wahres. Doch zunächst ist die neuerliche Beschäftigung mit dem Stoff des »Abenteuerlichen Herzens« ein Griff hinter den »Arbeiter« zurück – und damit auch über ihn hinaus. Nachdem dem Autor die geistige Position des großen Essays wenn nicht prekär, so mindestens fragwürdig geworden ist, erinnert er sich an die unsystematischen, surrealistisch gedrängten Szenen der »Aufzeichnungen bei Tag und Nacht«. Sie hatten einen Überschuß an Reflexion über die Physiognomie der Moderne geborgen, der im Fortlauf des Schreibens nicht mehr weitergetrieben wurde. Nun, nach dem erzählenden Exkurs in die Autobiographie, stellt sich Jünger nochmals den feineren Symbolen und Allegorien der babylonisch gewordenen Moderne.

Der Untertitel der ersten Fassung hatte geheißen »Aufzeichnungen bei Tag und Nacht«. Der Untertitel der zweiten Fassung lautet »Figuren und Capriccios«. In der Differenz liegt mehr als nur eine literarische Geste. Von Figuren, zuletzt von der Grundfigur, hatte Benoit gesprochen, der Legionär in den »Afrikanischen Spielen«, als ihm der Opiumrausch die Baugesetze der Welt durchsichtig machte. Schon in früheren Texten war von »Figur« öfter die Rede. Der spekulative Wert der Metapher mag gering, ihre philosophische Verweiskraft beschränkt sein, »Figur« bezeichnet gleichwohl innerhalb von Jüngers Denken das »Modell«, die Strukturchiffre, die den Primärbaustein der Welt meint. Lag im Untertitel der ersten Fassung der Akzent auf dem *temporalen* Aspekt, indem der Rythmus der Zeit im Hellen und Dunklen ausgehorcht wurde, wird jetzt, im Untertitel der zweiten Version, der Beobachter auf das Muster von Wirklichkeit und Wirklichkeitsbedingung verpflichtet, das nicht dem Wechsel der Zeiten unterliegt, sondern diesen hervorbringt. Indessen tritt die »Figur« selten so rein auf, wie es in der letzten Phase von Benoits Traum geschieht, wo sie sich ohne Umkleidungen zu erkennen gibt. Schon den platonischen Ideen wohnt die Folgelast inne, sich zu vermischen, sie werden, einmal »verwirklicht«, unrein. Figuren zeigen sich dann als Capriccios.

Das Capriccio hängt auch ab vom Einfall. Es stiftet nicht Kontinuität, noch gewährt es feste Konturen für die Muße des Betrachters.

Es ist in höherem Maß als andere Formen abhängig von der ästhetischen Sicherheit des Künstlers, der es hervorbringt. Jünger komponiert seine Capriccios – die Einfälle und Skizzen, die Parabeln und Kurzgeschichten, die Träume und Notizen – nun nicht mehr auf die *Zeit* hin, der sie gehorchen, und auf den Wandel hin, aus dem sie kaleidoskopisch immer neu sich wieder bilden. Dies war der Reflexionsprozeß gewesen, der der ersten Fassung ihr Gewicht gegeben hatte: der Umbruch der Epoche wurde in den Rissen und Sprüngen der modernen Tektonik nachgewiesen, und zum Beunruhigendsten trug die Erkenntnis der schiefen Gleichzeitigkeiten bei: des Nebeneinanders und Übereinanders von geschichtlichen Emanationen, die ihrem geistigen Ursprung nach verschiedenen Zeiten zugehören. In der zweiten Fassung rückt der temporale Querschnitt in den Hintergrund. Zeitlose Figuren sollen jenseits ihrer zeitlichen Entfaltungen aufgesucht werden. Für diesen naturhaften, kosmischen Bestand an Ewigkeiten, die nur noch ästhetisch sichtbar gemacht werden müssen, gibt es Beispiele in früheren Texten seit der Vollendung des Essays über den »Arbeiter« von 1932.

Sollte es also möglich sein, bei ähnlicher Schärfe des Blicks, wie sie schon in der ersten Fassung an die Erscheinungen herangetragen worden war, bei ähnlicher phänomenologischer Zurüstung das Drama der modernen Entfremdungen so umzuschreiben, daß sich daraus ein Bild ergäbe, das sowohl von der Zeittypik berichtete als auch von den fundierenden Kräften, die dahinter wirken? Jünger notiert zu Anfang: »Die eigenen Bücher nimmt man deshalb so ungern zur Hand, weil man sich ihnen gegenüber als Falschmünzer erscheint. Man ist in der Höhle des Ali Baba gewesen und hat nur eine lumpige Handvoll Silber zutage gebracht. Auch hat man das Gefühl, zu Zuständen zurückzukehren, die man abstreifte wie eine vergilbte Schlangenhaut.« [42] Und er fährt, in dem »Die Kiesgrube« überschriebenen Abschnitt, weiter mit dem Nachdenken über die »Wiederaufnahme des bereits Abgeschlossenen«. Bemerkenswert an dieser Passage ist weniger der Selbstkommentar als die Tatsache, daß der Autor mit keinem Wort davon spricht, daß sich ihm in den immerhin neun Jahren das Thema und der Stoff verändert haben könnten. Es scheint, vordergründig, nur um Technisches zu gehen. »Zunächst soll an Abstrichen nicht gespart, und sodann das so Gewonnene aus dem Vorrat ergänzt werden. Auch sind einige verbotene Stücke nachzutragen, die ich damals zurücklegte – denn was die Gewürze betrifft, so gewinnt man erst im Laufe der Zeit die sichere Hand.« (AH II, 8/ 9, 181)

Als ob es lediglich darum zu tun gewesen sei, einen Vorrat zu überprüfen, Abstriche vorzunehmen und einiges besonders Exotische einzustreuen. Aber das Bekenntnis trifft sich mit der scheinbaren Harmlosigkeit des »Capriccios«. An Proben und Entwürfen ist kein Mangel, und um die Suggestion der Fülle zu bekräftigen, vergleicht Jünger die Texte mit Steinen. Als Gefäß des Mannigfaltigen birgt die Kiesgrube die einzelnen Konkretionen.

»Hin und wieder greifen wir ein Fundstück mit der Hand und wenden es vor den Augen hin und her – vielleicht einen Bergkristall, vielleicht ein zerbrochenes Schneckenhaus, an dem uns der Bau der inneren Spindel überrascht, oder einen mondblassen Tropfsteinzacken aus den unbekannten Höhlen, in denen die Fledermaus ihre lautlosen Kreise beschreibt. Hier ist die Heimat der Capriccios, nächtlicher Scherze, die der Geist ohne Regung wie in einer einsamen Loge, doch nicht ohne Gefährdung genießt. Doch gibt es auch runde Granite, die in den Gletschermühlen geschliffen sind, an Punkten hoher Aussicht, an denen die Welt ein wenig kleiner, aber auch klarer und regelmäßiger, wie auf gestochenen Landkarten erscheint, denn die hohe Ordnung ist im Mannigfaltigen wie in einem Vexierbild versteckt.« (AH II, 8 f./9, 181)

Die Metapher aus der Geologie soll die Vorstellung geben, daß es bei den Formen – den Texten eben – um Erscheinungsbilder geht, wo abgespiegelt ist, was naturhaft, »organisch«, entstand. Wie jeder Metapher, die aus dem Arsenal der Natur stammt, wohnt der »Kiesgrube« die Tendenz inne, die Falten der geschichtlichen Zeit und damit auch die Taten ihrer bewußten und unbewußten Agenten zu glätten. Wie werden die Schrecknisse einer Epoche, von denen auch die zweite Fassung des »Abenteuerlichen Herzens« nicht einfach schweigt, erträglicher? Indem man ihnen stoisch begegnet. Aber dem Verhalten liegt eine Weltdeutungsprämisse zugrunde. Kein Stoiker ist deshalb oder gar nur deshalb stoisch, weil er sich eingesteht, daß er dies alles: die Wirrnisse der Zeit, die sinnwidrigen Erfahrungen, die Kontingenzen des Lebens, nicht versteht. Er versteht im Gegenteil sehr gut, daß die Frage nach der Rechtmäßigkeit ebenso unangemessen ist, wie der Weltensturm hingenommen werden muß. Die Macht des Faktischen wehrt jeden Einspruch ab.

Von da bis zu einer Sinndeutung des Sinnlosen ist immer noch ein weiter Weg. Wenn eine Ordnung gefunden werden soll, welche die Fülle des Wirklichen zur Gänze in sich aufnimmt und nicht in der Weise der Reduktion aussondert, was nicht ins System gehört, muß die Fülle schon vorgängig anerkannt sein. Der Vorstellung von der Ganzheit der Welt oder von der letzten Harmonie der Welten darf nichts fremd bleiben. Deshalb ist der zweiten Fassung des »Abenteuerlichen Herzens« ein Zitat aus der ersten Fassung leitmotivisch vorangestellt: »Dies alles gibt es also.« Jünger nimmt damit einen Satz wieder auf, der im Schlußkapitel der Sammlung von 1929 auftaucht, wo es bereits um die Erkenntnis »einer höheren Einheit« geht, die dem Dichter aufgegeben ist. »Er sieht dort, wo jeder für sich im Kampfe liegt, die durchlaufende Front.« Dann folgt wieder ein metaphorischer Einschub, der zeigen soll, was es mit dieser Erkenntnis auf sich hat. »So beruht auch das unvergleichliche Entzücken, dessen nur ganz junge Menschen fähig sind, vor allem darin, daß sie ihre geheimsten Wertungen als gültig bestätigt sehen. ›Dies alles gibt es also‹ – die Vermittlung dieses Gefühls bedeutet für die Robinsons unserer großen Städte nicht weniger als der Abdruck des menschlichen Fußes, den der wirkliche Robinson am Strande seiner Insel fand. Es bedeutet, daß es Menschen gibt.«

»Dies alles gibt es also« – so wird das Motiv neun Jahre danach wieder aufgenommen. In dem »also« liegt ein Rest von Unglauben, von Zweifel, ob der eigenen Wahrnehmung und damit der Einsicht des Dichters zu trauen sei. Das Erstaunen junger Menschen, beim Lesen eines Buches wiederzufinden, was ihre Einsichten bedingte, ist ein Erstaunen aus vorgängiger Skepsis. Aber als sein eigener Leser nimmt Jünger das »Gefühl« der Bestätigung vorweg, indem er schon auf dem Titelblatt der zweiten Fassung den Satz mitteilt, der eine Art von Summe der ersten Fassung des »Abenteuerlichen Herzens« ausdrückte. Das Selbstzitat bindet dadurch die beiden Teile auf eigentümliche Weise zusammen; da der Satz nun kontextlos dasteht, scheinen die Beobachtungen schon der ersten Version in der Affirmation *alles* Gegebenen zusammenzulaufen. Von den Divergenzen und Täuschungen, den Ängsten und Bedrohungen muß dann nicht mehr negierend gesprochen werden. Und auch für den zweiten Teil bedeutet das Motto, daß der Leser nur wiedererkennen werde, was es eben gibt. Einerseits ist entschieden, daß es sinnlos wäre, zwischen wahren und falschen, legitimen und unrechtmäßigen Realitäten zu unterscheiden. Das Faktische ist stärker als die Wertungen, die ihm zugetragen werden. Anderseits handelt es sich auch bei der zweiten Fassung des »Abenteuerlichen Herzens« nicht einfach um die Spurensicherung des Offenkundigen. »Dies alles gibt es also« – heißt dann, daß auch dem Abgründigen und Traumhaften kein Zweifel entgegengebracht wird. Der Autor verfehlt nicht, in einer Zeit, die der Kultur der Lektüre kaum mehr zugetan ist, darauf hinzuweisen, daß seine Mitteilungen nicht nach dem Belieben des Lesers ausgesiebt werden dürfen.

Denn das, wovon sie sprechen, gibt es. Einem Publikum, dem die Komplexität des »stereoskopischen Blicks« oft nur lästig sein mußte, wird gesagt, daß mehr ist, als man gerne annehmen möchte. Darin liegt ein subversiver Aspekt der »Figuren und Capriccios«. Gleichwohl ist die Anerkennung dessen, was ist, nicht grenzenlos; sie wird beschränkt von dem »dies«, welches das »alles« auf sich ausrichtet: auch der Dichter erfaßt nur Ausschnitte. Denn »dies alles« bezieht sich zunächst nur auf die Beobachtungen, die ihrerseits vorliegen und mit der Erinnerung des Lesers zum Zeugnis von der »höheren Einheit« verschmelzen, Beobachtungen, die mit der Endlichkeit der Wahrnehmung zusammenfallen. In Jüngers Philosophie findet man keine Ermunterung zur kreativen Selbstermächtigung des Autors, und selbst der dichterischen Ahnung sind Grenzen des Welterfassens gesetzt. Der schaffende Spiegel des Schriftstellers reflektiert Teile dessen, was es gibt. Was es »gibt«, gehört der Fülle des Seins zu, dem der dynamische Platonismus dadurch nachstellt, daß er es in seinen Reflexen zu bergen versucht. Ein zweites Motto, das ebenfalls den Text der zweiten Fassung einleitet, affirmiert dieses Denken der Entsprechungen. Dafür bürgt der Satz von Hamann, »Den Samen von allem, was ich im Sinn habe, finde ich allenthalben.« Finden ist immer Wiederfinden, und selbst dem Finden des Samens geht ein geheimer Prozeß voraus, der die Suche nach dem Ursprung ihrerseits vom Ursprung her determiniert. Es kann nichts Neues geben; aber auch nichts anderes als das, von dem der Dichter sagt: es gibt es.

Darauf beruht das Pathos des Autors. Wer nichts dazufingiert, nur die »höhere Einheit« zum Sprechen bringt, ist weder für seine Texte letztlich haftbar, noch kann man ihn dafür belangen, daß er auch von Schrecknissen und Verstörungen Kunde gibt. Jede platonisierende

Lesbarkeit hat indessen die Hypothek der Annäherung: wenn gilt, daß die Ideen als Grundfiguren in ihrer Verwirklichung trüb werden, findet man nur Abgeleitetes vor. Nun obliegt es dem Schriftsteller, in einer Rekonstruktion den Vorgang der Wirklichkeitswerdung so weit zurückzuverfolgen, daß hinter der Verwirrung die Ordnung wenigstens ahnbar wird. »Dies alles gibt es also« wäre dann nichts anderes als der Ausruf des Wiedererkennens, in welchem dem Künstler die Leistung verdankt wird, die überhaupt kenntlich machte, daß und wie die Ideen und Bilder zusammengehören.

Es ist daher durchaus konsequent, wenn Jünger die zweite Fassung mit einem Stück dauerhafter, scheinbar ungebrochener Mimesis beginnt. Er beschreibt more botanico eine Tigerlilie. »Lilium tigrinum. Sehr stark zurückgezogene Blütenblätter von einem geschminkten, wächsernen Rot, das zart, aber von hoher Leuchtkraft und mit zahlreichen ovalen, schwarzblauen Makeln gesprenkelt ist. Diese Makeln sind in einer Weise verteilt, die darauf schließen läßt, daß die lebendige Kraft, die sie erzeugt, allmählich schwächer wird. So fehlen sie an der Spitze ganz, während sie in der Nähe des Kelchgrundes so kräftig hervorgetrieben sind, daß sie wie Stelzen auf hohen, fleischigen Auswüchsen stehn. Staubgefäße von der narkotischen Farbe eines dunkelroten Sammets, der zu Puder zermahlen ist. Im Anblick erwächst die Vorstellung eines indischen Gaukler-Zeltes, in dessen Inneren eine leise, vorbereitende Musik erklingt.« (AH II, 5/9, 179) – Eine Beschreibung in schönster Tradition der anschauenden Klassifizierung. Gleichwohl geht von der Visualisierung etwas Beunruhigendes aus. Es lohnt sich, zunächst die Sprache näher zu betrachten, der sich der – interesselose ? – Phänomenologe bedient. Schon bei dem Adjektiv »geschminkt« kippt, was man anfangs als bloße Blütenbestimmung ansehen könnte, merkwürdig ins Anthropomorphe, denn indem einer Naturerscheinung zugeschrieben wird, was man gemeinhin mit künstlicher Erzeugung verbindet, bricht eine Dissonanz auf. Kann eine Blume geschminkt sein? Dann das Wort von den Makeln, das zwar, dem Botaniker geläufig, einfach Flecken oder Einschlüsse bezeichnet, hier allerdings auch die Bedeutung von »Fehler« mitschwingen läßt. Und darauf der Hinweis, daß die lebendige Kraft, die das Muster hervortreibt, allmählich schwächer werde. Endlich ist von den Makeln in der Nähe des Kelchgrunds gesagt, sie stünden wie auf

Stelzen, nämlich auf hohen, fleischigen Auswüchsen. Die Farbe der Staubgefäße wirkt narkotisch.

Dieser Blüte wohnt eine täuschende Ausstrahlung inne. Jedenfalls zeichnet die Sprache die Ambivalenzen, auch die metaphorischen Anspielungen nach, die dem Betrachter aufgehen: teils schwindende Kräfte, teils ein verwirrender Reichtum an optischen Signalen, schließlich als Konklusion eine Beunruhigung. »Im Anblick erwächst die Vorstellung eines indischen Gaukler-Zeltes, in dessen Inneren eine leise, vorbereitende Melodie erklingt.« – Man muß nicht an die lange Tradition einer Physiognomik erinnern, die aus der Natur ihre Charakterwahrheiten und allegorischen Verweise zieht, um zu sehen, daß die Passage mehr ausdrücken soll als nur eine geglückte Beschreibung. Unter dem poetischen Diktat verwandelt sich die Tigerlilie in ein Zeichen – wofür? Schwer zu sagen. Doch könnte schon die Evokation eines »nächtlichen Scherzes«, einer sanften Irritation dem Autor genügen, um sichtbar zu machen, daß die »Figuren und Capriccios« die Linearität des gewohnten Blicks zu stören beabsichtigen. Eben diese Verwandlung des scheinbar Gesicherten und längst Entborgenen in dessen »andere Seite« hatte erfolgreich der Surrealismus vorgeführt, und Jünger selbst war dem Geheimnis solcher ästhetischer Collagen schon 1929, in der ersten Fassung des »Abenteuerlichen Herzens«, auf der Spur.

Eine Blüte ist nicht mehr eine Blüte. Der Vorgang von Sprachwerdung, worin nur wiedergegeben ist, was dem durchschnittlichen Sehen auch ohne eine literarische Übersetzung aufgeht, wird gesprengt. Erst so kann die Tigerlilie zur Blume des Bösen werden. Was die Romantik begonnen hatte, indem sie die Gegenstände ihrer Wahrnehmung plötzlich von unbekannten und unheimlichen Stimmungen sprechen ließ, vollendet der Surrealismus. Ihm offenbaren sich die Dämonien der Welt gerade im scheinbar fraglos Vorhandenen. Soll solche Lektüre als Durchdringung mehr sein als nur der gewalttätige Akt poetischer Symbolisierung, muß das Befremdliche am Gegenstand selbst ausgewiesen werden. Das ist in Jüngers Passage auf zwingende Weise der Fall. Er beginnt seine Beobachtung aus der Immanenz der botanischen Genauigkeit, und erst in den Anthropomorphismen, die um der Genauigkeit willen als unentbehrlich erscheinen, beginnt das Bild zu vibrieren. Sollte es am Ende nur um den Nachweis gehen, daß die Formen einer Blüte einem

»Charakter« entsprechen, wo der Mensch mehr erkennt und eigentlich wiedererkennt, so wäre, zur Einführung in die Figurenwelt, hinreichend angedeutet, welche Zusammenhänge dem Autor wichtig sind. Die Schöpfungsphysiognomik versichert sich ihres Einzugsgebietes.

Allerdings ist es ein Merkmal der zweiten Fassung, daß Jünger nun viel entschiedener als in der Version von 1929 die Vieldeutigkeiten und Spannungen von Lesbarkeit aus der Natur und ihrem Formelschatz her entfaltet; die Geschichte tritt dagegen vergleichsweise in den Hintergrund. Vielleicht darf man über das Zulässige hinausspekulieren und dem Symbolismus der Passage einige nicht völlig undenkbare Bedeutungen zuführen, in denen sich zeigte, *wie* eine Form der Natur einen geschichtlichen Vorgang gleichsam vorprägt. Von den Farben der Tigerlilie fallen auf: Rot und Schwarz. Das »geschminkte«, »wächserne« Rot, dazu die »schwarzblauen Makeln«. Schwarz vor rotem Hintergrund hebt sich auch das Hakenkreuz ab. Spannt man diese politische Konnotation noch etwas an, liefe die Diktatur »wie auf Stelzen« »auf hohen fleischigen Auswüchsen« – oder eben auf dem Grund der Menschenopfer, die ihr gebracht werden. Der letzte Satz verwiese auf die verführerische Wirkung der »Bewegung«: ein indisches (arisches) Gauklerzelt, das vorbereitend seine Netze ausgeworfen hat.

Es kann nicht darum gehen, ob Jünger tatsächlich eine solche versteckte Anspielung beabsichtigte, als er immerhin eindeutig die Verbindung der Tigerlilie mit den Effekten von Trug, Künstlichkeiten und Verführbarkeit herstellte. Es genügt, wenn solche Perspektiven vom Text her überhaupt möglich sind. Hätte Jünger mit Absicht die Linien zu den Gauklern des Terrors gezogen, müßte die Metaphorik, deren er sich bediente, auf den gleichsam naturhaften Ursprung des historischen Schreckens verweisen: Geschichte als Sonderfall der Natur wäre im Guten wie im Bösen der Wertung letztlich unzugänglich. Was so hervorwächst, wurzelte in tieferen Regionen von Ursprüngen und wäre daher zunächst ein Objekt der Ästhetik.[43]

Nochmals bestätigt das Kapitel »Zur Kristallographie«, wie sich dem Schriftsteller gleichzeitig die Oberfläche und die Tiefe des Wahrgenommenen erschließen sollen. Er folgt hier deutlicher als anderswo Goethe und dessen Schriften zur Morphologie. »Die durchsichtige Bildung nun ist die, an der unserem Blick Tiefe und

Oberfläche zugleich einleuchten. Sie ist am Kristall zu beobachten, den man als ein Wesen beschreiben könnte, das sowohl innere Oberfläche zu bilden, als seine Tiefe nach außen zu kehren vermag. Ich möchte nun den Verdacht aussprechen, ob nicht die Welt im großen und kleinen überhaupt nach dem Muster der Kristalle gebildet sei – doch so, daß unser Auge sie nur selten in dieser Eigenschaft durchdringt? Es gibt geheime Zeichen, die darauf hinweisen – wohl hat jeder einmal gespürt, wie in bedeutenden Augenblicken Menschen und Dinge sich aufhellten, und das vielleicht in einem Maße, daß ihn ein Gefühl des Schwindels, ja des Schauders ergriff... So ist, um ein beliebiges Beispiel zu nennen, die Erfassung der Urpflanze nichts anderes als die Wahrnehmung des eigentlich kristallischen Charakters im günstigen Augenblick.« (AH II, 10/9, 182)[44]

Solche Wahrnehmung von Oberfläche und Tiefe teilt sich mit in einer Sprache, die die Doppelung der Bedeutungen kennt. »Auch in den Figuren, vor allem im Vergleich, liegt viel, was den Trug der Gegensätze überbrückt.« Die Metaphorik wird zur Brücke, die aus der scheinbaren Diversität der Gegenstände übergreift, um Sinn-Verbindungen herzustellen. Vom Autor sei zu verlangen, »daß ihm die Dinge nicht vereinzelt erscheinen, nicht treibend und zufällig – ihm ist das Wort verliehen, damit es an das Ein und Alles gerichtet wird.« (AH II, 11/9, 183) Nochmals Erinnerung an den Auftrag des Künstlers: er beglaubigt die Zusammenhänge, hebt Trennendes auf, damit die Dinge nicht als kontingent erscheinen, sondern in Kongruenz mit ihrem Grundplan. Mimesis ist hier anspruchsvoller geworden, als es ein oberflächlicher Nachahmungstrieb sein kann. Wiederholt wird nicht die zunächst unbefragte, fraglos zuhandene Wirklichkeit, nicht das »Abbild«, sondern näherungsweise das »Urbild«. Insofern soll der Schriftsteller durch die Erscheinungen hindurchsehen können, denn ihre Struktur offenbart sich nicht schon in der analytischen Sichtung, sondern erst in der synthetischen Komposition. Das Programm einer solchen Ästhetik muß daher weit über jeden Realismus der Darstellungswahrheit hinausführen. Wenn nicht Vereinzelung das letzte Wort haben soll, wenn vielmehr nachzuweisen ist, daß und wie alles mit allem zusammenhängt, ist die Poetik vor Probleme gestellt, welche die Vermittlung und Verknüpfung dieses Einzelnen betreffen.

Hier beginnt der Umgang mit den Vergleichen – mit den Metaphern, die scheinbar Entlegenes, Disparates zusammenholen und versöhnen. Darüber wird noch zu sprechen sein. Die Metapher überbrückt die erkenntnistheoretische Verlegenheit dessen, der das Ganze zwar zu ahnen glaubt, aber nicht sieht. Sie kompensiert die Lücke, den blinden Fleck. Entstammt sie den Einzugsgebieten der Natur, stiftet sie einen Übergang, eine Öffnung hin auf das Unveränderliche und Unumstößliche. Der Vergleich ist nun mehr als Vergleich: er soll die Konsonanz zum Klingen bringen, welche zwischen den »Urformen« und ihren in Zeit und Geschichte hineingesetzten »Oberflächen« besteht. Ein ungeheurer Druck als Anspruch des Weltverstehens lastet auf dem Künstler, der seine Aufgabe so deutet. Nichts Neues darf ihm neu bleiben, schlechthin alles ist, virtuell jedenfalls, auf Vorprägungen und Grundmuster zu befragen. Der Zufall wird dabei zum bloß temporären Zustand, in welchem die Vereinzelung noch nicht im Kristall gebannt ist.

Entspräche solcher Harmonisierung in der »Tiefe« auch immer die Eintracht an der »Oberfläche«, gäbe es die Beunruhigung nicht, deren Ursache die *Abweichung* ist. Das ist nicht der Fall. Die Oberfläche als Welt der Erscheinungen bietet im Gegenteil eine Fülle von Verformungen, Widersprüchen, Unverständlichkeiten. Die zeitgeschichtliche Hellsicht eines Autors erweist sich gleichsam in dem Raum, der den Schein von Sein trennt. Jüngers Sinnverlangen, das den Dingen immer schon die höhere Ordnung zuweisen möchte, gerät da in Schwierigkeiten, wo die Dissonanzen innerhalb der Wirklichkeit, die der Phänomenologe so sicher erfaßt, jede Sinnzufuhr zurückstoßen. Dieser Prozeß von Entfremdungen gilt im Prinzip für die Moderne überhaupt, die ihren Deutern plötzlich unlesbar wird; doch reizt die Unzugänglichkeit zur entschiedensten Reduktion auf Sinn. Da sich dieser, wie der Versuch des »Arbeiters« zeigte, nicht teleologisch in der Geschichte erfüllt, wird er in den geschichtslosen Urformen aufgesucht. Die »Vergleiche« aus der Natur müssen nun auch die Verfaßtheit der Epoche konturieren.

Solche Radikalität der Rückführung auch von Geschichtlichem in die kristallische Tiefe mutet ebenso zwingend wie bedenklich an. Irritierend ist die Tendenz zur Entleerung der historischen Zeit, zur Auflösung ihrer Spezifica in das »Immer schon«, das sinnvollerweise nicht mehr auf seine Legitimität hin geprüft werden kann. Wenn sich in den Dämonien eines Zeitalters mit ähnlicher physiognomi-

scher Gesetzmäßigkeit wiederholt, was im Kelch der Tigerlilie vorgebildet ist, wird die Frage nach dem moralischen Anteil an der Historie tendenziell überflüssig. Unmittelbar nach der Erörterung der
poetologischen Wahrheit von »Oberfläche« und »Tiefe« notiert Jünger unter dem Titel »Violette Endivien« eine der schreckvollsten Passagen des ganzen Buches. Sie gibt ein erstes Beispiel für das, womit
in den »Capriccios« zu rechnen ist.

»Ich trat in ein üppiges Schlemmergeschäft ein, weil eine im Schaufenster
ausgestellte, ganz besondere, violette Art von Endivien mir aufgefallen war.
Es überraschte mich nicht, daß der Verkäufer mir erklärte, die einzige Sorte
Fleisch, für die dieses Gericht als Zukost in Frage käme, sei Menschenfleisch – ich hatte das vielmehr schon dunkel vorausgeahnt. Es entspann sich
eine lange Unterhaltung über die Art der Zubereitung, dann stiegen wir in
die Kühlräume hinab, in denen ich die Menschen, wie Hasen vor dem Laden
eines Wildbrethändlers, an den Wänden hängen sah. Der Verkäufer hob
besonders hervor, daß ich hier durchweg auf der Jagd erbeutete und nicht
etwa in den Zuchtanstalten reihenweise gemästete Stücke betrachtete:
›magerer, aber – ich sage das nicht, um Reklame zu machen – weit aromati-
scher‹. Die Hände, Füße und Köpfe waren in besonderen Schüsseln ausgestellt und mit kleinen Preistäfelchen besteckt. Als wir die Treppe wieder
hinaufstiegen, machte ich die Bemerkung: ›Ich wußte nicht, daß die Zivilisation in dieser Stadt schon so weit fortgeschritten ist‹ – worauf der Verkäufer
einen Augenblick zu stutzen schien, um dann mit einem sehr verbindlichen
Lächeln zu quittieren.« (AH, 11 f./9, 183 f.)

Alles, was am Bild der Tigerlilie noch Vermutung und ahnungsvolle
Unheimlichkeit sein mochte, ist jetzt in schärfste Präsenz gehoben,
und auch die Steigerung des Schreckens ist in der Parabel selbst dramaturgisch angelegt: was den Beobachter nicht mehr überrascht, hat
er schon dunkel vorausgeahnt. Dem Stoff nach gemahnt der Text an
die düstersten Visionen Kafkas; der Erzählweise nach ist er der
Traumbewegung nachgebildet, wo auch oft schlagartig wirklich
wird, was in Unruhe antizipiert ward. Daß der Ich-Berichterstatter
ohne Betroffenheit in das Schreckliche Einblick zu nehmen scheint,
sich »in eine lange Unterhaltung über die Art der Zubereitung« einläßt, gibt Rätsel auf. Da ist, anders als bei Kafka, kein Opfer, das von
den Anmutungen Kunde gibt, sondern ein ruhiger, aufgeklärter
Beobachter, der sich über der Sache hält. Natürlich ist die Parabel in

der Wertung des Grauens auf das Ende hin angelegt. Was der Schlemmergeschäft-Besucher da äußert, setzt ein Wissen von stoischer Unbeirrbarkeit voraus. »Ich wußte nicht, daß die Zivilisation in dieser Stadt schon so weit fortgeschritten ist.«

Das ist nicht unbedingt ironisch, wenn auch mit hoher Verachtung, intoniert. Erinnert man sich an die Kritik, die Jünger schon in den Frühschriften dem Begriff von Zivilisation entgegenbrachte, meinte diese eine Art von Humanität, die vornehmlich auf technischen Annehmlichkeiten beruht, der Substanz nach indessen den Nihilismus in sich aufgenommen hat. Zivilisation ist – und die Parabel weist in die Richtung – Verkleidung, Organisationsprinzip, Kalkül, mechanische Erleichterung. Wenn eine »Stadt« die Wahrheit des »homo homini lupus« so weit verfeinert, daß sie darauf eine Ökonomie aufbauen kann, in deren zirkulärer Bewegung der Mensch seinesgleichen zum Verzehr angeboten erhält, kann man – höhnisch – von einer Hebung des technisch-ideologischen Verfahrens oder auch von einem Zuschuß an Zivilisation sprechen. Nur ironisch gemeint, wäre die Antwort trivial. Dazu kommt, daß nach Jüngers Verständnis nicht einfach ein Rückfall in die Barbarei gegeben ist. Die Gewißheit über den Menschen, die die Schrift »Der Kampf als inneres Erlebnis« von 1922 ausgesprochen hatte, »Noch immer ist viel Tier in ihm«, ist als Minimum anthropologicum an die Parabel herangetragen. Die furchtbare Pointe der Voraussetzung gibt sich jedoch erst in der Ableitung auf ihre zeitgenössische Aktualisierung zu erkennen. Es ist der funktional durchgebildete Handel in den »Kühlräumen«, der das Menschenopfer schließlich zum Geschäft werden läßt.

Von einem Rückfall kann daher nur insofern gesprochen werden, als die Kluft zwischen der barbarischen Unumstößlichkeit und ihrer zivilisatorischen Maske wächst. Die Moderne täuscht über ihre Folterungen und Grausamkeiten hinweg, es kann ihr gelingen, das Bestialische schließlich so sehr zu funktionalisieren, daß es, höchster Triumph, als das Selbstverständliche hingenommen wird.[45] Zur Blume des Bösen, der violetten Endivie, paßt nur Menschenfleisch. Nun wird die Anspielung auf den nationalsozialistischen Terror der großen, methodischen Säuberungen und Entkeimungen alles »falschen« Lebens unübersehbar. Zur »kristallischen Tiefe« gehört, daß dabei ein Grundmuster des Grausamen und »Tierischen« realisiert ist. Zur Oberfläche zählt, daß dieser Vorgang zum Einbruch in die Zeitgeschichte geworden ist: der Mensch entmenschlicht seinesgleichen und bietet den Anderen als Ware an.

In der Übernahme der Blechsturz-Metapher aus der ersten Fassung des »Abenteuerlichen Herzens« ist die konkrete Situation ins Abstrakte aufgehoben. Jünger hat den ursprünglichen Text mit einigen geringfügigen Änderungen versehen, sonst aber einfach wieder eingerückt; Kleinigkeiten gelten der Stilistik und einer erhöhten Geschmeidigkeit. Nur kurz vor Schluß weichen die beiden Versionen stärker voneinander ab. In der Fassung von 1929 heißt es, auf das Ende, die Katharsis, Bezug nehmend: »Und dann, im tödlichen Sturze, steigern sich die grellen Paukenschläge und roten Glühlichter der Schreckempfindungen bis zum Entsetzlichen.« Neun Jahre später, in der Fassung von 1938, lautet dieselbe Stelle: »Und dann, im tödlichen Sturze, steigern sich die grellen Paukenschläge und roten Glühlichter, nicht mehr als Warnungen, sondern als schreckliche Bestätigungen, bis zum Entsetzlichen.«.

Die Zeit der Warnungen ist vorbei, jene der Affirmationen ist angebrochen. Wenn festgestellt wurde, daß die neue Version des »Abenteuerlichen Herzens« einerseits hinter den Essay vom »Arbeiter« zurückgreift, andererseits über ihn hinausweist, wird nun klarer, wie diese doppelte Bewegung geführt ist. Vom Optimismus und der Zuversicht gegenüber der technischen Welt ist kaum noch die Rede; dafür werden dem Autor die Nachtseiten ihrer Verfügungen offenbar – stärker, als dies in den surrealistischen Beunruhigungen der ersten Fassung geschehen konnte, die schon gedämpft wurden durch das geschichtsphilosophische Projekt ihrer Überwindung, das der Arbeiter leisten sollte. Neu ist daher, daß die Andeutungen über die Unheimlichkeiten der Moderne zu »schrecklichen Bestätigungen« entwickelt sind. Neu ist allerdings auch, daß diese allmählich aus ihren epochalen Verankerungen gelockert werden: sie sind letztlich nur Spiegelungen von Urprinzipien. Darauf wird es Jünger immer mehr ankommen.

Das bestimmt bei allem poetischen Argwohn gegenüber dem Widersinn der Zeit den Quietismus der zweiten Fassung. Ein Stück wie »Violette Endivien« wäre in der ersten Version nicht denkbar gewesen. Damals hatte Jünger keine Kapitelüberschriften gesetzt, sondern einen durchlaufenden Rhythmus der Notate angestrebt.

Jetzt scheint jedes Prosagebilde in sich geschlossen, und selbst im Unheimlichsten soll sich der Gleichmut dessen erweisen, der es kommen sah. Zu den besonders lakonischen Texten gehört in diesem Zusammenhang die Charakterisierung des Händlerverhaltens. Das Stück heißt »In den Kaufläden, I«. Es schildert den eigensinnigen Hang der Kaufleute, ihre Waren endlos einzupacken. Mannigfache symbolische Bezüge drücken sich darin aus. Im Verpacken, aber auch im Abwägen, Abmessen, Zurüsten und Einwickeln der Ware wehrt sich die ständische Welt gegen den Angriff der Technik. Diese neigt dazu, den Händler zum bloßen Verteiler zu degradieren. Der Prozeß der Entzauberung greift über die Riten und Traditionen einzelner Berufe hinaus; die Verpackung als ein Vorgang der Schonung wird dem Akt der Versachlichung unterworfen. Als Gegenstück zum Kaufladen nennt Jünger den Schalter, vor welchem der Käufer nicht mehr Kunde, sondern nur noch Publikum ist. Der Postschalter repräsentiert eine Einrichtung, die den Zwang zur Einordnung erheischt.

»So ist der Kaufmanns-Tresen möglichst breit gebaut, damit man die Käufer nebeneinander bedienen kann; der Zugang zu den Schaltern dagegen ist auf das Nacheinander der Abfertigung angelegt. Während jeder Verkäufer bekanntlich seine Ware zu loben versucht, ist der Beamte immer zu Einwänden geneigt, verweist an andere Schalter, gibt nur bestimmte Mengen ab und zeigt sich im allgemeinen eher bestrebt, den Käufer abzuweisen als anzuziehen. Sehr deutlich wird der Unterschied auch darin, daß der Händler liebenswürdig, der Beamte dagegen bedenklich wird, wenn man ›große Mengen‹ verlangt.« (AH II, 40 f./9, 203)

Das mutet zunächst wie ein geschliffenes Stück Simmelscher Kulturdiagnose an, und nur in der präzis erfaßten Verfügungsmacht, welcher der Staat seine Subjekte aussetzt, klingt auch das Motiv von Warten und Ausgeliefertsein an, das am eindringlichsten Kafka, zuletzt ins Eschatologische gesteigert in dem »Schloß«-Roman, variiert hat. Wenn »In den Kaufläden I« gleichsam ein Text der phänomenologisch erkundeten Oberflächen ist, forscht das Stück »Das Beschwerdebuch« die Tiefen aus, die zum Schrecken Anlaß geben. »Träumte, daß ich in einem kleinen, entlegenen Bahnhof, in dem die Fliegen schwirrten, auf Anschluß wartete.« So beginnt der kurze Text einer Traumgeschichte, in deren Verlauf der Erzähler zuerst,

»da mich der trübselige Zustand des Wartesaales verdroß«, das Bahnhofpersonal mit Klagen und Unzufriedenheiten belästigt. Schließlich muß der Vorsteher das Beschwerdebuch holen. Als der Protestierende einzutragen beginnt, treten Schwierigkeiten auf. »... die Tinte war ausgetrocknet, ich mußte um einen Federhalter bitten und ähnliches. Die Sache wandelte sich allmählich so, daß die Beamten das Übergewicht bekamen; ich wurde nun von ihnen mit Maßregeln bedroht, mußte Fahrkarten und Ausweise vorzeigen, verpaßte meinen Zug und sah mich in tausend Scherereien versetzt.« (AH II, 60/9, 216 f.)

Was auf den ersten Blick noch unproblematisch erscheint, wird zur traumatischen Erfahrung, je länger der Vorgang andauert. Noch tritt der Einzelne als querulierender Kunde auf, da ist er schon in die Rolle des Bittstellers gedrängt und von der List des Verfahrens überrumpelt. Als es zum Entscheidenden kommt, zur Kundgebung der Unzufriedenheit mit den Mitteln jener Instanzen, die normalerweise ihrerseits proskribieren, befällt den Protestierenden eine Lähmung. So sollen solche Bilder und Träume auf eine Lage verweisen, in der es sich entlastenderweise empfiehlt, nur zu beobachten, und auch dies nur mit verschlüsselter Optik.

Es macht die verwirrende Topographie der zweiten Fassung des »Abenteuerlichen Herzens« aus, daß die »Figuren«, die dem zeitgeschichtlichen Grauen gelten, und jene, die einem weiteren epochalen Rahmen moderner Verformungen gelten sollen, eigentümlich ineinander verschlungen sind. In dieser Technik der Collagen und Synthetisierungen zeigt sich die Dialektik der Aufklärung: wie in der ersten Fassung erwächst die Bedrohlichkeit der neuesten Geschichte nicht einfach aus einem Vakuum, vielmehr führen ihre Wurzeln tiefer hinab in den neuzeitlichen Fundus der Technik und des Verfügungswissens. Das schwächt das Interesse des Autors an der moralischen Problematik der Faktizität; sie ist im Zusammenhang eines weit ausholenden Vorgangs zwar nicht schlicht hinzunehmen, aber auch nicht ungeschehen zu machen. Immerhin fehlen jetzt Jüngers geschichtsphilosophische Ausgriffe in die Richtung der »imperialen Einheit«, von der der Arbeiter zeugen sollte. Von der Zeit heißt es nun, sie begünstige auch Kräfte, die »aus ihren Kellern und Winkeln oder auch aus der Zone ihrer privaten Ausschweifungen« hervorträten. »Ihr Ziel ist die mehr oder minder intelligente, stets aber nach dem Muster des Tierreiches gebildete Despotie. Daher pflegen sie auch in ihren Reden und Schriften den Opfern, nach deren Vernichtung sie trachten, tierische Züge zu verleihen.« (AH II, 76/9, 227) Der Passus nimmt nicht nur vorweg, was Jünger in den folgenden erzählerischen Schriften thematisieren wird, er liest sich auch als die komprimierteste Antizipation von Orwells 1945 publizierter »Animal Farm«.

Denn schon hier fällt der Blick auf die »Lemuren« und bösen Geister einer Unterwelt, die der Schriftsteller ein Jahr später in den »Marmor-Klippen« auch politisch identifizieren wird. Auch die nächtlichen Folterer und Unterdrücker scheinen als aus der Dialektik der Aufklärung hervorgegangen; die Maschine schafft sich den Maschinisten als indifferenten Funktionär, weil aber Indifferenz auf die Dauer keine Legitimität für die Despotie sein kann, fallen die moralischen Kategorien der Despoten in Bilder aus dem Tierreich zurück.[46] Wenn Jünger seine Phänomenologie des Tyrannen mit einer Ethik des rechten Tuns konfrontiert, die mit ihren mythisierenden Einschlüssen wiederum ein Stück Naturgegebenheit repräsentiert, überrascht weniger die argumentative Wende der moralphilosophischen Erwägungen als die Tatsache, daß der Autor seine kaum mehr verhüllte Kritik am Nationalsozialismus verdoppelt. »Diesen verzehrenden Trieben ist eine Haltung entgegengesetzt, die man am besten als das Wohlwollen kennzeichnet, und die den Mächtigen wie den Einfachen in gleicher Weise ziert. Dieses Wohlwollen gleicht einem Licht, in dem allein die Würde des Menschen in rechter Weise erscheint. Es ist eng verbunden mit dem Herrschenden und Vornehmen in uns, aber auch mit unserer freien und bildenden Kraft. Auch reicht es in ferne Zeiten zurück; es schmückt die homerischen Helden nicht minder als das uralte, auf offenem Markte rechtsprechende Königtum. Hier vertritt es die geistige und auf guten Ursprung gegründete Seite der Macht, die sich nicht durch den Purpurmantel symbolisiert, sondern durch den Stab aus Elfenbein.« (AH II, 76/9, 227)

Jünger wird diese Haltung, die ethischer Diskursivität wenig zugänglich ist und nicht auf moralischen Imperativen gründet, seit 1938 allmählich zu einer Moralistik vor dem Hintergrund der früher gegebenen »Desinvoltura«-Lehre entwickeln.[47] Es wird zu zeigen sein, wie diese als Kodex angemessenen Verhaltens gegenüber den Wirklichkeitskontingenzen sich bewähren soll. Sie instrumentiert den geistigen Widerstand, doch soll ihre regulative Kraft prinzipiell Situationen gewachsen sein, in welchen der Mensch von der Zeit, in die er hineinversetzt ist, nichts mehr über den humanen Umgang mit sich selbst und den anderen zu erfahren vermag.

Eine Lage der moralischen und politischen Orientierungskrise diagnostiziert Jünger schon für das Jahr 1938. Es bestimmt die Ästhetik der zweiten Fassung des »Abenteuerlichen Herzens«, daß solche Durchblicke auf die epochale Physiognomie zunächst poetisch chiffriert sind. Nicht nur wird dabei dem Genre der Capriccios der Tribut entrichtet. Wenn man Jünger bis in die gewagtesten Spekulationen seines seit Beendigung des »Arbeiters« zunehmend naturhaft inspirierten Weltverstehens folgt, lösen sich auch die Ursachen und Wirkungen der Historie in Erscheinungsformen auf, die eine verborgene Teleologie reguliert. Was sich der Mensch als Tat und Leistung zuschreibt, gehorcht einem vorgängigen »Plan«: ihn kann man nur über die Ausfällungen, in denen er Gestalt wird, erahnen; darin wurzelt das primär ästhetische Pensum, das von der Phänomenologie bis zur Metaphernweisheit, vom poetischen Bild bis zur Parabel führt.

Dem beunruhigenden Text »An der Abzucht«, der von Vorspiegelungen und Täuschungen der Wahrnehmung berichtet, hinter denen sich das Schreckliche kaschiert, geht eine Meditation über »Die rote Farbe« voraus. Erinnert man sich an die eröffnende Passage über die Tigerlilie, wird hier die Symbolik, die in der roten Farbe sich offenbaren kann, weiter entfaltet. Erotische Verweise zeigten sich im Lippenrot. Dann kommt Jünger auf die Kombination der Farbe mit anderen Farben zu reden, und schließlich wird auch die Verbindung des Rot mit dem Schwarz nochmals erwogen. Es sei kein Zufall, daß es gerade der Henker ist, der an seinem Mantel beide Farben trägt. »Auf jeden Fall geht man ein Wagnis ein, wenn man die rote Farbe trägt, und man pflegt sie daher meist so zu zeigen, als ob sie durch irgendeine Unordnung sichtbar geworden sei, durch Öffnungen und Risse hindurch oder als verschobener Saum. Wer sie in großen und offenen Flächen trägt, befindet sich im Besitze tödlicher Macht, so die obersten Richter, die Fürsten und Feldherren, aber auch der Henker, dem das Opfer überliefert wird. Ihm ist der schwarze Mantel angemessen, dessen rotes Futter nur im Augenblick des Streiches sichtbar wird.« (AH II, 87/9, 234 f.)

Die optische Ambivalenz der roten Farbe, die durchaus auch ungebrochene Vitalität ausdrücke, leitet über in das Kapitel »An der
Abzucht«. Der Autor geht mit dem Bruder, Friedrich Georg, seinen
täglichen Gang durch Goslar. Längs der Abzucht, im Wasser,
erkennt er zunächst ein Gebilde, das er für ein Stoffspielzeug hält.
Erst bei näherer Betrachtung erweist sich dieses als ein totes Lamm,
stark verwest.

»Die Entdeckung, daß sich uns eine Erscheinung, wie in diesem Falle die
des Lieblichen, nur vorspiegelt, und daß sich im Grunde das Nichts hinter
ihr verbirgt, ist mir nicht neu, und doch hat sie immer etwas sehr Beunruhigendes. So blickt man zuweilen in Augen, die nur aus trübem, gefrorenem
Schlamm bestehen, und in denen sich der höchste Grad menschlicher Abge-
storbenheit verrät. Es gibt heute eine neue Art des Schreckens, ähnlich als ob
man auf eine verborgene Wasserleiche stößt – Begegnungen, in denen eine
ganz bestimmte theologische Lage sich andeutet und denen gegenüber der
Mensch des längst vergessenen Schutzes strenger Reinigungsvorschriften
bedürftig wird.« (AH II, 89 f./9, 237)

Was in der Begegnung als dialektisches Bild aufleuchtet und den
Schrecken hervorruft, verdankt sich, bezogen auf historische
»Lagen«, natürlich einer Entwicklung. Indessen mag sich dieser
Schrecken immer noch in Manifestationen von unvermittelter Präsenz der Beobachtung einätzen – wenngleich Jüngers Philosophie
ihren Autor daran hindert, jenseits der reinen Phänomene einerseits
und der Urkräfte anderseits die Diesseitigkeiten politischer
Geschichte zu erfassen. Das belegt das Wort von der theologischen
Lage, denn eine solche ist gerade eine vom zeitlichen Kausalnexus
gelöste Emanation einer göttlich vollzogenen Konstellation. Jünger
deutet die Lage eschatologisch. Einer solchen gegenüber kann man
sich nur noch als Beobachter, jedenfalls kaum als Veränderer empfehlen. Zur Hellsicht der zweiten Fassung des »Abenteuerlichen
Herzens« zählt, daß beinah alle Erkennensbestände ins Ästhetische
der Wahrnehmung umgeformt werden. Solche Abstinenz hat ihren
Preis: indem allzu rasch von der konkreten Verantwortung in die
Supposition einer Situation ausgewichen wird, der sich handelnd
entgegenzustellen müßig wäre. Man muß daher die Widerstands-
kräfte, von denen die »Figuren und Capriccios« zeugen, da aufspüren, wo sie sich frei entfalten – in der poetischen Verschlüsselung, im

literarisch geronnenen Augenblick einer Enthüllung, die, sei sie Allegorie oder Symbol, insofern mehr umspannt, als einfach »gewußt« werden kann. Der dichterische *Text* erweist sich gegenüber der reinen Analyse als überlegen. Seine Sprengwirkung liegt darin, daß er einen Überschuß an Antizipation aufweist: er ahnt mehr und weiß auch mehr, als sein Autor jemals intendiert haben mochte. – Der Schrecken einer von Lemuren bevölkerten Maschinenwelt gipfelt in dem Stück »In den Wirtschaftsräumen«, dessen Titel präzis benennt, wie weit das Menschenopfer sich dem Prozeß der leeren Verdinglichung angeglichen hat. Insofern schlägt Jünger den Bogen zurück zu »Violette Endivien«, wo im Ergebnis beschrieben ward, was nun in einer frühen Stufe des Ablaufs geschildert ist. So zeichnen die thematischen Verwebungen innerhalb der »Figuren« auch deren »Lebenswelt« nach: die Verformungen und Entmenschlichungen der Diktatur.

»Ich saß in einem großen Café, in dem eine Kapelle spielte und viele, gut gekleidete Gäste sich langweilten. Um den Waschraum aufzusuchen, ging ich durch eine mit rotem Sammet verhangene Tür, aber bald verirrte ich mich im Gewirr der Treppen und Flure und geriet aus den elegant eingerichteten Räumen in einen Flügel, der sehr verfallen war. Ich glaubte, in die Bäckerei gekommen zu sein; ein öder Gang, den ich durchschritt, war wie mit Mehl bestäubt, und schwarze Schaben krochen an den Wänden umher. Es schien noch gearbeitet zu werden, denn ich kam in eine Ecke, in der ein Rad mit langsamen, ruckartigen Bewegungen einen Riemen trieb; daneben bewegte sich zuweilen ein lederner Blasebalg auf und ab. Um in die Backstube zu sehen, die wohl darunter lag, beugte ich mich weit aus einem der erblindeten Fenster, die auf einen verwilderten Garten hinausgingen. Der Raum, den ich so erblickte, sah aber eher wie eine Schmiede aus. Bei jedem Stoß des Blasebalges sprühte ein offenes Kohlenfeuer, in dem Werkzeuge glühten, auf; und jede Umdrehung des Rades zog allerlei seltsame Maschinen an. Ich sah, daß man sich zweier Gäste, eines Herrn und einer Dame, bemächtigt hatte und sie nötigen wollte, die Kleider auszuziehn. Sie sträubten sich sehr, und ich dachte mir: ›Freilich, solange sie noch die guten Sachen anhaben, sind sie in Sicherheit.‹ Es schien mir jedoch ein böses Zeichen, daß der Stoff schon hier und dort unter den Griffen zerriß und daß das Fleisch durch die Risse zu sehen war. Leise entfernte ich mich, und es gelang mir, den Weg in das Café wiederzufinden. Ich setzte mich wieder an meinen Tisch, aber die Kapelle, die Kellner und die schönen Räume erschienen mir nun in einem ganz anderen Licht. Auch begriff ich, daß es nicht Langeweile war, was diese Gäste empfanden, sondern Angst.« (AH II, 100f./9, 244)

Legt man wiederum zuerst die Zeichen und Symbolisierungen aus, läßt sich die Parabel unschwer auf die Metaphorik ausrichten, die in früheren Stücken verwendet ist. Die mit rotem Samt drapierte Tür changiert zum Eintrittsportal in das Reich der Folterungen – was der Erzähler noch nicht weiß. Er wird jedoch durch die verfallene Architektur darauf vorbereitet, indem diese ihn in ihren Sog nimmt. Dem Rot des Vorhangs antwortet das gesprenkelte Schwarz der Wände, auf denen die Schaben kriechen. Dann, nach der initiierenden Farbendrohung, steigert sich die Anordnung der Kellereien ins Grausige. Dem Verirrten bietet sich ein Fenster an, aus dem er sich beugt, um endlich statt des vermuteten Gartens einen – so muß man rekonstruieren – Innenhof zu entdecken. Dort stehen die Maschinen, deren Zweck nicht an ihnen selbst abgelesen wird, sondern an den beiden zur Folterung bestimmten Opfern.

Es ist der Riß in der Verkleidung, um den es hier geht. Wie das Fleisch der Gefangenen durch Risse sichtbar wird, enthüllt sich die ganze Schrecklichkeit durch Durchblicke und Einfassungen, und die kleine Aberration vom gewohnten Weg gewährt furchtbare Einblicke in die »Wirtschaftsräume«. Oben, im Café, die scheinbare Langeweile der Gäste, unten die Keller des Terrors. Was noch in der ersten Version des »Abenteuerlichen Herzens« als Langeweile – und nur als Langeweile des modernen Lebens – erschienen war, hat sich inzwischen in die Angst vor dem Kommenden verwandelt. – Wo der Druck der Wirklichkeit sich so sehr verstärkt, wird die Rolle dessen, der sich als Beobachter davonzumachen versteht, prekär. Es gibt eine Intensivierung der Tyrannis, die bewirkt, daß dem scheinbar Unbetroffenen sein stiller Winkel obsolet werden muß. Indessen müßte Jünger nicht an die große Tradition jenes Verhaltens erinnert werden, das dem *Zuschauer* des Schiffbruchs entspricht: er findet zu einer eigenen Form der Einstellung gegenüber dem Bösen.[48] »Zur Désinvolture« heißt das Kapitel, das diese Haltung umschreiben soll. Wenig deutet freilich darauf hin, daß es sich dabei um einen persönlichen Kodex auch handelt, denn Jünger erörtert die Désinvolture hier fast ausschließlich im Zusammenhang der Macht und ihrer Verwaltung. »Man findet das Wort meist durch ›Ungeniertheit‹ übersetzt; und das trifft insofern zu, als es ein Gebaren bezeichnet, das keine Umschweife kennt. Zugleich aber verbirgt sich in ihm noch ein anderer Sinn, und zwar der der göttergleichen Überlegenheit. In diesem Sinne verstehe ich unter Désinvolture die Unschuld der Macht.« (AH II, 124/9, 260)

Der Autor diskutiert eine Reihe von Begebenheiten, in welchen Könige und Fürsten ihre Überlegenheit manifestierten. Die Wirklichkeit sei ihnen gefügig, und aus der Unabhängigkeit gegenüber ihren Zwängen entstehe auch eine besondere Form der Heiterkeit. »Die Heiterkeit gehört zu den gewaltigen Waffen, über die der Mensch verfügt – er trägt sie als eine göttliche Rüstung, in der er selbst die Schrecken der Vernichtung zu bestehen vermag.« (AH II, 126/9, 261) Was als Zuschuß zum Gebaren des Machthabers unerworben ist und unbefragt bleibt, wird im Normalfall zu einem Verhalten, das jeder kultivieren können soll. Die Pointe ist, daß die Sicherheit des geistigen Besitzes, für dessen Wahrung der Autor sich ausersehen sieht, zur Voraussetzung der Désinvolture gehört. Diese ist eine Kultur des Desinteresses am unvermittelten So-Sein der Wirklichkeit: Das Faktische trägt sich plötzlich leicht, wo der Mensch auf geistige Weise darüber verfügt. Was dem Mächtigen ohne Umweg zusteht, Rekurs auf jene Machtmittel, die ihm die Ungeniertheit ermöglichen, das bietet sich allerdings dem Autor nicht ohne Anstrengung an, denn jede Überlegenheit, jede »Heiterkeit«, die nicht aus dem Fundus unerschütterbarer Verfügungsgewalt aufsteigt, muß erst erworben sein. Es ist eine Kluft zwischen dem *Schmerz* der Wirklichkeitserfahrung und seiner Verwindung in den zeitentrückten Gleichmut, der die Désinvolture trägt.

Was dem Herrscher seine Souveränität, ist dem Künstler seine Gewißheit; er weiß, daß hinter der faktischen eine »höhere« Wirklichkeit sich verbirgt. Schrecken und Gewalt verlieren ihre unausweichliche Gegenwärtigkeit, wo eine transzendente Welt ihnen repliziert. Insofern besitzt der Theologe aus Profession seine Désinvolture, und Heiterkeit wird ihm so sehr zugemutet, daß man sie von ihm auch in der Aussichtslosigkeit gegenüber dem eigenen Tod verlangt. Was tut der Schriftsteller? Im Bewußtsein, daß er mit dem Werk die Schöpfung im Vergänglichen wiederholt, gründet seine Überlegenheit. Der Möglichkeit zur Désinvolture geht die Überzeugung voraus, daß nicht Vergeblichkeit das letzte Wort hat. Unter dem

Titel »Historia in nuce« entwickelt Jünger dieses Wissen als Lehre von einer Geschichte, die nicht die Geschichte der endlosen Kontingenzen, sondern der verborgenen Übereinstimmungen ist.

»Wenn wir eine bestimmte Farbe einige Zeit betrachten, bringt unsere Netzhaut die Ergänzung hervor. Wie jede sinnliche Erscheinung, so hat auch diese ihren geistigen Bezug; wir dürfen aus ihr schließen, daß uns ein Verhältnis zur Welt als zu einem Ganzen gegeben ist. Wenn irgendeiner ihrer Teile unsere Aufmerksamkeit übermäßig in Anspruch nimmt, so ruft der Geist wie ein Heilmittel das Fehlende herbei.« (AH II, 103 f./9, 246)

Das Wissen um das Komplementäre und um die Ergänzungen, die virtuell zum Ganzen werden, ist der Besitz, die »Macht«, des Autors. Wenigstens erkennt Jünger im Vorgang solcher Harmonisierungen das Problem der Dilatanz, welche den theoretischen Besitzer von seinem praktischen Eigentum trennt: es handelt sich um jene Zuhandenheit, die den Mächtigen und Reichen einfach umgibt, während der Autor, hier anspruchsvoller, stets nur vorläufige Konjekturen zum »Ganzen« herzustellen vermag. Das liegt am *zeitlichen* Vollzug, der jeden Rückgriff nur als Teil-Habe gestattet.

»In diesem Verhältnis deutet sich zugleich unsere Schwäche an, die darin besteht, daß wir das Ganze nur im Nacheinander des Lebens zu erfassen imstande sind. Auch nehmen wir das Fehlende zunächst als Gegenfarbe wahr. Wir schreiten nicht geradlinig fort, sondern in Wellenbewegungen, und nicht von Stufe zu Stufe, sondern von Extrem zu Extrem.« (AH II, 104/9, 246)

In den Wellentälern, auch auf den Wellenbergen, zeigt sich dem Wahrnehmenden der Ausschnitt der Welt, die gerade als geschichtliche die Synthese abwehrt. Den Versuch, sie dennoch zu erwirken, zeichne den großen Historiker aus. »Besonders schön tritt das in der Erscheinung des großen Historikers hervor: unsere Geschichte, die eine Geschichte der Parteiungen ist, wird durch ein göttliches Auge ergänzt. Architektonisch gesprochen, zeichnet der Historiker in den babylonischen Plan unserer Anstrengungen die Bögen ein, deren Wahrnehmung sich den handelnden Mächten, die den tragenden Pfeilern gleichen, notwendig entzieht.« (AH II, 105/9, 247)

So daß sich am Ende dem babylonischen Unterfangen der Geschichtswerdung doch noch eine Richtung einschriebe? oder gar ein »Sinn«, der im Schatten der Handelnden sich formt? »Historia in nuce«, Jüngers geschichtsphilosophisches Credo, zieht sich als thematisches Ornament durch den ganzen Text. Allein, was an der Geschichte das Geschichtliche ist, jene Ereignishaftigkeit, die kein Historiker je in die Konsequenz eines »Plans« einzurücken vermöchte, wird kaum erörtert, denn gerade bei der Lektüre der bedeutenden historischen Werke forscht Jünger nur nach dem Muster der *Wiederholung,* dem die Zeit nichts anhaben könnte. [49] »Hinter der Fülle des Wiederkehrenden verbergen sich Figuren von beschränkter Zahl. Hier wird die Geschichte wie ein Garten, in dem das Auge nebeneinander die Blüten und Früchte erblickt, die der Zeitlauf in stets wechselnden Klimaten bringt und wiederbringt. Der ungemeine Genuß des Aufenthaltes in solchen Werken beruht darauf, daß wir ruhend erfassen, was sonst nur in der Bewegung erscheint...« (AH II, 221 f./9, 325 f.)

Damit würde Geschichte ebenso wie das Denken von ihr zu den naturalen Ordnungen zurückkehren. Am Vorabend des Weltkriegs, den die Zivilisation der Moderne in Deutschland zu ihrem eigenen Untergang inszeniert, springt die Vorstellung über das Wesen der Historie in die Form zurück, aus der sie sich an der Epochenschwelle zur Neuzeit zuerst zaghaft, dann immer entschiedener emanzipiert hatte.[50] Geschichte wird wieder – jedenfalls in ihrer »kristallischen« Tiefenstruktur – ein Spiel des Rhythmus. Noch bleibt ungeklärt, wieviel dabei einer Anthropologie zuzuschlagen ist, in welcher der Mensch durch alle Fährnisse der Zeit hindurch im Guten wie im Bösen sich selbst wiederholt. Doch sind es nicht mehr die Brüche und Verwerfungen innerhalb der Moderne, wie sie Jünger in der ersten Fassung des »Abenteuerlichen Herzens« zu erhellen versucht hatte, die nun nochmals beleuchtet würden. Der Anteil des Grauens und des Schreckens dieser Geschichte, der seit 1929 gewaltig sich gesteigert hat, wird zwar nicht bagatellisiert, im Gegenteil entwirft Jünger 1938 Visionen von traumatischer Präsenz. Zugleich aber geht es da, wo die historischen Ursachen solcher Derivationen angesprochen sein sollten, um die »Urformen«, die allem Vergänglichen vorausliegen, und ein »göttliches Auge« läßt seinen Blick auf die Bruchstücke fallen, die dadurch zum Ganzen werden.

Das göttliche Auge – das *ergänzende* Auge. Es ist nicht der Historiker, der dabei in die Arkana der Welteinheit vordringt, sondern der

Dichter. Er hat Umgang mit den Bildern, seine Arbeit ist anschauendes Denken, wie es für Generationen von Spätplatonikern wirkungsmächtig Goethe erneuert hatte. »So geht von den Bildern eine höhere Sicherheit aus«, heißt es in dem Stück »Nachtrag zur Zinnia«. Das Geschaute ist der theoretischen Abstraktion überlegen, und der Mensch, der ein »unmittelbares Verhältnis« zur Welt gewinnt, wird auch der »Urkraft« teilhaftig. »Das Auge muß, und sei es auch nur für die Spanne eines Aufschlages, die Kraft bewahren, die Werke der Erde wie am ersten Tag zu sehen, das heißt, in ihrer göttlichen Pracht.« (AH II, 109/9, 250) Die Übernahme des mystischen Erlebnisses der Allheit in die Erörterung der Wahrnehmungsthematik bezeichnet die Grenze dessen, was der Technik des Künstlers verfügbar ist; offenbart sich ihm mehr, als nur gemacht oder intendiert werden kann, enthüllt sich auch die Anschauung als Abspiegelung der Urbilder. »Schädigung der natürlichen Gesundheit« zeige sich da, wo das Skrupulöse und Mikroskopische der Neigungen durchschlage; der Gesamteindruck trete zurück und Einzelheiten drängten sich vor. »Der geistige und körperliche Ekel wird wachsamer, und die Sinne werden durch eine unangemessene Verfeinerung geschärft.« (AH II, 117/9, 255)[51] Vor diesem Holismus sind die Anstrengungen der zweiten Fassung, der »Figuren und Capriccios«, zu sehen: in der Zeit zersplittern die geschichtlichen Konfigurationen in verschiedene Gleichzeitigkeiten, jenseits des zeitlichen Vollzugs werden sie zusammengefaßt in den Status des Schöpfungswunders vom »ersten Tage«. Nun werden auch die Schreckensvisionen zu »Verfeinerungen«, die der Ergänzung bedürfen, denn auch in den düsteren Räumen der Folter findet nur eine Welt statt; andere, etwa der naturhaften Fülle, kompensieren sie. Doch stellt sich hier erstens ein Wahrnehmungsproblem, zweitens ein Problem für die spekulative Philosophie.

Wiewohl jede Wahrnehmung das Gesehene – und im übertragenen Sinn: das Eingesehene – um Vorstellungen und Ordnungsmuster ergänzt, die nicht aus der Unmittelbarkeit der Beobachtung gewonnen werden, wehrt sich der phänomenologische Zugriff, daß seine Objekte später einem spekulativen System überlassen werden. Es war ganz konsequent gewesen und aus der inneren Logik des phänomenologischen Blicks abgeleitet, daß Jünger viele Stücke der ersten Fassung des »Abenteuerlichen Herzens« vor den Abbruch jeder Reflexion führte. Es überwogen insofern Ereignisse und Konstellationen der Lebenswelt in ihrer fragmentarischen, kontingenten Verfaßtheit, und keine Philosophie wies ihnen den Ort innerhalb eines Kosmos zu. Die Phänomenologie gab sich gegen Letztbegründungen resistent, und in solcher Zurückhaltung wurde umgekehrt der Druck der Wirklichkeit in seiner vollen epochalen Gewalt spürbar. Zwischen der Wahrnehmung und ihrer spekulativen Überhöhung aber findet eine Verformung statt, die auf das Wahrgenommene selbst zurückstrahlt. Ein Mittel zur ganzheitlichen Bergung, das dem Ereignis die Schärfe seiner geschichtlichen Einmaligkeit nimmt, ist die Symbolisierung. Bilder, wie sie in »Violette Endivien« oder auch in dem Text über die »Wirtschaftsräume« gegeben werden, öffnen blitzartig den Vorhang, hinter dem das Schreckliche herrscht, doch sind sie von Anfang an auch so symbolisch angelegt, daß die *zeitliche* Präsenz, die sie einfangen sollen, wie abgesaugt wirkt. Zeitlose, »immer schon« vorhandene Grausamkeiten teilen sich daher mit; vollends in der Fugierung mit anderen Themen zum Ganzen der »Figuren und Capriccios« wird die »Seins«-Ordnung in ihrem figuralen Charakter beschworen.

Ohne Brechungen läßt sich eine Ganzheit dieser Art nicht haben. In der Parabel von den »Wirtschaftsräumen« sind es die »seltsamen Maschinen«, ist es die Caféhaus-Langeweile, worin der epochale Bezug bösartig durchscheint. Jünger muß das Problem der Parallelisierungen wenn nicht erkannt, so doch erahnt haben. Gegen das Ende der zweiten Fassung rückt er ein Stück ein, betitelt »Die Aprikose«, dem drei Nachträge folgen. Neben Erwägungen zur Naturphilosophie wird wieder die Frage nach der Wahrnehmung erörtert; ferner geht es um Szenarien, die der Träumende erlebt. Bemerkenswert ist, daß der Autor gerade von seinen Träumen mit großer phänomenologischer Beharrlichkeit spricht: wichtig ist der Gedanke, daß sich im Traum mehr mitteile, als gemeinhin erfaßt werden kann. Nun komme es darauf an, möglichst schnell möglichst deutlich zu sehen, oder jedenfalls zunächst die Spuren des Geträumten zu sichern. Am besten sei es, wenn der Träumende *plötzlich* erwacht. »Ganz allgemein ließe sich hier noch anknüpfen, wie günstig das jähe Erwachen der Erinnerung an Traumbilder ist.« (AH II, 189/9, 303) Dieser Satz leitet über zu einer Reflexion über die Transzendenz der Wahrnehmung. Das jähe Erwachen gleiche einem schnell aufgezogenen Vorhang. »Es handelt sich hier um eine besondere Art des Sehens, deren wir nur für eine kurze Weile fähig sind – vielleicht nicht länger, als wir aus dem Schlafe aufgefahren, halb aufgerichtet im Dunkel verharren. Dann verlieren sich die Figuren, und jeder kennt das angestrengte Bemühen, mit dem man diese oder jene Einzelheit zurückzurufen sucht.« Dann erinnert Jünger, und die Erinnerung ist nicht zufällig, an Gemälde, auf denen die Frische und Plötzlichkeit des Geschauten wie eingefroren sei. »In besonderen Fällen mag es auch möglich sein, daß ein Mensch über diese Art des Einblickes länger und nach Belieben verfügt. Eine solche Begabung verrät sich etwa in den Bildern des Hieronymus Bosch. Man hat das Gefühl, daß das Gelichter, das man dort bei seinem Treiben belauscht, sich sogleich verflüchtigen würde, wenn es bemerkte, daß ein Menschenauge auf ihm ruht. Der Blick erspäht es wie durch die geschlossene Decke eines Gewölbes hindurch.« (AH II, 190/9, 304)[52]

Boschs Visionen verflüchtigen sich nicht. Es ist nur der Wunsch des in solchen Welten gefangenen Schriftstellers, der nach dem Erwachen sich sehnt. Indessen strahlt der bildnerische Schrecken gleichmäßig und ewig, während das Ausgeliefertsein des Träumers diesen einer lastenden Gegenwärtigkeit überläßt. Solche Präsenz war in der ersten Fassung des »Abenteuerlichen Herzens« gleichsam lebensweltlich beschrieben worden: als der verwickelte »Traumzustand« der modernen Kultur. Ausweglos schien damals die Trance, in welcher die Epoche fortschreitet. Versteht man den Traum als Symbol für alle jene Merkmale der Wirklichkeit, in denen sich das Unfaßbare formiert, wäre das »Erwachen« mehr als nur Bedingung der Wahrnehmung des Traums, denn in der Erkenntnis läge auch die Befreiung – weshalb das Erwachen mit dem Augen-Blick verglichen werden kann, der die unheimlichen Geschöpfe von Boschs Welten sogleich verscheucht.

Das ganze Programm einer Einsichtnahme in die Bedingungen der Moderne unter der Signatur des Erwachens, von dem sich auch Walter Benjamin inspirieren ließ, mutet nicht deshalb befremdlich an, weil eine solche Entdämonisierung nicht zu leisten wäre. Eigenartig ist Jüngers Vorstellung, alle Traumsubstanz schließlich in Welt-Ordnung umwandeln zu können, weil das Unterfangen der »Figuren und Capriccios« schließlich darauf beruht, das geahnte Grauenvolle, aber auch die geheimnisvolle naturhafte Fülle in Sequenzen aufzufangen, von denen viele der Hermetik einer Traumwelt zugehören. Was so beunruhigt oder auch beglückt, kann nicht aufgelöst, nur in poetischer Form kondensiert werden. Gleichwohl findet sich wiederkehrend das Bestreben, alles mit allem zu harmonisieren. Hier gründet das Widersprüchliche, Oszillierende der Texte. Als argwöhnischer Beobachter gestaltet Jünger die surrealistischen Bilder, voll von Zweideutigkeit und Anspielung; sie sind deshalb dem Traum verwandt, weil aus ihrer Immanenz kein Ausweg leicht sich anbietet. Aber als Leser der deutscher Mystiker, als Schüler im Geist von Hamann sucht der Autor zugleich das Ganze, den »Weltplan«, dessen göttliche Urheberschaft nicht in Zweifel gezogen ist.

Nun gewinnt das »Erwachen« eine doppelte Bedeutung. Es eröffnet einerseits Perspektiven auf die »andere Seite«, auf die Wirklichkeit der »kristallischen Tiefe«. Im Traum teilt sich ein Stück Kosmos mit, das im Erwachen nachschwingt; der Versuch der Traumdeutung brächte möglicherweise Figuren ans Licht, die die Grundstruktur repräsentieren. »Wir spüren, wie die Intelligenz zu wachsen beginnt, welche die Stoffe belebt, und ahnen, gleich einer neuen Dimension, die köstlichen Tiefen der Materie. Dem entsprechen dann sichtbare Vorgänge. So scheint es, daß der Mensch auf weiten Gebieten einer Art von vegetativem Leben verfällt, dem die Technik nicht widerspricht, sondern das sie instrumentiert. Hier wäre vor allem zu nennen das umfangreiche Eindringen rhythmischer Abläufe, sodann die Veränderungen, wie sie die hohen Geschwindigkeiten hervorrufen. Es gibt große Bezirke, wo man in steigendem Maße durch Schwingung und Reflex zu handeln beginnt; dies gilt im besonderen für den Verkehr. Vielleicht wird sich von hier aus der Schmerz vermindern, der unsere Arbeitswelt erfüllt und ja im wesentlichen Schmerz des Bewußtseins ist. Vielleicht auch gibt es von hier aus hohe Zugänge zur Désinvolture...« (AH II, 194 f./9, 307 f.)

Im Hinweis auf den *Schmerz* ist die zweite Bedeutung von »Erwachen« schon enthalten. Der Traum ist nicht nur Durchblick in den Geist der Welt. Im Traum gewinnt auch die Verstörung gegenüber der modernen Realität ihre bildhaften Korrelationen. Es ist dann nicht mehr bloß ein Beweis für den Intelligenzzuschuß, wenn der Mensch in eine Art von vegetativem Leben verfällt, dem die Technik nicht wiederspricht; im Gegenteil herrscht gleichzeitig auch der Bewußtseinsschmerz über solche Verdinglichungen, neutraler: Metamorphosen, denen Jünger eine erlösende Dimension zu unterstellen so bemüht ist. Gleichwohl weiß er um den Schmerz der Arbeitswelt. In der Geschichte, wenn man will: in der Unreinheit der platonischen Erscheinungen verwirklicht sich solche Intelligenz immer in Trübungen. Die Politik, die sich deren instrumentellen Möglichkeiten versichert, nimmt schließlich das Vegetative beim Wort. Da muß das Motiv der ersten Fassung wieder anklingen: »Erwachen und Tapferkeit«. Es bedarf – warum eigentlich? wenn nicht aus tiefer Einsicht in die Entfremdungen der Moderne – der Tapferkeit, um die Zeit zu bestehen.

»In diesem Zustande nun, in dem neue Kräfte unter ungemeinen Verhüllungen eintreten, denn das Bewußtsein selbst spinnt ihnen ja die Kapuzen und Tarnkappen – in diesem Zustande erwächst, wie in jedem Zwielichte, dem Geist eine erhöhte Verantwortung. Er darf sich nicht auf jene Kontrollen beschränken, die seine Wissenschaft ihm anbietet. Für ihn heißt es in einem besonderen Sinne: Erwachen und Tapferkeit.« (AH II, 195 f./9, 308) Damit antwortet der Zuversicht in die wachsende »Vergeistigung«, wie Jünger den Prozeß später benennen wird, ein Zweifel. Das Zwielicht der Schreckensszenen herrscht vor. Im dritten Nachtrag zum Thema ist solche Ambiguität endlich auch ästhetisch reflektiert. »Hier ist vielleicht der Ort, noch einmal die oberen Schichten zu streifen, die in der ›Kiesgrube‹ erwähnt wurden. Rückblickend will es mir scheinen, daß diese Form, die Form der Modellsammlung, dem Unternehmen die angemessenste ist. Ihr stenographischer Charakter allein bewältigt die Fülle der Aufschlüsse – ich nehme das Wort in seinem geologischen Sinn.« (AH II, 196/9, 308) Die Widersprüche der epochalen Wahrnehmung vereinen sich in der *Stellvertretung* der künstlerischen Arbeit. Dort mögen sie aufgehoben werden.

Exkurs: Romantische Einbildungskraft

Den Vorsprung des Dichters gegenüber dem Wissenschaftler beim intuitiven Zugriff auf Wahrheiten des Seelenlebens erkannte Freud nicht nur im Fall des zeitgleich schreibenden Arthur Schnitzler. Im dritten Teil zum »Mann Moses«, dem länger zurückgehaltenen Schlußstück »Moses, sein Volk und die monotheistische Religion«, 1938 abgeschlossen, wo er von den bestimmenden Erlebnissen der ersten fünf Jahre für das spätere Leben handelte, kam Freud auf die seine wissenschaftliche Erkenntnis antizipierende Einsicht zu sprechen, die E.T.A. Hoffmann geäußert habe. »Immerhin weist man gern darauf hin, daß ein phantasievoller Dichter mit der Poeten gestatteten Kühnheit diese unsere unbequeme Entdeckung vorweggenommen hat. E.T.A. Hoffmann pflegte den Reichtum an Gestalten, die sich ihm für seine Dichtungen zur Verfügung stellten, auf den Wechsel der Bilder und Eindrücke während einer wochenlangen Reise im Postwagen zurückzuführen, die er noch als Säugling an der Mutterbrust erlebt hatte.«[53] Um die Wahrheit dieses ontogenetischen Anspruchs kann es hier nicht gehen, wohl aber um die poetische Vorprägung, wie sie der Schriftsteller der »Nachtstücke« für die französische Spätromantik wie für den Autor des »Abenteuerlichen Herzens« geliefert hat.[54] Jüngers »Figuren und Capriccios« der zweiten Fassung ebenso wie die »Aufzeichnungen bei Tag und Nacht« der ersten Version würden ohne den wirkungsgeschichtlichen Regreß auf Hoffmanns Werk in einer entscheidenden Dimension unbefragt bleiben – wobei Freuds Randverweis dazu beitragen kann, auch die Differenz zu klären, die, sei es als Mißverständnis der Rezeption von Seiten Jüngers, sei es als bewußte Distanz des späten Hoffmann-Lesers, zwischen den beiden Autoren bezüglich der jeweiligen gedanklichen Grundfigur festzustellen ist.

Jünger selbst hat die Anregungen, die ihm Hoffmann gegeben hat, niemals ausdrücklich gemacht. Das darf um so weniger verwundern, als auch andere, dem Schriftsteller epochal näher liegende »Quellen« nicht preisgegeben werden. Es ist deshalb schwierig, eine Rezeption im strengen Sinn genauer Lektüre-Erfahrung nachzuweisen; einzelne Erwägungen im Maß offenkundiger Parallelaktionen müssen genügen. Zu diesen aber gehört fraglos, was Karl Heinz Bohrer mit dem Titel seines großen Buches die »Ästhetik des Schreckens« genannt hat, in die sich – neben vielen anderen von Baudelaire bis zu Kafka – E.T.A. Hoffmann und Jünger geteilt haben. *Angst* ist ein zentrales Motiv. Es taucht nicht nur in Hoffmanns Zyklus der »Nachtstücke« auf, sondern auch innerhalb des weit verzweigten Erzählrahmens der »Serapionsbrüder«, ferner in einzelnen Nummern der »Kreisleriana«, schließlich in den späten, zyklisch nicht gebundenen Stücken. Angst ruft eine Wirklichkeit hervor, die von den Protagonisten nicht verstanden wird und alle Entschlüsselungen durch die Vernunft scheinbar von sich weist. In der Erzählung »Der Sandmann« ist es die nächtliche Geschäftigkeit des Vaters und seines Bekannten, welche ein Kind auf die Bahn des »Wunderbaren« und »Abenteuerlichen« bringt. Am Ende wird der Schleier gelüftet: um nichts anderes ging es dabei als um alchimistische Versuche, die übrigens den Vater das Leben kosteten; das Kindheitserlebnis war indessen so stark, daß es auch den jungen Mann noch begleitet und ihn sich in Olimpia, die Automate im Haus eines Nachbars, verlieben läßt, von der es heißt, ihr Blick sei ohne Sehkraft, »ihr Singen... hat den Takt der singenden Maschine«.[55] Das Auge wird in der Erzählung zur Chiffre des Grausigen. Schon als Kind meint Nathanael während den Verrichtungen der Alchimisten Gesichter zu sehen: »... aber ohne Augen – scheußliche, tiefe schwarze Höhlen statt ihrer«.[56] Später wird von Olimpia gesagt, sie »hatte keine Augen, statt ihrer schwarze Höhlen«.[57] Es ist leicht zu sehen, wie die »Übertragung« in einzelnen Szenen des »Abenteuerlichen Herzens« fortwirkt.[58] Daß Nathanael nicht aus seiner Trance gerissen wird, vielmehr immer mehr in den Sog des Dämonischen gerät, scheint allerdings eine Welt zu beglaubigen, in welcher der Schrecken ausweglos geworden ist.

Ist sie die allegorisch verdichtete romantische Vision der Moderne in ihrem frühen Stadium der Mechanisierung? Von Automaten, wie sie seit Vaucansons berühmtem Flötenspieler die europäische Intelligenz der Aufklärung faszinierten, ist bei Hoffmann oft und meistens doppelbödig, mit deutlichem Hinweis auf das Unheimliche solcher Kunst-Stücke, die Rede. Der Verdacht, daß da nur scheinbar spielerisch antizipiert wird, was den Menschen unter dem fortschreitenden Diktat der Technik an Verfügungen bis hin zur Automatisierung der Lebensordnung erwartet, wäre demnach bei Hoffmann in seiner Frühform zwingend ausgesprochen. Und um so eher für einen Leser, der während den Jahren des Ersten Weltkriegs den mannigfachen Bedrohungen der Maschinenwirklichkeit und ihrer dämonischen Unberechenbarkeit ausgesetzt war.

Hoffmann hat das Thema in einer Fragment gebliebenen Parabel innerhalb der »Serapionsbrüder« unter dem Titel »Die Automate« abgehandelt. Es geht nicht darum, daß einer in einen künstlichen Menschen sich verliebt; solcher Dramatik widerspräche schon der »philosophische« Diskurs, welchen der Schriftsteller zwei Freunden auferlegt, nachdem sie während eines Jahrmarkts einen »redenden Türken« bestaunt haben. Zuwider seien ihm, so spricht der eine, »alle solche Figuren, die dem Menschen nicht sowohl nachgebildet sind, als das Menschliche nachäffen, diese wahren Standbilder eines lebendigen Todes oder eines toten Lebens«.[59] Doch dann fährt dieser Ludwig in der Erörterung des Phänomens fort, und nun darf er preisgeben, was auch, entgegen allen literarischen Realismen des Schreckens vom Motiv des Doppelgängers bis zu jenem des verlorenen Spiegelbilds, Hoffmanns innerste – und allerdings zutiefst moderne – Überzeugung ist. »Es ist die psychische Macht, die die Saiten in unserm Inneren, welche sonst nur durcheinander rauschten, anschlägt, daß sie vibrieren und ertönen, und wir den reinen Akkord deutlich vernehmen; so sind wir aber es selbst, die wir uns die Antworten erteilen, indem wir die innere Stimme durch ein fremdes geistiges Prinzip geweckt außer uns verständlicher vernehmen und verworrene Ahndungen, in Form und Weise des Gedankens festgebannt, nun zu deutlichen Sprüchen werden...«[60]

Nichts ist wirklich als das, was die »psychische Macht« mit der Welt macht. Hätte Freud nur eine Geschichte gebraucht, um seine Theorie der frühkindlichen Prägung im Verbund mit Hoffmanns autobiographischem Postwagen-Bekenntnis *literarisch* bestätigt zu finden, »Der Sandmann« hätte ihm vollauf genügen müssen. Denn da versucht Clara ihren Verlobten Nathanael, wiewohl vergeblich, davon zu überzeugen, daß die »dunkle Macht«, »die unser eignes Spiegelbild sein sollte«, ihre Wirkung einbüßen müßte »durch den festen Sinn«; er verjagt den Dämon. »Solange du an ihn glaubst, *ist* er auch und wirkt, und dein Glaube ist seine Macht.«[61]

Das ist moderner, als es jede schwarze Romantik haben möchte. Die »andere Seite« existiert nur unter der Bedingung ihrer psychischen Konstituierung. Natürlich darf, wer dem realen Schrecken der Moderne poetisch auf der Spur ist, diese Reduktion nicht vornehmen. Das gilt für Poe wie für Baudelaire und endlich für Jünger. Wenn Marie Bonaparte ihre weitläufige Poe-Lektüre als Schülerin von Freud auf den Punkt zu bringen trachtete, da alle Außenwelten in Projektionen des Selbst sich verwandeln sollen, las sie, mindestens in wichtigen Teilen, quer zu den Intentionen des Autors.[62] Bei Hoffmann liegt der Fall anders. Ich zitiere ein drittes Beispiel, um die »Kantische« Wende des Autors als Abkehr von jeder platonisierenden Zwei-Welten-Theorie zu illustrieren; es geht um die späte Erzählung »Des Vetters Eckfenster«. Der im Titel benannte Protagonist, unfähig, sich in der Stadt zu bewegen, hat sich in einem Eckfenster seiner Berliner Wohnung so eingerichtet, daß er das Treiben auf dem Markt bequem überblicken kann. Hoffmann faßte die Erzählung, nach erklärenden Präliminarien über den prekären Gesundheitszustand des Helden, in die Wechselrede der beiden Cousins – denn der andere kommt zu Besuch und schaut sich mit dem Vetter zusammen an, was sich auf dem Platz unterhalb der Wohnung ereignet. Was sich wirklich ereignet, bleibt den beiden Beobachtern natürlich verborgen. Doch gelingt es dem Vetter, eine Vielzahl von Geschichten und Begegnungen herauszulesen, als ob er die Schritte und Absichten der Marktbesucher kennte. Auf das »als ob« kommt es an. »... die schwerste Krankheit vermochte nicht den raschen Rädergang der Fantasie zu hemmen, der in seinem Innern fortarbeitete, stets Neues und Neues erzeugend.«[63] Die flüchtigste Vorlage des Marktgeschehens genügt dem Vetter, dem Geschauten Wahrheiten hinzuzufingieren, die nur Produkte seiner Einbildungskraft sind. Als Physiognomiker fällt es ihm leicht, einen scheinbar akribischen Realismus zu evozieren, der doch nur im Geist des Beobachters Bestand hat. Die heimliche Pointe ist da erreicht, wo von einem Mädchen gesagt wird, es lese gerne Bücher, ziehe jedoch nicht in Erwägung, daß diese von Autoren erst geschrieben werden müßten, glaube vielmehr, Gott lasse die Bücher wachsen »wie die Pilze«.

Die Genese des Kunstwerks bedarf keiner mimetisch anverwandelten Wirklichkeit. Sie verdankt sich allein der schöpferischen Imagination. Mit diesem ästhetischen Prinzip, das gegen Hamann ebenso wie gegen den von Novalis beschworenen Panlogismus gewendet ist, zerriß Hoffmann wohl als erster Romantiker den Zusammenhang zwischen Welt und Ich. Daß Jünger es nicht übernehmen kann, ergibt sich von seinen Optionen her wie von selbst: eine Welt, die außerhalb der ästhetischen Produktivität nicht existiert, zöge als Konsequenz nach sich, daß der Schrecken seinerseits nur ein Moment der psychischen Tätigkeit ist. So weit darf die ästhetische Freiheit der »Dekonstruktion« von Welt nicht getrieben werden, wenn die Warnung vor den epochalen Zumutungen ebenso wie die Hoffnung ihrer Verwindung in einen geklärten Sinn ernst genommen sein sollen.

V.
Der Zeit widerstehen:
Erzählung und Tagebuch

Begriff und Anspruch der inneren Emigration sind kontrovers, seit man von dieser Form der politischen Distanz sprechen kann. Zu den ersten, die das Wort im November 1933 in Umlauf brachten, um sich selbst von den Emigranten nicht ohne polemische Spitzen abzuheben, gehörte der Schriftsteller Frank Thieß. Seine Bücher waren bei den Autodafés der Nazis irrtümlich verbrannt worden. In einem Protestbrief an den Reichskulturverwalter argumentierte Thieß mit der These, daß die deutschen Schriftsteller niemals durch Verbote und Repressionen gezwungen werden könnten, ihr Wesen zu verleugnen; ihnen bliebe schließlich kein anderer Weg als die innere Emigration. Noch im Sommer 1934 sprach Heinrich Mann von der emigrierten Literatur, zu der auch einige in Deutschland verbliebene Autoren gehörten. Jene des realen Exils griffen die Formel, wiederum mit polemischer Unterscheidung, auf. Für Geächtete und Verfolgte wie Klaus Mann war die innere Verweigerung kein legitimes Verhalten gegenüber den neuen Machthabern.[1]

Seit dem 30. Januar 1933 standen alle Künstler vor der Entscheidung. Hellhörige wußten seit den späten zwanziger Jahren, was die Stunde geschlagen hatte. Für andere, die ihre deutschnationale Gesinnung nicht verheimlichten, verwandelte sich die Entscheidung in einen Akt der Zustimmung, und wiederum andere, die das Regime verachteten, den Nationalsozialisten indessen keine Zukunft von Dauer prophezeiten, hoben sie auf in der Vertagung des Zuwartens. Man wird Thomas Mann, den Nobelpreisträger des Jahres 1929, schon deshalb nicht ihnen zurechnen können, weil der Autor der »Buddenbrooks« im März 1933, nach einer Vortragsreise, nicht mehr nach Deutschland zurückkehrte. Allerdings bedurfte es mehrerer Telephonate nach dem schweizerischen Arosa von seiten Erika und Klaus Manns, um ihren Vater davon zu überzeugen, daß die Lage für ihn im heimatlichen München gefährlich geworden war.

Thomas Mann setzte ein Zeichen, als er in der Schweiz verblieb.

Aber es entsprach bei weitem nicht den Erwartungen der »äußeren« Emigration, welche täglich die öffentliche Verurteilung der neuen Herrschaft durch einen Schriftsteller erhoffte, dessen Prestige innerhalb von Europa längst gefestigt war und wohl auch die Verlegenheit von Goebbels' Propagandaministerium provoziert hätte. Drei Jahre schwieg Thomas Mann. Es wäre sinnlos, alle Motive und Gründe seiner Abstinenz aufschlüsseln zu wollen. Vom Regime Hitlers hielt er nichts. Der frühere Verfasser der »Betrachtungen eines Unpolitischen« war schon in der Weimarer Ära vom konservativen Nationalismus abgerückt, um schließlich als argwöhnischer Liberaler die innenpolitischen Veränderungen der Jahre 1932 und 1933 zu beobachten. Allerdings unterschätzte er – wie viele andere – die Wirkkraft von Hitlers »Revolution«, und als er 1936 erstmals öffentlich sich gegen sie stellte, überschätzte er die Folgen seines Appells an die Vernunft.[2] Am 19. Januar 1936 hatte Erika Mann in einem Brief aus Biel den Vater zu einer Stellungnahme gedrängt. Sie befürchtete, er könnte weiterhin mit Bermann-Fischers Verlag kooperieren, von dem man zu wissen glaubte, er würde mit Billigung von Goebbels nach Wien disloziert. Am 21. Januar versuchte Katja Mann aus Arosa die Tochter zu beschwichtigen, zwei Tage später antwortete Thomas Mann selbst. Es werde die Zeit schon kommen, da er die Deutschen aufsuchen und ihnen sagen wolle: »Es ist genug, macht Schluß, fort mit dem Gesindel.«[3] Am 26. Januar insistierte Erika aus St. Gallen, noch immer unter dem Verdacht der »schrecklichen Spaltung der Emigration«, die Thomas Mann provoziere, wenn nun seine Bücher »im Beinahe-Schmutz eines halbgleichgeschalteten Pseudo-Emigrantenverlages« erschienen.[4]

Nicht diese Forderungen aus dem engsten Familienkreis lieferten den unmittelbaren Anlaß, sich zu erklären. Ebenfalls am 26. Januar druckte die »Neue Zürcher Zeitung« einen Artikel ihres Feuilletonchefs Eduard Korrodi mit dem Titel »Deutsche Literatur im Emigrantenspiegel«. Korrodi replizierte auf einen Text von Leopold Schwarzschild in der Pariser Exilzeitschrift »Das Neue Tagebuch«, näherhin auf die Behauptung, »das einzige deutsche Vermögen, das... aus der Falle des Dritten Reiches fast komplett nach draußen gerettet werden konnte«, sei »die deutsche Literatur in ihrer Gänze«. Im Land verblieben seien, so Korrodi, Gerhart Hauptmann, Hans Carossa, Rudolf Alexander Schröder, Heinrich Waggerl, Ernst Wiechert, Ernst Jünger, Ricarda Huch. Und dann kam der polemische Höhepunkt, der auch eine literarästhetische Pointe hatte. »Was ist denn ins Ausland transferiert worden?... Wir wüßten nicht *einen* Dichter zu nennen. Ausgewandert ist doch vor allem die Romanindustrie und ein paar wirkliche Könner und Gestalter von Romanen. Betrachten sich diese als das Nationalvermögen der deutschen Literatur, dann ist es allerdings erschreckend zusammengeschrumpft.«[5]

Darauf antwortete in einem offenen Brief an Eduard Korrodi vom 3. Februar 1936 Thomas Mann. Vielleicht hatte die Einlassung über die »Romanindustrie« den Schriftsteller, der bis dahin ein freundschaftliches Verhältnis zu dem Redakteur unterhalten hatte, mehr aufgebracht als Korrodis unüberlegte Verharmlosung des Status der Emigranten. Nicht nur Juden seien gegangen, auch Schickele, Fritz von Unruh, Ernst Glaeser, von den Lyrikern Brecht und Becher. Im übrigen gelte der neueste deutsche Judenhaß »den christlich-antiken Fundamenten der abendländischen Gesittung«. Man sei nicht deutsch, indem man völkisch sei; aus der deutschen Herrschaft seit 1933 könne nichts Gutes kommen. Gedanklich aber kulminierte Thomas Manns Antwort in der Rechtfertigung des Romans, der heute zum repräsentativen und vorherrschenden literarischen Kunstwerk avanciert sei und »in seiner analytischen Geistigkeit, seiner Bewußtheit, seinem eingeborenen Kritizismus soziale und staatliche Verhältnisse«, wie sie nun in Deutschland herrschten, fliehen müsse. Gegenüber Hesse schrieb Thomas Mann vom häßlichen Verhalten Korrodis, Schickele teilte er mit, daß er »einfach aus inneren, seelischen Gründen« nun Stellung genommen habe.[6] Am 6. Februar telegraphierte Erika Mann aus Prag an den Vater: »Dank, Glückwunsch, Segenswunsch. Kind E.«[7] Auch das Dritte Reich reagierte, Anfang Dezember 1936 mit der Ausbürgerung, wenige Wochen später mit der Aberkennung des Ehrendoktors der Universität Bonn.

Korrodi mußte wissen, daß bei seiner Gegenrechnung alles darauf ankam, Autoren nennen zu können, die einerseits keine Apologeten des Nationalsozialismus, andererseits Repräsentanten einer gegen die »Romanindustrie« eingestellten Richtung waren. Wenn er Ernst Jünger anführte, der bisher nicht als Epiker hervorgetreten war, entsprach dies Korrodis ästhetischem Credo. Und offenbar hielt er Jünger auch vom Politischen her für unbelastet; der Autor des »Arbeiters« und der »Totalen Mobilmachung« hatte sich seit 1933 nicht mehr exponiert, die Zustimmung von Goebbels und seinem Ministerium blieb einseitig. Nur die – unerfüllte – Bedingung der politischen Zurückhaltung wie der literarischen Faktur erklärt, weshalb jener Schriftsteller nicht zitiert wurde, der wie kaum ein anderer die Romanprosa abwehrte und als Lyriker noch 1933 die Bewunderung auch von Regimekritikern auf sich zog: Gottfried Benn.

Schon 1921 hatte Benn in einem Brief mitgeteilt, er glaube »weder an Entwicklung noch an Fortschritt des einzelnen noch der Gesamtheit«.[8] Vier Jahre später ließ der Zivilisationsverächter verlauten: »Alles Öffentliche ist unerträglich; einzig das Anonyme und Lautlose ist modern.«[9] In dieselbe Zeit der Jahre von Weimar fiel die Polemik gegen den »Staat von heute« und den »kleinbürgerlichen Sinn des demokratischen Fortschritts«. Während Benn die »Amerikanisierung« Europas verurteilte, lobte er jene, die sie an ihrem Ursprung literarisch einfaßten, allen voran John Dos Passos und dessen Montagestil. Für Benn war bereits die *Posthistoire*, Nachgeschichte, angebrochen, die abendländische Kultur hatte ausgespielt, weshalb der Lyriker der »Morgue« immer mehr mit den Urwelten und den mythischen Anfangsgründen der Menschheit sich beschäftigte. In dem zuerst in der »Neuen Rundschau« (1930) erschienenen Essay »Der Aufbau der Persönlichkeit« formulierte er zusammenfassend: »Wir tragen die frühen Völker in unserer Seele, und wenn die späte Ratio sich lockert, in Traum und Rausch, steigen sie empor mit ihren Riten, ihrer prälogischen Geistesart.«[10] Als einziges der »frühen Völker« ließ Benn die Dorer gelten, deren geschlossene Wirklichkeit er bewunderte und denen er 1934 einen großen Aufsatz widmete.

Mythenfreunde mußten nicht die verstiegenen Thesen von Alfred Rosenbergs 1930 erschienenem Werk »Der Mythus des 20. Jahrhunderts. Eine Wertung der seelisch-geistigen Gestaltenkämpfe unserer Zeit« teilen, um für die Rituale der nationalsozialistischen »Bewegung« anfällig zu werden. Hellsichtig hatte im selben Jahr in seinem »Lebensabriß« Thomas Mann mit deutlicher Anspielung auf Benn die »ultraromantische Verleugnung der Großhirnentwicklung, die Verfluchung des Geistes, die wir an der philosophischen Tagesordnung sehen«, verurteilt.[11] Im Herbst 1930 wandte sich auch Klaus Mann während eines Wiener Vortrags gegen den antidemokratischen Affekt des ansonsten von ihm verehrten Dichters. Gegen den

Widerstand von Ricarda Huch wurde Gottfried Benn Ende Januar 1932 Mitglied der Preußischen Akademie der Künste, deren Präsident damals Max Liebermann war und deren literarische Abteilung Heinrich Mann leitete. Nach dem 30. Januar 1933 arrangierte sich Benn rasch mit dem Regime. Der vormalige Zyniker wandte sich plötzlich der »Geschichte« zu. »Die Revolution ist da und die Geschichte spricht. Wer das nicht sieht, ist schwachsinnig... Dies ist die neue Epoche des geschichtlichen Seins, ... sie ist da.«[12] Als Heinrich Mann sein Amt niederlegte, wurde er von Benn gerügt, der nun die Gleichschaltung der Akademie betrieb. Am 16. März 1933 schieden Thomas Mann, Döblin, Wassermann und Schickele aus.[13]

Nun begann Benn die Isolierung zu spüren, da sich immer mehr Schriftsteller von seinem Amt wie von ihm selbst distanzierten. Am 9. Mai schrieb ihm aus Le Lavandon Klaus Mann einen persönlichen Brief, der die Empörung des Emigranten ebenso höflich wie deutlich zum Ausdruck brachte. Ein Tag später erfolgten die großen Bücherverbrennungen. Benn hatte keinen gegebenen Anlaß, diesen Brief in der Form zu beantworten, wie er es gleichwohl tat: seine »Antwort an die literarischen Emigranten« trug er am Berliner Rundfunk vor und sprach sie als »Amateure der Zivilisation und Troubadoure˙des westlichen Fortschritts« an. Eine der »großartigsten Realisationen des Weltgeists überhaupt« sei jetzt zu beobachten. Mißt man solche Kraftausdrücke an allem, was Benn noch kurz zuvor gedanklich wichtig gewesen war, entlarven sie sich als Klischees. Es gebe Augenblicke, »wo dies ganze gequälte Leben versinkt«, nichts da sei als »Jahreszeiten, Erde, einfache Worte –: Volk«. Für Benn drehte der Weltgeist das Rad der Geschichte in die quasi-naturalen Ordnungen zurück.[14] Er selbst hatte den ideellen und moralischen Tiefpunkt erreicht.

Das wußte er bald. Es hätte nicht einmal mehr des Essays von Klaus Mann in der Emigrantenzeitschrift »Die Sammlung« unter dem Titel »G. Benn oder Die Entwürdigung des Geistes« bedurft, um ihn zu sensibilisieren. In den Briefen an F.W. Oelze, mit dem er seit dem Dezember 1932 regelmäßig korrespondierte und der ihm in den kommenden Jahrzehnten zum wichtigsten Gesprächspartner wurde, ist das Stadium der Einsichten Schritt um Schritt zu verfolgen. Nach der Röhm-Affäre kommentierte Benn lapidar: »Ein deutscher Traum – wieder einmal zu Ende.« Im November 1934 plante er seine Rückkehr zur Armee, und seit dem April 1935 leistete er in Hannover als Wehrmachtsarzt seinen Dienst. Er glaubte, die »aristokratische« Form der inneren Emigration gewählt zu haben und sah sich in der Rolle des Außenseiters um so mehr bestätigt, als ihn das »Schwarze Korps« der SS zur selben Zeit angriff, als auch Carl Schmitt erfahren mußte, wie wenig nun dem Regime noch an »seinen« Intellektuellen gelegen war. 1938 kam der Ausschluß aus der Reichsschrifttumskammer.

Gottfried Benns Karriere während des Nationalsozialismus ist eines. Wolf Lepenies hat darauf hingewiesen, daß sie nichts Außergewöhnliches an sich hatte, vielmehr der Einstellung des »Normalbürgers« auf eine sehr banale Weise entsprach.[15] Ein anderes ist, wie man das Weltbild eines unbestritten scharfsinnigen Schriftstellers in seinen Fundamenten und Widersprüchlichkeiten beurteilen muß. Anders als Ernst Jünger war Benn weder von der Geschichtsphilosophie fasziniert, noch interessierte er sich für eine platonische Zwei-Welten-Theorie. Schon eher ging es ihm um das Anthropologische – in einer halb von der Sachkenntnis des Mediziners, halb von den Mystifikationen des Archaikers vorgeprägten Weise. »Ich bin tellurisch, chthonisch…«, schrieb er am 8. Oktober 1940 an Oelze. Geschichtliche Progressionen interessierten ihn kaum, wie jedes Denken in Entwicklungen. Prägnanter als anderswo definierte Benn in einem Brief vom 23. November 1947 an den Schweizer Verleger Peter Schifferli, was es damit auf sich hatte. Der Autor der »Statischen Gedichte« erläuterte nicht nur ihren Titel, sondern auch den Gedanken, der sie letztlich trägt. »…statisch ist ein Begriff, der nicht nur meiner inneren ästhetischen und moralischen Lage, sondern auch der formalen Methode der Gedichte entspricht und in die Richtung des durch Konstruktion beherrschten, in sich ruhenden Materials, besser noch: in die Richtung des Anti-Dynamischen verweisen soll… Statik also heißt Rückzug auf Maß und Form, es heißt natürlich auch ein gewisser Zweifel an Entwicklung und es heißt auch Resignation, es ist anti-faustisch…«[16]

Wie nahe er den resignativen Zwischentönen von Valérys »Mon Faust« kam, blieb ihm verborgen. Benn teilte zwar nicht Valérys Möglichkeitsphilosophie und deren hypothetische Entwürfe, aber mit dem Verfasser der »Cahiers« verband ihn der Sinn für die Konstruktion und vor allem das, was er dem Wort »Geist« zuordnete.

Denn sähe man ihn nur in der Perspektive seiner Apologetik des Primitiven und Urwüchsigen, die ihn 1933 dazu verführte, gegen die »europäische Makulatur« von Gide, Joyce und Valéry zu polemisieren, bliebe die andere Seite unterbelichtet. Nicht lange konnte ihn das »Zeitalter der Stahlgewitter und der imperialen Horizonte« fesseln. Jüngers genuine Begeisterung vor 1933 war bei Benn ein Bekenntnis aus zweiter Hand. Näher kam er sich selbst mit seiner Maxime, »das Apokalyptische weltmännisch zu empfinden und auszudrücken«, und dazu bedurfte es des Geistes.

»Geist« ist ein Stichwort, das sich durch die Essays wie ein Leitmotiv zieht. Geist ist die Bedingung dafür, in einer vom Untergang längst gezeichneten Welt noch produktiv standhalten zu können, indem das Gesehene beschrieben und in die ästhetisch geglückte Form gegossen wird. Wie Oswald Spengler, dessen Vision er weitgehend teilte, war Benn ein Besessener der Form. Nur in der Form wird die Wirklichkeit in ihren Momenten festgemacht und ästhetisch aufgehoben. 1932 legte Benn den Essay »Der Nihilismus und seine Überwindung« vor. Hier wagte er sich auf das heikle Terrain der Entwicklungsgeschichte, um zu zeigen, daß die Epochen schon lange vorbei seien, in denen sich »das schöpferische Leben der Nation in einem geschlossenen geistigen Raum vollzog«. Jeder Gebildete mußte damals die Anspielung auf Hofmannsthals berühmten Essay von 1927 »Das Schrifttum als geistiger Raum der Nation«, hervorgegangen aus einer Rede, wahrnehmen. Auch Benn beklagte den Niedergang in der Ära des Positivismus und beschrieb den »neuen« Menschen kritisch: »der neue menschliche Typ, der materialistisch organisierte Gebrauchstyp, der Montagetyp, optimistisch und flachschichtig«.[17] Den Nihilismus erkannte er in der »Nivellierung aller Werte«, dessen Genese ortete er schon im Umkreis von Turgenjews »Väter und Söhne« und typusmäßig in der Figur des Basarow. »Er ist zum erstenmal in der europäischen Literatur der siegesgewisse Mechanist, der schneidige Materialist, dessen etwas fragwürdige Enkel wir ja heute noch lebhaft tätig unter uns sehen…«[18] Dies alles, von Benn zusammengezogen unter die Losung vom Materialismus, sollte überwunden werden, und zwar durch den »Geist«. »… wir setzen ihn als dem Leben übergeordnet ein, ihm konstruktiv überlegen, als formendes und formales Prinzip: Steigerung und Verdichtung – das scheint sein Gesetz zu sein.«[19] In der modernen Technik wie in der Architektur verlagere sich alles von innen nach außen, in der Literatur erweise sich der Widerstand gegen das Epische und »externen Stoffzustrom«, der Geist suche den Ausdruck. »Die letzte arthafte Substanz will *Ausdruck* ... und bemächtigt sich ... unmittelbar der Technik ... die Überwindung des Nihilismus hieße dann: das Gesetz der Form.«[20]

Parallelen zu Jüngers »Arbeiter« sind eindeutig. Aber Benns Subjektphilosophie stellt nicht die Frage, die immerhin am Rand Jünger beunruhigt hatte: ob nicht auch umgekehrt und stärker die Technik sich den Menschen gefügig macht. In der Abwehr alles Lebensphilosophischen suchte Benn zunächst die – verspätet gelieferte – Legitimierung des Expressionismus als Kunst des Ausdrucks. Es ging ihm dabei weniger um eine Identitätsstiftung zwischen der künstlerischen Form und dem Atem des Weltgeists, der sie beseelt, als um den Formwillen schlechthin, den er bis zum artistischen Solipsismus trieb. Nur in dem Expressionismus-Essay vom November 1933, dessen Einleitung er ein Jahr später in einem Brief an Oelze bedauerte, versuchte Benn entschiedener einen Zusammenhang zwischen dem Geist der Kunst und dem Geist der Politik herzustellen. Der Aufsatz sollte durchaus die nationalsozialistische Führung erreichen, die bereits beschlossen hatte, auch den Expressionismus den »Entartungen« zuzurechnen. Benn wollte das mit zweifelhaften Argumenten ungeschehen machen, indem er erklärte, er sei »einfach ein neues geschichtliches Sein ... von erklärt revolutionärem Charakter«. Zwischen 1910 und 1925 habe er sich in Europa als Stil und Form etabliert. Ohne Zögern schloß er den Expressionismus mit der Ideologie der Futuristen zusammen und zitierte Marinettis Manifest von 1909. Als Marinetti selbst am 29. März 1934 als Präsident des faschistischen italienischen Schriftstellerverbandes Berlin besuchte, hielt Benn in Vertretung von Hanns Johst die Festansprache und lobte den Futurismus, der den Faschismus miterschaffen habe. Es war insofern eine gespenstische Szenerie, als eine einstmals revolutionäre Ästhetik längst im Katechismus totalitärer »Kunstbetrachtung« aufgegangen war.

Das konnte auch Benn nicht übersehen. Gleichwohl strebte er im Expressionismus-Essay die Legierung von moderner Ästhetik und zeitgeschichtlichem »Sein« an. »Innere Erregungen« und »magische Verbindungszwänge« kennzeichneten den expressionistischen

Stil, der »gegen die reine Verwertungswelt der Wissenschaft« angetreten sei und die »analytische Konzernatmosphäre« durchbrochen
habe. »Form und Zucht steigt als Forderung von ganz besonderer
Wucht aus jenem triebhaften, gewalttätigen und rauschhaften
Sein.«[21] Als ob er den Propagandisten der Diktatur noch deutlichere
Hinweise auf die Genese des Expressionismus geben wollte, glaubte
ihn Benn schon im zweiten Teil von Goethes »Faust«, bei Kleist, Hölderlin und Nietzsche am Werk. Auch dekretierte er, Kunst sei »in den
letzten Jahrhunderten« immer Gegenkunst, immer »Geburt« gewesen. Das ließe sich sogar mit einer Kernthese von Georg Lukacs'
»Theorie des Romans« (1916) vereinbaren; der Literaturtheoretiker
begriff, wie später auf seinen Spuren Thomas Mann, den Roman als
Genre einer Welt, der der Sinn der Totalität abhanden gekommen
war. Diese Totalität mußte Benn wenigstens als Verheißung wieder
beglaubigen, wenn die Botschaft ankommen sollte – obwohl es seinen tiefsten Überzeugungen widersprechen mußte. Man könne sich
»unsere Lage gar nicht final und kritisch genug vorstellen, es geht
hier um Verwandlung, ein neues Geschlecht steht Europa bevor«. Er
sprach von »Züchtung der Überrassen, der *solaren* Eliten, für eine
halb magische und halb dorische Welt«. Mit der Metapher vom
Dorertum war auf das historische Vorbild angespielt: Sparta war für
Benn die letzte mit sich politisch und künstlerisch identische Gesellschaft.[22]

Daß der Nationalsozialismus den großen Skeptiker und Verächter
in seinen Bann zu ziehen vermochte, lag auch daran, daß er sich als
anti-politische Lebenstotalität, als Gegenform einer »analytischen«
Politik ausgab. Benn engagierte sich kaum länger als ein Jahr. Schon
Ende 1934 stieß ihn die brutalisierte Öffentlichkeit wieder ab und
ließ ihn zu seiner Theorie des »reinen« Geistes zurückkehren. Am
24. November 1934 schrieb er in einem leidenschaftlich bewegten
Brief an Oelze, daß der Geist »ganz außerhalb des Lebens« stehe.
»Es gibt nur den betrachtenden und leidenden Geist. Das ist eine
ungeheure Erkenntniß... Es ist die Hinrichtung des modernen
Europas.«[23] Andere Formen von Hinrichtung standen bevor. Aber
man sieht nun leichter, was »innere Emigration« auch – und letztlich
unabhängig von spezifischen Pressionen – sein konnte: die ganze
Welt in der Absolutheit des Faktischen zum Anlaß ihrer ästhetisch
vollendeten Betrachtung zu machen.

Jüngers Widerstandsparabel:
»Auf den Marmor-Klippen«

Gottfried Benn war in den dreißiger und vierziger Jahren ein kritischer und abwehrender Leser von Ernst Jünger, auch wenn er einzelne Gedanken aus dessen »Arbeiter« während der Zeit seines politischen Engagements für den Nationalsozialismus übernahm, vor allem denjenigen einer »imperialen« Zukunft. Vorsichtige Zustimmung kam erst später.[24] Für die geschichtsphilosophischen Erwägungen in »Blätter und Steine« fehlte ihm der Glaube ebenso wie für die Korrespondenzlehre der zweiten Fassung des »Abenteuerlichen Herzens«. Im Spätherbst 1938 legt Jünger die Erzählung »Auf den Marmor-Klippen« vor. Was immer seine Leser und Kritiker bisher gegen den politischen Stil des Verfassers der »Totalen Mobilmachung« einzuwenden hatten, sie wurden nun schnell gewahr, daß die »Marmor-Klippen« über bloße Andeutungen hinaus ein Angriff auf das Regime waren.[25] Es wird zu prüfen sein, wie der Autor den »Widerstand« in der Form zeitgeschichtlicher Bezüge thematisieren wollte.

»Auf den Marmor-Klippen« beschränkt die stoffliche Anlage auf den Erinnerungsbericht eines Ich-Erzählers, der von einem entscheidenden Einschnitt innerhalb der Geschichte und zugleich seines Lebens redet; doch fehlen alle Hinweise auf eine historische Chronologie, der die Ereignisse einzuordnen wären. Die Erzählung gehorcht dem Duktus epischer Abfolgen. Einer Einleitung schließt sich ein Rückblick auf »die Zeiten des Glücks« an, dann wird die nähere Vergangenheit eingefaßt: der Umbruch, der alles veränderte; und am Ende wird die Kreislinie geschlossen, indem der Berichterstatter auch die Begebenheiten erinnert, die ihn in seine Gegenwart führen – die die Aufzeichnungen möglich macht. Vorvergangenheit, Vergangenheit und Gegenwart verschränken sich.

Was wird erzählt? Ein Mann, der Erzähler, lebte lange Zeit mit seinem Bruder Otho an der Großen Marina, einem südlich anmutenden Landstrich. »Damals« pflegt er die Zurückgezogenheit des Einsiedlers und wohnt in der »Rautenklause«, einem kleinen Haus am Abhang zum See, das zugleich für die Arbeit – die botanische Systematisierung – eingerichtet ist. Den Haushalt versorgt eine alte Frau, Lampusa; unter ihrer Obhut wächst der »kleine Erio«, ihr Enkel, ein natürlicher Sohn des Erzählers, heran. Die Abgeschiedenheit dieses ruhigen Rhythmus teilt sich auch in der Landschaft mit. Eine milde Gegend: nach Westen hin öffnet sich das Burgund, im Süden, jenseits der Marina, liegt das »freie Bergland von Alta Plana«. Doch im Norden dehnt sich die Campagna, eine ungeordnete Ebene der Hirten, und noch weiter nördlich beginnen die Wälder: die Herrschaftsgebiete des »Oberförsters«, eines zugleich spielerischen und grausamen Tyrannen. Von dort drohen Gefahr und Zerstörung. Die Marmorklippen aber trennen die Marina von der Campagna »wie durch einen Wall«. – Dem frei gewählten Exil nach der Großen Marina sind Jahre des Kriegs vorangegangen, an dem sich Otho und der Erzähler beteiligten – an der Seite der »Mauretanier«, einer kämpferischen Kaste, der schon damals der »Oberförster« als »Alter Herr« vorstand. »Damals war seine Nähe uns angenehm – wir lebten im Übermute und an den Tafeln der Mächtigen der Welt.«[26] Später, nachdem die Brüder ihre Mauretanierzeit durchschaut und hinter sich gelassen haben, nachdem sie sich der Kontemplation und der sammelnden und vergleichenden botanischen Arbeit an der Marina widmen, sehen sie schon die Anzeichen des Niedergangs und des Zerfalls, der vom Oberförster und seinen Horden eingeleitet wird. Denn bald, und damit beginnt die Ereignisgeschichte der Erzählung, dehnt der Oberförster seine Machträume aus und trägt den Bürgerkrieg ins Land. Spannungen entstehen, bei welchen seine Männer an Einfluß gewinnen. Die Gegend der Campagna wird von seinen Banden verwüstet, die ansässigen Hirten werden vertrieben oder getötet. Aber »weitaus bedrohlicher« noch »erschien... der Umstand, daß alle diese Taten, die das Land erregten und nach dem Richter schrien, kaum noch Sühne fanden – ja, es kam so, daß man von ihnen nicht mehr laut zu sprechen wagte, und daß die Schwäche ganz offensichtlich wurde, in der das Recht sich gegenüber der Anarchie befand«. (MK 44/15, 275) Seit dem großen, die Epoche verändernden Krieg, ist Dekadenz: in der Kultur, in der politischen Ethik. Bis in die Städte der Marina beginnt die Macht des Oberförsters einzudringen. Er bietet seinen Schutz an, nachdem er zuvor für Unruhen gesorgt hat. Sowohl die »Waldkapitäne«, bösartige Jäger, als auch die »Förster«, die danach streben, das Land neu zu vermessen, sind ihm dienstbar in der Aufhebung der Freiheit.

Otho und der Erzähler haben sich während dieser Zeit des

Umbruchs eines doppelten Beistands versichert. Da ist Belovar, ein mächtiger Hirt, dem die Leute des Oberförsters bisher nichts anhaben konnten. Ein ungestümer, mit der Blutrache der Campagna vertrauter Alter, ist er »nicht ohne Tugend«. Die Freundschaft ist ihm »mehr als ein Gefühl; sie flammte nicht minder unbedenklich und unbezähmbar als der Haß... So fühlten wir uns gegen die Gefahren, die von der Campagna drohten, allein durch diese Freundschaft gut gedeckt. So manche Nacht, da wir im Bücher-Zimmer und im Herbarium still an der Arbeit saßen, flammte der Mordbrand-Schimmer am Klippenrande auf... Doch wußten wir, daß unserer Rauten-Klause kein Unheil drohte, solange noch der alte Hirte mit seiner wilden Sippe in der Steppe lag.« (MK 65 f./ 15, 290) – Anderen, nämlich geistigen, Beistand gewährt den beiden ein »Christenmönch«, Pater Lampros, der in dem Kloster Maria Lunaris wohnt, das der Rautenklause an den Hängen der Marina benachbart ist. Der Pater verweist auf die geheimen Entsprechungen und Harmonien der Natur, und für die botanische Arbeit gibt er Hinweise und Aufschlüsse. Was der Hirt Belovar an erdgebundener Präsenz ausstrahlt, vermittelt der Pater im Geistigen. Er lehrt die Einübung in ein Anschauungsvermögen, das die Gesetzmäßigkeiten der Natur erkennt und sich letztlich von den Wechselfällen der Vergänglichkeit nicht beunruhigen läßt.

Dann, als die Ereignisse sich zum Üblen beschleunigen, überlegen Otho und sein Bruder, ob Widerstand unter Waffenanwendung die Lage noch retten könne. »Als die Vernichtung stärker an die Marmor-Klippen brandete, lebten Erinnerungen an unsere Mauretanier-Zeiten in uns auf, und wir erwogen den Ausweg der Gewalt. Noch hielten die Mächte an der Marina sich so die Waage, daß geringe Kräfte den Ausschlag geben konnten... Wir erwogen, mit Belovar und seiner Sippe nachts auf die Jäger Jagd zu machen und jeden, der uns ins Garn geriet, zerfetzt am Kreuzweg aufzuhängen, um so den Gäuchen aus den Tannicht-Dörfern in einer Sprache zuzusprechen, wie sie ihnen allein verständlich war.« Aber andere Optionen werden bevorzugt. »Wenn wir indessen im Herbarium oder in der Bibliothek die Lage gründlicher besprachen, entschlossen wir uns immer fester, allein durch reine Geistesmacht zu widerstehn. Nach Alta Plana glaubten wir erkannt zu haben, daß es Waffen gibt, die stärker sind als jene, die schneiden und durchbohren...« (MK 75 f./15, 296 f.) So konzentrieren sich die beiden zunächst auf den Posten der Beobachtung.

Es ist in dieser Eigenschaft, daß sie das Grauenvolle der feindlichen Herrschaft unmittelbar erfahren. Auf einem botanischen Gang dringen sie an einem nebligen Tag tief in die Regionen der Campagna und schließlich auch in das Waldreich des Oberförsters ein, auf der Suche nach einer Blume, dem »Roten Waldvöglein«. Sie vermuten die Pflanze im Umkreis einer Lichtung, als sie unvermutet der »Schinderhütte« von »Köppelsbleek« ansichtig werden. Auf der Rodung befindet sich ein weißgetünchter Bau. »Die Mauern waren durch schwarze Balken, die auf drei Füßen standen, in Fächer eingeteilt, und über ihnen stieg spitz ein graues Schindeldach empor. Auch waren Stangen und Haken an sie angelehnt. Über dem dunklen Tore war am Giebel-Felde ein Schädel festgenagelt, der dort im fahlen Lichte die Zähne bleckte und mit Grinsen zum Eintritt aufzufordern schien.« Die Schinderhütte offenbart den verschwiegenen Terror der Macht, Folter, psychische und physische Marter, Vernichtung. Ein »lemurenhaftes Männlein«, »in einen grauen Wams gekleidet«, geht in der Anlage umher und versieht, »ein Liedchen pfeifend«, seinen schrecklichen Dienst. Ungesehen ziehen sich die Beobachter zurück, nachdem sie die rote Blume geborgen haben. (MK 94 f./ 15, 309 f.)

Am nächsten Tag, nach dem Einblick in die Werkstätten der Menschentötung, werden Otho und der Erzähler von zwei Gästen besucht, von einem Mann, der sich als Braquemart zu erkennen gibt, und von dem jungen Fürsten von Sunmyra, »einem hohen Herren aus neuburgundischem Geschlecht«. Braquemart und der Fürst wollen die Macht des Oberförsters brechen. Während sich der Burgunder als abweisender, leidender Geist zu erkennen gibt, wirkt Braquemart, den Mauretaniern zugehörig, doch sich von ihnen abwendend, »ein wenig grobdrähtig«, »doch wie alle Mauretanier nicht ohne Geist«. »Er hatte ein starkes Herz von jener Sorte, die nicht vor Hindernissen scheut; doch leider gesellte sich dieser Tugend Verachtung zu. Wie alle Schwärmer von Macht und Übermacht verlegte er seine wilden Träume in die Reiche der Utopie.« Braquemart zählt »zum Schlage der konkreten Träumer, der sehr gefährlich ist«. Daß der Mauretanier gegen den Oberförster antreten will, liegt an seiner Ideologie, denn während der Oberförster die Marina »mit wilden

Bestien zu bevölkern im Sinne hatte«, betrachtet sie Braquemart »als den Boden für Sklaven und Sklaven-Heere«. »Es drehte sich dabei im Grunde um einen der inneren Konflikte unter Mauretaniern, den hier in seinen Einzelheiten zu beschreiben, nicht tunlich ist. Es sei nur angedeutet, daß zwischen dem ausgeformten Nihilismus und der wilden Anarchie ein tiefer Gegensatz besteht. Es handelt sich bei diesem Kampfe darum, ob die Menschen-Siedlung zur Wüste oder zum Urwald umgewandelt werden soll.« (MK 101 ff./ 15, 314 ff.)[27]

Braquemart verkörpert »kalte, wurzellose Intelligenz« – ein Nihilist, der das Leben als »Uhrwerk« auffaßt und unter die Regeln der Mechanik zwingen möchte. Was an ihm allein sympathisch ist, ist ein »feiner Schmerz«, die »Bitterkeit des Menschen, der sein Heil verloren hat«. Als der Erzähler später über das Gespräch nachdenkt, wird ihm deutlicher, daß die tyrannische Anarchie nicht durch einen Nihilismus ersetzt werden kann, sondern nur durch eine »neue Theologie«, die an die Wurzeln des Übels gelangt. Doch so präsentiert sich die konkrete Lage nicht. Braquemart und der Fürst wollen in das Herrschaftsgebiet des Oberförsters eindringen. Als der Erzähler eine Botschaft von Pater Lampros erhält, die ihn auffordert, dem Fürsten Beistand zu leisten, bricht er seinerseits auf in die Campagna. Ein Zwischenhalt zunächst auf dem Hof des alten Hirten. Belovar bietet Begleitschutz an. Schließlich zieht ein größerer Trupp mit Belovar, seinen Hirten und seinen Hundemeuten aus. Es kommt zum Kampf in den Wäldern um Köppelsbleek. Anfangs werden die Horden des Oberförsters vertrieben, bis dieser seine Jäger und Förster, dann auch die Doggen gegen die Eindringlinge schickt. Der Erzähler beteiligt sich am Kampf, aber als er versucht, die Leitdogge des Oberförsters zu erlegen, verliert er sich im Dickicht, und plötzlich steht er im Feuerschein der Lichtung.

Er sieht, an hohen Stangen aufgesteckt, die Köpfe des Fürsten und Braquemarts. Den Kopf des Burgunders birgt er in seiner Tasche; zugleich bemerkt er, daß der Mauretanier den Freitod gewählt hat. Er kehrt zurück ins Kampfgebiet, wo er Belovar und seine Knechte getötet sieht. Der Weg führt ihn vom Dunkel des Waldes wieder in die Campagna. Wie ein Träumender durchschreitet er den von Plünderern besetzten Hof des Hirten. Als er sich der Krete den Marmorklippen nähert, bemerkt er den »fürchterlichen Flammenring«, der die Marina erhellt und anzeigt, daß sich das Land der Gewalt des

Oberförsters beugen mußte. Bald bedroht dessen Meute auch ihn, während er sich der Rautenklause nähert. Erio, der Sohn, rettet die Bewohner der Klause, indem er die Schar der Lanzenottern, die in den Schründen um das Haus leben und die er jeweils mit Milch versorgt, herbeiruft. Die Schlangen töten die Hunde und die Männer des Oberförsters. Otho und der Bruder brechen auf, an den Strand der Marina; die Klause mit der Bibliothek und dem Herbarium wird dem Feuer überlassen. »So sahen wir die Ernte vieler Arbeits-Jahre den Elementen zum Raube fallen, und mit dem Hause sank unser Werk in Staub. Doch dürfen wir auf dieser Erde nicht auf Vollendung rechnen, und glücklich ist der zu preisen, dessen Wille nicht allzu schmerzhaft in seinem Streben lebt. Es wird kein Haus gebaut, kein Plan geschaffen, in welchem nicht der Untergang als Grundstein steht, und nicht in unseren Werken ruht, was unvergänglich in uns lebt.« (MK 150/15, 347)

Auch das Kloster des Bruder Lampros wird zerstört, der Mönch stirbt in den Trümmern. In der Stadt herrschen Unruhe und Aufregung. Ein Söldnerführer, der sich bereits dem Oberförster angeschlossen hat, jedoch den Brüdern einen Dienst schuldet, stellt ihnen eine Brigantine zur Verfügung. An Bord des Schiffes verlassen die beiden die Stadt und damit auch das Land der Marina. Das Ziel ist Alta Plana. Dort werden sie in Freundschaft von dem Herrscher des Landes empfangen. Und so endet die Erzählung mit einem Auszug, einer Fahrt in neue Gegenden, über die nichts bekannt wird. »Die große Halle war feierlich gerichtet, und aus dem Kreise der Männer und der Frauen, die vor ihr harrten, trat zum Empfang der alte Ansgar auf uns zu. Da schritten wir durch die weit offenen Tore wie in den Frieden des Vaterhauses ein.« (MK 157/15, 351)

Eine Erzählung? Eine Allegorie? Eine Geschichte um Recht und Macht, um zeitliches Verhängnis und zeitlose Geborgenheit? Das Werk ist aus dem Kontext der Epoche und aus dem Zusammenhalt der früheren Arbeiten nicht herauszulösen, obwohl zum ersten Mal eine größere, dem Epischen angenäherte, rein literarische Gattung gewählt wurde und seit der frühen Prosa von »Sturm« (1923) erstmals wieder ein eigentlicher erzählerischer Text vorliegt. Doch gerade die Zeit – ihre Bezugssysteme, ihre Ausrichtungen auf die historischen Verankerungen – wehrt der Text ab. Man erfährt nichts darüber, wann die Ereignisse stattfinden, erfährt nur in Anspielungen, wo sich die »Große Marina« befinden könnte. Die Landschaft des Bodensees mag als Vor-Bild gewirkt haben für die Topographie der »Marmor-Klippen«; seit 1936 lebt Jünger mit seiner Familie in Überlingen. – Dann die Ereignisse selbst: ein früherer Krieg, der noch immer seinen Schatten auf die Begebenheiten wirft; eine Lage des politischen Umbruchs, eine Diktatur aus den Wäldern, die zusehends an Macht und Einfluß gewinnt. In diesen Niedergang verstrickt – und doch wieder davon entfernt – zwei Brüder, von denen der eine den gemeinsamen Beobachtungen die Fassung des Berichts gibt. Endlich die Einblicke in die Kammern des Schreckens: die »Schinderhütte«, die mehr bedeutet als nur der verrufene Ort innerhalb eines verrufenen Herrschaftsbezirkes.

An Verschlüsselungen ist kein Mangel.[28] Selbst der epische Stoff, die Ereignisgeschichte im engeren Sinn, wirkt verdichtet bis zum Parabelhaften vielfacher Bedeutungen. Daß Kleidung und Waffen der Figuren, daß die Gewohnheiten und Bräuche des Landes an eine Zeit im Umkreis der Renaissance erinnern sollen, obwohl einmal ein »starker« Wagen beschrieben ist, »der leise summte wie ein Insekt«, solche Ablenkung von der Gegenwart ist offensichtlich. Anders als »Sturm«, die realistische Erzählung aus den Grabenkämpfen des Ersten Weltkriegs, weicht der Roman jeder geschichtlichen Benennbarkeit aus. Mythische Motive klingen mit in den Kriegsszenen und Feuerstürmen, zugleich mutet die Namengebung bei vielen Personen chiffriert an.

Sieht man einmal vom künstlerischen Anspruch, auch von der ästhetischen Sinnfälligkeit ab, so ist nach dem Bedeutungsschema und nach dem Symbolgefüge zu fragen. Ein merkwürdiger Text aus der zweiten Fassung des »Abenteuerlichen Herzens«, die den »Marmor-Klippen« in der Chronologie unmittelbar benachbart ist, erwähnt erstmals die rätselvolle Figur des Oberförsters wie auch einen Ich-Erzähler. Dieser durchschreitet einen »ungeheuren Wald« auf der Suche nach einem Gefährten, dem »Adepten«. »Ich war in sein Inneres eingedrungen, um den *Oberförster* aufzusuchen, denn ich hatte erfahren, daß er einen Adepten vernichten wollte, der nach der blauen Natter auf Jagd gegangen war.« (AH II, 54/9, 212) Der Suchende findet den Oberförster in seinem Jagdzimmer, das gotisch eingerichtet ist, mit Schlingen, Netzen und anderen Fallen ausgeschmückt. »Der Oberförster saß hinter einem klobigen Tisch aus

rötlichem Erlenholz, das in der Dämmerung phosphorisch er-
glimmt. Er war damit beschäftigt, kleine, drehbare Spiegelchen zu
putzen, mit denen man im Herbst die Lerchen berückt.« Ein
Gespräch beginnt; doch oft sieht der Besucher den Oberförster, statt
zu antworten, »verschiedenartige Lockflöten aus der Tasche... ziehen, aus denen er pfiff, fiebte oder blattete. Bei den bedeutsamen
Wendungen des Gespräches aber griff er immer wieder auf eine
große hölzerne Kuckucksflöte zurück und stieß Töne wie eine
Kuckucksuhr hervor. Ich begriff, daß das seine Art zu lachen war.«
(AH II, 54 f./9, 213)

Das Gespräch selbst bewegt sich im Ungeklärten, in Anspielungen
auf die blaue Natter. Dann empfiehlt der Oberförster dem Besucher,
selbst den Gang in die Wälder zu tun. »Ich machte mich also auf den
Weg, geleitet durch die tief im Tann verlorenen Wirbel der Feuer-
henne, die zu den Wappentieren der Mauretanier zählt.« (AH II, 56/
9, 214) Oft sieht der Erzähler die blaue Natter, den Adepten findet er
nicht. Gegen Abend erscheint eine »steinalte Frau«, die nach Art der
Hexen auf dem Boden seltsame Verrichtungen tut. Der Erzähler
fragt nach dem Sinn der Handlung. »Söhnchen, das soll dich nichts
kümmern – das erfährst du schon früh genug!« Und dann das Ende
des Texts, der ausdrücklich mit »Der Oberförster« betitelt ist. »Da
leuchtete mir mit entsetzlicher Klarheit ein, daß ich dem Oberförster
dennoch ins Garn gegangen war. Und ich begann meiner Klugheit
zu fluchen und meinem einsamen Übermut, der mich in solche
Gesellschaft verstrickt hatte, denn zu spät sah ich ein, daß alle Feinheit meiner Operationen nur dazu gedient hatte, die Fäden unsichtbar zu machen, mit denen er mich umspann. Ich selbst war ja der
Adept gewesen, den er vernichten wollte, ich selbst das Wild, das
durch die blaue Natter verlockt worden war!« (AH II, 57 f./9, 215)

Einer, der dem »Oberförster« ins Garn geht; der ahnungslos sucht
und endlich sieht, daß er sich selbst gesucht und auch gefunden hat.
Die Parabel vom Adepten, der lange nicht wahrnimmt, in welcher
Richtung sich seine Verirrung klären wird, bedient sich auf eigentümliche Weise, gleichsam invers, des Doppelgänger-Motivs.[29] Daß
man selbst das Opfer ist, über das man spricht und Nachforschungen
betreibt, diese plötzliche und »entsetzliche« Wahrheit hat ihren tiefsten Ausdruck in der Theologie gefunden, deren Epiphanie den
Gläubigen am Tag des Gerichts aus dem toten Winkel seiner selbst

überfallen soll. Rückt man den Text in den großen eschatologischen Zusammenhang von Schuldhaftigkeit und Bilanz ein, drückt sich darin ein Beispiel von Selbsttäuschung aus bezüglich der eigenen Identität: man sucht – oder meint – einen anderen und wird auf sich selbst zurückgestoßen. Einer langen, trügerischen Suche folgt die Aufdeckung der scheinhaften Sicherheit. Poe hat sich dieser »Figur« in ihrer säkularen Façon häufig bedient.

Betrachtet man solche Auflösung der Selbstgewißheit in ihren formalen Mechanismen, ohne schon die »theologische Lage«, von der der Autor an anderer Stelle ausdrücklich spricht, heranzuziehen, so handelt es sich um den psychologisch gewöhnlichen Fall der Verführbarkeit. Jemand wird dazu verleitet, zu glauben, daß nicht er es sei, auf den man es abgesehen hat. Als verschiedenartig bedrohlich erweisen sich die Situationen, in welchen solche Blendungen stattfinden können. Unheimlichkeit und Schrecken aber evoziert eine Geschichte erst, wo sie den wesentlichen Teil der Täuschung absichtlich verschweigt: worin denn das künftige Verhängnis des Opfers beschlossen ist. Kafkas und Jüngers Welten durchdringen sich hier, an der Stelle eines unbenannten Grauens. Alles, was der Verfasser des »Abenteuerlichen Herzens« dem Erwachen an Tapferkeit herbeiwünscht, kehrt sich um in namenlose Angst. Mit den Unbestimmbarkeiten und Assoziationen der Waldszene mußte freilich gespielt werden, wenn der Text *auch* einen politischen Einschluß haben sollte. Es ist für die poetologische Relevanz dieses als Traum komponierten Stücks Prosa nicht entscheidend, ob Jünger sich in ihm als ein von Hitler und seiner »Bewegung« zeitweilig Verführter zu erkennen geben wollte. Die spätere Charakterisierung des »Oberförsters« in den »Marmor-Klippen« trifft in manchen Zügen auf den Diktator wie auch auf Göring zu, und unübersehbar waren dem Wissenden schon 1938 die Andeutungen auf den Fallensteller, der die Lockflöte bläst und seine Blendspiegel poliert.

Gleichwohl darf über der ins Allgemeine zielenden Symbolik zum Thema der Selbsttäuschung der zeitgeschichtliche Hintergrund nicht vergessen werden. Kein Autor fingiert ein solches Abenteuer, ohne nicht mindestens nachzudenken über die Möglichkeit persönlicher Betroffenheit. War Jünger nicht vom technischen Zauber der modernen Arbeitswelt berückt worden? Mischte er nicht in die phänomenologischen Analysen seines Essays über den »Arbeiter« politische Farben, die dem Kolorit der Diktatur jedenfalls kaum völlig fremd gegenüberlagen? Liest man die Parabel im Umkreis der anderen Stücke des »Abenteuerlichen Herzens«, welche den Schrecken vom Argwohn bis zum Entsetzen variieren und manchmal ausdrücklich als autobiographische Erinnerungen ausgewiesen sind, deutet sich hier nur verrätselter, »gothischer« als anderswo, eine Betroffenheit an, die den Autor doch wohl unmittelbar berührt haben mußte. Das Diabolische der Künste des »Oberförsters« mag alle realen Bezüge transzendieren und ein Verhängnis zu erkennen geben, das dem Menschen prinzipiell und überall droht; das »Garn«, das Netz, in welchem der Adept trotz aller »Klugheit« sich verfängt, ist auch eine aus der Zeitgenossenschaft heraus erlebte Falle.

Wenn der Text aus den »Figuren und Capriccios« das Verfängliche bis zur »entsetzlichen Klarheit« des Faktischen ansteigen läßt, überführen es die »Marmor-Klippen« in die Aufhebung. In den einleitenden Kapiteln der Erzählung berichtet der Ich-Erzähler von Begegnungen mit dem »Oberförster«, die nun weit zurücklägen. Otho und der Bruder waren »damals«, in der Zeit der kriegerischen Auseinandersetzungen, den »Mauretaniern« verbunden gewesen; damit auch ihrem Führer. Was die Parabel als Gegenwärtigkeit einer Angst erkennt, findet in den »Marmor-Klippen« seinen Ort in der Vorgeschichte. Inzwischen haben sich die Brüder sowohl vom »Oberförster« wie auch von den »Mauretaniern« getrennt.[30] Es bedeutet mehr als nur das Glück des Unversehrten, wenn der Erzähler den »Oberförster« innerhalb der eigentlichen Ereignisgeschichte nicht einmal zu Gesicht bekommt. Seine Gewalt teilt sich nur noch in funktionalen Stellvertretungen mit.

Spannt man aber wiederum den zeitgeschichtlichen Bogen etwas stärker an, wird leicht einsehbar, warum die »Marmor-Klippen« gleich nach ihrem Erscheinen als ein Werk des Widerstands gegen das Regime gelesen werden konnten. Ein gewalttätiger, listenreicher Tyrann, der aus den »Wäldern« heraus operiert, aus dem Dickicht von Fallen und Verstellungen; der aufgestiegen ist in den bürgerkriegsähnlichen Unruhen; der zusehends seine Macht festigt, indem er den inneren Krieg selbst ins Land trägt, um seine Feinde wie seine ehemaligen Freunde zu liquidieren. Ob die Kriegszeit für »Weimar« oder schon für den Ersten Weltkrieg oder überhaupt für die Zeit zwischen 1914 und 1939 stehe, ist letztlich nicht so wichtig. Zu viele

Parallelisierungen zwischen der deutschen Geschichte nach 1933 und dem Geschehen an der Großen Marina mußten schon den ersten Lesern auffallen, als daß man die politischen Verbindungslinien hätte übersehen können.[31]

Warum dann aber kein offeneres Buch? Warum keine Erzählung, deren Widerständigkeit ohne die ornamentalen Verschleierungen und Zeitlosigkeiten einer wie gefrorenen Landschaft zur Sache, zur »Lage«, Stellung nimmt? Läßt man das persönlich-politische, mit der Zensur verklammerte Motiv der sorgfältig getarnten inneren Emigration nicht alle literarischen Optionen überschatten, zeigt sich, wie die »Marmor-Klippen« mindestens ebenso sehr einer ästhetischen Entwicklung gehorchen. Das Buch sollte mehr sein können als eine erzählerische Maske des Einspruchs gegen das Regime. Es gilt *auch* die Selbstverständlichkeit zu demonstrieren, daß Kunst ihrem Anspruch nach Substanz an Überzeitlichem mit der Durchlässigkeit auf Zeitliches hin verbindet. Die »Marmor-Klippen« finden sich nun wie wenige Werke Jüngers auf einer Schwelle wieder; ähnlich war der Essay über den »Arbeiter« konzipiert gewesen. Sie reflektieren vergangene Einsichten und zielen auf eine neue Form. Doch gibt es eine Pression an zeitgeschichtlicher Aktualität, die jedes ästhetische Unterfangen ihrer Bewältigung auf die äußerste Probe stellt. Noch in der zweiten Fassung des »Abenteuerlichen Herzens« wurde offenbar, wie das Empfinden der epochalen Zusammenhänge zur Drohung wurde, die den Stoff der »Figuren und Capriccios« häufig unterschwellig, manchmal unverdeckt grundiert. Es ist eine bedeutende ästhetische Leistung, wie Jünger da ein Gleichgewicht hielt, das mannigfache Einsichten in die Dunkelheiten der Ära und in ein zeitentbundenes Philosophieren über Mensch und Welt gewährte. Jünger verfaßte diese Texte einer Scheidelinie entlang; sie vermochten ihre Symbolik zu entfalten, ohne daß der Autor, sei es vorbehaltlos den Gefährdungen zustimmte, sei es alle modernen Dämonien in stoischen Gleichmut auflöste.

In der Erzählung ist allerdings die Vermittlung solcher Gleichzeitigkeiten insofern dichter, als diese sowohl formal – in der Erzählstruktur – als auch inhaltlich – in der Verarbeitung des »Themas« – nach Vereinheitlichung drängt. Das Prinzip der Montage wie der surrealistischen Bildüberlappung, in den Notizen vom »Abenteuerlichen Herzen« souverän realisiert, kommt hier nicht mehr in Frage –

für einen Schriftsteller, der als Epiker bis in das späte Werk »Eumeswil« den traditionellen erzählerischen Duktus beibehält. Die Widersprüche der Zeit müssen nun innerhalb einer kaum beargwöhnten Sicherheit des Erzählens gefunden werden, und tatsächlich ist es die epische Gelassenheit des Ich-Erzählers, die angesichts der beschriebenen Geschehnisse erstaunlich anmutet. Schon die Sätze der Einleitung geben zu erkennen, daß letztlich nichts die Ruhe des Berichtens wird stören können. »Ihr alle kennt die wilde Schwermut, die uns bei der Erinnerung an Zeiten des Glückes ergreift. Wie unwiderruflich sind sie doch dahin, und unbarmherziger sind wir von ihnen getrennt als durch alle Entfernungen ... So denke ich an die Zeiten, in denen wir an der großen Marina lebten, zurück – erst die Erinnerung treibt ihren Zauber hervor.« (MK 5 f./ 15, 249)[32]

Da wird nicht mehr von einer Verführung durch den Oberförster gesprochen. Wo die Parabel des »Abenteuerlichen Herzens« abbricht, wo der Schrecken erst wahr zu werden beginnt, breiten die »Marmor-Klippen« ein episches Imperfekt aus, das alle Begebenheiten umschließt und sie gegenüber dem Einbruch des Plötzlichen abdichtet. Insofern – und, wie sich zeigen wird, nicht nur insofern – bietet die Erzählung eine Art Überwindung des Textes der »Figuren und Capriccios«. Auch in den »Marmor-Klippen« ist von »jähem Schrecken« die Rede, schon im ersten Kapitel. Doch nicht so, daß der Moment der Angst einen dramaturgischen Kulminationspunkt markiert; vielmehr ist er in das »Damals« eingegliedert, von dem die Rückschau erzählt. »Und süßer noch wird die Erinnerung an unsere Mond- und Sonnenjahre, wenn jäher Schrecken sie beendete... Ach, stets zu spät erkennen wir, daß damit schon das Füllhorn reich für uns geöffnet war.« (MK 5 f./ 15, 249) Gegenüber der Nervosität der Parabel ist hier zeitlos anmutende Schicksalhaftigkeit evoziert, wie es überhaupt eines der entscheidenden Themen der Erzählung ist, daß Zeit in Zeitlosigkeit verwandelt werden soll und Gegenwart in eine Vergangenheit, von der die Schärfe, der ätzende Schmerz direkter Aussetzung, abgezogen ist.

Zeit in Zeitlosigkeit verwandeln. Oder: ein geschichtliches Verhängnis so lange ästhetisch drehen und wenden, bis nur noch »naturhafte« Substanz zurückbleibt. Dazu bedarf es verschiedener Mittel. Es sind natural wirkende Abläufe, »Mond- und Sonnenjahre«, innerhalb deren die Geschichte spielt. Es ist eine fingierte, räumlich zusammengedrängte Geographie, welche die Landschaft, den Handlungsort, bezeichnet. Und es sind Charaktertypen: bestimmte, scharf gezeichnete Menschenbilder, die das Geschehen mittragen. Der offensichtliche Mangel an psychologischer Differenzierung verweist zurück auf die frühen Schriften, in welchen schon der Vorrang eines Typus vor anderen Formen der Zu- und Einordnung deutlich wurde. Damit sind wesentliche Voraussetzungen gegeben für eine Erzählung, die vom Besonderen der Vorkommnisse auf das Allgemeine ihrer Struktur führen soll. Entscheidend ist aber, daß es sich bei den »Marmor-Klippen« um eine Rahmen-Geschichte handelt, denn der Ich-Erzähler beginnt seinen Bericht mit der »Schwermut« dessen, der sich erinnert, und er beendet sie, indem er noch den Übergang, die Passage, berichtet, die das Geschehen an der Marina mit der Zeit verknüpft, aus der heraus erst zurückgeschaut werden kann. Auch wenn man noch nicht auf die formalen Besonderheiten hinweist, die den Text prägen, lassen sich allein von der Form der Rahmenerzählung her zwei Einsichten gewinnen.

Erstens ist, wer den erzählerischen Kreis bis an den Punkt zu schließen vermag, der das Erzählen ermöglicht, von dem Erzählten in seiner Ereignishaftigkeit nicht mehr direkt betroffen: er spricht aus der ästhetisch gewordenen Distanz. Mithin wird die Frage nach der Gefahr, die vom »Oberförster« drohte, hypothetisch. »So denke ich auch an die Zeiten, in denen wir an der großen Marina lebten, zurück... Damals freilich schien es mir, als ob manche Sorge, mancher Kummer uns die Tage verdunkelten, und vor allem waren wir vor dem Oberförster auf der Hut.« (MK 6/9, 249) Eben dieses damals – genauer: daß einer von einem »damals« sprechen kann – löst jenen Konflikt, der in der Parabel der »Figuren und Capriccios« ausweglos ist. Nicht nur hat sich der Adept dort in den Fallen des Jägers verfangen; der Bericht selbst endet in der erzählerischen Aporie: daß das Opfer den Bericht seines Schicksals bis an den Abbruch, an den Abgrund existentieller Gefährdung bringt.

Zweitens ist der rahmenden Erzählweise zu entnehmen, daß der Ich-Erzähler von einer abgeschlossenen Geschichte Zeugnis gibt. Nach den Jahren der Unsicherheit und nach den bürgerkriegsähnlichen Zuständen hat sich der Oberförster das Gebiet der Marina erobert. Denn dies scheint auch gesichert: wie der Erzähler mit seinem Bruder am Ende in eine andere Gegenwart aufbricht, bleibt dem Oberförster gleichzeitig die Gegenwart der Macht. Man wird nicht über Gebühr spekulieren, wenn man die zeitgeschichtlichen Zeichen so liest, daß auch dem Autor der »Marmor-Klippen« die lastende Präsenz der Diktatur Hitlers aufgegangen ist. Die Ambivalenzen der zweiten Fassung des »Abenteuerlichen Herzens« mochten vielleicht wirklich auch davon getragen gewesen sein, daß Jünger, seit er die Arbeit daran begann, noch nicht mit Sicherheit wußte, wohin sich die politischen Gewichte neigen würden. Als er es weiß, schreibt er die Erzählung des Widerstands, die Geschichte von der absolut gewordenen Macht der Tyrannei – und freilich auch den Text eines nicht mehr geängstigten Ich-Erzählers.

Nur scheinbar paradox ist, daß sich dieser Ich-Erzähler im Maß in Sicherheit weiß, als die Herrschaft des Oberförsters sich festigt. Was hat die Parabel berichtet? Dort ist nicht von Verfolgung oder gar Unterdrückung die Rede, sondern von Verführbarkeit und Verführung. Tatsächlich mag ein später Reflex der Faust-Thematik in diesem Stück nochmals seine Spiegelung gefunden haben. Verhängnisvoll, nämlich der Seele abträglich, ist nicht der manifeste Terror, welchem der Oberförster den Adepten ausliefert, sondern die vermeintliche List, mit der dieser »ins Garn« geht. Verführung setzt Verführbarkeit voraus. Als »Führer« zum Ziel einer »imperialen Einheit« mochte der Autor des »Arbeiters« den Diktator zeitweilig gesehen haben. Als sich dessen Methoden deutlicher zeigen, erkennt Jünger alle ideologischen Vernetzungen. Etwas von dem Entsetzen, so spät noch die geistige Affinität zur Herrschaftslehre des Nationalsozialismus aufgegeben zu haben, schwingt in der Parabel des »Abenteuerlichen Herzens« mit. Sie reiht sich daher in die Zeugnisse jenes »Erwachens« ein, das den letzten Moment verbürgt, von dem aus der nihilistische Schlaf noch abgewiesen werden kann.

Gegenüber solchem Echo, das auch in anderen Texten des »Abenteuerlichen Herzens« manchmal schockartig nachklingt, nimmt sich die »Marmor-Klippen«-Erzählung wie das nachgelieferte Gedankengemälde aus. Zur Einübung in die Kompensation des Schreckens gehört, daß man, nachdem er überwunden ist, darüber philosophiert. Zur Kompensation dieses Philosophierens gehört, daß man den Bedrängungen zeitlose Verankerungen gibt. Wenn die »Marmor-Klippen« bei aller Reizbarkeit gegenüber dem Instrumentarium der tyrannischen Macht Bilder der *ästhetisch* geschauten Gefährlichkeiten liefern – im Gegensatz zu vielen Texten der beiden Fassungen des »Abenteuerlichen Herzens« –, dann auch deshalb, weil der Autor die moralischen Probleme der zeitgeschichtlichen Lage, die ihn selbst in seinem Glaubensverhältnis zu den Möglichkeiten der Moderne betrafen, als gelöst betrachtet. Insofern ist die Erzählung ein Zeugnis der vollendeten Bekehrung.

Bekehrungen pflegen selten ganz ohne Belehrungen in die Breite weitervermittelt zu werden. »Ach, stets zu spät erkennen wir, daß damit schon das Füllhorn reich für uns geöffnet war.« Es ist ein umfangreiches Kompendium an »letzten Sätzen«, am Ende eines Abschnitts, eines Kapitels, die Jüngers Moralistik situationsgemäß präzisieren. Auch damit wird Erlebnishaftes in Erfahrung umgelagert. Wo der Einbruch des Unfaßbaren wortlos macht, die Plötzlichkeit einer Gefährdung den Betroffenen allem Äußeren ausliefert, gestattet die Position des Zuschauers schon die moralisierenden Zuordnungen. Und allerdings ist kein anderes Buch von Jünger so sehr aus der Optik des Betrachters verfaßt – im Verhältnis zu dem dramatischen Geschehen, von dem gesprochen wird. Bei hoher Empfindlichkeit der Wahrnehmung sollen doch alle Geschehnisse nicht bloß ihre »Oberfläche«, sondern auch die »kristallische Tiefe« zeigen. Daher das Philosophieren über die Grundformen des menschlichen Verhaltens, daher die Rückgriffe auf mythische Bilder und daher auch die etwas forcierte Gelassenheit, mit der das epische Muster ausgefüllt wird. Der auktoriale Affekt, der bei einem solchen Thema nicht unterdrückt werden konnte, wird in den Stoizismus verinnerlicht. Was aus zeitloser Tiefe immer wieder an die geschichtliche Oberfläche getragen wird, verliert seine bestürzende Gewalt. Die »Marmor-Klippen«, die von der Zeit auf die Ewigkeit ausgreifen, die den Überraschungen des »Abenteuerlichen Herzens« die Überlegenheiten der Naturphilosophie entgegenstellen, sind damit ein Werk, das die Moderne auf eine radikale Weise leugnet. Man darf die Entrückung aller aktuellen Manifestationen der Historie in die Jenseitigkeit des immer schon Gegebenen nicht einfach mit dem Zwang der Selbstzensur erklären wollen, denn es geht um nicht weniger als um die Prüfung der Erscheinungen im Licht des »Unveränderlichen«.

Oder aber um die Organisation des Stoffes auf das Unveränderliche hin: die Prüfung setzt den Blick voraus, der auch den Akzidentien unvoreingenommen begegnet; aber in den »Marmor-Klippen« ist alles schon entschieden, als ob es darum zu tun gewesen wäre – und man fragt sich, ob es nicht eigentlich darum zu tun war –, einen Stoff mit idealtypischen Referenzen zu versehen. Daß die »Menschenordnung« »von Zeiten zu Zeiten, um sich von neuem zu gebären, ins Feuer tauchen muß«, diese Überzeugung trägt letztlich die Erzählung, und gleichzeitig ermöglicht sie die »Desinvoltura« ihres Erzählers, der sich mithin unter die Chronisten des ewigen Kreislaufs von Werden und Vergehen reiht.[33] Als Botaniker ist er dem Prozeß direkt auf der Spur. »Wir waren mit dem Plan gekommen, uns von Grund auf mit den Pflanzen zu beschäftigen, und fingen daher mit der altbewährten Ordnung des Geistes durch Atmung und Ernährung an. Wie alle Dinge dieser Erde wollen auch die Pflanzen zu uns sprechen, doch bedarf es des klaren Sinnes, um ihre Sprache zu verstehen. Wenngleich in ihrem Keimen, Blühen und Vergehen ein Trug sich birgt, dem kein Erschaffender entrinnt, so ist sehr wohl zu ahnen, was unveränderlich im Schreine der Erscheinung einge-schlossen ist. Die Kunst, sich so den Blick zu schärfen, nannte Bruder Otho ›die Zeit absaugen‹ – doch meinte er, daß die reine Leere dies-seits des Todes unerreichbar sei.« (MK 25/15, 262)

Die Zeit absaugen: das meint nichts anderes als die Verknüpfung der Abbilder mit ihren Urbildern. Bemerkenswert ist Jüngers Kon-struktion seines Erzählers, weil eine solche Gestalt am historischen Ende des Vertrauens in die Lesbarkeit der Welt unzeitgemäß anmu-ten muß. Alle Lesbarkeit neigt zur Harmonisierung der Gegen-sätze. Was aber die ästhetische Qualität des »Abenteuerlichen Herzens« definiert: die oft erschreckend unverhüllte Gleichzeitig-keit des Ungleichzeitigen, löst Jünger wieder auf. Das »Abenteuer« ist, im Sinne der Bestimmungen, die ihm Georg Simmel gegeben hat, die Wahrnehmung der Diskontinuität; es ist als Erlebnis aus dem Erfahrungsalltag herausgesprengt.[34] Von Abenteuern kann insofern in den »Marmor-Klippen« nicht mehr gesprochen werden, als alle Kontraste letztlich eingeschmolzen werden. Nochmals behauptet sich der Spätplatonismus gegenüber der modernen Skepsis.[35]

Die Welt ist ein Modell. So lautet der prägnanteste Gedanke dieser Philosophie. Sie stellt das Produkt der Umsetzung eines »Plans« – später wird Jünger vom »Gesamtplan« sprechen – dar. Aus dem

Schatten des Zweiten Weltkriegs, den zu prophezeien es 1938 keiner hellseherischen Begabung mehr bedurfte, schreibt der Autor das Werk des Protests gegen ein menschenverachtendes Regime; aber mehr noch: ein Werk auch des Protests gegen die Möglichkeit, daß der Weltsinn ins Leere münden könnte. Es ist deshalb nicht nur Koketterie oder stolze Pose, daß der Verfasser der »Marmor-Klippen« nach dem Sturz der nationalsozialistischen Diktatur auf Fragen nach dem politischen Widerstand, der durch die Erzählung bezeugt ward, nicht einging.[36] Er sah die eigene Leistung an anderem Ort, als Restitution einer Philosophie der Weltbeseeltheit gegen alle Nihilismen. Systematisierung im Kleinen wie im Großen: Nach Linnés Vorbild »trieb auch uns die Ahnung, daß in den Elementen Ordnung waltet, an. Auch fühlt der Mensch den Trieb, die Schöpfung mit seinem schwachen Geiste nachzubilden, so wie der Vogel den Trieb zum Nester-Bauen hegt. Was unsere Mühen dann überreich belohnte, das war die Einsicht, daß Maß und Regel in den Zufall und in die Wirren dieser Erde unvergänglich eingebettet sind. Im *Steigen* nähern wir uns dem Geheimnis, das der Staub verbirgt. So schwindet in den Bergen mit jedem Schritt, den wir gewinnen, das Zufalls-Muster des Horizontes ein, und wenn wir hoch genug gestiegen sind, umschließt uns überall, wo wir auch stehen, der reine Ring, der uns der Ewigkeit verlobt«. (MK 27 f./15, 264)[37]

»... wo wir auch stehen«: die Ubiquität dieser Zuversicht wird durch die Beschleunigung der dramatischen Entscheidungen auf die Probe gestellt. Im Grund erweist sich die Herausforderung des Themas der »Marmor-Klippen« darin, wie der Erzähler auch jene Begegnungen einzuordnen versteht, deren Charakter mit den »Wirren dieser Erde« zusammenfällt. Insofern wiederholt sich, vielleicht zum letzten Mal entscheidend, das reflektierende Innehalten, welches Nachdenken über den eigenen geistigen Werdegang ist. »Wohl blieb es Lehrlings-Arbeit und Buchstabieren, was wir so verrichteten. Und doch empfanden wir Gewinn an Heiterkeit, wie jeder, der nicht am Gemeinen haften bleibt... Vor allem aber verloren wir ein wenig von jener Furcht, die uns beängstigt, und wie Nebel, die aus den Sümpfen steigen, den Sinn verwirrt. So kam es denn, daß wir die Arbeit nicht im Stiche ließen, als der Oberförster in unserem Gebiet an Macht gewann, und als der Schrecken sich verbreitete.« (MK 28/15, 264) Später setzt Jünger, verstärkend, noch den Satz hinzu: »Wir hatten eine Ahnung der Heiterkeit gewonnen, vor deren Glanze die Truggestalten sich verflüchtigen.« (15, 264)

Heiterkeit – »Desinvoltura«, wie es schon im »Abenteuerlichen Herzen« heißt – läßt den Erzähler unbetroffen durch die Bedrohungen hindurchschreiten. Sie aber als »Truggestalten« zu bezeichnen, setzt ein Unterscheidungsvermögen voraus, das sich durch nichts – und schon gar nicht durch die Möglichkeit des Exils, das mit dem Euphemismus der im Stich gelassenen Arbeit gemeint ist – beirren läßt. Der Erzähler verfehlt nicht, den Weg zu erinnern, der ihn bis an den Punkt dieser Heiterkeit gebracht hat. Früher hätten die Brüder der Kaste der »Mauretanier« angehört. Man mag sie sich als kriegerischen Orden vorstellen, nationalrevolutionär ausgerichtet; so ergäbe jedenfalls der autobiographische Hinweis – »Ich hörte später Bruder Otho über unsere Mauretanier-Zeiten sagen, daß ein Irrtum erst dann zum Fehler würde, wenn man auf ihm beharrt.« – einen zeitgeschichtlich ortbaren Sinn. Nun ergänzt Jünger die Gruppenphysiognomie, indem er die »Mauretanier« »im Lauf der Zeit« einen »automatischen Charakter« annehmen läßt. Man muß nicht alle Typisierungen des »neuen Menschen« in ihrer Erweckung durch den »Arbeiter«-Essay ins Gedächtnis rufen, damit sichtbar wird, daß die Mauretanier mehr als zufällige Ähnlichkeit mit den dienstbaren Adepten des Maschinenzeitalters aufweisen. Der Mauretanier ist der Gefolgsmann der Technik, der Söldner im Dienst des technischen und politischen Imperialismus. Der Passage über Fehler und Irrtum folgt ein längeres Stück erinnerter Autobiographie des Erzählers. Als er früh schon, in den Epochen des Niedergangs, die »Langeweile« der Zeiten empfand, bekannte er sich, einen Ausweg suchend, zur Gewalt. Die Schilderung dieser Hinwendung liest sich wie ein Selbstkommentar zu den Visionen vom »Arbeiter«. »Also begannen wir, von Macht und Übermacht zu träumen und von den Formen, die sich kühn geordnet im tödlichen Gefecht des Lebens aufeinander zu bewegen, sei es zum Untergange, sei es zum Triumph.« (MK 30/15, 266)

Aber kein Wort fällt, das konkreter auf die Faszination einer seelenlos gewordenen Technik und ihrer Ausgriffe gemünzt wäre. Den Eintritt in den »geheimen Orden« der Mauretanier habe das Bedürfnis bewirkt, einen Halt, eine furchtlose Einstellung zu gewinnen. »Wenn der Mensch den Halt verliert, beginnt die Furcht ihn zu regieren, und in ihren Wirbeln treibt er blind dahin. Bei den Mauretaniern aber herrschte unberührte Stille wie im Zentrum eines Zyklons. Wenn man in den Abgrund stürzt, soll man die Dinge … wie durch überscharfe Gläser sehen. Diesen Blick, doch ohne Furcht, gewann man in der Luft der Mauretania, die von Grund auf böse war.« (MK 32/15, 267) Später habe sich der »Oberförster« den Orden gefügig gemacht. – In der Perspektive späterer Aufklärung über das merkwürdig symbiotische Verhältnis zwischen wissenschaftlichem Nihilismus und mythischer Blut- und Bodenideologie »aus den Wäldern« des Oberförsters mag die ideologische Verschränkung, die Jünger zwischen den »Automaten« der Mauretanier und der bäurisch anmutenden Gewalt ihres späteren Chefs herstellt, nicht so scharfsinnig erscheinen, wie sie es am Vorabend des Zweiten Weltkriegs war. Es ist dann wiederum dem Zeitlosigkeitsanspruch der Erzählung zuzuschreiben, daß solche welchselseitigen Einwirkungen im Lauf der erzählten Ereignisse wieder zurücktreten zugunsten eines Machtkampfs, dem der technische Aspekt ganz fehlt: in Köppelsbleek wird mit Messern, alten Flinten und Hunden gekämpft.

Den letzten Schliff der Einübung in die Heiterkeit vermittelt den Brüdern der christliche Mönch. Er steht für die Zuversicht, die dem Neuen immer schon den Bauplan, dem es eingefügt ist, entgegenhält. Damit wird ein Grundthema der Erzählung, daß »Geschichte« nicht Zerfall ins Vergängliche und Vergebliche, sondern *Wiederholung* ist, nochmals variiert. Aber in dem beharrlichen Kreisen um das immergleiche Motiv wird die epische Form brüchig. Das einzige Moment von Unruhe gilt der Möglichkeit der Zerstörung der botanischen Arbeit. Für den Fall des Siegs des »Oberförsters« steht dem Erzähler ein Spiegel aus dem Nachlaß seines ehemaligen Lehrers zur Verfügung. Das Brennglas lenkt das Sonnenlicht um und wirkt dadurch entzündend. Es soll eingesetzt werden, wenn Gefahr droht. Was jedoch der Spiegel verbrennt, »würde … in Reiche, die jenseits der Zerstörung liegen, überführt«. (MK 82/15, 301) – Noch eine Garantie für die Unvergänglichkeit. Die erste Begegnung mit der »Schinderhütte« der Waldlichtung kann nach solchen Initiationen nicht mehr mit den schockartigen Einblicken des »Abenteuerlichen Herzens« verglichen werden. Die Brüder sind weit in den Wald vorgestoßen, als plötzlich die Vögel verstummen und nur noch der Ruf des Kuckucks vernehmlich ist.

In der Parabel »Der Oberförster« der »Figuren und Capriccios« hatte es geheißen: »Bei den bedeutsamen Wendungen des Gespräches aber griff er immer wieder auf eine große hölzerne Kuckucksflöte zurück und stieß Töne wie eine Kuckucksuhr hervor. Ich begriff, daß das seine Art zu lachen war.« In der Erzählung kehrt das Motiv wieder, nur ausgebreitet nun bis in das feine Spiel der synästhetischen Wirkungen. »Auch waren die Vogelstimmen nun verstummt, und nur ein Kuckuck lichterte, wie es die Sitte seiner Sippschaft ist, am dunklen Waldrand hin und her. Bald nah, bald ferner hörten wir sein spöttisches und fragendes Gelächter Kuck-Kuck, Kuck-Kuck rufen, und dann sich triumphierend überschlagen, daß unser Blut ein Frösteln überlief.« (MK 93/15, 308 f.)

Die Schreckensszene ist in eine assoziative Metaphorik eingebettet, und erst allmählich löst sich das Bild der Hütte aus den ästhetischen Bezügen und tritt selbst in die Mitte. Auch das gehört zum optischen Wandel, der zwischen den Einstellungen des »Abenteuerlichen Herzens« und der Blickfangtechnik der »Marmor-Klippen« stattgefunden hat. Anders als in den Metonymien, in den fragmentarischen Visionen der früheren Aufzeichnungen zeigt sich die Bildpräsenz der Erzählung in bühnenartiger Weite. Wiederum begleitet eine ausladende Rhetorik den Abgang von Köppelsbleek. »So sind die Keller, darauf die stolzen Schlösser der Tyrannis sich erheben, und über denen man die Wohlgerüche ihrer Feste sich kräuseln sieht –: Stankhöhlen grauenhafter Sorte, darinnen auf alle Ewigkeit verworfenes Gelichter sich an der Schändung der Menschenwürde und Menschenfreiheit schauerlich ergötzt.« (MK 96/15, 310 f.)

Der epischen Form ist nicht gegeben, bei den Bildern abzubrechen. Eine Handlung drängt weiter, und mit ihr verlieren auch die Unmittelbarkeiten ihre bedrohliche Präsenz. Daß dem Grauen, dem alles bannenden Schrecken, die literarische Kurzform angemessener ist, hatte der Verfasser des »Abenteuerlichen Herzens« gewußt. Aber in den »Marmor-Klippen« geht es nicht mehr um die unaufhebbare Gefährdung in der Plötzlichkeit der Erlebnisse, sondern um deren Überwindung. Es entspricht keineswegs einer erzählerischen Verlegenheit, wenn Jünger seinen Berichterstatter im Anschluß an die Begegnung mit Köppelsbleek die Blume, die zu suchen er auszog, pflücken läßt. »Desinvoltura« gewinnt den sublimsten Stil da, wo sie in der Bedrängnis geübt wird. Von solcher Heiterkeit zu berichten, wird das Tagebuch über den Zweiten Weltkrieg ausführlich Gelegenheit haben. »Wir pürschten also, ohne uns an den Kuckucks-Ruf zu kehren, wieder bis an den kleinen Hügel vor und suchten dann im Laube das Pflänzlein auf. Nachdem wir es noch einmal gut betrachtet hatten, hob Bruder Otho seinen Wurzelstock mit unserem Spatel aus. Dann maßen wir das Kraut in allen seinen Teilen mit dem Zirkel aus und trugen mit dem Datum auch die Einzelheiten des Fundorts in unser Büchlein ein.« (MK 97/15, 311)

Des Fundorts – der nicht nur die Blume verbarg, sondern auch der Folterstätte unmittelbar benachbart ist. Doch wird diese Isotopie, anders als in den Texten vom »Abenteuerlichen Herzen«, nicht als Anlaß einer surrealen Verstörung über solche Paarungen genommen, sondern schließlich in die Richtung der Naturphilosophie aufgelöst. Am Ende bleibt die Distanz gegenüber dem Dämonischen, die wiederum reflektiert wird. Ein »Amt«, in diesem Fall die botanische Spurensicherung, vermittelt das Gefühl der »Unversehrtheit« mitten in der Zone der Zerstörung. – Zum ersten Mal, so heißt es, habe der Erzähler diese Distanzierung im Krieg erfahren: die »Pflicht« beansprucht den Menschen so sehr, daß ihm bei ihrer Erfüllung die Wahrnehmung der Bedrohungen ausgeschaltet ist. Anders als im kriegerischen Einsatz geht es hier um einen geistigen Dienst. Die »Prüfung«, von welcher der Erzähler spricht, gilt der Befragung der Philosophie auf ihre Unerschütterbarkeit hin. Wie keine Theologie vom Walten Gottes in der Welt über die Widersprüche unglücklich sein kann, die eben diese Welt heimsuchen, weil erst in den Spannungen die Lehre ihre Kraft beweisen kann, werden auch die Schrecknisse der »Marmor-Klippen« zu einem Testfall. Wenn es der Philosophie ihres Erzählers gelingt, sie gegenüber dem unvergänglichen Teil der Schöpfung zu minimalisieren, ist die »Prüfung« bestanden: auf doppelte Weise, indem einerseits die Lehre selbst gehärtet wird und ihre Fähigkeit zur Kontingenzbewältigung zeigt, anderseits auch die moralische Urteilskraft ihres Verkünders triumphiert. Er kann ruhig eine Pflanze beobachten.

Die erste Prüfung war die Entdeckung von Köppelsbleek gewesen. Die zweite folgt damit, daß der Mauretanier Braquemart und der Fürst von Neuburgund den Widerstand der Tat planen und so das Ende der Geschichte einleiten. Braquemart ist ein Nihilist. Aber vom Nihilismus – so die Lehre – ist nichts zu erhoffen. Siegte der Techniker über den Anarchisten, wiederholte sich die Diktatur, nur in anderem Gewand. Daß das Böse nicht durch das Böse zu bekämpfen sei, mag hier die ethische Botschaft sein, die auch die »neue Theologie« einfordert; es ist dann erzählerischer Hintersinn, daß sie in der Erzählung laufend verwirklicht wird, indem der Erzähler aus dem Fundus seiner naturphilosophischen Weisheiten schöpft.

Am Ende siegt, man weiß es, der Oberförster. Als ob es noch des letzten Beispiels bedurft hätte, daß das Unvergängliche nicht an seine Materialisationen gebunden ist, wird mit Hilfe des magischen Spiegels die Rautenklause der Brüder in Brand gesetzt, wird die »Ernte vieler Arbeitsjahre« geopfert. Auch diese Handlung – der Brand der Bücher, seit der Antike das wiederkehrende Fanal – wird ins Positive gedeutet. »Es wird kein Haus gebaut, kein Plan geschaffen, in welchem nicht der Untergang als Grundstein steht, und nicht in unseren Werken ruht, was unvergänglich in uns lebt. Dies leuchtete uns in der Flamme ein, doch lag in ihrem Glanze auch Heiterkeit.«

*

Mit dem Signum des Kunst gewordenen Widerstands gegen die Herrschaft des Nationalsozialismus versehen, bleiben die »Marmor-Klippen« ein deutliches Dokument der »inneren Emigration«, dessen Bedingung die ästhetische Verschleierung sein mußte. Wenn freilich gleichzeitig von den Wechselfällen berichtet werden soll, die zwischen dem Willen zur Macht und der Anschauung »ewiger« Bewegungen spielen, ist jeder Hinweis auf eine bestimmte geschichtliche Zeit nicht nur überflüssig, sondern verfänglich. Zeitlose Wahrheiten könnten mißverstanden werden, wo sie in die Zeitgeschichte hineingeblendet sind. Auch deshalb läßt Jünger seine Erzählung in einer diffusen, ungreifbaren Epoche spielen, und deshalb wird eine Staffage bemüht, die manchmal ans Mittelalter, manchmal an die Renaissance gemahnt, ohne daß doch je der Eindruck eines historischen Tableaus entstünde. Die Zeit wird gleich. Reduktion ist dafür das Stichwort. Alles Besondere gründet in der Allgemeinheit des immer schon Gegebenen: es gibt keine Ausnahmen. Seit den »Marmor-Klippen« ist Jüngers Antidezisionismus definitiv als Wende zur Korrespondenzphilosophie belegt. »Stets wiederholt sich unsere

Lage; die Zeit wirft immer wieder ihr Netz über uns.« Jede Ereignishaftigkeit verliert die Schärfe der äußersten Bedrohung.

Das ist das eine. Das andere ist, daß Jünger in den »Marmor-Klippen« kaum je über die Sonderstellung des Menschen als des störend eingreifenden Demiurgen reflektiert. Daß der Mensch mit Entscheidungen, mit seiner erkenntnisstiftenden Fähigkeit und praxisbezogenen Arbeit jeden natürlichen Rhythmus wenn nicht sprengt, so doch unterläuft, diese überhaupt erst Geschichte sensu strictu ermöglichende Position wird von jeder Erörterung abgeschnitten: im Handeln folgt der Mensch, unwissentlich, dem »Plan«, und löschte er sich selbst und mit sich alles Leben aus, vollzöge sich damit noch nicht der Abfall von den Zielen des Universums. Es kann nicht Nichts sein, nur Verwandlung innerhalb von Wirklichkeiten, Umgruppierungen der »Materie«, das ewige Hin und Her der Urkräfte. So folgt jedem erzählerischen Ereignis das letzte Wort der Wahrheit. In der durchrhythmisierten, oft sogar dem Versmaß gehorchenden Prosa ist kein Raum mehr für Verstörung oder Sinnlosigkeitsverdacht. Der Mensch wiederholt in allem und mit unzulänglichen Mitteln die Schöpfung.

Dem Autor des »Arbeiters« war diese Wiederholung als mimetischer Auftrag ein Problem gewesen. Wie kann der Geist einer Zeit, die in den Formungen der Technik in äußerster Beschleunigung gegen alle »Natur« antritt, dem Auftrag der Wiederholung gerecht werden? Jünger fingierte den »Arbeiter«. Fiktion daran ist nicht die phänomenologisch gewonnene Einsicht in die modernen Automatismen, die den Menschen in den Arbeitsprozeß einfügen. Fiktion ist die »organische Konstruktion«, der Mehrwert an Darwinismus gleichsam, der dem Typus zufließen soll, der so zielstrebig mit der Technik sich liiert. Denn es sind gerade die technisch-wissenschaftlichen Innovationen, die Plötzlichkeiten staunenswerter Erfindungen, denen der Ausnahmezustand, das Außergewöhnliche, genommen werden sollte, indem man es »organisch« wachsen ließ. Sowohl die Technik wie auch ihr Agent, der »Arbeiter«, sind nur Realisationen eines organischen Prozesses, eines Prinzips, das dem Urplan aller Verwirklichungen noch immer entspricht.

Die Erinnerung an den »Arbeiter« ist weniger deshalb bedeutungsvoll, weil Jünger schon damals die Harmonisierung der Spannungen betrieb, als vielmehr deshalb, weil in den »Marmor-Klippen« das große Motiv des Essays kein einziges Mal anklingt: die Technik. Jünger muß erkannt haben, daß sie, um reibungslos zu funktionieren, keiner »organischen Konstruktion« mehr bedarf. Im »Abenteuerlichen Herzen« sind die lautlos kreisenden Schwungräder bereits das Bild einer eigentümlichen Entfremdung, die zwischen dem Menschen und der Maschine stattgefunden hat.[38] Als ob Jünger geahnt hätte, daß mit dem wissenschaftlich-technischen Instrumentarium eine verfügende Macht eingebrochen ist, welche die Einheit der Schöpfung, wenn diese nicht bis zur Leerformel, daß Schöpfung sei, was je immer kommen wird, abgewertet sein soll, mindestens gefährden könnte, verschweigt er den Gedanken. Von der Tragik des demiurgischen Selbstverlusts ist in den »Marmor-Klippen« nicht die Rede, denn Tragik wäre wiederum der Sonderfall, das Geschehen, das dem Gleichlauf der Dinge sich widersetzt. Natürlich gehört zur Tragik auch das Unabänderliche, dessen wirkende Gewalt früher mit dem Fatum, später mit der Geschichte identifiziert wurde. Aber sie kann erst zustande kommen, wo sich die Reibung bemerkbar macht. In den »Marmor-Klippen« verhält es sich umgekehrt: der Mensch dient als figürliche Staffage für die sich wiederholenden Feuerstürme. Es entbehrt im übrigen nicht der Ironie, daß Jünger in dem späteren Roman »Heliopolis« (1949) die Zeitenthobenheit damit kompensiert, daß er von phantastischen technischen Geräten berichtet, als wäre nachträglich die Leerstelle aufzufüllen. In der »Widerstands«-Erzählung muß die Lakonik, daß periodisch immer ein Untergang ansteht, den Blick in die Rüstkammern der Moderne ersetzen. Der moderne Prometheus des »Arbeiters« und des »Abenteuerlichen Herzens« ist verschwunden; er hat sich in den »Landsknecht« zurückverwandelt.

Solche Art, das Neue – die zeitgeschichtlichen Explosionen seit dem Ersten Weltkrieg – in die Kreisbahn der immer schon vorhandenen Wahrheiten zurückzuwerfen, verneint letztlich den Status der Moderne ebenso wie die spezifischen Entsetzlichkeiten ihrer politischen Ableitungen. Nichts mochte Jünger ferner gelegen sein als eine Verharmlosung des Regimes durch die Taktik der Entzeitlichung des Schreckens; hingegen mochte er sich dagegen gesperrt haben, die Linien von der technischen Arbeitswelt zur Gewalttätigkeit der Diktatur auszuziehen. Jede Epoche schafft sich ihre eigenen Mythen. Der Autor der »Stahlgewitter« und des »Arbeiters« war einer der ersten gewesen, von den Mythen der neuen Zeit teils im Rausch der futuristischen Begeisterung, teils mit der Hellsicht dessen, der die Zukunft in den Rätseln der Gegenwart aufspürt, zu berichten. In den »Marmor-Klippen« aber wird das Antlitz der technisch gewordenen Moderne verhüllt. Nur eine tiefe Irritation über den Ausgang jener Prophetien über »imperiale Räume« kann Jünger veranlaßt haben, an der Physiognomie des Neuen beharrlich vorbeizuschreiben. Die Suche nach der Zukunft endet in einem Stück Naturgeschichtsphilosophie. Für sie ist die Apokalypse, von der fast zeitgleich Walter Benjamin in seinen Thesen zur Geschichte nochmals ausgeht, kein Thema mehr.[39]

Ein neues Tagebuch – »Gärten und Straßen«

Es gibt einen Satz, der dies genauer belegt, als es in den »Marmor-Klippen« je ausgesprochen ist. »Das ist der Sinn der Urgeschichte überhaupt: das Leben in seiner zeitlosen Bedeutung darzustellen, während es durch die Geschichte im zeitlichen Ablauf geschildert wird. Urgeschichte ist daher immer *die* Geschichte, die uns am nächsten liegt.«[40]

Der Satz, in welchem wider alle eschatologische Enderwartung das wiederkehrende »Urbild« vom menschlichen Sein festgehalten wird, entstammt dem Tagebuch »Gärten und Straßen«, das Jünger seit dem 3. April 1939 in Kirchhorst und seit dem Ausbruch des Zweiten Weltkriegs als Hauptmann der deutschen Frankreich-Armee verfaßt. »Gärten und Straßen« erstreckt sich zeitlich bis zum Juli 1940 und wird 1942 von der Zensur zur Veröffentlichung freigegeben. Dem folgenden Dienst in Paris als Offizier der Wehrmacht-Verwaltung entspricht das »Erste Pariser Tagebuch« vom Februar 1941 bis zum Oktober 1942. Eine Reise in den Kaukasus vom November 1942 bis zum Februar 1943 findet Widerhall in den »Kaukasischen Aufzeichnungen«. Wieder nach Paris zurückgekehrt, beginnt Jünger das »Zweite Pariser Tagebuch«, das die Zeit vom Februar 1943 bis zum August 1944 abdeckt: bis zur »unehrenhaften Entlassung« aus dem Wehrdienst im Zusammenhang des Attentats vom 20. Juli 1944 auf Hitler.[41] Ab Mitte August 1944, wieder zu Hause in Kirchhorst, arbeitet der Autor an den »Kirchhorster Blätter«, die bis zur deutschen Kapitulation vom April 1945 führen. Schließlich folgt »Die Hütte im Weinberg. Jahre der Okkupation«, vom April 1945 bis zum Juli 1948. Ein Jahr danach – das Publikationsverbot der Besatzungsmächte ist aufgehoben – erscheinen die einzelnen Teile zum ersten Mal vereint unter dem Titel »Strahlungen«.[42]

Schon die Editionsgeschichte dieser Tagebücher vor dem Hintergrund des Zweiten Weltkriegs gibt eine Besonderheit gegenüber dem frühen Zeugnis der »Stahlgewitter« zu erkennen. Die Texte sind nicht als Mitteilungen expressionistischen Drängens an ein betroffenes und von der Niederlage von 1918 getroffenes Publikum gerichtet. Der Zeit widerstehen: das bedeutet nun die Konzentration auf einen gemäßigten, gedanklich weite Bezirke ausmessenden Rhythmus, der bereits in »Gärten und Straßen« sich kundtut und Unterscheidungen auch der politischen Wahrnehmung vornimmt. Worüber wird berichtet? Über das Kriegsgeschehen, zunächst; über den Vormarsch von der Rheinlinie nach Westen, über die Tage auf dem Weg in Richtung Paris. Ein Eintrag vom 5. Januar 1940: »Kaffeestunde in der Schilfhütte, während deren ich die Tagebücher nachtrage. Eine Wachskerze aus der Lüneburger Heide steht auf dem blauen, geleerten Ingwerglase, das sie im Schmelzen mit gelben Fäden übersponnen hat. Die blaue Flamme umzittert eine gelbe Aura, ein feinster Lichtstaub, in dem sich die Materie zerstreut.« (Gä, 73/2, 89)

In das durch die Ereignisse vorgegebene Muster sind vielfältige Ornamente eingelassen, was für die Fixierung ästhetischer Befunde wie für die mehr reflektierenden, theoretischen Partien gilt. Autoren werden gelesen und gelegentlich zitiert: Hebbel, Léon Bloy, Schopenhauer, Dostojewskij, Poe, Hamann, Spengler und Vico sind gegenwärtig. Ausgreifenderes zur Entwicklung des Kriegsgeschehens, das in die weltgeschichtlichen Perspektiven eingerückt wird und ohne das nationale Pathos der »Stahlgewitter« kommentiert ist; über die Geschichte überhaupt und deren »Sinn«; über Macht und Usurpation und die Bürgerkriegslandschaften im Geist des 19. Jahrhunderts; über die Sprache; und immer wieder über das Verhältnis von Urbild und Abbild, von stiftender Kraft und erscheinender Gestalt. Erst im Folgeband von »Gärten und Straßen« wird der metaphorische Überschuß des Titels entelechetisch geklärt. Unter dem Stichwort »Sammlung« notiert Jünger am 16. September 1942: »Es handelt sich darum, in der Vielfalt Aussichtspunkte zu gewinnen, die um das unsichtbare Zentrum der schöpferischen Energie geordnet sind. Das ist zugleich der Sinn der Gärten, und endlich der Sinn des Lebensweges überhaupt.« (Stra, 165/2, 378) Der Sinn des Lebenswegs, der darin gefunden wird, daß ein Kontakt zur schöpferischen Energie hergestellt wird, indem zuerst die Erscheinungen wahrgenommen werden, dann aber in die Bilder des künstlerischen Vermögens umgesetzt sind, das seinerseits Ausdruck dieser »Energie« ist.

Es ist Absicht, daß »Gärten und Straßen«, das erste Tagebuch, nicht erst mit dem Kriegsausbruch anhebt, sondern ein halbes Jahr vorher, mitten in der unterschwellig spürbaren Antizipation. Hier ist häufig von der Arbeit an den »Marmor-Klippen« die Rede, wobei auch Handwerkliches zur Sprache kommt. Eine eminente Herausforderung an die Autorschaft aber mußte darin liegen, das Tagebuch als Beweis zu führen, daß der Schreibende mehr Zeit hat, als Zeit ist. Damit realisiert Jünger einen Plan, der in den »Stahlgewittern« nur undeutlich angelegt war. Im direkten Kontakt mit der Epoche soll ihr Bild entstehen, das zugleich das Bild der »historischen Systeme« ist. Insofern übersteigt »Gärten und Straßen« das übliche Pensum literarischer Darstellungen und Selbstdarstellungen deutlich. Das Prinzip der Realisation beruht dabei auf einem Ineinander von »Textsorten«, wie es für das 19. Jahrhundert eindrücklich in den Tagebüchern von Hebbel dokumentiert ist.[43] Da sind erstens Meldungen über den Alltag, teils kürzere, teils längere Notate über den »Weg« in seinen offenkundigen Zusammenhängen. Zweitens denkt der Verfasser über die Aktualitäten des politischen Geschehens nach, und auf derselben Ebene berichtet er über seine Natur-Beobachtungen, von der Arbeit im Garten bis zur entomologischen Ausbeute. Drittens reizt gerade das scheinbar Akzidentielle der Ereignisse zu Ableitungen und Verankerungen in philosophischer Absicht. Viertens endlich behandelt Jünger künstlerische Fragen im Kontext des eigenen Werks wie in den Ausblicken auf die Kunst überhaupt. Und so, in der raschen Verknüpfung der Themen als Progression, beginnt ein Eintrag vom 25. April 1939.

»Bei der Post mein Wehrpaß, den das Bezirkskommando Celle sendet, und aus dem ich ersehe, daß der Staat mich in dem Range eines Leutnants z.V.

in seinen Listen führt. Die Politik in diesen Wochen erinnert an die Zeit dicht vor dem Weltkriege. Neuartig ist jedoch die hohe Empfindsamkeit der Massen, die im wachsenden Kontrast zur fürchterlichen Steigerung der Mittel steht. Ich nehme indessen an, daß beides ein und demselben Grunde entwachsen ist, und daß hier viel Schein regiert. Schrecklich ist und bleibt zu allen Zeiten nur eine Größe – der Mensch, von dem die Waffen nur angesetzte Glieder und geformte Gesinnung sind. Ferner eine Karte von F.G., der Ende der Woche aus Leisnig kommen wird.« (Gä, 20 f./2, 41)

Der Passus illustriert wegen seiner relativen inhaltlichen Harmlosigkeit das rhythmische Gesetz, dessen Formen damit schärfer hervortreten. In der stilistischen Legierung erhält der Text seine Dichte: die Fülle von unterschiedlichen Gedanken und Meldungen folgt dem Spiel von Anspannung und Entlastung. »Desinvoltura«, Heiterkeit auch gegenüber existentiellen Gefährdungen, bewirkt ein unangestrengtes Erzählen gerade da, wo es um die eigene Person geht, während erst in den »philosophischen« Grundführungen die Kräfte angezogen und manchmal überzogen werden. Das Persönlichste und das Allgemeinste – zwei Pole geben dem Tagebuch die Struktur, und zwischen ihnen laufen, in wechselnden Abhängigkeiten, die »Energien«. Wie eine Ironie des literarischen Schicksals mutet dabei an, daß im Tagebuch selbst, dessen Anlage der Reflexion besonders dienlich ist, indirekt ein Übel des Romanciers entlarvt wird, das den Autor der »Marmor-Klippen« selbst trifft. »Beendet: Léon Bloy, ›La Femme Pauvre‹. Die größte Klippe jedes Romans liegt in der Versuchung, in die Handlung Reflexionen einzuschieben, und gerade die Klügsten erliegen ihr mit Sicherheit. Auch hier ist Stoff für einen Essay-Band ausgestreut.« (Gä, 40/2, 59)

Doch bestimmt es im Unterschied zu den »Marmor-Klippen« den besonderen Rang des Tagebuchs, daß der Autor den Druck der Gleichzeitigkeiten – persönlicher Ausgesetztheit, zeitgeschichtlicher Unruhe, technischer und mythischer Organisation von Gewalt – egalisiert. Was in der Erzählung gestört hatte: das Unvermögen, die Gedanken durch Handlung sprechen zu lassen und nicht in kommentierenden Wahrheiten Seite um Seite auszusprechen, fügt sich in »Gärten und Straßen« organisch zusammen. In den Monaten, die Jünger zu Hause in Kirchhorst verbringt, bevor er am 3. November 1939 einrückt, sind schon die meisten Motive und Ahnungen ausgedrückt, die während des Weltkriegs an den Realitäten gemessen werden können. Für den hellsichtigen Verfasser des »Abenteuerlichen Herzens« kann das Dämonische der Zeit allerdings kein neues Thema mehr hergeben. Am 16. August 1939 ein melancholischer Eintrag: »Die Unordnung der Welt erscheint an manchen Tagen fast übermächtig, so daß man verzweifelt, sie je zu bändigen. Ich räume dann den Schreibtisch, die Wäsche, die Gartengeräte ein, jedoch mit Unlust im Hintergrund. Es liegt wohl auch die Einsicht, daß alles, was wir schaffen und sammeln, zugrunde gehen wird, darin.« Zuvor hat Jünger bereits mit einer unausdrücklichen Anspielung auf Piranesis »Carceri«-Visionen das Fragmentarische verbildlicht.[44] »Fahrstuhlträume, unangenehm wie fast alle Träume, die sich mit der Technik beschäftigen. Dazu Treppen, denen das Geländer fehlt, oder die unterbrochen sind, und unter deren Fetzen der Abgrund erscheint. Die Welt als verworrene Architektur.« (Gä, 47/2, 66)

Drei Tage später folgt ein größerer Exkurs über die Technik, wohl auch angeregt durch die »Technik«-Schrift des Bruders Friedrich Georg, deren Abschluß am 23. Juli 1939 gemeldet worden ist.[45] Wenn Jünger die Technik und das »gewaltige Wiegenlied ihrer Monotonie« jetzt berührt, kann ihn deren Form-Gebung nicht mehr begeistern. In der Großstadt Hamburg falle jedesmal »der Zuwachs an automatischem Charakter« auf. »Merkwürdig ist, wie dabei das Lethargische, Abwesende, Weltverlorene in gleichem Maße zuzunehmen beginnt. Man liest das aus den Gesichtern der einzelnen, aus der Art und Weise, in der die Massen zirkulieren, und in der man in den Wagen die Lenker am Steuer sitzen sieht. Es scheint bald, als ob das Quantum an Bewußtsein, das sich in den Formen niederschlägt, den Wesen verlorengeht.« (Gä, 48/2, 67) – Dem Gefühl der Unordnung folgt der Gedanke einer Welt ohne den Willen ihrer Subjekte. Anders als im »Arbeiter« wird die Synthese aller epochalen Erscheinungen nicht mehr betrieben; bis in die Wahl der Metaphorik gilt nun, daß der Diesseitigkeit der Geschichte etwas Unverstandenes und letztlich Unverstehbares anhaftet. Der Ausbruch des Zweiten Weltkriegs, von dem Jünger im Herbst 1939 noch nicht wissen kann, daß er zum Welt-Krieg sich entwickeln wird, regt zu Spekulationen über das Inkommensurable der historischen Ereignisse an, und es ist die ausführlich bereits von Carl Schmitt erörterte Bildlichkeit vom Leviathan, die ausgebreitet wird.[46] »Der Krieg gleicht dem Leviathan, von dem nur ein paar Schuppen oder eine Flosse sich aus den Fluten heben – der Stoff ist zu massiv, als daß der Blick ihn gliedern könnte, und dadurch erwächst ein Zustand der Irrealität. Die Menschen fühlen die Bewegung großer Massen in ihrer Nähe, ohne doch deren Ziel und Richtung zu erfassen; auch ahnen sie vielleicht, daß andere Dinge in der Hülse dieser Tage verborgen sind – Schauspiele neuer und unbekannter Art. So kommt es auch, daß sie der Deckung verlustig gehen, weil sie den Zug nicht kennen, in welchem das Schicksal des Weges zieht.« (Gä, 59/2, 77)

Kennt ihn der Autor? Er spricht auch hier von der »Urgeschichte«, deren »zeitlose Bedeutung« etwa in den Erzählungen des Alten Testaments aufscheine. Doch je länger Jünger den Weltkrieg schreibend begleitet, um so mehr zerfallen ihm die Konstruktionen geschichtlich eingreifender Kompetenz. Dazu gehört die Distanzierung gegenüber der Macht, die ihn immerhin in den Krieg detachiert hat. Es ist die Topik der Tröstungen gegenüber dem Unverstand der Welt, die allmählich ausgebreitet wird. »Begonnen: Hebbel, Briefe, eine Lektüre, die mich neben seinen Tagebüchern schon öfters im Leben stärkte und kräftigte. Es tut uns immer wohl zu wissen, daß schon einmal jemand auf dieser Galeere weilte, und daß er sich würdig auf ihr verhielt.« (Gä, 68/2, 85) Undenkbar wäre dieser Eintrag in den »Stahlgewittern« gewesen, wie auch jener etwas spätere, in dem Jünger über seine Boethius-Lektüre berichtet.

»Beendet: Boethius' ›Consolationes‹, die ich im Bahnhof von Karlsruhe inmitten Betrunkener zu lesen begann. Der Gipfel des Werkes liegt in der Beziehung von freiem Willen und göttlicher Fügung – Boethius verlegt den freien Willen in die Zeit, die Fügung aber in die Ewigkeit. Da wir in *beiden* leben, so schalten wir in unseren Taten in voller Freiheit, und dennoch sind sie zugleich in jeder Einzelheit vorherbestimmt. Auf diese Weise untersteht der Handelnde zwei Qualitäten, von denen die eine der anderen unendlich überlegen ist. Im höheren Rahmen mögen wir uns bewegen, wie wir wollen, dennoch verharren wir in ihm. In allem ist, wie ein Gewürz, auf wunderbare Weise zugleich die Ewigkeit.« (Gä, 94/2, 109) Das theologische Argument einer geschichtlichen Vorbestimmtheit bei gleichzeitiger Verantwortung des Menschen für sein Tun mag des »Trostes« dahingehend sich versichern, daß nichts geschehen kann, was Gott nicht gewollt hat, ohne daß dabei die Akteure der Wirklichkeit von Maß und Ethos entbunden wären. Jünger geht es kaum um die Christlichkeit der Doppelung, die, mit christlichen Intentionen, auch Hamann beschäftigte – vielmehr findet er darin die eigene Idee wieder, die schon den »Marmor-Klippen« die Philosophie gegeben hat und die nun auch den Weltkrieg kommentiert: ein höheres Gesetz wacht über den menschlichen Taten; zugleich bleibt der Mensch der Gefangene seines freien Willens – seiner Kontingenz.

Es entspricht der lockeren Technik von Assoziationen, daß solche Hinweise ohne strenge Begrifflichkeit abgehandelt werden. Willensfreiheit, »höherer Rahmen«, Sinnstiftung im Transzendenten: die Fragen erfahren eine Intensivierung, ohne daß rasche Antworten folgen. Aus einer Anspielung auf Breughels Bild des Turmbaus von Babel entwickelt Jünger erneut die Bedeutung des biblischen Gleichnisses. Es geht zunächst allgemein um die Unterscheidung in Bauten, die im Kegelstumpf enden (in »unausgeformter materieller Kraft«), und solche, die in spitzen Türmen sich verjüngen. »Auf dem Breughelschen Bilde vom Babylonischen Turme sehen wir beides: den fürchterlichen Koloß im Vordergrunde und dahinter, in grünen Nebeln, eine gotische Stadt. So schneiden, wie auf manchem seiner Werke, Magie und Mystik ineinander ein. Er sieht zwei Welten, gleich Herodot.« (Gä, 111/2, 123) Aber, so wäre zu ergänzen, er sieht die Welten in ihrer Gleichzeitigkeit. Die Wahl des Motivs mitsamt seiner »ikonologischen« Prägnanz ist kein Zufall. Siebzehn Jahre früher, in dem Essay »Der Kampf als inneres Erlebnis«, war Jünger auch von dem Bild und seiner metaphorischen Wucht ausgegangen. Doch nur um zu erläutern, daß der Prozeß der geschichtlichen Verwirklichungen nicht regelmäßig, sondern mit Unterbrechungen sich durchsetze. Jetzt ist von dem »fürchterlichen Koloß« die Rede. Am 8. April 1940 ist Babel die Stätte hybrider Macht und der Ort des Scheiterns – während die gotische Stadt des Hintergrunds ein vergeistigtes Leben repräsentieren soll. Seit der zweiten Fassung des »Abenteuerlichen Herzens« häufen sich im übrigen die Hinweise auf Maler und Graphiker, deren Gestus die Erscheinungen von Verfall und Untergang beschwört. Neben Breughel und Bosch sind es Piranesi, Kubin und der kritische Radierer des Zweiten Französischen Kaiserreichs Charles Meryon, die Jünger immer wieder zitiert.[47]

Bilder und Wirklichkeiten antizipieren sich gegenseitig. Im Frühling 1940 hat der Krieg seine Ubiquität gesteigert, er gewinnt einen

»totalen« Charakter. »Auf dem Marsche erfuhr ich durch Urlauber, daß die Werke von Missburg, ganz nahe bei Kirchhorst, durch Bomben getroffen sind. Dachte dabei an Perpetua, die Kinder, meine Sammlungen und Manuskripte, die dort unter dem Boden lagern, ohne daß ich der Lampe Nigromontans schon würdig bin. Das ist in der Tat der totale Krieg, während dessen man an jedem Punkte der Existenz gefährdet ist.« (Gä, 131/2, 141) Die Schrift »Die totale Mobilmachung« (1930) hatte den technischen und den ideologischen Wandel beschrieben, der als Voraussetzung für eine Bereitschaft gelten sollte, alles einzusetzen, um in »imperiale Räume« vorzustoßen. Nach Jahren einer geschärften Optik gegenüber der seit 1933 eingerichteten Diktatur ist das Wort vom totalen Krieg nun, da es auch um das Eigene geht, von leisem Erstaunen begleitet. Einige Tage später wird die Distanz noch ein wenig weiter gedehnt. Obwohl sich der Krieg aus deutscher Sicht höchst erfolgreich angelassen hat, notiert Jünger am 25. Mai 1940: »Am Morgen Abmarsch über Martelange. Dort war die Brücke zerstört, auch viele Häuser, wohl infolge von Sprengungen. Hier und dort sah man die Bauern schon wieder auf den Feldern arbeiten. Ist's Zuversicht, ist es insektenhafter Trieb, was den Menschen so unverdrossen inmitten der Vernichtung zum Werke zwingt? Indem ich dies notiere, erhebt sich in mir die merkwürdige Replik: ›Du führst ja auch Tagebuch.‹« (Gä, 132/2, 142) Wieder drei Tage danach schildert Jünger den Eindruck jener »erstaunlichen Landschaften« Frankreichs, in denen die Dörfer verlassen, die Bewohner vom Feld geflüchtet sind und unheimliche Leere bleibt.

Leere ist die verwirklichte Vernichtung, und Leere ist die Substanz des Nihilismus. Der Eindruck der Zerstörung ist so stark, daß der Autor seine Erschütterung bis zum autobiographischen Kommentar steigert. »Das Ganze ist ein ungeheures Foyer des Todes, dessen Durchschreitung mich gewaltig erschütterte. In einem früheren Abschnitt meiner geistigen Entwicklung versenkte ich mich oftmals in Visionen einer völlig ausgestorbenen und menschenleeren Welt, und ich will nicht bestreiten, daß diese dunklen Träumereien mir Genuß bereiteten. Hier sehe ich die Idee verwirklicht und möchte glauben, daß, wenn auch die Soldaten fehlten, der Geist sehr bald gestört sein würde – ich fühlte schon in diesen beiden Tagen, wie der Anblick der Vernichtung an seinen Angeln hob.« (Gä, 137/2, 147)

Der Schmerz der Abweichung drängt sich dem Beobachter auf; doch anders als in der Schrift »Über den Schmerz«, worin das Leiden noch als Dissonanz gegenüber dem Klang der technischen Welt beschrieben war, ist der Schmerz jetzt zugleich »existentieller« und bescheidener geworden. Die Utopie der Wüste wird, näherungsweise verwirklicht, zum Schreckgespenst des vormaligen Demiurgen neuer Herrschaft.

Am 24. Juni 1940 wird der Waffenstillstand mit Frankreich bekannt gegeben. Im Februar 1941 wird Jünger in die französische Hauptstadt versetzt werden und daselbst das »Erste Pariser Tagebuch« beginnen. »Gärten und Straßen« aber beschließt der Verfasser mit zwei Gedanken, die aufeinander verweisen. Im Juli 1940 meditiert er über Zugänge im Geistigen, welche die »Urkräfte« erschließen sollen. »Vor Jahresfrist erschien mir noch die Alchimie als Höchstes, der unsichtbare Einfluß auf Kräfte und Dinge durch Zaubersprüche, durch Zauberbann. Doch besser scheint mir noch, daß uns das Wort gleich Flügeln in jene Zone trägt, in deren schwerelosem Äther man der Schwingen nicht mehr bedarf. Auch diese bunten Hüllen werfen wir einmal von uns ab.« (Gä, 203/2, 206) Das Wort als »Flügel«, die Sprache als »Hülle«: die Dichtung stellt, wie es bereits Hamann gefordert hat, Kongruenzen zum Sein her und nähert den Menschen dem »Ewigen« an, während die Alchimie, was immer sie des näheren praktisch bedeuten mag, stets noch den Akt der Rituale und Umwandlungen verlangt, damit ihr Adept die Konsonanz mit den »Kräften und Dingen« erreicht. Das alchimistische Ansinnen trägt jeweils noch einen Rest von praktischer Verfügungslust in sich. Der Sprache indessen soll es gelingen, das Weltgeheimnis ohne Entstellungen, »rein«, auszudrücken. Die Traditionslinie von den Mystikern über die deutsche Frühromantik bis hin zum französischen Symbolismus und schließlich zu Heideggers »Unterwegs zur Sprache« ist leicht in Erinnerung zu rufen. Jünger selbst hatte in dem Essay »Lob der Vokale« mit Bezug auf Hamann den eigenen Grundgedanken zu dieser Mystik der Sprache gelegt. Als Schriftsteller allerdings nicht nur mit dem »Geist« des sprachlichen Ausdrucks beschäftigt, sondern auch mit dem Handwerk, den Fragen des Stils, letztlich der Autorschaft, hält er sich nicht allzu lange bei der Idee auf. Wichtig sind ihm hier zwei Aspekte. Erstens soll die Frage nach dem Zugang zum »Göttlichen« beantwortet werden. Der Dichter hält ihn frei, indem er die Kontingenzen der geschichtlichen Existenz im Kunstwerk überhöht. Zweitens, und damit schließt »Gärten und Straßen«, gilt, daß das Leben dann gelungen sei, »wenn wir auch nur ahnen und ahnen lassen, was ewig in ihm eingebettet liegt«. »Unsere Freiheit liegt in der Entdeckung des Vorgeformten – wir dringen im Schaffen zur Schöpfung vor. Das Höchste, was wir so erreichen können, ist eine Ahnung vom unveränderlichen Maß des Schönen – so wie der Blick in der Ägäis unter dem Wellenspiel des Meeres am Grund die alten Urnen und Statuen errät.« (Gä, 213/2, 215)

Mitten in den Wirbeln der Zeitgeschichte sucht Jünger seine Lehre von den Korrelationen zu bestätigen. Es gehört zur Dramatisierung dieser Entdeckung, daß sie in dem Augenblick fruchtbar werden soll, da die geschichtliche Ordnung, um mit der Metaphorik der »Marmor-Klippen« zu sprechen, ins Feuer taucht. Um so größer muß der Gewinn sein, der nun als zeitlose Wahrheit zur zeit-gerechten Kompensation avanciert. Sinnfälliger als in der realen Situation von Krieg und Zerstörung hätte die Botschaft der »Marmor-Klippen« nicht ankommen können. Dem Widersinn der geschichtlichen Zumutungen antwortet die Über-Geschichte des »Vorgeformten«. Gottfried Benn, der zwei Jahre lang glaubte, daß der von Spengler prophezeite Niedergang von der »Ordnungsmacht« des Dritten Reichs aufgehalten wurde, nach den persönlichen Enttäuschungen indessen alsbald zum Lakonismus seiner frühen Skepsis zurückkehrte, kann für Jünger kein Gesprächspartner mehr sein.[48] Das gilt ebenso für Nietzsche; nur dessen Kreisgang-Lehre ist in den Tagebüchern gegenwärtig, während die Theorie vom Übermenschen ihre Attraktivität als Zitat eingebüßt hat. Ein öfter zitierter Kronzeuge aber wird Schopenhauer.

Man muß diese Hinwendung zum Philosophen der Willensverneinung im größeren Zusammenhang der Frage nach der *Ästhetisierung* der Welt sehen. Wie nahe sich bei Jünger jetzt die Ästhetik und die Theologie kommen, erweist sich nicht nur im Verzicht auf alles »Alchimistische«. So die »Theologie« letztlich als gegeben hinnimmt, was immer an Geschichte anfällt, nimmt sie Abstand von der Weltveränderung. Schon für Hamann gab das Buch der Geschichte keinen Anlaß mehr, es fortzuschreiben, wie auch dessen Lesbarkeit von Anbeginn an durch den Sündenfall und seine Folgen getrübt ward. Alles bleibt bei der *Betrachtung* der Kontingenz.[49] Diese Position ist eine ästhetische im weiteren Sinn des Handlungsverzichts, das Wirkliche sich ordnend gefügig zu machen. Schopenhauer hat sie im Hauptwerk »Die Welt als Wille und Vorstellung« nicht nur in ihrer metaphysischen, sondern auch in ihrer ausgesprochen ästhetischen Dimension erschlossen. Im dritten Buch, »Die Platonische Idee: das Objekt der Kunst«, geht es um das Unveränderliche der Idee an sich und um die Weise der menschlichen Erkenntnis als Annäherung an sie. Außerhalb der Zeit sei die Idee ewig; die Zeit sei bloß die verteilte und zerstückelte Ansicht, welche ein individuelles Wesen von den Ideen habe, weshalb Platon im »Timaios« sage, die Zeit sei das bewegte Bild der Ewigkeit. Die Annäherung geschehe nicht durch das abstrakte Denken und die Begriffe der Vernunft, sondern so, daß sich die Macht des Geistes ganz der Anschauung hingebe, »sich ganz in diese versenkt und das ganze Bewußtsein ausfüllen läßt durch die ruhige Kontemplation des gerade gegenwärtigen natürlichen Gegenstandes, sei es eine Landschaft, ein Baum, ein Fels, ein Gebäude oder was auch immer«.[50]

Diese absichtslose, ästhetische Haltung der Kontemplation lehrt den Betrachter nicht nur die Abbilder der Natur. Ihm sollen die Weltbegebenheiten »nur noch sofern sie die Buchstaben sind, aus denen die Idee des Menschen sich lesen läßt, Bedeutung haben... Er wird nicht mit den Leuten glauben, daß die Zeit etwas wirklich Neues und Bedeutsames hervorbringe, daß durch sie oder in ihr etwas schlechthin Reales zum Daseyn gelange, oder gar sie selbst als ein Ganzes Anfang und Ende, Plan und Entwicklung habe, und etwa zum letzten Ziel die höchste Vervollkommnung (nach ihren Begriffen) des letzten, dreißig Jahre lebenden Geschlechts.«[51] Die kaum verhüllte Polemik gegen Hegels »Weltgeist«-System mußte Schopenhauer mit dem platonischen Gedanken verschränken, daß »wirklich Neues« niemals stattfinden kann. Es ist unschwer zu erkennen, wie eine solche Lesart der Geschichte an Attraktivität gewinnen konnte zu Zeiten, da mit der Diktatur der Barbarei jeglicher historische »Sinn« verfinstert war. 1938 ließ Thomas Mann seinen »Schopenhauer« in Stockholm erscheinen.[52]

Für Jünger liefert sie die genaue Passung innerhalb seines ästhetischen Rückzugs. Welche Erkenntnisart ist dem wahren Gehalt aller Erscheinungen am nächsten auf der Spur, fragte Schopenhauer, und er gab die Antwort mit dem Hinweis auf die Kunst, »das Werk des Genius«. »Sie wiederholt die durch reine Kontemplation aufgefaßten ewigen Ideen, das Wesentliche und Bleibende aller Erscheinungen der Welt... Ihr einziger Ursprung ist die Erkenntniss der Ideen; ihr einziges Ziel Mittheilung dieser Erkenntniss.«[53] Die Kontingenzen schwinden, von der Kunst heißt es: »das Rad der Zeit hält sie an«. Auf ein »Wollen« kann es diesem durch Kontemplation geschulten Erkennen nun nicht mehr ankommen; der Vorgang der künstlerischen Gestaltung ist bezeichnet in dem auch von Kierkegaard gebrauchten Begriff der *Wiederholung*. Ohne im Einzelnen auf die »Vorlagen« einzugehen, die dem Künstler empfohlen sind, damit die Distanz der Anschauung zum Willen einer Absicht um so deutlicher sich zeige, sei doch wenigstens ein Beispiel erwähnt. Es harmoniert auf entscheidende Weise mit der Ausgangslage, in der sich der Tagebuchschreiber als Kriegsteilnehmer findet. Je größer das Innewerden »des verschwindenden Nichts unsers eigenen Leibes« vor einer mächtigeren Erscheinung sei, um so eher gelinge es, die demiurgische Haltung mit jener der ästhetisch gewordenen Betrachtung zu tauschen; genannt werden »sehr hohe Berge, Ägyptische Pyramiden, kolossale Ruinen von hohem Alterthume«.[54] Immer häufiger vergleicht Jünger die Zeugnisse der Weltkriegszerstörung mit den Ruinentableaus von Piranesi und schärft damit den Blick für das von Schopenhauer geforderte Gefälle: der Verzicht auf die »imperialen« Träume wird wie von selbst kompensiert mit der Annäherung an die zeit-losen Objektivationen der Idee.

Von der Ästhetisierung der Welt war ein anderer Schopenhauer-Leser damals ebenso fasziniert, wenn auch nicht mit der philosophischen Hartnäckigkeit des Platonikers. Der Genuß der Kunst beruhe darauf, daß sie ordnend und formend die Wirrnis des Lebens durchsichtig und übersichtlich mache, schrieb Thomas Mann zu Beginn seines »Schopenhauer«-Essays. Schopenhauer vereine Pessimismus und Humanität. Am Vorabend des Zweiten Weltkriegs hob Thomas Mann die Bedeutung von Schopenhauers Weltverneinung und Askese hervor, und er sah darin eine Gegenbewegung zu jener »Verherrlichung des Instinktes«, der das zwanzigste Jahrhundert in seinem ersten Drittel präge.[55] Auch sei Schopenhauer, wiewohl ein Konservativer, der Staatsvergottung durch Hegel entgegengetreten. »Wir kennen die widermenschlichen Schrecken einer Doktrin, nach

welcher es die Bestimmung des Menschen wäre, im Staate aufzugehen, kennen sie aus ihren Konsequenzen: denn der Faschismus
sowohl wie der Kommunismus kommen von Hegel her ...«[56] Das
Wort vom Leviathan, dessen Bild von Jünger jetzt häufiger gebraucht
wird, liegt, ohne zu fallen, in der Luft der Überlegungen von Thomas
Mann. Dem heimatlos gewordenen Emigranten war Schopenhauers Hegel-Kritik noch immer zu milde: der Autor der »Welt als Wille
und Vorstellung« habe seinerseits den Quietismus politischer Abstinenz gepflegt und der demokratischen Richtung der vierziger Jahre
des 19. Jahrhunderts die Zustimmung verweigert.

Quietistisch verhält sich auch Jünger. Am 18. Februar 1941
beginnt er das »Erste Pariser Tagebuch«. Am 6. April trägt er die
erste Notiz aus Paris ein. Seinen Dienst verbringt er in der Abteilung
für Briefzensur. Nebenbei bieten sich viele Gelegenheiten für Ausflüge und Spaziergänge in der Stadt und in der näheren Umgebung.
Häufig ist von Stimmungen der Niedergeschlagenheit die Rede.
»Starke Melancholie«, 27. April, Vincennes; daselbst, zwei Tage
später: »Tristitia. Auswege gesucht; es boten sich aber nur zweifel-
hafte dar.« Dann, am 1. Mai: »Zu studieren: die Wege, auf denen die
Propaganda in Terror übergeht. Gerade die Anfänge boten vieles,
das man vergessen wird. Die Macht geht da auf Katzenpfoten, listig
und fein.« (Stra, 33/2, 238) Und während die »Macht« zunehmend
ihre wirkliche Physiognomie zeigt, so daß er bemerkt, daß sich die
Erzählung der »Marmor-Klippen« in den Ereignissen fortsetze und
zugleich die Ereignisse auf das Buch zurückwirkten und es veränderten, denkt Jünger nach über die Bestimmung, die nicht die
Geschichte, sondern der Mensch in sich trägt. Es gehört zum Duktus
jedes Tagebuchs, welches nicht nur von den Minimalisierungen des
Alltags berichtet, daß sich sein Autor ein Menschenbild vorlegt.
Zum Thema der Prädestination äußert er sich in der Art der französischen Moralisten. »Wohin wir auch desertieren, wir führen die
angeborene Montur mit uns; und auch im Selbstmord entrinnen wir
uns nicht.« (Stra, 32) Später fügt er den Satz an, der Benns letzter
Postkarte an F.W. Oelze entspricht: »Wir müssen steigen, auch durch
Leiden; dann wird die Welt faßbarer.« (2, 237) Was beim Versuch
beginnt, die oft nun auftretenden Depressionen zu sublimieren,
endet in einer Lehre von der Unausweichlichkeit des Schicksals.[57]
Sie erinnert an die Stelle, wo Jünger den Boethius zitiert, greift aber

insofern noch weiter aus, als die Annahme, ja die Hinnahme des Leids nicht nur ein Akt der Demut gegenüber den Fügungen sein soll, sondern Erkenntnis bewirkt. Im Schmerz wird die Welt faßbarer.[58]

Wieder zeigt sich so, daß in Zeiten von starken geschichtlichen Erschütterungen das Interesse an den geschichtsphilosophischen Themen zugunsten der »anthropologischen« Fragen abnimmt. Die Tagebücher des Zweiten Weltkriegs führen Jünger wiederkehrend auf die Erörterung des Menschlichen und Menschenmöglichen zurück. In den »Stahlgewittern« und den anschließenden Schriften sollte auf Grund des Kriegserlebnisses der Neue Mensch wenn nicht vorgestellt, so doch wenigstens umrißhaft skizziert werden. Jetzt tritt die Konstellation Geschichtsphilosophie versus Anthropologie in ihren ursprünglichen Gegensatz.[59] Eine entscheidende Grundfigur ist die Leidensfähigkeit; die Geschichte wirkt bedrängend, einschnürend auf das Leben ein; der Mensch schafft sich Exile geistiger Art. Schwieriger wird es, wenn der politische Druck so verteilt ist, daß die »Macht« weder von der Betroffenheit, die sie auslöst, noch vom Widerstand, der dieser folgt, wissen darf. Darin gründet die Lage Jüngers in Paris, und er benennt sie mit der Metapher »von geistiger Ritterschaft, die im Bauche des Leviathans tagt«. Je mehr sich der Krieg nach Osten verlagert, um so ungestörter vermag der Betrachter das Geschehen zu deuten. Am 8. Oktober 1941 heißt es: »Es scheint, daß dieser Krieg auf Stufen, die nach den Regeln einer unbekannten Dramatik abgebildet sind, hinunterführt. Dergleichen läßt sich freilich nur ahnen, da der Vorgang von den Erlebenden vor allem in seinem anarchischen Charakter empfunden wird. Die Strudel sind zu nah, zu reißend, und nirgends, selbst nicht auf dieser alten Insel, gibt es Punkte der Sicherheit. Es dringen Brandungsarme in Lagunen ein.« (Stra, 53/2, 260) Das Bild der Tiefe erinnert nicht nur an das frühe Gleichnis vom Blechsturz im »Abenteuerlichen Herzen« oder an die häufigen Assoziationen, die mit dem *Schwindel* als Zustand entrückter Erfahrungen sich einstellen. Es gemahnt an Poes »Maelstrom«, dessen »Ethik« darin besteht, daß den Sog überlebt, wer sich bei klarem Bewußtsein der Bewegung überläßt. Jüngers Widerstand äußert sich zuerst überhaupt nur im geschärften Argwohn, in den Beobachtungen der Zeichen und Stellvertretungen der Diktatur. Als ihn Carl Schmitt Mitte Oktober in

Paris besucht – man spricht über die »Lage«, dann über Schwächungen der Willensfreiheit –, rechtfertigt der Jurist seine Passivität gegenüber dem Regime mit einem Zitat von Macrobius. »Non possum scribere contra eum, qui potest proscribere.« Zugleich vergleicht er seine Position mit der ungemütlichen Stellung des weißen Kapitäns in Melvilles »Benito Cereno« – ohne daß er freilich je in die Nähe der Kommandobrücke gelangt wäre. (Stra, 57/2, 265)

Von Melancholie ist die Rede, von Depressionen und Tristitia. Am 23. November 1941 erwähnt Jünger zuerst ein Mittagessen mit Morand, Gaston Gallimard und Cocteau.[60] Dann verzeichnet er einige kurze Aphorismen. »Heiliger noch als das Leben muß uns die Würde des Menschen sein.« Dann: »Das Zeitalter der Humanität ist das Zeitalter, in dem die Menschen selten geworden sind.« Dann: »Die wahren Führer der Welt sind in den Gräbern zu Haus.« (Stra, 68/2, 276) Die Leistung solcher Epigramme liegt in der Reduktion, in der Vereinfachung der Wahrheit durch die Aussonderung alles Akzidentiellen. Solche Sätze sind deshalb meist gegen die Geschichte und ihre unübersehbaren Individuationen gerichtet. Es ist das Erbe der französischen Moralisten – Rivarol, Vauvenargues, La Rochefoucauld –, dessen sich der Autor in einer Lage versichert, die den Erkennenden ohnehin zu Reduktionen einlädt. Die Zeit ist knapp. Damit erweist sich das Wesen dieser Moralistik. Sie ist untheoretisch insofern, als sie Kontingenzbewältigungspraxis ist. Ähnlich wie die Religion, doch näher an den Unmittelbarkeiten der Wirklichkeit, erinnert sie an feste humane Einsichten zu Zeiten, da diese bewußt in Frage gestellt sind.[61] Obwohl die Neigung zur Sentenz spätestens seit dem »Epigrammatischen Anhang« zu »Blätter und Steine« (1934) bezeugt ist, bieten die Tagebücher das Kompendium der Vergegenwärtigung solcher Einsichten. Den angemessenen Zusammenhang stiften die Tagebücher deshalb, weil jetzt das Umfeld »stimmt«, in welchem sie auftauchen, die Gefährlichkeit der Lage. Am 24. Januar 1942 zieht Jünger die genetische Linie des Nationalsozialismus bis tief in die Weimarer Republik zurück, indem er dem Bild vom Bauch des Leviathan jenes vom »Dotter« vorausschickt. »In Fontainebleau bei Röhricht, dem Chef der I. Armee. Ich übernachtete bei ihm. Rückblick auf alte Zeiten – wir haben damals im Dotter des Leviathans gelebt.« In späteren Ausgaben ist präzisierend eingefügt: »Rückblick auf alte Zeiten, die Hannoversche Reitschule, Fritsch, Seeckt, den alten Hindenburg – wir haben damals im Dotter des Leviathans gelebt.« (Stra, 86/2, 295) Darauf wird die Genealogie der Tyrannis noch etwas weiter gedehnt, mit einer unüberhörbaren Spitze gegen Nietzsche. »Lang am Kamine, erst über Mommsen und Spengler, dann über die Entwicklung des Feldzuges. Die Unterhaltung machte mir wieder die Verheerung deutlich, die Burckhardt durch seine Renaissance anrichtete – vor allem durch die Impulse, die über Nietzsche auf die Bildungsschicht ausstrahlten. Merkwürdig bleibt der Umsatz der reinen Schau in Willen, in leidenschaftliche Aktion.« (Stra, 86/2, 295)[62] Merkwürdig insofern, als der Schopenhauer-Bekenner darin die Inversion des Verneinungsprinzips bei Preisgabe der ästhetischen Anschauung erkennen muß. Doch spiegelt das eigene Frühwerk sie ebenso scharf und mit größerer Anmaßung ab, bis seit der zweiten Fassung des »Abenteuerlichen Herzens« sich die Bewegung umkehrt in immer weitere Perspektiven der reinen Schau.

Dann, am 28. März, Gedanken zuerst über die »Landschaft des Bürgerkriegs« im Anschluß an ein Gespräch mit Marcel Jouhandeau, dann über den eigenen Weg.

»Die Bilder, die in uns auftauchen. So sehe ich mich jetzt öfters während eines einsamen Nebelabends am Rande des Überlinger Forstes, dann wieder im Vorfrühling in Stralau oder als Knaben in Braunschweig, auf die Muster der Wand starrend. Es kommt mir vor, als ob bedeutsame Entscheidungen gefallen wären, während ich doch nur träumte oder sann.

Vielleicht vernimmt man so zuweilen, fernab von jeder Tätigkeit, Takte der Lebensmelodie. Sie steigen nur in den Pausen auf. In ihnen ahnen wir dann die Komposition, das Ganze, das unserem Dasein zugrunde liegt. Daher die Stärke der Erinnerung.

Auch scheint mir, daß uns das Ganze unseres Lebens nicht im Nacheinander zukommt, sondern wie etwa beim Puzzle-Spiel, in dem man bald hier, bald dort ein wenig Sinn gewinnt. Gewisse Grillen der Kinder sind greisenhaft, hinwieder schließen späte Lebensformen ganz ohne Zwischenformen an die Kindheit an.« (Stra, 112/2, 322 f.)

Die Passage zeigt, wie frei der Umgang mit der Introspektion mittlerweile geworden ist. Wenn André Gide, der selbst hartnäckig um die gelungene Form des literarischen Tagebuchs kämpfte, »In Stahlgewittern« als das ehrlichste und genaueste Zeugnis über den Ersten

Weltkrieg bezeichnete, beglaubigte er ein Buch, dessen kompositorische Form mit dem Anspruch des Dokuments zusammenfällt: fiktionales und reales Ich sind so nahe zusammengerückt, daß Gide glauben mochte, der Krieg selbst habe sich hier mitgeteilt.[63] Die Tagebücher seit 1939 sind wesentlich komplexer gewoben, wobei einzelne Themen über Tage und Wochen sich erstrecken. 6. April 1942: »Gespräch mit Kossmann, dem neuen Chef des Generalstabes. Er teilte mir fürchterliche Einzelheiten aus den Lemuren-Wäldern im Osten mit. Wir sind nun inmitten der Bestialität, die Grillparzer voraussagte.« (Stra, 114/2, 324) Im Anschluß daran Erörterungen über Willensfreiheit und Determinismus. »Im ersten Weltkrieg lautete die Frage, die wir zu lösen hatten, ob der Mensch oder die Maschine stärker sei.« Dann, weiterführend: »Inzwischen sind die Dinge weiter gediehen; es handelt sich heute darum, ob Menschen oder Automaten die Herrschaft über die Erde zukommen soll.« Die Zwischenstufe, nämlich die Härtung des Menschen zur unverletzlichen Gestalt, wie sie der Essay über den »Arbeiter« forderte, wird nicht erwähnt. Dann: »Vor allem müssen wir in unserer eigenen Brust bekämpfen, was sich dort verhärten, vererzen, versteinern will.« (Stra, 124/2, 335) Aber er spinnt den Gedanken vom Automaten, der seit den Konstruktionen von Vaucanson die Aufklärung zunächst spielerisch unterhielt, schließlich in ihrer Spätzeit seit dem 20. Jahrhundert auf hintergründigere Weise beschäftigte und ihn selbst seit dem »Arbeiter« bis in die surreale Welt der »Gläsernen Bienen« (1957) nicht losläßt, noch weiter. »Über die Marionetten und Automaten – dem Abstieg zu ihnen geht ein Verlust voraus. Sehr schön sind diese Dinge aufgezeichnet im Märchen vom Steinernen Herz.« Und nun die moralische Abrundung: »Zum Automatismus führt das Laster, das völlig zur Gewohnheit wurde – wie schrecklich bei den alten Huren, die zu reinen Lustmaschinen geworden sind. Auch von den alten Geizhälsen strömt ähnliches aus. Sie haben ihr Herz an die Materie gehängt und leben im Metall... Der allgemeinen Wandlung zum Automatismus, wie sie uns bedroht, muß auch ein generelles Laster zugrunde liegen – dies zu ermitteln wäre Pflicht der Theologen, an denen es eben fehlt.« (Stra, 124/2, 335)[64]

Insofern berichtet das Tagebuch – und welche Art der literarischen Darstellung wäre dafür geeigneter – von der Enttäuschung über die Realität der früher projektierten Utopie. Man darf diesen Akt der tiefen Mißbilligung nicht unterschätzen, denn der abwehrende Gestus stammt nicht von einem Schriftsteller, der den »Fortschritt« schon immer beargwöhnte, sondern im Gegenteil von einem Autor, der in seinem Essay von 1932 die Verwirklichungen der Technik wie wenige herbeigewünscht hatte. Jetzt heißt es, die Technik sei in einem Maß realisiert, daß auch nach Brechung der Vorherrschaft des Technikers und seiner Leitvorstellungen mit ihrem Bestand gerechnet werden müsse. Die eigentliche Frage sei, ob man die Freiheit an sie verliere. – Seit 1942 werden die Eindrücke immer stärker gegeneinander kontrastiert. Der elegische Schliff, der noch die Notizen von 1939 begleitet, ist einer knapperen, rascher die Themen wechselnden Diktion gewichen. Der Bericht über die Lektüre eines dreibändigen Werks über Katastrophen und Schiffbrüche auf See ist so wenig zufällig, wie es die Hinweise auf De Quincey als Opiumforscher in eigener Sache oder auf die Äther-Studien von Maupassant sind. Im Rausch flieht der moderne »Arbeiter« seine Lebenswelt. Zu den Zwängen dieser Tagebücher aber gehört es, daß am Ende die kondensierten Einsichten mit Metaphern aus der Natur affirmiert werden. Wenn der Vergleich mit der Natur, mit den Vorgängen und Prozessen, die ihr zugrunde liegen, eingerastet ist, ist die stärkste Form der Wahr-Sprechung gefunden. Das Problem jeder Metaphorik, die vom Bild auf dessen Essenz übergreift, ist, daß sie schief wird, indem sie sich zugunsten der »Eigentlichkeit« auflöst. Darüber wird noch zu sprechen sein.

Am 23. Oktober 1942 endet das Erste Pariser Tagebuch. Vom 24. Oktober bis zum 10. November befindet sich Jünger auf Urlaub in Kirchhorst, am 16. November bricht er von Berlin aus zu einer Inspektionsreise in den Kaukasus auf. Sie dauert bis zum 8. Januar 1943; der Text, der darüber Auskunft gibt, wird später mit »Kaukasische Aufzeichnungen« betitelt und zwischen das erste und zweite Pariser Tagebuch geschoben. Deutlicher treten dabei wieder die konkreten Bilder des Untergangs hervor, Visionen eines Kriegs, der verloren ist, bevor noch von Niederlage gesprochen werden kann. Während den Tagen in Kirchhorst ist Raum für Betrachtungen. Zu den Ruinen auf deutschem Gebiet heißt es, ästhetisch überhöhend: »Auch Düsseldorf sah traurig aus. Frische Ruinen und viele rote Pflaster auf den Dächern deuteten auf den Feuerregen hin. Auch das ist eine der Stufen, die zum Amerikanismus führen; an Stelle unserer alten Wiegen werden wir Städte haben, wie sie der Ingenieur ersinnt. Vielleicht aber werden nur Schafherden die Trümmer abweiden, wie man das auf frühen Bildern des Forum Romanum sieht.« (Stra, 195/2, 409) Vom Optimismus des Geschichtsphilosophen ist nichts geblieben, der Autor wird zum rückwärts gewandten Propheten, der die ewige Wiederkehr am Werk sieht. Später kommt das Wort vom Weltbürgerkrieg, der den Weltkrieg abgelöst habe – Ouvertüren für eine Reise, die ihn tief in das ehemalige Gebiet des »Arbeiters« hineinführt.[65] Die Ostfront erweist sich als düstere, oft trostlose, entzauberte Landschaft. Die Orte: Rostow, dann Woroschilowsk, dann immer weiter Richtung Kaukasus. Dabei fällt ihm der Grad an »Mobilmachung« auf, den der Krieg hier erreicht hat, wo ein entschiedener Gegner den Deutschen anders zusetzt als in Frankreich. Halb erstaunt, halb betroffen teilt er mit, daß sich selbst Generäle in »Arbeiter« verwandelten. Die Funktion hat alle Repräsentationen aufgesogen. So begegnen der »Arbeiter« und sein geistesgeschichtliches Umfeld seit den eigenen essayistischen Anstrengungen vor zehn Jahren dem Schriftsteller von neuem. Das alte Rittertum sei tot, die Kriege würden von Technikern geführt, notiert er mit einer Empörung, die, gemessen an den Forderungen von 1932, merkwürdig anmutet. Mit der Aufklärung gehe die Blindheit einher; das Stichwort für das Fehlen jeglicher Moral wird wieder aus dem Arsenal der Natur entlehnt: eine Insektensphäre sei zu beobachten. Da sie Jünger als Phänomen der deutschen Diktatur erscheint, taucht die Frage, ob es sich dabei um eine universalhistorische Entwicklung handeln könnte, noch nicht energisch auf. Wenn er von »Amerikanismus« spricht, denkt er allerdings an Bewegungen, die nicht an nationale Grenzen gebunden sind. Anderseits wird ihm evident, daß die Länder des Ostens der »Aufklärung« hinterhergehen. Erstaunlich hellsichtig ist eine der letzten Beobachtungen der Kaukasischen Expedition. »Ich fürchte, daß nach dem Kriege große Teile des Planeten sich hermetisch abschließen.« (Stra, 256/2, 477) Diesem Thema wird er in späteren Schriften, 1951 in »Der Waldgang«, 1953 in »Der gordische Knoten«, mehr Spielraum geben. Die Reise in den Kaukasus aber leitet eine doppelte Wende ein. Einmal wird nun offensichtlich, daß der Krieg verloren ist, die Diktatur wankt und die Welt des 19. Jahrhunderts mit ihrem Verständnis vom »gehegten Krieg« endgültig auseinanderbricht.[66]

Sodann – und das ist für den Werkzusammenhang bedeutungsvoller – muß dem gedanklichen Aufschwung der frühen, geschichtsphilosophisch von technisch geordneten Imperien träumenden Schriften eine Antwort gegeben werden mit einer Philosophie, die den Schiffbruch des »Arbeiters« als Herrschaftsgestalt bedenkt.

Die Texte der späten vierziger und frühen fünfziger Jahre einschließlich des Romans »Heliopolis« stehen vornehmlich unter dieser Signatur. Doch das Tagebuch, und im besonderen das »Zweite Pariser Tagebuch« und die sich ihm anschließenden »Kirchhorster Blätter«, ist der Ort, wo die Ideen und Konjekturen erprobt werden, wo der Aufprall der Katastrophe aufgefangen und unmittelbar abgedämpft wird. Als ob es noch einer persönlichen Maxime bedurft hätte, um die nun kommende Zeit zu bestehen, beginnt Jünger das neue Jahr – 1943 – mit folgendem Eintrag: »Drei gute Vorsätze. Als ersten ›mäßig leben‹, denn fast alle Schwierigkeiten in meinem Leben beruhten auf Verstößen gegen das Maß. Zweitens: immer ein Auge für die Unglücklichen. Dem Menschen ist die Neigung angeboren, das echte Unglück nicht wahrzunehmen, ja mehr als das: er wendet die Augen von ihm ab. Endlich will ich das Sinnen auf individuelle Rettung verbannen im Wirbel der Katastrophen, die möglich sind. Es ist viel wertvoller, daß man sich würdig verhält. Wir sichern uns doch nur auf Oberflächenpunkten eines Ganzen, das uns verborgen ist, und gerade die Ausflucht, die wir uns ersinnen, kann uns umbringen. Viel wichtiger ist eine gewisse Lockerheit der Glieder, wie sie das Kind bei der Geburt besitzt.« (Stra, 251/2, 471 f.) Der Stolz der »Desinvoltura« ist bescheidener geworden. Am 18. Februar 1943 eröffnet Jünger das »Zweite Pariser Tagebuch«.

Nur wenn man daran erinnert, mit welchem Enthusiasmus der Verfasser der frühen Kriegstagebücher die »Neue Zeit« und ihren Menschen begrüßt hatte, kann man den Anspruch ermessen, der nun darin liegt, daß der Autor die Nachtseite des Kulturprozesses zu erhellen sucht. Anders als in den Aufzeichnungen von »Gärten und Straßen«, deren oft zauberisch absichtslose Wahrnehmung der Wirklichkeit einen Schein von verbindender Harmonie aufsetzte, geht es hier nochmals und entschiedener um das Thema der technischen Substanz. Der zweite Brennpunkt des Tagebuchs reflektiert die Kunst als regulative Kraft im Gegenzug zum Prozeß der Arbeit. Ende Februar beobachtet Jünger mit Rücksicht auf die Ostfront eine

»absolute«, der Zoologie sich angleichende Zuspitzung des Kriegs. Am 17. März kommt er auf den Essay zu sprechen. »Zum ›Arbeiter‹. Die Zeichnung ist genau, doch gleicht er einer scharf gestochenen Medaille, der die Rückseite fehlt. Es wäre in einem zweiten Teile noch zu schildern die Unterstellung der beschriebenen dynamischen Prinzipien unter eine ruhende Ordnung von höherem Rang. Wenn das Haus eingerichtet ist, gehen die Mechaniker und die Elektrotechniker hinaus. Wer aber wird Hausherr sein?« (Stra, 283/3, 23) Die Passage ist die erste von vielen, in denen Jünger auf die Schrift von 1932 näher eingeht. Der Druck der Ereignisse und die absolute Zuspitzung des Kriegs machen die Frage der Genese dieses Niedergangs unabweisbar. Doch gerade zur Genese der »totalen Mobilmachung« und ihrer Folgen hatte der Autor des »Arbeiters« sich auf doppelte Weise geäußert: in einer beschreibenden Analyse der Epoche, welche die Technik so heftig vorantreibt, und allerdings auch in einer Prophetie vom Übergang zur zeitlosen Herrschaft, die damit verbunden sein sollte.

Wer wird Hausherr sein? Offenbar nicht mehr, wie 1932 postuliert, der »Arbeiter« selbst als Prototyp der neuen »Rasse«. Jünger kommt hier dem Aufsatz von Carl Schmitt über das Zeitalter der Neutralisierungen und Entpolitisierungen insofern nahe, als jetzt Schmitts These vom Vakuum, das die technische Welt schafft, und von der Usurpation, die ihm zwangsläufig – aber mit bisher ungeklärtem Subjekt – folgen muß, wiederholt wird.[67] Als möchte Jünger nochmals genauer auf die bloße Verheißung der »imperialen Räume« von 1932 eingehen, schreibt er im nächsten Absatz:· »Wer weiß, ob sich für mich noch einmal die Zeit, hier wieder anzuspinnen, finden wird?« Dann aber der Abgesang der Distanzierung vom Projekt: »Doch glückte Friedrich Georg in dieser Richtung mit seinen ›Illusionen der Technik‹ ein bedeutender Schritt.« (Stra, 283/3, 23)[68] Der »Arbeiter« ist, was immer er sonst noch sein mochte, kein Wesen, das des Sinns unbedürftig ist. Das wußte Jünger, als er den ersten, beschreibenden Teil des Essays mit einem zweiten, entelechetischen verklammerte, worin er ihm die Weltherrschaft versprach. Als Fürsprecher alles Deutschnationalen ließ er sie von Deutschland ausgehen, ohne zu sehen, wie gleichzeitig in Amerika eine von Mythen und Ideologien wenig berührte Nation in gewaltiger Funktionalisierung und Steigerung der Produktivkräfte und durchaus im Einklang mit dem demokratischen Prinzip zur ersten, raum-beherrschenden Weltmacht avancierte. Hätte der Autor des »Arbeiters« die Propheten dieser politischen und wirtschaftlichen Herrschaftsverschiebung damals zitiert, er hätte wohl nur kritische Worte gefunden. Nicht zufällig ist es Carl Schmitt, der ihn nun auf Tocqueville aufmerksam macht. Für den politischen Theologen waren Tocqueville und Donoso Cortés lange vor Ausbruch des Zweiten Weltkriegs die Kronzeugen kommender Veränderungen. Er selbst gefiel sich vor dem Hintergrund dieses seit dem 19. Jahrhundert einsetzenden Prozesses als »Verteidiger« Europas, dem er, zumal seit 1933, als die deutsche Diktatur nochmals zur beherrschenden Mittelmacht aufrückte, die Rolle des »Katechon« zudachte: die Funktion des Aufhalters.[69] Jünger zitiert im September 1943 aus einem Brief von Schmitt. »Die Situation war Tocqueville 1835 schon völlig klar. Der Schluß des zweiten Bandes der ›Démocratie en Amérique‹ bleibt das großartigste Dokument des ›Untergangs des Abendlandes‹.« (Stra, 408/3, 149) Wenig später erörtert Jünger selbst das Symbol, das so eng mit dem Verlauf der wissenschaftlich-technischen Revolution verknüpft ist. »Nachgedacht über die Maschine und was wir hier versäumt haben. Als Ausbildung des reinen, männlichen Intellektes gleicht sie einem wilden Tiere, dessen Gefährlichkeit der Mensch nicht gleich erkannte; er zog sie leichtsinnig bei sich auf, um zu erfahren, daß sie sich nicht domestizieren läßt.« (Stra, 430/3, 171 f.)

Er denkt dabei an mehr als nur an den Zauberlehrlingseffekt. In derselben Notiz vom 16. Oktober 1943 unterscheidet er zwischen dem 19. Jahrhundert, das er als rationales bezeichnet, und dem 20. Jahrhundert, das er ein kultisches nennt. Dann fährt er, mit Blick auf Hitler, der verschlüsselt stets als »Kniébolo« auftaucht, fort, daß die »liberalen Intelligenzen« nicht gesehen hätten, wie sich der Diktator dieses kultischen Hintergrunds bediente. Hätte Jünger weniger über Hitler als über den prometheischen Sturz, auf »Babel« im technischen Zeitalter schlechthin, reflektiert, das Wort vom kultischen Jahrhundert wäre verständlicher, dessen Vorläufer »Kniébolo« niemals sein konnte; Helmuth Plessner hat gezeigt, wie weit die Voraussetzungen dafür ins 19. Jahrhundert zurückzuverfolgen sind.[70] – Wenn der Verfasser im nächsten Absatz mit unmißverständlicher Deutlichkeit von den Greueln der Konzentrationslager berichtet, führt das Tagebuch aus den spekulativen Höhen zurück in den Alltag des Totalitarismus. Im Gefolge bekennt Jünger nun zum ersten Mal, daß der »Arbeiter« ein Stück weit »Nihilismus« gewesen sei, ein Werk, »in dem ich am stärksten zum Pol des Kollektivismus ausgeschwungen bin«. Endlich kulminiert der Gedankengang in der bereits in den »Marmor-Klippen« vollzogenen Unterscheidung zwischen Nihilismus und Anarchismus: der Anarchist wolle die Welt in Sumpf und Urwald stürzen, der Nihilist trachte sie in eine Wüste zu verwandeln.

Als Jünger, auf Urlaub, über Berlin nach Kirchhorst fährt, machen sich die Auswirkungen dieses Nihilismus auf unheimliche Weise im Zentrum der Metropole bemerkbar. Ende Februar 1944 notiert er:

»Die Niederlegung so großer Städte wird in ihren Folgen noch nicht überschaut. Merkwürdig scheint auf den ersten Blick, daß der Verkehr sich in den Trümmern steigert; doch ist es logisch, da seine ruhende Entsprechung, die Wohnung, vermindert wird. Die Straßen und alle Bahnen waren überfüllt. Das Wiedersehen mit der Kapitale und ihrem neuen Stande war weniger befremdend, als ich dachte; und das verriet mir, daß ich ihrer Stabilität seit langem nicht mehr getraut hatte. Gleich nach dem ersten Weltkrieg und während der Inflation erschien sie doch schon recht anbrüchig; Traumstadt-Erinnerungen knüpfen sich an diese Zeit. Dann, nach der sogenannten Machtübernahme, regierte die Spitzhacke in ihr; ganze Straßenzüge sanken schon in den Schutt. Endlich wurden Geschäfte geplündert, Synagogen in Brand gesteckt, ohne daß solche Untat ihren Richter fand. Auch Blut blieb auf dem Land. Die Lust an allen roten und explosiven Dingen nahm reißend zu.« (Stra, 482 f./3, 228)

Mit einem einzigen Passus zwingt der Schriftsteller die Entwicklung von den zwanziger Jahren, wie sie im »Abenteuerlichen Herzen« aufschienen und ihre Antizipationen schon in der Ästhetik von Kubin gefunden hatten, bis zum Untergang Berlins zusammen. Solche Kurzgeschichten sind freilich gefährlich, sofern sie aus der Perspektive eines weltgeschichtlichen Lakonismus kommen. Da fügt sich eins zum anderen, und der Zäsur – dem entscheidenden Schnitt von 1933 – wird kaum mehr nachgedacht. In dem »doch schon« schwingt eine Geste des Wissens mit, die sowohl stilistisch wie auch der Art der Aussage nach in den schärfsten Gegensatz zu den Beunruhigungen des Frühwerks tritt. Die Wirklichkeit der Zeit erscheint im Kondensat ihrer »philosophischen« Glättung. Es wäre indessen verfehlt, nur solche Extremreduktionen anzuführen. Dem Berlin-Absatz folgt zunächst eine weitere, metaphorisch gesättigte Verdichtung. Man müsse, heißt es, die Zerstörung auch als ein Abstreifen der alten Haut sehen. Mit dieser Methode ist Jüngers Leser inzwischen so vertraut, daß sie ihn nicht mehr erschüttern kann. Aber dann kommt ein Gedanke, der die Verknotung wieder löst. »Amerika siegt über die Stätten alter Kultur – ich meine jenes Amerika, das im modernen Berliner mit jedem Jahre deutlicher zu spüren war.«

Auch Gottfried Benn beschrieb – essayistisch und im Gedicht – die kulturelle Wende in die Richtung der Neuen Welt, und er erblickte darin nur ein weiteres Zeichen der Dekadenz. Jünger darf sich als Autor des »Arbeiters« mit Benns geschliffener Müdigkeit nicht begnügen.[71] Als Paradox mag erscheinen, daß er nur mit Schwierigkeiten erkennt, wie die Herrschaft des Arbeiters wie dessen »Gestalt« auf anderer Ebene die Jahre der Diktatur überlebt: er ist als universaler Typus nicht an sie gebunden. Daß er als ubiquitäre Figur der Moderne längeren Bestand hat, liegt im Prozeß der Technisierung begründet. Für Jünger, der im zweiten Teil seines Essays ihn so eng mit einem faschistischen Reichsgedanken verband, ist diese Einsicht ein Pensum, das erst nach und nach bewältigt wird. Es läge in der Luft, den »Arbeiter« nach Amerika zu dislozieren; doch der erlösende Satz fällt nicht – noch nicht. Immerhin schreibt er unter dem Datum des 11. März, der Essay und Friedrich Georg Jüngers »Illusionen der Technik« glichen dem Negativ und dem Positiv eines Lichtbildes, die Gleichzeitigkeit der Verfahren deute auf eine neue Objektivität. Indem Jünger dem Bruder die Verwaltung der ethischen Aspekte zugesteht, kann er die eigene phänomenologische Leistung um die mißratenen geschichtsphilosophischen Visionen erleichtern.

Zu den letzten Eintragungen des Zweiten Pariser Tagebuchs, das Jünger am 13. August 1944 beendet – wenige Wochen nach dem gescheiterten Attentat auf Hitler, im Zusammenhang von dessen Ahndung er »unehrenhaft« vom Wehrdienst suspendiert wird[72] –, gehören zwei Passagen, von denen die eine berühmt und berüchtigt geworden ist, die andere abermals sein Verhältnis zum eigenen Frühwerk beleuchtet. Am 27. Mai 1944 ist in Paris Fliegeralarm.

»Alarme, Überfliegungen. Vom hohen Dache des Raphael sah ich zwei Mal in der Richtung von St. Germain gewaltige Sprengwolken aufsteigen, während Geschwader in großer Höhe davonflogen. Es handelt sich um Angriffe auf die Flußbrücken. Die Art und Aufeinanderfolge der gegen den Nachschub gerichteten Maßnahmen deutet auf einen feinen Kopf. Beim zweiten Male, bei Sonnenuntergang, hielt ich ein Glas Burgunder, in dem Erdbeeren schwammen, in der Hand. Die Stadt mit ihren roten Türmen und Kuppeln lag in gewaltiger Schönheit, gleich einem Blütenkelche, der zu tödlicher Befruchtung überflogen wird.« (Stra, 522/3, 271)

In der Gesamtausgabe ist das Notat mit einem weiteren Satz versehen. »Alles war Schauspiel, war reine, von Schmerz bejahte und erhöhte Macht.« (3, 271) »Desinvoltura« hat sich hier ein besonderes Ereignis zum Zweck der Wirklichkeitsenthebung angeeignet. Als Beleg für eine menschenverachtende Haltung taugt die Stelle nicht. Zu fragen wäre vielmehr, an welchem Punkt der Intensitätsgrad an – immerhin voraussehbarem – Leid erreicht ist, der jede Metaphorisierung verbietet. Natürlich ist der Griff nach dem biologischen Vergleich alles andere als zufällig, bis in das Paradox von der tödlichen Befruchtung, das ungelöst bleibt und nur das Wissen des »Schmerz«-Theoretikers befriedigt. Weshalb der Bericht, wie »wahr« auch immer, zu den wenigen unangenehmen, die Eitelkeit des Autors pflegenden Stellen der Tagebücher zählt.

Die zweite Passage, von der zu sprechen ist, beschließt das »Zweite Pariser Tagebuch«. Am 10. August geht Jünger nochmals durch die Straßen der Stadt, dann in ein Geschäft; als er wieder herauskommt, begegnet er dem Schriftsteller Marcel Arland, von dem er erst vor kurzem, nach der Lektüre seines Romans, eine Vorstellung gewonnen habe. Er schätze das Furchtlose in ihm, das allerdings die Hybris streife. Darauf zitiert Jünger ein halb satirisches, halb zynisches Gedicht. »J'aime les raisins glacés / Parce qu'ils n'ont pas de goût, /J'aime les kamélias / Parce qu'ils n'ont pas d'odeur / Et j'aime les hommes riches / Parce qu'ils n'ont pas de cœur.« Dann fährt er fort: »Die Verse brachten mich auf den Gedanken, bei meiner Arbeit über den Nihilismus den Dandyismus als eine seiner Vorstufen einzubeziehen.« (Stra, 545/3, 294) So kehrt er zu eigenem Vergangenen zurück, zu den dandyhaften Aufschwüngen der frühen Texte, auch zu den nihilistischen Einschlüssen des »Arbeiters«. In den »Kirchhorster Blättern«, die er am 14. August 1944 beginnt, wird schließlich der Zusammenhang zwischen dem persönlichen Nihilismus und jenem einer von ihm verführten Epoche themati-

siert. Am 6. Oktober bemerkt er: »Der Deutsche wurde nach seinem
großen Fasten durch Kniébolo auf den Berg geführt und ihm wurde
die Macht der Welt gezeigt. Er ließ sich nicht lange nötigen, bis er
den Versucher anbetete.« (Stra, 560/3, 309) Die Allusion auf die
Bibel abstrahiert von allen Umständen, die Übernahme reduziert
diese auf das »große Fasten«, das in seiner »archetypischen« Façon
verharmlost, was bisher ein einmaliges Vorkommnis der Geschichte
war.[73] Ein zweites biblisches Bild soll das Geschehen klärend ergänzen: die schon im Frühwerk verwendete – und freilich anders gedeu-
tete – Metapher von Babel. »Der Untergang der Titanic, die gegen
einen Eisberg anlief, entspricht mythisch gesehen dem Turm zu
Babel im Pentateuch. Sie ist ein Turm zu Babel en pleine vitesse.
Nicht nur der Name ist symbolisch, sondern wie bei all solchen Fin-
gerzeigen, fast jede Einzelheit. Baal, das goldene Kalb, berühmte
Edelsteine und Mumien von Pharaonen – alles ist präsent.« (Stra,
564/3, 314) Anders als in der kämpferischen Evokation, welche die
Frühschriften so übermitteln, daß das Gleichnis in die Richtung
einer möglichen glücklichen Beendigung des Unternehmens gelesen werden soll, beschränkt sich Jünger hier auf die herkömmliche
Lesart. Keine Titanen wollen mehr vollenden, was nach der Sprach-
verwirrung als Fragment der Vergeblichkeit stehengeblieben ist. Im
Gegenteil wird dem mythischen Ereignis ein modernes, »reales« zur
Seite gestellt. Dem babylonischen Traum »entspricht« dieser Schiffbruch, und auf die Entsprechung kommt es an. Damit fließen der
modernen Katastrophe theologische Deutungen zu.

Bemerkenswert an der Passage sind zwei Dinge. Erstens wird der
Vorgang des Turmbaus am Beispiel der »Titanic« *verzeitlicht*. Der
Turm »en pleine vitesse«: das zeigt, wie der Untergang nicht mehr
von oben, senkrecht, in den mythischen Raum einbricht. Er hat nun
auf moderne Weise seine zeitliche Erstreckung und seine Geschwindigkeit, der ihrerseits eine geschichtliche Entwicklung, vor allem der
Progreß der Technik, zugrunde liegt. Zweitens kann der Platoniker
nicht auf das mythische Fundament verzichten. Die moderne Katastrophe transzendiert ihre Singularität, repräsentiert zugleich auch
das »Je-schon«, die Ur-Schrift, die sowohl dem Turmbau wie dem
Schiffbruch eingeschrieben ist: Geschichte wiederholt sich. –
»Babel« zählt zu den Proto-Metaphern des modernen Bewußtseins
von Eschatologie. Ihre ironische Wendung hat sie bei Franz Kafka

gefunden. Die Parabel »Das Stadtwappen« nimmt den Topos auf, um ihn ad absurdum zu führen. Längst sind alle Pläne für das megalomane Unterfangen bereit, doch hält eine rätselhafte Macht die Erbauer davon ab, die ersten Steine zu legen. Man wartet, in der Meinung, daß der künftige Fortschritt der Technik den Bau um so leichter und schneller seiner Erstellung zuführe. Währenddem wächst das Arbeits-Lager zur Siedlung und dann zur Stadt. Das nur Gedachte wirkt beunruhigender als jeder Schritt in die Richtung seiner Realisierung.[74]

Dem nicht immer von den »Babel«-Spekulationen absorbierten Betrachter des Zeitgeschehens bietet sich die Wirklichkeit des Jahres 1944 immer schwärzer dar. Als Jünger kurz vor Weihnachten Hannover besucht, die Stadt der Jugend, sind fast nur noch Trümmer wahrzunehmen. Kein »Turm« mußte in Angriff genommen werden, damit die Zerstörung kam. »Durch die schon dunkelnden Straßen zurück. Ich wiederholte dabei einen Teil meines Schulweges von 1906 – aber nicht wie damals an erleuchteten, überfüllten Schaufenstern entlang, sondern an Ruinen von piranesischer Düsterkeit.« Dem Philosophen der Wiederholung hätte hier spätestens auffallen können, daß kein geschichtlicher Gang jemals etwas »wiederholt«. – Die Aufzeichnungen werden nun knapper, die Themen wechseln rascher, das »Existentielle« wirft Fragen auf, die nicht mehr einfach mit Theorie zu beantworten sind. Es geht darum, das Nötigste im Untergang zu sichern, zu erfahren, ob und unter welchen Bedingungen Freunde noch leben. Berichte über die tägliche Lektüre; doch die größeren Exkurse werden seltener. Nachdem er lange nichts von ihm gehört hat, erfährt er von dem Sohn Ernstel, der in Italien gefallen ist. Drei Zeilen. »Ernstel ist tot, gefallen, mein gutes Kind, schon seit dem 29. November des vorigen Jahres tot! Gestern, am 11. Januar 1945 abends, kurz nach sieben Uhr kam die Nachricht an.« Der Sohn war, nachdem er sich kritisch über die Diktatur geäußert hatte, an die italienische Front detachiert worden. Am nächsten Tag notiert Jünger: »Der liebe Junge hat den Tod gefunden am 29. November 1944; er war achtzehn Jahre alt. Er fiel durch Kopfschuß bei einer Spähtruppbegegnung im Marmorgebirge von Carrara in Mittelitalien und war, wie seine Kameraden berichten, sofort tot.« Ein neuer Absatz: »Der gute Junge. Von Kind auf war es sein Bestreben, es dem Vater nachzutun. Nun hat er es gleich beim ersten

Male besser gemacht, ging so unendlich über ihn hinaus.« (Stra, 609/3, 360) – Der Sinn dieses Todes, der Jünger noch Jahre beschäftigt, wird nicht mehr eingeklagt. Dem Deuter aller Erscheinungen fehlen die Ableitungen, eine einzige bleibt, die Erinnerung an die Haltung, die er sich während des Ersten Weltkriegs angeeignet hatte: das Beste sei, den Tod in der Schlacht zu finden.[75] Am 11. April 1945 beendet Jünger die »Kirchhorster Blätter«, und am selben Tag macht er eine erste Eintragung in »Die Hütte im Weinberg. Jahre der Okkupation«. Das neue Tagebuch wird ihn bis in das Jahr 1948 führen.

Versuch einer »Friedens«-Schrift

Damit ist die Zeitgenossenschaft mit und in der Diktatur auch literarisch abgeschlossen. Zu den Texten, die neben dem Tagebuch entstehen und zum Teil auch veröffentlicht werden, gehören zwei Reiseberichte und die kurze, als Summe von Widerstand und Ausblick zu lesende Schrift »Der Friede«. Schon 1943 war das Journal einer Reise nach Skandinavien, »Myrdun«, publiziert worden. Ein Jahr später erscheint in der Vierteljahresschrift des Deutschen Instituts Paris ein weiteres Reisetagebuch, »Aus der Goldenen Muschel«; es schildert einen Aufenthalt in Sizilien. Zeitenthobene Perspektiven auf die Natur, auf die »Subtile Jagd«, auf eine Existenzweise aus naturalen Bedingungen herrschen hier vor und kontrastieren das Thema der Kriegskatastrophen.[76] Und der Zeitgeschichte auf eine besondere Weise enthoben scheint auch der philosophisch anmutende Traktat über den Frieden. Jünger ließ schon seit 1942, vor der Erkenntnis des nahenden Zusammenbruchs der nationalsozialistischen Herrschaft, Hektographien des Aufsatzes zirkulieren; eine erste Buchausgabe konnte 1945 in den Niederlanden erscheinen.[77] Können die Tagebücher als komplexe Dokumente des Versuchs verstanden werden, die Zeit zu bestehen, läßt sich der Autor der Friedensschrift – erstmals seit den dreißiger Jahren – auch auf die geschichtlich möglichen und wünschbaren Horizonte der Zeit wieder ein. Der Text hat den Anspruch, Gültiges über das Ethos einer neuen, kommenden Zeit auszusagen.

Damit markiert er vielleicht nicht dem Gehalt, wohl aber der Funktion nach einen Abschluß. »Der Friede«: das meint die ethische und moralische Bestimmung der historischen Lage. Am Ende, vor dem Zusammenbruch, nach ungeheuren Katastrophen, ist nicht nur der Wunsch nach Frieden, sondern auch – über dieses naheliegende Bedürfnis hinaus – das Bedürfnis nach einer Gegenleistung, welche die Schrecklichkeiten des Kriegs und die Aggression einer bis zum Äußersten getriebenen Nation wenn nicht auszugleichen, so doch abzumildern und umzulenken verstünde. Der Autor dieser kurzen Schrift weiß, daß sein Text noch von den Schatten gezeichnet ist, die frühere Schriften werfen. Darüber spricht er nicht. Gleichwohl mutet der Text wie ein Palimpsest zu den Werken an, die nach dem Ersten Weltkrieg als Schriften des Kampfes und der Unterscheidung in Freund und Feind verfaßt worden waren, von den überhöhenden Passagen der »Stahlgewitter« bis zu den nationalistischen Wucherungen des »Arbeiters«.

Wie immer man den Frieden sonst noch definieren mag, er ist, gemessen an der geschichtlichen Dynamik, ein relativ statischer Zustand. Wenn man von einem Abschluß, vom Ende einer Lineatur innerhalb des Werkzusammenhangs sprechen will, das durch den Friedenstext markiert wird, spielt diese Bestimmung hinein.[78] Die großen historischen Aufschwünge, die sozialen, politischen und wissenschaftlichen Prozesse, die seit der Mitte des 19. Jahrhunderts Form annehmen und seit den zwanziger Jahren dieses Jahrhunderts mit einer nie gekannten Radikalisierung des Nationalismus zusammenfallen, sind gestoppt. Der europäische Untergang hat die Dynamik und die »Bewegung« so sehr in sich aufgenommen, daß nun ein Stück weit Nach-Geschichte herrscht.[79] Historisch auf Deutschland bezogen, ist diese die Bedingung für den Frieden. Es gehört vielleicht nicht nur zu den Listen der Vernunft, sondern auch zu jenen geheimeren Wegen der Autorschaft, daß die Utopie von den statischen, »höchst geordneten« Räumen, in denen der »Arbeiter« dereinst regieren sollte, nun mit der Realität der Katastrophe zusammenfällt. Das weiß Jünger – zum Teil. Er spricht von den planetarischen Ausmaßen des Weltkriegs. Dem Beobachter steht die Welt für mehr als eine Sekunde still. Der Stillstand, der sich natürlich aus anderem Blickwinkel bloß als kurzes Machtvakuum diagnostizieren ließe, ermöglicht den »totalen« Frieden. In der Symmetrie zu dem von Deutschland schließlich propagierten und inszenierten »totalen« Krieg meint das, daß ein »Verständigungsfrieden« nicht mehr in

Frage kommen kann. Und doch sind es nicht nur moralische Erwägungen, die den Autor von einem bedingungslosen Frieden – immerhin schon 1944, gegen die Meinung vieler auch im Widerstand engagierter Offiziere – sprechen lassen. Die Größe der vollbrachten Schuld, die auf kein Verständnis mehr hoffen darf, ist eines. Ein anderes die realistische Vorwegnahme der absoluten Niederlage.

Indem Jünger über das hinausspekuliert, was auf konventionelle Weise das Thema des Friedens für ein moralisch erledigtes Land bedeuten könnte, gewinnt der Text sein Profil. Er ist einerseits auf eine schwer erträgliche Art erbaulich. Er führt anderseits die geschichtsphilosophischen Gedanken seit dem »Arbeiter«-Essay weiter. Die Schrift ist in zwei Teile gegliedert. Etwas kürzer der erste, etwas länger der zweite Teil. Die Untertitel entstammen dem Arsenal naturaler Metaphorik; »Die Saat« für den ersten, »Die Frucht« für den zweiten Teil. Die Titelwahl übersteigt das Erbauliche, das damit zunächst evoziert wird. Es geht um Organisches, um naturhaftes Wachstum, nachdem die Konstruktionen des Imperialismus obsolet geworden sind. Der Weltkrieg sei, so rechtfertigt Jünger das »Planetarische«, das erste allgemeine Werk der Menschheit. Das ist nicht zynisch gemeint, wenngleich der Gedanke der Handlungssubjektivität befremdlich wirkt. Der Krieg sei aus den grauen, lichtlosen Tiefen der Arbeiterheere gekommen. Damit ist historische Schuldzuweisung *zunächst* abgewehrt. Was der »Arbeiter« als universalhistorische Gestalt begann, die Dynamik der Technisierung, den Prozeß des Verfügungswissens, die Unterwerfung des Lebens unter die Gerüste der Funktionen, hat er auch ins Verheerende des Kriegs gewendet. Die Dinge hätten einen drängenden und unheilvollen Gang genommen, an dem – wie es der Philosoph des Zyklischen will – nicht nur die Lebenden, sondern viele Geschlechter in ihren Versäumnissen mitgewirkt hätten.

Es mag ja »weltgeschichtliche« Betrachtung von historischen Bewegungen sein, die sich zu Katastrophen steigern, wenn die Genealogie des Weltkriegs letztlich auf »Versäumnisse«, aber auch auf den Arbeitsmythos zurückgebracht wird. Adorno und Horkheimer stehen Jünger in solcher Reduktion auf die Dialektik der Aufklärung näher, als man zunächst annehmen möchte.[80] Dennoch bleibt das Maß der Abstraktion von jeder konkreten Schuld in den einleitenden Passagen unverständlich. Es werde, schreibt Jünger, in der Erinnerung fernster Zeiten ein großes Schauspiel bleiben, wie die Soldaten in allen Ländern zur »tödlichen Begegnung« aufbrachen. Nochmals schlägt hier das Bild vom Landsknecht durch, vom Kämpfer, dessen »Ehre« unabhängig von der Sache garantiert sein soll, für die er eintrat. Aus solcher Optik ist es nicht mehr überraschend zu erfahren, daß Jünger das politische Verhältnis in die Situation des bereits von Carl Schmitt beschriebenen Weltbürgerkriegs auflöst. Dem Weltbürgerkrieg, das ist die Logik der Lage, eignen auf eine spezifische Weise keine ethischen Unterscheidungen mehr. Auch ist von jedem Ort aus, ubiquitär, Krieg. Als ob er den Zweiten Weltkrieg schon in die allgemeinen Ordnungen naturgeschichtlicher Ereignishaftigkeit überführen wollte, nimmt der Verfasser der Friedensschrift dem Text die Deutlichkeit des Hinweises auf das Singuläre.

Im Stil der überzeitlichen Wahrheiten der »Marmor-Klippen« fährt er fort. Noch düsterer sei das Bild des Leidens dort, wo die Welt sich rein zum Schlachthaus wandelte. Auch dafür wird die geschichtliche Ursache nachgeliefert. Im Treibhaus der Kriege und Bürgerkriege hätten die Theorien des 19. Jahrhunderts Früchte getragen, indem sie sich zur Praxis wendeten. Da sei zutage getreten, daß das »kalte Denken« sie erfunden hatte, sei es, daß es die Gleichheit, sei es daß es die Ungleichheit der Menschen verkündete. Unklar bleibt auch hier die Vermengung der Filiationen, des Bewußtseins des 19. Jahrhunderts mit der zeitlos »gültigen« Disposition des Menschen zum »Blutdurst«. Zur zeitgeschichtlichen Lage indessen hat Jünger wenig zu sagen. Will man wohlwollend von der Verschweißung der historischen Ereignisse absehen, bleibt die Einsicht des Autors, nunmehr Kritik an einer »allzu klugen und erfindungsreichen Zeit« zu üben. Es ist hier die Dialektik der Aufklärung bezeichnet, in welcher Wissen in Mythos, Erfindung in Terror zurückschlägt und der Fortschritt seine Nachtseite zu erkennen gibt. Damit ist die geschichtsphilosophische Tangente an den modernen Progreß für Jünger endgültig gebrochen. Was der Blick des Betrachters indessen nicht einfängt, ist die Tatsache, daß der Fortschritt auch die Katastrophe des Weltkriegs und des Völkermords überspielen wird. Es ist den späteren Schriften vorbehalten, tiefere Einsicht in den Ablauf der »subjektlos« gewordenen Gegenwart zu nehmen.

Der »Geistige«, wie Jünger sich selbst und die Intellektuellen der Epoche nennt, habe »Schmerz« bei der Beobachtung solcher Aussetzung der humanen Werte empfunden. Hat er auch sein Amt – im Sinn von Julien Bendas Idee der geistigen Aufgaben – verraten?[81] Darüber schweigt der Verfasser. Ihm genügt vorerst der Verweis auf die babylonische Verwirrung, und dem Verweis folgt der Anspruch, den Frieden auf dem Fundament des Leids zu gründen. Schopenhauers Mitleid-Philosophie ersetzt ihm nun die Megalomanie von Babel; anders als während des Ersten Weltkriegs sei das Leid allgemein und dunkler verflochten. Es ist kein Zufall, daß der erste Teil der Friedensschrift die historische Herleitung wie auch die Synopsis des Weltkriegs in einer Theorie der naturhaften Ordnung aufgehen läßt. Als hätte der Mensch seine prometheischen, damit auch seine dämonischen, damit auch seine bösen Kräfte in den Anstrengungen und Schrecklichkeiten seit dem Zeitalter des »Arbeiters« aufgezehrt, als kehrte er nun, bar aller technischen Herrschaft, in den Haushalt der Natur zurück, soll aus dem Erd-Boden des Leidens organisch die Frucht des neuen Friedens aufgehen.

Im zweiten Teil der Schrift wird dieses Programm skizziert. Jünger glaubt zu sehen, daß der »nationale Stoff« verbraucht ist. Das Walten des Weltgeists laufe auf Festigung neuer, großer Imperien hinaus, auf Synthese und Zusammenschluß. Das sei ein Hinweis darauf, daß man steigendem Barometerstand entgegengehe. Über die petitio principii der geschichtlichen Wetterprognose ist leicht lächeln. Ihr Prophet erkennt als das vereinheitlichende Maß die Sprache der Technik, und zwar nicht mit dem Argwohn Heideggers, der ihr den Hauptanteil an der Seinsvergessenheit zuspricht, sondern mit dem »phänomenologischen« Gespür, das Teile des »Arbeiters« ausgezeichnet hatte. Ein altes Thema klingt unter neuen Voraussetzungen wieder an. Doch soll es nicht mehr der arbeitende Agent in seiner Funktion als freiwilliger Diener der Technik sein, der den Plan realisiert – vielmehr bedürfe es eines völkerverbindenden Ethos, um die ehemals einander feindlich gesinnten Parteien zu einem neuen Reich zusammenzuführen, in einen gemeinschaftlichen »Raum«, zu Bündnissen von »Leib und Gut«. Die Idee vom Nomos, der Carl Schmitt zeitgleich in anderer Richtung nachdenkt, spielt hinein.[82]

Solange der Theoretiker solcher Annahmen seinen archimedischen Punkt außerhalb der Welt annimmt, werden die Prophezeiungen einfach, denn alle geopolitischen Konturen verblassen. Insofern fehlt auch der konkrete Adressat, der nicht einfach der moderne

Mensch sein kann. Wirkliches Interesse kann die Friedensschrift erst da beanspruchen, wo Jünger die Spezifica der Moderne, die ihm den Frieden gründen sollen, ins Auge faßt. Es sei die Technik, die nach Vereinheitlichung dränge. Seit langem bewege sich »unser geheimster Wille« auf Einheit zu, indem er sie durch die Technik zum Ausdruck bringe, die geformtes Wissen sei. Leicht ist zu sehen, daß hier noch immer der Mensch die Technik und nicht umgekehrt die Technik den Menschen gestaltet. Bemerkenswerter wäre die Einsicht, die Max Weber und Siegfried Giedion und schließlich auch der Autor des »Arbeiters« schon hatten, daß im Fortgang der Geschichte die Technik einen autonomen »Geist« sich erhalten hat, in dessen näherer oder fernerer Zukunft die Verfügung über den Menschen zum Objekt seiner Herrschaft liegt. An diesem Punkt wird Heidegger tiefer in das Thema eindringen, während Jünger vage bleibt.

Er erörtert die Ausprägungen des Friedens. Drei Fragen drängen sich ihm auf. Erstens die Raumfrage oder die Frage nach der politischen Verteilung der Welt im Sinne einer Harmonisierung von Gegensätzen; zweitens die Rechtsfrage oder die Frage nach der Verfassung, die dem Menschen »Freiheit« und »Würde« garantiert; drittens die Frage nach der neuen Ordnung: sie beschäftigt den Phänomenologen der Arbeitswelt vordringlich. Er greift den alten, vorbelasteten Begriff der Totalen Mobilmachung wieder auf – und erfaßt damit unbestritten eine Signatur der Zeit, diesseits und jenseits des Kriegs. Es bleibt vielleicht der originellste Einfall des Texts, daß der Verfasser in diesem Zusammenhang nochmals den »neuen Menschen« vom Typus des Arbeiters bemüht. Er sei der einzige, der schon in Kontinenten zu denken vermöge und sei deshalb das »Ferment« der Einigung. Zum Frieden trage er bei, indem er die Kräfte, die der Totalen Mobilmachung gewidmet gewesen seien, zur »Schöpfung« freimache. Es ist ein Gedanke von beinah pastoraler Besänftigung, daß in der Art das revolutionäre Zeitalter sich vollenden könnte. So soll die Gestalt des neuen Menschen als Parusie ihrer selbst erscheinen und alles neu machen: die Raumordnung, die Wirtschaftsordnung und endlich eine europäische Verfassung, die zugleich Einheit und Differenz festhielte. Man muß an Jüngers frühe Lektüre utopischer Soziallehren etwa von Fourier oder Saint-Simon und schließlich auch von Sorel erinnern, um die Linien zu gewinnen, aus denen ein solcher Friedensplan zum Planfrieden werden kann.

Die »tiefste Quelle« des europäischen Übels springe aus dem Nihilismus. Er sei philosophisch von Nietzsche, im Roman von Dostojewskij erfaßt worden und habe sich einerseits in Deutschland, anderseits in Rußland besonders entfaltet. In der »Brust des Einzelnen« nun müsse seine Bekämpfung stattfinden, und zwar durch metaphysische Stärkung.[83] Das Wort von der Neuen Theologie, das Jünger wieder zitiert, ist freilich nicht beim christlichen Nennwert zu nehmen, auch wenn der Autor damals von kritischen Lesern so interpretiert wurde, daß er nunmehr »christlich« geworden sei.[84] – »Frieden« also nicht nur als Begriff des geschichtlichen Seins, sondern auch als Idee einer Gesittung, welcher die neue Bedeutung auch der Geschichte sich erschließen soll. Es ist dieser weite, von vielen Zwischenschüben und Aberrationen durchbrochene und gleichwohl feste Nexus zwischen dem Frühwerk und den Tagebüchern seit 1939, der in dem kurzen Text sich spiegelt. Nur darum ist die Schrift bemerkenswert: als Dokument einer Motiv- und Gedankenverbindung. Sie versucht in zeitgeschichtlich prekärer Lage eine lange Entwicklung zu synthetisieren. Solche Entlastung der Zeitgeschichte geht allerdings nicht ohne gewaltige und gewalttätige Abstraktionen ab. Die Hypertrophie der Friedensschrift muß bereits da sich äußern, wo Jünger Herkunft und Zukunft – und zwar im Rückgriff auf Positionen des eigenen Werks – zu versöhnen trachtet.[85]

Kennt die Natur das »Opfer«? Sie kennt nur den Eingriff, die Störung. Erst der Mensch schlägt Wunden, und dem Bewußtsein nur kann Schuld aufgehen. Der Opfergedanke, welcher der Teleologie von der Natur fremd sein muß, erhält seinen Sinn nur in Verbindung mit der Anerkennung der humanen Sonderstellung im Kosmos. Er ist der Schrift zentral, weil das große Opfer, das der Mensch im Erleiden des Kriegs erbracht hat, eine höhere Ordnung einleiten soll. Darin gründet die eschatologische Pointe des Texts, oder wenn man will die befremdliche Zuversicht des Verfassers. Für den Geschichtsphilosophen gibt es um so weniger blinde Stellen im Teppich der Historie, als er zyklisch denkt. Er weiß immer die »Dialektik« auf seiner Seite. Sie macht ihm aus der vom Menschen selbst inszenierten Katastrophe den Opfergang, aus dem Opfergang die Bedingung des neuen Friedens. An mythischen und christlichen Beispielen dafür wäre kein Mangel. Am auffälligsten ist, mit welcher Selbstverständlichkeit Jünger aus dem Scheitern des wissenschaftlich-techni-

schen Geistes dessen Bändigung und Einbindung in die als real verheißene Transzendenz ableitet. Der Welt soll höhere Vernunft zuteil
werden. Das alte Versprechen von der Erfüllung des Gesamtplans
kehrt wieder – programmatisch in der Friedensschrift, abwägender
und vorsichtiger in den nachfolgenden Essays und erzählenden
Arbeiten. Doch sind dem Thema nun die ätzenden Politisierungen
genommen: die Weltgeschichte soll sich nicht mehr einfach den
Akteuren des Zeitgeists zu erkennen geben, sondern in den Vorfor-
men jener »allgemeinen Vergeistigung« aufblitzen, die Jünger in der
Natur und in der Historie, in der Historie aber more naturali am
Werk glaubt.

VI.
Weltgeschichtliche Betrachtung

Die »Friedensschrift« von Ernst Jünger, der Versuch einer ethischen Lagebeurteilung nach über einem Jahrzehnt deutscher Diktatur, zirkuliert sein 1944 in Abschriften und Hektographien unter Freunden und Gesinnungsverwandten des Widerstands. Das Tagebuch begleitet diesen Text und geht über ihn hinaus. »Jahre der Okkupation« betitelt Jünger die Notate, die auf unmittelbarere Weise vom Frieden nach dem Zweiten Weltkrieg Zeugnis geben, der nun doch, entgegen den Wünschen und Hoffnungen des Exposés, ein »Gewaltfrieden« geworden ist. Für die geschichtsphilosophische Spekulation bedeutet dies, daß sie sich noch mehr in den Abstraktionen ergehen muß; wo die Freiheit der neuen Sinngebung allenfalls als Dilatanz herrscht, müssen die überzeitlichen Prägeformen der Geschichte geprüft werden.

Die Kirchhorster Jahre bringen zusätzlich zu den äußerlichen Beruhigungen im Ganzen eine Zeit der Ruhe und Besinnung. Neben der editorischen Arbeit an Reiseberichten, die schon wesentlich früher verfaßt worden waren und neben der Herausgabe der Tagebücher von 1939 bis 1945 unter dem Sammeltitel »Strahlungen« beschäftigt sich der Schriftsteller einerseits mit den Aufzeichnungen von »Jahre der Okkupation«, anderseits mit Entwürfen und Plänen zu Essays und zu einer größeren erzählenden Schrift.[1] Der Roman, der allmählich Kontur erhält und 1949, im gleichen Jahr wie die »Strahlungen«, erscheint, heißt »Heliopolis«. Er übertrifft an Umfang alle bisherigen fiktionalen Texte. Aber die erste Veröffentlichung nach 1945 ist einem unverfänglicheren, auch weniger anspruchsvollen Unternehmen gewidmet. 1947 wird »Atlantische Fahrt« veröffentlicht.[2] Es handelt sich um Notizen einer Reise nach Südamerika von 1936, deren Bilderkraft schon die »Marmor-Klippen« ahnen läßt und doch um vieles freier und entspannter wirkt. Dieser »Vermählung des Auges mit den Dingen« ist keine feste Absicht schon vorgegeben; der »Urstoff« des Lebens darf sich am Gegenständlichen und in wechselnden Impressionen zeigen. Erst im zweiten Teil des Texts werfen die philosophischen Fragen und

Spekulationen stärkere Schatten: Motive klingen an, die seit den frühen vierziger Jahren auch in den Pariser Tagebüchern auftauchen und Jünger noch bis in die frühen fünfziger Jahre begleiten werden – der »Arbeiter« in der Maschinenwelt, die Herrschaft der Technik, die »babylonischen Kennzeichen« der Moderne. Obwohl der Bericht erst elf Jahre nach seiner Genese zugänglich gemacht wird, fügt er sich mit den reflektierenden Partien in die geistige Kartographie des Jahres seiner Veröffentlichung, und daß in manchen Schilderungen von Rio de Janeiro schon der Stadtplan von Heliopolis vorweggenommen wird, zeigt die übergreifenden Rhythmen und Entsprechungen, mit denen der Autor arbeitet und die signifikant auch für das Denken sind.

Noch ein Text wird 1947 publiziert: »Sprache und Körperbau«. Es handelt sich um eine Studie, die das Verhältnis der Sprache zu ihrem »Gegenstand«, der Benennungen zu ihren »Dingen« und umgekehrt untersucht. Als solche ist sie auf die Lesbarkeit der Welt bezogen, auf die Weise, in welcher die Wirklichkeit »spricht«, in Sprache übergeht und in Sprache gefaßt wird.[3] Doch zentral werden Jüngers Ausführungen über das Recht, vor allem über die geschichtliche Entwicklung, die aus dem geoffenbarten, »theologischen« Recht das auf Vernunfterkenntnis ausgerichtete Recht werden läßt. Dahinter wirkt Carl Schmitts wichtige These von der säkularisierten Herkunft der juristischen Begriffe.[4] Darüber wird noch zu reden sein. Schließlich legt Jünger 1948 einen weiteren Reisebericht vor; »Ein Inselfrühling. Ein Tagebuch aus Rhodos« geht auf den April 1938 zurück, als er Rhodos mit dem Bruder Friedrich Georg besuchte. Es ist eine Vision von Ruinen und Totenstätten, die hier dem Schreibenden sich öffnet und über vierzig Jahre hinweg in der Erzählung »Aladins Problem« ihre literarische Ausgestaltung finden wird.[5]

Will man den großen Roman, »Heliopolis«, als eine Mitte bezeichnen, die den späten vierziger Jahren die Signatur gibt, so laufen von diesem Punkt die Linien nach rückwärts und nach vorne. Zur Vorgeschichte des Themas von »Heliopolis« gehören die Eintragungen in den Tagebüchern der »Okkupationszeit«. Zu den Fluchtlinien zählen drei größere Essays, »Über die Linie« (1950), »Der Waldgang« (1951) und »Der gordische Knoten« (1953). In allen diesen Texten geht es – mehr im Sinne Burckhardts als Nietzsches – um weltgeschichtliche Betrachtungen; in allen Texten geht es auch um die Stellung des Menschen in der Geschichte. Am deutlichsten wird die humane Perspektive in der Arbeit über den Waldgang gelegt. Mensch und Geschichte: dahinter verbirgt sich das Problem, das Jünger sowohl im Tagebuch wie auch in Essay und Roman erörtern will. Aber da ihm die Zeitgeschichte kaum mehr Aufschlüsse über die »Urschrift« gibt, ist es eine *Theologie* der Historie, mit der er sich mehr und mehr beschäftigt. Das Ziel ist letztlich die Erkenntnis der *Omnia*: die Einsicht in das Bauprinzip einer Welt, in der sich Natur und Geschichte komplementär zueinander verhalten sollen.

Der Philosophie des Frühwerks, die von ähnlichen Intentionen der Vergegenwärtigung des Weltsinns getragen war, ging ein Schock voraus, Unsicherheit und Verlorenheit im Sog der Beschleunigung, wie sie der Erste Weltkrieg anzeigte. Die Hoffnung, daß er einstens teilhaben könnte an einer die Räume verbindenden, statischen Ordnung, leitete Jünger ex negatione aus den Erscheinungen einer »heroischen« »Werkstättenlandschaft« ab, deren messianische Figur der »Arbeiter« hätte sein sollen. Der Philosophie der vierziger Jahre geht nicht ein Schock, sondern ein langsamer Verlust voraus, eine immer spürbarere Entfremdung von der Zeit. Noch im »Abenteuerlichen Herzen« erweist sich die Ambivalenz des Zeitgeists in seinen prometheischen wie in seinen »babylonischen« Qualitäten, aber spätestens seit den »Marmor-Klippen« ist es für Jünger mit der Moderne zu Ende. Der Fortschritt ist von seiner Dämonie, oder einfach von seiner Dialektik aufgezehrt worden, und einer seiner entschlossensten Apologeten sieht jetzt nur noch die Ruinen von »Babel«. Damit nimmt er vorweg, was später Arnold Gehlen zum Ausgangspunkt seiner Kritik an der funktionalistischen Zivilisation machen sollte.[6] Wenn sich Jünger jetzt wieder an die Gesamtdeutung der Geschichte wagt, dann wiederum ex negatione: es gibt keinen direkten Weg von den Wirklichkeiten der Epoche zu den Visionen der Zukunft. Was ist von der Moderne übriggeblieben? Geblieben sei die Sprache der Technik. Immerhin verhindert dem Autor des »Arbeiters« keine »Kehre« die Einsicht, daß in den Formen der Technik die Geschichte weitergeht, auch wenn von der Einsehbarkeit eines Gewinns nicht mehr ausgegangen werden kann. Die Welt ist ihrem geistigen Verständnis nach zunächst einmal hypothetisch geworden.[7]

Am 10. Juni 1945 kommt Jünger im Tagebuch auf den »Arbeiter«

zu sprechen. Das Notat wird, wie häufig nun, eingeleitet mit einem Verweis auf Bibellektüre. »Jeremia, Klagelieder. Sie füllen sich mit ungemeiner Gegenwärtigkeit.«[8] Aber bald handelt der Schriftsteller vom Wesentlichen, nämlich von der Unterscheidung in geistige und empirische Standorte. »Die geistige Aktion, der *Plan* in seinen höheren und niederen Kategorien, vollzieht sich nach dem Vorbild des Weltplans, der Tod und Leiden einbegreift. Er abstrahiert daher vom Schmerz. Der große Plan liegt oberhalb der Räder, ist ›göttergleich‹. Am empirischen Standort dagegen wird das persönliche Schicksal erlebt, erlitten; der Schmerz ist menschliche Wirklichkeit. Das führt zu den tragischen Begegnungen im einzelnen, der sowohl ein planendes wie ein leidendes Wesen ist.« (JdO, 82/3, 467) Hier der Weltgeist oder die Vorsehung; denn von einer Vernunft mag auch der Teleologe nicht mehr ohne weiteres sprechen. Dort der Einzelne, zu dem das Leiden gehört, der aber zugleich auch ein planendes Wesen ist. Die Idee ist präfiguriert in einer früheren Tagebuchstelle, da Jünger den Boethius zitiert und im Anschluß daran das Thema der Willensfreiheit erörtert. Dem Einzelnen steht jeder Weg offen; gleichzeitig wirkt er aber, von einer höheren Warte aus betrachtet, am »Gesamtplan« mit. Was ist dieser Plan? Ist er nur die nie vernommene, geheime Partitur, der schließlich alles zugehört, was je der Fall ist oder sein könnte?[9] Ist er Ausdruck eines kollektiven Willens, dem der Einzelne manchmal erfolgreich, manchmal erfolglos zu widerstehen vermag? Pläne könnten überhand nehmen und »absolut« werden. »Der große Jubel, der die Pläne begleitet und rasend anschwillt, wenn sie katastrophal werden, erinnert an eine Wüstenwanderung, bei der Visionen auftauchen.« Womit es hier um menschliche, kollektive Pläne geht. Erst auf der nächsten Stufe ist der »Gesamtplan« erreicht, der Sinn, der jeder Handlungssubjektivität verschlossen ist. Dieser Plan, der Tod und Leben einbegreife, sei unveränderlich. Die menschlichen Pläne kreisten in den Vorhöfen, seien vergängliche Abbildungen der Ewigen Stadt durch die menschliche Architektur.

Mit der Unerreichbarkeit des Himmlischen Jerusalem ist gleichzeitig gegeben, daß Herrschaftsprätentionen ihre stiftende Legitimität letztlich verlieren. Es ist eine »theologische«, jedenfalls nicht instrumentalisierbare Geschichtsphilosophie, die nun entwickelt wird, und sie steht im Gegensatz zu den frühen Versuchen, dem

Gesamtplan seinen souveränen Agenten, das Subjekt, den »Arbeiter« zu unterstellen.[10] Für den Arbeiter seien noch große Verwirklichungen zu erwarten, heißt es zwar, immer noch 10. Juni 1945.
Aber wichtiger ist in diesem Zusammenhang doch die Einschränkung, daß auch die Pläne des Arbeiters epochal fixiert seien und der
Möglichkeit des Scheiterns unterlägen. Dann entwirft Jünger in großen Zügen das Grundmuster oder mindestens *ein* Grundmuster der
weltgeschichtlichen Prozesse. An einem beliebigen Anfang historischer Umbildung steht der Wechsel des geistigen Standorts, der sich
zunächst im Zweifel, dann im feinen Ekel der Eliten am Schauspiel
der Zeit manifestiert. Dekadenz bemächtigt sich des Geistes, und
was vormals große geschichtliche Herausforderung war, wird den
Menschen gleichgültig. Der Niedergang greift um sich, zumal wenn
die Utopien von Technik und Wissenschaft zum Teil schon erreicht,
teilweise überflügelt sind. Die Faszination des Neuen schwindet,
und die Arbeitswelt wird subordiniert. Der Arbeiter selbst fällt in den
zweiten Rang zurück; er ist nicht mehr der »neue« Mensch, sondern
der Maschinist im Gehäuse, der »dienende Bruder«. Und in diese
Lage hinein kann ein Umschlag kommen: neue Visionen werden als
revolutionäre Parolen in Umlauf gebracht, eine starke Gefolgschaft
schließt sich der neuen Utopie an und entfaltet ihre Herrschaft.
»Diese Bewegung ist wellenförmig. Zu einem gewissen Zeitpunkt
kulminiert der Plan, und zwar geistig früher als tatsächlich; die
Macht- und Raumentfaltung, der Massenschub liegt weit hinter den
Initialpunkten. Das ist überall in der zoologischen, der historischen,
der theologischen Welt zu beobachten.« (JdO, 85/3, 470) Im Aufstieg
ist schon der Untergang, im Untergang schon die »Matrize«, der
»Keimboden« der neuen Macht zu finden. Das Bild dafür sei die Spirale.

In einer zweiten Metapher erörtert Jünger den historischen Prozeß noch genauer. Im Sinn der großen, vom Gesamtplan getragenen
Bewegung des Auf und Ab blieben die Untergänge »episodisch, notwendig sogar, raumschaffend« – wobei der Logik solcher Notwendigkeit hier die Schwierigkeit der Begründung zuwächst, weshalb
der Weltgeist manchmal rascher, manchmal gemächlicher den
Wechsel befiehlt. Noch ist auch für Jünger der Raum der Geschichte
die Welt. Sieht man von den zeitlichen Phasen ab – aber darf man
das überhaupt? –, dann spielt das Theater der Historie, ganz nach

der Anschauung von Machiavelli, stets auf derselben Bühne. Nun die Metapher: »Die Welt ist eng, und die Geschichte wird nicht in ein Buch geschrieben, sondern auf ein einziges Blatt, auf dem die Texte bis zum allerersten durchleuchten. Im Absoluten gibt es nur massive Substanz, die zeitlich abstrahlt, gibt weder Auf- noch Untergänge, wie auch die Sonne weder auf- noch untergeht. Es gibt nur Wandlung, gibt keinen Tod.« (JdO, 86/3, 471) So verfestigt sich Jüngers Geschichtsbild, indem es sich *verräumlicht*. Der Rahmen – der Ort – bleibt, während die Geschichte sich schichtenweise ablagert. Das Besondere, historische Individualität, epochale Einmaligkeit, muß daher die Distinktion verlieren. Kein Buch mehr, in dem zu blättern wäre, nur noch das Blatt, der eine Plan.

Der Buch-Metapher ist allerdings mitgegeben, daß sich die Lektüre in die Zeit dehnt und damit, wenn auch als noch so unbedeutend verstanden, sich ein Fortschreiten kundtut. Für den Platoniker könnte der Verdacht entstehen, dieses sei schließlich der Fortschritt. Seit den geschichtsphilosophischen Projektionen im Umfeld der Französischen Revolution, da sich die Zukunft ins Grenzenlose menschlicher Möglichkeiten öffnet, wird der Kreis als Figur für Geschichte mehr und mehr abgewiesen. Wenn Jünger zur Kreis-Metapher zurückkehrt, teilt er die Skepsis derjenigen, die von der Perfektibilität nichts wissen wollen. Der Kreis war ein Grundmodell antiker Geschichtsauffassung, und für die Neuzeit hat ihn Vico als Hin und Her der *corsi* und *ricorsi* erschlossen. Machiavelli, der Geschichte als Fallsammlung betrachtete, sah ebenfalls eine periodische Rückkehr zu den Ursprüngen vor. Erst Herder gab der Metapher eine eigentümliche Ambivalenz mit. Während er für Rom festlegte, daß sich »das Rad der römischen Begebenheiten unaufhörlich wälzet«[11], wollte der Aufklärer dies für die Geschichte im Ganzen nicht gelten lassen: in der Welt seien keine zwei Augenblicke jemals dieselben. Es mag verwundern, daß ein so sehr am Fragmentarischen interessierter Kulturphilosoph wie Georg Simmel in Abwandlung von Platons Anakyklosis den Kreis bemühte; keine Wiederholung könne stattfinden, das Rad sei zu groß, sein Umlauf umfasse die ganze Weltzeit. Verschämt brachte er die platonische Lehre dennoch ein: das Rad gehe »seiner Idee nach auf die Erschöpfung der qualitativen Mannigfaltigkeit…, ohne sie in Wirklichkeit je zu erschöpfen«.[12] Das führt mindestens in die Nähe von Jüngers »massiver Substanz«, die zeitlich abstrahlt.

Aber Jünger genügt der Kreis nicht. Er mag eingesehen haben, daß weder Nietzsches Lehre von der ewigen Wiederkehr noch Spenglers Kulturkreislehre dem Fortschreiten der Moderne in den Gestalten der Technik hinreichend Rechnung trägt. Deshalb führt er die Spirale ein, mit dem scheinbaren Vorteil, daß sich nichts zu schließen braucht, um doch wieder an die Punkte, die vom Ursprung her bestimmt sind, zurückzukehren. Der Einfall ist nicht neu. Schon Goethe, der, wie nach ihm Burckhardt, der Menschheit keinen Fortschritt im Ethischen zubilligte, nutzte ihn, um sie über sich selbst zu belehren. »Will man ihr auch eine Spiralbewegung zuschreiben, so kehrt sie doch immer wieder in jene Gegend, wo sie schon einmal durchgegangen. Auf diesem Wege wiederholen sich alle wahren Ansichten und alle Irrtümer.«[13] Es war der Weltsicht des späten Schlegel vorbehalten, diese Wiederholung auf jenes Buch zu gründen, das von ihrem Anfang berichtet. Wie es die Bibel wolle, sei es »Naturbestimmung« des Menschen, die »Wiedervereinigung mit der Gottheit« anzustreben.[14]

Man sieht nun deutlicher, daß Jüngers Bibelzitate mehr sein wollen als nur Ausdruck der Verstörung über das weltliche Elend. *Sub specie aeternitatis* werden die historischen Emanationen einander angeglichen und als Akzidentien der Wiederholung klassifiziert. Es ist von hoher Bedeutung, daß dem Geschichtsbild des Frühwerks von der Verzeitlichung der Historie auf ihre Zukunft hin nun ein Geschichtsbild des Raumes folgt – der Erde schließlich, die aus dem Absoluten herauf ihre Früchte treibt. Mit solchen Reduktionen läßt sich freilich wenig mehr erklären. Aber es ist konsequent, daß Jünger an der Technik weniger ihre »kinetische Tätigkeit« interessiert als die »magische Präsenz und Strahlung«. Jene könne weithin zerstören; »es findet aber neben der physischen Gefährdung noch eine andere statt. Nomosvernichtung, Entseelung, Entzauberung hängen weniger von der Machtseite der Technik ab als von ihrer Existenz, ihrem Hinzutreten überhaupt.« (JdO 88/3, 473) Der Nomos – die geschichtlich-geographische Ordnung, der individuell gewachsene und ausgestaltete Raum – löst sich unter dem Zugriff der technischen Weltsprache auf.[15] Das Verführerische dabei liege in der vermeintlichen Selbstgewißheit, mit welcher der Mensch die Universalisierung betreibe. Dafür erinnert Jünger im Tagebuch ein Gleichnis aus den Geschichten von Tausendundeiner Nacht. »Wo nicht eine höhere Vernunft für uns mitwirkt, gehen wir, dem Schein unterliegend, am Besten vorbei. Daher müßten Aladins Lampe und der Ring Dschudars des Fischers uns auch insofern zum Verhängnis werden, als sie uns von unseren höchsten Verwirklichungen ablenken würden – als Realisatoren untergeordneter Art. Sie treiben uns in die großen Zahlen und in den Raumgewinn. Das gilt für die gesamte Magie, für Macht und Schätze überhaupt.« (JdO, 109/3, 491) Aber wichtiger als das Aladin-Exempel, das ihn Jahrzehnte später zu einer Erzählung ermuntert, die genau diese Anmaßung behandelt[16], ist der Hinweis darauf, daß beim Progreß der Technik von konkreter Verantwortung und Schuld nicht mehr gesprochen werden könne. Es sei Poe gewesen, der das Motiv der Wendung zur Schuld im Bewußtlosen in seinen Erzählungen entwickelt habe. Der frühe Prophet der technischen Moderne nimmt die Verlorenheit des Handelns in der Geschichte vorweg, welche sich gegen den Menschen kehrt und ihn zur Figur macht.[17]

Am 10. August 1945 meldet Jünger ein technisches »Ereignis«, das für die philosophische Argumentation der vorangegangenen Notate Realitäten gibt. Die erste Atombombe der Weltgeschichte ist über Hiroshima abgeworfen worden. Ein Bekannter aus Göttingen kommt nach Kirchhorst und teilt dies mit. Zuerst glaubt Jünger, eine Turmbombe sei gezündet worden. »Erst im Verlauf des Gespräches erwies sich der Irrtum, und ich hörte, daß es sich um eine Atombombe gehandelt habe, die, über einer japanischen Großstadt explodierend, Hunderttausende von Menschen mit einem Schlag getötet haben soll.« Es folgen eine Mutmaßung und ein historischer Rückblick. »Das wäre ein Untergang von einem Umfang, wie er bisher nur durch kosmische Katastrophen möglich schien – ich meine in Sekunden; Tamerlan hat in Jahrzehnten ähnliches vollbracht. Aber er war ein Fürst gegenüber diesem Ingenium.« Dann erst die persönliche Betroffenheit. »Sogleich ergriff mich heftiger Kopfschmerz, der immer noch währt. Die letzten Jahre waren an solchen Nachrichten reich. Sie fallen ins Innere wie Gift in einen See. Die Pflanzen, die Fische, ja selbst die Ungeheuer, die dort leben, beginnen zu kränkeln; die Farben löschen aus.« (JdO 123 f./3, 503 f.) Am übernächsten Tag nimmt er das Thema nochmals auf, und nun erst erfährt es seine soziologisch-politische Analyse. »Die Massen sind ohnmächtig und werden es immer mehr. Man muß bedenken, daß die modernen Führer, besonders, wenn sie durch die allgemeinen Wahlen emporgestiegen sind, ein ganz vorzügliches Gewissen aufweisen. Sie können ja nur dorthin gelangen, wenn sie von sich und ihren zwei, drei Gemeinplätzen völlig durchdrungen sind. Das führt zur Reduktion auf die einfachsten Umrisse.« (JdO 125/3, 505)

Kein »Weltsystem« allein genügte, die Schnelligkeit und die Präzision des Kommentars zu erklären. Leicht hätte der Autor der »Marmor-Klippen« sich bei Erinnerungen und dem Gefühl aufhalten können, das Ganze vorausgesagt zu haben. Gerade deshalb wird ihm das Ereignis nicht zum Schockerlebnis; aber darauf stolz zu sein, muß sich bei solchem Anlaß verbieten. Ohne den sicheren gedanklichen Zugriff reagiert ein anderer Schriftsteller, dem es indessen ebenfalls vergönnt war, noch Tage vor dem Abwurf der Bombe an einem Thema zu arbeiten, als dessen »Verlängerung« die Explosion leicht hätte verstanden werden können. Erst am 28. Oktober 1945 findet sich in dem Arbeitsjournal von Bertolt Brecht der erste Hinweis. Dem Verfasser des »Galilei«, der zusammen mit dem Schauspieler Charles Laughton an der Fertigstellung des Stücks ist, fällt nur ein, daß es sich um einen »Superfurz« gehandelt habe. Einstein als einer der geistigen Väter der Bombe sei »das brillante fachgehirn, eingesetzt in einen schlechten violinspieler und ewigen gymnasiasten«.[18] Die Offenbarung der Dialektik des erfinderischen Geistes irritierte den Dialektiker mehr, als ihm selbst genehm sein mochte: er fürchtete um den New Yorker Premierenerfolg des »Galilei«, auch wenn er diese Furcht dem Schauspieler unterstellte. Die Atombombe war nicht vorgesehen. Erst im Prolog zum Stück sollte sie ihr »dialektisches« Gewicht erhalten. »wir hoffen, Sie leihen Ihr geneigtes ohr... bevor infolge der nicht gelernten lektion auftritt die atombombe in person.«[19]

Am 14. September handelt Jünger vom Menschenbild der Moderne und von der Mitte, aus der heraus die Beherrschung der dynamischen Welt gewonnen werden soll. Der Passus nimmt die literarische Struktur von »Heliopolis« vorweg. »In unserer Zeit beginnt die Erzählung sich zu ändern, wie man das beim Treffen von Männern, die viel erlebt haben, beobachten kann. Sie verliert das Charakterologische und nimmt Bewegungszüge an. Statt der Personen treten Situationen auf. Das Schicksal nimmt die Form von Kurven an, von exakten Prüfungen und Aufgaben. In sie kann jeder versetzt werden, sie meisternd oder an ihnen scheiternd, wie das schon in den Anekdoten von Kleist sich andeutet. Ganz sichtbar wird es in den Geschichten von Poe, die eher mathematische Berichte sind.« (JdO, 162/3, 537) Das Thema von Poes Erzählungen und damit auch ein zentrales Thema der Moderne sei die Beherrschung der dynamischen Welt, welcher die Suche nach dem Ort – nach dem »Unbewegten« – vorausgehe, wo der Hebel anzusetzen wäre; doch bleibe die Suche problematisch und letztlich experimentell, was sowohl in der Literatur als auch »in unserer Lage« überhaupt sich ausdrücke. »Nehmen wir an, es würde der Mittelpunkt gefunden, von dem aus die Erde gelenkt, geleitet werden kann – ein Mittelpunkt, dem unser Wille in seinen geistig-politischen Formen und technischen Phänomenen sich immer deutlicher zuwendet. Das würde eine Oberflächen-, eine technische Lösung bleiben, wenn nicht zugleich eine neue Tiefe aufbräche. Neu heißt hier Wiederentdeckung des währenden, haltbaren Grundes im Zeitlichen. Erst damit schlösse das Zeitalter der Entdeckungen, des Fortschritts und seiner Werkstätten ab. Der Mensch hat sich ein neues Haus gebaut.« (JdO, 163/3, 537 f.) Anders als Poe und anders auch als Baudelaire sieht Jünger nicht nur die Hybris im Wunsch nach der technisierten Welt, weil er unterstellt, daß der wissenschaftliche Geist immer mehr nach Vereinheitlichungen drängt. Dabei abstrahiert der Schriftsteller vom Politischen als von einem Faktor, welcher der Universalisierung Widerstand leistet. Jede Universalisierung als Neutralisierung, so hatte Carl Schmitt gelehrt, münde schließlich in eine neuerliche Politisierung und in die nicht mehr abweisbare Frage nach der Herrschaft.[20] Dem Platoniker, der den Ganzheiten der Welt nachspürt und später sogar von der Vision des »Weltstaats« ausgehen wird, käme die Einschränkung ungelegen.[21]

Aufschlußreicher als solche Verklärung im Licht von Universalien ist die Beobachtung, daß der Mensch der Moderne, wie schon Max Weber erkannte, den Bewegungen, Plänen und Aufgaben zunehmend ausgeliefert ist, gegenüber denen er sich in seiner *Funktion* – und daher nur indirekt »charakterlich« – zu bewähren hat. Jüngers Erfahrungsüberschuß seit dem Ersten Weltkrieg schränkt die platonische Geste ein. Insofern reiht er sich in eine andere große Tradition ein, deren Anfang er selbst mit dem Hinweis auf Kleist benennt. In der modernen Geschichte ist der Mensch nicht mehr einfach der

»Held«, dessen Willensfreiheit, dessen Moral und dessen Glaube zum eigentlichen Thema würden. Es geht um ein abstrakteres Spiel, um Vorgaben von höherer und oft überraschender Komplexität, die zunächst nach der Akzeptanz der Regeln verlangen.

Man muß, wenn Jünger von Kleist hier spricht, an eine Einlassung erinnern, wo deutlicher als im Tagebuch hervortritt, was der Verfasser des Aufsatzes über das Marionettentheater dem Autor des »Arbeiters« schon 1938 bedeutet. In dem größeren Stück »Die Aprikose« aus der zweiten Fassung des »Abenteuerlichen Herzens« handelt Jünger auch von den modernen Arbeitsgängen und vom Eindringen rhythmischer und reflexhafter Abläufe in das Leben.

»Es gibt große Bezirke, wo man in steigendem Maße durch Schwingung und Reflex zu handeln beginnt; dies gilt im besonderen für den Verkehr. Vielleicht wird sich von hier aus der Schmerz vermindern, der unsere Arbeitswelt erfüllt und ja im wesentlichen Schmerz des Bewußtseins ist. Vielleicht auch gibt es von hier aus hohe Zugänge zur Désinvolture; und wie dergleichen möglich ist, hat bereits Kleist in seiner kleinen Erzählung vom Marionettentheater unübertrefflich dargestellt. In ihr verbirgt sich, wie übrigens auch in Schriften von Hoffmann und Edgar Poe, eine noch unentdeckte Tatsache hohen Ranges in bezug auf unsere mechanische Welt.« (AH II, 195/9, 307 f.)

Um welche bisher verborgene Tatsache könnte es sich handeln? Kleist läßt seinen Ich-Erzähler und dessen Bekannten über das Marionettenspiel sprechen. Der Erzähler zeigt sich fasziniert von den fein gegliederten Bewegungen der Puppen; sein Gesprächspartner lüftet ihm die Geheimnisse der Mechanik, um darauf zu erklären, daß inzwischen wohl der letzte Rest von Geist aus den Marionetten entfernt worden sei. Auch glaube er, daß ein geschickter Mechaniker fähig wäre, einen künstlichen Tänzer zu bauen, dessen Schritt kein Mensch je einzuholen vermöchte. Der Ich-Erzähler, verlegen geworden, fragt nach dem Vorteil einer solchen Erfindung. »Der Vorteil? Zuvörderst ein negativer, mein vortrefflicher Freund, nämlich dieser, daß sie sich niemals *zierte*.«[22] Ziererei erscheine immer dann, wenn sich die Seele – vis motrix – in irgendeinem anderen Punkt befinde als in dem Schwerpunkt der Bewegung. Seit der Mensch aus dem Paradies vertrieben sei, also vom Baum der Erkenntnis gegessen habe, komme es zu solchen Verschiebungen und »Mißgriffen«. Dem Menschen sei es unmöglich, den Gliedermann zu erreichen. »Nur ein Gott könnte sich, auf diesem Felde, mit der Materie messen.«[23] Der Ich-Erzähler gesteht zu, daß auch er schon beobachtet habe, welche Unordnungen in der natürlichen Grazie des Menschen das Bewußtsein anrichten könne.

Es ist unübersehbar, welche Faszination diese Allegorie für einen haben muß, der seinerseits mit dem »Arbeiter« eine »organische Konstruktion« entworfen hat, die den Gefährdungen und Abläufen der modernen Funktionsprozesse gerüstet gegenübertreten soll. Das Wort vom Gott, von Kleist ebenso ironisch intoniert wie die ganze Fantasie über den künstlichen Menschen, erwirkt eine Resonanz, wenn denn dem »Arbeiter« beinah messianische Qualitäten unterstellt werden. Kleist bezeichnete den Ort, wo solches noch möglich sein sollte, ohne daß man ein Gott zu sein braucht, genau: als das Paradies, die längst entschwundene Lebenswelt der ungeschmälerten Einheit von Wissen, Wollen und Können, der kompletten Zuhandenheiten. Sie wieder zu finden, bedürfte es einer »Ausstattung«, bei der das Bewußtsein so weit neutralisiert wäre, daß auch der »Schmerz« der Abweichungen und differenten Wahrnehmungen ausgeschaltet würde. So jedenfalls ergänzt Jünger die Allegorie zur Zeit der Passage im »Abenteuerlichen Herzen«. Aber Kleist führt sie noch weiter. Er läßt am Ende den Bekannten des Erzählers von einem Bären berichten. Dieser sei in der Lage gewesen, alle Stöße und Finten eines ihn angreifenden Fechters zu parieren, ohne daß er eine einzige überflüssige Bewegung gemacht hätte. Obwohl auch hinter dieser – nun wahrhaft »organischen« Konstruktion – die Ironie durchschimmert, ist der begleitende, die Allegorie tendenziell auflösende Kernsatz nicht nur ironisch gemeint. »Wir sehen, daß in dem Maße, als, in der organischen Welt, die Reflexion dunkler und schwächer wird, die Grazie darin immer strahlender und herrschender hervortritt.«[24]

Was Kleist aus der eigenen Epoche heraus für kommende Zeiten voraussah, war nicht weniger als die funktionalisierte, in einzelne Handlungsprozesse zerlegte Wirklichkeit der Moderne. In ihr könnte als Gewinn verbucht werden, daß der Mensch nicht mehr zu genau darüber reflektiert, was er tut; er ist um so glücklicher, je weniger er nachdenkt. Wäre da nicht der Rest jener Unverfügbarkeit über das Organische: daß eine gewisse Trägheit niemals ganz überwunden werden kann, in bewußtlose Grazie einzutauchen. Mit dem

Prinzen von Homburg lieferte der Dramatiker eine späte Gegenfigur zu den »Marionetten«: einen Menschen, der scheitert, weil er seiner Funktion nicht gerecht wird – und wiederum deshalb triumphiert, ohne doch das Stigma des Außenseiters verlieren zu können.

Anders als für den Verfasser des »Arbeiters« kann es für den Tagebuchautor nur ein »ganzheitlicher« Mensch sein, dem ein übergreifendes Verstehen der technischen Moderne zugetraut wird. Nicht mehr vom schmerzgeprüften Maschinisten soll ausgegangen werden, sondern von einem Elitetyp mit Überblick. Der muß seinen Frieden mit der geschichtlichen Realität nicht gemacht haben, wo sich diese noch im Übergang befindet, »unabgeschlossen« ist – im Gegenteil zeichnet ihn aus, daß er sich weder dem technischen noch dem politischen Prozeß blind unterwirft; zu seinen Strategien gehört die Verweigerung. In der Gestalt des »Waldgängers« wird Jünger dem »Arbeiter« ein Pendant zugesellen: den freien, »anarchisch« geprägten Einzelnen, dessen Mission am besten als eine ästhetische zu charakterisieren ist; die Ding-Welten lassen ihn gleichgültig, und dem Lebens-Ernst begegnet er mit Heiterkeit. Am 21. September 1945 berichtet der Schriftsteller von einem Zirkusbesuch. Er erzählt von der Freude der Kinder am Spiel der Gaukler und müßte dabei nicht die Neigung zur Allegorisierung haben, um zu bemerken, daß die Festlichkeit des Zirkus eine besondere, über den Anlaß hinausweisende Magie verströmt. Sie trete dem martialischen Gepränge des Kriegs durch ihren merkurischen Glanz entgegen. »Der Tod soll nicht gegeben oder empfangen werden wie bei den Heeren, sondern er ist, ganz ähnlich wie die Schwere, ein Wesen, über das der Mensch hinwegspringt, über das er mit spielerischer Grazie triumphiert. Das ist der Sinn der gezähmten Löwen, der Seiltänzer und Luftspringer, und auch des tollen Gelächters, das mit der Erstarrung abwechselt. Das bringt gewaltige Befreiung mit.« (JdO 172/3, 545 f.) Im Mittelpunkt steht der Artist. Auf seine Weise realisiert er die Desinvoltura, von welcher der »Arbeiter« niemals berührt sein kann. Es ist indessen nicht mehr – oder genauer: noch nicht – die romantische Ausdeutung der Künstlervita, die hier vollzogen würde. Baudelaire hatte in der zirzensischen Bravour nur die Illusion des Triumphs gesehen, deren Wahrheit die Bewegung am Rand des Abgrunds sein sollte.[25]

Für solche Gefährdungen will Jünger jetzt kein Ohr mehr haben. Im Maß, wie ihm der romantische Kraftakt einer aus höchstem

Selbstbewußtsein geschaffenen Kunst gleichgültig, ja obsolet wird, reflektiert er die auslösenden Momente, denen sich die mimetische Anverwandlung auszusetzen hat. Das »Wunderbare« jeder Gegenwart soll sprechen können und Mitteilung vom Weltsinn machen. Eine Form der Botschaft, vielleicht die ungetrübteste, ist der Traum. Er ist Annäherung, ohne daß der Träumer die Begegnung mit Absicht herbeigeführt hätte. In einer solchen Vision, so notiert Jünger im November 1945, habe Niels Bohr das Atommodell »gesehen«, um es nach dem Erwachen begrifflich zu fixieren. Indem der Traum in der Immanenz seiner Bildhaftigkeit erscheint, kommentarlos und ohne die übersetzende Vernunft der Sprache, ist er nicht Abstraktion im Begriff, sondern Anschauung.[26] Das mache ihn bedeutungsvoll auch für die Kunst, denn auch ihre Aufgabe sei es, aus den Abstraktionen herauszuführen. »Für die Kunst gibt es zwei Wege, die aus der Abstraktion zurückführen. Sie kann in die Nacht und ihre Bildflut eintauchen, wie es die Romantik, wie es Novalis tat. Sie kann aber auch die Traumelemente im Tag aufspüren, die fein verteilte Dunkelheit im Licht. Das ist der kühnere Versuch. Das Wunderbare wird nicht im Vergangenen und nicht in Utopien, es wird in der Gegenwart erfaßt.« (JdO, 207 f./3, 576)[27]

Der Tag-Wirklichkeit das Magische, die Korrespondenzen und Verweise zur stiftenden Wirklichkeit abzugewinnen, bedürfe es nicht der schwarzen Kunst der Romantik, sondern nur des Blicks für die Sprache der Phänomene. Wieder ist Lesbarkeit die Losung. Auf genauere Unterscheidungen will sich Jünger nicht festlegen, wenn er Novalis und E.T.A. Hoffmann in einem Gedankenzug nennt und dabei den Schritt unterschlägt, der als ästhetische Wendung von dem von ihm selbst so bezeichneten magischen Idealismus des Novalis zur poetischen Kunst Hoffmanns führt.[28] Denn alle Romantik erzwingt nun für Jünger mit überflüssigen Mitteln den Transport vom Urbild zum Abbild, indem sie sei es die Vergangenheit, sei es die Utopie für sich arbeiten läßt. Von solchen Verstellungen aber gedenkt sich der Verfasser von »Heliopolis« abzuwenden. Wie weit er damit kommt, wird zu erwägen sein.

Vergangenheit und Utopie sind auch Stichworte, wo Jünger sich mit der Zeitgeschichte und ihrem Umfeld beschäftigt. Hier ist ein Kommentar zu bedenken, welcher der Lektüre von Valérys früher Schrift »Une conquête méthodique« gilt.[29] Dem Autor des »Arbei-

ters« ist ihr Horizont insofern zu eng gefaßt, als Valéry zwar scharfsinnig vor der technischen Methodik und der subalternen Reproduktion gewarnt habe, dabei jedoch solche das schöpferische Leben
auslöschenden Reproduktionen und Ordnungssysteme vor allem bei
verspäteten Nationen wie Deutschland diagnostiziere, statt mit mindestens gleicher Berechtigung von Frankreich zu sprechen, das seit
1789 entschieden zur Verzifferung der Welt und zum Wertzerfall beigetragen habe. So werde der gewaltige Normierungsakt der Französischen Revolution nicht berührt. Immerhin gesteht Jünger zu, daß
in Deutschland davon auch die private Zone stärker betroffen worden sei als in Frankreich und England, wo stets auch Gegengewichte
der Normierung wirkten.

Daß Jünger den Text des jungen Valéry, im Januar 1897 in der
»New Review« erschienen, völlig gegen den Strich liest, zeigt eine
auch nur flüchtige Durchsicht des Aufsatzes, der ursprünglich »La
Conquête Allemande. Essai sur l'expansion germanique« betitelt
war und erst 1925 zu der abstrakteren Überschrift »Une conquête
méthodique« fand. Interessanter ist die Frage nach dem Grund des
erstaunlichen Mißverstehens. Valéry, noch unter dem Eindruck der
Folgen des deutschen Siegs über Frankreich von 1871, rühmte
gerade die systematische und methodische Arbeitsweise, wie sie fast
idealtypisch für das Kollektiv beim deutschen Generalstab und individuell bei Moltke zu beobachten gewesen sei. Die Disziplinierung
des Denkens durch bestimmte intellektuelle Gewohnheiten wie
auch durch die Beschränkung auf bestimmte Konzeptionen schuf
die Voraussetzung für neue geistige Erfahrungen. Viel mehr als an
einer Harmonie des Menschen mit allem, was nach 1900 noch
»Natur« heißen und bedeuten konnte, war Valéry an den methodisch
gesicherten Möglichkeiten und Welt-Entwürfen interessiert.[30] Aber
von solchen »technischen« Lösungen, die von der Philosophie des
»Arbeiters« nicht allzu weit entfernt sind, darf sich Jünger nun nicht
mehr fasziniert zeigen: er sieht in ihnen die Verzifferung und erklärt
ihren Apologeten kurz zu ihrem Kritiker.

Tagesbegebenheiten werden seit Ende 1945 häufiger verzeichnet.
Der Schriftsteller berichtet von Besuchen, auch von den alltäglichen
Verrichtungen im Garten von Kirchhorst, und immer wieder finden
kurze Berichte über begonnene oder beendete Lektüre Einlaß. Am
28. November 1945 meldet Jünger den Abschluß seiner Schrift

»Sprache und Körperbau«. Kurz vor Weihnachten fährt er nach Hamburg, in die »zerschmetterte Stadt«, die ihn an die »Entzauberung« erinnert, welche er schon in Kiew empfunden habe. Übergangslos fängt er das Diarium für das Jahr 1946 an. Die Intermissionen werden größer; für die Jahre vom Januar 1946 bis zum Dezember 1948 werden kaum noch siebzig Druckseiten benötigt. Themen und Probleme der literarischen Darstellung treten in den Vordergrund, »Heliopolis« wirft seine Schatten voraus. Die Tagebücher berichten wenig über die konkrete Vorarbeit an dem Roman, und erst später wird sich der Verfasser in einem überraschend ausführlichen Kommentar zu den geistigen Prinzipien, die das Werk tragen sollen, äußern. Einer der frühesten motivischen Gedanken ist in den Pariser Tagebüchern notiert. Noch weiß Jünger damals nicht, wie er ihn verwenden soll. Die Lektüre einer alten Reisegeschichte hat ihn auf die merkwürdige Begebenheit des »Stegs von Masirah« gebracht, die dann an zentraler Stelle dem Roman verwandelt eingefügt wird. So sind es mehr indirekte Signale, die auf »Heliopolis« in statu nascendi hindeuten.

Sieht man von den wiederkehrenden Notaten ab, die sich mit dem »Arbeiter« beschäftigen, ist es eine historisch-politische Einlassung über mehrere Tage hinweg unter dem Stichwort »Provokation und Replik«, die das geschichtsphilosophische Selbstgespräch nicht abreißen läßt. Gegen Ende der Erörterung von »Provokation und Replik«, unter welchen Stichworten Jünger vor allem Hitlers Emporkommen, seine Optionen und seine Verheißungen behandelt, nimmt er Bezug auf den eigenen Essay von 1932. Vorher sucht er sein persönliches Verhältnis zu dem Diktator zu klären. Die Aufzeichnung datiert vom 31. März 1946.

»Provokation und Replik. Wenn ich meine persönliche Kurve bedenke, so lief sie, und zwar oft wider meinen Willen, der Entwicklung konträr. Das Urteil wandelte sich etwa von: ›Der Mann hat recht‹ zu ›Der Mann ist lächerlich‹, und ›Der Mann wird unheimlich‹. Im allgemeinen entsprach das wohl dem Maß, in dem er von der Replik zur Provokation überging. Bei den ersten großen Wahlerfolgen und der Machtübernahme war ich schon weit von den Ereignissen entfernt. Bereits die Einzelheiten des Münchener Putsches hatten mich verstimmt.« (JdO, 252f./3, 613)

Es sei möglich, daß er selbst auf Grund einer zu starken »Vorstellung« ein unglückliches Verhältnis zu den Realisierungen habe. Das ist, wo es um die Folgen deutschnationalen Philosophierens geht, ein Euphemismus, nämlich die Kaschierung des Versagens, von Anfang an und nicht erst seit den frühen dreißiger Jahren dem Nationalsozialismus entgegengetreten zu sein. Zwei Tage später wird das Thema der eigenen Autorschaft angeschnitten; nur angeschnitten. Es ist das erste und für längere Zeit das letzte Mal, daß sich Jünger darüber ausläßt. Kirchhorst, 2. April 1946:

»Provokation und Replik. Den großen Umstürzen geht eine besondere Stimmung voraus. Jeder fühlt, hofft oder fürchtet, daß etwas anderes kommen wird, notwendig kommen muß. Davon war auch ich überzeugt. Es lag in der Luft. Persönlich war ich mit meiner Lage zufrieden und wünschte keine Veränderung. Arbeit am Schreibtisch und im Garten, Gespräche mit Freunden, hin und wieder eine Reise in südliche Gegenden. Geschäfte, Aufträge, Posten, Ehrungen konnten dem nur Abbruch tun. Bei Rossbach hatte ich Lehrgeld gezahlt.« (JdO, 254/3, 614)[31]

Es besteht kein Grund, an der Aufrichtigkeit des Bekenntnisses zu zweifeln; doch sind der persönliche Rhythmus wie auch die Vorstellung von der intimen Zufriedenheit mit dem Leben in seinen äußeren Verankerungen eines. Ein anderes ist die Autorschaft des Schriftstellers. Sie wäre auch da mehr, als jemals in der Absicht des Autors liegt, wo die Absicht in ihrer Wirkung kaum bedacht wird. Aber so weit zog sich Jünger in der fraglichen Zeit nie zurück. Ein Werk mit den intentionalen Zuspitzungen des »Arbeiters« war auf Ruf und Echo hin komponiert. »Wie viele, und nicht nur deutsche, Frontsoldaten kannte und schätzte Hitler meine Bücher über den ersten Weltkrieg; er ließ es mich wissen, und ich sandte ihm die neuen Auflagen. Er bedankte sich oder ließ mir durch Hess danken. Ich bekam auch sein Buch, das eben erschienen war. Einmal, ich wohnte noch in Leipzig, kündete er mir seinen Besuch an, der dann wegen einer Reiseänderung entfiel.« (JdO, 254 f.)[32] Weiter heißt es: »Zu meinen späteren Schriften, die ihm, wie ›Der Arbeiter‹ oder ›Die Totale Mobilmachung‹, zum Ausstieg aus dem nationalstaatlichen und Parteidenken hätten nutzen können, fehlte ihm das Verhältnis…«

Kein Selbstkommentar könnte schärfer an der Wahrheit vorbeiführen, denn nun, im ruhigen Rückblick auf das Buch und die Zeit, in die hinein es geschickt wurde, wird der »Arbeiter« um seine geschichtsphilosophische Pointe erleichtert. Es war ja der *deutsche* Arbeiter gewesen, auf den die Bewegungsanalysen der technischen Moderne zulaufen sollten, und ihm sollten die Verwirklichungen der Technik auf das politische Ordnungsziel hin obliegen. Wenn Jünger fünfundzwanzig Jahre nach der Publikation des Essays die Handlungssubjektivität unterschlägt, harmoniert diese Reduktion ins Abstrakte geschichtlicher Prozesse jenseits von allem Nationalstaatsdenken – von der Hitler im übrigen gar nichts hätte lernen können, er wäre denn ein reiner Betrachter der Epoche geblieben – zwar mit Jüngers Denken seit den späten dreißiger Jahren; doch historisch beurteilt, ist die Auskunft falsch. Er muß das – und das Absurde des Gedankens, den auch Heidegger und Carl Schmitt ex post verfolgten, daß der »Führer« hätte geführt werden können[33] – gespürt haben, denn er fährt fort: »Der ›Arbeiter‹ erschien 1932; das Buch schildert unter anderem die zugleich nachholende und vorbereitende, jedoch nur Geburtshilfe leistende Aufgabe der beiden großen Prinzipien des Nationalismus und des Sozialismus für die endgültige Struktur der neuen Staaten, insbesondere des Weltimperiums, an dessen Bildung Kräfte und Gegenkräfte mitwirken und dem uns inzwischen der zweite Weltkrieg sichtbar genähert hat. Es wurde im ›Völkischen Beobachter‹ unfreundlich besprochen; der Redakteur stellte fest, daß ich mich ›der Zone der Kopfschüsse‹ nähere.« (JdO, 255/3, 615)[34]

Aus der Situation, die Jünger absichtsvoll herunterspielt, entstand indes nicht die dialektisch aufgehobene »endgültige Struktur«, sondern der Untergang Europas. Insofern der Schriftsteller noch im Jahr 1946 den Realisationen einer Weltvernunft vorausträumt, hat sich sein Geschichtsbild seit den zwanziger Jahren nicht geändert. Nur was die Beurteilung der Aufgabe des Menschen innerhalb dieses Prozesses auf Weltimperien hin betrifft, hat ein Wandel stattgefunden; seit den »Marmor-Klippen« wird die menschliche Kompetenz bescheidener veranschlagt. Man wird daher den Roman als Erläuterung des so von »Kräften und Gegenkräften« bewegten Vorgangs lesen müssen: weit davon entfernt, die Stadt des endgültigen Paradieses zu sein, soll Heliopolis gleichwohl einen Punkt auf dem Weg zur »Struktur« markieren. Es bedarf schließlich abermals eines

Versuchs in epischer Breite, daß Jünger diese Teleologie ihrem eigenen Schicksal überläßt; erst »Eumeswil«, der Roman von 1977, wird die Anstrengung um die Geheimnisse des geschichtlichen Werdens zum resignativen Ende bringen.

Das Jahrespensum des Tagebuchs endet am 1. Mai 1946, dem Geburtstag des Sohnes Ernst. Meditationen über die naturale Teleologie behalten das letzte Wort. Dann ruht das Diarium acht Monate lang, und als Jünger am 1. Januar 1947 mit den Aufzeichnungen fortfährt, steht zu Anfang der Zweifel vermerkt, ob er überhaupt beginnen soll. Aber schon im zweiten Absatz wird berichtet, daß er die Disposition zu »Heliopolis« entworfen habe. Der Roman, der am 14. März 1949 im Manuskript abgeschlossen sein wird, beansprucht nun mehr und mehr gedanklichen Raum, so daß das Tagebuch in Ansätzen zum begleitenden Arbeitsjournal wird. In den folgenden Tagen wird der Romanstoff ausführlicher erörtert. »Weiter in der Disposition zu ›Heliopolis‹. Im Verhältnis zur Technik sollte eine dritte, vom Fortschritt unabhängige Haltung möglich sein. Die Wahrnehmung des Fortschritts wirkt nach zwei Richtungen, abstoßend oder anziehend. Im ersten Fall will der Geist sich auf vortechnische Formen zurückziehen; er sucht die romantischen Sphären auf. Im anderen Fall will er der Technik utopisch vorauseilen. Das sind die beiden großen Parteien; der erste Blick auf ein Kunstwerk verrät die Zugehörigkeit.« (JdO, 263/3, 620)

Wie immer es um die Richtigkeit der Distinktion und die Kompetenz des Richters in Sachen Ästhetik bestellt sein mag, die dritte Haltung prägt den Roman. Aus ihr spräche das inzwischen vertraute *stereoskopische* Bild, die Verschmelzung der Pläne mit dem Plan, mit der wirkenden Tiefe. »Sollte es nicht das Ziel des Vorgangs sein, daß das Romantische und das Utopische sich unter stereoskopischer Vertiefung zu einer neuen Wirklichkeit vereinigen? Das würde unter anderem theologische Elemente glaubwürdig in unsere Welt zurückführen.« (JdO, 263 f./3, 620) Man darf dabei nicht an eine Parusie im Gewand utopischer Zukunftsvergegenwärtigung denken, wie sie seit der frühromantischen Poetisierung der Welt bei Novalis, später in den geschichtsphilosophisch gereizten Vorlesungen des Konvertiten Schlegel ausdrücklich gemacht wurde. Wie oft überspannt der Kommentar zur Welt-Lage auch hier die Perspektiven, die dann das Werk, welches sie bergen soll, ausweist. Am 3. Mai 1948 kommt Jünger zum letzten Mal auf »Heliopolis« zu sprechen. Die Arbeit ist schon weit gediehen, nun wägt der Verfasser nochmals Technik und Utopie in ihrem Verhältnis zueinander ab. Dabei statuiert er eine Epoche der Spätmoderne, welcher eigentümlich wäre, daß die Technik realisierte Dauer angenommen hat. Die Utopie sei von der Technik abhängig und müsse in ihr Detail gehen, damit ein höheres Maß an Glaubwürdigkeit entstehe. Werde jedoch die Technik als »perfekt« angenommen, müsse das Bestreben eher dahin zielen, das Detail zu löschen zugunsten eines Eindrucks von Selbstverständlichkeit, von magischer Realität. »Wir kommen zu einer Inversion des utopischen Romans. Die Technik wird nun der Handlung unterstellt, für sie erfunden, gehört zu ihrem Komfort. Das gibt der Schilderung, im Gegensatz zur Fortschrittsrichtung der Utopien, ein rückblickendes, retardierendes Moment. In diesem Sinne läßt sich sagen, daß sie auch gegen die Macht der aktuellen Technik und ihren Herrschaftsanspruch dem Geiste gegenüber gerichtet ist.« (JdO, 306/3, 655) Die letzte Deutung von theoretischem Gewicht im Tagebuch ist demnach einem Thema gewidmet, das Jünger seit dem Ersten Weltkrieg fasziniert und mit Erwartungen quält: eine ruhende, abgeschlossene, perfekte Technik, eine Wirklichkeit ohne Progreß, ohne die Unruhe möglicher Innovationen, ohne die Machtprätentionen der Wissenschaft. Das Thema ist der vollendete Fortschritt, allgemeiner: die vollendete Neuzeit. In solchen Planlandschaften müßte der Mensch nicht mehr dem Schatten des Prometheus nacheilen, er wäre frei, befreit vom Amt des Erfinders, und verfügte über das technische Potential als Macht und »Komfort«.[35] Der wissenschaftsgeschichtliche Endstau läßt »Arbeit« als reine Verwaltung erscheinen.

Exkurs: Romantischer Messianismus

An dieser Stelle sei erinnert an jenes Utopie-Gespräch, das die Frühromantiker im Anschluß an Lessing und Kant und unter dem noch frischen Eindruck der Französischen Revolution in Gang setzten, nicht nur das eigene Säkulum, sondern die Welt zu verändern. Die Folgen sind den späteren Epochen nicht erspart geblieben. Keine philosophische Utopie des deutschsprachigen Kulturraums ist ohne den Rückblick auf den romantischen Messianismus ausgekommen.

Daß aber dieser Messianismus vor allem als ästhetisches Phänomen zu würdigen und zu prüfen ist, hat schon Hans Freyer 1936 festgestellt. Im 18. Jahrhundert trete an die Stelle des politischen Verwirklichungswillens der dichterische Wille, der Utopie eine Realität zu geben.[36] Was das für die Zeit um 1800 zu bedeuten hat, wird ersichtlich, wenn verfolgt wird, wie Fichtes epochale Forderung nach dem Endziel der Geschichte – »die vollkommene Übereinstimmung des Menschen mit sich selbst«[37] – in die Prosa von Novalis und Friedrich Schlegel übergeht. »Nur Geduld, sie wird, sie muß kommen, die heilige Zeit des ewigen Friedens, wo das neue Jerusalem die Hauptstadt der Welt seyn wird.«[38] So spricht Novalis als Autor des »Europa«-Appells, auch wenn er weniger an die politische Nah-Erwartung denkt als an das »Urbild« einer Republik, die Kant mit Platons Vision identisch setzte und bei aller Skepsis gegenüber der Realisierung als »nothwendige Idee« erkannte. Hindernisse in der menschlichen Natur stünden ihr entgegen, argumentierte der Verfasser der »Idee zu einer allgemeinen Geschichte in weltbürgerlicher Absicht«; dennoch sei an dem »süßen Traum« festzuhalten. Der Aufruf Kants wäre nicht nötig gewesen, Novalis auf die Bahn dieser Utopie zu lenken. Die Einschränkung des Hinweises auf menschliche Unzulänglichkeiten fällt zugunsten eines Geschichtskonstrukts, welches nicht weniger als das »Evangelium der Zukunft« sein soll.

Weder »Jerusalem« noch die offenbar gewordene Frohe Botschaft darf christlicher Topik zugerechnet werden. Der metaphorische Überschuß führt weniger in die Richtung der apokalyptischen Endschau als auf das Feld einer Gesellschaftstheorie, deren bestimmendes Element die Moralisierung des Menschen ist; er soll ein Gemeinschaftswesen werden. Darin zeigt sich der Vorrang der Utopie vor dem Chiliasmus. Das Politische wirkt im Reflex auf die Französische Revolution als ein Faktor jener »Romantisierung«, welche die Kritik am preußischen Staat mit der Hoffnung verbindet, es möge eine Republik freier Geister entstehen. In »Glauben und Liebe« bringt Novalis den antiinstitutionellen Affekt auf den Punkt, wenn er Preußen und dessen Administrationsmaschinerie ablehnt. »Gott ist unter uns – hier ist Amerika oder Nirgends.«[39] Unter uns: das ist ebenso sehr Exklusion wie Inklusion, denn erst in der politischen Gegnerschaft zu den deutschen Verhältnissen formiert sich so etwas wie romantische Legitimität. Sie schützt das Organische gegenüber der

»Maschine« Staat und deren frühesten Apologeten Grotius und Hobbes, und sie verlangt mit eigentümlich anarchischem Unterton nicht weniger als den Übergang vom Recht zur Moral unter der anthropologischen Prämisse, daß sich mit dem Menschen die Welt ändere.[40] Das geschichtsphilosophische Grundmuster ist triadisch: dem Urgrund einer frühen Identität des Menschen mit sich und seiner gesellschaftlichen Verfaßtheit folgt die historische Verformung in den Verfall, aus dem heraus das neue goldene Zeitalter aufsteigt.

Aber die konkreten politischen Vorstellungen sind die Frühromantiker sich selbst und ihrem Publikum schuldig geblieben.[41] Alles bleibt bei der ästhetischen Evokation, Worte wie Anarchie oder Moral entziehen sich einer begrifflichen Durchdringung. Als ob ein Darstellungsverbot der Utopie ihr erst die Chance ihrer Verwirklichung geben könnte, kommt es niemals zu inhaltlichen Bestimmungen, wie sie etwa Campanella und später Mercier der utopischen Zukunft zulieferten. Das »Märchen« wird zum Spiegel der künftigen Welt; doch nur zum Spiegel. Die Flucht in die Allegorie entbindet von jener Genauigkeit, die sich selbst als Illusion aufgehoben hätte. Für Friedrich Schlegel sollte es der Bund der Künstler sein, der den »poetischen Staat« begründet. Schiller hatte hier vorgearbeitet mit seiner »Erziehungs«-Schrift, deren Schluß in die Vision der Kolonie »feingestimmter Seelen« einmündet. Er sah auch die literarischen Schwierigkeiten, den Zustand der eingekehrten Ruhe darzustellen. Wie eine Paraphrase darauf nimmt sich aus, was Novalis dann in die ästhetische Frage kleidet: »Wie vermeidet man bey Darstellung des Vollkommnen die Langeweile?«[42]

Die Einsicht wiegt mehr als alle Euphorie, daß die Welt romantisiert werden müsse. Für die selbsternannten Gestalter der Utopie war noch stets verlockender als die Schilderung des vollkommen gewordenen Glücks die mehr »technische« Beschreibung seiner Bedingungen gewesen. Das gilt nicht mehr für die Frühromantik. Zum Wesen ihrer Utopie gehört sogar, daß auf diesem Gebiet gar nicht Verzicht zu leisten war; da die politische Durchsetzung niemals konkret in Erwägung stand, blieb das *instrumentelle* Problem unerörtert. Das ist das Neue: zwischen Verheißung und Erfüllung liegt nichts, was je thematisch würde, so daß sich der Schritt von der Prophetie zur Langeweile dramatisch verkürzt.

Gleichwohl wird man nicht nur die ästhetische Furcht vor ihr für diesen Verzicht verantwortlich machen können, die Utopie auszugestalten und zu beleben. Zeitgeschichtlich war um 1800 ein Stadium wissenschaftlich-technischen Fortschritts erreicht, das sich wenigstens in der Verlängerung der Möglichkeiten jeder utopisch gemalten Zukunft hätte aufzwingen müssen. Kein »Arkadien«, das über die Beschwörung reiner Natureseligkeit hinaus politische Anschaulichkeit hätte beanspruchen wollen – und von einer wenn auch vagen Politisierung gingen die Frühromantiker immerhin aus –, wäre darum herumgekommen. Aus der Perspektive mangelnder Zukunftssättigung könnte sich nun doch erweisen, daß die scheinbar beiläufige Erledigung dieser Zeitgeschichte als Technik nicht nur ein Verzicht, sondern eine Verdrängung war. »Das ganze Menschengeschlecht wird am Ende poëtisch. Neue goldne Zeit.«[43] Für Novalis, den Salinen-Assessor in Weissenfels, darf Geschichte, wenn sie wirklich das »Evangelium der Zukunft« sein soll[44], nicht mit den Kontingenzen eines Fortschritts identifiziert werden, der die auch für ihn von Platon gegründete Lesbarkeit der Welt ständig auf das Härteste beansprucht, vielleicht sogar ad absurdum führt. Denn die Mutationen des erfinderischen Geistes künden das mimetische Verhältnis auf: was kommen wird, kann niemand voraussagen; es ist nicht das realisierte Abbild einer Urschrift.

Die Romantisierung des Mittelalters hat mit der platonischen Verlegenheit zu tun, die *wirkliche* Zukunft nicht mehr verstehen zu können. Am Mittelalter mußte die Romantiker reizen, daß es als zugleich abgeschlossene und – so die Projektion – statische Epoche gesehen werden konnte. Eine »Rückkehr« war nicht beabsichtigt, wohl aber die idealisierende Verkoppelung mit der utopischen Vorschau auf die harmonisierte »neue« Welt.

Wie sehr sich Ernst Jünger seinerseits dieser Vorlage bedient, geht ihm nicht auf, weil er das Klischee von der »Vergangenheit« wörtlicher nimmt, als es Novalis je gemeint hatte. Dabei sind die Parallelen offenkundig. Das Tagebuch, welches die Arbeit an »Heliopolis« begleitet, gibt ebenso davon Zeugnis wie dann der Roman; Jüngers »Inversion« der utopischen Literatur gilt nur insofern, als nicht – oder nur am Rand – von den technischen Voraussetzungen gehandelt wird, welche die Zeit, die »Heliopolis« reflektiert, herbeigeführt hat. Sie wird als gegeben vorausgesetzt – genau in der Weise, wie die

Romantiker von der von ihnen beschworenen Zukunft dachten: sie sollte wie ein zweites Paradies einfach eintreten.

Die Differenz liegt natürlich darin, daß um 1800 das »Paradies« noch beinah einschränkungslos denkbar war, während es nach 1945 als Reich der Täuschung und der Enttäuschungen fungiert. Das ist der Schritt von der Substanz zur Funktion. Obwohl fast alles, was an Komfort zu ersehnen ist, damit das Leben sich höheren Aufgaben zuwenden kann, zuhanden scheint, werden die Menschen nicht glücklich. Jünger gibt sich darin als der desillusionierte Platoniker zu erkennen, der die romantische Hypertrophie zurückweist. Dabei bleibt unthematisch, daß er vor allem von sich selbst enttäuscht wurde, genauer: von dem seinerseits hypertrophen Konstrukt des »Arbeiters«, daß die Welt einmal technisch so »vollendet« sein könnte, nun nur noch die Früchte der Ruhe zu ernten. Mit dem Aufwand des Utopikers schafft er die Welt von »Heliopolis«, um sie im gleichen Zug zu negieren.

Die »Heliopolis«-Utopie

Heliopolis ist, anders als die Große Marina der »Marmor-Klippen«, ein Ort, der historisch – wenn auch nur vage – bestimmt wird. Die Stadt ist die Hauptstadt eines Reichs, das »nach den großen Feuerstürmen«[45] von dem Regenten gestiftet wurde. Die großen Vernichtungswaffen sind in der Hand dieses Regenten konsekriert; er selbst hat sich vor Jahren zurückgezogen, und das Imperium wird von einem Proconsul verwaltet. Dazu hat man sich eine Wirklichkeit vorzustellen, die in mancher Hinsicht einfach geworden ist. Der Lebensstil wird durch die Technik geprägt. Gleichzeitig aber finden sich auch Spuren älterer Vergangenheiten, wie überhaupt die Epochenstile in Heliopolis seltsam ineinander verschlungen sind. Die Stadt befindet sich in südlichen Gegenden, ihre Lage ähnelt jener von Genua: die Quartiere senken sich zum Meer hin, eine weite Bucht, der zwei Inseln vorgelagert sind, bildet den Abschluß.

Seit einiger Zeit bedrohen bürgerkriegsartige Spannungen das Reich. Der legitimen Herrschaft des Proconsuls ist Widerstand von seiten des »Landvogts« erwachsen, eines Volksführers, der den Demos manipuliert und die Polizei in seine Dienste genommen hat.

Niedergang, Spätzeit; das Thema der »Marmor-Klippen« klingt an. Doch will der Autor jetzt mehr von den Innenseiten der Macht berichten. Sein Held heißt Lucius de Geer, ist Offizier beim Heer und als Agent in geheimer Mission seinem Chef, dem General des Proconsuls, unterstellt. Längst darf der Leser keine Wunder mehr von Jüngers Charakterkunde erwarten. De Geer erweist sich als kluger, gesitteter, entschlossener, freilich auch träumerischer Geist. Zur Ausgangslage gehört ferner, daß der Untergang von Heliopolis schon beschlossen ist, weshalb der Roman sein episches Gewicht weniger in der Dramatik der Ereignisse als in den Reaktionen der Protagonisten findet. So nähert er sich dem Lehrstück an. Anders als in den »Marmor-Klippen« fehlt auch die leidenschaftlichere Perspektive des Ich-Erzählers. Betroffenheit hält sich in Grenzen.[46]

Die Geschichte ist auf zwei Hauptstücke verteilt, die in sich wiederum aufgetrennt sind. Etwas länger der erste Teil: die Vorgeschichte des Untergangs, die dessen Struktur verständlich machen soll; kürzer der zweite Teil, in dem sich die Ereignisse beschleunigen. Und dann die Figuren, mit welchen Jünger den Roman ausstattet: die Typen, die kaum individuelle Dichte erreichen, um so mehr im Charakter unterschiedliche Weltanschauungen und Haltungen repräsentieren. Da ist Fernkorn, der »Bergrat«, der das Geheimnis der Welt wie einstens Hoffmanns Held der »Berkwerke zu Falun« in den unerforschten Schächten des Gesteins weiß. Da ist Lucius' Vorgesetzter, der General, der »Chef«, dem allzu spekulative Geister verdächtig sind. Da sind die Funktionäre der technischen Realisation, »Mauretanier«-Figuren, die jede Handlung nur im Zusammenhang ihrer Einfügung in den Plan sehen. Da sind schließlich drei Künstler, mit denen Lucius befreundet ist – Halder, der Maler; Serner, der Philosoph; Ortner, der Dichter. Ihnen obliegt die metaphysische Durchdringung der Lage nicht nur in eigenem Auftrag, sondern auch auf Geheiß des Proconsuls, der glaubt, daß wahre Herrschaft durch die Kunst zusätzlich gefestigt, jedenfalls veredelt wird.

Zum ersten bedeutenden Anlaß kommt es an einem festlichen Abend. Der Maler Halder hat Geburtstag, und so trifft man sich im Freundeskreis zum Symposion. Zu sprechen ist über das Glück. Lucius bestimmt es als »Kinderzeit und Rückkehr der Kinderzeit«, womit er auf indirekte Weise seine Distanz zur Wirklichkeit von Heliopolis bezeugt.[48] Halder bringt das Glück mit den geglückten

Annäherungen – an eine Liebe, im Kunstwerk – zusammen. Serner findet es im Wunschverzicht, auf daß es dem Menschen von selbst zuströme. Ortner begnügt sich nicht mit einer kurzen Definition, liest vielmehr ein Kapitel aus seiner Autobiographie vor. So bildet »Ortners Erzählung« ein eigenes Kapitel im Roman: dreißig Seiten, die davon berichten, wie Ortner, als er, elend und arm, den Freitod erwog, in der Halle des Stettiner Bahnhofs einem Fremden begegnete. Der Mann bot Hilfe an, führte ihn in die Praxis eines Augenarztes, gab ihm zwei Tropfen einer Flüssigkeit in die Augen und damit die Fähigkeit, die Gesetze und Abläufe der Welt in ihrem Regelspiel zu durchschauen. Ortner wurde unermeßlich reich, ein Glücksspieler, der immer auf Gewinn setzte, bis er am Ende der Automat seiner eigenen Kunst war, ein Schattenwesen, kaum mehr einer humanen Regung fähig, schließlich wiederum ein möglicher Selbstmörder. Da begegnete ihm abermals der Fremde und befreite ihn von seiner Hellsicht. Die Moral: das Glück dürfe dem Menschen nicht als Materialisation allen Begehrens zufallen.[49]

Seit Lucius zu Pater Foelix in die Beichte geht, hat er sich auf ein asketisches Leben verpflichten lassen. »Verliere, um zu besitzen«, »entsage, um zu gewinnen« – so lauten die Maximen. Immerhin knüpft der Asket eine lose Verbindung zur Tochter seines Buchbinders, einer »Parsin« mit dem Namen Budur Peri. Bald besucht Lucius das Pagos-Gebirge: jenen Berg, der, wie schon Jüngers Tagebuch ausführt, den Ort abgibt für drei Weisen »höherer Erfassung des Seins« – für die Magie, für die Moral, für die Theologie. Ins magische Kapitel gehört der Besuch beim Bergrat Fernkorn.[50] Der Gelehrte entwickelt seine Philosophie der Welt, eine Lehre von den geheimen Konkordanzen zwischen der Oberfläche und dem Erdinneren. Für die politische Realität verlangt er eine Utopie, die der Staat dem Volk auszusetzen habe. »Zur Utopie ist jeder Staat verpflichtet, sobald er die Verbindung zum Mythos verloren hat. In ihr gelangt er zum Selbstbewußtsein seiner Aufgabe. Die Utopie ist der Entwurf des idealen Planes, durch den sich die Realität bestimmt. Die Utopien sind das Gesetz der neuen Bundeslade. Sie werden in den Heeren unsichtbar mitgeführt.«[51] – Darauf besucht Lucius den zweiten Ort der »höheren Erfassung« des Seins, die Kriegsschule auf dem Pagos. Der Proconsul hat für die militärische Abschlußklasse einen Kurs in Moralphilosophie eingeführt. De Geer, der ihn zu überwachen hat, wohnt einem Referat bei, das den Kadetten ein Problem zur Lösung präsentiert.

So taucht nun, Jahre nach der ersten Verzeichnung in Jüngers Tagebuch [52], die Geschichte des »Stegs von Masirah« im Roman auf, nicht als dunkle Allegorie, wofür sie sich besser geeignet hätte, sondern als Lehrbeispiel für die Ethik. Die Legende sei von einem englischen Kapitän, James Riley, überliefert worden, der mit seiner Brigantine im Jahr 1815 an der Küste von Mauretanien Schiffbruch erlitt und in die Gefangenschaft von Mauren geriet. Im Roman sind die Einzelheiten gegenüber dem Tagebuch weiter ausgeführt. Auf dem Weg in die Gefangenschaft sei der Kapitän einem alten Handelspfad entlang der Küste geführt worden, »bald durch Wüstenstriche, bald über hohe Dünen und Klippen«. Nun referiert der Lektor der Kriegsschule die eigentliche Begebenheit, deren Grauen direkt den Erzählungen von Poe entnommen sein könnte.

»Bei einem Platze, der Masirah heißt, springt das Gebirge halbmondförmig in die See hinaus. An seinem Fuße bricht sich die Brandung, während der Gipfel in die Wolken ragt. Der Stein ist eisenfarben und äußerst glatt. Hier führt der Pfad in halber Höhe die steile Wand entlang – als kaum zwei Handbreit starker Saum, der eben für einen Menschenfuß, für einen Maultierhuf genügt, doch nur bei sicherem und schwindelfreiem Schritt. Das Auge darf sich auf diesem Gange weder abwärts senken, zum weißen Kranz der Brecher, von dem es furchtbar angezogen wird, noch darf es sich aufwärts heben zu den Höhen, die der Albatros umkreist. Es muß sich zu der glatten Felswand heften, an der die Hand sich tastend hält. Derart, in schauerlicher Höhe, spinnt sich der Steg am Klippenrand entlang, in starkem Bogen, dessen Wölbung seewärts gerichtet ist. Er ist nur halb zu sehen, wenn man ihn betritt. Aus diesem Grunde pflegt man dort, wo beim Bogen die Sehne angeheftet wird, zu rasten, um sich zu vergewissern, daß der Steg nicht von der Gegenseite betreten wird. Das nun geschieht auf diese Weise, daß man von der Felsenkanzel nach Art der Muezzine einen starken Ruf erschallen läßt. Wenn keine Antwort kommt, darf man die Bahn als frei betrachten und sich auf sie hinauswagen. Auf diese Weise überschritt auch Riley den Abgrund im Gefolge des Mauren Seid und auf dem Wege zum Sklavenmarkt von Mogador. Riley war Seemann und schon mit fünfzehn Jahren dem Elternhaus entlaufen, um auf Segelschiffen Dienst zu tun. Solche Männer sind schwindelfrei. Und dennoch sagt er, daß ihn auf diesem Wege die Verzweiflung faßte und daß ihm die Welt im Fundament zu wanken schien. Zuweilen mußte er die Augen schließen, um die Wirbel zu stillen, die sich in seinem Inneren erhoben, um ihn hinabzusaugen in das grenzenlose Nichts... Riley beschreibt, wie er, nachdem er den Weg beendet hatte, noch lange, unfähig ein Glied zu rühren, auf der Erde lag. Es war ihm, als ob das Himmelsgewölbe kreiste und die Wogen sich zu ihm emporhöben. Die Flügel der Vernichtung hatten ihn gestreift. Nur langsam beruhigte sich sein Herz.« (Hp, 225 f./16, 191 f.)

Das Schauergemälde romantischer Einbildungskraft darf nicht für sich selbst stehen. Es wird zweimal angehoben zum Lehrstück eines modellhaften Konflikts. Nachdem der Kapitän den Steg von Masirah passiert hat, erzählt ihm der Maure von einer Begebenheit, die früher sich an dieser Stelle zugetragen habe. Zwei Karawanen, die eine im Aufstieg, die andere im Abstieg begriffen, hätten es unterlassen, vorher den Ruf, das Zeichen auszusenden. Mitten in der Querung sei es zu einer ausweglosen Begegnung gekommen. Hier ein jüdischer Händler mit seinem Gefolge und den Waren, da ein arabischer Scheich, dessen Maultiere Gold führten. Es sei zum Streit gekommen, die beiden Karawanen hätten sich gegenseitig in den Abgrund gestürzt.

Wäre die Sache zu lösen gewesen? Diese Frage stellt der Dozent den Aspiranten. Ein einziger nur legt einen Aufsatz vor, dessen Lösungsvorschlag den Beifall des Lehrers findet und dem moralphilosophischen Problem die passende Antwort gibt. Der reiche Araber hätte zuerst dem Juden dessen Ware abgekauft, danach wären die Maultiere des Juden in die Tiefe gestürzt worden. Jetzt hätte der Weg die Kehrtwendung der einen Gruppe ermöglicht, und so wären beide Karawanen dem Schicksal entronnen. Was im Strudel des Maelstroms schon verloren schien, wird gerettet, Umsicht und Kompromißbereitschaft nehmen dem Konflikt die Schärfe. Indessen erklärt der General das Problem als zu weit hergeholt, denn der Soldat komme kaum in solche Lagen und wisse, was zu tun sei: dem Befehl des Vorgesetzten vertrauensvoll zu folgen. Lucius aber spürt zum ersten Mal das Unbehagen dessen, der als Vermittler zwischen den Fronten steht, zwischen Moral und Politik, zwischen Gesinnungsethik und Verantwortungsethik, zwischen Theorie und Praxis.

Das dritte Erlebnis auf dem Pagos führt zur Begegnung mit Pater Foelix, der in der Gipfelregion wohnt und Bienen züchtet.[53] Ein längeres Gespräch dreht sich um Endlichkeit und Vergeblichkeit menschlicher Anstrengungen, die dennoch nicht ohne Sinn seien.

Wieder ist es die Boethius-Stelle im Tagebuch, die in den Roman ein-gespiegelt wird, wenn man über die Kontingenzen und Zumutungen der Weltgeschichte spricht. Auch Morde, Kriege, Grausamkeiten lägen innerhalb des »göttlichen Plans«, belehrt der Pater den Zög-ling, auch wenn sie sich außerhalb des »Gesetzes« – des ethisch dem Menschen Überantworteten – befänden.[54] Kein *menschlicher* Plan allerdings, weder derjenige des Bergrats noch der des Landvogts, vermöchte je die Welt ihrem Heil zuzuführen. – Hier schließt der erste Teil.

Der Anfang des zweiten Teils leitet zu den Handlungen über. Ein Parse tötet Messer Grande, den Polizeichef des Landvogts. Dieser verfügt als Gegenmaßnahme die Verfolgung der Parsen. Budur Peri und ihr Onkel, der Buchbinder, geraten in Gefangenschaft. Aber Lucius gelingt die Freilassung von Budur; sein Chef weiß noch nicht davon, daß de Geer den Dienstauftrag mit einer persönlichen Ange-legenheit verbunden hat. Da der Proconsul von den Proskriptionen des Landvogts erfährt, spielt er einen Gegenzug. Ein Stoßtrupp unter Führung von Lucius soll das Toxikologische Institut der Insel Castelmarino zerstören.

Diesem Unternehmen geht abermals ein Gespräch »über Rausch, Macht und Traum« voraus. Die Gesprächspartner sind Budur und Lucius. Wieder taucht in diesem Zusammenhang Fortunio auf – der Adept, die geheimnisvolle Figur aus den Notaten des »Abenteuerli-chen Herzens« und der »Marmor-Klippen«, der Pionier besonderer Entdeckungen. »Der suchte die Horte jenseits der Hesperiden und in den Abenteuern der äußersten Entfernung auf. Auch dort war Einsamkeit. Doch blühten die Triumphe mehr aus dem Blute, mehr aus dem Herzen als aus dem Geist. Das waren letzte Reiser, letzte Früchte am alten Heroenstamm. Sie wandten sich in der Begegnung von Anfang und Ende zum Mythischen zurück. In Geistern wie dem Fortunios vollendete sich das Streben der gotischen Forscher und Entdecker; der Wille zur Macht erlosch. Er wurde durch Reichtum abgelöst, durch Überfluß... Wenn man es philosophisch faßte, so waren sie auf dem Seinsweg vorgedrungen und in der Welt der Dinge...« (Hp 326 f./16, 274 f.)

Es bedarf keiner forcierten psychologischen Übertragung, damit deutlich wird, wie Jünger selbst als Reisender und Entdeckungs-fahrer nah an den Dingen das Spiegelbild Fortunios, des Adepten, hervorgebracht hat. Schon in der Begegnung mit dem Oberförster, wie sie die Parabel der zweiten Fassung des »Abenteuerlichen Herzens« mitteilt, war der Ich-Erzähler auf der Suche nach Fortunio dem Fallensteller ins Garn gegangen: er hatte sich selbst gesucht. Jetzt, im Roman, ist es Lucius, der sich Fortunio verwandt fühlt. Das Gespräch aber über die Annäherungen und über die Zeitstauchungen dient nur der Vorbereitung für das Experiment mit der Droge, das Lucius und seine Gefährtin gegen Ende des Romans durchführen werden und dessen Beschreibung zu den wichtigeren literarischen Durchgängen von »Heliopolis« gehört. Doch zunächst wird die Operation von Castelmarino durchgeführt. Das Toxikologische Institut wird gesprengt; vorher ist der Buchbinder Peri, der dort gefangen gehalten war, befreit worden. Antonio Peri stirbt etwas später aus Erschöpfung und wird nach dem Ritus der Parsen bestattet.[55]

Indessen erfährt Lucius' Chef von der Privataktion und verlangt von de Geer die Quittierung des Dienstes. Dem militärischen Sturz ist der Sturz in die Opium-Nacht vorausgegangen, in das Drogenerlebnis der Entgrenzung. »Doch beides war nur ein Abstieg in die eigene Tiefe; im letzten Grunde begegnete man sich selbst, dem alten Proteus, der die Welt und ihre Städte wie Träume bildete. Der letzte und stärkste Gegner, den man zu erlegen hatte, blieb das eigene Ich.« (Hp 411/16, 325)[56] Lucius verläßt die Armee und findet Aufnahme in Ortners Haus. Zwei Kapitel leiten das Ende des Romans ein. De Geer lernt Phares kennen, den Piloten des Raumschiffs, das ihn auf Befehl des Regenten in die fernen Räume bringen soll. Er erläutert seinem Passagier die Doktrin, nach der der Regent handelt. »Wir wollen in die Entwicklungen nicht eingreifen. Wir können auch nicht die Lösung sagen, denn die Lösung ist nur richtig für den, der sie gefunden hat... Im Schmerz liegt größere Hoffnung als im geschenkten Glück.« (Hp, 428f./16, 337) Da kehrt das Thema der Schrift über den Schmerz wieder – in einer Transposition, die dem ursprünglichen Konzept der Seelenstärkung für den Kampf in der Arbeitswelt jede Berechtigung ausgetrieben hat. Der Regent, heißt es, suche eine Elite, die durch Schmerz geprüft worden sei, denn dem höheren Bewußtsein müsse die Erfahrung von Mangel und Entbehrung vorausgegangen sein. Diese Elite »hat sich abgeschieden in den Kämpfen und Fiebern der Geschichte als Stoff, dem ein verborgener Wille zur Heilung innewohnt. Wir suchen ihn aufzufangen und zu entwickeln, um ihn dann dem Körper wieder zuzuführen als höhere und sinnvoll geklärte Lebenskraft. So ist auch der Auszug des Regenten zu erklären – als Abschied mit dem Plane der Wiederkunft.« (Hp, 429/16, 338) Zum Schluß besteigen Lucius und Budur Peri die Raumfähre. Im Schlußakkord sind die Zeiten nochmals überschlagen.»Ein Vierteljahrhundert war verflossen seit dem Treffen im Syrtenmeer. Und ebenso lange sollte es währen, ehe sie im Gefolge des Regenten zurückkehrten. Uns aber liegen diese Tage fern.« (Hp, 440/16, 343) So schließt der Roman, mit der Verheißung einer fast messianischen Wiederkehr. Die Parusie soll sich bewahrheiten.

*

Ein Märchen? Eine Utopie – der nicht nur die blauen Farben der Romantik, sondern auch jene des Kitsches nicht gänzlich fern sind? Versucht man das Werk weniger als Roman denn als ein Gedankenspiel zu lesen und sieht man von der Blässe der Handlung wie auch von vielen psychologischen Unzulänglichkeiten ab, bleibt eine *gedachte* Welt. In letzter Perspektive utopisch sind weniger die Wirklichkeiten dieser Zukunft, in denen sich die Figuren bewegen, als wäre die Arbeitswelt tatsächlich abgeschlossen, als vielmehr die Ideen, welchen in den vielen Gesprächen und auktorialen Einschüben Ausdruck verliehen wird. An einer kurzen Wende im Fortschrittsprozeß der Neuzeit – nach dem Zweiten Weltkrieg – bedenkt Jünger diese Entwicklung in einem erzählenden Werk. Daß er dabei nicht von der lastenden Gegenwart der Zeitgeschichte handelt, im Gegenteil die Möglichkeiten des Fortschritts im Zustand einer künftigen Entfaltung schildert, zählt zu den bemerkenswerteren Signaturen der Autorschaft, auch wenn dem Unternehmen gewaltige Reduktionen vorausgehen. Die Realität von Heliopolis ist gläsern geworden, der technische Komfort hat die Arbeitsvorgänge zum Schweigen gebracht; kein »Arbeiter« stört diese Ruhe. Die Optionen und Interessen der Figuren dürfen in idealtypischer Konzentration erfahren werden; es gibt, sieht man von der bezeichnenden Ausnahme des Helden ab, keine Trübungen. Nicht nur die Dinge, sondern auch die Menschen sind einfach geworden – starr, fest begrenzt. Dem Roman liegt so das Prinzip der Repräsentation zugrunde.

Man brauchte nicht einmal vom Verfasser des Tagebuchs belehrt worden zu sein, um zu begreifen, was diese Repräsentationen im Geistigen bedeuten. Dem »göttlichen Plan«, dem großen, nie durchschauten, unerforschlichen Entwurf, der alles Wirkliche und Mögliche in sich birgt, stehen die Pläne der Menschen gegenüber. Sie sind die antizipierte Vollendung der Geschichte, in der einen oder anderen Form.[57] In der Form der tyrannischen Demagogie bei gleichzeitigem Nivellement; oder in der Form der völligen Vermessung und Verfügung im Sinn des Nihilismus. Jeder von Menschen intendierte und auf die Bahn der Realisierung gebrachte Gesamtplan muß scheitern. Das lehrt die Weltgeschichte in ihrem Auf und Ab, und das lehrt »Heliopolis«. Denn auch unter Bedingungen der fortgeschrittensten Technik bleiben Gegensätze, Konflikte, divergierende Interessen, schließlich Unruhen und Kriege. Das Grundübel liegt im babylonischen Traum: die Stadt, die »absolut« wird, ist ein Gefängnis, unabhängig davon, wer sie baut. Zur geistigen Landkarte des Romans gehört, daß fast alle der von Jünger im Lauf der Jahrzehnte erkannten Positionen auf ihr verzeichnet sind. Wie das Nebeneinander der Stile in Heliopolis, vom »Cottage« über das »Chalet« bis zu den Bunkeranlagen, den schwerlich lebbaren Eklektizismus dieser Stadt evoziert, bildet sich auch die geistige Realität im dichten Nebeneinander der Welt-Vorstellungen.

Der sie zu überprüfen hat und dem sie zu Widerständen seiner Lehr- und Wanderjahre werden, ist der Held. Prüfungen theoretischer und praktischer Art sind Lucius aufgegeben, und er bewältigt sie, indem er an ihnen scheitert und scheiternd durch sie hindurchgeht. Darin ist er ein später Erbe romantischer Seinssuche. Im Maß, wie er die Inkommensurabilität des Unendlichen anerkennt, wird de Geer erlöst: mit dem Auszug aus der »schlechten« Unendlichkeit von Heliopolis belohnt. Unter dem Datum des 14. September 1945 hatte Jünger über die »Bewegungszüge« der Moderne geschrieben und mit dem Hinweis auf Kleist die Genese der funktionalisierten Welt gestreift. Der Held von »Heliopolis« erlebt die Bewährungsprobe der Moderne in der extremen Kompression ihres technischen Bestands. Nicht von der Macht dieser Zustände wird er legitimiert, sondern im Scheitern ihnen gegenüber erhöht: ein später Abkömmling des Prinzen von Homburg.

»Ortners Erzählung«, der Roman im Roman, muß als Modell solcher Entelechie gedeutet werden. Von dem mephistophelischen Verführer zunächst in das Geheimnis aller Ursachen und Wirkungen eingeweiht, triumphiert Ortner über das materielle Sein. Nun aber ist er selbst zum Automaten, zur Marionette der Materie geworden. Bis in die Semantik des »Abenteuerlichen Herzens«, da der »Oberförster« pfeifend aufgetreten war, führt Jünger die Zeichen von »Ortners Erzählung« zurück; auch der Augenarzt pfeift leise seine Melodien und versetzt während des Eingriffs den Patienten mit Hilfe eines Spiegels in Trance. Entscheidend ist, daß jetzt aus der Ausweglosigkeit der Parabel des »Abenteuerlichen Herzens« ein Weg in die Freiheit geworden ist. Ortner verzichtet auf sein Verfügungswissen und wird gerettet. – Als Lucius nach dem doppelten Sturz in die militärische Verfehlung und in die Opiumnacht den Dichter um seinen Rat bittet, kann ihn dieser lehren, daß das Glück nicht im Wissen der Pläne, sondern im erfüllten Augenblick liege. Ortners Schicksal liefert die vorweggenommene Parallelaktion der Entwicklungslehre von »Heliopolis«.

Weitere Unterweisung erhält der Held auf dem Gang zum Pagos. Auf der untersten Ebene die Magie: ihr huldigt der Bergrat Fernkorn, indem er glaubt, daß das dritte Stadium der Technik – nach dem titanischen und dem rationalen das magische – neue Seinsweisen eröffne. In der magischen Phase würden die Technik und mit ihr die Automaten »mit Sinn belebt«. »Die Technik nimmt zauberhaften Charakter an; sie wird den Wünschen homogen. Dem Rhythmus gesellt sich ... das Melos zu ... Das ist die Lage, in der sich auf das Glück visieren läßt. Es ist zunächst darauf zu zielen, daß die Erde Inselcharakter gewinnt. Die Inseln sind ja die alten Glückshorte. Die Erde muß sich runden als ein geschlossener Lebens- und Verwaltungsraum.« (Hp, 220/16, 187)[58] Aber Fernkorns Utopie bleibt nur Planspiel.

Auf der zweiten Stufe der Seinserfassung kommt die Ethik ins Spiel. Die Lehre von Gerechtigkeit und rechtem Tun ist der Kriegsschule als dem Ort ihrer Erörterung zugewiesen. Es mag zu den heimlichen Listen der Autorschaft zählen, daß die »Maṣirah«-Parabel, die der Moral Anschaulichkeit vermitteln soll, am Ende relativiert wird. Jünger war die Begebenheit des Stegs erstmals während dem Zweiten Weltkrieg aufgefallen, in dem Reisebericht des englischen Kapitäns, zu einem Zeitpunkt, da die Irritationen des »Abenteuerlichen Herzens« schon zurücklagen und »Masirah« für eine *literarische* Vision im Stil von »Figuren und Capriccios« nicht mehr in Frage kommen konnte. Der Vergleich mit Poe wird im Tagebuch ausdrücklich gemacht. Aber indem schon der Name des großen Lehrers des Schreckens genannt wird, ist die Aura des Phantastischen verwirkt. Gleichwohl läßt Jünger die Möglichkeit der Literarisierung nicht los.[59]

Ein halbes Jahr später, auf der Reise in den Kaukasus, meditiert der Schriftsteller wieder über das Motiv der Querung von Masirah. Woroschilowsk, 29. November 1942: »In diesen Tagen kam mir wieder der Plan zu einer neuen Arbeit, ›Der Steg von Masirah‹, in den Sinn.« Darauf entwickelt Jünger in groben Zügen das Muster dieser Erzählung. Der Protagonist, Othfried, folgt einem Weg nach Gadamar, wo Fortunio eine Edelsteinmine entdeckt hat. Die Karte Fortunios, »halb in Buchstabentext, halb in Landschafts-Hieroglyphen«, führt Othfried durch unwegsame Wüsten- und Küstenregionen. Weshalb folgt er den Zeichen? Es belebt ihn, wie die Figuren von E.T.A. Hoffmann, der Anblick eines Edelsteins, den ihm Fortunio als Belegstück aus der Mine hinterlassen hat. »Wenn man ihn lange betrachtet, sieht man in ihm magische Spiele und Bilder der Zukunft und Vergangenheit.« Schließlich soll sich zeigen, daß Fortunio »dem Besitzer dieser Karte eine Aufgabe stellt, deren Krönung der Schatzfund ist. Die Figuren dieser Aufgabe sind zunächst abenteuerlich, erfassen sodann die geistige Begabung und verwandeln sich endlich in ethische Prüfungen«. Zum ersten Mal ist damit nicht nur der »Steg von Masirah« als Konfiguration einer Bewährungsprobe vorweggenommen, sondern auch die Welt als Gefüge von Prüfungen bezeichnet. Doch noch ist Jünger unsicher, wie er den Einfall umsetzen soll. »Indem ich während meines Ganges über den Markt das Thema bedachte, schien es mir zu schade, um ein einzelnes Stück herauszuschneiden; es wäre gut geeignet zu einer Schilderung des Lebensweges überhaupt. Die Karte müßte dann das Schicksal spiegeln, das in ihr geschrieben stünde wie in den Linien der Hand. Die Edelsteinmine ist die Krone, die den Weg belohnt. Auf diese Weise ließe sich viel in den Stoff hineinbringen.« (Stra, 211 f./2, 427 f.)[60]

Das Projekt wird nicht verwirklicht. Oder doch? Ist nicht der ganze Roman, »Heliopolis«, die sieben Jahre später nachgereichte Entelechie eines Helden vom Verlust zum Gewinn? Die Welt des Fortunio allerdings, die als Welt der Magie fungiert, ist nur *eine* Perspektive auf das höhere Sein. Und hier wird der »Steg von Masirah« zum Lehrstück im Lehrstück – man muß schon fast sagen: degradiert. Er hat nicht seine ethische, aber seine existentielle Konnotation einge-büßt, die Aura äußerster Gefährdung; das Bild ist entschärft. Das fügt sich nicht nur zu den Entzauberungen des Grauens, welche Jün-ger seit den »Marmor-Klippen« vornimmt, sondern auch zum philo-sophischen Prinzip des Romans; um Abgründe des Sinnlosigkeits-verdachts darf es nicht mehr gehen. An der Geschichte triumphiert das Exempel. Daß es dem General nicht genügt, die Urteilskraft sei-ner Aspiranten zu erproben, zeigt endlich, wie auch die Welt der poli-tischen Gegebenheiten keine Zugänge zur Wahrheit findet. So führt der »Lebensweg« auf die dritte Ebene, auf die Stufe der Theologie. Erst hier, im Apiarium des frommen Paters, wird Lucius auf die höchste Annäherung an das »Sein« verwiesen. Das Böse gehöre mit zum »Plan«, »da es nichts gibt, was außerhalb des Plans ist«.

Über diesen Schluß, der die Theodizee mitsprechen läßt, ist leicht lächeln, und um so mehr, wenn man den Gang der persönlichen Ent-wicklung des Helden vor dem Hintergrund der politischen Zustände der Nachkriegsjahre betrachtet. Den elementaren Gefährdungen der Zeit antworten literarisch die Gefährdungen im visionären Abenteuer. Nichts aber könnte die Exotik von »Heliopolis« deut-licher ausweisen als die letzte große Herausforderung, der sich de Geer stellt – ohne übrigens von außen dazu genötigt worden zu sein. Gemeint ist das Drogenexperiment: vollzogen von dem Schriftsteller selbst vor langer Zeit, während der Jahre in Hannover, in der Epoche des Ersten Weltkriegs und seiner Ausläufer. Diese Form des Rau-sches reiht sich unter die Schlüssel zur »anderen« Wirklichkeit.[61]

Das Romankapitel, da Lucius an der Seite von Budur Peri die künstlichen Paradiese betritt, ist »Die Lorbeernacht« überschrieben. Budurs Vater hatte schon Ausflüge dahin riskiert und sie in seinem »Logbuch« aufgezeichnet.[62] Bevor sich die Wirkung der Droge zeigt, hebt ein lockeres Gespräch über den Glauben an: Erörterung der christlichen Religion, auch der strenger geordneten Anschauungen der Parsen. Wo bei den Christen die Liebe alles Gegensätzliche zu überwinden suche, herrsche bei den Parsen die Kraft der Unterschei-dung in das Reine und das Unreine.[63] Heftiger als erwartet setzt dann die Kraft des Opiums an mit Erlebnissen, die fast wörtlich in Poes Geschichte »The Pit and the Pendulum« vorgegeben sind.

»Es schien ihm…, als ob ein Pendelschlag den Raum erfüllte wie scharf geschwungenes Metall. Sichelnder Mond; es konnte ihr Atem und mochte auch ein ferner Sturmwind sein. Der Ton war schneidend, als ritzte er feinste Häute auf. Er schien Lust zu erwecken, doch war sie so stark, daß sie sich in Schmerz verwandelte. Zugleich verengten sich die Wände und traten dicht heran. Sie wurden alt und rissig, Gemäuer verdichteter Zeit.« (Hp, 397/16, 313)[64]

Der Initiation im Stil »gothischer« Romantik folgt die eigentliche Schau, ein Gemälde von Schrecken und Verwüstung. Nimmt man das Gesehene in seiner zeichenhaften Qualität, wird von Erscheinungen berichtet, die ins Kabinett von Jüngers unverwechselbarer Dämonologie gehören. Nebel zieht auf und mildert die Konturen, eine trübe Landschaft breitet sich aus, in dunklen Kammern quälen sich Sklaven. »Lucius fühlte…, daß ihn die Verzweiflung überwältigte. Das Nichts zog ihn ein mit seiner fürchterlichen Macht und großer Freude wie in eine Festung, die es lange belagerte. Kein Held, kein Ritter, kein Orpheus konnte dem gewachsen sein. Der letzte Triumphator blieb der Wurm.« Und später, im Bezirk der Häuser: »Lucius bewegte sich mit wachsendem Entsetzen in diesem Karneval. Der Zwang war pressend und schloß den Willen aus. Er fühlte nichts mehr, was ihn unterschied, auch keine Neugier mehr. Das Pendel schlug weiter; es hatte Stimme angenommen, und er hörte die fürchterlichen Worte: ›Das bist du!‹« (Hp, 399 f./16, 314 f.)[65]

Im Traum entgrenzen sich Gut und Böse, bis das Nichts erreicht ist. Man könnte sich an die Zuspitzungen des »Abenteuerlichen Herzens« erinnert fühlen, wäre der Sinn der Episode nicht in eine gänzlich andere Richtung ausgesteckt. Als hätte nicht die Wirklichkeit von Heliopolis, sondern nur die Droge solches Entsetzen hervorbringen können, vollzieht sich an dramaturgisch entscheidender Stelle das letzte Stück der Initiation. »Das bist du!« Die Reise hat ins Innere geführt, in die Kammern und Winkel des Ich.[66] So soll dem Helden, der auf wunderhafte Weise durch alle »realen« Prüfungen hindurchgegangen ist, das Grauen im Spiegelblick aufscheinen: nicht als ausweisloses Dasein, nur als kurzer Rausch. Er endet mit einem Fall – mit einem Sturz, der seit der »Blechsturz«-Parabel des »Abenteuerlichen Herzens« äußerste Bedrohung markieren muß. »Das Pendel hatte nun den stärksten Schwung gewonnen; die Bilder verblaßten, und nur der fürchterliche Rhythmus blieb zurück. Der Boden begann zu wanken und sich aufzulösen wie Planken über einem Riff. Der Nullpunkt war erreicht. Er stürzte; die Erde war steinern, und der Himmel stand eisern über ihr gewölbt.« (Hp, 402/16, 317) Budur, der die Droge weniger anzuhaben vermochte, löst Lucius aus der Erstarrung. Dann folgt dem Abstieg in die eigene Tiefe die »Erhöhung« der Fahrt zu den fernen Weltenräumen.

Aber keine Entwicklungsgeschichte kann Jünger davon abhalten, in diese Geschichte wie eine säkulare Eschatologie die umfassendere Geschichte wenigstens kurz einzuspiegeln. Nichts ist unvergänglich, wohl jedoch birgt die Welt, die auch Heliopolis hervorgebildet, Ressourcen, die ins Künftige fortwirken. Daß sie dem Menschen nicht mehr nur instrumentell zur Verfügung sein sollen, gehört zu den Überlegungen, die Jünger im Lauf der Jahrzehnte gewonnen hat. Die Parusie kann nicht »hergestellt« werden. Entsagung geht ihr voraus, ein Abschied von der technischen Wirklichkeit. Das ist unabweisbar ein Stück Verlängerung frühromantischer Utopie.

Orient und Okzident:
»Der gordische Knoten«

Weltgeschichtliche Betrachtungen setzen unabhängig von den skeptischen oder hoffnungsfrohen Untertönen des eigentlichen Kommentars voraus, daß von *der* Geschichte ausgegangen werden kann. Gerade davon schien die Öffentlichkeit im Schock nach 1945 nicht mehr ohne weiteres überzeugt. Arnold Gehlen, der etwas später auf den Begriff vom »posthistoire« brachte, was ihm phänomenal die Nach-Geschichte indizierte, vertiefte im Unterschied zu den Philosophen der Frankfurter Schule die Bedeutung der faschistischen und nationalsozialistischen Epoche für deren Genese nicht ausdrücklich. Gleichwohl hat der Bruch mit allem, wofür man die Erziehung des Menschen zur Kultur geltend macht, auch Gehlens Lehre vom Ende von Geschichte berührt.[67] Für Jünger aber besteht kein Anlaß zur Dramatisierung. Der Autor des »Abenteuerlichen Herzens«, der argwöhnisch die Phänomene der Neuen Zeit hin und her gewendet hatte, meditiert nun weniger über die Katastrophe und ihre Folgeprobleme als über einen Geschichtssinn, der sie in sich aufzunehmen vermöchte. Größere Räume, tiefere historische Perspektiven sollen eröffnet werden. Zwischen 1949, da »Heliopolis« erscheint, und 1957, dem Publikationsjahr der Erzählung »Gläserne Bienen«, legt Jünger drei große Essays vor. 1950 präsentiert er zum 60. Geburtstag von Heidegger den Aufsatz »Über die Linie«. Ein Jahr danach folgt »Der Waldgang«. Und 1953 wird eine weltgeschichtliche Betrachtung mit dem Titel »Der gordische Knoten« veröffentlicht. Daneben kommen kleinere Arbeiten zur Naturphilosophie (»Am Kieselstrand«, 1951, »Drei Kiesel«, 1952), eine Schrift über gemessene und gelebte Zeit (»Das Sanduhrbuch«, 1954), ein Reisebericht (»Am Sarazenenturm«, 1956) und Erzählerisches. 1952 erscheint die kurze und dicht geführte »Eberjagd«. Im selben Jahr legt Jünger die Erzählung »Besuch auf Godenholm« vor; in ihr wird der Einbruch der durch Drogen beschworenen »höheren« Realität nicht nur – wie in »Heliopolis« – gestreift, sondern zu einem eigenständigen Werk gestaltet. Schließlich liefert Jünger 1954 den ersten Teil einer Geschichte, die er erst 1985 unter dem Titel »Eine gefährliche Begegnung« abschließen wird.

Es fällt schwer, aus dieser Zeitspanne ein eigentliches Thema herauszulesen. Die Stoffe wechseln, Geschichtliches und Naturbetrachtungen, Mystisches und Reiseberichte greifen ineinander. Für unser Kapitel ist einzig der Essay »Der gordische Knoten« zentral, denn er gehört in den Bannkreis der geschichtsphilosophischen Spekulationen, wie sie seit seinem zweiten Pariser Tagebuch den Schriftsteller bewegen. »Der gordische Knoten«: das meint zunächst den Knoten, den Alexander auf seinem Feldzug nach Osten durchschlug. Wie es die zugleich mythische und geschichtsträchtige Tat will, setzt sich mit dieser Entscheidung der aufgeklärtere Geist des Westens über die magischen Herausforderungen des Ostens hinweg. Abendland, Westen, Europa – Morgenland, Osten, Asien: der Aufsatz beginnt bei dem alten Dualismus, der nicht nur geschichtliche Figuren bestimmt, sondern auch zwei Weltanschauungen zum Ausdruck bringt. Hier, seit der geschichtlichen Lichtwerdung durch den Logos, der Westen, der, jedenfalls der Idee nach, die menschliche Freiheit verheißt. Dort, als Widerpart, der Osten; Magie und Geheimnis, Entgrenzung von Energien, die nach ungehegter Macht und Despotie drängen.

Jünger arbeitet zunächst den Gegensatz zwischen Westen und Osten heraus, mithin auch die Genese des Erwachens zu Vernunft bei den Griechen. In der Abwendung von Asien, der »Großen Mutter«, entdeckt der Mensch eine Freiheit, die wesentlich Neugierde ist. Prototypisch verwirklicht sie noch vor den geschichtlichen Folgetaten der Odysseus des Homer. Mit den Perserkriegen aber bricht sich der östliche Anspruch nach absoluter Macht historisch folgenreich am Widerstand des griechischen Freiheitsbewußtseins. Wieder zitiert der Universalhistoriker die Mythe vom Turmbau zu Babel, um darauf zu fragen, ob »Babel« als Wahrheit »nicht auch unseren Konflikten innewohnt, ob sie in ihnen sich nicht von neuem offenbart hat und sie auch weiterhin entscheiden wird. Nur geben wir ihr heute andere, untheologische Erklärungen.«[68] Und spätestens hier wird deutlich, wie den Trennungen, die Jünger zu Anfang vorgenommen hat, etwas Künstliches anhaftet. Osten, Westen – die Grenzen beginnen zu verfließen, wenn mit der Anspielung auf die Zeitgeschichte die Hypothese einer durchgehenden Entwicklung von der orientalischen Finsternis zur europäischen Aufklärung zerbricht. »Babel« bestimmt auch die wissenschaftlich-technische Moderne.

Deshalb kann erst der »zeitlose Mensch« die letzte Station der Betrachtung sein. Im Menschen selbst seien die westlichen und die östlichen Wesenszüge, der Wille zur Freiheit und die Lust an der Despotie, vereinigt. Im folgenden sollen die beiden »Schichten« untersucht werden, die das menschliche Sein nach seiner europäischen und nach seiner asiatischen Seite hin bestimmen. Auf den Spuren von Carl Schmitt erörtert Jünger die Ideen von Freiheit und Souveränität in ihrem west-östlichen Verhältnis. Im Osten sei die Macht substanzhaft, im Westen sei sie wesentlich repräsentativ, weniger der Person als der Funktion des Fürsten zugeordnet. Im Osten vollziehe sich der Krieg nicht in gehegten, nach Regeln geordneten Bahnen; der Waffengebrauch sei uneingeschränkt, der Besiegte werde in die Sklaverei überführt, kein Begräbnisdienst finde statt. Schließlich könne sich die Willenskraft des großen Einzelnen oft reißend Bahn brechen. Aladins Geschichte schlägt durch. »Die Zauberringe des Märchens machen das Verhältnis anschaulich. Wer sich ihrer zu bemächtigen weiß, sei es durch List oder Gewalt, indem er seinen Vorgänger vergiftet oder erschlägt, dem stehen die dienstbaren Geister mit gleichem Eifer zu Gebot wie dem rechtmäßigen Herrn. Das ist orientalische Macht.« (GK, 50/7, 407 f.)[69] Umgekehrt gelte auch, daß nur im Osten Gott als Richter, Gesetzgeber und Vater nah herantrete, worin sich Reichtum und Dichte ausdrückten. Das sei ein großes Vorrecht; es weise den Westen immer wieder auf den Osten hin.

Für den geschichtsphilosophischen Vereinfacher ist indessen keine Reduktion so preiswert zu haben wie diejenige auf den anthropologischen Wesenskern. Selbst der göttergleiche Achill habe gegen den toten Hektor in einer Weise gewütet, »die in allen Schreckenszeiten wiederkehrt«. »Das legt die Vermutung nahe, daß es sich um Abgründe handelt, die im Menschen als solchem vorhanden sind, um Tiefen, die er wiederentdeckt, wenn nicht nur Veränderungen innerhalb der Ordnung drohen, sondern die Ordnung als solche auf dem Spiele steht: wenn es ›ums Ganze geht‹.« (GK, 65 f./7, 418) Wo solche anthropologischen Gewißheiten das letzte Wort haben, kann geschichtsphilosophische Anstrengung nur auf zyklische Muster des historischen Geschehens rekurrieren. Immer wieder Abstieg in die Finsternis der Gewalt, immer wieder Aufstieg zum Licht der Humanität, zu Dauer und Frieden. Obwohl Jünger darauf verweist, daß die großen Beschleunigungen der Reformation, der Französischen Revolution und der russischen Oktoberrevolution die Geschichte dynamisiert hätten, ist diese Dynamisierung nicht mehr, wie noch in früheren Schriften, das eigentliche Thema. Es ist nicht Zufall, daß unmittelbar im Anschluß an diese Ausführungen der Zyklus von Mond- und Sonnenaufgang ins Bild gerückt wird. Naturgesetzliche Faktoren bestimmen letztlich auch den geschichtlichen Gang, der damit entdramatisiert wird. So gerinnt die Nachkriegszeit zur Beiläufigkeit, und der furchtbare Krieg, der ihr vorausging, bleibt bei allen Schrecklichkeiten doch nicht gänzlich inkommensurabel.

Wenn der Weltgeschichte nicht das lineare Modell ihrer fortschreitenden Entwicklung zu Vernunft und Humanität zugrunde gelegt werden kann, sondern ein Kreisgang von Aufstieg und Verfall die Historie reguliert, darf jeder plötzliche Einfall des Bösen in milderem Licht betrachtet werden. Er wird mit dem Bild vom Klimasturz verglichen. Die Metapher ist nach Maßgabe von Jüngers Denken genau, weil der Wechsel in Chaos und Schreckensherrschaft aus elementaren Bedingungen hervorbricht. »Wenn die Tyrannis einbricht, sei es in Personen, sei es in Regionen, erfaßt uns ein Gefühl der Lähmung, der Sinnlosigkeit. Der Verlust der Freiheit ruft eine räumliche, geistige und seelische Erstarrung hervor.« (GK, 106/7, 446) Doch sei die Willkür am Ende »im Herzen des Menschen« beheimatet. Die geschichtliche Frage wird so zur Frage nach dem Menschen und dem Menschenmöglichen umgedeutet. Vorläufer solcher Meditationen sind eher die Anthropologen als die Geschichtsphilosophen, eher Schopenhauer als Hegel, eher Burckhardt als Comte. Doch anders als Schopenhauer oder Burckhardt ist Jünger kein Pessimist: als Naturphilosoph kann er weder die Depressionen des Verfassers der »Welt als Wille und Vorstellung« noch den Skeptizismus des Autors der »Weltgeschichtlichen Betrachtungen« teilen.[70] Er sieht nur, selbst durch die Erfahrungen des Zweiten Weltkriegs hindurch, das Aufblühen und Verwelken der Kulturen.

Um so problematischer mutet an, wenn entgegen dem Programm einer Fundamentalanthropologie ethnische und geographische Distinktionen vorgenommen werden, denen moralische Unterscheidungen vorausgegangen sind. Man wird nicht unterstellen wollen, daß Jünger Östlichem nur befangen begegnet, doch wird tendenziell als geschichtliche Wahrheit hingenommen, daß sich der Mensch im Westen mehr zur Seite der humanen Aufklärung hin entwickelt, im Osten sich auf die Seite der Elementarmächte schlägt. »Welche Barbaren«, murmelt Napoleon, als er von seinem Fenster aus das brennende Moskau betrachtet. Jünger, der die Szene herbeizitiert, widerspricht nicht. Gibt es eine Schicksalsgeographie? Nur am Rand ist das große Problem gestreift, wie seit den Griechen ein abendländisches Bewußtsein von Willen und Rationalität entstehen konnte. Machtstreben eignet sich hier nicht als Distinktion, eher muß vom Nomos – als dem politisch gewordenen Raum – ausgegangen werden. Als Regel lasse sich annehmen, daß der europäische Stratege das Feld seiner Stärke verläßt, wenn er Maßnahmen trifft, die räumlich die Einöde und zeitlich den schleppenden Ablauf begünstigen. »Das deutet auf den elementaren Vorteil der Gegenseite hin. Die entwickelte historische Macht wird umso wirksamer, je mehr ihr die räumliche und zeitliche Raffung ihrer Mittel gelingt. Daher wird ihr, auf lange Sicht gesehen, die Annahme ihrer Technik durch einen östlichen Gegner günstig sein. Sie zwingt ihn seinerseits zur Konzentration, wie zum Ausbau von Verkehrsnetzen und Industrierevieren, und damit in ein unvorteilhafteres Medium. Dieser Zwang muß in den Endstadien der Technik wachsen, in denen der Raum zusammenschmilzt.« (GK, 122 f./7, 457)[71]

Gibt es Endstadien der Technik? Die Frage lenkt ins Zentrum von Jüngers politischer Philosophie, die sich schon in den Schlußpassagen des »Arbeiters« mitteilt und in den Essays »Über die Linie« (1950) und »An der Zeitmauer« (1959) weiter entfaltet. Eine Antwort sei an späterer Stelle versucht. Wahr ist indessen, daß zu den europäischen Methoden von Herrschaft die Technik gehört, welche raumgreifend und zeitraffend die Dimensionen sich gefügig macht. Davon durfte seit der Mitte des 19. Jahrhunderts auch der Osten nicht mehr absehen. »Eine der Perspektiven ist ja auch die, daß alle Völker in das abendländische Schicksal verstrickt werden. Der Altrusse, der Türke, der Japaner – sie alle schraken im Grunde vor dieser Verstrickung zurück.« Dennoch zähle die Technik zu den »großen Träumen«.

Als Traum entzieht sie sich ihrer Bändigung.[72] Und doch soll sie gehegt werden: so verlangt es – Einsicht nach zwei Kriegen – das Ethos. Der Mensch beschränke sich selbst durch die Beachtung göttlicher und irdischer Gesetze, die Herrschaft gründe auf dem inneren Triumph. Aber nicht lange hält es den Schriftsteller bei solchen Ermahnungen, zu sehr weiß der Empiriker, daß auf dem Sollen wenig gegründet wird. Er wechselt abschließend auf das Gebiet der Kunst, und hier zitiert er nochmals, zusammen mit Baudelaire, Kleist als Propheten der Moderne. Das Kunstwerk, welches Wirklichkeiten antizipiert, birgt ungehegte, vielleicht »barbarische« Kräfte. Es greift den Nomos an, die bestehende Ordnung, und liefert die Zeitgenossen den Irritationen aus. So wenig aber die Historie einer kontinuierlichen Entwicklung folgt, so wenig bewegt sich die Kunst in voraussehbaren Bahnen. Sie hat Anteil am Elementaren, an jener »Erdkraft«, die immer wieder die Ordnungen stört – auch die ästhetischen Ordnungen. Diesem Zufluß folge die Bändigung.

Bändigung der Erdkraft, »Triumph über die Titanen«. Das Programm der Anverwandlungen läuft längst, und selbst die Extremstörung zweier Weltkriege vermochte es nicht zu stoppen. Niemals kann eine Zykluslehre die Härte dieses Prozesses ganz treffen. Dem späten Abkömmling Nietzsches wäre indes gedient, wenn die apollinischen und die dionysischen Kräfte zur definitiven Balance gelangten, zur west-östlichen Synthese. Es wäre alles ganz einfach: die dionysische Kraft entzieht sich der Zeit wie der Geschichte; stattdessen vermittelt sie die Berührung mit dem elementaren Sein. Der apollinischen Kraft gelingt die Bändigung; doch ermangelt sie des Stoffs, der Substanz. Warum glaubt Jünger an diesen Zusammenschluß, der sogar den »Weltstaat« zu gründen vermöchte? Die Frage betrifft die Eschatologie des Essays. Ihr entsprechend wäre es der Moderne vorbehalten, die Kluft zu schließen und Endstadien der Technik wirklich werden zu lassen. Die quantitative Kumulation schlüge um in das qualitativ Neue einer technisch restfrei gesättigten Welt, die wie einst das Paradies zur Lebenswelt im emphatischen Sinn wird. Alles, was je gebraucht und eingefordert werden sollte, ist jetzt da. Man sieht, welcher Überschuß an Utopie solcher Nach-Geschichte innewohnt. Ihr gegenüber nimmt sich die später zur Postmoderne umbenannte »post-histoire« harmlos aus.

»Nordlicht«-Erlösungen

Im Jahr 1929 veröffentlichte ein Religionswissenschaftler ein Werk zur griechischen Geistesgeschichte, das die christlich gefärbte Hermeneutik antiker Mythologie radikal abwehren sollte. Walter F. Otto gedachte mit seiner Untersuchung »Die Götter Griechenlands« zu zeigen, daß die Wende vom magisch erdverbundenen Weltbild des Ostens zum Logozentrismus europäischer Geschichtswerdung schon in den Epen des Homer zu greifen ist. Er ging noch weiter, indem er die beiden »Anschauungsformen« im Menschen selbst fundierte. Die eine – magische – finde ihr Interesse in der Sphäre grenzenloser Kräfte und Wirkungen, in Machtoffenbarungen, im Reich der schreckens- und freudvollen Schauer. Die andere sei die objektive oder rationale. »Ihr Gegenstand ist die natürliche Wirklichkeit; ihr Streben, deren Bestand in die Breite und Tiefe zu ermessen und seine Formen und Gültigkeiten... anzuschauen.«[73]

Aus dieser menschlichen Doppelung sei bei den Griechen die objektivierende Wirklichkeitsbestimmung hervorgewachsen als das »Lichtreich« des Zeus und seines Olymp. Athene repräsentiert Geist, Besonnenheit und Tat. »Der Glaube an Athene entsprang keiner Einzelnot, keinem Einzelverlangen des Menschenlebens. Sie ist der Sinn und die Wirklichkeit einer ganzen, in sich vollendeten Welt: der klaren, harten, glorreichen Manneswelt des Planens und Vollbringens, deren Lust das Kämpfen ist.«[74] Was der Sprachstil der Zeit verklärend anhebt, war der Sache nach schon von Jacob Burckhardt als die agonale Haltung bestimmt worden. Aber Walter F. Otto erneuerte die Erinnerung an das frühgriechische Erbe des Westens nicht nur, sondern ließ dessen Welt ausdrücklich aus der Option für das »Licht« und gegen die Magie entstehen, um diesem historischen Sprung ebenso ausdrücklich die anthropologische Kompression der beiden Anschauungen vorzulagern – als Dualität im Menschen. Man erkennt gleich, daß der »Gordische Knoten« genau der so vorgezeichneten Linie folgt und sie entsprechend weiter auszieht: bis an den Punkt, da auch das zeitgeschichtliche Übel von Weltkrieg und Diktatur in entlastender Absicht um seine Singularität gebracht ist. Dafür muß entscheidend sein, daß die geschichtliche Wellenbewegung letztlich nur vom anthropologischen Urkern abstrahlt.

Der Religionswissenschaftler hatte den Denkweg dahin diskursiv geebnet. Einem Dichter im emphatischen Sinn des Wortes war gegeben, ihn früher schon anschaulich »erzählt« zu haben. 1910 lag in seiner ersten Fassung Theodor Däublers »Nordlicht« vor.

Das »Nordlicht« will nicht weniger als die in Verse gesetzte Geschichte der Menschheit. Wieder soll es das Licht sein, nach welchem alles Leben, irdisches und kosmisches, strebt. Noch als Jüngling überfiel Däubler die Grundlehre. Die Sonne ist die große Quelle; von ihr war die Erde abgetrennt. Aber es gibt eine Erscheinung, die den Entzug überbrückt und die Verbindung aufrechterhält: das Nordlicht. Ihm zieht die Menschheit im Gang der Weltgeschichte entgegen, von Asien her kommend, immer wieder gehemmt und niedergehalten durch Katastrophen, am Schluß jeder Periode ihrer Entwicklung in den Krater des Berges Ararat geworfen und für das nächste Abenteuer ausgespien.[75] Dem Zyklus ist indessen nicht der Kreis ewiger Wiederkunft eingeschrieben, sondern die Spirale geschichtlicher Vollendung. Das Schicksal der Menschheit erfüllt sich eschatologisch, wenn die Geistwerdung erreicht ist.

Was Däublers Vision bedeutet, hat einer ihrer frühesten Interpreten 1916 in einer kürzeren Schrift darzulegen versucht. Es mag überraschen und bestätigt doch nur eine schillernde Autorschaft, daß gerade Carl Schmitt sich unter dem frischen Eindruck der persönlichen Bekanntschaft mit dem Verfasser des »Nordlichts« einlassen sollte.[76] Schmitt, damals noch lange nicht der Apologet des Dezisionismus, hob Däublers Verwandtschaft mit dem deutschen Idealismus hervor, mit Hegel näherhin, dessen Philosophie ihn selbst an wichtigen Entwicklungspunkten der eigenen Lehre zur Auseinandersetzung zwang. Mit Hegel teile Däubler den Glauben, daß alles gut sei und einen Sinn habe. »Das Un-kantische, das Nach-kantische und Vor-sokratische liegt in dem Glauben daran, daß die Natur gut und auch der Mensch ›von Natur gut‹ sei.«[77] »Natur« muß dabei umgreifender verstanden werden, als es eine strenge Exegese von Hegel wohl zulassen dürfte. Sie verschmilzt mit dem »Geist«, wo dieser sich selbst erkannt hat. Nicht durch Anstrengung und Arbeit allein, sondern letztlich durch Geschenk und Gnade erreiche Däublers Menschheit am Ende das Stadium vollkommener Identität mit sich und der Welt. In Däublers Hymnen: »Tief überwunden sind des Zweifels Schemen, / Die Welt versöhnt und übertönt der Geist.«

Auch dem scharfsinnigen Juristen mußte dunkel bleiben, wie die Verheißung in eine wenigstens in sich stimmige Geschichtsphilosophie zu transportieren wäre. Er tat das einzig Mögliche, indem er den Legitimationsvorrang des Dichters vor dem Denker statuierte. Bei Däubler sei die Allegorie am Werk, die ganze Welt sei zu Bildern und Symbolen umgewandelt, oft denke sich die Sprache selber. Davon sind im Epos auch die auftretenden Personen betroffen. Wer könnte nicht an Jüngers Erzählungen und Romane denken, wenn Schmitt zu Däubler anmerkt: »Die Stilisierung der Figuren ist gänzlich unpsychologisch... Die Gestalten sprechen, als wären sie leibgewordene Ideen...«[78]

Noch wichtiger als die Reduktion auf Stilisierung und Allegorie aber ist, wie sich unter ihrem Zugriff das eschatologische Programm formt. Zeit und Weltgeschichte hörten auf, das Irdische versinke nach dem Sprung ins Metaphysische. »Es gibt keine Weltgeschichte mehr, sobald die Welt erkannt ist.«[79] In der endgültigen Lichtwerdung kulminiert, was Schmitt als »Erdvergeistigung« bezeichnete. Daß dieses Wort ein zentrales Bild in Jüngers Werk seit den vierziger Jahren werden sollte, konnte der Däubler-Interpret und spätere Jünger-Freund damals nicht wissen. Und es bleibt mehr als fraglich, ob Däubler die Teiladaptation seiner Weltenschau gebilligt – oder auch nur als solche erkannt hätte. Er starb rechtzeitig, 1934, um davon dispensiert zu bleiben.

Denn obwohl Carl Schmitt zutreffend feststellte, das »Nordlicht« sei das Gedicht des Okzidents, stellte er ebenso zutreffend fest, daß das gewaltige Versepos gegen die »moderne« Weltsicht von Technik, Verkehr, Organisation und Betrieb gewendet sei, gegen die babylonische Mythe von der Nutzung einer Erde, die zur »knirschenden Maschine« geworden. Hier öffnet sich die Perspektive auf eine Bild-Erfahrung, wie sie als Dämonie eines technisch durchflochtenen Surrealismus wirkungsmächtig Hieronymus Bosch vorstellte und bis zu Kubin weitervermittelte. Däublers Apokalypse läßt Eisenspinnen antreten und Eisenrüssel »manches Herz« durchbohren.[80] Diese Wesen sind Boten der Zeit, Repräsentationen eines Fortschritts, von dem sich der Dichter nichts erhoffte. Sein »Nordlicht« sollte die Erlösung gerade in der Abwehr, in der Verneinung der Zeit nachweisen.

Das scheint auf den ersten Blick niemals mit dem harmonieren zu können, was Jünger als Geschichtsbild entwirft. Im Umkreis des »Arbeiters« ist es gerade das technische Vermögen, welches die Zukunft der »Planlandschaften« herbeiführen könnte. Däubler schrieb sein Hauptwerk zu früh, als daß es noch von den Erfahrungen des Ersten Weltkriegs hätte gesättigt sein können. Er durfte den technischen Eingriff in das Kulturleben weniger ernst nehmen als der Frontsoldat, der ihm in dieser Beziehung einen Anschauungsvorsprung voraus hat. Wichtiger bleibt dennoch, daß Jünger bei der Apologie des Technischen nicht auf Dauer verweilt. Dessen Nachtseite war ihm immerhin früh durch Kubin erschlossen worden, und seit den späten dreißiger Jahren wächst die Kritik.

Daß Jünger die »Nordlicht«-Philosophie wahrgenommen hat, belegt er, wenn auch erst Jahrzehnte später, selbst. Am 8. Januar 1976 berichtet er im Tagebuch, daß er Carl Schmitt geschrieben habe. Er zitiert seinen Brief. Die Stelle, auf die es ankommt, lautet: »Werner Helwig hat mir eine Handschrift von Theodor Däubler geschenkt; ich dachte dabei an Ihre schöne Studie über ihn, die mir leider abhanden gekommen ist.«[81] Dieser Nachweis wäre nicht nötig gewesen, denn die Parallelen zwischen dem »Nordlicht« und »Heliopolis« sind da. So läuft die entelechetische Spirale in jene Richtung von »Erdvergeistigung«, der bereits Däubler vorgespurt hatte. Vor dem Ziel schwindet die Differenz, daß es der Philosoph des »Arbeiters« mit Hilfe auch der Technik erreicht sehen möchte. Denn diese Erdvergeistigung ist bei Jünger wie bei Däubler ein Zustand. Wo er gewonnen ist, gibt es Welt*geschichte* nicht mehr.

Betrachtet man jetzt nochmals »Heliopolis« unter den Strahlen des »Nordlichts«, spielt der Name auf mehr an, als das Zitat der ausgelöschten altägyptischen Stadt hergeben kann. Auch Jüngers imaginäre Metropole geht unter. Doch bleibt sie eine Stadt des Lichts und der »Sonne«, ein »gnostischer« Durchgangspunkt auf dem langen Weg zu den Endstadien.

VII.
Das Bild vom Menschen

Auch für die Rezeptionsgeschichte läßt sich der Zeitverlauf nicht umkehren. So darf immer nur gelten, daß Früheres auf Späteres eingewirkt haben mag. Dem gegenüber nimmt sich als die pure Zumutung für das Einzugsgebiet wissenschaftlicher Klärung aus, wenn die Inversion allein schon als Frage auftaucht. Was wäre gewesen, hätte Arnold Gehlens Fundamental-Anthropologie bereits vorgelegen, als der junge Ernst Jünger sich anschickte, jene Erlebnisse zu einem Tagebuch umzuformen, welche unter der Signatur »In Stahlgewittern« dem Ersten Weltkrieg – man darf wohl doch sagen: abgerungen waren?

Was wir niemals wissen können, muß nicht einfach deshalb zum Gedankentabu werden. Konkret: »Mängelwesen«-Erfahrungen boten sich dem Frontsoldaten in einer Gedrängtheit, wie sie, den hypothetischen Ur-Zustand frühester Kämpfe mit der Natur einmal ausgeblendet, die Menschen über Jahrhunderte hinweg nicht mehr gesehen hatten. So jedenfalls will es der Autor der »Stahlgewitter«, und für die »Theorie« ist einzig diese *Darstellung* – und nicht, was ihr an Faktischem voraus war oder nicht – entscheidend. Das Stichwort liefert Jünger, wenn er vom Menschen als von einem »Arbeiter im tödlichen Raum« spricht.

Bei Gehlen ist es die Natur, der der Mensch zu antworten gezwungen wird. Ihm fehlen auf Grund seiner eigentümlichen Beschaffenheit die Passungen, die ihn fugenlos in seiner Umwelt aufgehen lassen könnten. Nicht die Umwelt ist sein Medium, sondern die Kulturwelt, all das, was er an Lebensdienlichem schafft und von der naturalen Ambience abzweigt. Es gebe für ihn keine Existenzmöglichkeit in der unveränderten, in der nicht »entgifteten« Natur, wie es auch keinen »Naturmenschen« im strengen Sinn gebe; keine menschliche Gesellschaft ohne Waffen, ohne Feuer, ohne präparierte und künstliche Nahrung, ohne Obdach und ohne Formen der hergestellten Kooperation. »Die Kultur ist also die ›zweite Natur‹ – will sagen: die menschliche, die selbsttätig bearbeitete, innerhalb deren er allein leben kann – und die ›unnatürliche‹ Kultur ist die *Aus-*

wirkung eines einmaligen, selbst ›unnatürlichen‹, d. h. im Gegensatz zum Tier konstruierten Wesens in der Welt.«[1]

Für dieses Wesen ist Arbeit konstitutiv, weil sie in ein Verhältnis setzt, wovor es sonst zurückweichen müßte. Im Zug von Gehlens anthropologischen Sondierungen ist »Natur« als die noch nicht bearbeitete und zu Welt veränderte Um-Welt nichts anderes als der »tödliche Raum«, den Ernst Jünger evoziert. Doch gelingt dem Verfasser der »Stahlgewitter« natürlich eine Überbietung. *Seine* Todeszone stellt sich als ein Spätprodukt eben jener Geschichte dar, in deren Verlauf sich für den Fundamentalanthropologen »Kultur« gegen die naturale Übermacht herauskristallisiert hat. Wo Mensch gegen Mensch antritt, ist der von Gehlen beschriebene Status einer zweiten Natur bereits erreicht. Davon darf der Philosoph unter der Prämisse absehen, daß für die Anfangsgründe einer Lehre vom Menschen nur wichtig ist, wie und weshalb sich dieses Wesen von allen anderen unterscheidet. Der Akt des Tötens kommt dafür nicht in Frage.[2]

Insofern dürfte er auch in Jüngers Wort vom tödlichen Raum die metaphorischen Obertöne heraushören. Gleichwohl muß zu denken geben, daß das Bild viel weiter führt, indem dem Tagebuchschreiber die Geschichte unter dem Druck einer überraschenden Dynamisierung plötzlich wie ein Stück Natur wieder erscheint. Sie hat das Vertraute intendierter Akte verloren, weil deren Summe nicht mehr als Produkt von Sinn zugänglich ist. Je mehr sich die artifiziellen, »technischen« Prozesse des Kriegs steigern, um so mehr diffundiert der Lebens-Begriff. Nicht Daseinssicherung als Herstellung kultureller Ordnungen ist das Ziel, sondern Angriff auf dieses Dasein mit der Absicht der völligen Auslöschung. Neu daran kann freilich nicht die Einsicht in eine ebenfalls anthropologische Unwiderlegbarkeit sein, die Fixierung auf den »homo necans«.[3] Als neu erweist sich jedoch für den Frontsoldaten, oder genauer: für den literarischen Bearbeiter seines eigenen Frontsoldatentums, wie sehr die Technik das Kriegsgeschehen diktiert, wie sehr sie einerseits Züge von Versachlichung aufweist, andererseits aber kraft ihrer Abstraktionen die Fremdartigkeit einer zweiten Natur anzunehmen scheint. Die Irritation, die davon ausgeht, wird nur halb gebannt, wenn Jünger folgerichtig den »Arbeitscharakter« des Kriegs erfaßt; nicht mehr nach dem Wofür des Kampfs, sondern nach dem Wie gelte es zu fragen.

Denn noch die kühlste phänomenologische Analyse drängt insgeheim nach dem Sinn, der den Gegebenheiten innewohnen könnte. Jünger sucht ihn auf dem Umweg einer anthropologischen »Erweiterung« einzuklagen. Vom Neuen Menschen war von Simmel bis zu Scheler eine ganze mit Lebensphilosophie befaßte Epoche bewegt gewesen. Jünger ergänzt das Neue mit der wirkungsreichen Präzisierung des »Arbeiters«. Auch Gehlen hätte dieses Prädikat bedenkenlos einsetzen können, insofern der Mängelwesen-Lehre gemäß der Mensch von allem Anfang an dazu gehalten ist, der Natur als deren Bearbeiter zu begegnen. Aber ihm ging es gerade nicht um das Neue, sondern um die Charakteristika des – in Nietzsches Worten – »nicht festgestellten Thiers«.[4] Anders Jünger; die Dignität der Neuen Zeit zu respektieren, soll nachgewiesen werden, wie erst die Geschichte als Prozeß von Technisierung und Verwissenschaftlichung den »Arbeiter« stellt. Über eine lange Kette von physiognomischen und phänomenologischen Exkursen zur Maskenwelt der modernen Wirklichkeit führt der Gedankengang in die Richtung der Herausforderungen und Aufgaben, die dem Menschen als Pensum von Ordnungsstiftung unter veränderten Bedingungen aufgegeben sind. Dabei enthüllt sich allerdings eine eigentümliche Dialektik, denn bei einer geschichtlichen, gleichsam verzeitlichten Anthropologie gedenkt Jünger nicht zu verweilen. Das Ur-Bild vom Ur-Menschen schlägt durch, wenn der »Arbeiter« als Agent titanischer Gewalten »wieder ein Stück Natur« wird, seiner Abstammung nach von »plutonischem Geschlecht« ist. Eine »neue Rasse«, bereit zur »tödlichen Arbeit«, schickt sich an, die Geschichte nicht mehr nur zu erleiden – wie in den Jahren des Weltkrieges –, sondern auch zu formen.

»Tödliche Arbeit« ist freilich etwas ganz anderes als »tödlicher Raum«. Was der Raum als lebensbedrohliche Umwelt an Praktiken des Überlebens erheischt, überbietet die Arbeit, indem sie sich gegen sich selbst stellt. Tödliche Arbeit reagiert auf tödliche Arbeit oder fordert sie heraus. Auf die merkwürdige Doppelung, da geschaffen wird, um zu vernichten, und vernichtet wird, um Neues hervorgehen zu lassen, hat schon 1950 in seiner Studie »L'homme et le sacré« Roger Caillois unter ausdrücklichem Bezug auf Jüngers Frühwerk hingewiesen. Bei Jünger, in den Schriften des Grafen Hermann von Keyserling und schließlich am schärfsten in Ludendorffs Buch »Der Totale Krieg« zeige sich, wie die kriegerische Handlung als erneuernde Kraft ausgegeben werde.«So versichert Ernst Jünger, er habe als Frontsoldat das Wesentliche des Lebens erfahren und das eigentliche Wesen des Daseins entdeckt.«[5] Caillois nimmt die Versicherung zu wörtlich, als daß die Stilisierung problematisiert würde; sie löst sich erst auf, wenn schon in den frühen Texten die Landsknecht-Romantik mitsamt ihren rituellen Einschlüssen als Vorbereitung der Theorie vom Arbeiter verstanden wird. Mit der Arbeit setzt sich der Mensch nicht nur in das notwendige Verhältnis zur Natur, sondern auch in ein – virtuell feindliches – Verhältnis zu seiner Geschichte. Die polemische Erkenntnis des Essays von 1932 läßt diese Relation fast ausschließlich aus der Spannung zwischen Vergangenheit und Zukunft hervorspringen. »Ich komme bald, und mache alles neu.« Das Wort aus der Apokalypse erhält hier die Härte der Säkularisierung. Dem Zeitgenossen der »titanischen« Epoche bieten sich nur noch zwei Lebensformen an; entweder lebt er residual, innerhalb abgestorbener Bürgerlichkeit des 19. Jahrhunderts, oder er fügt sich ein in den »Arbeitscharakter« des Säkulums, der sich der Totalität annähert.[6] Im Maß, wie der Mensch integriert wird in die Strukturen der Arbeit, die ihrem Begriff nach alle Tätigkeiten umfassen soll, verliert er seine individuellen Freiräume. Zum Arbeits»opfer« gehört, daß humane Differenzierungen zugunsten einer Uniformität der gesteigerten Leistung schwinden müssen. Jünger selbst hat auf die knappste Formel gebracht, was ihm als Beobachtung auf dem Schlachtfeld aufgegangen war. »Man fällt nicht mehr, sondern man fällt aus.«

Integration wird zu einer Zielbestimmung des Politischen, wo totale und totalisierende Staatlichkeit beabsichtigt ist.[7] Aber schon die Tabellen und Rechnungen, die der amerikanische Betriebsingenieur Frederick Winslow Taylor mit der Absicht der Steigerung von Produktionsprozessen durch Arbeitsoptimierung vorlegte, zeigen, daß die Funktionalisierung der Leistung auch das rein ökonomische Bewußtsein beschäftigt. Arbeit als funktional integrierte Tätigkeit ist genutzte Zeit. Wiederum Arnold Gehlen hat den Zeit-Aspekt anthropologisch zu fundieren versucht. Der Mensch habe »keine Zeit«. »... ohne Vorbereitung des ›morgen‹ wird dieses morgen nichts enthalten, wovon er leben könnte. Deshalb kennt er die Zeit. Erinnernd und vorauseilend gilt es, in gespanntem Wachsein tätig zu sein.«[8]

Das war auch dem Frontsoldaten aufgegangen, und zwar mit einer Beunruhigung, wie sie sich der »Mängelwesen«-Theoretiker nur hätte wünschen können. Seine Erfahrung war die Grenzerfahrung des Todes. Daraus wurde ein Thema gewonnen, das die Euphorie über die geschichtlichen Neuerungen kontrapunktisch durchsetzt. Als deutlichstes Dokument dieser Irritation und als Bekenntnis zur Gefährlichkeit der modernen Vereinnahmungen bricht die Schrift »Das Abenteuerliche Herz« von 1929 die motivische Linie der »totalitären« »Arbeiter«-Philosophie. Das Thema ist der Schmerz. Wo das von Max Weber beschriebene stahlharte Gehäuse des Fortschritts seine Herrschaftsbereiche ausbaut und der Mensch immer mehr in die Zusammenhänge seiner Verwertbarkeit eintaucht, entsteht ein Schmerz, der um so heftiger empfunden wird, als an der historischen Bewegung nichts zu ändern ist.

Einer rein physiologischen Analytik meldet der Schmerz nur die leibliche Störung, die zur Behebung ansteht. In zwei Aphorismen aus der Spätzeit glaubte Nietzsche der großen Vernunft des Leibes den Vorzug vor der kleineren des Geistes geben zu können, indem er statuierte, daß die Vollkommenheit des organischen Prozesses dem Bewußtsein unzugänglich und inkommensurabel sei. »Alles vollkommene Tun ist gerade unbewußt und nicht mehr gewollt... der Grad der Bewußtheit macht ja Vollkommenheit unmöglich.«[9] Man sieht schnell, wie Jüngers »Arbeiter« im Sinn der »organischen Konstruktion« darauf verpflichtet sein sollte, das Bewußtsein – nach Nietzsche – als ein »Werkzeug des Lebens« umzuwerten. Schmerzüberwindung wäre das erreichte Glück dieser Konstruktion.

Daß sie niemals gelingen kann, liegt an dem uneinholbaren Verlust an lebensweltlichen Passungen, der dem Bewußtsein immer als ein Mißverhältnis aufgeht. Je mehr der Mensch als »Arbeiter« diesen Hiatus zu überbrücken trachtet, um so deutlicher meldet ihm der »Geist« die Vergeblichkeit der Suche nach Vollkommenheit. Für den Anthropologen muß das eine – organisch determinierte – Selbstverständlichkeit sein; das Bewußtsein liefert ihm lediglich die so genannten Entlastungen. Aber den Geschichtsphilosophen treibt die Utopie, jenen Zustand herzustellen, in welchem die Kulturwelt-Differenzen aufgehoben wären. Geschichte als Differenzbegegnung mit der Natur wäre dann nicht mehr Geschichte.

Mehr als andere Schriftsteller, die für Jünger Themen und Gedanken vorwegnehmen, dachte in seinen Tagebüchern Friedrich Hebbel über den Schmerz und die Geschichte nach. Für einen Dramatiker scheint sich das von selbst anzubieten. Doch Hebbel, dem grenzenlosen Egozentriker und Beobachter seiner leiblichen Verfassung, ging es um mehr als um jene Sprache der Affekte, die bühnenwirksam in Handlung zu verwandeln ist. Zu den frühesten Notaten im Tagebuch zählt ein Einzeiler, Heidelberg, 1836. Das Wort, auf das es ankommt, ist unterstrichen. »Der Schmerz ist ein *Eigentum*, wie das Glück und die Freude.«[10] Der Vergleich soll zeigen, daß etwas, was nicht umweglos intendiert werden kann, sich schließlich dem Menschen als auszeichnender Besitz einprägt. Die Idee ist noch zu vage, als daß sie »theoretisch« zu festigen wäre. Vier Jahre später scheint sich ein Anschluß anzubieten, wenn es heißt, daß die Edelsten am meisten Schmerz litten; dieser wähle sich den besten Boden. Da ist aus dem Eigentum schon eine Unterscheidung geworden. Wieder zwei Jahre später die radikale Annullierung. »Was ist Schmerz? Indefinible.«[11]

Doch auf diese Weise läßt sich die Vexation nicht aus der Welt schaffen. Der Befund der Undefinierbarkeit präludiert einen größeren Exkurs vom Oktober 1842, Hamburg, dessen Schluß ausdrücklich eine »Philosophie des Schmerzes« unter dem Gesichtspunkt ihrer ästhetischen Funktion fordert. Wenn sich die leiblichen Schmerzens- und Krankheits-Zustände steigerten, zentralisiere sich der Leib in sich selbst. Davon sei nun auch der Geist betroffen, und das Denken, das ein immerwährendes bewußtes oder unbewußtes Vergleichen, Anpassen und Analogisieren sei, höre auf zugunsten des Anschauens und unvermittelten Ergreifens. Doch schlügen dabei die Bilder, »oder wie man die Resultate der dem Denken entgegengesetzten höheren und unabhängigeren Geistes-Tätigkeit sonst nennen will«, in Phantastereien um.[12] Sie ermangeln der Disziplinierung durch das Bewußtsein.

Hebbel blieb nicht verborgen, wie fruchtbar für die künstlerische Arbeit der Schmerz deshalb sein kann, weil der Störung eine Kraft beigegeben ist, welche die Wahrnehmung auf die Ebene des Anschauens – der Bilder – hebt. Bilder widersprechen der Faktizität des Daseins. Sie sind der metaphorische Überschuß eines künstlerischen Weltverhaltens und zerreißen die unbefragte Einheit mit der Welt. Für den »Arbeiter«-Philosophen stellt sich gerade umgekehrt zwingend die Aufgabe, eine solche Identität im Sinn von Handlungskongruenzen anzusteuern. Die Bejahung der säkularen Neuerungen darf weder das Gefühl der Fremdheit noch die Subversion des Zweifels aufkommen lassen. Wenn es jedoch ein literarisches Dokument solcher Subversion gibt, das den »Arbeiter«-Rhythmus umlenkt, sind es just die »Aufzeichnungen bei Tag und Nacht« des »Abenteuerlichen Herzens« in der ersten Fassung. Hebbels distanzierendes Wort von den Phantastereien umzuwandeln, genügt es, sie als Phantasien der Auseinandersetzung mit dem Schmerz zu bezeichnen.

Damit könnte es sein Bewenden haben, hätte Hebbel innerhalb der Weiterungen seiner Beiträge zum Schmerz nicht auch das Verhältnis des Leidens – diesmal unzweideutig metaphorisch – zur Geschichte thematisiert. Es mußte Paris der Aufenthaltsort sein, damit er, Nietzsche antizipierend, am 19. Dezember 1843 über die Nationalgeschichte der Deutschen richten konnte.

»Es ist sehr richtig, daß wir Deutsche nicht im Zusammenhang mit der Geschichte unseres Volks stehen, wie der Rez. meiner Genoveva in den Bl. für lit. Unterhaltung sagt. Aber worin liegt der Grund? Weil diese Geschichte *resultatlos* war, weil wir uns nicht als Produkt eines organischen Verlaufs betrachten können, wie z. B. Engländer und Franzosen, sondern weil das, was wir freilich unsre Geschichte nennen müssen, nicht unsere *Lebens*- sondern unsere *Krankheits*-Geschichte ist, die noch bis heute nicht zur Krisis geführt hat.«[13]

Sie ließ nicht mehr lange auf sich warten, und als Helmuth Plessner in seinem Rückblick, von dem er damals nicht wissen konnte, daß er noch sehr unvollständig war, das Wort von der verspäteten Nation prägte, kam die »Krankheit« in ihr virulentestes Stadium. Als genauem Leser von Hebbels Tagebüchern muß Jünger vor allem der diagnostizierte Mangel an Organischem aufgefallen sein. Als »organische Konstruktion« wird der »Arbeiter« dem Geschichtsprozeß eingefügt. Doch ist er nur der Funktionär, dessen vermittelnde Aufgabe darin zu bestehen hätte, auf der politischen Seite jenen »imperialen« Großraum anzubahnen, der identisch wäre mit dem germanischen Großreich. Jetzt wäre ein Ganzes in der Art des geschlossenen Organismus da.[14]

Die Abkehr von diesem Traum, die »Kehre« seit den dreißiger Jahren unter dem bedrängenden Erlebnis einer »völkischen« und brutal nivellierenden Diktatur, ist beschrieben worden. Ich darf hier abkürzen und nur noch an die zweite Fassung des »Abenteuerlichen Herzens« von 1938 erinnern, da der Schriftsteller ein anderes – wenn man will: komplementäres – Menschenbild zu entwerfen beginnt. Es zeigt den Menschen als Anarchen und Waldgänger, als distanzierten Beobachter, als argwöhnischen Phänomenologen des Terrors und, nicht unbedenklich, als Privatier vor den Stürmen der Weltgeschichte. Eine der Verhaltensregeln, die Jünger als Losungen für den Abstand ausweist, wird mit dem Wort von der »Desinvoltura« in mehreren Stücken des »Abenteuerlichen Herzens« gegeben. Schon Stendhal hat davon Gebrauch gemacht.[15] Sie bezeichnet Gelassenheit gegenüber dem unvermittelten So-Sein der Wirklichkeit und ist die Macht dessen, der die Zumutungen der Welt von sich wegzurücken weiß. Sie ist Heiterkeit in der Erkenntnis, daß auch die Tyrannei ihre finstere Aura verliert, wo sie nicht mehr für absolut, sondern für kontingent genommen wird. Als hätte er es darauf angelegt gehabt, schreibt Jünger 1939 mit den »Marmor-Klippen« die Erzählung der Désinvolture; der Ich-Erzähler und sein Bruder durchschreiten die gefährliche Landschaft des Oberförsters, ohne versehrt zu werden.

Spätestens seit dem Zweiten Weltkrieg hat der Schriftsteller Gelegenheit, dieses Verhalten nicht nur seinen Figuren anzufabeln, sondern auch an sich selbst zu beobachten. Es sind die Tagebücher der zweiten Generation, in denen sich Jünger neben anderem auch über die Bestimmung des Menschen Rechenschaft gibt. In den »Kaukasischen Aufzeichnungen« hält er einen Vorsatz fest, der in seiner Lakonik an die Diktion der französischen Moralisten gemahnt. »Vorsatz: mäßig leben. Ein Auge für den Unglücklichen. Würdiges Verhalten.« Jünger entdeckt neben Schopenhauer und dessen »Metaphysik« des Leidens die Moralistik – die Lehre französischer Aufklärer, die dem Menschen, der in einer Welt lebt, deren Gesetze ihm geschichtlich letztlich verborgen bleiben, das Maß und die Kenntnis dessen empfiehlt, was zu allen Zeiten und überall gültig ist: das rechte Tun. – Die Unterscheidung zwischen dem gläubigen Menschen und dem Nihilisten wird bedeutungsvoll, nachdem die Epoche in den Zustand jener Verachtung des Menschen für den Menschen eingetreten ist, der die Massenvernichtung erwirkt. Schon

»Myrdun«, der Bericht einer Reise nach Skandinavien, entstanden 1935, acht Jahre später veröffentlicht, reflektierte das Thema des Nihilismus. Einerseits werde der Anspruch des Staates an den Einzelnen immer größer. Anderseits böten sich dem Individuum nun mehr Chancen subversiven Ausscherens, denn Verhältnisse könnten genutzt werden, die »seit Urzeiten« gälten, der Familienverband im sizilianischen Sinn, die Gastfreundschaft, das Asyl, der Tauschhandel. Über die Prophetie von der Wiederauferstehung des »Räubers« darf man sich wundern; doch wird sich erweisen, wie Jünger später den Typus des Verbrechers in der Nachfolge von Poe und Dostojewskij seinem »Anarchen« zur Seite stellen wird.

Interessant ist, daß der Autor im Zusammenhang dieser Erörterungen eine Bergbegehung erwähnt, deren symbolhafte Bedeutung bereits die Philosophie des Waldgängers antizipiert. Der Wald, der passiert werden muß, besitze hier eine starke geistige Kraft, besonders in den höheren Lagen, und der Berg löse »Benommenheit oder Berührung« aus. Die Wanderung wird kaum über den Stil des Berichts hinausgehoben, und doch schiebt sich vor die Werkstättenlandschaft des »Arbeiters« die Natur als Ort von Begegnung.

Der »Waldgang« soll eine historisch wirkungsreiche Entfremdung wenn nicht rückgängig machen, so doch abmildern. Es ist nicht Zufall, daß die einsamen Landstriche des hohen Nordens den Autor dazu animieren, ausgiebig über die Stellung des Menschen in der Welt nachzudenken: hier herrscht jene Distanz zur technischen Realität, welche im »Sizilischen Brief« als vom Mond aus imaginiert worden war. Das Myrduner Tagebuch beschwört denn auch die prekär gewordene Lage der Moderne. Eine persönliche Notiz: »Zuletzt und im innersten Grunde habe ich mir ... ein unangetastetes Stück elementarer Freiheit bewahrt.« Darauf die Ergänzung, das Gegenbild. »Im Vordergrund jedoch lebe ich als historischer Mensch ... mitten im Babylonischen Turm.«[16] Dem *geschichtlichen* Menschen bleibt nur die Annahme des Schicksals, das er laufend an und durch sich selbst vollzieht. Erst im »innersten Grunde« – das heißt: einerseits in der Selbstreflexion, anderseits in seltenen Daseinserfahrungen, die jenseits des historischen Drucks zustande kommen, wird der Mensch wieder frei. Zum Turm von Babel, der hier entgegen den Evokationen in den frühen Kriegstagebüchern auch seinen Zusammenbruch signalisiert, gehört die Zwangszuweisung des Menschen als »Arbeiter«. Nur da noch, wo unberührtes Land sei, »geschichtlose Geschichte«, welche der Staatenbildung widerstehe, könne es zur Bildung der »Charaktere« kommen.

Als staatenbildendes Wesen ist der Mensch seit Aristoteles definiert. Erst Hobbes legte ein härteres anthropologisches Fundament mit der Hypothese vom Naturzustand und seiner nicht nur »natürlichen«, sondern auch spezifisch menschlichen Bösartigkeit. Dem *bellum omnium contra omnes* antwortet mit der Absicht des Daseinsschutzes der Gesellschaftsvertrag. Nicht aus freien Stücken, sondern der Not und der Furcht vor Tötung gehorchend, unterwirft sich der Mensch einem Souverän, dessen Allmacht fortan unbeschränkt sein soll. Dafür bürgt das mythische Bild vom Leviathan. Dem Titelkupfer zur ersten englischen Ausgabe von Hobbes' gleichnamigem Hauptwerk ist der Bibelspruch aus dem Buch Hiob eingeätzt. *»Non est potestas super terram, quae comparetur ei.«*[17] In der bisher letzten Fluchtlinie von Hobbes nahm als sein selbsternannter »Nachfolger« Carl Schmitt das Axiom vom natürlicherweise »bösen« Menschen auf. Die anthropologische Prämisse lieferte dem Juristen die Legitimation, den Staat als die absolute Ordnungsmacht gegen jede Pression von außen, ihn sei es wirtschaftlich, sei es revolutionär-politisch zu unterlaufen, abzusichern. Nur eine zweite Institution mit ähnlicher Machtausstattung beschäftigte Schmitt noch so intensiv: die römisch-katholische Kirche.[18]

Alle Versuche, das Denken von Carl Schmitt mit jenem von Ernst Jünger nicht nur in – berechtigte – Verbindungen zu bringen, sondern engzuführen und zu parallelisieren, scheitern an »Wesens«differenzen. Schmitt war zwar theoretisch, nie aber existentiell am Typus des politischen Widerständlers wie an den Formen machtdurchbrechender Anarchie interessiert. Der frühe Bewunderer des Ausnahmezustands und des von ihm verstärkten Dezisionismus blieb auch da noch dem Ordnungsdenken treu, wo seiner Lehre gemäß allein die Entscheidung die Ordnung garantieren kann. Solche Akte sind rein funktional zu verstehen; sie sollen der Stabilisierung der Staatsmacht zu Zeiten revolutionärer Erschütterungen dienen. Es wäre zu billig, Schmitts schnelle Anpassung, mehr noch: seine Anbiederung an Hitlers Terrorregime nach dem 30. Januar 1933 nur mit einem Bedürfnis nach gesicherter Orientierung erklären und damit mildern zu wollen. Gleichwohl war auch hierbei die von Hobbes her gepflegte Furcht vor anarchistischen Übergängen und Zwischenlagen ein Kriterium. Mit dem Monopol der legitimen physischen Gewalt bannt der Staat die Möglichkeit von Interessenskonflikten, die über das Maß des politischen und ökonomischen Wettbewerbs hinaus zu bewaffneten Auseinandersetzungen führen. Ausdrücklich handelt das 7. Kapitel von Schmitts Schrift »Der Begriff des Politischen« (1932) im übrigen von der anthropologischen Prämisse »gut« oder »böse«, die jeder Staatslehre mit Blick auf den Menschen zugrunde liege.[19] Man muß nicht rätseln, wo der Jurist seine Präferenzen fand.

Früher als Carl Schmitt sah Ernst Jünger, daß ein totalisierender Staat die Menschen nicht mehr als Subjekte für »gute« oder »böse« Optionen gelten läßt, sondern sie zu Objekten ideologischer Manipulierbarkeit herabsetzt. Die Ordnung selbst ist böse geworden. Was Jünger schließlich als seine Theorie vom »Waldgang« anbietet, ist nicht nur eine deutliche Abkehr von der planierenden Staatsmacht und eine Hinwendung zum Einzelnen, der sich seine Freiheit erkämpfen soll, vielmehr auch ein Stück politischer Philosophie gegen den Kronjuristen. Jünger selbst greift das Epitheton, übrigens unpolemisch, schon im Zweiten Pariser Tagebuch auf, in einem Notat vom 14. Dezember 1943, wo er die Wesensdifferenz zwischen dem Ordnungsdenker und dem »Anarchisten« streift, um das Verhängnis des ersteren unter dem Druck der Diktatur zu erläutern. Carl Schmitt sei unter allen Denkern, die er kennenlernte, jener, der am besten definieren könne. »Als klassischer Rechtsdenker ist er der Krone zugeordnet, und seine Lage wird notwendig schief, wo eine Garnitur des Demos die andere ersetzt. Bei der Heraufkunft illegitimer Mächte bleibt an der Stelle des Kronjuristen ein Vakuum, und der Versuch, es auszufüllen, geht auf Kosten der Reputation.« (Stra, 454 f./3, 198)

Hobbes hatte seinen »Leviathan«, die gut barocke *machina machinorum*, unter der Voraussetzung konstruiert, daß sich der Staat, wie immer auch »total« den politischen Gehorsam einfordernd, nicht in private Glaubenssphären einmische. Sie sollen gelten dürfen, solange sie privat bleiben. Solche inhaltliche Indifferenz des Staats jedoch mußte an den historischen Realitäten scheitern. Das erkannte wiederum auch Carl Schmitt in seiner Abhandlung »Der Leviathan in der Staatslehre des Thomas Hobbes« schon mit

dem Untertitel »Sinn und Fehlschlag eines politischen Symbols« –
1938: also zu spät, als daß er der Versuchung seines Engagements
auf seiten der Nationalsozialisten hätte widerstehen können. Kein
Staat ist nur Form. Nach 1933 bedurfte es im übrigen keiner ausge-
feilten Ethik mehr, um die von Jünger zitierten »illegitimen Mächte«
erkennen zu können.

Wahr ist allerdings – und dies zählt abermals zu den Wesensunter-
schieden –, daß Jüngers Denken gegen den »Leviathan« nicht halt-
macht vor der geschichtlichen Konkretion jenes Unrechtstaates. Die
wissenschaftlich-technische Moderne insgesamt, diesseits und jenseits ihrer temporären Erstarrung in Diktaturen, ist das »Gehäuse«,
das es subversiv zu brechen gilt. Der Agent, der dazu ausersehen ist,
ist der »Anarch«.

Nicht nur die Taktik, auch die geistige Einstellung der Resistenz
definiert den Anarchismus des Anarchen gegenüber dem Anarchismus des Anarchisten. Als Jünger in den frühen Schriften die Differenz kurz erwähnt, kann er noch nicht wissen, in welchem Maß sie
in die späteren Werke Einlaß finden wird. Selbst in dem Tagebuch-
Notat vom 16. Januar 1944 geht es nur um die Klärung des
herkömmlichen Verhältnisses zwischen Nihilismus und Anarchismus; Jünger wiederholt einen schon in den »Marmor-Klippen« vorbereiteten Gedanken. Den Nihilisten zeichne die Beziehung zur
Ordnung aus, die dem Anarchisten fehle; letzterer wolle die Erde in
»Sumpf und Urwald« verwandeln, der Nihilist sie zur Wüste
machen.[20] Wenig später, am 10. August 1944, wird als Vorstufe des
Nihilismus der »Dandysmus« genannt.[21] Das alles berührt jedoch
noch nicht den Charakter und das Verhalten des Anarchen. Er ist
insofern Träger »elementarer Freiheit«, als er sich gesinnungsmäßig
niemals auf eine politische Ideologie verpflichten läßt, und kämpft
nicht öffentlich gegen Ordnungen, um diese durch eigene Visionen
ersetzen zu können, sondern lehnt sie als Formen von Kontingenz
ab, indem er scheinbar mitspielt. Die Tarnung des Anarchen beruht
im Unterschied zur Flagge des Anarchisten auf der vordergründigen
Akzeptanz geschichtlicher Realitäten. Die »Desinvoltura« macht da
kaum Messungen bezüglich größerer oder minderer Legitimität,
weshalb der Schatten des Zynismus mindestens der Möglichkeit
nach auf sie fallen muß. Man machte es sich indessen zu leicht,
wenn man dem Erfinder des Wortes vom Anarchen vorwerfen

wollte, er habe mit der Figur das Alibi für das eigene Weltverhalten geliefert, das nur die Eliteideologie des Herrenmenschen mit der Elitephilosophie der großen Verächter zu vertauschen brauchte, als die Weltgeschichte andere Pfade einschlug, als sie der Essay vom »Arbeiter« vorgezeichnet hatte.

Richtig ist, daß der anarchisch gerichtete Mensch der Geschichte die Sinn-Zustimmung letztlich verweigert. Diese Verweigerung als *ethisches* Pensum durchzuspielen, fiel Jünger leicht, seit er Einblick nehmen konnte in die gewalttätigen Veränderungen des national-sozialistisch gewordenen Deutschland. Möglich ist, daß der Phäno-typus des Anarchen, nimmt man ihn denn einmal als gegeben hin, dennoch von geschichtlichen Horizonten und Chancen träumt, wo die anarchische Einstellung deshalb überflüssig wäre, weil die Ord-nungen zur absoluten Sinn-Erfüllung gelangt wären. Aber solche Hoffnung auf die geschichtsphilosophische Parusie steigert sich in Jüngers Schriften nicht; von den gewundenen Verheißungen, wie sie das Finale von »Heliopolis« aussprach, bleibt dreißig Jahre später in »Eumeswil« nichts mehr übrig.

Der Anarch definiert sich durch den Widerstand. »Der Wider-stand« titelte sich die national-revolutionäre Zeitschrift der zwanzi-ger Jahre, die der Schriftsteller damals mit seinen Beiträgen ver-sorgte. Widerstand ist für die literarische Biographie von Jünger ein Schlüsselwort. Hier kann es nicht mehr darum gehen, die politi-schen Optionen vor dem Hintergrund der Verweigerung gegenüber »Weimar« zu rekapitulieren. An »geistigen« Figuren bleiben jedoch all jene Typen eines Weltverhaltens in Erinnerung zu rufen, deren Überzeugungen sich nicht zum kleinsten Teil der Stilisierung des eigenen Ichs verdanken: der Dandy, der Snob, der müde gewordene Offizier, der Literat, zuletzt der »Anarch«. Seit Fichtes philosophi-scher Verabsolutierung des Ich blieb dieser Strang geistesgeschichtli-cher Ausprägung virulent, bis schließlich mit der »Welt«-Niederlage von 1918 der politische Boden bereitet war, ihm schärfere Wirkung zu verschaffen. Als eigentümliches und eigentümlich verschwim-mendes Dokument einer Zwischenlage muß schon deshalb Max Stirners Buch »Der Einzige und sein Eigentum« erwähnt werden, weil es von Jünger wiederkehrend, wenn auch meistens nur in vager Absicht, zitiert wird.[22]

Stirners Abhandlung, oft sentenzenartig zum Pamphlet gesteigert, erschien 1845 in das Endstadium des Vakuums hinein, das Hegels System hinterlassen hatte. Schon die kurze persönliche Vorrede war dazu angetan, den Leser zu verwirren; Moses Hess sprach alsbald von »praktischem Unsinn«. Was indessen hinter den Satzkaskaden eines rabiaten Bekennertums an gedanklicher Substanz zu orten ist, liest sich stellenweise als präzise Vorwegnahme der Theorie vom Anarchen. Stirners anti-institutioneller Affekt machte ihm nicht nur die konkreten Einrichtungen des Staates und der Gesellschaft verdächtig, sondern auch die verallgemeinernden Ideen, denen sie ihre Akzeptanz verdanken. Solche Ideen und Institutionen mit totalisierendem, letztlich »die« Menschheit betreffendem Anspruch hindern und schmälern das Individuum; der Einzelne verliert seine Persönlichkeit an Wesenhaftes. Der emanzipierende Akt müßte sich darin gestalten, daß sich die Wirklichkeit dem »Ich« als dessen »Eigentum« wieder anverwandelt. Das gilt einerseits für die konkreten Daseinsbedingungen, andererseits für die Formen der Erkenntnis. »Erst als das Eigentum Meiner kommen die Geister, die Wahrheiten, zur Ruhe, und sie sind dann erst wirklich, wenn ihnen die leidige Existenz entzogen und sie zu einem Eigentum Meiner gemacht werden, wenn es nicht mehr heißt: die Wahrheit entwickelt sich, herrscht, macht sich geltend... Mir sind die Gegenstände nur Material, das Ich verbrauche. Wo Ich hingreife, fasse Ich eine Wahrheit, die Ich Mir zurichte. Die Wahrheit ist Mir gewiß, und Ich brauche sie nicht zu ersehnen.«[23]

Der Aufschrei der pronominalen Majuskeln stieß nicht nur ins Leere, weil die Linkshegelianer von Hess bis Marx der Egomanie Stirners keine taktischen Hinweise abgewinnen konnten. Die Polemik wider die Begriffe, die ihrerseits von den Begriffen nicht loskommt, endet aporetisch. Allein für den Angriff gegen den Staat und alles Staatliche läßt sich eine Wirkungsgeschichte rekonstruieren, die über Nietzsche den Weg zu den Theorien des Anarchismus fand.[24]

Auch Jüngers »Anarch« negiert. Er denunziert jede historische Lage als Provisorium. Zugleich bedarf er eines Glaubens, der über die reine Negation hinausführt, denn nur vor dem »positiven« Pendant gelingt der anarchischen Haltung die Förderung von Distanz. Das Universum der Natur weist der Gestalt des Anarchen den kritischen Sinn zu, und aus der Natur gehen die Wortbildungen und

Bestimmungen hervor, die mit dem verstärkenden »Ur-« belehnt werden: Urgrund, Urkräfte, Uranfang. So radikal »anarchisch« gestimmt durfte das Frühwerk deshalb nicht sein, weil mindestens bis zum Jahr 1932 bei allem Argwohn gegenüber der technisch instrumentierten Moderne der Ausblick auf eine geschichtlich endgültig gewordene »Planlandschaft« sollte gelten können. Ein gänzlich anderer Ton wird angeschlagen, wenn Jünger vom Heraustreten aus der »linearen Realität« spricht. Die Aufforderung findet sich in dem Buch »Sgraffiti«. Daß es sein Verfasser in der freien Nachfolge der beiden Sammlungen des »Abenteuerlichen Herzens« sehen wollte, zeigt sich schon an der Einordnung in die Gesamtausgabe.[25] Aber auch im Duktus der kurzen Kapitel und im Stil der Verknappungen wird die Verwandtschaft greifbar. Jünger sammelte einzelne Stücke und schloß das Ganze um 1948 ab; erst 1960 erschien die erste Publikation.[26] Viel ist die Rede von den historischen und seinshaften Situationen, in welchen sich der Mensch zu bewähren habe. Zur Signatur des Zeitalters zähle, daß dieses den Menschen in die Norm fassen wolle. Die Egalisierung individueller Ausprägungen zum Zweck einer mechanisch steuerbaren Wirklichkeit hatte zwar hellsichtig, doch auch mit relativer Zustimmung der Verfasser der »Totalen Mobilmachung« diagnostiziert. Im emphatischen Sinn kulturkritisch äußert sich Jünger erst seit den Tagebüchern des Zweiten Weltkriegs. »Sgraffiti« nimmt diese Bewegung auf.

In einer Wirklichkeit, der nur noch das »Berechenbare« etwas gelte, in der Maschinenwelt, deren größte Gefahr darin zu sehen sei, daß sie dem Menschen den Tod raube, herrsche jene quälende Leere, die mit Droge und Glücksspiel kompensiert werde. Wo Zahlen und Ziffern den Lebensstil prägen, drängt der Mensch nach künstlichen Freiräumen; nur der Künstler sieht sich mit dem Bewußtsein des Außenseiters jenseits dieses Funktionskreises – er ist eine Verwirklichung des Typus des Anarchen und lebt, mit Jüngers Metapher, an den »kopernikanischen Rändern«.[27] »Ablösungen« titelt der Schriftsteller ein Kurzkapitel, das den Sachverhalt gedanklich zu ordnen versucht. »In der Betrachtung steckt Freiheit, ja Souveränität. Im Maß, in dem es dem Menschen glückt, sich seine Lage ›darzustellen‹, sie zum Gegenstande seines betrachtenden Geistes zu machen, löst er sich aus ihr und erhebt sich über sie.« (Sgf, 110/9, 415) Die Einsicht in die Kontingenzen der Welt verdichtet sich zur

Gewißheit, daß kein realer Ort jemals Unabhängigkeit gegenüber dem Zugriff der Macht gewähren könnte. Der »Waldgang« führt zu *geistigen* Orten und Exilen, womit der anarchische Akt der Negation von Bestehendem zum Akt der ästhetischen Anarchie wird. Als wollte er sein eigenes früheres Schicksal summieren, philosophiert Jünger: »Zum Beispiel liegt es kaum in der Freiheit des Einzelnen zu verhindern, daß der Staat ihn auf seine Schlachtfelder schickt. Wohl aber liegt es in seiner Freiheit, den Standort des Beobachters einzunehmen, und damit stellt er den Staat in seine Dienste, etwa als Veranstalter gewaltiger Schauspiele. Das wird ihm freilich nur möglich werden, wenn er zuvor in seiner inneren Arena den Triumph über die Furcht errungen hat.« (Sgf, 110/9, 415) Wo die Wirklichkeit ästhetisch ihre Unvermitteltheit einbüßt, geschieht Ablösung. Doch erst die letzte Stufe der Befreiung von den Lebensanmutungen mündet in Erlösung. »Die Betrachtung kann höchste Formen erreichen, indem die Lage als Prüfung begriffen wird oder als Stoff eines Kunstwerkes. Sie wird dann über die Ablösung zur Erlösung hinausführen, und zwar nicht nur für den Einzelnen, sondern durch ihn stellvertretend auch für viele andere.« (Sgf, 110f./9, 415)

Ästhetische Anarchie – »Der Waldgang«

Das Buch – der Essay, eigentlich –, wo das Thema der geistigen Anarchie in den Relationen zur modernen Herausforderung der Arbeitswelt ausdrücklich wird, legt Jünger 1951 unter dem Titel »Der Waldgang« vor. Der Mensch als Waldgänger löst den Menschen als Arbeiter ab. Waldgang als resistente Aktion gegenüber dem Druck der Macht habe es zu allen Zeiten gegeben; doch erst seit der späten Neuzeit sei es weniger die despotische Diktatur als die »Welt der Ziffer«, die den Einzelnen unter die Totalität der Verfügungen zwingen wolle. Der moderne Staat, »Leviathan«, funktioniert durch Verfahren des Messens und Teilens: das Plebiszit wird als Wahl maskiert, das Parteienwesen suggeriert Freiheit der politischen Entscheidung, eine subtile Regie verdeutlicht dem Außenseiter sein Fehlverhalten, den Irrweg. Es ist der Waldgang, der hier die verwaltete Wirklichkeit konterkariert. Wenn er gelingt, dann vor allem deshalb, weil er als Haltung des Geistes unsichtbar ist. Nur da, wo der Waldgänger nach außen als loyaler »Bürger« *erscheint*, triumphiert er gegenüber dem Zugriff der Macht. Jünger will nicht weniger, als eine neue »Wissenschaft« erörtern: »die Lehre von der Freiheit des Menschen gegenüber der veränderten Gewalt«. Der technisch-wissenschaftliche Eroberungszug habe die Gewalt modifiziert und verfeinert.

»Im Waldgang betrachten wir die Freiheit des Einzelnen in dieser Welt. Dazu ist auch die Schwierigkeit, ja das Verdienst zu schildern, das darin liegt, in dieser Welt ein Einzelner zu sein. Daß sie sich, und zwar notwendig, verändert hat und noch verändert, wird nicht bestritten, doch damit verändert sich auch die Freiheit, zwar nicht in ihrem Wesen, wohl aber in der Form. Wir leben im Zeitalter des Arbeiters; die These wird inzwischen deutlicher geworden sein. Der Waldgang schafft innerhalb dieser Ordnung die Bewegung, die sie von den zoologischen Gebilden trennt. Er ist weder ein liberaler, noch ein romantischer Akt, sondern der Spielraum kleiner Eliten, die sowohl wissen, was die Zeit verlangt, als auch noch etwas mehr.«[28]

An seiner Diagnose der zur Arbeitswelt gewordenen Wirklichkeit hat auch der beinah zum geschichtsphilosophischen Skeptiker avancierte Autor nichts zu korrigieren. Erst die Verdichtungen des geschichtlichen Zwangs, die den »Arbeiter« haben entstehen lassen, bilden nun auch einen Gegentypus und dessen Widerstand hervor. Von Rousseaus *sauvage dans les villes* und dessen Umdeutung durch Leo Strauss zur Figur des modernen Künstlers an, die von Baudelaire bis zu Huysmans und den Surrealisten agnosziert wird, lebt der Einzelne – dem im übrigen just der Verfasser des »Arbeiter« die Legitimität des individuell geführten Daseins bestritten hatte –, als Schattenwesen der Geschichte, und es ist nun viel eher die Naturphilosophie als deren geschichtliches Gegenstück, die ihm seine Freiheit dennoch zuweisen können soll.[29] Wenn die Faktizität der »veränderten Gewalt«, des Zivilisationsgehäuses, in gewisser Weise unhintergehbar ist, wird auch die Zuversicht, daß durch die Systeme selbst Bedingungen der Möglichkeit von Freiheit wieder geschaffen werden könnten, prekär. Der Waldgang legt nahe, aus dem System, »aus der Statistik herauszutreten«. Solches hatten Max Stirner und Léon Bloy gefordert, und Nietzsche hatte der Idee von den Eliten die Spur gelegt.

Es entbehrt nicht einer gewissen Ironie, daß Jünger seine Auffassung vom und seine Aufforderung zum Waldgang mitten in der Zeit des deutschen Wiederaufbaus formuliert. Doch will der Essay weniger auf einzelne historische Lagen reflektieren als vielmehr darauf, wie sich der Mensch der *posthistoire* Unabhängigkeiten bewahrt; so betrachtet, reiht sich Jünger unter kulturkritische Autoren wie Aldous Huxley oder George Orwell. Der Mensch ist das Opfer anwachsender, »ungeheurer funktionaler Macht«.[30]

Wiederum sind es phänomenologische Studien in der Art der beschreibenden Partien des »Arbeiters«, welche der Konzeption des Waldgängers die empirischen Grundlagen zuliefern sollen. Statt Begeisterung lenkt nun Argwohn den Blick. Die Massendemokratie kaschiere mit einer Vielzahl von politischen und sozialen Blendspiegeln ihren egalisierenden Zugriff auf das Individuum; geächtet, mindestens dem Verdacht der Abartigkeit ausgesetzt sei, wer den Normen in seinem Verhalten nicht entspreche. Zwar gebe es in der verwalteten und durchorganisierten Tyrannei gewisse Bequemlichkeiten, etwa die Entbindung von der Daseinsvorsorge. »Aber jeder Komfort muß bezahlt werden.« Historisch gesehen ist es die Wende vom Ersten zum Zweiten Weltkrieg, da die »Werkstättenlandschaft« eine letzte Steigerung an verfügender Gewalt angenommen und den Automatismus der »Enteignungen, Abwertungen, Gleichschaltungen, Liquidationen, Rationalisierungen, Sozialisierungen, Elektrifizierungen, Flurbereinigungen, Aufteilungen und Pulverisierungen« (Wg, 33 f./7, 301) vorangetrieben hat. Babylonischer Glanz, dämonisches Licht und das »Feuer der Untergänge« beleuchteten diesen Sog des Nihilismus.[31] Denn um nicht weniger als um eine nihilistische Planierung handle es sich, wo selbst die Soldatenehre in den zweiten Rang zurückfalle. »Der zweite Weltkrieg unterscheidet sich vom ersten nicht nur dadurch, daß die nationalen Fragen offen in die des Bürgerkrieges eingehen und sich ihnen unterordnen, sondern zugleich dadurch, daß die mechanische Entwicklung sich steigert und letzten Grenzen nähert im Automatischen. Das bringt verschärfte Angriffe auf Nomos und Ethos mit.« (Wg, 35/7, 302)[32]

Ideengeschichtlich leitet der Polemiker diese Entwicklung aus dem rationalen Denken her, das »grausam« sei; wenn man will: aus der »Dialektik« der zuerst von Nietzsche, später von Horkheimer und Adorno beargwöhnten Aufklärung. Einerseits also haben bestimmte historische Voraussetzungen die Lebenswelt geschaffen, aus welcher der Waldgänger ausbrechen soll. Zeitgeschichtlich liegt es nahe, den Nationalsozialismus, den Kommunismus und faschistische Regimes als nihilistische Endstadien solcher Entwicklungen zu identifizieren. Anderseits ist es der Mensch schlechthin, der dazu neigt, sich Ordnungen zu schaffen und anzueignen, die ihm das Dasein zu erleichtern versprechen. »Der Mensch neigt dazu, auf die Apparatur auch dort zu bauen, oder ihr noch dort zu weichen, wo er aus eigenen Quellen schöpfen muß.« (Wg, 40/7, 305)

Auf die daseinserleichternde Funktion von Institutionen und »Automatismen« hatte mit fundamentalanthropologischem Anspruch wiederum Gehlen schon 1940 in dem Hauptwerk »Der Mensch« hingewiesen. Die Begründung der Notwendigkeit von »Hilfskonstruktionen« wird abermals mit der Mängelwesen-Theorie geliefert; der Mensch ist »unfertig«, ungeschützt innerhalb des natürlichen Lebensraums, den es zu »Kultur« umzugestalten gilt. Das Schlüsselwort heißt *Entlastung*. Institutionen politischer wie wissenschaftlich-technischer Prägung dienen gleichsam als Abkürzung; sie mindern die Anstrengungen, die ohnehin gefordert sind, Positionen gegen die Natur zu beziehen. Schon seiner konservativen Gesinnung nach wäre Gehlen der letzte gewesen, die bereits von Max Weber festgestellte Entwicklung zu übersehen, da der Mensch von den Funktionen und Funktionalisierungen allmählich eingeholt wird. Seine späte Kulturkritik verdankt sich eben dieser Hinsicht. Doch wie Carl Schmitt – und wie dessen politischer »Urphilosoph« Thomas Hobbes – war Gehlen ein Ordungsdenker. An diesem Punkt unterscheiden sich der Analytiker von Institutionen und der Apologet eines ungehemmten Waldgängertums scharf. Im 12. Kapitel definiert Jünger seinen Typus; nicht eine anthropologische, sondern eine geschichtliche Begründung bietet die Rechtfertigung seines Tuns.

»Waldgänger aber nennen wir jenen, der, durch den großen Prozeß vereinzelt und heimatlos geworden, sich endlich der Vernichtung ausgeliefert sieht. Das könnte das Schicksal vieler, ja aller sein – es muß also noch eine Bestimmung hinzukommen. Diese liegt darin, daß der Waldgänger Widerstand zu leisten entschlossen ist und den, vielleicht aussichtslosen, Kampf zu führen gedenkt. Waldgänger ist also jener, der ein ursprüngliches Verhältnis zur Freiheit besitzt, das sich, zeitlich gesehen, darin äußert, daß er dem Automatismus sich zu widersetzen, und dessen ethische Konsequenz, den Fatalismus, *nicht* zu ziehen gedenkt.« (Wg, 41 f./7, 306)

Wie immer man die auktoriale Motivation zu solchen Überlegungen einschätzen will, der »Humanismus« des Widerstands gilt der Bewegung der Geschichte auf die Automatismen hin. Selten geraten in Jüngers Schriften Anthropologie und Geschichtsphilosophie in ein stärkeres Spannungsverhältnis. Dem »Arbeiter«-Menschen, der die Geschichte schafft und durch sie laufend fortgeprägt wird, tritt der »Waldgänger«-Mensch als letzter Verteidiger der Freiheit entgegen: der Mensch kämpft dauernd mit sich selbst. Die Festsetzung dieser Freiheit muß die Unterscheidung in zwei »Typen« von Menschen unterstellen – hier der blind gewordene Funktionär der Fortschrittsreligion, da der elitäre Einzelgänger. Er ist nicht der Agent der Weltgeschichte, im Gegenteil der Mineur, der sie subversiv unterwandert; nicht Politik und Wissenschaft sind ihm nahe, sondern »die drei großen Mächte der Kunst, der Philosophie und der Theologie«. Als ob er seine Distinktionen statistisch belegen müßte, weist Jünger darauf hin, daß in der Kunst »tatsächlich das Thema des umstellten Einzelnen an Raum gewinnt«.[33] Die Schilderung des sozialen Lebens werde abgelöst durch die Auseinandersetzung des Einzelnen mit dem technischen Kollektiv und seiner Welt. »Indem der Autor in ihre Tiefe eindringt, wird er selbst zum Waldgänger, denn Autorschaft ist nur ein Name für Unabhängigkeit.« Dem ästhetischen Blick ist die Distanzierung schon durch das Mittel der Darstellung eigentümlich, wie Nietzsche bemerkt hat.

Aber mehr noch als eine Positionsbestimmung der Kunst ist der »Waldgang«-Essay der Dialog mit dem frühen Entwurf der »Arbeiter«-Philosophie. Jüngers Metaphern-Repertoire kennt einige feste Bilder, wenn vom technischen Zeitalter die Rede sein soll. So kehrt auch hier die »Titanic« wieder, der babylonische Turm »en pleine vitesse«, wie der Schriftsteller in den Tagebüchern zum Zweiten Weltkrieg einmal vermerkt. Die Frage sei jetzt, ob es möglich wäre, zugleich auf dem »Schiff« zu bleiben und dabei die Entscheidungsfreiheit zu wahren. Die erfolgreiche Verteidigung der Freiheit setzt die Beurteilung der Lage voraus: das Schiff, auf dem sich der Mensch befinde, bedeute das zeitliche Sein; der Wald steht für das überzeitliche Sein. Immer da, wo der Mensch, unabhängig von seiner zeitlichen »Gefangenschaft«, dieses Sein aufsucht, tut er den Waldgang. Die knappste Formel lautet »Waldgang ist überall möglich«. Wie sich der Einzelne innerhalb und angesichts der modernen

Beanspruchungen verhält, hängt weitgehend davon ab, in welchem Maß ihm die *geistige* Abstandnahme des Waldgangs gelingt; nicht »praktische« Anarchie ist gefordert.[34]

Ein Leitmotiv aus den Aufzeichnungen des »Abenteuerlichen Herzens« faßte Jünger in das Wort »Erwachen und Tapferkeit«, womit der Autor den dämonischen Berührungen in den großen Städten widerstehen wollte. Auch dem Waldgänger obliegt die Überwindung der Furcht. Zyklisch suchten die Mächte – »bald tellurische, bald magische, bald technische« – den Menschen zu vereinnahmen. »Dann wächst die Starre, und mit ihr die Furcht. Die Künste versteinern, das Dogma wird absolut. Doch seit den frühesten Zeiten wiederholt sich das Schauspiel, daß der Mensch die Maske abnimmt, und dem folgt Heiterkeit, wie sie der Abglanz der Freiheit ist.« (Wg, 52/7, 313) Ein »geistiges Exerzitium« ermögliche die Überwindung der Furcht und damit diejenige des Nihilismus. Es ist vielleicht doch mehr als bloß Verlegenheit, wenn Jünger sich nur vorsichtig auf die spendende Quelle, den Wald, materialiter einläßt. Am nächsten kommt seiner Erkundung der Künstler. Lapidar heißt es, »der Dichter *ist* Waldgänger«, und die kursiv gesetzte Prädikation soll darauf hinweisen, daß er etwas anderes gar nicht sein kann. Er schöpft aus der Fülle der Seinsbezüge; doch wieder sind es nur die ästhetischen Umwege, die »Übersetzungen« des »Urtexts«, in denen der Mensch sich als von höheren Kräften geleitet erkennt. Später wird der Schriftsteller von »Annäherungen« sprechen.

Der »Waldgang« ist einerseits – als Desinvoltura – die Abkehr von den Mächten der Zeit, anderseits – als »Religion« – die Zuwendung zu den Mysterien der Natur. Nur in seiner Eigenschaft als Einzelner finde der Mensch in Epochen der Bedrängnis den »rechten Weg«. An dieser Stelle bedarf die Wald-Metapher doch einer gewissen Erläuterung ins Begriffliche hinein; das weiß Jünger – und substituiert das Bild mit weiteren Bildern.

»In diesem Sinne kommt es auch auf das Wort Wald nicht an. Freilich ist kein Zufall, daß alles, was uns mit zeitlicher Sorge bindet, sich so gewaltig zu lösen anfängt, wenn sich der Blick auf Blumen und Bäume wendet und von ihrem Bann ergriffen wird. Nach dieser Richtung sollte die Botanik sich erhöhen. Da ist der Garten Eden, da sind die Weinberge, die Lilien, das Weizenkorn der christlichen Gleichnisse. Da ist der Märchenwald mit den menschenfressenden Wölfen, Hexen und Riesen, aber auch dem guten Jäger darin, die Rosenhecke Dornröschens, in deren Schatten die Zeit stille steht. Da sind die germanischen und keltischen Wälder, wie der Hein Glasur, in dem die Helden den Tod bezwingen, und wiederum Gethsemane mit den Ölbäumen.« (Wg, 72/7, 327)

In einem zweiten Durchgang wird der Wald dann zum Bild von den Prüfungen, in denen der Mensch, sich selbst begegnend, die Furcht verlieren soll. Der Wald sei auch »das große Todeshaus«; der Einzelne bricht auf, als Waldgänger den Schrecken zu erfahren, um ihn zu überwinden.

Jede Symbolsprache tendiert dazu, mit ihren Stellvertretungen zeitlos Gültiges zu benennen. In der Metaphorik lagert sich die Zeit ab nach dem Prinzip der Wiederholung. Wie Furcht und Schrecken das menschliche Dasein je schon begleiten, drücken sich darin auch Geschehnisse aus, die stets die gleichen Herausforderungen stellen. Damit ist der Geschichte ihre differenzierende Schärfe genommen. Unüberbietbar knapp fällt der Kernsatz des Platonikers aus. »Die neuen Welten sind immer nur Abzüge ein und derselben Welt.« (WG, 75/7, 329)[35] Die Qualität der Furchtbarkeit bleibt identisch. Es ist ein mythisches, letztlich gegen die Dignität und den Eigenwert der Moderne gerichtetes Denken, das hier auf die geschichtliche Welt übergreift, sie ins »Je-schon« zurückzubinden. Mag der Phänomenologe die Charakterzüge der späten Neuzeit noch so scharf erfassen, der Apologetiker der Urbild-Abbild-Lehre fundiert auch die zeitgeschichtlichen Bedrohlichkeiten im Status »ein und derselben Welt«. Keine Apokalypse kann die endgültige sein, obwohl Jünger einmal hellsichtig von dem »uranischen Zeitalter« spricht. *Historia in nuce* war ein Paßwort in den Kapiteln des »Abenteuerlichen Herzens« gewesen, wenn der Schriftsteller geschichtsphilosophisch meditierte. »Historia in nuce« heißt es wiederum, da Jünger notiert: »... das Thema, das in unendlicher Verschiedenheit von Zeit und Raum sich abwandelt, ist ein und dasselbe, und in diesem Sinne gibt es nicht nur Geschichte der Kulturen, sondern Menschheitsgeschichte, welche eben Geschichte in der Substanz, im Nußkern, Geschichte des Menschen ist. Sie wiederholt sich in jedem Lebenslauf.« (Wg, 78/7, 330) So sei etwa menschliche Furcht zu allen Zeiten, in allen Räumen, in jedem Herzen ein und dieselbe, nämlich Furcht vor der Vernichtung, Todesfurcht.[36]

Was als Desinvoltura gegenüber den Zwängen und Machtansprüchen der wissenschaftlich-technischen Kultur begann, steigert sich zum metaphysischen Exerzitium. Die Überwindung der Todesfurcht sei zugleich die Überwindung jedes anderen Schreckens. Der Gedanke ist ein Kerngedanke des Essays, und in ihm teilt sich eine der »letzten« Absichten von Jüngers Autorschaft mit, die seit den »Stahlgewittern« mit dem Tod sich einläßt, um ihm den Stachel zu nehmen. Aus der Unmittelbarkeit der Geschichte hinauszuführen: das vermag die »Religion«, und sei sie ästhetisch. Indem Jünger den Waldgang auf das Äußerste hin zuspitzt als Anmutung und Lebensgefährdung, will er dem »Rettenden« den Boden bereiten. Dem Drama von Menschwerdung und Tod muß dann die Erlösung folgen. Der Waldgang sei in erster Linie Todesgang; der Wald in seiner Fülle – als Lebenshort – erschließe sich, »wenn die Überschreitung der Linie gelungen ist«. »Hier ruht der Überfluß der Welt.«[37]

An diesem Punkt schaltet der Schriftsteller nochmals die Polemik gegen die Institutionen ein. Keine Einrichtung, keine »Kirche« vermöge dem Menschen, der in seine »theologische Prüfung« eingetreten sei, wo nach den höchsten Werten und nach dem »Weltganzen« gefragt werde, zu helfen. Für Gehlen stellt sich das Problem gerade umgekehrt: Institutionen wirken daseinsentlastend, weil sie dem Menschen die Fragen der Komplexität von »Welt« zum guten Teil abnehmen; er braucht sich um das Ganze nicht mehr zu sorgen. Nicht Gehlen, sondern Heidegger ist in diesem Zusammenhang der adäquate Gesprächspartner. Die »Seinserfahrung« bringe den Menschen auf sich selbst zurück. Der »Kernpunkt« des modernen Leidens sei die große Leere, die schon Nietzsche als das Anwachsen der Wüste, begrifflich geklärt als die Heraufkunft des Nihilismus bezeichnet habe. Eine säkulare Welt, die alle Zuwendungen des Höheren im Sog der kopernikanischen Rationalisierungen verloren hat, sieht sich konfrontiert mit der metaphysischen Herausforderung des Nichts. Auch dieser Gedanke, von Kierkegaard dramatisiert und von Heidegger weitergesponnen, wiederholt sich in den Schriften der Nachkriegsjahre. Zwei Prüf- und Mahlsteine warteten auf jeden Lebenden: der Zweifel und der Schmerz. Nur da, wo der Mensch über Werte verfügt, die über die Zeit hinausweisen, wo er Elemente findet, die keine Zeit zerstört, wird das Nichts gebannt und der Schmerz, den die Realität der Apparaturen – des »Gestells« – auslöst, überwunden. Nochmals läßt Jünger die »organische« Metapher vom Wald und die »technische« vom Schiff aufeinanderprallen, wenn er seinen Lagebericht abgibt. Der Mensch auf dem Schiff – der Mensch der Zivilisation, der Bewegung und der historischen Erscheinung – müsse an dem Menschen im Wald sich das Maß nehmen. »Darin liegt Lust für jene starken Geister, zu denen sich der Waldgänger zählt. In diesem Vorgang besinnt sich das Spiegelbild auf das Urbild, von dem es ausstrahlt und in dem es unverletzlich ist – oder auch das Ererbte auf das, was allem Erbteil zugrunde liegt.« (Wg, 100 f./7, 345)

Am Ende schlägt Jünger den Bogen zurück auf die Reize und Aggressionen der Zivilisation, denen der Waldgänger »absoluten« Widerstand entgegenbringen müsse. Eine »neue Einsamkeit« ist die Zone, in welcher sich dieser Anarch aufhält, wo er der »satanisch angewachsenen Bosheit« und dem Maschinenwesen subversiv antwortet. Verschiedene Arten des Waldgangs werden erörtert; nach dem metaphysischen Höhengang beschäftigt sich der Autor mit den taktischen Aspekten seiner Partisanentheorie.[38] So wird in einem Seitengedanken auch das Verbrechen diskutiert als »Möglichkeit, die Souveränität zu wahren inmitten des Schwundes, der nihilistischen Unterhöhlung des Seins«. Neben der autonomen sittlichen Entscheidung bilde das Verbrechen die zweite Chance der Wahrung von Souveränität. Das hätten die französischen Existentialisten zutreffend erkannt. Denn das Verbrechen habe mit dem Nihilismus nichts zu schaffen, bilde sogar Zuflucht vor der Zerstörung des Selbstbewußtseins. Ein Chamfort-Zitat legiert die Idee. »L'homme, dans l'état actuel de la société, me paraît plus corrompu par sa raison que par ses passions.« Das »Herz« spricht aufrichtiger als der von der aufklärerischen Dialektik absorbierte und verformte Verstand.[39]

Der kriminelle Phänotyp, wie er dem Schriftsteller nach wiederholter Lektüre sich zum »Zitat« gesteigert hat, ist Dostojewskijs Raskolnikow. Ohne daß dies hier ausdrücklich würde, ist er der Vorläufer aller spezifisch modernen Verbrecher.[40] Der moderne Verbrecher bezieht seine Physiognomie wie seine »ästhetische« Bedeutung durch den Widerpart, gegen den sein Trachten sich richtet: gegen Gesellschaft und Staat. Er durchbricht, indem er jenseits des Gesetzes agiert, die Spielregeln und mit ihnen das immer mehr sich verfestigende System von Zwang und Regel. Er ist damit wie historisch nie zuvor der soziale Outsider, der sich nach der Vorstellung seines idealisierenden Apologeten gegenüber den Automaten-Menschen eine Nische von Autonomie bewahrt hat. Was das psychologische Element betrifft, das ihn dem Schriftsteller – und lange vor ihm schon Poe, Sade, Baudelaire, Huysmans – so interessant macht, so bezeugt der Kriminelle im Affekt zum Bösen eine Willensäußerung; sie ist die Grenzverletzung, die dem Nihilismus wie dem herrschenden *ennui* entgegensteht.[41] Jünger kann bei diesem Thema auf einen Fundus von literarischen Präformationen zurückgreifen, und tatsächlich erörtert er weniger eine Idee als ihre Gegebenheit, wenn er den Kultus des Verbrechens als »eines der Zeichen unserer Zeit« fixiert. Origineller daran ist die Verbindungslinie zum Waldgänger.[42]

Jünger wird das Spannungsverhältnis zwischen der modernen Kultur und ihren Außenseitern in späteren Werken wieder aufgreifen und schließlich in dem Roman »Eumeswil« die reinste Verkörperung des Anarchen anbieten. Im »Waldgang« dient die Sequenz über den Verbrecher der Verdeutlichung der »Lage«, die der Autor aus der modernen Lebenswelt ableitet. Der Verbrecher ist frei in dem Maß, als er seine Leidenschaften – »passions«, nach Chamfort – auslebt. Insofern verwirklicht er eine »Existenz«, allerdings auf Kosten von Ethos und Moral. Schon daher kann es Jünger nicht um eine Verherrlichung im strengen Sinn gehen. Der Verbrecher illustriert das Verhalten des Waldgangs nur auf besonders anschauliche Weise, doch letztlich bleibt er dem Schriftsteller eine Metapher. Erst der geistige, sittlich autonome Waldgänger führt wieder näher an die Realität heran: es ist vor allem der Künstler, der unter den Zwängen und Verstellungen der Zeit die Substanz, das »Sein«, aufspüren soll.

Mithin wiese der »endgültige« Waldgang schließlich über die politische und gesellschaftliche Sphäre hinaus. In den Schlußpartien der Betrachtung nimmt Jünger nochmals Nietzsches Wort von der Wüste auf. Diese Wüste sei die Zeit. Je mehr sich die Zeit ausdehne, je bewußter und zwingender, aber auch je leerer sie in ihren kleinsten Teilen werde, um so brennender werde das Verlangen nach ihr überlegenen Ordnungen. Das deutet Themen und Motive an, die den Autor in den fünfziger und den frühen sechziger Jahren nachhaltig beschäftigen werden: meßbare Zeit und Schicksalszeit, Zeitwende, Zeiterfüllung. Der Waldgänger tritt gegen die »Arbeits«-Zeit an und betreibt auf eigentümliche Weise Zeitverweigerung.

Exkurs: Rousseau, Sade

An dieser Stelle sei kurz in Erinnerung gebracht, daß »Wald« schon in den Schriften des Alten Testaments wie im politischen Leben der Antike die metaphorische Qualität besitzt, das Bild gegenüber der Wirklichkeit symbolisch anzuheben. Am 10. Juni 1945 vermerkt Jünger im Tagebuch seine momentane Lektüre. »Jeremia, Klagelieder. Sie füllen sich mit ungemeiner Gegenwärtigkeit.« Auch wenn es im Einzelnen auf die Genese des »Waldgang«-Essays nicht ankommen soll, so taucht der Wald just bei Jeremia als Ort der Flucht und des Exils auf.[43] Und noch deutlicher wird der Prophet Hosea, wenn er vom Prozeß gegen das treulose Israel handelt und die Gottesdrohung ausspricht, das bebaute Land in Wald und Wildnis zu verwandeln.[44] Wer in den Wald ausweicht oder dazu gezwungen wird, in die Wälder zurückzuweichen, geht der Kultur verlustig. Das Altertum kannte keine härtere Strafe der Verbannung als den Waldgang. Noch im Mittelalter ist der Wald nur die Einöde, der unwirtliche Ort, bildlich verwandt der Wüste und dem Meer.

Einer Lebenswelt, die ihre kulturelle Befriedung noch nicht mit dem neuzeitlichen Arsenal wissenschaftlich-technischer Urbanisierung vorantreiben konnte, mußte der Wald die metonymische Stellvertretung von Natur bedeuten. Das ändert sich allmählich im 17. Jahrhundert, und im 18. Jahrhundert, da spürbar wird, wie die Umwandlung von »Natur« in Kultur die Hypertrophie eines maßlosen Eingriffs annimmt, changiert das Bild ins Positive; »Wald« ist nun eine Quelle der Freiheit und Ungebundenheit und als solche gefeiert von Brockes bis zu Tieck und Friedrich Schlegel. Mit seinen »Räubern« verknüpft Schiller den »Ort« der Handlung mit dem Typus des Gesetzlosen, der ihn angemessen einnimmt.

Der Einfluß von Rousseau auf diese Entwicklung darf schon deshalb nicht unterschätzt werden, weil der Aufklärungsphilosoph schlechthin, Kant, ausdrücklich gegen den Genfer Widerpart vorbrachte, eine Rückkehr in den Naturzustand und in die Wälder könne niemals in Frage kommen.[45] Nicht als Theoretiker der »volonté générale«, auch nicht als Autor des »Contrat social« brachte sich Rousseau dem literarischen Publikum zu Gehör, sondern als Kulturkritiker und Zivilisationspessimist, als Advokat der natürlichen Güte des Menschen und als Wiederentdecker einer Freiheit des

»Wilden«, die das Gesellschaftsgehäuse längst abgewiesen hatte. Der »homme naturel« viel mehr als der »citoyen« war die Figur für eine Rezeption, die schon vorher mit Begeisterung auf die Natur zugegangen war. Weniger daran nahm Kant Anstoß; ihn mußte Rousseaus »anthropologische« Lehre irritieren, daß jede geschichtlich-soziale, also spätere Existenz den Menschen denaturiert, von seinem ursprünglichen Sein notwendigerweise abbringt: Geschichte ist Entfernung von der Natur. Daraus – und aus der merkwürdigen Unbestimmtheit des status naturalis – konnte die romantische Bewegung ihre Geschichtskritik und ihre Polemik gegen die Institutionen gewinnen. Es ist bezeichnend, daß in der Rhetorik des Vormärz der Wald zum Denkbild für eine freiheitliche Staatsform avancierte.[46]

Auch Rousseau wußte um die Vergeblichkeit einer Rückkehr, die den Zustand eines anfänglichen naturalen Daseins wieder hergestellt hätte. Doch sah er die Möglichkeit der Etablierung einer »zweiten« Natur als Spätprodukt, das die bürgerliche Gesellschaft hervorbringt: die Freisetzung von Subjektivität. Die höchste Rechtfertigung dieser Gesellschaft liegt darin, daß sie einem bestimmten Typus von Individuen gestattet, ihr Glück in einem Leben am Rand zu verwirklichen. Folgerichtig hat Leo Strauss in seinem Werk »Naturrecht und Geschichte« Rousseaus »sauvage dans les villes« als Prototypus des modernen Künstlers dingfest gemacht.[47]

Der Name Rousseau taucht auch in der ersten und dann wieder in der zweiten Fassung von Jüngers »Abenteuerlichem Herzen« auf. Aber er wird überschattet von jenem des Marquis de Sade, wenn es heißt, daß Sade mit Konsequenz über seinen Rousseau hinausgelesen habe. Jünger läßt nicht den kleinsten Zweifel, wie er seine Sympathien verteilt. Während die »Confessions« ein »schändliches Buch« sind, ist der Marquis »weit lesbarer als Rousseau«. Die Annäherung an Sade geschieht zunächst über die ästhetische Erfahrung der Sprache; sie bohre sich mit glühenden Stacheln ins Fleisch, bedränge durch endlose Aneinanderreihungen von Synonymen und stemple durch Anführungsstriche jedes beliebige Wort zur Zote. Auch wühle Sade in den »Abfällen des Lebens«. »In ihm stellt sich, freilich in einer abnormen und höchst widerwärtigen Erscheinung, das Leben... mit Krallen, Hörnern und Zähnen zum Kampf.« (AH 1, 233/9, 159)

Für den vitalistisch bewegten Kommentator verdient Sade deshalb den Vorrang gegenüber Rousseau, weil hier das Leben in einer radikalisierten Form von »Natürlichkeit« das Gesetz und die Institutionen herausfordert. Die Opposition gilt jetzt nicht mehr dem Ursprungsmystiker der »bonté naturelle«, sondern dem Autor des »Contrat social« und der »Confessions«. Mit Sade verbindet Jünger den Anarchisten, mit Rousseau die Figur des Kommunisten.[48] Der Verbrecher, »vor allem der geborene Verbrecher«, sei sympathischer als der Bettelmann, denn ihn begleite eine »heroische Weltanschauung«. Die kürzeste Formel definiert ihn als einen Mann, »der den Krieg erklärt«. Anders als der Kommunist stellt sich der Anarchist aus jeder Ordnung heraus, und kein prospektives Gesellschaftssystem deckt ihm sein Tun; er handelt durch die reine Negation.

Aufschlußreich ist, daß Jünger – man darf sagen: auch unter dem bedrängenden Eindruck der nationalsozialistischen Machtergreifung und ihrer Auswirkungen – die Einlassung in der neun Jahre später vorgelegten zweiten Fassung des »Abenteuerlichen Herzens« (1938) kürzt und auf entscheidende Weise abändert. Alle apologetischen Ausführungen über den Verbrecher sind gelöscht. Sade erscheint nicht mehr als der Wegbereiter politisch erst noch zu leistender Subversionen, sondern vornehmlich als Schriftsteller, dessen Texte sich »beängstigend« läsen. Es bleibt bei einer ästhetischen Betrachtung, die zusätzlich grundiert wird, indem Jünger nun auch auf Octave Mirbeaus »Le jardin des supplices« hinweist. Das ganze Stück ist überschrieben mit »Grausame Bücher«. Es endet mit einer »ethischen« Wendung, die in der Urfassung nicht denkbar gewesen wäre. Der anarchistisch motivierte Verbrecher hat sich in den verachtenswerten Typus des Schergen und Folterknechts verwandelt: es gebe Naturen, von denen man die Vorstellung gewinne, »daß sie sich an den Qualen anderer weiden könnten«; ihr Ziel sei die »mehr oder minder intelligente, stets aber nach dem Muster des Tierreiches gebildete Despotie« (AH II, 76/9, 227) Dagegen könne sich nur die »Desinvoltura« behaupten, die freie und bildende Kraft. In diesem Sinne etwa sei die Odyssee zu lesen, als »der große Gesang der klaren Vernunft, das Lied des menschlichen Geistes, dessen Weg durch eine von elementaren Schrecken und grausamen Ungeheuern erfüllte Welt, ja selbst gegen göttlichen Widerstand zum Ziele führt«.

Es entbehrt nicht einer gewissen Ironie, daß nur vier Jahre nach der zweiten Fassung des »Abenteuerlichen Herzens« während der Abfassung des Gemeinschaftswerkes »Dialektik der Aufklärung« Max Horkheimer und Theodor W. Adorno ebenfalls die Figuren des Odysseus und des Marquis de Sade heranziehen, um das Verhältnis von Moderne und Vernunft zu klären. Aus der Jüngerschen Opposition ist nun eine Verbindung geworden. Sowohl Odysseus als auch Sade sind prototypische Repräsentanten für den Prozeß der Formierung von Aufklärung. Der erste Exkurs der epochalen Kritik behandelt das Thema »Odysseus oder Mythos der Aufklärung«; der unmittelbar daran anschließende zweite ist betitelt »Juliette oder Aufklärung und Moral«. Der im Mythos schon angelegte Triebverzicht zugunsten einer »rationalen« Lebensführung kulminiert in der geschichtlichen Epoche der Aufklärung unter dem Druck des kapitalistischen »Wirtschaftssystems« zu einer Selbsterhaltung, deren vergegenständlichter Trieb als »destruktive Naturgewalt« und als »Selbstzerstörung« sich plötzlich erweist. »Die reine Vernunft wurde zur Unvernunft, zur fehler- und inhaltslosen Verfahrensweise.«[49] Für Horkheimer und Adorno erreicht Sade – und später Nietzsche – den Punkt des »dialektischen« Umschlags, indem er das »szientifische Prinzip« ins Vernichtende steigert. Seine Juliette bezeugt »intellektuelle Freude an der Regression, amor intellectualis diaboli, die Lust, Zivilisation mit ihren eigenen Waffen zu schlagen«. »Das Gesicht des Mörders muß die größte Ruhe verraten. ›... lassen Sie auf ihren Zügen Ruhe und Gleichgültigkeit sich zeigen, versuchen Sie, die größtmögliche Kaltblütigkeit in dieser Lage zu erwerben... wären Sie nicht sicher, keinerlei Gewissensbisse zu haben, und Sie werden es nur durch die Gewohnheit des Verbrechers sein, wenn, sage ich, Sie darüber nicht sehr sicher wären, würden Sie erfolglos daran arbeiten, Meister Ihres Mienenspiels zu werden...‹«[50] Das Sade-Zitat soll zeigen, daß die Freiheit von Gewissensbissen der formalistischen Vernunft ebenso essentiell sei wie jene von Liebe oder Haß.

Sades Subversion gründet darin, daß sich die Vernunft unter dem Diktat der puren Rationalität gegen sich selbst wendet. Die Apostasie des Marquis bedient sich einer *technisch* zu Ende gedachten Vorstellung von »Aufklärung«. Das hatte, mit anderen ideologischen Absichten, auch der Autor der *ersten* Fassung des »Abenteuerlichen Herzens« bei seiner »Juliette«-Lektüre diagnostiziert. Die Parallelen sind damit noch nicht erschöpft. Aus dem zeitlich-motivischen Umkreis der »Dialektik der Aufklärung« stammt ein Aufsatz von Horkheimer, »Theorie des Verbrechers«. Er antizipiert, was Jünger in dem »Waldgang«-Essay über denselben Typus verlauten läßt. »Das Stigma des Verbrechers ist die Nutzlosigkeit. Er überspringt das Stadium der Produktion und sucht vom zirkulierenden Mehrwert soviel wie möglich sich anzueignen... Der Verbrecher repräsentiert im Inneren, was der Krieg im Äußeren darstellt: das Abjagen des Mehrwerts unter Ausschaltung des Tauschs. Räuberhauptmann, Kondottiere, Freischärler, Racketier vagieren zwischen Krieger und Verbrecher.«[51] Schärfer freilich als Jünger sieht Horkheimer den wiederum »dialektischen« Zusammenhang zwischen Verbrechen und Faschismus: während das totalitäre Regime noch versucht, Strafe und Verfehlung als »abergläubische Restbestände« zu liquidieren, breitet sich ein ganzes Regime von Verbrechern über Europa aus.

Der Vorzug von Horkheimers analytischer Darstellung ist aber zugleich auch ihre Schwäche. Der ökonomische Faktor allein vermag nicht hinreichend den Prozeß der modernen Vereinnahmungen und Subsumptionen zu erklären. Jünger braucht in dem »Waldgang«-Essay nicht mehr von totalitären Herrschaftsgefügen auszugehen und noch weniger von ihrer »bürgerlichen« Genealogie, um den Angriff der »Strukturen« auf das Individuum nachzuweisen. Die anwachsende Komplexität von Gesellschaft überhaupt löst – mit dem Wort von Max Weber – Lebensordnungen auf und ersetzt sie durch Funktionsbeziehungen. Wissenschaftliche, technische, soziale, selbst ästhetische Vernetzungen wirken so letztlich freiheitshemmend.

Die Kehrseite von Sades Radikalisierung des aufklärerischen Erbes offenbart sich in seiner Imagination von Freiheit. Schon Baudelaire stellte dies fest mit dem Hinweis, der Marquis habe den »natürlichen« Menschen erkannt, auf den zurückgreifen müsse, wer das Böse begreifen wolle. Von Lautréamont bis zum Surrealismus läßt sich die Rezeptionslinie von Sades Freiheitsverständnis verfolgen; Maurice Blanchot hat das Interesse dafür auf den Begriff von der Verneinungsfähigkeit des absolut sich setzenden Individuums gebracht. Mit der »Technisierung« der Triebe bis zum Leerlauf völliger Entmoralisierung hypostasiert solche Lehre das Prinzip der

434

Rationalität. Doch umgekehrt und jenseits von Aufklärungsdialektik gilt auch, daß Sades naturalistische Steigerungen eine vorkapitalistische Anschauung weiterbefördern. Die These stammt von Wolf Lepenies, der in einem Aufsatz über Linnés »Nemesis Divina« den weiteren Rahmen für die Physikotheologie des 18. Jahrhunderts absteckt und bemerkt, daß Buffon und Robinet zu den *maîtres à lire* von Sade geworden seien. Buffon legitimiert den gewaltsamen Tod mit dem Argument, daß er zur Herstellung und Erhaltung des natürlichen Gleichgewichts beitrage. Ähnlich beschreibt Robinet in seinem Werk »De la nature« (1761) die positive Funktion des Bösen. Als aufmerksamer Leser transzendiert der Marquis die physikotheologische Balanceidee, wenn er in seiner »Juliette« schreibt, Nero habe, als er Agrippina vergiftete, wie der Wolf gehandelt, der das Schaf verschlingt. Im strengen Sinn vorkapitalistisch aber ist der Gedanke von der Triebbefriedigung: nicht das Speichern, sondern gerade das Ausleben der Leidenschaften trägt zur Stabilisierung des »natürlichen« Gleichgewichts bei. Die äußerste Konsequenz daraus ist die Apologie des Verbrechens.[52]

Wo die Aufklärung das Prinzip von Rationalität total werden läßt, schlägt sie um; die »instrumentell« gewordene Vernunft kippt zurück in den Mythos. Das ist die Lehre von Horkheimer und Adorno in dem Gemeinschaftswerk, und Sade tritt als Zeuge der zum Äußersten zugespitzten Entfremdung auf. Es gibt indessen noch eine andere Lesart des gewalttätigen Œuvres. Dieses wäre dann weniger Ausdruck der konsequent zu Ende gedachten Instrumentalisierung als vielmehr Testat für einen Vitalismus wider jede kulturelle Einschränkung. In Essays aus den vierziger Jahren hat Georges Bataille solche Lineaturen nachzuweisen versucht und auch dort verfolgt, wo er scheinbar monographisch von Proust und Nietzsche handelt.

So findet sich in einem Text, der dem Autor der »Recherche du temps perdu« gewidmet ist, eine Stelle, welche den lebensmäßigen Konflikt zwischen Gegenwart und Zukunft thematisch macht. Die Sorge um Künftiges – die Einstellung, die das Heute schmälert, um das Morgen vorzubereiten – ist antierotisch. »Die vorsorgende Schwäche widersetzt sich dem Prinzip, das ›Genuß des gegenwärtigen Augenblicks‹ lautet.«[53] Sade aber sucht gerade dieses Prinzip. Seine Moral, »die das Böse in der Beherrschung der Leidenschaft durch die Vernunft sieht«, wendet sich gegen die »moderne« Institution der Nutzen-Schaden-Rechnung. Verschwendung ist näher an einem Leben, das noch nicht von den Mechanismen der Sublimierung beherrscht wird. Dazu gibt es einen Kommentar von Baudelaire in dem autobiographischen Bericht »Mon cœur mis à nu«. »Ein nützlicher Mensch zu sein, ist mir immer als etwas sehr Häßliches erschienen.«[54]

Es ist unschwer zu erkennen, wie Sades Figuren, die sich anarchisch ihrer gesellschaftlichen Einordnung entwinden, schon dem Verfasser des »Abenteuerlichen Herzens« begegnen: als Grenzgänger, die sich im »Wald« aufhalten. Erst in der zweiten Fassung der »Figuren und Capriccios« urteilt Jünger kritischer über die Welt des Marquis. Sade und Dostojewskij sind beängstigende Schriftsteller, weil sie die Nachtseite der Moderne beschwören. Die Version des »Abenteuerlichen Herzens« von 1938 enthält ein Kapitel »Zum Raskolnikow«. Der Roman im Ganzen, »der verworrene architektonische Charakter«, gebe eine »labyrinthische Empfindung«; statt der Natur sehe man Zimmer, Häuser, Straßen, Lokale, und als sensibler Leser habe man das Gefühl, als ob man sich bei Nacht in einem fremden Haus bewegte, ohne zu wissen, ob man den Rückweg finden werde. Endlich erfahre das Gute »eher eine Art von musealer Hochschätzung«; wirklich und beklemmend gegenwärtig ist das Böse.[55]

Auch hier ließe sich eine »Deformation« der Aufklärung diagnostizieren. Als sich Dostojewskij 1838 in St. Petersburg einrichtete, war die Stadt schon nicht mehr das Abbild des von dem Architekten Leblond auf dem Reißbrett entworfenen Ideals. Aus der utopischen Anlage des Rationalismus war ein wucherndes Gebilde der Spannungen und sozialen Verschneidungen geworden, in welchem wie in den Metropolen von Westeuropa die Menge wogte. Die Großstadt tritt als Ort gefährlicher Begegnungen der Natur entgegen. Davon konnten Poe und Baudelaire erzählen, und noch Andrej Bély sollte, vielleicht absichtslos, von der »Dialektik« der Vernunft handeln: in seinem 1913/14 geschriebenen »Petersburg«-Roman erscheint die Stadt in der Unbegreifbarkeit, welche die Gleichzeitigkeit des Ungleichzeitigen auslöst; während sein Senator von »System und Symmetrie« träumt, wartet im Arbeitszimmer schon die Bombe, die der anarchistisch bewegte Sohn gelegt hat.

Der Verfasser des »Waldgang«-Essays kann ohne Verdienst auf diese ästhetischen Antizipationen zurückblicken. Im Jahr 1951 wäre auch dem gutgläubigsten Verfechter des Fortschritts aufgegangen, daß sie sich durch den Terror der Diktaturen in einem Maß erfüllt haben, das selbst in den turbulenten zwanziger Jahren des Jahrhunderts nicht vorstellbar schien. Aber gutgläubig war Jünger nie. Die Lehre vom »Waldgang« erhält ihr Pathos nur unter der Prämisse, daß sich seither wenig geändert hat: die modernen Vereinnahmungen sind nicht verschwunden; in der Maskierung der funktionalen Notwendigkeiten bedrohen sie den Einzelnen nach wie vor – ein »Erbe«, das sich so schnell nicht aufzehrt. Als *Bild* illustriert der Verbrecher, was Jünger dem umstellten Menschen empfiehlt – den diskreten Gang in den Wald. Ihn tut freilich mit größtem Gewinn – und man müßte hinzufügen: mit dem kleinsten Risiko – der Künstler.

*

Metaphorisch komprimiert ist auch eine Kurzgeschichte, die Jünger 1952 mit dem Titel die »Eberjagd« vorlegt. In ihr wird der »Waldgang« als die Kunst der Abstandnahme prätentionslos variiert. Das zehnseitige Prosastück beginnt realistisch als Beschreibung einer Treibjagd. Ein Eber soll aus den Wäldern aufgestöbert und vor die Büchsen der Jagdgesellschaft gebracht werden, die am Waldsaum lagert. Etwas weiter abseits haben sich zwei junge Leute, der »Eleve« und ein Halbwüchsiger, Richard, eingerichtet. Richard hat sich seit langem ein Gewehr gewünscht. Die Idee begleitet ihn schließlich in die Träume, da er »von Macht und Schrecken und Herrlichkeit« der Waffe geblendet wird. Aber der Wunsch wird nicht erfüllt, und unbewaffnet, als Beobachter, wartet Richard neben dem Eleven, als plötzlich der Eber, aufgescheucht von den Treibern, aus dem Wald kommt und nahe an den beiden vorbeiwechselt. Hastig und ziellos gibt der Eleve einen Schuß ab; der Eber taucht wieder in den Wald. Dafür tritt der Förster auf, der zornig dem jungen Mann seine Verfehlung vorhält und nebenbei ein bösartiges Temperament sprechen läßt. Doch erweist sich bald, daß der Eleve durch Zufall getroffen hat. Nun wird der Schuß als Sieg gefeiert, das Wildschwein ausgenommen und der Schütze gelobt. Richard aber steht randseits, nachdenklich. Ihm verfremdet sich das Jagdgeschehen zusehends, er gewinnt Distanz, der Wunsch nach dem Gewehr verblaßt; »dafür trat nun der Eber in seinen Traum.«

Eine Parabel. Und ein Stück Initiationsgeschichte, die allerdings überraschend, gegen alle Erwartungen, dazu wird. Ein Heranwachsender erträumt sich Jagdspiele und den Umgang mit der Waffe. »Daß dieses Kleinod, dieses Wunder, zugleich das Schicksal, den Tod in sich beschloß: das freilich ging über die Phantasie hinaus.« Eben diese Erfahrung, gesteigert noch durch den »Zufall« des ziellos abgegebenen Schusses, der zum Treffer wird, muß Richard machen: er begegnet dem Tod, den er so nicht sich vorzustellen vermochte. Es ist die Plötzlichkeit des Vorgangs, die dem jungen Mann aufgerissen wird, von dem überdeutlichen Bild des vorbeiwechselnden Tiers bis zur Leichenszene, da das Blut den Schnee rot einfärbt. Ein Augenblick läßt eine Grundfigur des Lebens aufblitzen, und der sie wahrnimmt, bleibt »für immer« von dem Traumgebilde geprägt. Seit den »Stahlgewittern« beschäftigen Jünger solche raschen, einfallenden Epiphanien. Richard, der *seine* »Afrikanischen Spiele« an einem einzigen Wintertag, innerhalb von wenigen Stunden, hinter sich bringt, braucht nicht durch die Feuerstürme des Kriegs zu gehen; ein naturales, entgeschichtlichtes Ereignis lehrte ihn die Todesbegegnung.

Spätestens seit der Oberförster auftaucht, verliert die Jagdpartie ihre Harmlosigkeit. Kann man von der gleichnamigen Figur des »Abenteuerlichen Herzens« und der »Marmor-Klippen« absehen? So sehr sich seine Wut meldet, als er den scheinbaren Fehlschuß hört, so schnell ändert er sein Verhalten nach dessen Folge. Dem Förster kommt es nicht darauf an, auf welche Weise ein Resultat sich einstellt. Auch der Eleve erzählt nun die Geschichte anders, als sie sich zugetragen hat. Den entscheidenden Punkt berührt der Autor, wenn er von Richard schreibt: »Er lernte hier zum ersten Male, daß Tatsachen die Umstände verändern, die zu ihnen führten – das rüttelte an seiner idealen Welt. Das grobe Geschrei der Jäger bedrückte ihn. Und wieder schien ihm, daß ihnen der Eber hoch überlegen war.« Dieser Kausalgedanke ist wichtig. Es geht dabei um die normative Kraft des Faktischen, die einem idealistischen, ethisch unverstellten Denken suspekt sein muß, da für die Einschätzung des rechten Tuns die Absicht, nicht aber das Resultat maßgebend ist. Der Eleve paßt sich dem Verhalten des Försters an, indem er die Reihe der Ereignisse bewußt fälscht. Die schiefe Darstellung von Ursache und Wirkung – die leicht auf politische Wirklichkeiten zu übertragen wäre, auch im umgekehrten Fall: da einem ein Faktum vorgerechnet wird, dessen Urheber man niemals sein wollte – irritiert den jungen Mann. Er wird wenn nicht zum »Waldgänger«, so mindestens zum Beobachter, der die »Gesellschaft« zu meiden beginnt.

Moralistische Erwägungen: »Rivarol«

Seit den späten dreißiger Jahren und besonders seit der Zeit in Paris befaßt sich Jünger mit einer Philosophie, welche der »Eberjagd« wie dem »Waldgang«-Essay eine »theoretische« Grundierung leiht. Die Lehre ist diejenige der französischen Moralisten. In ihren Maximen und Reflexionen entdeckt der Schriftsteller elementare Grundsätze des rechten Tuns in Situationen, die eine diskursive Erörterung wenig begünstigen. Die Jahre der Pariser Tagebücher bringen die erste eingehende Beschäftigung mit Antoine de Rivarol, geboren 1753 in Bagnols, Languedoc, gestorben im politischen Exil 1801 in Berlin. 1956 legt Jünger als Summe seiner Studien ein Buch vor, das sowohl eine aufschlußreiche Einleitung enthält als auch eine Auswahlübersetzung von Rivarols Maximen und Reflexionen zum politischen, gesellschaftlichen und individuellen Leben.[56]

Man unterschätzte den Stellenwert und den Verweischarakter dieses Buchs, wollte man darin nur die Arbeit eines Liebhabers sehen. Der Griff nach der scheinbar fernen Vergangenheit ist nicht weniger als die bewußte Fortführung von Gedanken, die im »Waldgang« ihre Prägnanz gefunden hatten. An Rivarol fasziniert zunächst, daß ihm Züge des Dandy verliehen worden sind: der Schriftsteller, der viele Projekte wälzt und große Themen zur Staatslehre zu bearbeiten sucht, bleibt Zeit seines Lebens dem Glanz der gesellschaftlichen Ereignisse verbunden, pflegt mehr als das meiste andere das leichte, geistreiche Gespräch und zeigt noch während der ersten Revolutionsjahre eine Sorglosigkeit, die Jahrhunderte später den Verfechter der Desinvoltura entzücken mußte. Rivarol ist eine Figur des Ancien Régime. Zugleich weiß der Spätling, daß diese Gesellschaft alt und mürbe geworden ist; sie löst sich auf, die Werte verlieren ihre bindende Kraft, die Zeit verflüssigt Verbindlichkeiten. In dieser Epoche des Übergangs erweist sich die Aufgabe, moderner: die Funktion der Moralistik. Sie rekurriert auf Anweisungen, die ihren Nutzen, ihren *common sense* und ihren ethischen Gewinn damit erbringen, daß sie von zeitüberdauernder, »ewiger« Geltung sind. Jünger notiert in seiner Einleitung: »Der Versuch…, eine Zeit allein mit den von ihr gebotenen Mitteln zu bewältigen, verzehrt sich in der Bewegung und auf ihren Gemeinplätzen; er kann nicht durchdringen.« (Ri, 13/14, 213) Dem Moralisten geht es auch in seinem literarischen Ehrgeiz darum, eine Epochenerfahrung zur Sentenz zu pointieren. Es ist der Rückgriff auf moralische und ethische Überzeugungen, dessen sich die Moralistik mit Vorteil bedient.[57]

Schon Barbey d'Aurevilly, der hintergründige Porträtist von George B. Brummell, bezeichnete Rivarol als Dandy.[58] 1925 präsentiert Otto Mann die Studie »Der moderne Dandy«, eine kulturgeschichtliche Phänomenologie des Typus. Otto Manns Gedanken und eigene Erwägungen verbindend, erörtert Jünger den Zusammenhang und bezeichnet den Dandy als einen »Spät-Typ innerhalb einer sich nivellierenden und materialisierenden Gesellschaft, zu der er im Widerspruch steht. Da er indessen selbst bereits vom inneren Reichtum und Zustrom der Kultur getrennt ist, fühlt er sich gezwungen, den Anspruch auf Rangordnung im Formalen zu verwirklichen. Damit wird Geltung in der Erscheinung gesucht, vor allem in der eigenen Erscheinung, die zum Kunstwerk wird«. (Ri, 25/14, 221)[59]

Doch sucht Jünger Rivarol von diesem Typus gerade abzuheben, von Dandys wie Brummell, Pückler, Pelham, auch von Oscar Wilde. Was den Moralisten im Unterschied zu den Regisseuren ihrer eigenen Eitelkeit auszeichne, sei das Maß. Es ist, der Profession gemäß, im Wort zu finden; daß es in seiner Bedeutungsfülle nicht immer restlos den Zeitgenossen aufgehe, verweise auf das Tröstliche von Rivarols Aktualität, die den Gebildeten zum Gewinn in dürftigen Epochen werde. Was Jünger Rivarol bescheinigt, ist die Essenz einer moralistischen Literatur, auf deren Pfaden er sich selbst schon im epigrammatischen Angang von »Blätter und Steine« (1934) mit wechselndem Glück versucht hatte: es geht um Ergründungen und Fixierungen des menschlichen Charakters. In der Moralistik von der Stoa bis zu Montaigne und La Rochefoucauld ist es der Ehrgeiz der Autoren, die intime Kenntnis des Herzens zu bezeugen. Jünger findet dafür das Wort vom »Im-Herzen-Lesen«.

Allerdings hebt er Rivarols Position, auch dessen Wesensart des scharfen Beobachters vom Außenseitertum späterer Romantiker wie

Chateaubriand ab. Wichtig sei, daß Rivarol nicht für eine verlorene Sache plädiere. Was den Moralisten vom romantischen Geschichtsphilosophen unterscheidet: Verzicht auf den historischen Erlösungsgedanken, Beharren auf der Charaktererkundung diesseits von vergangenen oder künftigen Verheißungen, spürt Jünger fast instinktiv als spätgereifte Wahlverwandtschaft des einstmals eschatologisch bewegten Autors des »Arbeiters« mit dem Maximen-Verfasser.

»Rivarol ist kein Romantiker, weil in seinem Inneren, in seinem Bewußtsein der scharfe Schnitt nicht stattgefunden hat, der auf eine neue Weise Vergangenheit und Gegenwart trennt und die Tradition auf eine Art unterbricht, die teils als Befreiung, teils als Verwaisung empfunden wird. Er kann daher inmitten der Wirbel ebenso unbefangen wie scharfsinnig über die Ordnung sich Gedanken machen, die der politischen Erscheinung und ihrem Wechsel zugrunde liegt. Diese Bewegung auf der Linie des gesunden Menschenverstandes unter Verzicht auf mystisches Beiwerk bezeichnet ihn. Man tritt in einen hellen Raum, in dem die Maße stimmen und dem es an Krypten und Seitenkapellen fehlt. Die Konstruktion und die Methode *bleiben* wichtig, auch nachdem man so viele Restaurationen und Revolutionen gesehen hat und sich in Wirren befindet, die auf ein Endstadium hindeuten.« (Ri, 23/14, 227)

So gerät der Moralist in die Nähe des spätrömischen Philosophen, dessen »Trostbüchlein« schon in den Pariser Tagebüchern zitiert worden war.[60] Wo die »Wirbel« der Geschichte mächtig ansaugen, rettet die moralische Sentenz als ein Stück »ewiger« Wahrheit. Gültiges kann sie nur über den Menschen, nicht über den historischen Prozeß aussagen. Eine ähnliche Lehre hatte Rivarols Vorgänger als Aufklärer vor dem Hintergrund einer vor allem wissenschaftlich-technisch sich beschleunigenden Welt entwickelt. Im dritten Teil des »Discours de la méthode« handelt Descartes von der »morale par provision«. Sie ist Theorie und Praxis der Kontingenzbewältigung im Maß, da überkommene Glaubens- und Wissensformen vor dem Anspruch der »neuen«, zu schaffenden und zu festigenden Wissenschaft obsolet werden. Doch auch im Übergang der Auflösungen muß das Leben weitergehen. Es orientiert sich mit Vorteil an der »provisorischen Moral«, die aus drei, vier »Maximen« besteht. Die erste empfiehlt den Gehorsam gegen die Gesetze und die Vermeidung von Extremen; die zweite lautet, daß, wo nichts mehr gewiß sein kann, ein einmal eingeschlagener Weg festgehalten werden soll; die dritte greift auf stoisches Erbe zurück, wenn von der Unterordnung der eigenen Wünsche unter das Unvermeidliche die Rede ist. Erst die vierte Maxime fundiert die drei vorangestellten: Dienst und Arbeit an der neuen Wissenschaft der Aufklärung.[61]

An der Epochenschwelle fungiert die »morale par provision« als Entlastung im existentiellen Sinn. Daß Arbeit an der Aufklärung schließlich auch die politischen Verhältnisse so radikal verändern würde, wie dies die Französische Revolution tat, konnte Descartes nicht antizipieren. Rivarols Maximen bieten die Entlastung weniger vor dem Schwund des »alten« Wissens als unter dem Erlebnis des gewaltigen und gewalttätigen politischen Umbruchs. Erst im Juni 1792, nachdem er dem Intendanten des Königs noch eine Denkschrift mit dem Titel »Am Rande des Vulkans« übergeben hat, verläßt der verfolgte Rivarol Paris, um über Belgien und Holland nach England auszuweichen und sich endlich in Hamburg, dann in Berlin niederzulassen. Es ist der große Beobachter der Zeitgeschichte, der in seinem »Journal politique national« darüber berichtet und noch Burkes berühmtere »Reflections on the Revolution in France« inspiriert. Für seinen Übersetzer wird Rivarol zeitüberspannender Begebenheiten anteilig. »Rivarol erzählt, daß sie (i. e. die Polizei) in eines der von ihm frequentierten Lokale, den ›Caveau‹, um das Gespräch zu beleben, Provokateure einschmuggelte. Goebbels sagte in seinem Epilog auf die Massaker von 1934, man müsse die Mäuse hin und wieder aus ihren Löchern hervorlocken.« (Ri, 49 f./14, 238)

Um die zeitlos gültigen Einsichten in den Charakter politischer Prozesse auf der Linie von Rivarol seinerseits darzulegen, bedient sich Jünger der »naturalen« Vorgabe. »Die Revolutionen entwickeln sich nicht logisch-konstruktiv, sondern nach Art organischer Vorgänge, an denen weniger der Kopf beteiligt ist als das vegetative System. Sie haben ihre ›Tage‹, ihre Spasmen und Schübe, die weniger der Plan herbeiführt als zufällige Auslösungen: das dunkle Gerücht, die Panik, ein Raufhandel auf der Straße, Marktstreitigkeiten, ein Attentat. Dazwischen und daneben, in anderen Vierteln, läuft das Leben weiter; die Post wird ausgetragen, man geht wie immer ins Caféhaus.« (Ri 50/14, 238) Genau dieser »Organik« war der Dramaturg von »Heliopolis« gefolgt. Das Pathos des »Plans« und seiner theoretischen und praktischen Vollstrecker tritt ihm zurück zugunsten von Verlaufsmodellen, die letztlich kein »Subjekt« mehr ausweisen. Wo alles organisch wird, braucht schließlich nichts mehr gefürchtet zu werden. »Gäa häutet sich«, wird Jünger mit »moralistischer« Lakonik im Spätwerk auch für den vorerst letztmöglichen Fall der geschichtlichen Katastrophe, den Atomkrieg, dekretieren.

Bezogen auf die konkrete, existentiell verschärfte Lage sind Moralismen Reflexionen der Entlastung. Sie greifen in Situationen, da dem freien, diskursiven Gedankenspiel wenig oder kein Raum mehr bleibt. So vergleicht Jünger die Maxime mit der Figur eines Tänzers, »die unüberbietbar ist. Man fühlt, sie kann nur so, nicht anders sein. Es wird nichts Neues gesagt, sondern Altbekanntes auf seine Formel reduziert.« Es soll gar nichts Neues gesagt werden. Mit der Applikation der Sentenz verwandelt sich die Irritation zur Evidenz dessen, was man immer schon hätte wissen können. Prekär ist nur die Lage, welche nach der moralistischen Wahrheit ruft; diese aber zehrt von der Suggestion ihrer unwidersprechbaren Richtigkeit. »Die Prägnanz ist ein Mittel des geistig Überlegenen, doch physisch Schwachen, der sich auf lange Debatten nicht einlassen darf... Wir können die Feststellung noch enger fassen und sagen, daß in Rivarol der Künstler sich gegen die Zeitmächte zur Wehr setzt, deren tödliche Bedrohung er in den Anfängen erkennt.« (Ri, 54 ff./14, 241 ff.)

Das müßte jedem Kenner der Theorie des Dezisionismus, die auf den Spuren von Hobbes mit seiner »Politischen Theologie« Carl Schmitt schon in den zwanziger Jahren des Jahrhunderts entwickelte, vertraut klingen. Aber Jünger nimmt eine wichtige Substitution vor. Während bei Schmitt der Souverän kraft seiner Macht entscheidet, springt bei Jünger der Künstler in die Lücke seiner eigenen Bedrohtheit. Ihm bleibt nur noch die Autorität der Prägnanz des *wahren* Satzes.[62] Man braucht die Situation, in der das moralistische Angebot überhaupt produziert und rezipiert werden kann, nur ein wenig zu dramatisieren, um zu erkennen, wie in Übergangsepochen, in Zeiten der Umwertung, der schwindenden Verbindlichkeiten nur der kürzeste Satz die Chance hat, gehört zu werden: er verheißt nichts. Wo das Vertrauen in die innovatorische Essenz der Tradition wie in jene der einst erlösten Zukunft gebrochen oder mindestens gefährdet ist, triumphiert der Rekurs auf »Selbstverständlichkeiten« im Einzugsgebiet des Menschlich-Allzumenschlichen. Das Gelingen des Rekurses ist nichts weniger als selbstverständlich. Es bedarf einer ingeniösen Abkürzungsleistung, den moralistischen Prägestempel mit der Wucht des Unwidersprechlichen zu führen. Worte wie »immer«, »letztlich«, »eigentlich« dienen der rhetorischen Zurüstung aufs Ganze der Wahrheit. Rivarol: »Es mag sein, daß Verschwörungen zuweilen durch geistreiche Köpfe angezettelt werden, ausgeführt werden sie immer durch Bestien.« Oder: »Es gibt nur *eine* Moral, wie es nur *eine* Geometrie gibt; das sind Wörter, denen der Plural fehlt. Die Moral, als Tochter der Gerechtigkeit und des Gewissens, ist Universalreligion.« Und: »Man sollte die Tugend nicht in neutralen Verdiensten suchen wie im Fasten, den Bußgewändern, der Kasteiung; das alles dient den anderen nicht.« Und endlich, schon naturphilosophisch und unüberhörbar gegen Pascal gerichtet: »Das Universum besteht aus konzentrischen Kreisen, die sich in wunderbarer Harmonie umringen und entsprechen: vom Insekt zum Menschen und vom Atom zur Sonne, bis zum höchsten, geheimnisvoll strahlenden Wesen, das ihnen als Ich des Weltalls die Mitte gibt.«[63]

Gleichwohl eignet der Moralistik bei aller Menschennähe und bei allem Interesse am »Im-Herzen-Lesen« ein Schatten von Zynismus. Das macht sie auch für den Zeitverächter attraktiv. Der Zynismus kann Skandalon auch da sein, wo er nur »tröstet«: in der Aussagedichte des für unabänderlich Befundenen; die Entzeitlichung der Wahrheit verstellt den Ausweg durch Geschichte als Regulativ. Jüngers Affinität zum Zynismus muß nicht begründet werden. Sie zeigt sich auch einem wohlwollenden Leser als Philosophie des letzten Worts an Stellen, wo alles andere angebracht wäre. Schon im »Epigrammatischen Anhang« zur Essaysammlung »Blätter und Steine« (1934) notiert er: »Die Sklaverei läßt sich bedeutend steigern, indem man ihr den Anschein der Freiheit gewährt.« Und: »Die Abschaffung der Folter gehört zu den Kennzeichen schwindender Lebenskraft.«

An der Wahrheit des Unveränderlichen haftet das Odium des Zynismus, denn keine Hoffnung auf Mutation des beschriebenen Zustands scheint zu bestehen. Der Zyniker hypostasiert: sei es die Geschichte, sei es den menschlichen Charakter. Doch in der Zeitbedrängnis der Kriegs- und Nachkriegsjahre soll das »Außerzeitliche« von Rivarols literarischer Leistung unzynisch vergegenwärtigt und an die Probleme des Menschen herangetragen werden. Auf den letzten Seiten seiner Einleitung wirft Jünger einen Blick auf die geistige Landschaft, in welcher sich der Mensch der Moderne wiederfindet. Einerseits ist sie nach wie vor »Werkstättenlandschaft«, und nach wie vor haftet ihr »Titanisches« an. Anderseits glaubt der Autor des »Arbeiters« zwanzig Jahre später zu spüren, daß »die Fundierung so zweifelhaft geworden ist wie nie zuvor«. Nochmals kommt, verkürzt, die Titanic-Metapher. »Der Umsatz steigt auf Kosten des Kapitals und die Bewegung auf Kosten der Substanz; wir hängen wie an Schrauben in der Luft.« Vielfache Entfremdungen haben den einstmals so »neuen« Menschen nach vertrauten, gültigen, »außerzeitlichen« Ideen greifen und ihn nach den »ewigen Bildern« suchen lassen. Aber es geht nicht nur um solche »Urbilder«, die Jünger seit den Anfängen als platonische Garantien für den Sinn im Sog der Zeit beschwört, sondern auch um das Bild dessen, der sie wahrzunehmen trachtet und sich durch sie auf sich selbst besinnen soll. Jünger sieht sich nun genötigt, den »Arbeiter«-Menschen zu relativieren, hinter ihn zurückzugreifen.

Freilich wird das Vorhaben im »Rivarol« nur gestreift. Der Schriftsteller konstatiert ein Mißverhältnis zwischen dem »positivistischen« Menschen des 19. Jahrhunderts und den Ausgriffen, die er schon getan hat: zwischen Wesen und Leistung, zwischen Substanz und Funktion. »Der scheinbar so nüchterne, positivistische Mensch des 19. Jahrhunderts hat, und zwar nicht nur durch Wissenschaft, Organe ausgestreckt, deren Reichweite unabsehbar ist.« (Ri, 73/14, 254) Der überschüssigen, überschießenden Kraft verband Jünger 1932 den »Arbeiter« als Herrschaftsmenschen. Die Prämisse war damals, daß es nicht titanische Geschichte ohne den titanischen Menschen geben könne.

Spätestens seit dem Zweiten Weltkrieg aber bricht diese Geschichtskonstruktion in anthropologischer Absicht zusammen. Man darf die Enttäuschung, die sich über dem Ausbleiben des »Übermenschen« einstellt, vielleicht ein wenig mehr forcieren, als es Jünger selbst tut. Er führt mit folgendem Satz seine Betrachtung über den »positivistischen Menschen« weiter: »Die Malerei möchte sein Bild erfassen, aber kann sie Herrn Lehmann malen, der nach dem Monde reicht? Hier klafft ein Zwiespalt zwischen Macht und Sein.« Der ironische Ton verdeckt nur notdürftig die Verlegenheit, die sich viel weniger dem Maler als dem Schriftsteller anheftet, der noch immer glauben mag, ein Warterecht auf die Heraufkunft jenes Menschen zu haben, der Macht und Sein in sich vereinte. Dahinter verbirgt sich eine Folgelast: Unerledigtes des »Arbeiters«. Er war immer »Herr Lehmann«, rückt allerdings modern in engere Leistungsbahnen und Funktionszusammenhänge ein. Auf der Schwundstufe der »Arbeiter«-Philosophie wird der Wunsch nach der entsprechenden Kongruenz rhetorisch. In Wahrheit weiß Jünger zu genau, daß der geschichtsphilosophische Akteur längst obsolet geworden ist; deshalb kultiviert er die Position des Beobachters an den Rändern, und wo er des Zuspruchs innerhalb einer sinn-fernen Wirklichkeit bedarf, hält er sich an die Moralisten.

Im eigenen Werk hat damit eine Inversion jener ideengeschichtlichen »Entwicklung« stattgefunden, die man gemeinhin zwischen Schopenhauer und Nietzsche auszuspannen pflegt: vom »Übermenschen« zurück zum Menschen der Leidensfähigkeit. Für die frühen Schriften war Jünger noch dem Verfasser der »Genealogie der Moral« gefolgt – genauer: seiner Kritik an allem Moralischen, mithin auch an Schopenhauer. Nietzsches Unternehmen einer Destruktion der in Europa herrschenden, christlich-bürgerlichen Weltanschauung, genetisch präzisiert in der Darstellung vom Verlust der »ritterlich-aristokratischen« Moral mit ihrem »Pathos der Distanz« unter dem Druck eines »Ressentiments« der Niederen, blieb verbindlich bis in die eigene »Arbeiter«-Philosophie hinein. Einer ganzen Generation von lebensphilosophisch bewegten Konservativen hatte Nietzsche beigebracht, daß der »Sklavenaufstand in der Moral« vom jüdischen Volk in Gang gesetzt und dann vom Christentum, welthistorisch siegreich, vollendet wurde; eine ungeheure »Umwertung aller Werte«, da das Vornehme und Starke zum Bösen und Schlechten, das Schwache und Armselige zum Guten und Heiligen gemacht ward. Der »Instinkt der Freiheit« wie der »Wille zur Macht« verlieren ihren ursprünglichen Impetus zugunsten der Gewissensnot und des Mitleids; die Folge ist eine »Verkleinerung und Ausgleichung des europäischen Menschen«. »Moral ist heute in Europa Heerdenthier-Moral.«[64] Dagegen gelte es, dem Menschen die Zukunft wieder als Gestalt seines Willens zu lehren.

Nietzsches Abwehr der Moralistik versteht sich nicht von selbst. Noch im zweiten Kapitel von »Menschliches, Allzumenschliches«

erwähnt er einen ihrer Hauptvertreter, La Rochefoucauld, weitgehend mit Zustimmung. Dieses Stück, »Zur Geschichte der moralischen Empfindungen«, handelt von den Vorteilen, welche die
psychologische Beobachtung gewährt; sie zählt zu den Mitteln, »vermöge deren man sich die Last des Lebens erleichtern« könne, verleiht Geistesgegenwart »in schwierigen Lagen«. In früheren Jahrhunderten habe man gewußt, »daß man den dornenvollsten und
unerfreulichsten Strichen des eigenen Lebens Sentenzen abpflük-
ken und sich dabei ein Wenig wohler fühlen« dürfe. Vor allem in
Deutschland aber werde solche Kunst schon lange nicht mehr geübt:
man rede wohl oft über die Menschen, nie über *den* Menschen.

Bemerkenswert ist, mit welcher Klarsicht Nietzsche die Entla-
stungsfunktion der moralistischen Sätze hervorhebt. Erst im folgenden Passus äußert er auch Bedenken – und zwar deshalb, weil die
psychologische Scharfsichtigkeit mit der Güte des Menschen wenig
anzufangen wisse. La Rochefoucauld und die anderen französischen Meister der Seelenprüfung glichen zwar Schützen, die stets
ins Schwarze der menschlichen Natur träfen; ihr Geschick errege
Staunen, doch endlich verwünsche ein Zuschauer, der nicht vom
Geist der Wissenschaft, sondern der Menschenfreundlichkeit geleitet sei, eine Kunst, »welche den Sinn der Verkleinerung und Verdächtigung in die Seelen der Menschen zu pflanzen scheint«.[65]

Noch hat Nietzsche seine »Genealogie« der Moral aus dem Geist
der jüdisch-christlichen Mitleids- und »Schwäche«philosophie
nicht entwickelt. Noch stellt er fest, daß man beim Lesen von
Montaigne, La Rochefoucauld, Vauvenargues, Chamfort dem Altertum näher sei als bei irgendwelchen anderen Schriftstellern. Doch
schon in den nachgelassenen Fragmenten aus dem Zeitraum von
»Menschliches, Allzumenschliches« verstärkt er das Bedenken
gegenüber den Scharfschützen; im Interesse der menschlichen
Wohlfahrt möchte man wünschen, daß sie nicht diesen Sinn der Verkleinerung und Verdächtigung hätten.[66] Etwas später, wiederum im
Nachlaß von Ende 1876, Sommer 1877, wird die Weiche endgültig
gestellt: das Christentum sage, es gebe nur Sünden, keine Tugenden,
womit alles menschliche Handeln verleumdet und vergiftet werde.
»Nun sekundirt ihm noch die Philosophie in der Weise La Rochefoucauld's, sie führt die gerühmten menschlichen Tugenden auf geringe
und unedle Beweggründe zurück. Da ist es eine wahre Erlösung

zu lernen, daß es an sich weder gute noch böse Handlungen giebt...«[67]

Zum Pathos der Erlöserrolle gehört, daß sie keine Schmälerung durch Vorläufer-Konkurrenz erfahren darf. Es kann hier nicht darauf ankommen, ob Nietzsche die Moralisten in ihren Absichten korrekt erfaßt hat. Für die eigene Philosophie jenseits von Gut und Böse ist wichtig, den Schnitt zwischen den frühen Griechen und allem Späteren definitiv zu führen. Im Sommer 1882 notiert er: »La Rochefoucauld blieb auf halbem Wege stehen: er leugnete die ›guten‹ Eigenschaften des Menschen – er hätte auch die ›bösen‹ leugnen sollen.«[68] Kurz darauf vermißt er den »umgekehrten« La Rochefoucauld – den Autor, der zeigte, wie die Eitelkeit und Selbstsucht der Guten gewisse Eigenschaften des Menschen verrufen und endlich böse »gemacht« hätten.[69] Zuletzt spricht er vom Scharfsinn der Selbstverkleinerung und nennt in einem Atem La Rochefoucauld und den Melancholiker der »Pensées«.

Daß nicht die Handlungen, sondern nur deren »moralische« Einschätzungen »Gut« oder »Böse« folgten, ist eines der zentralen Theoreme, welche die Philosophie vom »Übermenschen« gründen können sollen. Moral im herkömmlichen Sinn, und sei sie selbst in die kühle Sprache von Maximen gefaßt, muß an diesem Typus abgleiten. Der »Übermensch« bedarf auch nicht mehr der von Nietzsche vormals gerühmten Psychologie der Daseinsentlastung. Seine Autonomie fällt zusammen mit seinem Willen zur »Macht«. Auf dem Weg der Umgestaltungen für einen neuen Anfang wirken alle Gedanken sperrend, die das Schwache des Menschen lehren. Nietzsche macht jetzt keinen Unterschied mehr zwischen dem Christentum und der Moralistik; letztere sei, so verkündet es das Spätwerk, denkbar weit entfernt von der heroischen Haltung der Griechen.

»Willen« ist bekanntlich eine der beiden Leitkategorien von Schopenhauers opus magnum. Dessen Individuation suchte der Philosoph zu relativieren, indem er »platonische« Distanz gegenüber dem Trieb des Lebens empfahl. In den Augen Nietzsches als des Verächters der Moral und der Moralisten mußte Schopenhauer einer ihrer letzten Exponenten sein. Tatsächlich pflegte der Autor von »Die Welt als Wille und Vorstellung« einen dauerhaft ungebrochenen Umgang mit den Franzosen, vor allem mit La Rochefoucauld.[70] Schon in der »Preisschrift über die Grundlagen der Moral« stellte Schopenhauer fest, daß es der moralischen Handlung niemals um das persönliche Wohl gehen dürfe. Mitleid ist ihre Hauptbestimmung und fundiert die Kardinaltugenden der Gerechtigkeit und der Menschenliebe. Im dritten Buch der »Welt als Wille und Vorstellung« erfährt diese Zurücknahme von Selbstermächtigung auch ihre ästhetische Legitimation. Es geht um die Erkenntnis »höherer Stufen« des Seins; ihr könne man teilhaft werden nicht nur durch die Vermittlungen der Kunst, sondern auch direkt »durch rein kontemplative Anschauung der Pflanzen und Beobachtung der Thiere«. Dies sei dann »eine lehrreiche Lektion aus dem großen Buche der Natur, ... die Entzifferung der wahren *Signatura rerum*«.[71] Die »Moral« solchen selbstlosen Schauens wird nachgeliefert, wenn der Philosoph die Verbindung der erkennenden Tätigkeit zu allen Formen der Erscheinungswelt stiftet. Er zitiert die Sanskrit-Losung *Tat twam asi*, welche in den Büchern der Hindus das große Wort genannt werde. »Dieses Lebende bist du.«

Nicht über die Distinktionen einer »Herrenrasse«-Moral verläuft Identitätsfindung in anthropologischer Absicht, sondern über die Anerkennung einer ursprünglichen – »platonischen« – Ungeschiedenheit aller Wesen bezüglich dessen, was ihnen als Urgrund innewohnt: des Willens. »Vielfachen Graden und Weisen der Manifestation des Willens« gelte es nachzuforschen, um zu sehen, daß sie »vielen Variationen des selben Themas zu vergleichen« seien.[72] Der Mensch bewegt sich zwar auf der »höchsten Stufe« der Schöpfung; doch zugleich wird er einbezogen in den großen Natur-Prozeß der Emanationen des Willens. Das schwächt seine Sonderstellung – und stärkt sie wiederum in dem Maß, als seine Überlegenheit in moralischer Hinsicht aus dieser Erkenntnis entspringt: alles ist mit allem verbunden. »Dieses Lebende bist du.« Zur Wahrnehmungsfähigkeit einer solchen »Welt« aber gehört die »vollkommene Resignation, die der innerste Geist des Christentums wie der Indischen Weisheit ist, das Aufgeben alles Wollens, die Zurückwendung, Aufhebung des Willens«; nur so ist »Erlösung« möglich.[73]

Spätestens seit den Pariser Tagebüchern von Jünger taucht die Hindu-Formel als griffigere Paraphrase auf, um den Vorrang der interesselosen Betrachtung vor jedem Akt weltverändernder Praxis auszuweisen; mehr noch: um dem Menschen die Demut gegenüber dem Anderen zu lehren. Sie lautet: »Das bist du.«[74] Jetzt geht es nicht mehr um Differenz, sondern um Identität. Wer erkannt hat, daß es niemals ein Privileg des Menschen sein kann, »fremde« Lebenserscheinungen zu reinen Objekten seiner Verfügungsmacht herabzusetzen, muß sich in die Ethik des Mitleids schicken. Jünger vollzieht diese »Kehre« von Nietzsche zurück zu Schopenhauer vor dem zeitgeschichtlichen Hintergrund bedrängender Erfahrungen mit dem Krieg wie mit der Diktatur. Die Lektüre der französischen Moralisten flankiert sie. Der kulturkritische Impetus ergibt sich dabei von selbst; doch findet er inzwischen eine Wirklichkeit vor, deren moralische Defizienz noch Schopenhauer kaum vorstellbar gewesen wäre, ein Zeitalter, dessen Rationalität auch vor dem Äußersten nicht mehr innegehalten hat: den Menschen in Serie auszulöschen.

Die Welt der »Gläsernen Bienen«

Daß solche Entwicklungen sich nicht nur dem Wahn eines »Führers« und den Einflüsterungen einer perversen Ideologie verdankten, vielmehr ohne das Instrumentarium einer blinden Technizität nicht möglich gewesen wären, ist die Überzeugung all derer, die von der »Dialektik« der Aufklärung sprechen. 1957 legt Jünger eine Erzählung vor, welche weniger die Schrecken der Vergangenheit resümiert, als daß sie in die Zukunft des technischen Alptraumes vorstößt. Ihr Thema ist der prometheische Ausgriff zum Unheil der Natur und zur Vereinnahmung des Menschen. Sie ist betitelt »Gläserne Bienen«.

In Entsprechung zu Einsichten und Befunden der »Rivarol«-Einleitung wählt der Schriftsteller zum Protagonisten gefährlicher Begegnungen einen Außenseiter, der zugleich ein Spätling seiner Zeit ist, in Traditionen aufgewachsen, die nicht mehr gelten, einen Dandy, der von vergangenen Taten träumt, einen Mann, dem die Orientierung schwierig geworden ist – den Rittmeister außer Dienst Richard. Früher war er militärischer Instruktor, nun, nach den Wirren von Bürgerkriegen, findet er sich stellenlos in einer Epoche, welche keine konservativen Werte mehr pflegt und die Menschen vornehmlich nach ihrer Verwendbarkeit beurteilt. Richard, der seine Geschichte selbst erzählt, sieht sich genötigt, eine Arbeit zu suchen. Verschiedene Absichten scheitern, bis endlich ein Freund einen

Posten in den Industriebetrieben des Ingenieurs Zapparoni vermittelt. Dort werden Apparate hergestellt, vor allem Roboter von kleinen Dimensionen, mechanisches Hilfspersonal für den Haushalt, auch Spielzeuge, schließlich künstliche Menschen, Puppen, die in Unterhaltungsfilmen agieren und ihre lebenden Vorbilder an Aussagekraft und physiognomischem Glanz bei weitem übertreffen. Bis es zur Begegnung mit dem Erfinder und zum Anstellungsgespräch kommt, ergeht sich der Rittmeister in Reminiszenzen an seine schönere Vergangenheit beim Militär – bei den Leichten Reitern, als die Zeit noch Maß und Wert kannte.

Richard soll bei Zapparoni die Rolle eines Aufsehers über die Arbeitsgänge in den Produktionsbetrieben übernehmen. Der Konzernchef ist auf seine Untergebenen in hohem Maß angewiesen, denn sie stellen ihm die Roboter mit der Hand des Künstlers her. Aber die »Automatenwelt« bedarf der Kontrolle; wo ihre Erfinder ins Geniale vorstoßen, droht auch der Wahnsinn des einen oder anderen Ingenieurs. Obwohl dem Rittmeister die Aufgabe des Kontrolleurs unangenehm ist, will er das Angebot wenigstens prüfen. Zur gedanklichen Vorbereitung auf den Besuch gehört ein Exkurs der Erinnerung an die Jahre in der Kriegsschule. Im Zusammenhang der Veränderung, welche später die Abschaffung der Pferde zugunsten der Panzer gebracht hat, meditiert Richard über die Menschen, die dem Wechsel ausgesetzt sind. »... dem entsprach... eine Veränderung der Menschen; sie wurden mechanischer, berechenbarer, und oft hatte man kaum noch das Gefühl, unter Menschen zu sein.«[75]

Schließlich wird der Rittmeister in die Privatresidenz des Erfinders eingewiesen; sie besteht aus einem restaurierten und umgebauten Refektorium, einem größeren Garten und einer Umfassungsmauer. In den Räumen selbst sind weder Roboter noch andere Apparate wahrzunehmen. Eine Glastür der Bibliothek führt zum Garten. »Der Blick fiel auf den Park wie auf ein altes Bild. Die Bäume strahlten im frischen Laubglanz; das Auge fühlte, wie sie ihre Wurzeln im Grunde feuchteten. Sie säumten die Ufer eines Baches, der träge dahinfloß und sich zuweilen zu Flächen erweiterte, auf denen ein grünes Mieder von Wassermoosen schimmerte.« (GB, 53/15, 460) Wie in manchen Erzählungen von Poe wird die scheinbare Idylle zunächst aus der Ferne angedeutet.[76] Als der Chef in den

Raum kommt, ist Richard überrascht von der Erscheinung des kleinen, älteren Manns, vor allem aber von dessen Augen und dem Blau, »das an sehr fernen Orten von einem Meister, der die Natur übertreffen wollte, erdacht worden war«. (GB, 78 f./15, 479 f.) Der Erfinder beginnt ein Gespräch und verwickelt den Stellenbewerber nach und nach in ein Frage- und Antwortspiel mit hypothetischen Konstellationen von politischem, militärischem und ethischem Zuschnitt. Rasch erweist sich, daß Richard für die Position des Aufsehers weder den analytischen Verstand noch die moralische Ungerührtheit mitbringt. Am Schluß bittet Zapparoni den Besucher, am Ende der Gartenanlage auf ihn zu warten; gleichzeitig warnt er ihn vor den »Bienen«.

Im Haus und auf der Terrasse ist die Zeit gemächlich dahingegangen. Im Park ist es anders. Richard spürt, »daß hier die Zeit schneller lief und größere Wachsamkeit geboten war. In den guten alten Zeiten kam man an Orte, wo es ›nach Pulver roch‹. Heut ist die Bedrohung anonymer, ist atmosphärisch; aber sie wird gefühlt. Man tritt in Bereiche ein«. (GB, 105 f./15, 497 f.) – Die Zeit beschleunigt sich. Das ist der erste Hinweis auf den Übergang von der Idylle in die Unruhe der Gefahr. Am Ende der Umfassungsmauer befindet sich eine Hütte, in welcher der Hausherr Geräte aufbewahrt, die auf angenehmen Zeitvertreib schließen lassen. Doch muß man nur an die Gerätschaft des »Oberförsters« in der zweiten Fassung des »Abenteuerlichen Herzens« erinnern, damit sich die Angeln, Reusen und Blendlaternen in Werkzeuge eines weniger harmlosen Fallenstellers verwandeln – und Richard soll ja in die Falle gehn. Er wartet bei der Hütte, ein Fernglas liegt in Griffnähe, nun beginnt er die Umgebung zu mustern, die Blumen, die Blüten, Mücken, auch die Bienenkörbe, die am Ende der Mauer aufgestellt sind. Die Mittagshitze drückt, der Rittmeister schläft ein.[77] Als er wieder erwacht, herrscht eine andere Wirklichkeit: Richard bemerkt, wie die Bienen jetzt geschäftiger als vorher die Blüten anfliegen; etwas »Fremdes« ist an ihrem »friedlichen Geschäft«. Das Fernglas bietet den »Eindruck des Ungeahnten, des höchst Bizarren, etwa den Eindruck: ein Insekt vom Mond«. Und weiter: »An diesem Wesen konnte ein Demiurg in fremden Reichen geschaffen haben, der einmal von Bienen gehört hatte.« Die Bienen sind größer als die natürlichen, doch fällt die Größe weniger auf, weil die Insekten vollkommen durchsichtig sind. Richard bemerkt, wie die Biene »vor einer Windenblüte stand, deren Kelch sie mit einem wie eine gläserne Sonde geformten Rüssel anstach«. (GB, 112ff./15, 503ff.)

Allmählich geht ihm auf, daß Zapparoni keine neue Tierart geschaffen, sondern Mechanismen erfunden hat. Er »hatte wieder einmal der Natur ins Handwerk gepfuscht oder vielmehr Anstalten getroffen, ihre Unvollkommenheiten zu verbessern, indem er die Arbeitsgänge abkürzte und beschleunigte... Der Vorgang erfüllte mich, ich muß es bekennen, mit dem Vergnügen, das technische Lösungen in uns hervorrufen. Dieses Vergnügen ist zugleich Anerkennung unter Eingeweihten – es triumphierte hier Geist von unserem Geist«. (GB, 114f./15, 505) Der Beobachter unterscheidet verschiedene Automatenvölker. Daneben gibt es noch die natürlichen Bienen, doch bloß, »um den Maßstab für die Größe des Triumphs über die Natur« abzugeben. Diese Natur ist in ihren Vorgängen der Stoffumwandlung und Energieverteilung beschleunigt worden. Als der Rittmeister die »Evolutionen« nach einer Stunde der Beobachtung begriffen hat, sucht er bereits Verbesserungen anzubringen. Zugleich kommt ihm der Gedanke, daß die gläsernen Bienen weniger für sich selbst oder für die gesteigerte Effizienz der Honiggewinnung stehen sollen als vielmehr symbolhaft für die Möglichkeiten, die ihrem Erfinder zu Gebot sind. Auch könnte es sich bei diesen Tieren zugleich um Waffen handeln.

Abermals erlebt der Protagonist einen Beschleunigungsschub. »Im Laufe des Nachmittags nahm die Zahl der fliegenden Objekte erheblich zu. Im Zeitraum von zwei, drei Stunden raffte sich eine Entwicklung zusammen, an der ich während eines Lebens teilgenommen hatte – ich meine die Verwandlung einer außerordentlichen Erscheinung in eine typische.« (GB, 127/15, 514f.)[78] Solange ein solcher Schub seinen Beobachter so sehr absorbiert, daß er kontrastierende – »langsamere« – Realitäten im Sinn der Ungleichzeitigkeit von Gleichzeitigem nicht wahrnimmt, wird sie ihm auch nicht bedrohlich.[79] Erst die Reibung schafft Unruhe. Als ein undurchsichtiges Modell auftaucht, fühlt sich Richard »vexiert«. »Es blieb immer das gleiche: kaum hatte man eine neue Technik begriffen, so zweigte sie auch schon ihre Antithese aus sich ab.« Ein rauchgraues Insekt, »ein Quarzschliff von der Größe eines Enteneies«, fesselt den Betrachter. Richard nimmt wieder das Fernglas auf, da ihn ein

»Traumbild« narrt: er sieht ein Sumpfloch, Wasserpflanzen und einen »obszönen Gegenstand«.

»Das Sumpfloch war von Schilfhalmen umgittert, durch deren Lücken ich die braune, moorige Pfütze sah. Blätter von Wasserpflanzen bildeten darauf ein Mosaik. Auf einem dieser Blätter lag der rote obszöne Gegenstand. Er hob sich klar von ihm ab. Ich prüfte ihn noch einmal, aber es konnte kein Zweifel bleiben: es war ein menschliches Ohr... Ich begann nun, das Sumpfloch methodisch abzusuchen: es war mit Ohren besät! Ich unterschied große und kleine, zierliche und grobe Ohren, und alle waren mit scharfen Schnitten abgetrennt.« (GB, 134f./15, 519f.)

Die Ohren sind der »organische« Kontrast, die Reibung zu den künstlichen Bienen, zu dem Automatengetriebe, das nun, wenigstens für Augenblicke, »wie verschwunden« ist. Nach dem ersten Entsetzen beginnt Richard – ganz im essayistischen Stil des Erzählers – über die Zusammenhänge nachzudenken. Nämlich, die brutale Vorweisung abgeschnittener Gliedmaßen gehöre notwendig zur technischen Perfektion und ihrem Rausch. Wer diese Art von Fortschritt wolle, müsse Opfer bringen. Erst darauf erwägt der Rittmeister die Möglichkeit, daß ihn Zapparoni auf die Probe stellen wollte. Die Vorstellung von einem Lemurennest wird abgewiesen, denn hier geschehe nichts »außerhalb des Planes«. Vielmehr könnte es sich um künstliche, wächserne Glieder handeln; dann freilich wäre die Imitation täuschend gelungen, denn »eines der Gebilde wurde von einer großen blauen Fliege angeflogen«.

Doch selbst ein solches besonders naturalistisches Detail ließe sich in die Welt der Künstlichkeiten einfügen: dadurch verliert es zwar nicht seine sinnliche, wohl aber seine dämonisierende Kraft. »Überhaupt verlor ich bei diesem angestrengten Prüfen und Schauen das Unterscheidungsvermögen zwischen dem, was natürlich, und dem, was künstlich war.« (GB, 165/15, 544) – Daran knüpft Richard einen Exkurs über Zapparonis illusionistische Begabungen, die sich auch in den mit künstlichen Menschen bevölkerten Spielfilmen des Unternehmens offenbarten. Der Passus ist wichtig.

»Ich will natürlich nicht behaupten, daß sie die Menschen übertrafen – das wäre ja absurd nach allem, was ich über Pferde und Reiter gesagt habe. Dagegen meine ich, daß sie dem Menschen ein neues Maß gaben. Einst haben Gemälde, haben Statuen nicht nur auf die Mode, sondern auch auf den Menschen eingewirkt. Ich bin überzeugt, daß Botticelli eine neue Rasse geschaffen hat. Die griechische Tragödie erhöhte die menschliche Gestalt. Daß Zapparoni mit seinen Automaten Ähnliches versuchte, verriet, daß er sich weit über die technischen Mittel erhob, indem er sie als Künstler und um Kunstwerke zu schaffen anwandte... Hier aber wurde die Marionettenwelt sehr mächtig, entwickelte ihr eigenes, feines, durchdachtes Spiel. Sie wurde menschenähnlich und trat ins Leben ein. Da wurden Sprünge, Scherze, Capriccios möglich, an die nur selten einer gedacht hatte. Hier gab es keinen Defaitismus mehr. Ich sah den Eingang zur schmerzlosen Welt. Wer ihn durchschritten hatte, dem konnte die Zeit nichts anhaben. Ihn faßte kein Schauder an.« (GB, 167 f./15, 543 ff.)

Der Reflexionsmonolog bezeichnet erzähldramaturgisch gesehen den Höhepunkt des neu gewonnenen Vertrauens in den Sinn der Park-Erlebnisse, wie er auch den Punkt markiert, da der Rittmeister alle früheren Bedenken mit seiner Zustimmung zu den demiurgischen Ausgriffen des Erfinders zu vertauschen beginnt. Richard spielt mit jenem Gedanken, den *sein* Erfinder Jahrzehnte zuvor im »Arbeiter«-Essay entworfen und in der Schrift »Über den Schmerz« weitergeführt hatte: mit der verführerischen Vision von einer Welt, der die Zeit als Modalität der Vergänglichkeit nichts mehr anhaben kann, wo alles definitiv und für immer »da« ist, wo die Automatenwirklichkeit ein zweites Paradies geschaffen hat und der Mensch nicht mehr mit dem Schmerz konfrontiert ist.[80] Das Behagen schlägt allerdings jäh wieder um, als Richard eines der Ohren anfaßt; im »Nachbild« zeigt sich dem »inneren Auge« die Böswilligkeit des Ingenieurs, eines Geistes, »der das freie und unberührte Menschenbild verneint... Er wollte mit Menschenkräften rechnen, wie er seit langem mit Pferdekräften rechnete. Er wollte Einheiten, die gleich und teilbar sind. Daher mußte der Mensch vernichtet werden, wie vor ihm das Pferd vernichtet worden war. Da mußten solche Zeichen an den Eingangstoren aufleuchten... Es war ein schändliches Zeichen, ein Eintrittsbillett.« (GB, 171/15, 547)[81]

Wie sprunghaft und psychologisch unbegründet der Gesinnungs- und Erkenntniswandel Richards vom Visionär einer schmerzlosen Welt zum Kritiker ihres Ingenieurs auch anmuten mag, Jünger erklärt sie mit einer von innen her wirkenden Erleuchtung: es gebe ein »geistiges Nachbild« von Gegenständen, die uns in Bann schlügen, »ein intuitives Gegenbild, das jenen Teil der Wahrnehmung aufzeigt, den wir unterdrückt haben. Eine solche Unterdrückung findet bei jeder Wahrnehmung statt. Wahrnehmen heißt aussparen«. (GB, 170/15, 546)[82] Der Vorgang ist hier ganz auf das optische Erlebnis ausgerichtet, und obwohl er metaphorisch auch für den allgemeinen Befund dessen einstehen könnte, was psychologisch schlichter als Verdrängung zu bezeichnen wäre, bleibt der Autor hier, vielleicht nicht ganz zufällig, hart auf der Linie einer realistischen Phänomenologie. Zugleich aber entspricht die auf wenige Minuten komprimierte Verzögerung zwischen dem Bild und dem »Nachbild«, zwischen der Apologie und der Kritik, dem biographisch nachweisbaren Verzug zwischen der Begeisterung für den »Arbeiter« und dem Epochen-Argwohn, der in Jüngers Essayistik später einsetzt. Das ist nicht über den Text hinaus spekuliert. Richard rechtfertigt nämlich diese Verzögerung mit Worten, wie sie genau der Bekehrung entsprechen, die vom »Arbeiter« zur Schrift »Über den Schmerz« führt. »Als ich das Ohr betrachtet hatte, war es mit dem Wunsch geschehen, daß es ein Spuk, ein Kunstwerk, ein Puppenohr sei, das niemals den Schmerz gekannt hätte. Nun aber erschien es mir im Nachbild... Hier... war der Geist am Werke, der das freie und unberührte Menschenbild verneint.« (GB, 170f./15, 546f.)

Die Erkenntnis der Böswilligkeit von Zapparoni, noch mehr aber der Selbsttäuschung versetzt Richard in Zorn. Mit einem Golfschläger zerschmettert er die gläserne Biene, die beim Explodieren Gift versprüht. Da taucht der Erfinder auf. Er reagiert nicht unfreundlich; gleichwohl hat der Rittmeister die Probe nicht bestanden. Und die Geschichte mit den Ohren erweist sich – scheinbar – als harmloser; einer der Techniker der Filmwerke hatte nach einem Streit mit Kollegen den Puppen alle Ohren abgeschnitten und sie damit unbrauchbar gemacht. Trotz dem Versagen wird Richard als Schiedsrichter bei einem Gremium angestellt, das Meinungsverschiedenheiten unter den Technikern regelt. Ein wenig zynisch beschließt Richard seinen Bericht; er weiß, daß er sich dem Geist des Demiurgen unterworfen hat; er hat versagt und ist dennoch erhört worden. – In der zweiten Auflage von 1960 beendet ein Epilog die Erzählung. Nun wird die Geschichte einem Rahmen eingefügt. Ein Besucher des »Historischen Seminars« beansprucht redaktionelle Autorschaft für den Bericht, dem ein Vortrag des Rittmeisters mit dem Titel »Der

Übergang zur Perfektion« innerhalb einer Vorlesungsreihe »Probleme der Automatenwelt« zugrunde liegt.

Dieser Epilog mag zwar den Vorwurf der mangelnden epischen Konsequenz der Erzählung mindern, indem als Reportage mit objektivierenden und essayistischen Einschlüssen ausgewiesen wird, was vorher reine Ich-Geschichte war; zugleich aber schwächt der erklärende Nachspann die Intensität der geschilderten Ereignisse: sie rücken in die Vergangenheit ein.[83] In der Urfassung hingegen sollte der bösartige Einbruch der Technik in die geschichtliche Zeit auf keine Weise relativiert oder elegisch geglättet werden.

Es ist das alte Thema der Arbeitswelt, der Welt des »Arbeiters«, das in »Gläserne Bienen« wieder anklingt. Doch dominiert nun die Skepsis. Der Mensch wird funktionalisiert. Diese Einsicht des »Waldgang«-Essays bestimmt auch die zeitgeschichtliche »Anthropologie« der Erzählung. Die Lehre, die im Gegenzug zur »Arbeiter«-Apologie präsentiert wird, hat auch eine ironische Komponente: die Technik bedarf zur Realisierung der »organischen Konstruktion« des Menschen nicht mehr. Sie schafft sich ihren eigenen Homunkulus, den künstlichen »Organismus«, der die Natur nicht einfach nachahmt, sondern übertrifft.

Für Jünger, den Platoniker einer sich in allem gleichermaßen zureichend mitteilenden Natur – es sei, notiert er 1957 in »Serpentara«, »ein alter, lieber Gedanke, daß Zeichen und Bilder, Worte und Taten nicht dem Eigenen entstammen, nicht dort erfunden sind, sondern empfangen werden«[84] – muß diese Selbstermächtigung von äußerster Bösartigkeit sein. Die Welt braucht den individuellen Anteil des Menschen nicht mehr. Sie strebt einem Zustand zu, dessen dunkle Faszination schon in »Heliopolis« kurz berührt wurde, der Mutation, da die Materie selbst zu denken beginnt.

Daß die Erzählung *auch* ein Stück eigener Lebensgeschichte birgt, ist freilich unschwer zu erkennen. Richard durchläuft eine Biographie, die in manchem derjenigen des Verfassers ähnelt: ein Dandy-Typ, der das Ausgefallene sucht, findet er zunächst Halt und Ordnung in der »Kriegsschule« seines damaligen Vorgesetzten. Nach dem Krieg fühlt er sich isoliert und orientierungslos, und er berichtet in der Art des Autors des »Abenteuerlichen Herzens« über den verführerischen Glanz wie über die Dämonie der großen Städte, welche die Zerstreuungswilligen aufnehmen. »... das Leben in diesen Städten, die wie von ehernen Schnäbeln ausgeweidet glühten, war grauenhaft.« (GB, 58/15, 464)[85] Schließlich tritt er in die Epoche der »permanenten Unruhe« ein, die auch die »Totale Mobilmachung« der Technik verfügt.

Die Welt des »Arbeiters« von 1932 war in ihrer *Physiognomie* vor allem als technische Welt wahrgenommen worden. An den Fortschritten und Ausfaltungen der Technik ließ sich am deutlichsten die funktionale Zuweisung von Arbeit zeigen. Als technische Parabel gestaltet Jünger spät die längst formulierte Einsicht des Scheiterns dieser Welt. Allerdings lebt der moderne Mensch bewußtseinsmäßig immer mit der Arbeit. Die Hoffnung auf die Totalität der Herrschaft durch die Totalisierung der Arbeit hinderte Jünger, schon 1932 zu erkennen, daß Individualität als humane »Unteilbarkeit« unter dem Druck der Totalfunktionalisierung gefährdet ist. Das aber ist die Einsicht von »Gläserne Bienen«: wenn der Verfasser die Bruchstelle, wo sich der Mensch in ein mechanisches Wesen zu verwandeln droht, mit dem Übergang vom »Pferd zum Panzer« definiert.[86]

Der Kern der Geschichte ist die mit unüberbietbarer Sprachgenauigkeit vor Augen geführte Begebenheit im Garten von Zapparoni. Die Roboter illustrieren eine Realität, welche für ihre Arbeitsgänge den Menschen nicht mehr braucht. In dem Vergnügungsdepartement der Zapparoni-Werke werden solche Ablösungen in scheinbar harmloser Absicht verwirklicht. Auch läßt sich der Mensch die künstlichen Doppelgänger zum Zweck der Unterhaltung bald einmal gefallen.

Die »Bienen« sind aber insofern von härterer Kontur, als ihnen auch verborgene Waffenmacht eignet. »Was da ununterbrochen ersonnen, gebaut und in Serie gefertigt wurde, erleichterte das Leben sehr. Zum guten Ton gehörte, zu verschweigen, daß es zugleich gefährdete. Es ließ sich jedoch schwer ableugnen. In den letzten Jahrzehnten hatte... sich gezeigt..., daß alle diese Liliputroboter und Luxusautomaten nicht nur zur Verschönerung, sondern auch zur Abkürzung des Lebens beitragen konnten, ohne daß sich an ihrer Konstruktion viel änderte... Im großen glichen die Zapparoni-Werke einem Janustempel mit einem bunten und einem schwarzen Tore, und wenn sich der Himmel bewölkte, quoll aus dem dunklen ein Strom von ausgeklügelten Mordinstrumenten hervor. Dieses dunkle Tor war gleichzeitig Tabu; es sollte eigentlich gar nicht vorhanden sein. Aber es sickerten immer wieder höchst beunruhigende Gerüchte aus den Konstruktionsbüros...« (GB, 83/15, 483 f.)[87]

Die Technik kürzt ab – die Arbeit, wenn es sein muß auch das Leben. Auch weist sie den Menschen in ein Dasein ein, dessen Freiräume genau bemessen sind, und zumal da, wo Unterhaltung geliefert wird. Richard, der ausgebrannte Held dieser grau gewordenen Wirklichkeit, wahrt einen letzten Rest von Distanz, von Desinvoltura – als Beobachter. Seine Identität gründet in seiner Herkunft, weshalb er, intermittierend zu den Geschehnissen der Gegenwart, Teile seiner Vergangenheit erinnert, die ihm das »freie Menschentum« verbürgen. In der Jetztzeit dagegen verwandelt sich alles in Diskontinuität und Persönlichkeitsverlust, und selbst vom »Waldgang« des geistigen Partisanen bleibt nur noch der Rest von angespannter Aufmerksamkeit, die der Rittmeister den merkwürdigen Vorkommnissen im Park des Erfinders widmet. Da, inmitten der gläsernen Bienen, ereilt ihn der Schock. »Das Individuum aber war unteilbar – oder war es das etwa nicht?« Die Frage erhält ihre zynische Antwort, als Richard den ersten »obszönen Gegenstand«, das abgeschnittene Ohr, bemerkt.

Man mag über diesen verspäteten surrealistischen Einfall unglücklich sein, der so deutlich in den Blick rückt, wie teilbar der Mensch ist, doch leiht er der Erzählung an entscheidender Stelle die scharfe ästhetische Signatur. Dem Park-Schock geht ein anderes Schock-Erlebnis voraus, das Jünger in der Vorgegenwart der Zapparoni-Parabel verortet. Das Thema ist der Suizid. Richard erzählt, wie in der Zeit nach dem Bürgerkrieg viele Menschen nach und nach vom Titanismus der Verfügungen ausgezehrt worden seien. An einem »schrecklichen Abend« versammeln sich einige Kameraden in einer Dachwohnung zum Gespräch über den Wertzerfall und die Sinnlosigkeit des Lebens. Lorenz, ein junger Mann, befindet sich in großer Erregung. Er klagt, daß Leute fehlten, die das Gute wollten. »Die Väter hätten es uns gezeigt. Und dabei sei es doch so leicht, das Opfer zu vollbringen, das die Zeit erwartete. Dann würde der Spalt sich schließen, der die Erde zerriß. Wir blickten ihn an und wußten nicht, worauf es hinauslaufen sollte; halb war es uns wie bei einer unsinnigen Tirade zumute, halb wiederum wie bei einer Beschwörung, bei der Unheimliches heraufglänzte. Er wurde jetzt ruhiger, als wöge er eine besonders überzeugende Wendung ab. Er lächelte und wiederholte: ›Es ist doch so leicht. Ich will es euch vormachen.‹ Dann rief er: ›Es lebe…‹, und schwang sich aus dem Fenster hinaus.« (GB, 60 f./15, 465 f.)

Der Fenstersturz hinterläßt einen »untilgbaren Schock«. Es ist kein Zufall, daß Jünger seinen Protagonisten einem Fall in die Tiefe zusehen läßt, dessen metaphorische Qualität seit der »Blechsturz«-Geschichte des »Abenteuerlichen Herzens« ausgewiesen ist. Im Fall beschleunigt sich die Zeit ins Ausweglose.

»Waren es fünf Sekunden, waren es sieben einer außerordentlichen Stille, die nun folgte – ich weiß es nicht. Jedenfalls möchte man, selbst in der Erinnerung, einen Keil in die Zeit treiben, damit sie ihre Logik, ihre Unumwendbarkeit verlöre, einen Keil in die unerbittliche Zeit. Dann tönte aus der Tiefe des Hofes der furchtbare Aufschlag, dumpf, doch zugleich hart; es war kein Zweifel, daß er tödlich war… Damals erfaßte ich das grauenvolle Wort ›Umsonst‹. Es hatte mich schon nach der Niederlage durchbohrt, beim Anblick übermenschlicher Leistung, unausschöpfbaren Leidens, aus dem es wie ein von Geiern gekrönter Fels in die brandrote Nacht ragte. Das schuf eine Wunde, die nie vernarbt.« (GB, 60 ff./15, 466 f.)

Die »unerbittliche Zeit« schmälert dem Menschen der modernen Rhythmen und Beschleunigungen die Anteile an Lebenssinn. Schon früh heißt es von den Filmpuppen und Robotern, daß sie »nicht nur die Kinder, sondern auch die Erwachsenen in traumhafter Entrückung die Zeit vergessen« lassen. Die Kehrseite der Surrogate und Simulationen erweist sich in einer »permanenten Unruhe«, welche die technische Gegenwart präge. Nachdem er von dem Fenstersturz erzählt hat, philosophiert Richard über die Art von Wahrnehmung, welche kennzeichnend sei für die Epoche. Obwohl er seine Theorie mit dem Anspruch einer anthropologischen Grundbestimmung für das vorbringt, was »Erleben« jeweils ist, muß sich dieses unter der Pression spätneuzeitlicher Erschütterungen noch verschärfen. »Nicht so befallen uns die Bilder, wie ich berichtete. Wir bringen sie in Zusammenhänge, geben uns Rechenschaft. Wir ordnen sie in ein Nacheinander und ein Nebeneinander, das sie nicht haben, wenn sie in uns aufsteigen. Da leuchten sie wie Sternschnuppen am inneren Firmamente, bald Orte, bald Namen und bald Gestaltloses. Es mischen sich die Toten unter die Lebenden, die Träume in das

Erlebte ein. Was sind das für Zeichen, und wohin wandern wir in der Nacht? Ich sah das edle Gesicht von Lorenz, der aus dem Fenster sprang. War das nicht unser aller Schicksal, unsere Wirklichkeit? Eines Tages würden wir aufschlagen. Es hatte Zeiten gegeben, in denen das Leben fast nur der Vorbereitung auf diesen Augenblick gegolten hatte; vielleicht waren sie weniger sinnlos gewesen als die unsere.« (GB, 76 f./ 15, 478)[88]

Jene Vorbereitung auf »diesen Augenblick« setzte neben dem eschatologischen Bewußtsein von der zunehmend sich verkürzenden Zeitspanne komplementär den Glauben in die »Erfüllung« der Zeit voraus. Nachdem aber die Apokalypse so weit »säkularisiert« worden ist, daß selbst die geschichtsphilosophische Hoffnung auf eine mundane Erlösung zerbricht, wird das Ärgernis der Endlichkeit absolut: wie ein Siegel darauf bleibt das »grauenvolle Wort ›Umsonst‹«. Nur kurz darf sich der Rittmeister mit dem verführerischen Gedanken von einer Wirklichkeit beschäftigen, in welcher alle Arbeit von unempfindlichen Robotern geleistet würde. Er muß erkennen, daß in einer solchen Welt der Mensch zugleich zum Automaten, zur meßbaren Größe verurteilt wäre; auch müßte er rasch die erkennende Kompetenz einbüßen, welche die Zeitsprünge der technischen Entwicklung bewältigt. – Zum ersten Mal gestaltet Jünger einen Stoff jener metaphysisch zu begreifenden Arbeitswelt, der er seit dem Frühwerk auf der Spur ist, als epische Form. Und zum ersten Mal wird die Perspektive so gelegt, daß kein Ausweg mehr bleibt, kein erlösender Seitenpfad in eine heitere geschichtliche Zukunft hinüberrettet. In den »Marmor-Klippen« wie in »Heliopolis« befreite eine Abreise vom Druck der Ereignisse. In »Gläserne Bienen« herrscht bis zuletzt die lastende Gegenwärtigkeit einer Realität, deren Möglichkeiten jede orientierungsstiftende Erfahrung transzendieren. So wird der schlimmste Alptraum wahr: der Schock als Permanenz.[89]

Doch als ob er das finstere Ende der Erzählung nicht hätte verantworten wollen, fügt Jünger in der zweiten Auflage von 1960 einen Epilog an. Da die Ich-Geschichte nun als Referat beim »historischen Seminar« ausgewiesen wird, verliert sie ihre Präsenz und rückt in einen gedanklichen Zusammenhang ein; die ästhetische Autonomie schlägt ins Essayistische zurück. Man braucht sich bei diesem Nachwort nicht lange aufzuhalten. Es genügt der Hinweis, daß sich der

Platoniker das Recht nimmt, seine Erzählung umzuredigieren: der Epilog ist nichts anderes als die konsequente Beschwichtigung – wenn man will: die dialektische Aufhebung der Ereignisse. Der redaktionelle Bearbeiter von Richards Bericht darf also räsonnieren: »Wenn angesichts der Rückblicke, an denen teilzunehmen ich gezwungen war, sich in mir eine Überzeugung bildete, so war es die, daß in der Geschichte, was immer man an ihren Bildern und Figuren auszusetzen habe, Notwendiges obwaltet. Sie werden aufgeführt wie in den alten Uhren durch einen Herold, der unwiderruflich kündet, was es geschlagen hat. Was hilft es, daß wir die Augen schließen, die Ohren zuhalten?… Damit muß man sich abfinden. Auch sehen unsere Augen unvollkommen, denn in jedes historische Gebäude ist der Widerstand mit eingebaut. Was wäre die Geschichte ohne Schmerz?« (GB, 15, 557 f.)[90]

In fünf kurzen Absätzen soll die Frage nach dem geschichtlichen Sinn und den Aufgaben des Menschen in epilogische Lakonik übergeführt werden. Doch der Duktus des Kommentars, dieses letzten Worts zur Sache, wirkt gepreßt. Alles will geklärt sein. Jede Herzmuschelschale sei durchgeformter und dauerhafter als das große Babylon. »Hier sprach der Schöpfer unmittelbar. Jedes große Gemälde, jedes gelungene Gedicht ist in sich ausgewogener, perfekter als der verworrene Teppich, zu dem sich das Geschehen eines Jahrhunderts zusammenwebt.« Man darf von der Geschichte weder Offenbarungen des Beständigen noch unverstellten »Sinn« erwarten. Es bleibt die tröstliche Vermutung, »daß in und über der Geschichte ein Sinn obwaltet, der mit unseren Mitteln nicht zu erkennen ist. Wir wissen nicht und dürfen nicht wissen, was Geschichte in der Substanz, im Absoluten ist, jenseits der Zeit«. (GB, 15, 558) Der Rittmeister befindet sich da noch allzu sehr diesseits der Zeiten. »Richard kannte nicht die überraschenden Wendungen, die sein Thema des brennenden Interesses beraubt hatten, das ihm eine lange Reihe von Jahren hindurch zuteil geworden war. Nichts ändert sich gewisser als das Aktuelle, besonders wenn es in aller Munde ist. Das kann man als Gesetz nehmen.« (GB, 15, 559)

Was aber »weiß« der Schriftsteller, wenn er den eigenen Einfall schon drei Jahre später historisiert? Er zügelt den nihilistischen Impetus und umfängt, wie schon in »Heliopolis«, die Inkommensurabilität der entrinnenden Zeit mit dem Schleier des »Plans«, den

keiner kennt und den es doch geben soll. Der Platoniker darf Dissonanzen nicht zur Dauer erklären, schließlich ist keine Vergeblichkeit
endgültig, kein Leben nur der hinausgeschobene Tod. – Zurück
bleibt die Park-Geschichte, das Bild der Gläsernen Bienen. Es gibt
Metaphern, die nicht nur Zeichen für etwas sind, sondern mehr:
Wahrheit, die begrifflich nicht auflösbar ist. Da beginnt die Kunst,
die der Zeit enträt. Sie ist gegenüber jeder Art von Epilog immun.

Exkurs:
Frühe Maschinenphantasien

Für den Traum von der durchschauten Welt ist kaum eine Metapher
so verlockend wie jene der Maschine, und für die Vision des restlos
»erklärten« Menschen bietet sich ähnlich suggestiv das Bild des
Automaten an. Daß letztlich alles nach Ursache und Wirkung
abläuft, daß nur die Forschungs*praxis*, nicht aber die theoretische
Grundannahme zu bestimmen verhindert, wie alles organisiert ist,
diese Überzeugung erreicht mit dem Zeitalter der Aufklärung ihren
reflexiven Höhepunkt. Man mag darin einen Akt von Selbstermächtigung sehen, den kühnsten innerhalb des Prozesses der Säkularisierung. Doch lassen die Folgen bald einmal vergessen, was zunächst
noch als Häresie empfunden und bekämpft werden konnte.

Die Maschine ist *auch* ein Modell. Sie vertritt eine objektivierte
Wahrheit, indem sie der strengen raum-zeitlichen Ordnung
gehorcht. Störungen sind zwar möglich, aber die Überraschung als
Prinzip ist ausgeschlossen. Er habe »die Erde und die ganze sichtbare Welt nach Art einer Maschine beschrieben«, erklärt Descartes
in seinen »Prinzipien der Philosophie«.[91] Die Physik des Cartesia-
ners kennt nur die Gesetzmäßigkeiten der Mechanik, und ihre Applikation auf alles Erscheinende läßt auch die Organismen »nach
Art« der Automaten und Maschinen funktionieren. Der Ingenieur-
Gott hat die Schöpfung vor der Folie eines ungeheuren Physikalismus eingerichtet: das ist es jedenfalls, was sein aufgeklärter Deuter
erkennt. Er vollzieht damit eine Distanzierung von der »Leiblichkeit« und eine Annäherung an die Physiologie des Körpers. Alle
Lebewesen – mit der Ausnahme des Menschen – seien seelenlosen
und schmerz-unempfindlichen Automaten gleichzusetzen. Zwar

bietet die Gleichung noch einen minimalen Spielraum; Tiere sind nicht einfach Maschinen, und die Sonderstellung des Menschen wird anerkannt. Doch zeigt die Theorie eine latente Erwartung, dereinst einmal auch die Abweichungen vom »Modell« in dieses integrieren zu können. Rainer Specht hat darauf hingewiesen, daß die Anwendung der Mechanik auf das Leben die Chance einer streng rationalen Moral im Sinn einer völligen Beherrschung des Leibautomaten durch die Kontrolle seiner Bedienungsvorschriften suggerierte.[92]

Eine solche Utopie fand Anschauungsmaterial im technischen Produkt des kunstvoll gebauten Mechanismus. Descartes' »Traité de l'homme« ist bereits auf die Transzendierung der bloßen Analogie angelegt, wenn die einzelnen Funktionszusammenhänge des Körpers mit jenen von Fontänen, Orgeln, Uhren oder Mühlen verglichen werden. Die »Anthropomorphisierung« der Technik kippt unversehens in die »Technisierung« des Organismus. Der mechanische Flötenspieler ist scheinbar nur eine verkleidete, auf den Effekt hin konzipierte Automate; aber die metaphorische Verschiebung würde hinfällig, wenn sich zeigen ließe, daß auch der Mensch nichts anderes ist. Und mehr: wenn endlich die Welt überhaupt und in den feinsten Details als Maschine enthüllt und erklärt werden könnte, gäbe es keine Bilder und keine Metaphern mehr.

Descartes betrieb seine anthropologischen Fiktionen nicht in der Absicht, die Vorstellung von einer beliebig einsetzbaren und totalitär zu bändigenden Menschenmaschine durchzusetzen. Es ging ihm nicht um praktische »Finalisierung«, um »zweckvolle Organisation für ein genau vorherbestimmtes Ziel«.[93] Vielmehr irritierte ihn der – damals noch theologisch gestützte – Leib-Seele-Dualismus als philosophisches Problem. Diese Herausforderung beschäftigte auch den Autor des berüchtigten Traktats vom Maschinenmenschen, Julien Offray de La Mettrie. »L'homme machine« (1747) scheint die unüberbietbare Summe des Physikalismus zu sein, insofern die Kernthese von der materiellen psychophysischen Einheit des lebendigen Menschen keinen Raum mehr läßt für »spirituelle« Vorbehalte. Doch ging auch La Mettrie nicht so weit, alle leib-seelischen Phänomene aus dem Mechanismus von Materie und Bewegung erklären zu wollen. Es gibt eine Grenze der Erkennbarkeit; die mechanische Analyse vermag nicht in die Arkana der lebendigen Maschine vorzudringen. Wie verführerisch freilich anmutete, was

Vaucanson mit seinen Geschöpfen – der Ente, dem Flötenspieler – realisierte, zeigt sich im Kommentar des »Homme machine«. Der große Erfinder, ein »neuer Prometheus«, hätte zwar noch mehr Kunst und Sachverstand aufwenden müssen, um einen »Sprecher« herzustellen; aber eine solche Maschine dürfe nicht mehr als Unmöglichkeit angesehen werden.[94]

Weder Descartes noch La Mettrie suchten vor dem Hintergrund eines wesentlich mechanistischen Weltbilds eine daraufhin abgestimmte Sozialphilosophie zu etablieren. Daß sie gleichwohl als Spätprodukt der Aufklärung sich durchgesetzt habe, ist ein Theorem, das Michel Foucault 1975 in seinem Buch »Surveiller et punir« entfaltet hat. Im 18. Jahrhundert entsteht eine »Technologie der Macht über den Körper«, deren Disziplinierungszwang den Menschen funktionalisiert. »Die Aufmerksamkeit galt dem Körper, den man manipuliert, formiert und dressiert, der gehorcht, antwortet, gewandt wird und dessen Kräfte sich mehren.«[95] Eine entscheidende Voraussetzung für die Genese der modernen Herrschaft über den Menschen sei die metaphysische Annahme von der rein physikalischen Organisation der Welt gewesen. Daraus ergebe sich zwanglos die Legitimität des Verfügungswillens über die Materie.

Diese These stimmt nicht deshalb nachdenklich, weil Foucault ihr unwiderlegbare Beweise zugeliefert hätte; das ist nicht der Fall.[96] Sie wirkt suggestiv, wenn an die geschichtliche Entwicklung der Disziplinierungsprozesse erinnert wird, da das Verhältnis von Aufwand und Leistung, von Zeit und Arbeit einer immer engeren Rechnung unterstellt ward. Die Automatisierung der Technik ist das eine – eine Realität, welche durch die scheinbar grenzenlosen Möglichkeiten der Realisierung sich bestimmt. Das andere ist die Vorstellung, daß auch der Mensch auf die jeweiligen Passungen hin ausgerichtet werden kann.

Die »organische Konstruktion« von Jüngers »Arbeiter« erweist sich hier als Entwurf, der aus der merkwürdigen Not geboren ist, bei Anerkennung des disziplinierenden Zugriffs auf den Menschen ihm dennoch so etwas wie Souveränität gegenüber dieser Verfügung zu erhalten. Der metaphysische »Rückfall« beruht darauf, daß auch im technischen Zeitalter die »Seele« ihre Dignität hat. Die Idee von der Menschenmaschine ist eine Chimäre. Zugleich aber wäre Entscheidendes gewonnen, wenn eine Härtung des Organismus in die Richtung des schmerz-unempfindlichen Automaten erreicht werden könnte. Der Mensch würde sich völlig im Einklang mit den Anforderungen der Zeit befinden.

Im Rückblick auf die Jahrzehnte des Terrors und des technisch ins Unvorstellbare gesteigerten Tötens zeigt auch dem Autor sein »Arbeiter« das »Nachbild«: die nihilistische Versuchung. Ihn hatte, als er die Rolle des Konstrukteurs probte, kein philosophisches Problem gequält. Eine Hypothek war zu bewältigen, die Erfahrung des Weltkriegs in den Schützengräben. Jünger muß damals ein für ihn unerträgliches Mißverhältnis zwischen der Kompetenz der Maschinen und dem leidenden Ungenügen der menschlichen Akteure empfunden haben. Der »Arbeiter« war dessen provisorische Zurechtrückung. Erst später sieht er ein, daß es niemals zu klären ist. Fortan wird der Argwohn gegenüber der Herrschaft der Mechanisierung thematisch, zuerst in der zweiten Fassung des »Abenteuerlichen Herzens«, dann in den Pariser Tagebüchern, schließlich in den Essays der Nachkriegsjahre und in der Erzählung von den gläsernen Bienen.

Wollte man nach Urerlebnissen suchen, welchen die Begegnung mit der Automatenwelt eingeschrieben wurde, man fände sie wohl einerseits in der frühen Lektüre der deutschen Romantiker, auf die Jünger selbst immer wieder verweist. Andererseits gibt es den Bericht des Schriftstellers von einem sehr realen Einblick in die moderne Welt der Automation. Das Erinnerungsbuch der »Afrikanischen Spiele« hält den nächtlichen Aufenthalt in einer Großstadt fest; der Halbwüchsige, unterwegs zur Fremdenlegion, besucht zuerst ein Wachsfigurenkabinett und darauf ein Restaurant. Dort wird der Gast von einer Anlage bedient, die ihm das Essen und Trinken bereitstellt. Obwohl der Verfasser vor allem beschreibt und kaum kommentiert, hebt er doch den »Stich von Bösartigkeit« hervor, den er damals empfunden habe. Der Komfort der Selbstbedienung hat etwas Unheimliches, weil fast alles ohne das Zutun dessen geschieht, der mit seinem Bedürfnis gekommen ist. Erst das Ende der Erzählung gewährt eine Perspektive auf diese technisierte, im Kontrast der nordafrikanischen Episode noch gesteigerte Kultur. »Wir treten in einen seltsamen Abschnitt ein, in dem man zugleich natürlicher und künstlicher lebt, und Hoffmanns Visionen gewinnen Realität.« Der Gedanke ist mit Absicht dunkel gehalten. »Natürlicher« soll ein Leben sein, das näher an die Wirklichkeit heranführt, in welcher der »Elementargeist« herrscht: der Geist, der die Materie erschließt und zur Bearbeitung freigibt. »Künstlicher« ist es darin, daß durch das Produkt der Bearbeitung die Lebenswelt fortlaufend technisiert wird. Wer sie bestehen können will, muß dazu gerüstet sein – bereit, ihren Anmutungen nach der Maxime des »amor fati« zu begegnen.

Das ist, wenn man so will, die Lehre von der »organischen Konstruktion« im späten Licht ihrer Entschärfung. Der Mensch soll sich abfinden mit einer geschichtlichen Entwicklung, die ihn nach der Richtung eines Versachlichungszwangs fordert. Fast zwanzig Jahre nach der Prophetie der »Afrikanischen Spiele« hat sich Jüngers Einstellung gründlich geändert. Jetzt geht es nicht mehr um geschichtsphilosophisch gestützte Zustimmung, sondern um die Frage, wie sich der Mensch innerhalb des technischen Progresses seine Würde bewahren kann. Im »Sanduhrbuch« von 1954 erwähnt der Schriftsteller mehrmals die Erfindung der Automaten und Androiden, und nicht ohne die geheime Billigung zitiert er den Handstreich, den der Aquinate dagegen geführt habe. »Seit jeher beschäftigte die Vorstellung des Androiden, des Automaten in Menschengestalt, die Phantasie. Wir wissen, daß im Mittelalter Albertus Magnus, Bacon und Regiomontanus sich damit abgaben. Albertus, der ähnlich wie Gerbert der Nachwelt als Zauberer erschien, hatte einen Androiden erschaffen, der in Köln seine Gäste begrüßte und ihnen die Tür öffnete. Bekanntlich zerstörte Thomas von Aquin, den der unvermutete Anblick erschreckte, dieses Wesen durch Stockschläge. Auch hier dürfen wir vermuten, daß das Grauen vor der Uhrenwelt ihm die Hand führte. Es wird behauptet, daß er damit das Produkt einer dreißigjährigen Arbeit vernichtete. Ein glücklicher Zufall hat uns die Begegnung erhalten, die zu den großen Auftritten unserer Geschichte zählt.«[97]

VIII.

Sein als Zeit

Im Sommer 1925, ein halbes Jahr nach Vollendung des aus der Epoche gestalteten und die Epoche synthetisierenden »Zauberberg«, beginnt Thomas Mann mit Plänen zu einem Projekt, das sich als überschaubar anläßt, doch bald immer neue Figuren ansetzt und Jahrzehnte später als »Joseph«-Roman über zweitausend Seiten umfassen wird. Die Arbeit an der Zeit war geleistet mit der Geschichte von Hans Castorp. Nun, da die Zeit in die Engführung der historischen und politischen Erschütterungen einmündet, soll ihr in anderer Weise nachgedacht werden. Thomas Mann schickt sich an, »mit dem Mythos zu konversieren«.[1] Man wird den Verfasser der »Betrachtungen eines Unpolitischen« nicht verdächtigen können, vom Geist der spätbürgerlichen Ära abgesehen zu haben. Aber indem er selbst für den Übergang vom »Zauberberg« zum »Joseph« die Abwendung vom Bürgerlich-Besonderen und die Hinwendung zum Typischen und Mythischen statuiert, ist schon dem eigenen Verständnis nach ein anderer Umgang mit der Zeit beabsichtigt. Sie muß tiefer fundiert werden, als dies Historie und Chronik je vermöchten, nämlich da, wo das Mythische und das Humane einander immer schon begegnen. Die biblische »Vorlage« beschwört die Grundkonstellation besonders eindringlich.

Thomas Mann ist allerdings seit dem Beginn seines gewaltigen Projekts zu sehr Aufklärer, als daß er die Gefahr des heraufziehenden neuen Irrationalismus im Gewand totalitärer und totalisierender Weltanschauungen nicht erkennte. Indem er dem Stoff der alttestamentlichen Mythe die »moderne« Psychologie des aufgeklärten Individuums zugesellt, plädiert er für die Versöhnung von Vernunft und Glauben.[2] Und natürlich meldet sich auch eine ästhetische Erwägung. Die Zeitgeschichte der zwanziger Jahre verheißt Beschleunigungen in eine dunkle, ungeahnte Zukunft; der Epiker wendet seinen Blick zurück, um das Kunstwerk zu schaffen, das gegen jeden Verdacht der Zeitverfallenheit gefeit sein soll.

1957 prägt Ernst Jünger in einem einzigen Satz eine Wahrheit über die Epoche von bedrückterer Gestimmtheit, als sie die versöhnlich-humorvolle Verschmelzung von Mythos und psychologischer Aufklärung je aussprechen konnte. Der Satz hat nur den Nachteil der Verspätung; er kommt, wider besseres Wissen seines Autors, mit der Verzögerung von drei Jahrzehnten. »Wie ist es möglich, daß sich die Zeit so schnell verdüstert hat – zu schnell für eine kurze Lebensbahn, ein einziges Geschlecht?«[3] Seit den Kriegstagebüchern des Ersten Weltkriegs bezeugt Jüngers Werk die Unerträglichkeit, die durch die wachsende Spannung zwischen Lebenszeit und Weltzeit entsteht. Der moderne Mensch erlebt die Beschleunigungen der Geschichte in einem Maß, welches das Orientierungsvermögen wie die Wahrnehmungsfähigkeit zusehends belastet. *Ein* Leben scheint nicht mehr auszureichen, mit der Zeit gehen zu können, ohne daß Entscheidendes dabei unbewältigt und unverstanden bleibt. Der große, historisch-systematische Versuch, solcher Wirklichkeit zu widerstehen, war der umstrittene Essay von 1932 »Der Arbeiter« gewesen, dessen »Typus und Gestalt« allmählich den alten zugunsten des »neuen«, gegen die beschleunigte Zeit immunisierten Menschen ablösen sollte. Doch erst in der Erzählung »Gläserne Bienen« von 1957 läßt Jünger einen Protagonisten ausdrücklich die Erfahrung der Akzeleration als Zeit- und Lebensverdüsterung machen. »Zu schnell« hat sich diesem Beobachter die Welt verändert, als daß er noch zu benennen wüßte, wo er sich befindet.

Das Jahrhundertthema, die Zeit, kann ästhetisch nur in »Parallelaktionen« dargestellt werden: es bedarf verschiedener Rhythmen, verschiedener Bewegungen, daß das Gefälle der Abweichungen sichtbar wird.[4] Dies zu zeigen, wählt Jünger das Maß von »Naturzeit« einerseits, technischer Zeit andererseits. Es ist die erstarrte Welt der Gläsernen Bienen – der Roboter und Automaten im Naturpark ihres Erfinders –, welche in ihrer verstörenden Reibung die entfliehende und unbeherrschbar gewordene Zeit erleben läßt. Der technisch indizierte Prozeß der Moderne verschattet das Leben und ist zugleich irreversibel. Zwei Sorgen quälen dabei den Schriftsteller. Die erste gilt dem Kunstwerk, das den Vorgang darstellt. Menschlich-mythische Stoffe scheinen zeitlos zu sein; ein Thema jedoch, das durch Bindungen der geschichtlich-technischen Welt mitbestimmt wird, droht dem Anachronismus zu verfallen.[5] Deshalb historisiert Jünger selbst im Epilog zur zweiten Auflage von »Gläserne Bienen« das Erzählte, das nun in eine fernere Vergangenheit eingerückt wird.

Ferner sorgt sich der Verfasser um die Ausweglosigkeit – den »Nihilismus« – seiner Fiktion. Zum ersten Mal hat er den Gedanken der zunehmenden Unversöhnlichkeit von Weltzeit und Lebenszeit novellistisch ohne *happy end* durchgeführt; da meldet sich drei Jahre später das korrigierende Gewissen des Geschichtsphilosophen, um jenen versöhnlichen Abgang nachzuliefern, der den Leser über die Episoden aus der Automatenwelt hinwegtrösten soll.

»Über die Linie« lautet der Titel eines Essays, mit dem Jünger seit den frühen fünfziger Jahren eine Reihe von »Betrachtungen zur Zeit« einleitet. Der Text erscheint 1950 – gleichzeitig als selbständige Publikation wie als Beitrag zu einer Festschrift zum 60. Geburtstag von Martin Heidegger.[6] Die versuchte Nähe zu Heideggers Philosophieren erweist sich schon in der Fragestellung der ersten Abschnitte: es geht um den Nihilismus, der einerseits als bestimmtes geschichtliches Bewußtsein verstanden werden soll, andererseits über historische Gegebenheiten hinaus das Denken überhaupt beschäftigt. Heidegger wie Jünger sind in ihrer Frühzeit vom Bann jenes Nihilismus berührt worden, wie er in der zweiten Hälfte des 19. Jahrhunderts sich hervorbildete – bei Kierkegaard und Nietzsche als philosophische, bei Dostojewskij als literarische Herausforderung.[7] Heidegger wie Jünger treibt seither das Problem um, auf welche Weise dieser »europäischen« Versuchung zu begegnen wäre. In seinem Essay verweist Jünger zunächst auf Nietzsche und Dostojewskij: beide Autoren hätten den Nihilismus für überwindbar, für eine Phase des Übergangs gehalten. Nichts anderes glaubt auch der Essayist zu sehen; dem Einzelnen obliege es, die Überwindung – und damit auch jene Passage, die mit dem Titel der Schrift über die »Linie« hinausführt – anzustreben. »Der Einzelne wird in den Bann der nihilistischen Spannung einbezogen und wird von ihm gefällt. Es ist daher wohl wert zu untersuchen, welches Verhalten ihm in dieser Anfechtung empfohlen werden kann. Sein Inneres ist ja das eigentliche Forum dieser Welt; und seine Entscheidung ist wichtiger als die der Diktatoren und Gewalthaber. Sie ist deren Voraussetzung.« (ÜLi, 10/7, 244)

Bevor er sich dieser Aufgabe zuwendet, gibt Jünger einige »diagnostische Vorbemerkungen«. Der Kontakt zum Absoluten, auch zum »höchsten Ordnungsdenken« sei zu Zeiten des Nihilismus unterbrochen – der Vorgang lasse sich mit Nietzsches Wort von der

Entwertung der höchsten Werte definieren. Auch treibe der Nihilismus den Menschen in die Isolation, wie etwa Dostojewskij gezeigt habe.[8] Allerdings gelte es, ihn von anderen Formen der Schwächung: dem Chaos, der Krankheit und dem Bösen, abzuheben. Hingegen sei eine abstrakte Ordnung dem Nihilismus durchaus günstig, und das gleiche lasse sich vom Instrumentalcharakter der Technik sagen. »Vor allem geeignet zu jeder beliebigen Überführung und Unterstellung wird die technische Ordnung sein, obwohl sie gerade durch diese Unterstellung die sich ihrer bedienenden Kräfte verändert, indem sie sie zu Arbeitern macht. Sie spiegelt das nötige Maß an Leere vor, dem jeder Inhalt gegeben werden kann.« (ÜLi, 15/7, 248 f.) Weiter wird die Vermutung abgewehrt, daß es sich beim Nihilismus um Krankheit und Dekadenz handle; der dem Nihilismus ausgesetzte Mensch sei im Gegenteil oft durch die Materialschlachten des Ersten Weltkriegs gehärtet worden. »Sie brachten den gehämmerten Menschen hervor und mit ihm einen neuen Stil des Handelns und eine Reihe von frontistischen Bewegungen... Von dieser Seite aus betrachtend, kann man der Entwicklung nicht Krankheit, Décadence oder Morbidezza vorwerfen. Man sieht eher Menschen auftreten, die gleich eisernen Maschinen ihren Gang nehmen, gefühllos dort noch, wo die Katastrophe sie zerbricht.« (ÜLi, 18/7, 251)[9] Endlich brauche auch das »Böse« sich nicht notwendigerweise im Nihilismus zu zeigen; gefährlicher sei der Automatismus, der sich der Menschen bemächtige. »Der Nihilist ist kein Verbrecher im hergebrachten Sinne, denn dazu müßte noch gültige Ordnung sein. Aus demselben Grunde aber spielt das Verbrechen auch keine Rolle für ihn; er tritt aus dem moralischen Zusammenhange über in den automatischen.« (ÜLi, 22/7, 256)

Nachdem der Schriftsteller den Nihilismus vom Chaos, von der Krankheit und vom Bösen unterschieden und abgehoben hat, sucht er ihn mit dem Blick des Phänomenologen in der Zeitgeschichte aufzuspüren, wobei, »inmitten der nihilistischen Strömungen«, auch von Symptomen gesprochen werden soll, die auf eine »Wende« hindeuten könnten. Jünger zitiert einleitend das Wort jenes Dichters, den Heidegger seinerseits in seinen Erörterungen des Nihilismus und der Seinsvergessenheit nicht nur zitiert, sondern bis in die Nuancen der poetischen Sprache befragt. »Was diese Zeit an höchster Hoffnung einschließt, sei unberührt. Wenn das Wort von Hölderlin wahr ist, dann muß das Rettende gewaltig anwachsen. In seinem ersten Strahl verblaßt das Sinnlose.« (ÜLi, 22/7, 256) Doch gehört es zur Logik dieses »Rettenden«, daß die Hoffnung auf die Querung der Linie, welche die Zeit des Nihilismus von einer neuen Sinn- und Seinszuwendung trennt, zunächst ex negatione benannt wird. Reduktionen beherrschten die Welt, das Staunen und das Wunderbare verschwänden, die Herrschaft der Ziffer in der Raum- und Zahlenwirklichkeit dominiere. Hinzu tritt die Spezialisierung der Wissenschaft und deren Vereinzelung, treten die säkularisierenden Tendenzen in der Theologie. Entscheidend ist, daß alle diese Symptome für ihren Deuter zu einem Stil verschmelzen. »Zum ersten Male beobachten wir Nihilismus als Stil.«[10]

Der Stil unterliegt einer Bewegung, einer Dynamik. Es gehört ins Repertoire der von Jünger genutzten Geschichtsphilosophie, daß er die Phänomene nach ihrer Benennung auf den »Nullpunkt« bezieht, auf den sie zulaufen und jenseits dessen ein neuer Anfang sich zeigt. Die Überquerung der Linie, die Passage des Nullpunkts, teile das Schauspiel: sie deute die Mitte, doch nicht das Ende an. Auch wenn das Heil noch aussteht, wohnt dem Prozeß gleichwohl Notwendigkeit inne. »Die Werkstättenlandschaft, wie wir sie kennen, beruht im wesentlichen auf einer bis zum Grunde reichenden Abtragung der alten Formen zugunsten der größeren Dynamik des Arbeitsvorganges. Die ganze Maschinen-, Verkehrs- und Kriegswelt mit ihren Destruktionen gehört hierher. In Schreckensbildern wie in dem des Städtebrandes erreicht die Abtragung höchste Intensität. Der Schmerz ist ungeheuer, und doch verwirklicht sich inmitten der historischen Vernichtung die Gestalt der Zeit.« (ÜLi, 27/7, 261)[11]

Gerade die Ungeheuerlichkeit des Schmerzes und die Größe der Opfer verweisen den, der nach dem Gegenmittel sucht, auf die Möglichkeit des Überstiegs. Eine heimliche Theologie des Leidens durchzieht den Essay. Gleichzeitig aber drängt Jünger auf geschichtsphilosophische Absicherung des Sinns solcher Verluste: was in der »Werkstättenlandschaft« und in den Feuerstürmen der Moderne seit dem Ersten Weltkrieg erlitten wurde, darf nicht vergeblich gewesen sein. »Der Augenblick, in dem die Linie passiert wird, bringt eine neue Zuwendung des Seins, und damit beginnt zu schimmern, was wirklich ist. Das wird auch stumpfen Augen sichtbar sein. Dem schließen sich neue Feste an.« (ÜLi, 32/7, 267)

Über den Eifer des Schriftstellers, der die Zeichen seiner Zeit in einer dialektischen Umpolung gegen den Nihilismus deutet, ist leicht lächeln. Jünger, der einst nicht nur den Begriff der Totalen Mobilmachung in Umlauf brachte, sondern auch den Geist, der diese Bewegung vorantrieb, begrüßte, wechselt nun zwar nicht die phänomenologische Blickrichtung, denn noch immer sieht er diese Mobilisierung als Herrschaftszugriff der Maschinen- und Automatenwelt am Werk; wohl aber ändert sich die Einschätzung des Prozesses. »Ausbeutung« sei der Grundzug der Moderne: der Mensch wird vom Subjekt zum Objekt der Geschichte.[12] Der »Linien«-Essay datiert ein Jahr früher als jener vom »Waldgang«. Schon hier jedoch wird die Frage nach der Freiheit im Zeitalter der Instrumentalisierungen mit der Antwort von der »Wildnis« versehen: Freiheit hause im Ungesonderten, in Gebieten, die nicht zur »Organisation« zählten. In einem letzten Rundblick prüft Jünger, welche weiteren Indizien dafür sprechen könnten, daß der Nihilismus allmählich überwunden werde. Dabei zeigt sich nochmals, wie bedeutsam die Vorstellung von der Zeit-Bedrängnis für den Schriftsteller ist. Nämlich, in Henry Millers Romanen werde der Eros, das Geschlecht, »gegen die Technik ins Treffen geführt. Er bringt Erlösung vom eisernen Zwange der Zeit; man vernichtet die Maschinenwelt, indem man sich ihm zuwendet.« Andererseits relativiert Jünger mit dem Gespür des organischen Konstrukteurs die Funktion des Eros da, wo sie, wie bei Miller oft, Funktion des Sexus sei. »Der Sexus widerspricht nicht, sondern er korrespondiert den technischen Abläufen im Organischen.« (ÜLi, 40/7, 274)

Erst in der Kunst – im Kunstwerk – verbindet sich der Geist einer Zeit mit deren Überwindung.[13] Doch da, wo er in eigener Sache zu sprechen hätte, wird Jünger überraschend vage und verweist statt dessen auf die – eigenen? – ästhetischen Unsicherheiten in der Epoche der Übergänge.

Heideggers ontologisches Fragen

Als Martin Heidegger in den zwanziger Jahren sich anschickte, seine Gedanken zur Frage nach dem Sinn von Sein zu fixieren und schließlich in dem Hauptwerk von 1927 »Sein und Zeit« darzulegen, gab es noch keinen Dialog mit dem Autor der »Stahlgewitter«. Heidegger bewegte sich innerhalb der *philosophischen* Tradition, auch wenn er gerade danach trachtete, diese Tradition – vor allem in der Gestalt von Hegels Bewußtseinsmetaphysik – kritisch zu unterlaufen. Als Vorläufer eigener Bemühungen sah er Kierkegaard und Nietzsche an. Kierkegaard hatte sich gegen die Annahme eines weltgeschichtlich Allgemeinen gewandt und für den unverwechselbaren Einzelnen plädiert; mit Nietzsche wurde der Aufstand gegen die von der Vernunft nicht erfaßbaren Hintergründe des menschlichen Seins thematisch. Als nach dem Ersten Weltkrieg das »Leben« immer mehr gegen den »Geist«, die Geschichtlichkeit immer stärker gegen die Logik der Historie ausgespielt wurde, war ein Klima gegeben, auch die »überlieferten Bestände« der philosophischen Daseinsauslegung zu überprüfen.[14]

Solche Revision mußte an die Fundamente rühren. Heidegger wollte zeigen, daß die Angemessenheit eines Verstehens des Sinns von Sein schon bei Descartes verfehlt worden war: die cartesianische Seinsidee der Substanz als Bestimmung substantieller Dinghaftigkeit liege auch der Idee des menschlichen Subjekts zugrunde. Von Descartes' res cogitans bis zu Hegels Geist habe die Philosophie unter der »scheinbar selbstverständlichen Botmäßigkeit der Ontologie des Substantialen« gestanden.[15] Für die »Überwindung« der Tradition mußte es deshalb darauf ankommen, das Sein des Menschen und das Sein der Dinge, mit denen er bedeutungshaft zusammenlebt, neu zu entwerfen, und zwar auf unsubstantielle Weise. Wohin dies Heidegger geführt hat, ist bekannt. Die *Existenz* des Menschen klärt darüber auf, daß er kein »Vorhandener« ist, vielmehr immer schon zu seinem Seinkönnen und zu seinen »Seinsmöglichkeiten« in verstehender Art sich verhält – selbst da noch, wo die »Geworfenheit« das Faktum, »daß dieses Seiende ist« und der »Existenz überantwortet« ist, bezeugt und das »Verfallensein« unter die Herrschaft des »Man« wie der innerweltlichen Dinge droht; auch im Modus dieses Verfallenseins gibt es für das Dasein die Möglichkeit einer Zurücknahme in eine »eigentliche« Existenz.

Sie gelingt um so eher, je mehr der Mensch bereit ist, die Wahrheit seines Daseins als »Sorge« anzuerkennen. Der entscheidende Charakterzug des menschlichen Seins wird mit der »Endlichkeit« bestimmt. In der *Angst* erfährt es sich als unbehaust und vereinzelt, im Wissen um den Tod begegnet es dem Nichts. Zugleich aber entspringt daraus die Freiheit des »Sich-selbst-Wählens und -Ergreifens« als Entwurf eines gegen die Uneigentlichkeit gerichteten Daseins.

Es kann hier weder um eine philosophische Analyse noch um eine Klärung der Wirkungsgeschichte von Heideggers Existenzialontologie gehen. Für das Verhältnis zwischen dem Denker und dem Schriftsteller ist indessen wichtig, zu sehen, daß Heidegger schon früh gewisse Defizienzen feststellt, die Jünger nicht gleichgültig lassen. Nur scheinbar trifft der in »Sein und Zeit« markierte Vorwurf der substantialistischen »Verdinglichung« die Philosophie und ihre Geschichte allein; er gilt einem abendländischen Habitus, insofern seit Sokrates der Glaube an Vernunft und Rationalität die Wahrheit des Seins verdunkelt hat. Das hat Auswirkungen auch auf die »Kultur«.[16] Zwar gehört das Verfallensein an die Mächte und Verfügungen der Zeit »ontologisch« immer schon zum Dasein des Menschen. Doch hat sich im Lauf der Historie eine Wirklichkeit durchgesetzt, in welcher die »Vergegenständlichung« verschärft auftritt und den Menschen absorbiert.[17] Dies zeigt sich handgreiflicher als in der philosophischen Tradition bis zu Hegel in den Formen von Wissenschaft und Technik. Ein so unpathetischer Diagnostiker wie Ernst Troeltsch stellte bereits 1921 in einem Artikel über die Jugendbewegung die neue Skepsis an der »Mathematisierung und Mechanisierung der gesamten europäischen Philosophie seit Galilei und Descartes« fest. »Auf dem Gebiete der Geistes- und Geschichtswissenschaften wehrt man sich gegen die Tyrannei des Entwicklungsbegriffes, gegen die bloßen Summierungen und kritischen Feststellungen.«[18]

Jeder Diagnose von Abweichungen und Defizienzen liegt auch der Gedanke der Korrektur nahe. Als der Verächter aller Kulturphilosophie und dennoch von Spengler eigentümlich faszinierte Autor von »Sein und Zeit« »fundamentalontologisch« von der Möglichkeit eines wider die Epochenkonventionen gerichteten »eigentlichen« Daseins sprach, konnte ihm bei aller Konzentration auf *den* Menschen die kulturkritische, letztlich also politische Bedeutung nicht verborgen bleiben, die mit der Beschwörung der »Entschlossenheit« zur wahren Existenz gegeben ist. Der Exklusion der vielen, welche an dieser Bestimmung vorbeileben, korreliert eine wenn auch niemals ausdrücklich gemachte Elite-Theorie. Daß sie keineswegs sich auf Nietzsches Lehre vom Übermenschen berufen kann, liegt daran, daß der Philosoph des »Willens zur Macht« hier wesentlich formal dachte, während der Autor von »Sein und Zeit« zusehends sich dem Bann eines Führer-Nationalismus überließ.

Es wird wohl kaum je restlos zu klären sein, wann dieser Bann zum ersten Mal zu wirken begann. In »Sein und Zeit« ist es der Paragraph 74, in welchem das Schicksal des Einzelnen mit dem Volks-»geschick« verknüpft wird. Ausgangspunkt ist die Grundverfassung der Geschichtlichkeit; sie eignet sowohl dem Dasein als auch der Gemeinschaft. »Im Miteinandersein in derselben Welt und in der Entschlossenheit für bestimmte Möglichkeiten sind die Schicksale im vorhinein schon geleitet. In der Mitteilung und im Kampf wird die Macht des Geschickes erst frei. Das schicksalhafte Geschick des Daseins in und mit seiner ›Generation‹ macht das volle, eigentliche Geschehen des Daseins aus.«[19] Vor dem Hintergrund der Kritik am europäischen Rationalismus und seinen Vereinnahmungen erhält das Wort von der Entschlossenheit eine Dynamik, welche die philosophische Abstraktion des Paragraphen überspringt. »Eigentliches« Dasein versteht sich »im Vorlaufen auf den Tod« und strebt »um so eindeutiger und unzufälliger... das wählende Finden der Möglichkeit seiner Existenz« an.[20] Da es aber zugleich im »Mitgeschehen« des Volks existiert, weitet sich die Option für die »Eigentlichkeit« zwangsläufig ins Politische. Es ist von sekundärer Bedeutung, ob Heidegger 1927 bereits mit jenem »Aufbruch« rechnete, der sechs Jahre später alles andere seiner Gewalt zu unterwerfen begann. Als Hitler triumphierte und mit ihm die »Bewegung«, folgte der Philosoph. Am 1. Mai 1933 trat er der Partei bei.

Seit uns große Teile der Vorlesungen Heideggers zur Verfügung stehen, läßt sich der Prozeß seines politischen Denkens von den Anfängen des Wohlwollens gegenüber dem Nationalsozialismus über eine wachsende Irritation bis zu einer – merkwürdig diffusen – Ablehnung genauer überprüfen.[21] Für diesen Prozeß spielt Ernst Jüngers Essay »Der Arbeiter« eine entscheidende Rolle.

Schon in den späten zwanziger Jahren beschäftigte sich der Philosoph mit der »Frage nach der Technik«, ohne daß er das Thema bereits mit der Ausdrücklichkeit gestellt hätte, die die Aufsätze und

Seminare seit etwa 1935 zunehmend prägen sollte. Die Technik ist der evidenteste und gleichzeitig bedenklichste Ausdruck jenes Verfügungswissens, welches den Menschen im Gang von zwei Jahrtausenden auf die Bahn des reinen Machens und Herstellens geführt und damit der Seinsvergessenheit ausgesetzt hat. Sie ist weiterhin das radikalste Zeugnis für den von Nietzsche statuierten »Willen zur Macht« am Scheitelpunkt des europäischen Nihilismus. Jüngers »Arbeiter« mußte Heidegger deshalb in besonderer Weise beschäftigen, weil hier mit phänomenologischem Gespür die »Werkstättenlandschaft« blitzartig erhellt wird. Was der Denker more philosophico und wiederkehrend im argwöhnischen Blick auf Descartes und die Aufklärung von der Ahnung zur Gewißheit entwickelte, konnte ihm der Schriftsteller als Panorama der Realitäten ausweisen. Insofern hatte er den Vorteil eines Vorsprungs in Sachen Wirklichkeitsbeschreibung. Eine zweite Schrift von Jünger wurde für Heidegger ebenso wichtig: der Aufsatz über die »Totale Mobilmachung«.

Heidegger wußte sich mit dessen Autor darin einig, daß der Vorgang weder zufällig ist, noch er sich eindämmen läßt. »Die Technik *ist* in unserer Geschichte.«[22] Das Wort aus der Parmenides-Vorlesung vom Wintersemester 1942/43 bestätigt nur, was der Philosoph während den dreißiger Jahren beständig variierte. Doch mit den Variationen ist auch die Unsicherheit gegeben, wie dem Faktum denkerisch beizukommen sei. Sie betrifft nicht nur Heideggers politische Einschätzungen gegenüber der »Bewegung«, sondern auch alles, was mit dem Übergang zum und der Vorbereitung auf das Spätwerk zu tun hat. Exoterik und Esoterik greifen hier auf verwirrende Art ineinander.[23]

Jünger hatte es sich bekanntlich insofern einfach gemacht, als er seiner »Arbeiter«-Phänomenologie in den Schlußpartien des Essays die Vision einer planetarisch vollendeten Herrschaft von Deutschlands Gnaden zulieferte. Die wissenschaftlich-technisch vorangetriebene »totale Mobilmachung« sollte militärisch überhöht werden und zum Stillstand einer »Planlandschaft« gelangen. Es gibt bisher keine Dokumente, die zeigen könnten, ob und in welcher Richtung Heidegger dieses utopische Finale kommentiert hat. Indessen erkannte Jünger als einer der wenigen nationalistisch bewegten Intellektuellen schon früh, daß der Nationalsozialismus alles andere als die Legitimität des »Subjekts« dieser Parusie beanspruchen konnte.[24] Nicht aber Heidegger.

Wer von seinen politischen Verfehlungen spricht, gerät auch in hermeneutische Schwierigkeiten, welche die »Lehre« betreffen. Nicht nur der Freiburger Rektor begrüßte Hitlers Regime als nationalen Aufbruch zur Wiederherstellung von Deutschlands Würde. Bis in die letzten Jahre des Zweiten Weltkriegs versuchte Heidegger die Bedeutung des »Anfangs« von 1933 bei gleichzeitiger Kritik an den Abweichungen und Verfehlungen zu rechtfertigen. Er erhoffte eine »Verwindung« all dessen, was als Nihilismus andrängte und andrängen mußte, weil es seit Platon und dann energisch seit Galilei und Descartes zur europäischen Geschichte gehörte, mehr noch: sie zwingend konstituierte. Am vorläufigen Höhepunkt dieses Prozesses meinte er allerdings zu sehen, was weniger pathetisch schon Tocqueville und Donoso Cortés ein Jahrhundert zuvor bemerkt hatten: daß Europa von den Erben Amerika und Rußland dabei zerrieben werde. In der im Sommersemester 1935 gehaltenen Vorlesung »Einführung in die Metaphysik« heißt es: »Dieses Europa, in heilloser Verblendung immer auf dem Sprunge, sich selbst zu erdolchen, liegt heute in der großen Zange zwischen Rußland auf der einen und Amerika auf der anderen Seite. Rußland und Amerika sind beide, metaphysisch gesehen, dasselbe; dieselbe trostlose Raserei der entfesselten Technik und der bodenlosen Organisation des Normalmenschen.«[25]

Was beinahe zeitgleich, doch ohne den polemischen Impetus einer Elitentheorie, Adorno und Horkheimer mit der »Dialektik der Aufklärung« entfalteten, bot auch Heidegger seine »dialektische« Seite. Ihm gab sich allerdings die Dramatik des Nihilismus als Chance der Rettung zu erkennen: das deutsche Volk müsse sich »in den ursprünglichen Bereich der Mächte des Seins« hineinstellen.[26] Das darf man mindestens für das Jahr 1935 nicht als Aufforderung zum Rückzug in die Innerlichkeit eines philosophischen Exerzitiums verstehen. Noch immer ging Heidegger wesentlich von Nietzsches »Willen zur Macht« aus. Zwar bezeichnete er in der Nietzsche-Vorlesung vom Sommer 1939 die totale Mobilmachung als »Organisation der unbedingten Sinnlosigkeit aus dem Willen zur Macht und für diesen«. Aber selbst im Sommer 1942 hob er die »geschichtliche Einzigartigkeit« des Nationalsozialismus hervor, und die Überwindung dieser Sinnlosigkeit erwartete er nicht nur von den »Eigentlichen« und »Ausgesetzten«, sondern auch – und geschichtsträchtig – vom deutschen Volk. Ein Grundgedanke im Blick auf die mögliche Rettung aus der Krise des »Maschinenzeitalters« ist in der Vorlesung »Der europäische Nihilismus« vom Sommer 1940 entwickelt. Für die geschichtliche Stunde ist ein Menschentum gefordert, das sich vom Wesen der Technik ganz beherrschen lassen soll, um damit »die einzelnen technischen Vorgänge und Möglichkeiten zu lenken und zu nützen«. Lenkung und Nutzung aber bedeuten hier, daß sich die Geschichte mit dem Volks»geschick« versöhnt.

Obwohl Heidegger Jüngers »Totale Mobilmachung« wie auch den »Arbeiter« nicht als das letzte Wort zur Sache betrachtete, fällt es schwer, eine »philosophische« Überlegenheit gegenüber dem apologetischen Nationalismus des Essayisten für die Frage nach der politischen Zukunft herauszuhören. Indem Heidegger die Aufgabe der »Verwindung« des metaphysischen, vorstellenden, vergegenständlichenden Denkens mit dem Aufbruch von 1933 in die Parallele setzte, erwuchs dem Denker eine Hypothek bezüglich der Praxis, die nicht abgetragen werden konnte: die Diktatur widersprach von Tag zu Tag mehr.

Der Soziologe Pierre Bourdieu hat festgestellt, Jüngers »Arbeiter« sei »eines der wenigen Bücher, dem Heidegger vorbehaltlos Bewunderung zollte«.[27] Wahr daran ist, daß der Philosoph wiederholt den Essay zum Thema innerhalb seiner Privatseminare machte. Aber der Bewunderung für Jüngers diagnostischen Blick begegnete zugleich die Kritik. Es gibt ein Notat vom Winter 1939/40, das ausführt, im »Arbeiter« sei »Nietzsches Metaphysik keineswegs denkerisch begriffen; nicht einmal die Wege dahin sind gewiesen; im Gegenteil: statt im echten Sinne fragwürdig, wird diese Metaphysik selbstverständlich und scheinbar überflüssig«.[28] Heidegger war Jüngers geschichtsphilosophischer Optimismus so wenig verborgen geblieben wie das Denken des Schriftstellers, das ihm gemessen am eigenen Pensum einer Überwindung der abendländischen Metaphysik als unreflektiert erscheinen mußte; schließlich war die Verschmelzung des Platonismus mit Nietzsche leicht einsehbar. Um so mehr irritiert, daß der Philosoph der »Bewegung« von Hitler zutraute, was er der Programmatik des »Arbeiters« absprach: die »Bergung« der Wahrheit des Seins.

Es gibt ein Werk – oder genauer: einen Werk-Komplex –, der belegt, in welche Schwierigkeiten und Widersprüche Heidegger sich brachte, als er der Geschichte und dem »Geschick« mit der Intention nachdachte, die abendländische Metaphysik bis zu deren Ableger der technischen »Organisation« zu überwinden. Zwischen 1936 und 1938 entstanden die »Beiträge zur Philosophie«.

Daß sie erst 1988, fünfzig Jahre nach der Formulierung und über zehn Jahre nach dem Tod des Verfassers, veröffentlicht wurden, gehört zu den – teils absichtsvoll inszenierten – Arkana der Heidegger-Rezeption.[29] Darum kann es hier so wenig gehen wie um die Frage, ob die »Beiträge« tatsächlich als zweites Hauptwerk dem Jahrhundertbuch »Sein und Zeit« an die Seite zu stellen sind. Gewiß sind sie ein bedeutendes Zeugnis, und dies auch deshalb, weil sie Heideggers Weg von der frühen Daseinsanalytik zur »Kehre« und zur Erörterung des »Seins« dokumentieren. Vor dem Horizont einer Welt, die, wie es in dem Textstück 59 heißt, der Entzauberung die »Verzauberung« durch Berechnung und Regelung folgen läßt, inmitten einer Wirklichkeit, welche mit dem postulierten Vorrang des Verfahrens vor der Sache die Instrumentalisierung der Wissenschaft betreibt, fordert Heidegger eine Wende: die »Verwindung« des technischen Ausgriffs.

Sie kann nur gelingen, wenn die Frage nach der Wahrheit des Seins neu, also gegen die gesamte philosophische Tradition der Ontologie, gestellt wird. Längst ist auch die klassische Metaphysik dem »Betrieb« verfallen. Der Betrieb ist einem nicht mehr durchdachten operationalen Geschehen zu vergleichen, einer Funktionalisierung der Ideen und Weltanschauungen, deren bösartigster Zweck in der »Zeuganfertigung« besteht. Als verfehlt muß insbesondere auch die Absicht der Ontologie beurteilt werden, das Sein vom Seienden her zu erschließen. Nicht in solchen substantialistischen Versuchen kann wahr werden, wonach zu forschen ist. Das Sein verbirgt sich im Gegenteil, und es lichtet sich nur, wenn ein anderer Zugang angestrebt wird. Heidegger spricht vom »Erzittern des Seins als Ereignis im Dasein«. Von seiner »Einzigkeit« vermag nur zu denken und zu künden, wer den Mut zur Einsamkeit aufbringt und den ent-setzenden Schrecken der Seinsverlassenheit als »Gestimmtheit« auf sich wirken läßt. Seinsverlassenheit offenbart sich in verschiedenen Weisen: in der Erfahrung des europäischen Nihilismus, wie sie

Nietzsche bezeugte, im Zivilisationsprozeß der »Verzauberung« durch die Rationalität[30], in der »totalen Mobilmachung«, welche eine direkte Folge dieser Verlassenheit sei. Durch den Triumph des Willens im Verlauf der abendländischen Geschichte ist das Mögliche zum Vor- und Herstellbaren herabgestuft worden; in der nihilistischen »Unkraft für Entscheidungen« unterdrückt der »Betrieb« das »herrschaftliche« Wissen vom Sein.

In den »Beiträgen zur Philosophie« findet keine ausdrückliche Auseinandersetzung mit Jünger statt. Der Denker der Seinsvergessenheit bedarf ihrer deshalb nicht mehr, weil er einerseits den diagnostischen Befund der »Arbeiter«-Phänomenologie teilt, anderseits dessen »Wesen« als Nihilismus verurteilt. Das Textstück »Die ›totale Mobilmachung‹ als Folge der urspr. Seinsverlassenheit« präzisiert dazu: »Das reine in-Bewegungsetzen und die Aushöhlung aller bisherigen Gehalte der noch bestehenden Bildung. Der Vorrang des *Verfahrens* und der *Einrichtung* im ganzen der Bereitstellung und in-Dienststellung der Massen – wozu? – Was bedeutet dieser Vorrang der Mobilisierung – daß dabei ein neuer Schlag des Menschen notwendig erzwungen wird, ist nur die *Gegen*folge dieses Geschehens – aber niemals das ›Ziel‹ – aber gibt es noch ›Ziele‹? wie entspringt Ziel-setzung? Aus – Anfang – und was ist Anfang?«[31]

Die Frage nach dem Anfang führt zum Kern der Notate. Nachdem Heidegger alle Formen von »Weltanschauung« – und, unübersehbar gegen den Nationalsozialismus, schließlich auch die totale Weltanschauung – verworfen hat, sucht er die eigene Aufgabe zu bestimmen.[32] Der Weltanschauung könne nur das Fragen und die Entschiedenheit zur Fragwürdigkeit entgegengestellt werden. Doch diese Entgegenstellung dürfe – als Suche des »anderen Anfangs« – keine »Gegenbewegung« sein. Nur im »Sprung« und in der Erfahrung des »Untergangs« zeige sich die Wahrheit des Seins. Als Zeugen der nihilistischen Entwurzelung nennt Heidegger Hölderlin, Kierkegaard und Nietzsche. Ihnen hat sich die Not des anderen Anfangs am stärksten mitgeteilt. Der kritische Gewinn der Existentialontologie von »Sein und Zeit« wird in den »Beiträgen« insofern eingebracht, als es nun heißt, das Sein brauche für seine Wahrheit den Menschen. Das Dasein – nicht nur als dessen Geworfenheit, sondern auch als das Da des Seins – ist der Zeitspielraum und die »Augenblicksstätte« der Wahrheit. Nicht Nietzsches »Wille zur

Macht«, vielmehr die persönliche Zerrissenheit des großen Philosophen verbürgt seinem Exegeten solche Erfahrung. Noch wichtiger aber wird ihm, was Hölderlin gelehrt hat. In den nurmehr skizzenhaften Schlußpartien heißt es, hinter Hölderlin sammelten sich die Zukünftigen; ihnen schließt sich die Zeit auf die Ewigkeit hin auf: das Sein ist der Augenblick des »Vorbeigangs«.

Aber alle Verachtung gegenüber der Berechnung und der Organisation, gegenüber dem »Massenhaften« und der »Vergemeinerung jeder Stimmung«, gegenüber der Fraglosigkeit der Machenschaften und dem Züchtungswahn kann nicht verhindern, daß Heidegger der nationalsozialistischen »Bewegung« die Legitimität ihres Aufbruchs zu sichern versucht. Von der Auflösung des Ich in das Leben des Volks ist die Rede – von einem Vorgang, der dem epochalen Individualismus die Überlegenheit der Geschichte als »Geschick« entgegenstellt. Solcher Mystik bediente sich auch Hitler, und ihm war, wiewohl aus ganz anderen Gründen, ebenso daran gelegen, den Augenblick eines neuen Anfangs, den Einbruch in das Kontinuum bisheriger Zeiten hervorzuheben. Man hat, kaum zu Unrecht, davon gesprochen, daß eine Veröffentlichung der »Beiträge« zur Stunde ihrer Abfassung den Autor seine Stellung und vielleicht mehr gekostet hätte.[33] Die Kritik am Nationalsozialismus – oder genauer: an dessen Formen – ist unübersehbar. Dennoch ist das Bemühen ebenso unübersehbar, den »Aufbruch« als Grundstimmung zu retten. Das Pathos der philosophischen »Mission« wollte es, daß Heidegger den geschichtlichen Moment zur Möglichkeit einer Wende wider den gesamten abendländischen Rationalismus hypostasieren *mußte*. Der schroffe Kommentator der totalen Weltanschauung dachte seine eigene Wahrheit nicht weniger total.

Und der Verdacht ist nicht abzuweisen, daß er nach den ersten militärischen Siegen sein Wohlwollen steigerte. Die Skepsis, die in den »Beiträgen« immerhin deutlich mitformuliert ist, findet in den Vorlesungen der vierziger Jahre wider Erwarten keine Vertiefung. Wie ein Menetekel für den Auftrag des Denkens geistert das Wort von der »geschichtlichen Einzigartigkeit« des Nationalsozialismus durch die Hölderlin-Vorlesung vom Sommer 1942.[34] Der ungeheure Aufwand, die Wahrheit des Seins zum ersten Mal seit den Vorsokratikern wieder zu lichten, immunisierte Heidegger nicht, verführte ihn im Gegenteil zu einer Selbsttäuschung, die um so schwerer wiegt, als sie niemals selbstkritisch zurückgenommen wurde. Ernst Jünger, der vergleichsweise naive, bis zum Jahr 1932 militante Schriftsteller, sah alles mit ganz anderen Augen.

»Die Technik und die Kehre«

1950 legt Jünger zum 60. Geburtstag von Martin Heidegger seinen Aufsatz »Über die Linie« vor. Fünf Jahre später, 1955, präsentiert der Philosoph zum 60. Geburtstag des Schriftstellers eine Antwort – einen Text, den er zunächst mit dem Titel »Über ›Die Linie‹« versieht und später als »Zur Seinsfrage« erscheinen läßt. Damit ist ein erster Dialog in der Form der Schriftlichkeit zustande gekommen.[35] Man kann schon in der Abwandlung von Jüngers eigenem Titel zum »Über« im Sinn von *de linea* die grundsätzliche Differenz in der Beurteilung des Nihilismus und seiner »Verwindung« erkennen.

1949 – also ein Jahr vor Jüngers Essay – hatte Heidegger in Bremen vier Vorträge gehalten, gewidmet dem Thema der Technik und deren Hintersinn.[36] Einige Jahre später wurden sie, teils revidiert und zusammengezogen, in einem Bändchen, betitelt »Die Technik und die Kehre«, veröffentlicht. Will man im Zusammenhang von Jüngers Zeit-Betrachtungen auf ähnliche Einsichten und Absichten Heideggers verweisen, haben die Vorträge den Vorteil, daß sie, ursprünglich an ein breiteres Publikum gerichtet, weniger esoterisch entwickeln, was der Philosoph in seinem Festschrift-Beitrag ausführt. Hier wie dort wiederholt er allerdings jene Kritik am begründenden, verfügenden Denken, die schon in den Vorlesungen der dreißiger Jahre und dann in den »Beiträgen« Gestalt gewann. Die Verdunkelung der Wahrheit des Seins beginnt seit Sokrates und Platon und kulminiert im spätneuzeitlichen Nihilismus des technischen Wahns. Heideggers genealogischer Gewaltstreich bildet die Voraussetzung, daß von einer »Kehre« sinnvoll gesprochen werden kann. Das Wort meint einerseits die gedankliche Bewegung, die hinter den Nihilismus zurückführen soll, anderseits das philosophische Pensum, das Sein nicht mehr – wie noch in »Sein und Zeit« – vom Da-sein des Menschen her zu erschließen, sondern umgekehrt das Dasein im Licht möglicher Seinserfahrungen zu öffnen. Dieser Inversion wird das Denken des Spätwerks in seinen Verästelungen unterworfen.[37]

Auch Jünger kritisiert die technisch-funktionale Wirklichkeit. In seinen Bremer Vorträgen trachtet Heidegger indes danach, der Technik weniger ihre Ausformungen als ihr »Wesen« nachzuweisen. »So ist denn auch das Wesen der Technik ganz und gar nichts Technisches. Wir erfahren darum niemals unsere Beziehung zum Wesen der Technik, solange wir nur das Technische vorstellen und betreiben, uns damit abfinden oder ihm ausweichen.«[38] Die gängige Vorstellung, wonach die Technik ein Mittel ist und ein menschliches Tun, müsse als instrumentale und anthropologische Betrachtung zurückgewiesen werden. Die Mittel und der Zweck der Technik werden vielmehr von einem »Entbergen« beherrscht. »Das Entbergen, das die moderne Technik durchherrscht, entfaltet sich... nicht in ein Her-vor-bringen im Sinne der Poiesis. Das in der modernen Technik waltende Entbergen ist ein Herausfordern, das an die Natur das Ansinnen stellt, Energie zu liefern, die als solche herausgefördert und gespeichert werden kann.«[39] Im Zugriff, der einen Bestand sichert und verfügbar hält, manifestiert sich mehr als nur technische Arbeit. Zugleich ist dieses Entbergen in die »Unverborgenheit des Anwesenden« »kein bloßes Gemächte des Menschen«. Heidegger sucht der anthropologischen Reduktion auszuweichen, indem er die ursprünglichere Macht zu erkennen glaubt, die den Menschen darauf konzentriert, »das Wirkliche als Bestand zu bestellen... Wir nennen... jenen herausfordernden Anspruch, der den Menschen dahin versammelt, das Sichentbergende als Bestand zu bestellen – das *Gestell*«. Und er fügt hinzu: »Wir wagen es, dieses Wort in einem bisher völlig ungewohnten Sinne zu gebrauchen.«[40]

Dieses Ge-stell sei nicht dem technischen Produkt, ja nicht einmal dem Willen zur Technik gleichzusetzen; vielmehr erweist sich, daß der Mensch selbst im Wesensbereich des Ge-stells steht, worin sich sein »Geschick« zeige. Deutlicher wird die Absicht, das Kausaldenken und jenes von Subjekt-Objekt-Relationen zu hintergehen, wenn das »Geschick« als ein Schicksal verstanden wird, das den Menschen »immerfort am Rande der Möglichkeit« führt, »nur das im Bestellen Entborgene zu verfolgen«. In der Beschreibung – oder eher: in der Evokation – einer Grenzsituation der versachlichenden Entfremdung – nähert sich Heidegger dem Punkt, auf welchen auch Jüngers »Linien«-Metaphorik gravitiert. Er wird von dem Schriftsteller wie von dem Philosophen markiert mit dem Hölderlin-Wort:

»Wo aber Gefahr ist, wächst / Das Rettende auch.«[41] Die Not ist zugleich die Apokalypse der Wende.

Heidegger hütet sich freilich, diesen Punkt der »äußersten Gefahr« mit einer Geschichtsphilosophie zu versehen. Es gehört zum paradoxalen Charakter seines Denkens nach der »Kehre«, daß Logos und Begriff nicht in der Lage sind, den Vorgang diesseits und jenseits der »Linie« angemessen zu erörtern. Sowohl das vorstellende, »metaphysische« Denken als auch die Sprache einer zweitausendjährigen Philosophie müssen davor kapitulieren. Jünger ist der geschichtsphilosophischen Betrachtung schon deshalb näher, weil er den Sog der Moderne seit dem ausgehenden 19. Jahrhundert als die sich beschleunigende Epoche der Technik beschreibt. Für Heidegger ist auch die Technik nur jene abgeleitete Erscheinung des Gestells, das den Menschen seit den Griechen herausfordert, die Entbergung der Wahrheit als Bestand zu bestellen. Der Vorwurf trifft schon Platons Ideenlehre.[42]

Deshalb wird die Frage, ob der Mensch vom Entberger wieder zum Hüter der Unverborgenheit des Seins werden kann – vier Verben umschreiben diese »andere« Tätigkeit: *hüten, gewähren, schauen, einkehren* –, nicht mit der geschichtlichen Zukunft beantwortet. Die »Kehre« kann sich »nur unvermittelt« einstellen.

»Vermutlich aber ereignet sich *diese* Kehre, diejenige der Vergessenheit des Seins zur Wahrnis des Wesens des Seins, nur, wenn die in ihrem verborgenen Wesen kehrige Gefahr erst einmal als die Gefahr, die sie ist, eigens ans Licht kommt. Vielleicht stehen wir bereits im vorausgeworfenen Schatten der Ankunft *dieser* Kehre. Wann und wie sie sich geschicklich ereignet, weiß niemand. Es ist auch nicht nötig, solches zu wissen. Ein Wissen dieser Art wäre sogar das Verderblichste für den Menschen, weil sein Wesen ist, der Wartende zu sein, der des Wesens des Seins wartet, indem er es denkend hütet. Nur wenn der Mensch als der Hirt des Seins der Wahrheit des Seins wartet, kann er eine Ankunft des Seinsgeschickes erwarten, ohne in das bloße Wissenwollen zu verfallen...

So bleibt denn auch alles bloße Ordnen der universalhistorisch vorgestellten Welt wahr- und bodenlos. Alle bloße Jagd auf die Zukunft, ihr Bild in der Weise zu errechnen, daß man halb gedachtes Gegenwärtiges in das verhüllte Kommende verlängert, bewegt sich selber noch in der Haltung des technisch-rechnenden Vorstellens. Alle Versuche, das bestehende Wirkliche morphologisch, psychologisch auf Verfall und Verlust, auf Verhängnis und Katastrophe, auf Untergang zu verrechnen, sind nur ein technisches Gebaren... Diese Analysen der Situation merken nicht, daß sie nur im Sinne und nach der Weise der technischen Zerstückung arbeiten und so dem technischen Bewußtsein die ihm gemäße historisch-technische Darstellung des Geschehens liefern... Alles nur Technische gelangt nie in das Wesen der Technik.«[43]

Es ist im Gegensatz zum »universalhistorischen« Denken die Kunst, welche in der äußersten Gefahr Anlaß zur Besinnung auf die Seins-Entborgenheit geben, ja diese vielleicht erfahren lassen könnte. Schon in den »Beiträgen zur Philosophie« von 1936–1938 hatte ihr Heidegger die Überlegenheit vor dem begrifflichen Denken zugesprochen: sie bilde nichts sichtbar ab, sondern mache sichtbar.[44] Der Vortragende geht darauf nicht weiter ein. Allerdings nimmt das Spätwerk diesen Gedanken auf, um ihn schließlich ins Zentrum der Beschäftigung mit der Seinsfrage zu stellen.

Als der Philosoph im Jahr 1955 in Form eines langen Briefes dem Schriftsteller zum 60. Geburtstag gratuliert, gratuliert er da – dem Künstler? Jedenfalls erinnert er den Essayisten auf hintersinnige Weise an die Aufgaben der Literatur und korrigiert damit ineins den Entwurf jener »Rettung«, die Jünger zuversichtlich mit dem Gang über die »Linie« in den Blick gefaßt hatte. Auch Heideggers Antwort ist eine Auseinandersetzung mit dem Nihilismus, und an Jüngers geistesgeschichtlicher Rückführung der Erörterung des Problems auf Nietzsche und Dostojewskij hat der frühe Dostojewskij-Bewunderer nichts zu kritisieren.[45] Doch schon der Titel – der ursprüngliche Titel der später als »Zur Seinsfrage« veröffentlichten Schrift – zeigt die Differenz: »Über ›Die Linie‹«. Damit ist die Bedeutung, wie sie Jünger als dynamische im Sinn des *trans lineam* gegeben hat, zurückgebracht auf den erst noch zu leistenden Diskurs *de linea*.

Es ist schwer zu entscheiden, ob in dieser Differenz schon eine gänzliche Zurückweisung von Jüngers Ideenwelt beschlossen ist, die weiter führte, als es der freundschaftliche Ton vermuten ließe. Solange es nur um den Nihilismus als Erscheinung, als Phänomen der Herausforderung der Zeit durch die Macht des Nichts geht, solange können der Philosoph und der Schriftsteller den Weg ein Stück weit gemeinsam abschreiten. Auch weiß Heidegger, daß Jünger weiß, daß ihm der Verfasser des »Arbeiters« und der den Essay begleitenden Schriften zur totalen Mobilmachung wichtige Einsichten in den Charakter der Epoche vermittelt hat. Nach einer vorsichtigen Zusammenfassung von Jüngers Bemerkungen zur »Linie« kommt er auf die Frage nach dem *Übergang* in den Bereich einer »neuen Zuwendung des Seins«, wie es bei Jünger heißt. Wie bereits in den Vorträgen – Heidegger versäumt nicht, den Adressaten daran zu erinnern, daß dieser in München beim Referat »Zur Frage nach der Technik« anwesend war – wehrt der Philosoph einen rationalen, begrifflichen Zugang zum Problem der Überquerung ab. Es sind eher Beschreibungen der nihilistischen »Lage« als Erklärungen – rationalistische Deutungen zu ihrer Überwindung –, die Heidegger auf *seinem* Weg der Metaphysik-Kritik bestärken. An dieser Stelle verweist er auf den »Arbeiter«. Im Winter 1939/40 habe er in einem kleinen Kreis von Universitätslehrern das Buch erläutert und dabei bewundert, wie der Verfasser die »universalhistorische Betrachtung« mit einer »planetarischen« Optik vertauscht habe. Er unterläßt es auch nicht, jene Randbemerkung zu zitieren. »Ernst Jüngers Werk ›Der Arbeiter‹ hat Gewicht, weil es, auf eine andere Art wie Spengler, das leistet, was bisher alle Nietzsche-Literatur nicht vermochte, nämlich eine Erfahrung des Seienden und dessen, wie es ist, im Lichte von Nietzsches Entwurf des Seienden als Wille zur Macht zu vermitteln. Freilich ist damit Nietzsches Metaphysik keineswegs denkerisch begriffen; nicht einmal die Wege dahin sind gewiesen; im Gegenteil: statt im echten Sinne fragwürdig, wird diese Metaphysik selbstverständlich und scheinbar überflüssig.«[46]

Was Heidegger am »Arbeiter« faszinieren mußte, war der beschreibende, phänomenologische Zugriff, der ihm die geschichtliche Prägnanz des in der modernen Arbeitswelt sich artikulierenden »Willens zur Macht« bestätigte. Was ihn damals wohl auch faszinieren mochte, die Möglichkeit einer Überwindung des »positivistischen« Nihilismus durch den Gründungsakt der nationalsozialistischen Diktatur, bleibt mehr als zu vermuten. Der Ausfall gegen die Universalhistorie zugunsten der planetarischen Vision zeugt davon. Jahrzehnte später bestätigt Heidegger dem Verfasser großzügig, daß er inzwischen »an jener Aktion des aktiven Nihilismus« nicht mehr teilnehme, »die auch im ›Arbeiter‹ schon nach dem Sinne Nietzsches in der Richtung auf eine Überwindung gedacht ist«; ein Kommentar, der nicht nur Jüngers frühe politphilosphische Absichten läutern möchte, sondern auch die Intentionen derer, die damals ähnlich totalitär dachten.

Mit »Überwindungen« läßt sich vieles salvieren. Allein, der Geburtstagstext insistiert darauf, daß ein herkömmliches, letztlich der metaphysischen Tradition verbundenes Denken den Nihilismus keineswegs zu überwinden vermöge. Je länger sich Heidegger mit Jüngers »Linie« auseinandersetzt, um so mehr verfolgt der Philosoph seine eigene Linie. Mit der Anerkennung von Jüngers frühen Beobachtungen wird dessen geschichtsphilosophische Prophetie von der Passage verworfen. »Mit der Vollendung des Nihilismus *beginnt* erst die Endphase des Nihilismus. Deren Zone ist vermutlich, weil sie von einem Normalzustand und dessen Verfestigung durchherrscht wird, ungewöhnlich breit. Deshalb ist die Null-Linie, wo die Vollendung zum Ende wird, am Ende noch gar nicht absehbar.«[47]

Die Steigerung von Jüngers »Linien«-Bildlichkeit zur Raum-Metapher jener »ungewöhnlichen Breite« ist nichts weniger als Zufall. Heidegger sucht zu vermeiden, daß die Bewegung des Überstiegs *verzeitlicht* wird und dadurch eine geschichtsähnliche Beschleunigung erfährt. Konsequenterweise muß alles Teleologische entschärft werden. Jünger bleibe der Metaphysik und ihrem Entwicklungsdenken verhaftet; auch spreche er »im Raum diesseits und jenseits der Linie« die gleiche Sprache. »Die Position des Nihilismus ist, so scheint es, in gewisser Weise durch das Überqueren der Linie schon aufgegeben, aber seine Sprache ist geblieben.«[48]

Man muß bezweifeln, ob Jünger, der Apologet der »Urbilder« und ihrer Ableitungen, den Einwand in seiner vollen Tragweite versteht, da er Heidegger auf dem Weg durch die Dekonstruktionen der abendländischen Metaphysik nicht gefolgt ist. Vielleicht aus diesem Grund beginnt der Briefschreiber mit einer ausführlichen Explikation dessen, was er schon in den Vorträgen und in anderen Schriften – am eindringlichsten in den »Beiträgen« – entfaltet hat. Dem Schriftsteller wird eine Belehrung über die Verstellungen der Vernunft qua Logos und Ratio zuteil. Auf Einzelheiten soll es hier nicht mehr ankommen. Für Heidegger muß es jedenfalls darum gehen, die historische Anthropologie, deren Fundierung Jünger mit der Gestalt des »Arbeiters« geliefert hatte, mitsamt ihrem Weltstil, der Arbeit, zu relativieren, genauer: als abgeleitet zu erklären. Nicht der Mensch macht letztlich die Geschichte, sondern das »Geschick« von Entbergen und Verbergen, von Seinsverfinsterung und Seinslichtung bestimmt sie und läßt den Menschen zum bloßen Besteller der Bestände und – modern – zum Sachwalter der Technik werden. Was als Heideggers philosophie-immanentes Pensum einer Kritik am »vorstellenden« Denken begann, wird so deutlich ein Stück Zivilisationskritik.[49] Zivilisationskritik mag der Adressat zunächst vor allem herausgehört und sich gefragt haben, weshalb der Absender dennoch mehr die Differenzen als die Gemeinsamkeiten betont. Aber Heidegger bohrt weiter. »In welcher Sprache spricht der Grundriß des Denkens, das ein Überqueren der Linie vorzeichnet? Soll die Sprache der Metaphysik des Willens zur Macht, der Gestalt und der Werte über die kritische Linie hinübergerettet werden? Wie, wenn gar die Sprache der Metaphysik und die Metaphysik selbst, sei sie des lebendigen oder toten Gottes, *als* Metaphysik jene Schranke bildeten, die einen Übergang über die Linie, d. h. Überwindung des Nihilismus verwehrt?«[50]

Die Frage ist nur rhetorisch. Heidegger hat sie für sich längst beantwortet: vom Sein und seiner Zuwendung her muß die Möglichkeit zur Querung gegeben werden. Was Jünger aktivistisch als Bewegung denkt, will der Philosoph im Warten verwahrt sehen; Entborgenheit muß sich als »Geschick« einstellen. Jüngers Versuch bleibe in ein Vorstellen gebannt, das in den Herrschaftsbereich der Seinsvergessenheit gehöre. Das *Warten* auf die Anwesenheit des Seins – »die Errichtung des Hauses für den Gott und der Wohnstätten für die Sterblichen« – macht jeden Versuch über dieses eingedenkende Warten hinaus obsolet.

Über die Ankunft des Gottes ist bekanntlich viel gestritten worden, oft mit durchaus universalhistorischen Folgen.[51] Zu Heideggers Apokalyptik seit den Enttäuschungen nach dem nationalsozialistischen Zusammenbruch gehört, daß eine geschichtliche Erörterung dieses Themas nicht mehr infrage kommen kann. Jünger aber läßt sowohl die Welthistorie als auch deren zyklische Grundfiguren nicht aus den Augen. Das ist auf eine andere Weise irritierender, als es zunächst den Anschein macht, denn so kann auch nach den größten Untergängen dennoch alles weitergehen, mehr noch: dieses »Sein« bedarf keines »Hüters«, und von der Ankunft eines Gottes darf es absehen. Ernst Jüngers »naturgeschichtliche« Lakonik überbietet jeden Versuch der Dramatisierung des Nihilismus. Daß sie als »Antwort« auf die Einsicht in die Disharmonie von Lebenszeit und Weltzeit ihrerseits eine Geschichte hat, ist gezeigt worden. So nah wie mit der Philosophie des Daseins zum Tod ist Heidegger dem Autor der »Stahlgewitter« niemals mehr gekommen. Es bleibt deshalb unergiebig, die spätere geistige Beziehung zu forcieren. Der Briefschreiber faßt die Differenzen zutreffend, wenngleich mit der angemessenen Zurückhaltung zusammen. »Ihre Lagebeurteilung trans lineam und meine Erörterung de linea sind aufeinander angewiesen.«[52] Heidegger bestätigt die Bedeutung einer Kunst, die der Schriftsteller oft mit Meisterschaft ausübt und die immer wieder auch über geschichtsphilosophische Spekulationen hinausführt: Kunst der Beobachtung, der Beschreibung, der Wahrnehmung. Daraus muß nicht immer eine Lagebeurteilung werden.

»Sanduhr« – Meditationen

Das zeigt schon das nächste Werk im Rahmen des thematischen Zusammenhangs der Schriften zur Zeit auf anschauliche Weise. 1954 legt Jünger »Das Sanduhrbuch« vor. Ein Stück Kulturgeschichte soll vergegenwärtigt werden, ein Kapitel aus der Entwicklung der Zeitmessung. Aber bereits in den einleitenden Absätzen betont der Verfasser den besonderen Charakter des Geräts; indem der Sand von der oberen in die leere Hälfte fällt, vergeht zwar Zeit – doch nicht ins Endlose: der Vorgang ist einmal abgeschlossen, und es setzt einen ungleich bewußteren Akt als etwa das Aufziehen der mechanischen Uhr voraus, daß die Messung wieder beginnen kann. Die Sanduhr vermittle gelebte Zeit. Der Sand bleibt erhalten in seinem Gefäß; so könne die Zeit nicht verschwinden, nicht ins Leere, nicht mehr Gestaltbare, nicht mehr Verfügbare entgleiten; »sie reichert sich in der Tiefe an«. Jünger sieht die Sanduhr als geschaffen für menschliche Maße, »für humanen Gebrauch« an.[53]

Das Buch ist gegliedert in zwei größere Teile. Der erste berührt das eigentliche Thema nur am Rand, erörtert vielmehr die Geschichte und Geschichten der Zeitmessung, wobei der Autor ausführlich auf verschiedene Uhrentypen hinweist: auf die Sonnenuhr, auf Wasseruhren, Öluhren, Feueruhren, endlich auf die Räderuhr, welche der Kopernikanischen Revolution vergleichbare Veränderungen eingeleitet habe. Innerhalb dieses ersten Teils werden auch Gedanken zur

Zeit überhaupt und zu den Zeit-Auffassungen durch die Jahrhunderte vorgebracht. Das zweite Hauptstück ist der Sanduhr vorbehalten, ihrem Charakter, ihrer Herkunft, den Weisen des Gebrauchs, den symbolischen Bedeutungen, die sich mit ihr verbinden.

Seit der Aufklärung wird die Sanduhr zunehmend zur Antiquität. Sie findet sich noch in Studierstuben, in Gelehrtenklausen, wo die gemessene Zeit zurücktritt. »Im Übrigen ist die Scheu vor Uhren im Innenraume nichts besonderes. Ich glaube eher, daß sie weit verbreitet ist, ja daß sie vielleicht jeder empfindet in den Bereichen, in denen er kindlich oder musisch, mit einem Worte in der Wildnis geblieben ist. Die Uhr gehört nicht in den Wald.« Und immer noch in den einleitenden Sequenzen: »Sanduhrzeit lebt in uns allen, nicht nur in Kinder-, Garten- und Ferientagen, sondern tief auf dem Wesensgrund.« (SaB, 12 f./12, 106 f.) Von allen Instrumenten der Zeitmessung sei die Sanduhr dem Menschen, wo er nicht als »Arbeiter« agiert, am nächsten. Das erläutert Jünger zuerst indirekt. Er berichtet von alten Wasseruhren, in denen die Schwerkraft zur Wirkung gelangt, von Sonnenuhren, deren Schattenwurf die Stunden meldet und sich zyklisch wiederholt. Doch sei von den Sonnenuhren zu sagen, daß sie im Vergleich zu allen anderen Uhren am wenigsten humanen Charakter hätten. »Diese ist von ihm unabhängig und kündet nicht nur Schicksalsbewegungen an, sondern auch Umläufe, die ohne den Menschen denkbar sind. Darin liegt etwas Unheimliches, Bestürzendes – zuweilen betreten wir einen Platz, der einsam im Mittagslichte glänzt. Der Schatten eines Obelisken wandert im Rundgang über den heißen Stein. Wir fühlen, wie unabhängig, wie außerirdisch er in seinem Kreisen ist.« (SaB, 32 f./12, 119 f.)

Der Passus, wiewohl unauffällig am Ende den Abschnitten über die Sonnenuhr eingefügt, ist wichtig. Er evoziert nicht nur einen Vorgang, bei dessen Wahrnehmung die Extrementfremdung durch die Möglichkeit einer menschenlosen Welt hineinspielt, wie sie in seiner »pittura metafisica« Giorgio de Chirico bildhaft machte.[54] Er beschreibt zugleich so etwas wie Weltzeit-Erfahrung: ein Prozeß läuft ab, dessen »Unabhängigkeit« die Bestürzung seines Beobachters hervorruft.

Auf den Beobachter kommt es freilich an, und mehr, als Jünger ausführt. Daß Weltzeit nicht einfach »ist«, sondern nur in dem Maß gilt, wie sie dem Menschen erscheint, versuchte Heidegger bereits in

den letzten drei Paragraphen von »Sein und Zeit« darzulegen. Weltzeit erweist sich in gewisser Weise als »öffentliche Zeit«, »als *die* Zeit,
›in der‹ innerweltlich Zuhandenes und Vorhandenes begegnet«.[55]
Doch diese Begegnung vollzieht sich immer vor dem Hintergrund
des Daseins als Sorge. So macht das »Besorgen« auch von der Sonne
Gebrauch. »Die Sonne datiert die im Besorgen ausgelegte Zeit.«
Weltzeit werde am Physischen »ebenso unmittelbar« vorgefunden
wie am Psychischen; gleichwohl könne sie als innerweltlich Seiendes niemals »vorhanden« sein, gehöre vielmehr zur Welt »in dem
existential-ontologisch interpretierten Sinn«. Solche Zugehörigkeit
verbiete, daß die Weltzeit in einer schlechten Objektivierung »ver-
dinglicht« werde. »... zunächst gilt es zu verstehen, daß die Zeitlichkeit als ekstatisch-horizontale so etwas wie *Weltzeit* zeitigt, die eine
Innerzeitigkeit des Zuhandenen und Vorhandenen konstituiert...
Das alltägliche, sich Zeit gebende Besorgen findet ›die Zeit‹ am
innerweltlichen Seienden, das ›in der Zeit‹ begegnet.«[56]

Jede Weltzeit-Erfahrung konstituiert sich aus der Faktizität des
Daseins als Geworfenheit. Wenn sie aber die Zeit als ein freischwe-
bendes An-sich, als etwas »Vorhandenes«, versteht, so rührt dies
daher, daß dabei das Dasein vor seiner »eigentlichen« Existenz zu
fliehen versucht: darin »liegt die Flucht *vor* dem Tode, das heißt ein
Wegsehen *von* dem Ende des In-der-Welt-seins«.[57] Das Dasein
täuscht sich selbst, indem es die Zeit so »veröffentlicht«, daß allem
die Idee von einem »Zeit-haben« untergeschoben wird.

Für Heidegger muß auch Jünger dem »vulgären« Zeit-Begriff folgen. Das um so mehr, als der Verfasser des »Sanduhr«-Buches seiner
metaphysischen Bestürzung vor dem Schattenkreis einer »leeren«
Welt alsbald die Beruhigung nachschickt. Das Gegenstück zur Welt-
zeit ist die »Traumzeit«, »unbewußtes Genießen, mit dem wir an der
Wildnis teilhaben«. »Wir liegen in der Düne und sehen das Ziehen
der Wolken, das Wehen der Halme über uns. Vom Strand dringt der
Takt der Brandung herauf. Und immer, als ob das Fell eines großen
Tieres zuckte, rieselt in Schüben weißer Sand in den Trichter hinab.«
(SaB, 49 f./12, 132) Nur scheinbar spricht hier bloß die Idylle. Dahin-
ter verbirgt sich der tiefere Traum des Schriftstellers, der das gesamte
Thema der Sanduhren letztlich bestimmt: er sucht Zeitlosigkeit, ein
schmerzloses Dasein.

Während die Sonnenuhr auf dem Prinzip der zyklischen Wiederholung der Lichtbewegung beruht, funktionieren andere Uhren – Wasseruhren, Kerzenuhren – dadurch, daß die Materie schwindet oder wächst. Sie deuten eine lineare, »fließende« Zeit an. Die Zeit »vergeht«. Zugleich ist sie auf ein Ziel ausgerichtet. An der Stelle erfolgt ein Einschub über zyklische und lineare Geschichtsvorstellungen. Jünger erwähnt den Schmerz, den die enttäuschte Hoffnung auf linear sich verwirklichende Ziele nach sich zieht. Schließlich handelt er von einem Typus, der allmählich alle anderen Meß-Systeme verdrängt: von der Räderuhr. Bevor der Verfasser den Mechanismus erklärt, erinnert er an die Metapher von der Welt als Uhrwerk. Sie darf auch hier nicht unaufgelöst bleiben. Man könne heute den Gedanken fassen, »daß sich im Kreisen der zahllosen Räder etwas anderes verbirgt als Zweck und Absicht, und daß es in sich und an sich Bedeutung hat. Dann treten hinter der dynamischen Leistung und dem Transport die Ruhe und die unsichtbare Fracht hervor«. (SaB, 71/12, 145) Alle Bewegung ist abgeleitet.[58]

Der technische Vorgriff, in welchem sich die Räderuhr realisiert, schafft auch den ersten Automaten. Jünger bemerkt hier einen »Vorsprung«, den die Phänomene gegenüber ihrer geistigen Einordnung aufwiesen. In den automatischen Zusammenhängen gewinne die Uhrenwelt unheimliche Macht. Die plötzliche Ausbreitung erinnere an einen Überfall »und gibt den Phänomenen einen Vorsprung, den das Denken nachholen muß. Auch das ist ein automatischer Zug«. (SaB, 112/12, 173) Die Hinterhältigkeit dieses Automatismus liegt für den Mimetiker darin, daß das Neue sich dem klassifizierenden Verstehen gegenüber sperrt. Mit dem »Vorsprung« hatten sich philosophisch auch Husserl – unter dem Stichwort der Technisierung – und Heidegger – unter jenem des »Ge-stells« – auseinandergesetzt. Er ist auf der psychischen Seite nichts anderes als die Beschleunigung der lebensweltlichen Bedingungen und Umstände, die den Menschen der Neuzeit zunehmend seiner Wirklichkeit entfremdet. Aus dem Nachlaß von Ludwig Feuerbach ist ein Aphorismus überliefert, der die früh erkannte Paradoxie zum Ausdruck bringt. »In der Unwissenheit ist der Mensch bei sich zu Hause, in seiner Heimat; in der Wissenschaft in der Fremde.«[59] Jünger »erweitert« diesen Aphorismus mit einer Inversion zur anthropologischen Kurzbestimmung des Menschen. »Darin liegt seine Tragik: in der Gewinnung von Räumen, in denen der Ablauf mechanisch wird.

Dort steigt die mechanische Zeit, das tempus mortuum aus seinem Dienstverhältnis zur Herrschaft auf.« (SaB, 113/12, 174)

Damit ist dem Autor das »Sanduhrbuch« unter der Hand zum philosophischen Essay geworden. Im zweiten Teil beginnt er wieder anschaulicher; zunächst spricht der Liebhaber und Sammler und erzählt von den Stundengläsern, von ihrer Form, von ihrer Beschaffenheit, von den Typen. Da, wo er wieder die Bedeutung berücksichtigt, gewinnt die Betrachtung abermals Verdichtungen. Das Zerbrechen der Sanduhr etwa bedeute »die Zeitbefreiung, den Wiederanschluß des Abgeteilten an die Ewigkeit«. Allerdings sinke das Bild bereits im 16. und 17. Jahrhundert zu ermüdender Gleichförmigkeit ab, vom Symbol zur Allegorie, von dieser zum Klischee. Als »klischiertes Bild« gehöre die Metapher zur »toten Zeit«. Das ist, im Zeitalter der technischen Reproduzierbarkeit, auch das Schicksal der Symbole. Sie werden funktional beliebig.[60] Der Weg ihrer Rückführung auf den transzendenten Ursprung ist abgeschnitten.

Jünger selbst sucht dem Klischee auszuweichen, wenn er in den Schlußpartien des Buches die philosophischen Aspekte vertieft und die Sanduhr als »Hieroglyphe der Zeit« bezeichnet. Sie wirke einerseits vertraut, »als unser Feld, das wir bestellen und auf dem wir genießen und tätig sind«; anderseits vernichte sie auch, »indem sie, verrinnend, alle irdischen Dinge und Anstrengungen zerstört. Daher flößt uns der Anblick der Hieroglyphe auch Trauer ein«. (SaB, 186 f./ 12, 223) Trauer und Melancholie, Langeweile und Überdruß münden endlich in die Furcht und dann in die Todesfurcht.

Wie unauffällig und über welche Allgemeinheiten der Schriftsteller das Todesthema auch ansteuert, es ist nach esoterischer Lesart das eigentliche Thema des Essays. »Notwendig sind alle Methoden der Zeitmessung Abläufe, die dem Nichts und dem Dunkel zuführen, sind konsumierender Art. Jede Uhr bleibt stehen, jeder Zeiger fällt, jede Glocke verstummt. Wo wir jedoch die Stunde mit dem Sande messen, wird das Vergängliche besonders gleichnishaft, da mit ihm der irdische Stoff verrinnt, aus dem wir gebildet sind, das zeitliche Kleid. Staub kehrt zum Staube zurück, Sand, Erde, Asche, die wir dem Toten als letzten Gruß nachwerfen.« Der Leser kann längst nicht mehr überrascht sein, daß es dabei nicht bleiben darf. Schon im nächsten Absatz kommt die Kehre. »Wenn wir die Handvoll roten Staubes im zerbrechlichen Gewande verrinnen sehen, wird uns der Genuß im Vergänglichen und das Vergängliche im Genusse offenbar. Und notwendig werden dabei auch Gedanken an das Unvergängliche wach.« (SaB, 192/12, 226)

Konsequent betitelt Jünger den nächsten Passus mit »Sanduhrzeit als Heilmittel«. Das Stundenglas begünstigt die Stimmung der Ruhe und der Abgeschiedenheit innerhalb einer Welt, die durch Arbeit und »Mobilmachung« geprägt ist und den Menschen mit den verschiedensten Gleichzeitigkeiten bedroht. Auch der »Komfortcharakter« der Technik sei nur »dünne Politur«. »Es gibt keine einfachen Tätigkeiten mehr. Die Hausfrau, die eine ihrer elektrischen Maschinen bedient, der Fahrer, der seinen Wagen steuert: sie kontrollieren dazwischen nicht nur Uhren, führen eine Unterhaltung, sondern beobachten Licht- und Lautsignale, verfolgen Tonbänder.« (SaB, 196/12, 229)

Gegenüber dem Synchronismus, der Zergliederung des Lebens in der Absorption differenter Zeit-Bewegungen, symbolisiert die Sanduhr eine ungestörte Beschaulichkeit. Es ist ein Kunstgriff von phänomenologischer Überraschung, die Zeit von den Uhren her zu bestimmen. Das Stundenglas aber suggeriert wie kein anderes Meß-System ihren Besitz. Ein einfacher Handgriff genügt, scheinbar die »Substanz« einer abgelaufenen Einheit in die Verfügung zurückzurufen. Eine »Wiederholung« spielt sich ab: durch die Drehung ist nichts verloren. Die Zeit »reichert sich in der Tiefe an«. Schon deshalb muß dem, der gegen die Todesfurcht antritt, die Faszination des Gerätes aufgehen. Daß er dabei das Verdikt des Philosophen von Sein und Zeit auf sich zieht, darf man vielleicht für einmal als die Ironie einer Verwandtschaft im Geiste betrachten. »Das Man stirbt nie, weil es nicht sterben *kann*, sofern der Tod je meiner ist und eigentlich nur in der vorlaufenden Entschlossenheit existenziell verstanden wird. Das Man, das nie stirbt und das Sein zum Ende mißversteht, gibt gleichwohl der Flucht vor dem Tode eine charakteristische Auslegung. Bis zum Ende ›hat es immer noch Zeit‹... Hier wird nicht etwa die Endlichkeit der Zeit verstanden, sondern umgekehrt, das Besorgen geht darauf aus, von der Zeit, die noch kommt und ›weitergeht‹, möglichst viel zu erraffen.«[61]

Wer »besorgend« mit der Sanduhr mißt, »hat« die Zeit. Es macht die anschauliche Seite ihrer Konstruktion aus, daß sie auf eigentümliche Weise immun scheint gegenüber der Weltzeit. Sie liefert keine

Daten und ist auch der ungeeignetste Indikator für säkulare Escha-
tologie. Walter Benjamin hat darauf aufmerksam gemacht, daß die
Agenten der Pariser Juli-Revolution auf die Turmuhren schossen.
Sie wollten mit der neuen Zeit auch eine neue Zeitrechnung.[62] Die
Sanduhr dagegen träumt vom Ende der geschichtlichen Zeit über-
haupt und ist insofern für ihren Monographen das Heilmittel: das
Antidot gegen die Welt des »Arbeiters«.

An der Zeitmauer

Fünf Jahre nach dem Essay über die Sanduhr erscheint ein Kompendium von Miszellen, Glossen und Beobachtungen. »An der Zeitmauer«, von Ernst Klett 1959 publiziert, ist keine Schrift im strengen
Sinn gedanklicher Geschlossenheit, vielmehr spaltet sie sich in 186
teils kurze, teils sehr kurze Kapitel. In der Stuttgarter Ausgabe Sämtlicher Werke ist sie dem achten Band eingefügt, der als Hauptstück
den »Arbeiter« enthält. Jünger betreibt auch hier seine Lektüre der
Zeit-Zeichen und beginnt mit einigen Erwägungen zur Astrologie,
die wieder an Anziehungskraft gewinne und als Symptom von neuen
gnostischen Grundströmungen zu verstehen sei. »Solange Menschen leben, wird auch der Wunsch nicht sterben, zu lesen, was dort
geschrieben steht.«[63] *Dort*: wo die Urschrift der Ideen fixiert ist und
der Demiurg seine Fäden spinnt.

Der späte Physiognomiker der Moderne könnte an eine Tradition
erinnern, die im Zeitalter der Aufklärung mit Lavater anhebt, von
Herder und Goethe befördert wird und über Nietzsche bis zu Klages
und Kassner ihren Widerhall findet. Obwohl sich Lavater auf die
»Beförderung der Menschenkenntnis und Menschenliebe«, also auf
die Deutung des menschlichen Ausdrucks konzentrierte, ist der
Theorie der Physiognomik nach mehr gemeint: alles Seiende ist Zeichen oder Spur von etwas anderem, ist Chiffre und Botschaft mit Verweischarakter auf die Schöpfung in ihrem überwirklichen Sein.
Damit ergibt sich auch eine Verbindung zur Morphologie, wie sie
letztmals mit dem Pathos des Universalhistorikers Oswald Spengler
dem Abendland aufzwang.

Nicht nur deshalb erwähnt Jünger den Gesamtdeuter der
Geschichte.[64] Auch ihm drängen sich die historischen Fragen auf,

und gleichfalls vor dem Hintergrund einer physiognomischen »Lesbarkeit«. Spenglers Verdienst liege darin, »daß er den großen Gedanken der Entwicklung, wie Herder und Goethe sie verstanden, auf sein Geschichtsbild anwendet«. Das »Verdienst« wird mit dem Hinweis gerechtfertigt, zyklische Systeme seien dem Geist näher als lineare. Zu bemängeln sei allerdings, daß dem Verfasser des »Untergangs des Abendlandes« das Gespür für die »Urbilder« abgegangen sei; die Weltgeschichte werde zu einer Reihe von Auftritten, die einander nach unerklärlichem Belieben und ohne inneren Zusammenhang folgten. »Das Verbindende liegt in der Periodizität der Abläufe und ihrer morphologischen Ähnlichkeit, die der physiognomische Blick erfaßt.« (ZM, 79/8, 454 f.) Jünger spekuliert über Spengler und inzwischen auch über die *politisch* konservative Position des Zyklikers hinaus, wenn er die Deutungskraft des Wiederkehr-Gedankens für alle zeitlichen Erscheinungen zu legitimieren versucht. »Die Zuversicht der Wiederkehr bestätigt das Sein und auch die Sicherheit in ihm ganz anders als das Bild der endlosen, sei es auch aufsteigenden, Bahn.« (ZM, 82/8, 457)

Hier spielt ein Kompensationstheorem hinein. »Sicherheit« wird gerade da gewonnen, wo die Zeitbewegung »uferlos und höchst gefährlich zu werden scheint«. Weshalb? Nur auf den ersten Blick zeigt sich eine Parallele zu Heideggers Seinsphilosophie nach der »Kehre«: zur Lehre, daß in der äußersten »Not« der modernen Verlorenheiten an das »Gestell« so etwas wie ein Vakuum entsteht, das neue Zuwendung begünstigt.[65] Denn für den Platoniker ist das Sein immer schon da, »gelichtet« in den Abbildern. Diese Gewißheit nun verstärkt sich im Maß epochaler Beschleunigungen: je mehr der nur messende Verstand am Unverstand einer Welt in Bewegung kapituliert, um so suggestiver mutet die Haltung dessen an, der ruhig von den Wiederholungen ausgeht. So ist auch die Technik nur Mode, Erscheinung des Wechsels. Mit unüberbietbarer Lakonik und unbelehrt von Heideggers Dramatisierungen statuiert Jünger: »sie ist das Kleid des Arbeiters«. (ZM, 90/8, 464)

Das sagt sich leicht, wenn bloß das »Kleid« gemeint ist. Steht aber auch der »Arbeiter« zur geschichtlichen Disposition, verschärft sich die Lakonik zum Problem – und zwar nicht deshalb, weil der Arbeiter mit dem jüngsten auch der letzte Mensch sein müßte; dafür besteht schon nach dem Verständnis von »Typus und Gestalt« des

Jahres 1932 keine Notwendigkeit; im Gegenteil: der Arbeiter ist geschichtliche Erscheinung so sehr wie der Bürger des 19. Jahrhunderts. Vielmehr übersieht Jünger, daß in dem kurzen Satz die Auflösung dieser von ihm zwar nicht erfundenen, aber begrifflich ins Leben gerufenen Figur als Möglichkeit angelegt ist. Mit dem Kleid verschwindet einmal auch dessen Träger.

Wer wird ihn ablösen? Die Frage steht nicht an. Stattdessen berührt der Schriftsteller die Schwierigkeiten von historischen Typologien. Sie werden größer, wenn die Veränderungen so sehr zunehmen, daß ein neuer Zeitgroßraum zu vermuten ist. Die alten Vorstellungen, die Begriffe, selbst die Wörter der Historiographie – »Staat«, »Freiheit«, »Recht«, »Krieg« – greifen nicht mehr fest, weil die neuen Phänomene »im Geschichtlichen nicht unterzubringen sind«. Jetzt schlägt die Stunde des »Linien«-Essayisten. »Wenn wir annehmen, daß wir uns am Abschluß eines Zyklus befinden, der die Geschichte, ja vielleicht die menschliche Existenz auf dieser Erde übergreift, und daß bereits ein neuer Zeitgroßraum auf den Menschen einwirkt, so dürfen wir folgern, daß Erscheinungen eintreten werden oder bereits eingetreten sind, wie sie geschichtlich oder selbst anthropologisch noch nicht fixiert wurden. Da Erdgeschichte aber die Menschengeschichte weit überdauert, könnte aus ihr als einer umfassenden Kategorie vielleicht Vergleichbares geschöpft werden.« Doch wie das? Dieselben Probleme, die schon Herodot gehabt habe, als er aus dem soeben betretenen historischen Raum auf den mythischen zurückblickte, zeigen sich dem modernen Beobachter. »Die gleiche Scheu ist heute dort geboten, wo sich jenseits der Zeitmauer Zukünftiges abzeichnet. In jeder Benennung schlummert Gefahr.« (ZM, 96/8, 468) Die Warnung klingt ernster, als sie gemeint ist. Bereits im »Abenteuerlichen Herzen« hatte es geheißen: »Das Unaussprechliche entwürdigt sich, indem es sich ausspricht und mitteilbar macht.«[66] Darüber war Jünger nicht zum Meister des Schweigens geworden.

Der Hinweis auf die Erdgeschichte befriedigt das Bedürfnis nach einer Konstante im Wandel. Erdgeschichte als Hypostase sogar von Naturgeschichte ist in ihren Mutationen der Alltagserfahrung unzugänglich; ihre »Zeit« verschließt sich der Wahrnehmung. Es wäre leicht, daraus jene existentielle Verlorenheit zu präparieren, wie sie seit Pascal anhob. Nicht nur das Universum, im kleineren Maßstab auch die Erde »weiß« nichts vom Menschen und seiner Sterblichkeit.[67] Zugleich gilt die Inversion: dem Menschen bleibt die »Geschichtlichkeit« seines Planeten weitgehend verborgen. Der physiognomische Blick gestattet zwar Aufschlüsse über gewisse Zustände. Unter Bezug auf Alexander von Humboldt hat Hans Blumenberg davon gesprochen, daß das Physiognomische das Faktische sei, »der Niederschlag einer Geschichte«. Aber die Geschichte selbst, der Prozeß des Erdgeschehens, erlaubt keine Begegnung mit der Temporalität. Schon Humboldt quälte dieses Mißverhältnis; eine Einsicht, die er dem wissenschaftlichen Erkenntniszuschuß seiner Forschungen verdankte.[68]

Jüngers Versuch, die Erdgeschichte als »umfassende Kategorie« auszuweisen, erscheint daher zunächst befremdlich. Was ist denn an ihr, wenn sie nur das Gefühl der Unvertrautheit fördert? Für einen, der die existentielle Berührbarkeit längst hinter sich weiß, ist sie deshalb attraktiv, weil ihr die Beschleunigungsschübe der Moderne nichts anhaben können. Erdgeschichte läuft im großen und im ganzen unbetroffen von den Immissionen der »Menschengeschichte« und ist schon deshalb näher an den »Urbildern«. Dieser theoretische Trost überspielt letzten Endes alle praktischen Befürchtungen gegenüber den technischen Apokalypsen.

»Nähe« ist hier ein entscheidendes Losungswort. Auch wenn der Schriftsteller den »Arbeiter« und dessen Zeitalter keineswegs verabschiedet, erwähnt er nun häufiger die von ihm so genannte Urgeschichte, die nicht mit dem historischen Begriff zusammenfällt, sondern als Metapher das Paradies, ein goldenes Säkulum meint. Sie birgt die »Idee des Menschengeschlechts«. Von ihr entfernt sich die Historie zwangsläufig. Die Abstandnahme ist schon platonisch vorgegeben. Allerdings kommt es zu Verschärfungen und Krisen, wo eine Art Politisierung der Urbilder durchscheint. »Der Dichter nähert sich dem Urbild, spiegelt es im Vorbild, das dann reale Mächte anzieht, etwa in der Politik. Dort wird das Vorbild zur Utopie. Ihr werden ungeheure Opfer dargebracht. Ein Beispiel ist das Verhältnis Rousseaus zur Französischen Revolution.« (ZM, 113 f./8, 482) In solcher Anverwandlung schlägt die Nähe in Entferntheit nicht nur von den Ideen, sondern auch von den humanen Idealen um. Umgekehrt gelte es festzuhalten, daß diese Ideale, Teil der Idee des Menschengeschlechts, »länger hielten und weiter führten als die heroischen«. Das liest sich quer zu allem, was der Verfasser der

Schriften zum Ersten Weltkrieg im Anschluß an das Diktum des Heraklit bekräftigte. Die Wende verdankt sich weniger einem Gesinnungswandel in Sachen Ethik als einer Vertiefung des platonischen Grundgedankens. Weshalb haben die humanen Werte über die Händel der Tyranneien triumphiert? »Das rührt nicht daher, daß sie jünger, moderner, fortschrittlicher, sondern daher, daß sie älter sind, auf tieferen Bestand zurückgreifen. Es gibt die Substanz des Fortschritts, der an sich reine Bewegung ist. Das Humane siegt deshalb ob, weil es dem Kern des Menschengeschlechts näher ist als das Heroische. Es liegt dichter am Goldenen Zeitalter.« (ZM, 115/8, 484)

Den Menschen in seiner Tiefe heimsuchen: das heiße nicht, Eigenschaften, es heiße, Gestalten sehen. »Sie allein besitzen die Macht, Titanisches zu bändigen.« Auch Gestalten sind näher am Sein. Wieder argumentiert der Physiognomiker, der nun, durchaus in Eintracht mit einer langen Tradition, auch zum Physiognomiker der Technik wird. Er zitiert Entdeckungen und Erfindungen auf dem Gebiet der Geräte-Herstellung, die schließlich zum »Maschinenpark« der Moderne führten. Die beunruhigende Beobachtung aus den »Gläsernen Bienen«, daß technisch mehr sein kann, als nur in der Natur vorgefunden und modifiziert war, ist weggewischt. Wie kompliziert diese Dinge auch zusammengefügt seien, sie sind »Prothesen, die Glieder nachahmen und ihre Tätigkeit ersetzen, verfeinern, vervielfältigen. Der Hammer ist die Faust, die Schaufel die Grabhand; die Mühle, die das Korn mahlt, nimmt den Zähnen die Arbeit ab. Der Motor, der Wagen und Flugzeuge treibt, leistet, was Beine und Flügel, wenngleich langsamer, dem Wesen nach auch leisten.« (ZM, 135/8, 500)

Nicht auf das »langsamer« kann es hier ankommen, und »dem Wesen nach« kann nur bedeuten: funktional. Darauf darf sich der Mimetiker natürlich nicht einlassen. Wenn »Nähe« in seinem Sinn gewährleistet sein soll, muß Nachahmung der Natur auf strenge Weise stattfinden. Schon der literarische Konstrukteur von schwer gepanzerten, niedrig und gemächlich fliegenden Tanks, in den frühen Kriegsschriften als bevorstehende Produkte prognostiziert, war ihr auf der Spur gewesen: ein Entomologe mit demiurgischen Absichten. Daß es aber Erfindungen in der emphatischen Bedeutung des Wortes gibt, die keiner naturalen Rückkoppelung unterworfen werden können, ist schon beinahe eine Häresie. Leonardo da

Vinci und selbst noch Otto Lilienthal durften insofern behaupten, mit ihren Konstruktionen die Natur nachgeahmt zu haben, als sie diese als homomorphe erstrebten. Der Bruch setzte ein mit den Brüdern Wright. Die Flugmaschine verwendet die Luftschraube; rotierende Organe sind der Natur fremd.[69]

Das darf Jünger nicht anerkennen, auch wenn er es sieht. Deshalb täuscht er über die zentrale Differenz von Funktion und »Wesen« hinweg. Alles nur Mutationen von Vorhandenem. Für ihn liegt darin etwas Tröstliches, denn die Substanz selbst des Fortschritts, den er als reine Bewegung bezeichnet hat, bleibt erhalten. Letztlich geht in der Zeit nichts verloren. Im Mythos bezeugt sich diese metamorphe Struktur als Umverteilung der Kräfte, und im Märchen zeigt sich die spendende Natur. Der Mensch tritt als Nehmender auf. Wenn er niemals authentisch geben kann, wenn alles, was er hervorbringt, schon »da« war, entdramatisiert sich seine Geschichte. Chiron triumphiert über Prometheus. Die Illegitimität des Anspruchs, das gänzlich Neue zu schaffen, ist scheinbar »aufgehoben«.[70] Historisch – ontogenetisch wie phylogenetisch – kommt es dabei zu Umformungen der naturhaften Anfangsgründe, zur »Zähmung«. Jüngers nicht ausgewiesener Kronzeuge ist hier Vico, und wieder geht es um eine Wiederholung, bei der gleichsam die Summe konstant ist.

»Die Zähmung des Menschen wiederholt sich in den Einzelnen. Das Kind lebt noch im Märchen, im alten Überfluß. Der Knabe tritt in das heroische Zeitalter ein, das sich auch im Wechsel der Spiele, in seinen Plänen und seiner Lektüre abzeichnet. Wenn er davon träumt, auf See oder zu den Indianern zu gehen, wird eine alte Sehnsucht, eine vorbabylonische Erinnerung in ihm wach. Hierher gehört auch die Anziehungskraft des Kriminalromans, dessen tragischer Held nicht der Polizist, sondern der Verbrecher ist. Viele Verbrechen junger Menschen, auch ökonomisch gefärbte, sind ihrem Sinn nach Protestakte. Daß auch der Verbrecher nicht Urfreiheit hat, sondern im Rahmen spielt, zeigt sich, wo er zur Macht gelangt. Da versteht er sich gut mit dem Staat. Es gibt nur *eine* Freiheit, die dem Schach bieten kann, die des Dichters.« (ZM, 161/8, 521)

Die »Kinderseite« der Geschichte, wie er sie nannte, war auch Walter Benjamin vertraut – nicht so sehr als ein romantisches Revers wider den historischen Prozeß überhaupt, sondern als zukünftige Erinnerung jenes Status von Unschuld, der durch eine apokalyptische

Geschichte hindurch wiedergewonnen werden sollte.[71] »Vorbabylonisch« ist für Jünger das niemals gelebte, aber der Idee nach immer präsente Goldene Zeitalter. »Nachbabylonisch« wäre die real gewordene Rückkehr dahin, im Verlauf der geschichtlichen Abfolgen, die gleichzeitig Ablösungen von »Babel« und Annäherungen an die humane Urwelt zu sein hätten. Dafür gibt es in den Augen des Schriftstellers ein verbindliches Modell, nämlich die ontogenetische Vorgabe. Zwischen der Kindheit und der Berufung des Dichters läuft, immer wieder gestört und aufgehalten, die Entelechie der Befreiung. An der eigenen Biographie wird abgelesen, was die Doppelung der Menschwerdung – nun in einem phylogenetischen Ausgriff – bedeuten könnte: die Restitution des Anfangs in Humanität durch die erinnernde Erkenntnis.[72]

Eine Welt von Künstlern und Freien ist so wenig vorstellbar wie deren ewiger Friede. Jede Fundamentalanthropologie müßte da widersprechen. Immerhin verzichtet Jünger darauf, seine Vision unter das Verdikt einer geschichtsphilosophischen Notwendigkeit zu stellen; ihr Prinzip Hoffnung schöpft nicht aus der Argumentation, daß eine politische Praxis die Realisierung zu übernehmen hat.[73] Im Gegenteil, sie kann mit »babylonischen« Mitteln nicht erzwungen werden. Sogar ist die Totalkatastrophe möglich. Deren Verhängnis wird schon mit dem Hinweis entschärft, daß »Erdgeschichte… die Menschengeschichte weit überdauert«. Vor dieser Prämisse wird es einfach, über die säkulare Apokalypse zu spekulieren.

»Zum ersten Male ist eine Untergangsstimmung in materieller Hinsicht dem Menschenwerk verknüpft. Der Weltuntergang erscheint möglich als unmittelbare Folge menschlicher Arbeit, menschlichen Tuns. Das ist bei den Katastrophen, von denen die Genesis berichtet, der Sintflut, dem Untergang von Sodom, der babylonischen Zerstreuung, nicht der Fall. Dort ist Gericht.« (ZM, 168/8, 527) Der Akzent liegt auf der »Arbeit«, deren für Jünger ebenso faszinierendes wie bestürzendes Endergebnis die Auslöschung der Gattung sein könnte. Aber der Erdgeschichtler will die Lakonik nicht übertreiben. Solange die Metapher von der Zeitmauer und der Gedanke von der Überwindung des Nihilismus jenseits der Grenze noch einen Sinn haben wollen, muß der Essayist etwas praktischer argumentieren. Er stellt eine »Weltherrschaft« des »Arbeiters« in Aussicht, die deshalb katastrophenresistent sein soll, weil sie mit einer »Begrenzung« zusammenfiele. Erst wo der »legitime Souverän« die Dynamik ständiger Energiekämpfe und Energiesteigerungen bricht und die Ruhe ihrer totalen Verwaltung stiftet, wo also der Arbeiter eine Arbeitswelt geschaffen hat, in welcher die Arbeit selbst allenfalls noch als verteilende Tätigkeit ohne Probleme der Ressourcen-Förderung auftritt, kehrt der Stillstand des Friedens ein. Dessen politische Form ist der Weltstaat.

Diese »planetarische« Optik, bereits 1932 in der Fluchtlinie von Ideen Fouriers und Saint-Simons an die moderne Zivilisation herangetragen, gibt Jünger nicht preis. Doch ist der geschichtsphilosophische Impetus zurückgenommen; alles bleibt bei vagen Beschwörungen. Ohnehin beschäftigt den Schriftsteller mehr, was sich diesseits der »Zeitmauer« abspielt – der ungedeckte »Hang nach Substanz«, der Schwund an Transzendenz. Bilder aus der Wetterkunde, naturale Vergleiche springen ein, wo die Analyse der Epoche begrifflich scheitert. Dem Tief, das sich durch wachsende Depression ankünde, könne man nicht ausweichen, »weder tatsächlich, noch moralisch, noch intellektuell – gleichviel, ob es sich um die persönliche Katastrophe handelt oder um die kosmische, den Weltuntergang. Nur so lassen sich beide bestehen. Der Weg führt über den Nullpunkt hinweg, führt über die Linie, über die Zeitmauer und durch sie hindurch«. (ZM, 190/8, 545)

Das neue Zeitalter kann nicht übergangslos dem alten folgen. Ein Hiatus ist zu queren. Dem »großen Einschnitt« sollen »Zeichen und Hinweise« vorausgehen; bewußtseinsmäßig begleite den Menschen vermehrt eine Unruhe – nicht nur gegenüber der geschichtlichen Welt, sondern auch gegenüber den »geologischen« Veränderungen. Nietzsche habe eine »seismographische Existenz« geführt; Léon Bloy habe den Ausbruch des Mont Pelée vorausgeschaut.

Exkurs:
Apokalyptiker – Léon Bloy, Carl Schmitt

Der Hinweis auf Bloy verdient in diesem Zusammenhang nähere Beachtung. Carl Schmitt hatte Jünger den französischen Schriftsteller und Literaturkritiker schon in den vierziger Jahren zur Lektüre empfohlen – aus einer katholischen Geistes- und Seelenverwandtschaft heraus, die der Adressat als Protestant nicht für sich beanspruchen konnte. Er mußte Bloy »säkularisieren«. Dafür gab es hinreichend Belegstellen, weil der Autor mit der Visitenkarte »Abbruchunternehmer« die Diesseitigkeit keineswegs verschmähte, wenn er an der religiösen Bilanzierung der Epoche arbeitete. Zuerst von Barbey d'Aurevilly beeinflußt und gefördert, trat Léon Bloy, geboren 1846 in Perigueux, in den achtziger Jahren als Polemiker der Kultur- und Literaturkritik hervor. Er schrieb für verschiedene Zeitungen und Periodika, unterhielt eine Zeitlang auch ein eigenes Blatt, verfaßte Romane und Essays und führte ein Tagebuch – immer vor dem prekären Hintergrund einer familiären und finanziellen Notlage. Während er den »Naturalismus« von Zola, von Flaubert, der Brüder Goncourt bekämpfte, sah er sich hingezogen zur Décadence von Barbey d'Aurevilly und Huysmans. Ihn faszinierte daran nicht die ästhetische Verklärung, sondern die metaphorisch überhöhte Zustandsbeschreibung im Vorlauf auf das Fin de siècle: das Bild der mürbe gewordenen Zivilisation.[74]

Bloy war ein Außenseiter und blieb es bis zu seinem Tod im Jahr 1917. Als ihn der »Figaro« als Mitarbeiter vorstellte (es kam schon bald danach zum Zerwürfnis), war von einem »catholique intolérant« die Rede. Er selbst verstand sich als »démolisseur« und betitelte eine Sammlung von Essays und Literaturkritiken mit »Propos d'un entrepreneur de démolitions«. 1887 erschien sein Roman »Le Désespéré« – in weiten Partien ein autobiographisches Bekenntnis, ein Bericht über den eigenen Weg vom nihilistisch gestreiften Melancholiker zum eifernden Katholiken. Bereits in einem Brief von 1877 hatte Bloy seinem Beichtvater die Stationen dieses Wegs zur Kenntnis gebracht. Als die innere Zerrissenheit unerträglich geworden sei, habe die Vorsehung auf doppelte Weise eingegriffen, indem sie ihn einerseits zum Christentum hinlenkte, anderseits in den Krieg von 1870/71 schickte. Dies sei die glücklichste Zeit des Lebens gewesen. »C'était l'action, faible et déshonorée, sans doute, mais c'était l'action et cette ignoble guerre me fit entrevoir le sublime de la guerre.«[75] Die Erschütterung des Kriegs und die Bekehrung zum Glauben hoben Bloy aus dem Dasein des nächtlichen Stadtgängers heraus. Der Flaneur wurde zum Apokalyptiker, zum Propheten der Endzeit. Und schließlich träumte er davon, einen Roman des Elends und der Schmerzen zu schreiben, die Geschichte eines »homme supérieur«, der von einer mittelmäßigen Gesellschaft vernichtet wird.

»Le Désespéré« löste den Traum ein. Es mußte spätere Denker der Apokalypse wie Carl Schmitt und Ernst Jünger schon berühren, wie hier – lange vor den Katastrophen zweier Weltkriege – eine Theorie des Chiliasmus wider alle Überzeugungen vom »positiven« Zeitalter aufgenommen und an die Moderne herangetragen wurde. Von dem Ich-Erzähler Marchenoir heißt es, daß er der Champollion der Geschichte sein wollte. Marchenoir, »ce millénaire«, sucht die »syntaxe infinie d'un livre insoupçonné et plein de mystères« zu lesen: die Urschrift, welche hinter der Universalhistorie sich verbirgt.[76] Dazu gehört die angemessene Deutung der Zeichen und Symbole. Sie sind gesättigt von der »Totalität der Schmerzen« und weisen den Gläubigen auf die paulinisch längst beschriebene Stunde des Wartens hin.

Die Übertragung des Lesbarkeits-Anspruchs auf das *alter ego* sollte nicht den Eindruck erwecken, als distanzierte sich Bloy davon. In einem Brief von 1885 an einen Freund hatte er sich als »homme de guerre« bezeichnet, der jedes beliebige Mittel des Kampfs nutze, und das war kein leeres Versprechen. Es gibt eine »Geschichte« aus dem Wirken des Literaturkritikers, die deutlicher als viele Einzelpolemiken zeigt, wie der »entrepeneur de démolitions« sich zu äußern beliebte. Im Oktober 1913 legte er seine Sammlung von Rezensionen zu Werken von Huysmans vor. Er hatte die erste 1884, zum Erscheinen von »A Rebours«, verfaßt und lobende Worte für die Erzählung von Des Esseintes gefunden. Huysmans habe sich auf erstaunliche Weise von Zolas Naturalismus befreit und die Gottferne eines modernen Übermenschen eindringlich beschrieben. Der Theologe Bloy glaubte eine negative Theologie vor sich zu sehen; seit Pascal habe niemand mehr so gewaltige Klagelieder angestimmt. Drei Jahre später, 1887, schien sich sein Urteil zu bestätigen. »En Rade« sei in der Evokation eines ungeheuren, von Schweigen und Leere erfüllten Universums noch konsequenter. Die Wende kam 1891, und sie gestaltete sich um so dramatischer, weil sich Bloy düpiert fühlte. »Là-bas« sei ein monströses Buch. Ein Freund hatte dem Rezensenten die Fortsetzungen Stück für Stück nach Kopenhagen gesandt. Es gab Gerüchte, daß sich Huysmans zum strengen Katholiken bekehrt habe. Das legte auch der Beginn von »Là-bas« nahe. Aber eben nur der Beginn; denn Huysmans, der etwas später tatsächlich der christlichen Lehre sich fügte, relativierte weder den

»Satanismus« seines Romans noch die Handgreiflichkeit der Schwarzen Messe in den Finalpassagen. Solche Blasphemien erzürnten Bloy. Jetzt begann er mit der Revision und diagnostizierte auch für die früheren Werke, daß die metaphysische Beunruhigung nichts anderes sei als ein literarischer Trick. Huysmans sei ein erbärmlicher Kompilator, ein Nihilist des Adverbs (»là-bas«).

Das freundschaftliche Verhältnis von früher, Huysmans Wohlwollen gegenüber dem Schüler Barbey d'Aurevillys: alles Täuschung. Bloy hatte gehofft, einen Bundesgenossen zu finden, einen Schriftsteller mit einer ähnlichen Biographie. Jetzt durfte er sich wieder in der Einsamkeit des einzigen echten Eschatologen aufhalten. In seinem »Journal« versuchte er die Zeichen der Apokalypse mit der persönlichen Lebensführung zur Übereinstimmung zu bringen.[77] In seinen Essays und Kritiken, im politischen Kommentar wie in der Auslegung von Sprichwörtern und Gemeinplätzen applizierte er sie auf die Zeitgeschichte. Bloys Weltbild stand seit der religiösen Konversion fest. Der Titel eines Feuilletons für den »Figaro« wurde zum Leitmotiv, weit über die literarische Thematik hinaus: »l'inquisition en littérature«.

Aus dem Nachlaß ist ein kurzer Text vom September 1870 überliefert. »Héroisme« ist mehr als nur der konservative Reflex auf die Niederlage der französischen Monarchie bei Sedan und auf den Ausbruch der Revolution. Bloy spricht vom Beginn der großen Katastrophe und zitiert, ohne ihn namentlich zu nennen, Joseph de Maistre. Frankreich sei verloren, das Ende der Geschichte nahe. »Dieu veut nous perdre et… il a déjà commencé.«[78] Vierzehn Jahre später wiederholt sich diese Gedankenfigur, als der Visionär des Untergangs unter dem Titel »L'Epidémie de la peur« die Cholera von Paris kommentiert. Überall sehe man das Laster, die Furcht, die Feigheit der Letzten Tage. Jetzt zählten zehn tapfere Männer mehr als hunderttausend Schwächlinge. Bloy kannte Nietzsche gut genug, um dessen Philosophie vom Übermenschen in eine eigene Eliten-Theorie umzuschmelzen. Aber der katholische Reaktionär hielt sich nie bei der Idee von der ewigen Wiederkehr auf. Was er lehrte, war die Apokalypse des Johannes.

Das alles war Carl Schmitt zutiefst vertraut, als er Jünger auf Léon Bloy aufmerksam machte. Der politische Theologe glaubte an das Absolute der Religion, und seine berühmt-berüchtigte Unterscheidung in Freund und Feind klärt sich restlos erst, wenn ihr als Fundamentalvoraussetzung die Überzeugung von der Bösartigkeit aller irdischen Verhältnisse untergelegt wird. Sowohl der Liberalismus wie auch der Kommunismus, die bürgerliche »Zivilreligion« ebenso wie jene von der klassenlosen Gesellschaft sind deshalb abzuwehren. Heinrich Meier hat durch eine genaue Lektüre der verschiedenen Fassungen des »Begriffs des Politischen« die verschwiegenen theologischen Prämissen aufgedeckt, die nicht nur diese Abhandlung durchziehen; sie bestimmen Schmitts Denken nachhaltig.[79] Worauf es hier ankommt, soll – im Blick auf Bloy und Jünger – wenigstens kurz angedeutet werden. Geschichte ist für Schmitt einmalig und unwiederholbar. In einem emphatischen Sinn geschichtlich ist daher alles Denken und Handeln. Jede Tat gewinnt ihre tiefere Bedeutung ausschließlich im Licht des eschatologischen Prozesses, der irreversibel ist. Wer dies leugnet und glaubt, die »babylonische Einheit« eines irdischen Paradieses anstreben zu müssen, liefert sich der »satanischen Versuchung« aus.[80] Das einzige wahre christliche Bild von der Geschichte beruht auf der Anerkennung der Apokalypse. Sie kann nicht abgewendet, höchstens hinausgezögert werden. Das meint die Idee des Katechon.[81]

Insofern besteht völlige Übereinstimmung zwischen Carl Schmitt und seinem literarischen Kronzeugen Léon Bloy. Wie aber ist die Position von Jünger zu beurteilen? Schmitt hatte bereits 1933 zur Kenntnis genommen, daß der Autor von »In Stahlgewittern« und »Feuer und Blut« nicht endgeschichtlich bewegt war: in einem Streitgespräch mit Paul Adams am Deutschlandsender vom 1. Februar 1933 habe Jünger das agonale Prinzip (»der Mensch ist nicht auf den Frieden angelegt«) vertreten.[82] In den folgenden Jahren und Jahrzehnten wird der »bellizistische Nationalist« seine Apologie des Kriegers revidieren. Aber das agonale Prinzip überdauert. Denn es steht nicht für sich selbst: es ist für Jünger nichts anderes als Ausdruck jener Wahrheit, die Nietzsche im Prinzip der ewigen Wiederkehr erblickt hatte.

Für Jünger kann Léon Bloy niemals mehr sein als ein Symptomatiker. Wenn er in dem »Zeitmauer«-Essay Bloys Wort »Dieu se retire« zitiert, zitiert er als Metapher, was der »Démolisseur« wörtlich, mit dem Pathos des bekehrten Christen, gemeint hatte. Der apokalyptischen Verfinsterung in der »Gott«-Ferne folgt die Apokatastasis – die Wiederherstellung der Ordnung. »Wenn die Erde als Urgrund, als Chaos neue Fruchtbarkeit entfalten, ein neues Kleid anlegen will, müssen Göttergeschlechter dahinsinken.« (ZM, 230/8, 577) Das trifft sich mit Nietzsches Lehre von der ewigen Wiederkehr und der daraus abgeleiteten Aufforderung zur rückhaltlosen Bejahung der Erde. »Kosmisch empfinden!«, notiert Nietzsche im Herbst 1881.[83] Er paraphrasiert damit den Kerngedanken des *amor fati*, dessen philosophische Implikation bedeutet, daß die »Ewigkeit« radikal dem Diesseits zugehört – eine Säkularisierung des christlichen Jenseits und zugleich eine Entschärfung der Apokalypse, deren Häresie für jeden politischen Theologen unerträglich sein muß.

Nicht Léon Bloy, sondern Nietzsche ist Jüngers wahrer Gesprächspartner. Bloys endzeitlich gestimmte Kulturdiagnose erfährt dadurch eine eigentümliche Umpolung. Der Niedergang wird zur Voraussetzung eines neuen Anfangs. Daß der Verfasser der »Zeitmauer«-Schrift diese »Kehre« nicht in der Weise von Nietzsche zu Ende formalisiert, liegt daran, daß ein praktisches Bedürfnis überwiegt: der Nihilismus soll überwunden werden. Aber wie? Nicht mit der Bekräftigung des *amor fati* allein. Erst die chiliastische Vorschau auf eine Epoche der »Erdvergeistigung« gewährt jene Beruhigung, auf die Gewicht legt, wer *auch* in erbaulicher Absicht spekuliert. Die »Zeitmauer« bezeichnet dann mehr als nur die Grenze zwischen Verfall und Erneuerung innerhalb des Vorgangs der Wiederkehr. Sie öffnet sich plötzlich und gibt den Blick frei auf das Zeitalter eines Geistes, der die prometheischen Kräfte bindet und den Menschen mit der Erde versöhnt.[84]

Die letzten zwanzig Kapitel des Essays sind unter die Überschrift »Urgrund und Person« gestellt. Der Urgrund, auf dem die Person agiert, ist die Erde. Sie verdränge, so meditiert Jünger, immer mehr die vaterrechtlichen Bindungen – den Heroenkult und die geschichtlichen, dem Logos verbundenen Mächte. »Gäa« erweist sich als eine Kraft, die sowohl Fruchtbarkeit für neue Ordnungen abgibt, als auch das »Titanische« in sich birgt. Titanismus ist der Umgang mit der Materie und ihren Wirkungen; aber der »Arbeiter«, der sich an der Schwelle des neuen Äons befindet, gehört schon der Erde zu. Der Nihilismus, der den titanischen Zugriff der Arbeit begleitet, ist daher ein Oberflächenphänomen: ein Durchgangsstadium. »Der letzte Partner der Erde ist nicht der Verstand mit seinen titanischen Plänen, sondern der Geist als kosmische Macht. Bei allen Erwägungen des Zeitgeschehens spielt daher eine große Rolle die mehr oder minder ausgesprochene Hoffnung, daß höhere Geisteskräfte die gewaltige Bewegung zügeln und sich ihrer wohltätig bemächtigen.« (ZM, 321/8, 644) Der Gewährsmann für diesen eschatologischen Ausblick ist Joachim von Fiore, der »häretische« Geschichtsphilosoph des Spätmittelalters, an welchen Jünger im Schlußkapitel ausdrücklich erinnert. Als Vordenker eines harmonisierten Verhältnisses zwischen Mensch und Erde wäre Johann Jakob Bachofen zu nennen, in dessen Werk über das Mutterrecht bereits die Unterscheidung in eine mythische, frühe Kultur der matriarchalischen Bindungen und eine spätere, rationale und abstrahierende der patriarchalischen Geisteshaltung fixiert ist.[85] Die Summe aus der Prophetie einer Zukunft der Rückkehr zieht Jünger fünf Jahre nach dem »Zeitmauer«-Essay mit einem einzigen Satz. »Das Ziel der Technik ist Erdvergeistigung.«

Abermals: der »Arbeiter«

Dieser Satz findet sich in den 1964 vorgelegten »Adnoten zum ›Arbeiter‹«. Die Notate, achtzig Seiten aus der Rückschau auf jenes Buch, das ihn nicht losläßt und nicht loslassen kann, weil es so viele Figuren der Epoche erstmals thematisiert hat, kreisen abermals um das zeitgeschichtliche Grundproblem: um den Übergang von der Werkstättenlandschaft der Gegenwart in die Planlandschaft einer »Erdvergeistigung«, die nun nicht mehr mit der politischen Vision von 1932 in Verbindung zu bringen ist. Im »Arbeiter« war die Abgleichung von Einsatz und Leistung noch nicht in die Bedrängnis der verzögerten Entgeltung des Vorschusses geraten. Jetzt aber dehnt sich ein Zwischenstatus; die Arbeitswelt erwarte und erhoffe ihre Sinngebung.

Ins Kapitel der Betrachtungen, die dem bisher unerwiderten Einsatz gelten, gehört die Bemerkung, daß der moderne Krieg auch den Sieg konsumiere. Nicht nur aus solcher Einsicht heraus, die quer steht zu den Herrschaftsträumen von 1932, bezeichnet Jünger den Essay nun als ein »politisch und zugleich historisch gewordenes Buch«. Die Parusie des neuen Imperiums hat sich nicht erfüllt. Noch immer herrscht der »phantasmagorische Schimmer der Werkstätten«, und er ist kein Zeichen für eine geschichtliche Ordnung, sondern Symbol einer sich überstürzenden Übergangslandschaft. In Anlehnung an Carl Schmitt spricht der Autor von einem »Weltbürgerkrieg«, in welchen weniger die Staaten, als vielmehr »dynamische Größen« eingriffen.[86] Der »totale Arbeitscharakter« prägt den Verkehr, die Normierungen und Eingliederungen. Dem Optimismus des Verfassers des »Arbeiters« waren solche Gegebenheiten noch kein Grund zur Sorge gewesen; im Gegenteil: er las sie als Symptome einer »planetarischen« Veränderung. Der besorgte Nachlaßverwalter zu eigenen Lebzeiten argumentiert behutsamer. »Der Autor muß ... einen Stand anstreben, in dem er dem großen Gang der Dinge zustimmt, auch wenn der ihm konträr ist, ja über ihn hinwegzuschreiten droht. Das Schicksal ist um so besser zu begreifen, je gründlicher vom eigenen Wohl und Wehe abgesehen wird. Dann wird es selbst in seiner Drohung faszinierend: ›Alles, was eintritt, ist bewunderswert.‹«[87]

Hier kehrt Nietzsches *amor fati* scheinbar identisch wieder. Doch ist er in Wahrheit verbunden mit der Vision von der Erdvergeistigung, welche das Konsumierende der Übergangsepoche leichter in Rechnung stellen kann. Als Jünger auf die Ambivalenzen bei der Beurteilung der Historie zu sprechen kommt, erläutert er – indirekt –, was es mit der »Akzeleration« als »komprimierter, vorweggenommener Zeit« auf sich hat. Katharina die Zweite habe, indem sie die Aufklärung nur einer schmalen Schicht angedeihen ließ, zur Vorbereitung jener Katastrophe beigetragen, die später Millionen das Leben kostete. »Anderseits wurde gerade so die potentielle Energie für eine Weltstunde gestaut.« Da ist es, umgekehrt, die verzögerte Entwicklung, die zu wenig »komprimierte«, aus der die Dynamik der Weltrevolution zündet.

Wer die Ereigniskette überblickt, sieht schließlich überall Balancen. Die Relativierung des Augenblicks ist die Bedingung der Anerkennung des »großen Gangs« der Dinge. »Noch sind auf der ungeheuren Bühne die Verluste sichtbarer als der Gewinn. An der Zeitmauer verschwimmen Recht und Grenze; Schmerz und Hoffnung treten an ihre Stelle: auch die Welt des Arbeiters wird Heimat des Menschen sein.« (8, 387) Das Schema der Weltgeschichte läßt sich verstehen als »Provokation« und »Replik«. Provokation und

Replik waren in dieser Begrifflichkeit zum ersten Mal in den Tagebüchern der vierziger Jahre aufgetaucht, als Jünger unter anderem sein eigenes Verhältnis zum Nationalsozialismus zu klären versuchte. Am 24. September 1978 schreibt er seinem Übersetzer Henri Plard, Provokation sei der Göttersturz der patriarchalischen Welt, Replik die heraufziehende matriarchalische Wirklichkeit. »Replik« ist auch, was er schon in den »Adnoten« anführt. »Mit der Häutung der Gäa faßt Antaios dem Herakles gegenüber wieder an Boden, und neue Zeichen steigen auf. Die Erde wandelt sich aus den Vaterländern zur Heimat zurück.« (8, 333)[88]

*

Heimat wäre der Ort, wo sich die Zeit nicht mehr ins Leere, endgültig Entschwindende verbrauchte. Die »lineare«, konsumierende Zeit ist der Tod, indem sie durch das Leben hindurchführt, ohne sinnvolle Abgeltungen. Sie nährt keinen Glauben an Übergänge und Metamorphosen. Die Macht des Mythos beruht darauf, die Zeit zu brechen, ihr Dauer entgegenzuhalten. 1972 legt Jünger als Privatdruck einen Essay vor, der genau diesem Thema gewidmet ist: »Philemon und Baucis. Der Tod in der mythischen und in der technischen Welt«. Er weist zunächst darauf hin, daß die Mythe von den beiden Alten, die den Göttern Gastfreundschaft gewähren und dafür nach ihrem Tod mit ihrer Verwandlung belohnt werden, älter sei als die Fassungen bei Hesiod und Ovid. Zustimmend zitiert er Bachofens Urteil über die Argonautensage. »Erzählungen wie diese gleichen Hieroglyphen, in denen die älteste Zeit das Gedächtnis großer Umgestaltungen des Daseins niedergelegt hat.« Aber selbst der Mythos – als Weltgedanke von Jahrtausenden – ist noch hintergehbar. Erst als anthropologische kommt die Wahrheit zur Ruhe, daß der Mensch »von Natur aus« gläubig sei.

Der mythische Tod läßt das absolute Ende nicht zu; er verkündet so etwas wie die Konstanz des »organisch und seelisch Gewachsenen« durch Mutation. Gegenüber diesem Gesetz von der »Erhaltung«, das bei Ovid noch ungefährdet herrscht, hat Goethe im zweiten Teil des »Faust« einen Abstand geltend gemacht, der mit der Entwicklung zum planenden Geist sich vergrößern muß: Faust, der Landnehmer, sorgt dafür, daß Philemon und Baucis vertrieben werden und daß ihre Hütte in Flammen aufgeht. Die technische Welt sprengt den Zirkel der organischen Übergänge. Der Tod wird unter funktionalen Gesichtspunkten betrachtet. »Man fällt nicht mehr, sondern man fällt aus«, hatte der Autor des »Arbeiters« 1932 im Blick auf die moderne Realität des Kriegs diagnostiziert. Das Schicksal des Menschen ist mit seiner »Quantifizierbarkeit« verkoppelt. Vierzig Jahre später ergänzt Jünger sein Apophthegma. »In den Kriegen des 20. Jahrhunderts wird der Soldat samt seinem Ethos durch den Techniker verdrängt. Damit triumphieren auch die technischen Modelle, deren logistisches Zusammenspiel Valéry schon früh ›la conquête méthodique‹ nannte.«[89]

Valéry hatte diese Schrift über die methodische Eroberung 1897 vorgelegt. Nicht um »Kulturkritik« an der rechnenden, versachlichenden Tätigkeit ging es ihm damals, sondern gerade um deren Anerkennung. Erst 1984 ist aus dem Nachlaß des Schriftstellers ein *Carnet* veröffentlicht worden, das als kritisches Pendant zu dem frühen Essay gelesen werden kann: »Les principes d'an-archie pure et appliquée«. Das Konvolut von Notizen und Aphorismen entstand zwischen 1936 und dem September 1938. Bemerkenswert sind die Gedankenparallelen zu Jüngers Zeiterkundungen seit den fünfziger Jahren. Als Fürsprecher einer »philosophischen« Anarchie warnt Valéry vor jenen, die im Namen »des« Volkes, »der« Geschichte auftreten. »›Anarchiste‹ c'est l'observateur qui voit ce qu'il voit et non ce qu'il est d'usage que l'on voie. Il raisonne là-dessus.«[90] Dem kühlen Beobachter zeigt sich die Dialektik der Aufklärung in der Historie wie in der bedrängenden Gegenwart vor dem Ausbruch des Zweiten Weltkriegs. Während die Natur immer mehr vor der technischen Planung zurückweiche, mindere eine alles totalisierende Gesellschaft die Freiheit des Geistes, die wesentlich natürliche Freiheit sei. Unter dem Stichwort »Notre Temps« heißt es: »Agonie de l'individu contre le nombre.«[91] Ihr ist der Mensch bis in das zeitgenössische Verständnis des Todes ausgeliefert: er wird als Ausfall betrachtet.

Aber der mythische Tod, von dem Jünger handelt, ist der Erfahrung unzugänglich. Er ist ein Stück Rekonstruktion aus dem Gefüge einer Lebenswelt, die es nie gegeben hat und die doch um so heftiger herbeigesehnt wird. Als letztes Mittel ihrer Sicherstellung bleibt die ästhetische Anverwandlung der »Urbilder«. Daß es auf diese Weise gelingen könnte, dem fortlaufenden Lebensentzug durch die Zeit zu »antworten«: das muß genügen.

Eine wesentlich härtere Lesart des Wiederkunft-Gedankens forderte Nietzsche. Nicht einfach die Welt-Betrachtung, sondern die Lebensführung sollte davon betroffen sein. Im vierten Buch der »Fröhlichen Wissenschaft« wird die Frage gestellt, was geschähe, wenn ein Dämon dem Menschen zuflüsterte, daß alles, »jeder Schmerz und jede Lust und jeder Gedanke und Seufzer und alles unsäglich Kleine und Große«, wiederkommt. Würde der so Bedrängte zerbrechen? Oder akzeptierte er dieses »größte Schwergewicht« im Sinne des *amor fati*? Letzteres ist bekanntlich, was Nietzsche dem Menschen wünschte, dem Leben gut zu werden, »um nach Nichts mehr zu verlangen, als nach dieser letzten ewigen Bestätigung und Besiegelung«. Hier taucht auch, nach Austreibung der Gemütlichkeit, die sie noch begleitet haben könnte, die Metapher auf. »Die ewige Sanduhr des Daseins wird immer wieder umgedreht – und du mit ihr, Stäubchen vom Staube!«[92]

IX.
Formen der Lesbarkeit

Der »Arbeiter« verändert die Welt. Man müßte von dieser »Gestalt« des modernen Menschen wenig kennen, um gleichwohl zu ahnen, daß hier eine Figur gedacht wird, welche durch das geschichtliche Geschehen hindurchgreift, um große, »planetarische« Ziele zu realisieren. Mit seinem Typus verbindet Ernst Jünger 1932 auch eine Schicksalszeit, diejenige in der von ihm so genannten Werkstättenlandschaft. Es geht um ein Tun, das mehr als nur Arbeit ist, um eine Berufung, sich die Wirklichkeit im ganzen berechenbar und gefügig zu machen. »Arbeiter« ist der Soldat ebenso wie der Techniker, der ihm die Waffe ersann, der Beamte gleichermaßen wie der Wissenschaftler im Laboratorium. Nimmt man die Tätigkeit in ihrer »metaphysischen« Dimension, wird die Gestalt spätestens seit dem Ersten Weltkrieg ubiquitär. Zugleich soll sie, jenseits aller soziologischen Unterscheidungen, durch ihr Tun bestimmt sein: durch die Arbeit am »Weltplan«.

Wer verändert, laufend in den historischen Prozessen wirkt, hat nicht die Muße, das Resultat, sich selbst oder gar den Hintergrund, vor dem sich alles vollzieht, zu betrachten. Der »Arbeiter« lebt im toten Winkel seiner selbst. Daran muß so lange nichts dramatisch sein, als der Kurs keine Erschütterungen zeitigt. Erst wo Widerstände auftauchen, Enttäuschungen sich aufzwingen und das Ziel im Ungewissen verschwimmt, bedarf der Arbeiter, der Agent der Moderne, des Zuspruchs seines begrifflichen Erfinders. Es führte nicht weit, wollte man ihn nur als das Wunschbild eines Schriftstellers decouvrieren, der in den unruhigen Jahren vor der nationalsozialistischen Diktatur darüber phantasiert, wie jener Mensch beschaffen, ja »konstruiert« sein müßte, der den Herausforderungen, dem »Schmerz« der Epoche sprungbereit gegenübertreten könnte.[1] Dieser »Arbeiter« war schon damals in seiner Begrifflichkeit wirklich, und Jünger hatte erkannt, daß er – wie immer man ihn zusätzlich auszeichnete, als »neu« oder als eine »organische Konstruktion« – ältere soziologische Differenzierungen aufzulösen begann: kaum mehr bestimmt durch Stand oder Herkunft, durch

Prämien der Tradition oder des Gelds, vielmehr eingespannt im Räderwerk einer schnelleren, dynamischen, versachlichenden Ära, funktional beweglich.

Aber indem ihn Jünger nicht nur als Typus betrachtete, sondern auch als den germanischen Übermenschen kenntlich machte, wurde er in die Rolle des Welteroberers gedrängt – wo er scheitern mußte. Denn der »Arbeiter« ist nicht das Subjekt der Weltgeschichte, so wenig wie das Proletariat es je sein konnte. Er ist allerdings auch nicht weniger als das überscharf gezeichnete Modell seiner Zeit. Vielleicht ahnte Jünger sogar, daß seine Herrschaft eine Chimäre war. Es kam das Jahr 1933, und damit war die Legitimität verwirkt. Es kamen das Grauen und die Tyrannei, und es kam der »Schmerz« über so viel Unbegreifbares im Verhältnis zur eigenen Epoche. Seither war alles anders.

Man kann als Schriftsteller auf solche Enttäuschungen verschieden reagieren. Jünger hat manche Reaktionen gedanklich durchgeprobt und vermischt. Er findet eine Geschichtsphilosophie, die lehren will, daß gleichwohl nicht vergeblich ist, was der Arbeiter einsetzt – daß der »Plan« dennoch seiner Erfüllung zustrebt und das Opfer jenseits von »Linie« und »Zeitmauer« abgegolten wird. Nur mit der Zuversicht, daß das Gelingen bloß der demiurgischen Hand des »Arbeiters« folgt, ist es zu Ende. So verliert auch dessen Tätigkeit an unmittelbarem Interesse. In einem Akt jener *Desinvoltura*, die er bereits in den Fassungen des »Abenteuerlichen Herzens« als Gelassenheit gegenüber schicksalhafter Unbill verstand, wird Jünger zu dem, der er immer schon war: zum Betrachter. Man kann schon aus der Chronologie der Werke erkennen, wie das Betrachten, die »Lektüre« der Welt, thematisch an Gewicht gewinnt.[2] Wenn sich diese Welt nicht den Aktionen des Arbeiters sinngerecht beugt, so soll sie sich wenigstens dem unbetroffenen Zuschauer offenbaren. 1934, in »Blätter und Steine«, sucht Jünger den »Urgrund« über eine Reihe von Natur-Beobachtungen aufzuspüren, und er setzt die Suche fort in der zweiten Fassung des »Abenteuerlichen Herzens«. »Auf den Marmor-Klippen«, die Erzählung von 1939, ist – so besehen – nichts anderes als die Apologie jener Tätigkeit, die nur noch anschauendes Sammeln, »Lektüre«, bedeutet. Unvermutet befindet sich der Mensch hoch oben auf den Klippen, welche die Sicht auf das Ganze begünstigen.

Solche Lektüre setzt neben dem Glauben an die Lesbarkeit ein kontemplatives Temperament voraus, das herauszubilden und zu pflegen Jünger während dem Zweiten Weltkrieg viel Muße hat. In den Tagebüchern aus der Ära der Okkupation verdichtet sich das Thema. Am 15. September 1945 notiert Jünger, daß »jedes Werk seinen geheimen Urtext hat. Er liegt im Unaussprechlichen, in der Idee, der Absicht, die sich in der Sprache wie in einem Spiegel abzeichnet«.[3] Das Geheimnis erzwingt den Umweg der Bilder und Figuren: über eine Bedeutungslehre. Durch Hinweise und Zeichen kann erahnt werden, was letztlich »dort« geschrieben steht. Es war ein letzter, angestrengter Versuch gewesen, als Jünger 1932 ein Stück Hegelsches Erbe belebte, um in seinem »Arbeiter« die Phänomenologie des Zeitalters noch einmal mit dessen »Sinn« zu verschränken, der baldige Erfüllung des »Plans« verheißen sollte. Nach 1933 verschließt sich das Buch der Geschichte. Die Ereignisse werden zu bösartigen Quittungen auf jede geschichtsphilosophische Vision einer befriedeten Welt. Wo jedoch entfaltet sich der dem Werden eingeschriebene Sinn organisch, ohne den verfälschenden Zugriff des Menschen? In der Natur. Der ehemalige Student der Zoologie weiß, daß die Natur niemals jene Sprünge macht, die dem Teleologen die Lust am *geschichtlichen* Text verleiden. Lesbarkeit soll jetzt nicht mehr erzwungen werden, soll im Gegenteil darauf verweisen, daß alles nur da ist, um geschaut zu werden. Beim Betrachten einer Blume, einer geologischen Schichtung, eines Steins geht auf, wie in den Phänomenen die Idee durchschlägt. *Diese* Welt ist *so* erfahrbar, und Jünger erfährt sie in besonderem Maß in der Entomologie, als Käfersammler. Noch näher heran führt die Droge. Sie verwischt die Subjekt-Objekt-Relationen, vermindert die Distanz zwischen dem Ich und der Dingwelt. Beide Begegnungen gestaltet der Schriftsteller zu Büchern, welche der Lesbarkeit gewidmet sind. Sie kommen spät. »Subtile Jagden«, der Bericht des Entomologen, erscheint 1967; »Annäherungen. Drogen und Rausch« folgt 1970.

*

Schon 1951 und 1952 legt Jünger zwei kurze Prosatexte vor, die das Ganze eingrenzen sollen: »Am Kieselstrand« und »Drei Kiesel«. Ihr Wert für das Verständnis des Themas gründet in ihrer Gedrängtheit.

Man sieht schnell, wie die Natur hier metaphorisch erhöht wird. Der Kieselstrand ist das stellvertretende Bild für die Wirklichkeit, die dem ersten Blick als verworren erscheint. In ihr gibt es zu vieles, was keiner funktionalen Bestimmung gehorcht. »Zahllose Blüten werden nie bestäubt, zahllose Samenkörner fallen auf tauben Grund. Die ganze Welt des Unbefriedigten, des Unbefreiten, des Unerlösten gehört hierher, und mit ihr auch die der Erfüllungen.«[4] Die Dinge bleiben unerweckt. Denkbar ist weiter, daß es Gegenstände gibt, die ihrem Betrachter rätselhaft bleiben, »indem ihre Bestimmung, der Sinn, auf den hin sie geformt sind, sich unserer Erfahrung und Vorstellung entziehen«. Doch ist es vielleicht nur *unsere* Erfahrung, gegen die sich die Dinge sperren. Der Sinn des Ganzen – und darum geht es – soll davon nicht betroffen sein. Nur die Perspektive des Wissens, der Erkenntnis greift zu kurz. »Ein Künstler könnte in unserer Maschinenwelt einen Sinn entdecken, der unabhängig von ihren Zwecken und Funktionen wahrgenommen wird.« (13, 12)

Um das Begrenzte jeder funktionalen, letztlich jeder menschlichen Optik nachzuweisen, bedient sich Jünger wieder einer Metapher in Form eines Gedankenspiels. Man könnte eine Katze in Räumen aufziehen, in denen es keine Mäuse gibt und wo man sie nur mit Milch und Brot ernährt. Dennoch wird sie von ihrer Beute träumen und sich Symbole schaffen – einen Schatten, einen Wollknäuel –, die der Maus ähneln. Man könnte sich sodann einen Beobachter – ein Kind – vorstellen, das noch niemals eine Maus gesehen hat. Dennoch wird das Kind das Spiel der Katze nicht als gänzlich sinnlos empfinden. Man könnte sich weiter einen Erwachsenen vorstellen, der die Szene durchschaut. Und so fort. Stets aber bleibe, auch bei wachsender Einsicht, ein Rest von Unerfüllbarkeit. »Die Welt erscheint uns unvollkommen, oft grausam, fast immer ungerecht. Doch könnten unsere Ideale, unser Urteilen und Richten nicht jenen Spielen gleichen, mit denen die Katze sich begnügt? Wir kennen die andere Seite nicht, doch dringen Ahnungen des ungeheuren Reichtums wie Schatten in unsere Sinnenwelt.« Und dann: »Die Zeit hat etwas Sinnloses, Gestelltes; es könnte einen Zusatz geben, der sie aus diesem Bann erlöst. Die Zeit ist Bühne, doch hinter den Kulissen verwandeln wir uns in uns selbst.« (13, 22)[5]

Der Text »Drei Kiesel« spinnt das Gedankenmuster weiter, näher seiner Lösung zu. Es sei der Mythos, der der Zeit als verzehrender Macht trotze. Zeitloses leuchte im Mythos auf, seine Bilder seien auf Wiederkehr hin angelegt; dasselbe gelte für jene des Traums, zu dessen Elementen das Unbestimmte und Vieldeutige gehörten. Subaltern sei deshalb die Traumdeutung, welche nur verborgene Bedürfnisse der Persönlichkeit, des Individuums, in den Bildern aufspüre. »Die Imagination, wie sie im Traum oder auch während der müßigen Betrachtung sich entfaltet, hat eine Fruchtbarkeit, die keine bewußte Anstrengung erreicht. So formen sich Wolken, alte Mauern, das Moos auf Dächern zu Gebilden, die den Schauenden selbst überraschen durch ihre Dichte, ihre Trächtigkeit.« (13, 29) »Imagination« ist hier freilich schon ein zu starkes Wort, denn nichts wirklich Neues darf sich einstellen. »Das ist die Schau der unmittelbaren, naiven Imagination. Sie wirkt in jedem Menschen, sei es im Fieber, sei es im Rausche, sei es in Augenblicken der Schwäche, des Zwielichts, der Dämmerung« (13, 29)[6] Die alte platonische Vorstellung kehrt wieder, und zwar sogar im authentischen Sinn der Abwehr künstlerischer Autonomie. »Der Geist erfindet nichts, was nicht im Universum ist; sein Werk bleibt Stückwerk, bleibt Anordnung.« Vor dieser Option ist der Wunsch nach der Lesbarkeit der Welt kein Verzicht auf den demiurgischen Anteil. Im Gegenteil; wer die Dinge nicht verändert, sondern interesselos an ihnen Anteil nimmt, sieht den Urgrund genauer. Alles ist Mimesis – nicht nur die technische »Erfindung«, sondern auch die Kunst, deren Werke wunderbar darin seien, »daß die mittelbare Imagination der unmittelbaren so dicht aufliegt, daß diese durchleuchtet«. Jünger berichtet darüber: indirekt, in einer Geschichte.

Die Erzählung »Besuch auf Godenholm«

Die Geschichte ist die Erzählung »Besuch auf Godenholm«, die im Jahr 1952 vorgelegt wird. Eine Initiation wird beschrieben, oder genauer: ein Ereignis, das drei Menschen verändert und so der Selbsterkenntnis dient. Moltner, Einar und das Mädchen Ulma machen sich auf, einen Bekannten zu besuchen, Schwarzenberg, der auf der Insel Godenholm wohnt. Die Gegend ist der hohe Norden, Skandinavien; Spätherbst herrscht, die Tage sind kurz. Moltner, ein Mann in mittleren Jahren, ein suchender und unsteter Geist, ist

sprunghaft in seinen Zielen. Einar, der Historiker, beschäftigt sich –
auf den Spuren Bachofens? – mit Vorgeschichte; er selbst möchte sie
lieber »Urgeschichte« genannt wissen. Ulma ist die Tochter eines
Bauern der Gegend, in welcher Schwarzenberg heimisch geworden
ist. Dieser, der ein abenteuerliches Leben als Weltreisender und Entdecker hinter sich hat, ist in die Einsamkeit gegangen; auf Godenholm spürt er den Verbindungen von Natur und Kosmos nach. Man
lebt hier »außerhalb der Geschichte«, und Langeweile wie auch
Müdigkeit machen sich bemerkbar – doch nur als Übergangszu-
stände, als Vorbereitung für »geistige Einstiege«.[7] Die Epoche? Man
weiß, daß ein Schiffbruch schon stattgefunden hat: die Sicherheiten
schwinden, vieles wird provisorisch, die Menschen leben »nicht
mehr im Übermut wie früher, sondern mit apokalyptischer Angst«.
Diese Angst berührt auch die drei Besucher. Sie fahren zu Schwarzenberg, um sich Zuspruch zu holen. Dessen Insel soll mehr sein als
nur eine geographische Ausgrenzung – ein Hort der Meditation, ein
Symbol jenseits von Lebenswelt-Gefährdungen.[8]

Schwarzenberg ist kein Mystiker, vielmehr ein Forscher, der den
geschichtlichen Signaturen eine Bedeutung abzugewinnen trachtet.
Er glaubt, daß die Wissenschaften des 19. Jahrhunderts »in ihrem
wahren Sinn« noch nicht erkannt sind – wobei er sich die Offenbarung weniger als Vorgang in der Zeit: als Entwicklung, vorstellt denn
als »Enthüllung«. Er denkt, daß die »Leitmotive« der Geschichte
sich wiederholen; »nur spielte die Zeit in immer größerem Maße
ein. Das war der Grund, aus dem die Bilder verdrängt, verzerrt wurden«.[9] Die Zeit ist den Bildern feindlich gesinnt. Schwarzenberg
strebt danach, den Zugang zu ihnen wieder zu öffnen. Die Bilder,
die unbegrifflichen Repräsentationen der Welt, sind dem »Unaussprechlichen«, dem Wesenskern der Schöpfung näher als die wissenschaftliche Erkenntnis, welche stets Erkenntnis in und mit der Zeit
ist. Von Schwarzenberg geht die Kunde, »daß er die Unruhe bannen
könne, die unsere Welt beschleunigt – die Grundunruhe, die sich auf
die Legionen Räder von Uhren, Maschinen und Gefährten überträgt«. (Go, 33/15, 383) Moltner meditiert über die Zeit: »Besonders
quälend war die Entzauberung der Zeit. Sie schien die rhythmischen
Werte einzubüßen, die kosmische Ordnung, die festliche Wiederkehr. Statt dessen gewann sie an Dynamik; sie lief immer schneller,
eintöniger dahin. Die Augenblicke trafen hart und eilig wie im Sand-

gebläse auf. Es gab keine Ruhe mehr, keine Pause, weder bei Tag, noch bei Nacht. Dem mußten sich die Gedanken anpassen. Dazu kam Furcht, als zöge von fern ein Katarakt.« (Go, 42 f./15, 389)

So denkt Moltner. Doch so denkt auch sein Erfinder. Vor dem Hintergrund des alten Themas der leer gewordenen Zeit schickt Jünger drei Figuren in die Wüste ihres Nihilismus, damit sie, zu »Adepten« geworden, mit dem Schatz der Zeitüberwindung zurückkehren. Es ist kalkulierte Absicht, daß die Handlung von »Godenholm« an den Rändern des geschichtlichen Raums spielt: im Norden, dessen magische Abgeschiedenheit der Schriftsteller bereits während einer Reise erfahren und in dem Tagebuch »Myrdun« beschrieben hatte.[10] Die von der Geschichte kaum bestimmte, um so mehr vom Zyklus der Jahreszeiten geprägte Gegend ist die geographisch-allegorische Passung für das Erlebnis der Lesbarkeit, auf welche die Erzählung hinsteuert.

Die Dämmerung tritt ein, im Haus von Schwarzenberg hat man sich im Studierzimmer versammelt, Tee wird gereicht. Allmählich verändern sich die Perspektiven. Draußen tobt ein Sturm. Moltner ist unruhig und muß sich vom Hausherrn den Vorwurf gefallen lassen, daß er immer nur Worte vorzuschieben suche, »wo es ernst wird«. Doch statt der Worte beginnen nun die Bilder zu sprechen. Moltner, Einar, Ulma – alle drei finden sich plötzlich in visionären Zuständen. Der Autor verzichtet darauf, diese Metamorphose »realistisch« aus dem Einnehmen einer Droge zu erklären. Ohnehin geht es ihm weniger um die Bedingungen des »Einstiegs« als um die Begegnungen, die stattfinden, nachdem die Schwelle überschritten ist. Der Erfüllung muß zuerst die Leere vorausgehen, das Gefühl »der leeren Entfernung, der Ausgestorbenheit des Weltalls, in die der eigene Tod, das eigene Gestorbensein mit einbegriffen war«.[11] Darauf hat Moltner sein erstes Bild. Er sieht eine »Wunderblume«, ihre »Strahlen und Gitter«, den Bauplan. Das Geheimnis der Schöpfung rückt nahe heran und tut sich dem Eingeweihten schließlich in seiner morphologischen Harmonie kund. Ein zweites Bild zeigt die Tiefen des Meeres. Der Urgrund des Lebens wird einsehbar. Bald danach heißt es von der Stimmung, in der die Visionen empfangen werden: »Sie waren nicht mehr in der zerstückten Zeit. Der Zeiger glitt. Er rückte nicht mehr vor.« (Go, 73/15, 407)

In einem dritten Bild erkennt Moltner eine Schloßanlage: Symbol der geschichtsbildenden Macht. Der Große Mittag regiert über dieser Figur. Nicht mehr beunruhigt die babylonische Dämonie der Werkstättenlandschaft, sondern es zeigt sich das himmlische Jerusalem als Ort der apokalyptischen Erlösung.[12] – Einar erlebt anderes. Der Historiker von bäuerlicher Herkunft, der Erde verbunden, den Schmerz liebend »als letzte Marke der Wirklichkeit«, sucht das Echte »im Anfang, in grauen Vergangenheiten«. Seine Vision bringt ihn zurück in die Kindheit, zu Vater und Mutter. Bald entdeckt er, daß die Eltern längst tot sind. Nun verbindet ihn ein »Totenfest« mit ihnen, und die Wahrnehmung des »Einen« wird ihm zuteil. »Ja, er begriff, was hier gelehrt wurde. Es würde stets wiederkehren, daß das *Eine* aus dem Getrennten aufstieg und sich sichtbar mit Glanz bekleidete. Dieses Geheimnis war unaussprechlich, doch alle Mysterien deuteten es an und handelten von ihm, von ihm allein... Nur dieses Eine war das Thema aller Künste, von hier aus wurde jedes Denken in seinem Rang bestimmt. Hier war der Sieg, der *alle* krönte und jeder Niederlage den Stachel nahm. Das Staubkorn, der Wurm, der Mörder hatten daran teil. Es gab nichts Totes in diesem Lichte und keine Finsternis.« Kinderzeit, »Märchenzeit« wird Einar zugetragen. »Das war keine rinnende, keine eilende, springende Zeit. Es war in sich ruhende, im ewigen Augenblick sich wiegende Zeit. Das Mütterchen spiegelte sich in seinem Abbild – dann trat es in sein Abbild ein, war Urbild und Spiegelbild zugleich.« (Go, 88 ff./15, 416 f.) Als die Erhebung abklingt und der Blick in den Urgrund der Gegenwart weicht, sind die drei Besucher verändert. Sie haben gesehen, »was dort geschrieben steht«.

Es ist ein Zustand der Aufmerksamkeit und der Gestimmtheit, der den Bauplan der Welt sichtbar werden läßt. »Besuch auf Godenholm« nimmt das Thema des »Einstiegs« mittels der Droge, wie es fast zwanzig Jahre später in dem Bericht der »Annäherungen« entfaltet wird, vorweg, ohne daß der Schriftsteller das Stimulans je erwähnen würde. Erlaubt die ästhetische Autonomie der Erzählung keine solchen Aufschlüsse? Daß der Text die Gedankenarbeit nicht verleugnen kann, daß er nirgends *poésie pure* in der Art von Rimbaud ist, bleibt dem Leser kaum verborgen. Die Bildersprache von »Godenholm« ist eine Metaphorik aus zweiter Hand. Jünger spielt den Ideen ihre Masken zu. Er will zeigen, daß es jenseits der Zeit eine Wirklichkeit der Urformen, der Urgründe, des »Einen« gibt, die, einmal geschaut, das Individuum vor dem Zweifel des Nihilismus rettet. Doch muß es letztlich bei den Stereotypen bleiben: die Urpflanze, die Gründe des Meeres, goldene Zinnen, wo die Macht statisch, geordnet geworden ist.

Für den Platoniker muß das innovatorische, die Unruhe hervortreibende Element der Zeit so weit neutralisiert werden, daß »Lesbarkeit« sich einstellen kann. Wenn es in den »Kiesel«-Stücken heißt, der Mensch entwickle in Augenblicken der Schwäche, des Zwielichts, der Dämmerung, im Fieber oder im Rausch eine »unmittelbare« Imagination, so ist damit die Bedingung der Möglichkeit umrissen, diese Lesbarkeit zu erreichen. Allerdings handelt es sich dabei um eine spezifisch moderne Anleitung zur Bewußtseinserweiterung. Sie ist im Umkreis der romantischen Dichtung entwickelt worden: von Novalis und von Friedrich Schlegel, von Coleridge und von De Quincey, von Rimbaud und von Baudelaire. Jünger kennt die Genese, und er kennt auch die Geschichte der individuellen Gefährdungen, die sich ihr anschließt.[13] Der Baudelaire-Leser weiß, daß dem Visionär der »paradis artificiels« der Blick auf das *Unum* verwehrt blieb: zwischen der künstlich hergestellten Wahrnehmung und dem Ganzen der Welt klafft ein unüberwindlicher Graben. Schon Baudelaire hat dafür die verzehrende Gewalt der Zeit verantwortlich gemacht. »Le temps mange la vie.«[14] Das ist die kürzeste Formel für einen Schmerz, der durch keine platonische Transzendenz kompensiert werden kann. »Le temps m'engloutit minute par minute comme la neige immense un corps pris de roideur.«[15]

Für den französischen Romantiker verbietet sich die Zuversicht jener Lektüre, die aus der fragmentarischen Erkenntnis Stück um Stück den »Bauplan« des Wirklichen zu gewinnen sucht. Einzig die Kindheit gewähre dem Menschen einen gewissen Anteil an der idealen Welt, und wenn sich der Schriftsteller in einem Akt des angestrengten Erinnerns ihrer annehme, könne er davon einen Abglanz sichern.[16] Mit dieser von Baudelaire auch biographisch erlittenen Verzweiflung darf sich Jünger nicht abfinden. »Godenholm« und alle späteren Schriften, die davon handeln, sind in gewisser Weise als Beiträge zu einer »Inversion« des romantischen Ungenügens gedacht. Die subjektive »Schwäche« soll sich gerade als Stärke ausweisen; in der Empfängnisbereitschaft des Sensiblen wächst die Imagination über sich selbst hinaus und öffnet den Zugang zu den »Urbildern«.

»Urschrift«-Gedanken: »Sgraffiti«

Jünger erläutert diesen Vorgang auch als Essayist. 1948 schließt er ein Kaleidoskop von literarischen Kurzformen unter dem Titel »Sgraffiti« ab, das in der Art des Zugriffs an die Texte des »Abenteuerlichen Herzens« gemahnt. Das Buch erscheint erst 1960. Man entnimmt ihm keine grundlegend neuen Einsichten, aber hie und da blitzen überraschende Glossen auf. Eine geht dahin, daß der Verfasser an sich selbst bemerkt hat, wie der Betrachter von Kunstwerken allmählich Erschöpfung spürt. Anknüpfend an ein Erlebnis, das Goethe nach dem Besuch der Dresdner Galerie fixiert, heißt es: »Daß die Betrachtung von Bildern uns erschöpft und angreift, liegt daran, daß sie von uns ein Opfer fordern: magische Substanz. Nur dieses Opfer bewahrt uns vor der Gefahr der Reproduktion, das heißt davor, daß wir mit einem Echo antworten.«[17] Das Kunstwerk läßt ein Stück der Ideenwelt durchscheinen; zur Zeugenschaft des Betrachters kann es nur kommen, wo dieser dabei selbst eine Berührung spürt. Wo Reproduktion als Form der Kenntnisnahme dominiert, schwindet die Aura des Kunstwerks. Etwas weiter unten taucht das Wort von der Reproduktion nochmals auf. »Die Paradiesesgeschöpfe waren vermutlich von immanentem Wert, vollkommen, nicht unterworfen zeitlichem Einfluß und daher unabhängig von der Reproduktion. Sie waren Unica. ›Seid fruchtbar und mehret euch‹ gilt erst nach der Austreibung.« (Sgf, 87/9, 396)

Auch wenn man die rücksichtsvoll vorgebrachte Vermutung über den immanenten Wert beiseite läßt, bleibt noch genug Naivität des Bibelkommentators. Nur die Ideenwelt ist eine Welt der Unikate. Mit der Paradiesesvertreibung beginnt nicht nur die Sündengeschichte, sondern auch das Pensum dessen, der eine multiplizierte Wirklichkeit ständig auf ihre Vorlagen zurückbringen muß. Das Problem führt freilich weiter. »Reproduktion«, so wußte schon der Autor des »Arbeiters«, ist ein quantitativer Prozeß *in der Zeit*. Nichts genuin Schöpferisches kann ihm anhaften. Insofern befindet sich Jünger in völliger Übereinstimmung mit Walter Benjamin. Allerdings ist Reproduktion weit mehr als nur ein technischer Vorgang. Sie ist, vor allem da, wo sie den Menschen als ihr Objekt in den Blick nimmt, eine geistige Bewegung der Normierungen. Die größte Bedrohung dieser auf Reproduktionen beruhenden Maschinenwelt: »Sie raubt den Tod.« Anderseits kommt der platonisch inspirierte Künstler über die Reproduktion der »Urschrift« niemals hinaus. Nachdem Jünger in den ersten Passagen von »Sgraffiti« die Musen angerufen hat – »... die Bilder und Gedanken werden sich einstellen als gehorsame Dienerschaft...« – notiert er, ganz konsequent: »Alle Wunder sind Abglanz des Schöpfungswunders, sind seine Wiederholungen.« Obwohl es zunächst den Anschein macht, als bedeuteten »Reproduktion« und »Wiederholung« Ähnliches, soll nicht weniger als eine polemische Opposition gemeint sein. Wenn der Mensch die Schöpfung »liest«, wiederholt er sie und vergegenwärtigt damit die Unvergänglichkeit. »Und was gibt schließlich allen Theorien und Erklärungen die Spannung, die immer neue Generationen von Forschern auf das Köstlichste belohnt? Doch nur die Tatsache, daß sie Querschnitte durch die Substanz legen. Die so zutage tretenden Figuren gleichen Übersetzungen eines Urtextes, der außerhalb der Zeit vermutet werden muß.« (Sgf, 109/9, 414)

Aber noch diese Apodiktik führt Beunruhigungen mit sich, daß es mit der »Urschrift« am Ende nichts gewesen sein könnte: nicht alles aus dem Einen, sondern Vieles aus Verschiedenem. Es ist die zur Unbeseeltheit erstarrte moderne Zivilisation mit ihren Reproduktionsmechanismen, die Zweifel am Sinn des »Weltplans« aufkommen läßt. Man muß daran erinnern, daß eine solche Zivilisation zur Zeit ihrer ersten in die Breite wirkenden Technizität während den zwanziger Jahren ihrem Beobachter – dem Autor des »Abenteuerlichen Herzens« – oft inkommensurabel und daher auch »dämonisch« erschien. Er staunte. Und hätte er nicht gleichwohl hinter dem Unverstandenen eine geschichtslogische Bewegung hin zur »Planlandschaft« vermutet, er hätte seine Wahrnehmungen in der Unaufgelöstheit des poetisch gewordenen Entsetzens halten müssen. Dem Essayisten von »Sgraffiti« geht es insofern anders, als sich ihm die Zukunft der Kultur verschattet, die in ihrer Regelhaftigkeit zum Gehäuse für Funktionen geworden ist. Lesbar wird die Welt nicht im Widerschein ihrer spätmodernen Entwicklungen. Das heißt: es bedarf gewisser Reduktionen, damit das »Schöpfungswunder« noch immer erlebbar wird. Schon die Begegnungen mit dem naturalen Dasein zeitigen Aufschlüsse über das Prinzip der »Wiederholung«. Wie sehr Jünger auch am Ende der Schrift von 1948 den »Weltstil« fordert, wie eindringlich er auch das »Lichterkleid«

nächtlicher Großstädte evoziert, er entziffert nicht mehr eigentlich die technische Wirklichkeit.

Dennoch kommt das Problem einer gleichsam im Zustand der Unerlöstheit wartenden technischen Welt immer wieder zur Sprache. Aber anders als in jenen Passagen des »Abenteuerlichen Herzens«, da der Schriftsteller einen *geschichtlichen* Durchbruch in die Richtung einer Neuen Gesellschaft erhofft, wird die Sinnfrage jetzt different behandelt. Das läßt sich zeigen mit einem Hinweis auf Fechner.

Gustav Theodor Fechner, geboren 1801 in Groß-Särchen bei Muskau, gestorben 1887 in Leipzig, begann seine Laufbahn als klassischer Physiker. Er publizierte wissenschaftliche Schriften und wirkte als Professor an der Universität von Leipzig, bis ihn im Jahr 1840 eine tiefgreifende Lebenskrise auf andere Wege brachte. Um die Einzelheiten dieser mystischen Selbsterzeugung soll es hier nicht gehen.[18] Wichtig ist, daß Fechner fortan eine Naturphilosophie lehrte, die ihrem Kern nach die Allbeseelung der Welt behauptet. Jede Kreatur hat ihre Seele. Den Grundgedanken weist Fechner zunächst am pflanzlichen Sein aus. »Nanna oder Über das Seelenleben der Pflanzen«, das Werk von 1848, erläutert, wie die Pflanzen Anteil haben an der Beseelung; sie kennen den »Pflanzenschlaf«, folgen in der Ausrichtung auf die Tages-, Jahres- und Lebenszeiten der »Pflanzenuhr« und geben dem Betrachter ein »Pflanzenbarometer« zu erkennen. Zwischen dem vegetabilen und dem animalischen Leben laufen mannigfache Verbindungen, die wahrzunehmen das Pensum des Naturphilosophen definiert. Die Schöpfung ist nicht hierarchisch geordnet. Ihr Prinzip ist das Nebeneinander der verschiedenen Erscheinungen. In der Schrift »Zend-Avesta oder Über die Dinge des Himmels und des Jenseits« (1851) ist der Entwurf eines Weltganzen vermittelt, das weder dem Gesetz einer aus Kollisionen und Untergängen hervorgehenden Entwicklungslogik im Sinne Hegels folgen soll, noch auf die demiurgische Sonderrolle des Menschen hin konzipiert ist. Die Gleichberechtigung aller Lebensstufungen will lehren, daß die anthropozentrische Selbstermächtigung den Sinn der Schöpfung gerade verfehlt. Alle »irdischen Stoffe und Verhältnisse« sind untereinander verknüpft und vernetzt; sie bilden ein »Gewebe« mit komplexen Austauschprozessen. Jeder Eingriff in die Textur zieht entsprechende Konsequenzen nach sich.

Fechners »Mystik« kennt insofern keine auf das göttliche Jenseits zielende Transzendenz, beschwört vielmehr die absolute Gegenwärtigkeit der profanen Welt. Sie unterscheidet sich allerdings vom Pantheismus romantischer Naturschwärmerei dadurch, daß ihr Fechner die Erkenntnis der Physik seiner Zeit unterlegte. Die Kritik an der einzelwissenschaftlichen »Zergliederung« und Objektivierung der Natur im Dienst einer verfügenden Gewalt sollte nicht so weit führen, die Resultate der Wissenschaft zu verleugnen. »Erlösung« vom Zwang, sich die Wirklichkeit nur als gegenständige Realität vorzustellen und zu unterwerfen, erwartet den Menschen da, wo er die »Allbeseelung« des natürlich-geschichtlichen Lebens immer wieder aus interesseloser Einsicht respektiert.[19]

Die Wirkung dieses Denkens blieb bescheiden. 1922 gab der Mediziner Viktor von Weizsäcker Fechners späte Summe »Die Tagesansicht gegenüber der Nachtansicht« mit einem Vorwort neu heraus. Martin Buber und Franz Rosenzweig, Eugen Rosenstock-Huessy und – Arthur Moeller van den Bruck beschäftigten sich mit Fechner.[20] 1922 rückte der Insel-Verlag »Zend-Avesta« in die »Dom«-Reihe ein und legitimierte so das Werk innerhalb der mystischen Tradition.

Für Jünger aber wird Fechners Werk seit den fünfziger Jahren immer mehr zum Dokument einer wenn auch gebrochenen Geistesverwandtschaft. In der Sammlung von »Sgraffiti« ist ein Kurzkapitel mit »Fechner« überschrieben. »Fechner steht ganz am vegetativen Pol des Lebens, was leider auch in seinem Vortrag zur Sprache kommt. So gleicht er einem vergrabenen Schatz. Man betritt in seinen Werken einen Mimosenteppich, ein verflochtenes Muster von Sinnpflanzen. Doch ahnt man die Möglichkeiten des Lebensbaumes, der sich selbst beschreibt – etwa, indem bei Sonnenaufgang aus seinen Zweigen ein wunderbares Lied ertönt.« (Sg, 66 f./9, 379) Die Metaphorik verstellt, was Jünger fasziniert: der unzeitgemäße Versuch, die Einheit der Anschauung gegen einzelwissenschaftliche Zersplitterung zu behaupten. Wenn die Welt ein Muster von »Sinnpflanzen« bildet, bedarf es nur noch der klassifizierenden Lektüre, damit die Ordnung – mindestens in Annäherungen – kenntlich wird.[21] Insofern bewegt sich auch der Verfasser des Essays »Typus, Name, Gestalt« von 1963 auf den Spuren des Naturphilosophen.

»Typus, Name, Gestalt« ist eine Schrift, die Geschichtsphilosophisches mit ethischen Reflexionen und mit Themen zur Lesbarkeit verbindet. Der Titel zeigt die ordnende Absicht. Gestalt und Typus seien Formen höherer Anschauung; sie »kommen nicht vor«, vielmehr muß man sie aus den Erscheinungen herauslösen. »Ablesen« ist das Stichwort für einen Zugang, der der Idee nach nur ein »Wiedererkennen« sein kann. Aus dem »Ungesonderten« drängt die typenbildende Macht des Universums hervor; letztlich erfaßt dieser Vorgang nicht nur die Natur, sondern auch die Geschichte. »Alle Arten sind Spielarten des Ungesonderten.«[22] Der Mensch entspricht der Bewegung typensetzend, indem er das Namenlose durch das Wort bannt. Es geht um die richtigen Korrelationen zwischen der Einheit des Kosmos und den Einteilungen, die ihm der Mensch zuträgt.

Deshalb kann Jünger sagen, die Worte seien »Schlüssel«: sie erleichtern den Umgang mit dem immer schon Vorhandenen. Für den Theoretiker der großen Reduktionen löst sich dabei das Problem der Deutung einer ständig auch das Neue erzeugenden Wirklichkeit wie von selbst. »Macht aus den Elementen, dem Meere, der Erde, dem Kosmos strömt zu. Dagegen büßen die alten Typen nicht nur an Autorität ein, sondern auch an Macht. Um neue Typen konzipieren zu können, muß der Geist die alten einschmelzen. Er handelt wie ein Drucker, dem ein neuer Text gegeben wird. Dem ›Werde‹ muß das ›Stirb‹ vorangehen. Dem folgen andere Namen, eine neue Nomenklatur.« (TNG, 50/13, 115) Der Geist kann nur abbilden, und selbst die Innovationen der wissenschaftlichen Neugierde sind nicht mehr als »Abprägungen«. Was wie eine beschwichtigende Reprise von Gedanken Goethes sich ausnimmt, soll freilich zur Entschärfung der Irritation über die oft inkommensurable Moderne beitragen. Zwielicht herrsche, wo sich das Alte auflöst und das Neue noch nicht greifbar ist. Jüngers Stichwort für diesen Aggregatzustand ist der *Übergang*. Strategien der Lesbarkeit – und das heißt auch: des Vertrauens in den Sinn des Weltganzen – stoßen hier an eine Grenze. Der Schriftsteller bemerkt, daß etwa der Rekurs auf den Mythos nicht mehr genüge, und zitiert einen Satz von Baudelaire. »Unter Fortschritt verstehe ich das Fortschreiten der Materie.« Zweifel an der richtigen Interpretation müssen freilich auftauchen, wenn Jünger ihn kommentiert. Was Baudelaire vielleicht nur höhnisch gegen die Hoffnungen des positivistischen Zeitalters vorbrachte, bietet Anlaß, zu notieren, daß dieser »für die frühen Schattierungen des

Unterganges nicht nur ein gutes Ohr, sondern auch ein scharfes Auge besaß«. Als ob er aber das Forcierte seiner Deutung gespürt hätte, fährt er fort: »In solchen Maximen steckt oft mehr, als derjenige, der sie aussprach, vermutete. Sie gleichen den Meldungen von Vorposten und verdienen dieselbe Aufmerksamkeit. Wenn sich damals die Spitzen zeigten, so haben wir es heute mit der Hauptmacht zu tun.« (TNG, 54/13, 118)

Im Fortschreiten der Materie löst sich der »Fortschritt« auf. Er verliert die Dignität der historischen Kategorie, zersetzt sich in partikulare Formen, wird gleichsam renaturalisiert. Das ist es, was Jünger aus dem Diktum Baudelaires destillieren will.[23] Deutlich gegen Hegel und die Geschichtsphilosophie des Fortschritts zur absoluten Vernünftigkeit der Welt ist gerichtet, was er dazu weiterführend anmerkt. »Anders erscheinen die Dinge, wenn wir den Blick statt auf unser Saumgeschwür aufs Ungesonderte wenden, vor allem auf die alte Erde und ihren Sinn, der jede List der Idee übertrifft. Hier dürfen wir vertrauen; wir bleiben ihre Söhne, auch wenn wir untergehen.« (TNG, 55/13, 119) Da hat die Schiffbruchsmetapher jede zeitgeschichtliche Präzisierung der Umstände und Bedingungen neutralisiert. Jünger, der nicht müde wird, das Menetekel der »Titanic« heraufzubeschwören, statuiert zugleich eine Gewißheit in Bezug auf die Bergung, gegenüber der alle Fortschrittslasten ephemer sein sollen. Er steigt damit aus der Zeit aus. Die unerträglichste Macht der Lebenskontingenz wird von Gäas Mutterschaft aufgehoben. Lesbarkeit meint so, daß sich der Mensch in ein Verhältnis zur Natur bringt, das ihn das Verhältnis zur Geschichte als zweitrangig empfinden lassen kann. Was die »Methodik« dieses »Eindringens« in die Natur betrifft, lautet das Rezept: »Es führt vom Gegenstand (der gezeigten Lilie) über den Typus (die benannte Lilie) auf die Gestalt und endlich ins Ungesonderte. Die Antworten werden umfassender, zugleich werden die Sonderungen reduziert. Diese Reduktion ist das Zeichen der Annäherung an das Ungesonderte. So gewinnt Goethe das Bild der Urpflanze, indem er die mannigfaltigen Organe der Flora auf das Blatt reduziert.« (TNG, 83/13, 138)

Es ist kein Zufall, daß Jünger in den Schlußpartien des Essays auch auf den »Arbeiter« zu sprechen kommt. Im 89. Kapitel gibt er eine gedrängte Zusammenfassung dessen, was mit dem »Typus« 1932 gemeint war, wobei er sich einer Analogie bedient. Indem er darauf verweist, daß der »Arbeiter« im Übergang vom 19. zum 20. Jahrhundert als Synonym für den tätigen, in Funktionszusammenhänge hineingezogenen Menschen verstanden werden konnte, riskiert er den Vergleich. »Eine Analogie in der Natur wäre die Bildung einer neuen Art.« Aber der »Arbeiter« muß noch mehr sein. »Würde das Wort oder vielmehr sein Inhalt stark genug, um auch als Name für eine Gestalt zu dienen, so würde eine Sphäre erfaßt, in der große Zusammenhänge, Systeme und Reiche, wurzeln und Grund finden. Es würde sich den Typus unterordnen und ihn in Typen aufspalten, vor allem aber ihm höheren Sinn geben.« (TNG, 91/13, 143f.)

Als »organische Konstruktion« hatte der Autor 1932 seinen »Arbeiter« definiert. Dreißig Jahre später knüpft er wieder die Verbindung zur Natur, wenn er schildert, wie naturhaft neue Typen und Gestalten entstehen. Gerade diese geschichtliche und geschichtsmächtige Figur par excellence erhält so eine »natürliche« Genealogie, wenn auch scheinbar nur metaphorisch. Das Entstehen und Vergehen ist mithin nicht einfach historischer Kontingenz anheimgegeben: wo in Anlehnung an Naturvorgänge von Wachstum gesprochen wird, klingt auch Notwendigkeit an. So will Jünger auch den Zustrom der Macht aus dem Ungesonderten sehen – weniger als geschichtlichen Schub denn als antizipatorische Bewegung der »Erdvergeistigung«. »Es strömt mehr Macht zu, als der Mensch vorerst auffangen, geschweige denn verwalten kann: qualitätslose, aus großen Tiefen aufsteigende Macht, die sich überall in der Erscheinung verzweigt – oft gerade dort, wo keine Prognose, keine Utopie es vermutete. Sie kann nur aus der gleichen Tiefe heraus beantwortet und begrenzt werden.« (TNG, 131f./13, 172)

Prognose und Utopie sind Kategorien des Historikers und des Geschichtsphilosophen. Der Verkünder des Großen Übergangs will weder historistisch der Geschichte vorausdenken noch abermals – nach 1932 – eine Utopie entwerfen. Er trachtet daher danach, den Spuren nachzuforschen, welche die »Urschrift« hinterlassen hat: deutlicher, »lesbarer«, in der Natur als in der Geschichte. »Das ›Eindringen in die Natur‹, das wir einerseits, nämlich vom Pol der typensetzenden Gewalt aus, als kühnen Vorstoß betrachten dürfen, stellt anderseits einen Rückweg oder Heimgang dar.« (TNG, 86/13, 140) Diesen »Heimgang« hatte schon Fechner als unlösbare Abhängigkeit des Menschen von der Erde naturtheologisch fundiert. »Alle

Menschen und Tiere hängen... fortgehends an der Erde als selbsteigene Entwicklungsmomente derselben.«[24]

Drogen und Rausch – »Annäherungen«

Mit solchen Beziehungen zwischen Mensch und Natur, zwischen der Erfahrbarkeit der Weltgesetze und ihren ideellen Vorgaben befaßt sich Jünger besonders ausführlich in dem 1970 erschienenen Buch »Annäherungen. Drogen und Rausch«. Eine Urfassung lag schon 1968 vor – als Essay in einer Festschrift für den Religionsforscher Mircea Eliade.[25] Wie gliedert der Autor schließlich das umfangreiche, fünfhundert Seiten dicke Werk? Er unterscheidet »Europa«, den Orient und »Mexiko«; ein Abschnitt »Übergänge« ist zwischen die beiden letzten Teile eingeschoben. Die geographischen Markierungen stehen für die Drogen, die ihnen ihrer Herkunft nach zugeordnet werden können. »Drogen« sind sowohl Bier als Wein, die zusammen mit dem Kokain in das »Europa«-Kapitel gehören. Opium und Haschisch werden unter dem Titel »Der Orient« erörtert. »Mexiko« gibt Gelegenheit, LSD, Meskalin und Peyotl zu beschreiben.

Diese Zuordnung läßt freilich zwei wesentliche Umstände nicht erkennen. Erstens hat der Verfasser alle genannten Stoffe »erfahren« – teils nur ein einziges Mal, teils öfter, im Fall des Opiums sogar über mehrere Wintermonate in den zwanziger Jahren. Zweitens spiegelt die geographische Aufteilung auch mehr oder weniger die Chronologie der Erfahrungen. Insofern gleicht die Form des Werks derjenigen der Tagebücher, die gleichfalls in essayistischer Weise über die zeitlichen Summierungen hinausgreifen. Der reflektierende, oft abschweifende Duktus relativiert den Raster der Zeit.

Das gehört indessen hintergründig zum Thema. Die Zeit stellt die große Herausforderung. Ihr soll die Lesbarkeit der Welt jenseits von temporalen Täuschungen und Enttäuschungen begegnen. Denn indem wir die Droge zitieren, geschehe es, »daß wir an der Grundmacht des Daseins rütteln, nämlich an der Zeit«.[26] Schon in der Einleitung bemerkt Jünger, wie im Rausch »Zeit vorweggenommen, anders verwaltet, ausgeliehen« werde. Der Rausch steigert die Lebensmomente: er verdichtet sie zum Abenteuer, das als ein »Konzentrat des Lebens« bezeichnet wird; »wir atmen schneller, der Tod rückt näher heran.« Dieser Kompression entspricht umgekehrt das Erlebnis der Zeitenthobenheit, die als Elementarbedürfnis schon der Soldat der Schützengräben kennengelernt hatte. Mit Absicht erwähnt der Schriftsteller erst in der Mitte des Buches jene frühen Jahre der »Langeweile der Schützengräben«. Der »ennui«, der ihn damals und bis in die späten zwanziger Jahre trifft, soll die »Annäherungen« nicht zur Bekenntnisschrift stilisieren, wo es doch um anderes gehen soll. Einerseits sucht Jünger hinter den »Einstiegen« die Sinnspur aufzunehmen. Anderseits fehlen ihm die täglichen Träume des Abhängigen und damit auch die Stoffe einer poetischen Gestaltung. Von der Sucht zur Dichtung: dieser Weg bleibt gesperrt. Er ist nur hermeneutisch rekonstruierbar, etwa in den Kommentaren, die Thomas De Quincey und seiner Schrift »Confessions of an English Opium-Eater« gelten.[27] Jünger selbst hat andere Absichten. In einer Kurzformel, welche die Autobiographie der Drogen-Begegnungen auf den knappsten Nenner bringt und als naturphilosophisches Programm schon von Fechner vorsichtig legitimiert worden war, heißt es, das Thema sei jener Rausch, »der mich zunächst als vitale, dann als geistige Anregung beschäftigte – und endlich als Katapult vor der Zeitmauer.« (Ang, 225/11, 186)[28]

Der von der Droge Affizierte, ob er im Wein versinkt oder dem Haschisch sich zuwendet, erhofft die Aussetzung der Zeit. Die Metapher vom Wald der Zeit, in den sich der Berauschte verliert, erinnert an Einwirkungen, wie sie in Märchen und Mythen als metaphysische Prüfungen auftauchen. »Verzehrende Sehnsucht« sei ein Kennzeichen des Drogengenusses. Mit Baudelaire glaubt Jünger fortzufahren: »… Die Begier bleibt immer wieder hinter der Erfüllung zurück.« (Ang, 44/11, 37)

Er meint natürlich das Umgekehrte: daß sich der Geist Befriedigungen ersinnt und antizipiert, denen die Wirklichkeit niemals zu entsprechen vermag. Die Versuchung, hier von einer Freudschen Fehlformulierung zu sprechen, ist groß – als ob der eifrige Sinnsucher wenigstens schon mit den eigenen Werken »Erfüllungen« geleistet hätte. Kurz zuvor notiert er: »Der Denker, der Künstler, der gut in Form ist, kennt solche Phasen, in denen neues Licht zuflutet. Die Welt beginnt zu sprechen und dem Geist mit quellender Kraft zu antworten. Die Dinge scheinen sich aufzuladen: ihre Schönheit,

ihre sinnvolle Ordnung tritt auf eine neue Weise hervor.« (Ang, 36/
11, 31) Hier ist eine Erfüllung erreicht, hinter welcher die Begierden
deshalb zurückbleiben müssen, weil sich »etwas Neues«, gar nicht
Auszudenkendes manifestiert. Das Wort dafür: das »Eintretende«.
Obwohl er über ein wenig diffuse Beschwörungen kaum hinausge-
langt, meint Jünger doch Erschütterung durch das »Sein«, das
»Eine«, Ur-Anfängliche, das sich jedem vorstellenden Willen verbirgt. Der Zustand, der den Menschen auf den Empfang der Botschaft, auf das Lesen der Schrift vorbereitet, wird durch die Droge
begünstigt, denn mit der Schwächung der rationalen Kompetenz
wächst die Sensibilität. In der Passivität – etwa: des Wartens, des
Fastens, des Schmerzes, der Rekonvaleszenz – vernimmt man die
Anklänge der »anderen Seite«: der Geist wird durchlässig für magische Konstellationen.[29] Eben diese Gestimmtheit bewirkt auch die
Droge. Neurophysiologisch bedeutet dies »den Siegeszug der
Pflanze durch die Psyche« – ein Prozeß, über den bereits Fechner
nachgedacht hatte.[30] Als erste Stufe zeigt sich, daß sich die Zeit verändert; Jünger selbst will, experimentierend, gesehen haben, wie De
Quinceys Visionen wahr werden: die Zeit dehnt sich, sie wird langsam, ein Augenblick enthält Ewigkeiten.

Man darf diese Suggestion wenn nicht der Zeit-Vernichtung, so
doch der Zeit-Aussetzung nicht nur vor dem Hintergrund einer
ästhetisch gegründeten Sehnsucht nach dem sprechenden Kunstwerk beurteilen. Den Autor quält in der Doppelung von Langeweile
und Plötzlichkeit die moderne Diktatur der Maschinenwelt, der
»Werkstättenlandschaft«, und dies schon seit den Schlachtfeld-
Erlebnissen des Ersten Weltkriegs. »Das Röntgenbild, der Funk, der
Übergang vom Dampf zum Treibstoff, vom Impressionismus zum
Kubismus, Nietzsches Visionen, Lilienthals Flügel – das alles scheint
punktuell, als ob Viren sich ansetzten. Die Einzelheiten werden verdeckt und übertönt durch den Lärm gewaltiger Verschrottungen. Vor
allem bringen die beiden Kriege weltweite Planierungen.« (Ang, 58/
11, 49)

Nochmals kehrt das Wort vom Treibstoff, jetzt als Metapher, wieder, wenn Jünger bemerkt, daß die Stimulantien zum Treibstoff
geworden seien; eine Dialektik der Rationalität, welche die strenge
Verwaltung der Zeit kompensieren läßt mit »psychischem Konfekt«.
Aber kompensiert nicht auch der einsame Träumer in der Erwartung

von Offenbarungen seine Verlorenheit im funktionalen Gehäuse? In den Schlußpassagen der Einleitung wird der Autor präziser. Es gehe ihm um die »Erschließung von Leitbahnen«. Der Schock, der Schmerz, die Ekstase vermöchten Pforten zu öffnen. »Freilich ist auch die Ekstasis nicht das Gemeinte, sondern das Zerreißen des durch die Sinne gewebten Vorhanges. Damit geht eng zusammen das Bangen oder auch der jähe Schmerz, der den Rausch einleitet. Die Ekstasis ist auch nicht mehr als ein Fahrzeug zur Annäherung an eine in sich unbewegte, ruhende Welt.« Und in einer ausholenden Synthese: »Diese webende Welt... in die rechte Perspektive zu bringen – das heißt, Gegenwart in den Augenblick füllen, Sein in das Wesen, Schweigen in die rauschende, sausende Zeit. Wir nähern uns, nur flüchtig, dem ungeheuren Reichtum, an dem wir teilhaben und der uns immer wieder versprochen, verheißen worden ist. Wir würden ihm in der Zeit nicht standhalten. Doch kann die Annäherung zur Transparenz führen. Das zeigt sich dann physiognomisch und symptomatisch: in Werken und Taten, Gesichtern und Kunstwerken.« (Ang, 77/11, 65 f.)

»Annäherung« bedeutet, Lesbarkeit herzustellen. Ein Satz von Franz von Baader trifft das genau. »Kein großer Naturweiser hat die Wahrheit verkannt, daß jedes Geistige sein Symbol hienieden habe, und daß folglich die ganze Natur als Hieroglyphe vor unseren Augen liegt.«[31] Baader, Fechner, Böhme, Hamann sind für den Denker der Annäherungen die Kronzeugen, welche die Weltbeseeltheit gegen ihre mechanistische Zergliederung verteidigt haben. Der Durchblick durch die Zeit – auf welche Weise auch inszeniert – zählt zu den Prämissen der geglückten Schau.

An dieser Stelle muß nochmals an Léon Bloy erinnert werden, und zwar schon deshalb, weil ihn Jünger mehrmals zitiert und unter die Denker der Annäherung reiht. »Alles, was eintritt, gehört zum Plan.« Das Dekret, in seinem Absolutismus unüberbietbar, bezeichnet Bloys Geschichtsphilosophie. Aber der scheinbare Fatalismus, gesteigert noch in der persönlichen Formel »Tout ce qui m'arrive est adorable«, hat mit dem *amor fati* von Nietzsche nichts gemein.[32] Die Kontingenz der Ereignisse erweist sich aus der Perspektive christlicher Transzendenz als jene Summe der Notwendigkeiten, die im Schöpfungsplan längst bilanziert ist. Die Weltgeschichte ist die Geschichte von Sinnfiguren und Symbolisierungen: Gott schreibt seine eigene Enthüllung. Allerdings gilt seit dem ersten Sündenfall, daß die Schöpfung selbst als Wirklichkeit des Diesseits nur eine Stätte des Entzugs, der Tränen und des Schmerzes sein kann. Kein anderes Geschehnis vermöchte den Sturz in die Nacht besser zu verdeutlichen als die Menschwerdung des Sohnes, die von Anfang an Passion sein mußte und als solche das Thema für alle irdischen Variationen des Leidens abgibt. Erlösung ist hienieden nicht zu haben.

Erst vor der Folie der apokalyptischen Zuversicht klärt sich, was Bloy unter der Signatur einer Philosophie des *Schmerzes* zuerst als Romancier, dann als Essayist und schließlich als argwöhnischer Beobachter seiner eigenen Befindlichkeit im Tagebuch entwickelte. Der Schmerz indiziert, sozusagen *via negativa*, das Heilsprogramm. »L'homme a des endroits de son pauvre cœur qui n'existent pas encore, et où la douleur entre afin qu'ils soient.« Das Kreuz bildet die Vorgabe für die weltlichen Katastrophen – eine geschichtsphilosophische Chiffre, deren Erklärungskraft von Tag zu Tag bemüht werden kann.[35]

Das ist auch Jünger nicht entgangen. In den »Annäherungen« zitiert er einen Satz von Bloy. »Im Augenblick des Todes treten wir in die Substanz der Geschichte ein.« Wie fremd ihm aber dessen christliche Eschatologie – und inzwischen auch die eigene vom »Arbeiter«, der im Schmerz seine Berufung erfahren sollte – begegnet, zeigt der längere Kommentar, der sich anschließt. »Bloy, der in unserer Epoche ein erstaunlich scharfes Auge für Zeichen und Figuren hatte, sagt in einem seiner Tagebücher, daß sich die Form des Kreuzes auf alle Fälle historisch realisiert hätte. Wäre Christus mit dem Schwerte gerichtet worden, so würde der Griff in Kreuzform verehrt, sollte man ihn gesteinigt haben, so würde er mit zum Kreuz gebreiteten Armen gestorben sein. Das ist ein Beispiel unter vielen – und zwar ein Beispiel für die Seinsverdichtung unter gleichzeitigem Schwund der Realität. Je stärker die Wirklichkeit einströmt, desto mehr schwinden Namen und Daten dahin.« (Ang, 494/11, 408f.)

Das »Sein« ist jeder Theologie überlegen. Wo es sich »verdichtet«, können »Figuren« wahrgenommen werden; auf Namen und Daten kommt es letztlich nicht an. Für Bloy freilich gab es nur den einen Namen und das eine Datum, und die Figur sollte die Repräsentation des einen göttlichen Entschlusses sein – ein historischer Determinismus, der von Jünger »säkularisiert« wird, ohne daß er sich dessen bewußt wäre. Dabei geht es natürlich auch um Strategien der Lesbarkeit. Bloy durfte nur zur Kenntnis nehmen, was der Passion entspricht: den ungeheuren, niemals zu mildernden Schmerz der Kreatur. Als sich herausstellte, daß mit dem Kriegsausbruch vom August 1914 die Apokalypse gleichwohl ausblieb, stürzte er sich in eine maßlose Enttäuschung. Die Weltzeit zeigte sich vom lebenszeitlichen Auftrag des Propheten unbetroffen. Für Jünger bestätigt sich der »Sinn« des Lebens gerade darin, daß er teilhat am Sein, dessen Verwirklichungen, sofern sie stets Abbildungen der idealen Ordnung sind, der Dramatik entbehren. Die ganze Natur als Hieroglyphe: wer zu lesen versteht, sieht neben dem Schmerz immer auch die Lust.[34]

Die autobiographische Geschichte des Versuchs mit den Drogen beginnt etwa um 1910, als Jünger mit einer Gruppe des Wandervogels in Westfalen eine Bierfabrik besichtigt. Man betrinkt sich, nicht ohne eine gewisse Vorsicht. Da erscheinen Jünger die Kameraden in anderer Beleuchtung – »sie gingen auch munterer aus sich heraus«. Eine Metapher soll den Eindruck verallgemeinern. »Wir können einen Brief lesen, indem wir seinen Sätzen und Gedanken folgen – wir können aber auch einen Blick auf ihn werfen, mit dem wir nicht mehr seine Worte und Buchstaben, sondern seine Graphik sehen. Wie aus einem Dickicht, einem Gitter, tritt dann der Briefschreiber hervor. Wir ahnen, daß *er* den eigentlichen Inhalt des Briefes bildet, nicht seine Mitteilung.« (Ang, 105/11, 88)

»... zu lesen, was dort geschrieben steht...« Der Satz aus dem Essay »An der Zeitmauer« ist das Konzentrat des Bedürfnisses nach dem Verstehen des Weltgefüges, dessen Emanationen in den Einzelheiten physiognomisch zu erfassen sind. Physiognomisch ist die so beschriebene Brief-Lektüre, indem ein »Ausdruck« hinter der Mitteilung gefunden wird. Eben darum geht es auch in den Abschnitten »Bier und Wein« und in ihnen verwandten Sequenzen des Buches. Zeitlich in den Kontext der frühen alkoholischen Begegnungen gehören Erlebnisse mit und in den modernen Großstädten Berlin, Hannover, Leipzig. Jünger beginnt mit einem Umweg. Er erinnert an Dostojewskijs Schilderungen von Paris und London. Während der Reisende zu Paris bemerkt: »Windstille in der Ordnung – eine kolossale, innere, geistige, aus der Seele hervorgehende Vorschriftmäßigkeit. Könnte ein riesiges Heidelberg sein.« –, notiert er in London, wie eine »Angst vor irgend etwas« ihn ergreift. Eine halbe Million von Arbeitern und Arbeiterinnen tragen jeden Samstag ihren Wochenlohn »in gewisse Stadtteile…«, um dann die ganze Nacht bis fünf Uhr morgens zu feiern, das heißt, sich viehisch satt zu essen und voll zu trinken nach der ganzen durchhungerten Woche«. (Ang, 123 f./11, 102)

Jünger erwähnt das Zeugnis von Dostojewskij unter der Überschrift »Glanz und Elend der Maschinenwelt«. Diese Welt hatte der Zwanzigjährige in den verwüsteten Landschaften des Ersten Weltkriegs kennengelernt: ihr »Geist« findet sich bald darauf in den Städten wieder. In der Angespanntheit des großstädtischen Lebens könne der Rausch eine der letzten Ressourcen sein. Als Student unternimmt Jünger Ausflüge in den Nachtrhythmus, um das Zeitklima, die Temperatur zu erkunden. »Ökonomisch gesehen, fielen diese Exkursionen in die Hochblüte der Inflation, stilistisch in eine Zeit, da der Expressionismus auf das Stadtbild übergriff. Die Schäbigkeit der Straßenzüge, der überfüllten Häuser, deren Fassaden abblätterten, der sich umtreibenden Massen, die zum Teil noch in zurechtgeschneiderten Uniformen gingen, wurde durch neue Effekte brutalisiert. Die Leuchtröhren kamen auf – weißes, blaues und rotes Neonlicht, das den Gesichtern eine Leichenfarbe gab. Kirchner hatte das schon 1912 gesehen; auch hier ging die Vision des Künstlers dem Scharfsinn der Techniker voraus.« (Ang, 145/11, 120 f.) So liefern die »Annäherungen« vierzig Jahre später autobiographische Ergänzungen nicht nur für das Bild vom jungen Schriftsteller, sondern auch für die Zeitstimmung, aus der heraus die Prosa des »Abenteuerlichen Herzens« entstand.

Ihr poetischer Absolutismus konnte allerdings weder damals noch später Anlaß dazu geben, die Texte als Zeugnisse geglückter Lesbarkeit aufzufassen. Der Autor war vielmehr von Eindrücken und »Visionen« irritiert, welche das Ordnungsvermögen des Geistes übersteigen. »Glanz und Elend der Maschinenwelt«: diese Welt empfand Jünger in den zwanziger Jahren als enigmatisch, und im Hilferuf der Parole »Erwachen und Tapferkeit« bezeugte sich gerade nicht die Souveränität dessen, der die Hieroglyphe entziffert hat. In den »Annäherungen« findet man eine Stelle, die dem Spruch das klimatische Umfeld hinzufügt, in dem er verortet war. Jünger erzählt, wie er während der Berliner Zeit oft mit einem Freund in das

nächtliche Leben eintauchte.[35] »Die Großstadt rekrutiert nicht nur
für die Kasernen, sondern auch für das Laster; stets neuer Zuzug
kommt aus den Provinzen und wird schnell verbraucht. Ich unterhielt mich mit Edmond über das Erwachen, das einen Vorge-
schmack der Verdammnis gibt, über die fürchterliche Konfrontation
des empirischen mit dem moralischen Menschen, seinem ›besseren
Ich‹, wenn er nach dem Nocturno in den Spiegel blickt.« (Ang. 161 f./
11, 133)[36]

In dieser Phase verschiedener Drogenexperimente beschäftigt
sich Jünger mit Baudelaire und Rimbaud, »Kirchenvätern« der
Moderne. Er liest De Quinceys »Bekenntnisse«. Was aber die Räume
und Orte betreffe, wo die »Einstiege« unternommen werden, so sollten sie »außerhalb der technischen Welt« sich befinden. Nichts
könnte die Vorstellung von einem Exil besser belegen als die an sich
harmlose, auch später immer wieder beachtete Regieanweisung.
In die Jahre nach dem Ersten Weltkrieg fällt – entsprechend vorbereitet – ein Experiment mit Kokain.

»Ich kostete einen Hauch von der Spitze des kleinen Fingers – ein bitteres
Konzentrat. Dann zog ich rechts und links eine Prise mit dem Löffelchen ein.
Das wirkte fast augenblicklich; die Nase wurde kühl, gefühllos, der Atem tief
und langweilig. Die Stimmung wurde optimistisch, als ob sich die Kräfte, die
ich an Bilder, Bücher und Gegenstände abgegeben hatte, nun in mir sammelten. Die Wahrnehmung zog sich ins Innere zurück mit einer weichen und
doch sicheren Bewegung, so etwa wie das Augenhorn der Schnecke sich ein-
zieht, wenn sie berührt wird oder auch nur ein Schatten auf sie fällt... Es
wurde kälter. Nicht nur die Nüstern wurden gefühllos, der Mund, der Gau-
men auch... Ich ging zum Spiegel; die Pupillen waren groß wie Nachtfalter-
augen... Das Gesicht war starr, gefroren wie auf einer Kurierfahrt jenseits
des Polarkreises. Dabei illuminiert... Die Kälte wuchs... Der ›Schnee‹ ver-
eist. Auch das bringt lange Dauer mit sich oder wenigstens ihr Bewußtsein –
und was ist Zeit denn anderes?« (Ang, 245 ff./11, 201 ff.)

Nicht ohne Genugtuung wird vermerkt, daß dem weißen, »schnee-
igen« Pulver eine kältende Wirkung nachfolgt, während das Opium
einen »austrocknenden« Effekt habe. Die Natur zeigt ihre Entsprechungen, auch dem kühnen Drogenfahrer. – Allerdings gelingt es
nicht, während der Fahrt die Erfahrungen schriftlich zu fixieren.
»Wenn das Gehirn einfriert und sich zu einem Eisblock wandelt,

kann es ebenso wenig Gedanken bilden, wie sich am Nordpol Wasser aus einem Eimer gießen oder aus einem Brunnen sprühen läßt. Das große Kraftwerk ruht. Dafür wächst das Bewußtsein geistiger Gegenwart und Macht.« Die etwas harmlose Metapher soll die naturhafte Notwendigkeit des literarischen Unvermögens bezeugen. Der Demiurg hat insofern versagt, als sein Einstieg keine Türen öffnet, keine Offenbarungen dokumentiert, die *in actu* gewonnen wären. Alles bleibt auf der Ebene des Kommentars, der manchmal hart an das Anekdotische heranführt. Jünger kann dieser verpaßten Chance deshalb die Form des reinen Erzählens gelassener geben, weil er später von Experimenten zu berichten weiß, bei denen er *gleichzeitig* zur Schriftlichkeit vordrang.

Von der Zeit nach dem Ersten Weltkrieg – nach der gefährlichen Verwundung durch einen Lungenschuß – heißt es, er habe sich damals schwach und anfällig gefühlt. Das brachte ihn dazu, das Opium einige Monate zu gebrauchen, dessen Wirkung in geistiger Hinsicht wohltätig, in physischer dagegen abträglich gewesen sei. »Die Stimmung jener Nächte erkenne ich wieder, wenn ich, was alle paar Jahre und meist durch Zufall geschieht, eine Medizin schlucke, die Opiate enthält.« Und dann folgt eine wichtige Bemerkung. »Die *Stimmung* kam wieder, also das Einhaken, der Akt des Aufschließens, dagegen nicht der Raum mit seinen Bildern, seiner Einrichtung. Das ist immer meine zentrale Frage gewesen – die nach der Existenz einer von den kolumbianischen Fahrten und Abenteuern der Individuen unabhängigen Neuen Welt. Die Bestätigung, die Kolumbus erfuhr, auf höherer Ebene.« (Ang, 275 f./11, 226 f.)

Wie immer diese Neue Welt – die ja zugleich die alte, ur-anfängliche sein soll – im einzelnen konstituiert sein mag, sie muß vom formenden und verformenden Zugriff des Menschen unabhängig sein. Der Mensch muß ihr so begegnen können, daß nicht schon sein Beobachten ein Eingriff in ihre Beschaffenheit bedeutet. Es geht um die platonische Statik, um die ungestörte Ruhe der »Planlandschaft«. Und natürlich wohnt dieser »Hinter-Welt« die Zeitlosigkeit inne, die den Schmerz alles Vergänglichen und jenen der Moderne im besonderen ausschließt. Rimbaud, der wiederholt zitierte »Kirchenvater«, hatte das Gegenteil gewollt.[37] So fährt Jünger fort: »Immerhin bleibt die Erinnerung an die starke Annäherung, die der Geist durch diese Fahrten gewann, an den Schimmer zeitloser

Sicherheit und das mit ihm verbundene Wohlgefühl.« Es bleibt freilich dabei, daß die Annäherung, der Einstieg, der Zeitebene verhaftet ist. Im 172. Abschnitt versucht der Autor dennoch die Beschreibung eines Opium-Experiments. Bald stellt sich ein Gefühl des »Umsteigens« ein. »Das war kein Schlaf mehr; es war etwas anderes. Die Zeit lief schneller und zugleich langsamer... An Bilder..., wie De Quincey sie beschreibt, fehlt mir die Erinnerung. Wahrscheinlich kamen sie in Fülle, doch sie blieben hinter dem Vorhang, oder ich vergaß die Einzelheiten, sei es sogleich oder nach geraumer Zeit... Die Traum-Materie, das Korn der Bilder, ist lichtempfindlich; und solche Notizen entsprechen der Fixierung von Filmen im Atelier. Immer greift nur ein winziger Bruchteil der Traumwelt auf das Bewußtsein über, und auch er schwindet im Nu, wenn wir nicht zugreifen.« (Ang, 279 f./11, 229 f.)[38]

Im Fortgang des Berichts werden De Quinceys Visionen immer häufiger zu Referenzbildern. Was den Phänomenologen irritieren müßte, die verlorene, vergessene Anschauung, der Verlust der Evidenz, kann den Platoniker nicht beunruhigen. Der eine sieht und schreibt auf, was ein anderer letztlich auch gesehen hat, aber nicht mehr zu notieren vermochte. Die Traumwelt ist so eine Welt, die allen gleichermaßen »gehört«: kein individuelles Erzeugnis, keine psychische Projektion; schon eher ein Bestand von Archetypen, zu denen der Träumer von Fall zu Fall vordringt. – Es sind De Quinceys Eindrücke einer ins Endlose gedehnten Zeit, welche Jüngers Empfänglichkeit aufstacheln. De Quincey: »Krokodile küßten mich mit ewigen Küssen. Dies Tier besonders, dies verfluchte, verursachte mir mehr Qualen als alles andere. Man zwang mich, in seiner Gemeinschaft zu leben und, wie es in meinen Träumen stets der Fall war, gleich für Jahrhunderte.« Die Passage entstammt dem zweiten Teil der »Bekenntnisse«, betitelt »Die Leiden des Opiums«.

Wenn hier auch die Zeit nicht als Beschleunigung den Menschen quält, so lassen sich solche Leiden doch kaum vereinbaren mit dem hypothetischen Glück in jener »Neuen Welt«, von der Jünger nachkolumbianisch spricht. Er selbst kommentiert den Engländer: »Diese Bilder führen dem Automatismus von Bewegung und Starre nahe, der den Opiumtraum kennzeichnet. Obwohl sich Unendliches ereignet, geht es nicht voran in der Zeit. Zuweilen wird der Träumer dessen inne und in den Fundamenten seiner Wahrnehmung erschüttert, als würde er aus lichtgeschwindem Flug gebremst. Das Mühlrad, von dem die Bilder tropften, hat sich nicht in der Zeit bewegt.« (Ang, 289/11, 238)

Wie nahe könnte der Faszination für die von De Quincey angeführten Szenen die eigene – direkte, umweglose – Erfahrung des Ersten Weltkriegs sein, da Jünger die Ewigkeiten des Stellungskriegs begegneten und auch die schuppigen Bedrohungen der Schützenpanzer, über die er kurz danach zu philosophieren begann. Doch nichts davon. Als der Autor De Quinceys Urbilder erörtert, holt er sie nicht in den eigenen zeitgeschichtlichen Erlebnisraum hinauf, sondern stößt sie noch tiefer in der »Urgrund«. Was »Annäherungen« da heißen kann, ist daran zu ermessen, wie Jünger expressis verbis platonisch wird. »Damals war die Paläontologie noch kaum geboren, sonst hätte De Quincey im Heerzug schauerlicher Echsen wohl auch den Saurier bemerkt – als Urechse, die, Millionen Jahre in Kalk und Schiefer eingezwingert, nun hervorträte… Diese Anwesenheit war immer möglich, auch schon zu Scheuchzers Zeiten, in denen man solche Funde als Relikte der Sintflut deutete. Nun kommt ein Neues, das der Wissenschaft und selbst dem Wissen vorausgeht: anschauender Eros, der die Zeit vernichtet, indem er sie durchdringt. Er beschwört zum Anwesenden Abwesendes herbei. Diese Abwesenheit ist nicht durch die Zeit entstanden, wie lange sie auch gewährt haben mag. Die Zeit ist nicht mehr als eine Form der Abwesenheit. Die Erinnerung an diese Wesen war für Millionen von Jahren ausgelöscht. Der Eros hat eine Auferstehung bewirkt – oder wenigstens ihren wichtigsten, ihren platonischen Teil… Eine Teilauferstehung also, eine Beschwörung in die große Arena der Vorstellung. Und doch nur ein flüchtiges Abbild, ein Gleichnis des Mysteriums. Eine Annäherung nur.« (Ang, 289 f./11, 238 f.)

Alle Realisation der Ideen ist nur Metapher. Als metaphorischen Vorgang muß Jünger deshalb auch De Quinceys Opium-Träume verstehen, in deren Verlauf die Urbilder in Stellvertretung zur Anschauung gelangen. Der Träumer tut nichts dazu. Das ist für den späten Apologeten der Wesensschau das Verlockende: der Stoff der Pflanze läßt ihn teilhaben an Entdeckungen jenseits von zeitlichen Vorstellungen. Goethe, der große Idealist des anschauenden Eros, hatte dieses Stimulans noch nicht bedurft. Er hatte es insofern leichter, als die Kulturwelt der die Natur bedrängenden Beschleunigungen erst am Horizont sich abzeichnete.

So schrecklich aber der Aufmarsch der Echsen sein mag, nicht dem »psychologischen« Realismus des Bilds gehört das Interesse dieses Traumdeuters, sondern der äußersten Reduktion auf Lesbarkeit der Urformen. Das zweite »Abbild« oder »Gleichnis«, das De Quincey wiederholt als Vision zuteil wurde, sind die Pyramiden, in deren Innerem er »ohne Aussicht auf Erlösung als Mumie die Qual der Zeit erlitt. Dort mußte es sein, im Schatten eines Reiches, in dem das Problem der Auferstehung den Geist am stärksten beschäftigte«.

De Quinceys persönliches Schicksal gibt Jünger am Ende denn doch zu denken. Die romantische »Annäherung« zeigt jene Verknüpfung der Kunst mit dem Leben, die den ästhetisch-geistigen Gewinn nur in der existentiellen Gefährdung erreicht. Thomas De Quincey, geboren 1785 in Manchester, gestorben 1859 in Edinburgh, sorgte mit seinen autobiographischen Schriften selbst dafür, daß dieses Wagnis schon seinen Zeitgenossen deutlich wurde, und wenig später auch seinen französischen Bewunderern, allen voran Baudelaire.[39] Im Herbst 1821 erschienen in »The London Magazine« die Bekenntnisse, »The Confessions of an English Opium-Eater«; sie machten den Autor berühmt. Von der Kindheit wird erzählt, dann ausführlich von einer schwierigen Jugend: der frühe Tod des Vaters, Privaterziehung bei einem Geistlichen in Manchester. Doch der Sechzehnjährige sträubt sich gegen den strengen Rhythmus des Schulbetriebs. Im Juli 1802 verläßt er die Grammar School heimlich, nach langen Vorbereitungen.

In den Ereignissen der Jugend finde sich der Grund für die Hinwendung zum Opium. So will es die Autobiographie. Von einer gefährdeten Gesundheit ist die Rede, von Melancholie und Depression, von seelischer Zerrüttung, so daß die Flucht in die Welt der Droge nur als Konsequenz einer ungünstigen Entwicklung dargestellt werden kann. Im Rückblick der »Confessions« soll der Verdacht abgewiesen werden, das Lust und Genuß das Motiv gewesen sein könnten. »Beständige Dunkelheit« habe die Adoleszenz beherrscht. Ein sensibler, rasch erregter Geist sucht sich selbst zu entdecken. Die ersten Schritte führen ihn in das Reich der Bildung, er liest die englischen Klassiker, Donne, Milton, Shakespeare, dann die »modernen« Autoren, Kant, Fichte, Schelling; er liest Hamann, einen Schriftsteller »von eigentümlicher Undeutlichkeit«.[40] Er begeistert sich für Burke, für Walpole und besonders für William Wordsworth. Dem jugendlichen Auszug folgt eine doppelte Erfahrung. Er durchwandert während einigen Monaten die Landschaft von Wales und begegnet der Natur, wo die Gesetze von Werden und Vergehen herrschen, wo Ewigkeiten sich ablösen, in den Übergängen des Wetters, der Jahreszeiten, der Vegetation. Das Erhabene, von Burke mit einer ästhetischen Signatur versehen, ist unmittelbar gegenwärtig; der Mensch entdeckt seine Nichtigkeit, die Vergeblichkeit allen Strebens. Der romantische Tod bestimmt »all things for the inexorable grave«.[41] Als der Winter kommt, fährt De Quincey nach London. Jetzt drängt sich die Erfahrung der Großstadt auf, es meldet sich der Schrecken »vor dem unermeßlichen Abgrund in London«.[42]

Erst in der Erinnerung des künstlerischen Bewußtseins, in der Ordnung des Geschriebenen findet das Leben eine Form, und Einzelnes gerinnt zum Schicksal. De Quincey wird dasselbe Prinzip der sinnstiftenden Konjekturen in seinen Porträts von Wordsworth und Coleridge anwenden.[43] In der Autobiographie soll der Gang nach London als Weg in die lichtlose Schwärze des Elends ausgewiesen werden. Der Autor berichtet von seiner Einsamkeit, von Wochen der Krankheit, von unruhigen Nächten in düsteren Quartieren. Dann bricht der Text des Lebens ab. Als hätte es zur Einstimmung in das Kommende der unendlichen Architektur der Großstadt bedurft, läßt De Quincey dem eigentlichen Thema das Erlebnis von London vorangehen. Dann erst spricht er vom Opium, dem Stoff, der ein Universum aufschließt. Mit Bedacht wird unterschieden. Ein erster Teil, »Die Freuden des Opiums«; ein zweiter Teil »Die Leiden des Opiums«. Nun ist alles Biographische nur noch Ausgangspunkt für die Darstellung der anderen Wirklichkeit.

Im Rausch des Opiums wird der Tag zur Nacht, die Nacht zum Tag. »Welche Apokalypse der Welt in mir«, notiert der Verfasser der »Bekenntnisse«. Und dann schreibt er auf weniger als achtzig Seiten über die Freuden und Leiden, über Bilder und Halluzinationen, über Qualen und Träume. Zu den Freuden ist zu rechnen, daß Vergessen der Not, Linderung des Schmerzes erreicht wird. Musikalische Eindrücke verdichten sich. Ein demiurgisches Selbstbewußtsein greift um sich. »Du baust auf dem Busen der Dunkelheit, aus der phantastischen Einbildung des Gehirns Städte und Tempel, die die Kunst des Phidias und des Praxiteles übertreffen, die die Pracht von Babylon und Hekatompylos hinter sich lassen, und aus der Anarchie des träumenden Schlafs rufst du Gesichter lang beerdigter Schönheiten und gesegnete Antlitze der Familie in das Licht der Sonne...«[44] Unvergleichlich aber sind die Leiden, wenn der Stoff seine größte Wirkung erreicht hat. Angst, Melancholie, Entsetzen vor »sonnenlosen Abgründen« und »Tiefen unter Tiefen« treten ein. Vor allem zerfällt das Gefüge von Raum und Zeit.

Zur bildhaften Erläuterung dieses Vorgangs, den die französischen Romantiker zu einem literarischen Thema von höchstem Rang machen werden, bedient sich De Quincey einer graphischen Vorgabe, die auch Jünger vertraut ist. Es ist die finstere Welt von Piranesis »Carceri«, die, in die Kupferplatte geätzt, den Opiumtraum eindringlich veranschaulicht. Säulenhallen, Treppen im Gang der Spirale, Gewölbe und Passagen, Räume ohne Vernunft und Maß. Hier gewinnt die kopernikanische Wirklichkeit bedrängende Züge, »endloses Wachstum und ständige Selbstreproduktion«.

Darauf berichtet De Quincey von den Traumfahrten in der Zeit. »Ich lebte Jahrtausende und wurde in steinernen Särgen begraben.« Ferne orientalische Orte ziehen den Träumenden an, die römische Geschichte kehrt wieder – nicht in der wohlgeordneten Fassung der gelehrten Bücher, sondern im verwirrlichen Präsens von Gewalt, Terror, Schrecken. »Als ob ein großer Maler tauchte / den Pinsel in die Düsternis von Nacht und Beben.« Das Wort von Shelley, dem Kapitel über die Leiden des Opiums vorangestellt, gibt dem Text das ästhetische und das existentielle Siegel.

Gerade diese Doppelung faszinierte die französischen Romantiker. Was Baudelaire den »Confessions« entnahm, war die subjektive Ausweglosigkeit, in welche sich das Denken begab: er verglich sie mit der Form der Spirale, die zugleich den »Fortschritt« und die Wiederholung repräsentiert.[45] »La pensée de de Quincey n'est pas simplement sinueuse; le mot n'est pas assez fort; elle est naturellement spirale.«[46] Schon 1828 hatte Musset die »Bekenntnisse« übersetzt. Nun entdeckte man eine Wahrheit, die dem Verfasser selbst in solcher Schärfe niemals bewußt war. Was De Quincey als Synthese, als Produkt von äußerer Ursache und innerer Wirkung beschrieb, sei der Seele des Künstlers immer schon mitgegeben. Es bedarf nicht der Droge, daß sich Abgründe offenbaren – daß der Geist dem spiraligen Weg des Unbewußten folgt, in die Tiefen des Geheimnisses. »Je sens s'élargir dans mon être / Un abîme béant; cet abîme est mon cœur!... / Brûlant comme un volcan, profond comme le vide!«[47]

Aber an einem solchen »Regreß« in die Innerlichkeit kann dem Autor der »Annäherungen« nicht gelegen sein. Das Approximationsprinzip setzt hier eine Welt voraus, die jenseits der Einbildungskraft existiert und diese an sich bindet. So liest Jünger die Texte von De Quincey quer zu ihrer »modernen« Wirkungsgeschichte. Die Droge fördert den Eindruck von Übergängen, und die Übergänge, da die Fahrt von der einen in die andere Wirklichkeit wahrgenommen wird, vermitteln die Gewißheit, daß mehr ist als subjektive Projektion. Das gilt auch für Passagen, welche im Diesseits der Zeit spielen. Oft stellt sich dabei ein »Schmerz« ein: etwa wenn der Mensch sieht, wie er langsam die Maske des »Arbeiters« zu tragen beginnt, während die Geschichte des 19. Jahrhunderts in das Vergessen zurücksinkt.

Dem Übergang von der Romantik zur Sachlichkeit, der im Jugendstil zum letzten Mal ästhetisch aufgestaut wird, widersetzt sich der Dandy. Für ihn sei die Droge des Haschisch besonders charakteristisch. Im Haschisch-Rausch vollzieht sich – wie in allen anderen Formen von Berauschung – ein Übergang von der widrigen Realität, die nur den Gedanken der Flucht aus ihr erweckt, in den entspannenden Zustand der behutsamen Verklärung der Umgebung. Walter Benjamin hat dazu ähnliche Bemerkungen vorgebracht.[48] Nicht platonische Annäherungen beschäftigen den Dandy; er sucht ästhetische Exile. Vierzig Jahre nach seinen letzten »Dandy«-Erfahrungen kann Jünger seinem Spiegelbild erinnernd-anekdotisch begegnen. Das Bedürfnis nach den Übergängen konzentrierte sich damals auf Enthebungen aus einer als trist und langweilig empfundenen Zeit.

So findet der Schriftsteller auch zwanglos zurück zum Lieblingsthema der geschichtsphilosophischen Spekulationen. Zwischen die Teile »Orient« und »Mexiko« schaltet er ein Kapitel ein, das ausdrücklich mit »Übergänge« betitelt ist. Doch geht es jetzt mehr um historische und metahistorische Vorgänge. Mit einem Hinweis auf Beaumarchais' Theaterstück »Die Hochzeit des Figaro« aus dem

Jahr 1784 erläutert Jünger seinen Begriff der »kleinen Übergänge«. Fünf Jahre vor der großen Revolution habe der Verfasser nicht nur deren Donnergrollen gespürt, sondern auch gesehen, daß eine Epoche innerhalb historischer Kontinuitäten zu Ende ging. Ein »großer Übergang« allerdings sei mit der gewohnten geschichtlichen Optik nicht zu erfassen. Er hat »planetarische Dimensionen«, »Formenvernichtung« begleitet ihn, »Urkraft« und »Ungesondertes« schicken ihre Ableger an die zeitliche Oberfläche. Natürlich denkt Jünger hier an die Zeitenwende des »Arbeiter«-Jahrhunderts. Man liest von der Verwunderung dessen, dem diese große Passage so selbstverständlich erscheint, daß keiner seiner Diagnose widersprechen sollte, in einer einzigen kurzen Notiz. »Daß Spengler dem ›Arbeiter‹ die Zukunft absprach, schien mir erstaunlich von einem Denker, für den das ganze Abendland nur noch Antiquitätswert besaß.« (Ang, 355 f./ 11, 294) Doch für Spengler bewegte sich der »Arbeiter« noch durchaus innerhalb des abendländischen Zyklus.[49]

Weniger um Lesbarkeit als um Darstellbarkeit einer als beschleunigt erfahrenen Welt ging es den Surrealisten. Jüngers Affinität, genauer: seine Anhänglichkeit gegenüber dieser Richtung seit den prophetischen Anfängen ist erwiesen und hinreichend dokumentiert. Versteht man aber den Surrealismus – und in seiner Nachfolge auch die beiden Fassungen des »Abenteuerlichen Herzens« – als eine ästhetisch das Auseinanderbrechen zeitlich geordneter Abfolgen inszenierende Bewegung, als die Technik der ungeheuren Kompression verschiedenster Zeit-Zeichen in *einem* Bild, so ist kein größerer Gegensatz als jener zum »Arbeiter« und seinen Ordnungsidealen denkbar. Was der Surrealist anarchisch bestätigt: die moderne Welt der Gleichzeitigkeit des Ungleichzeitigen, sucht der »Arbeiter«-Philosoph als »Übergangslandschaft« zu entschärfen.[50] Für jeden Platonismus ist der Surrealismus eine Herausforderung. Herausgefordert ist die Kraft der klärenden Ableitungen, denn die Welt des Surrealisten ist die Welt der Masken; ihm sind die »wahren« Gesichter, die hinter ihnen sich befinden sollen, längst verlorengegangen. Der Platoniker aber muß hinter die Verkleidungen gelangen. Niemals vermöchte er die letzte surrealistische Konsequenz zu ziehen, daß die Maske das Gesicht *ist*.[51]

Der Surrealismus, schreibt Jünger, habe den »großen Übergang« insofern wahrgenommen, als sein Thema die »Formenvernichtung«

sei. Darauf gibt der Kommentator eine eindringliche Deutung des geistigen Prozesses.

»Um die Zeit ins Wanken zu bringen, genügt es, zwei beliebige Schichten, die nicht konform sind, zum Bilde zu vereinigen. Das erzeugt einen antichronistischen Strom. So erklärt sich die Wirkung alter und zum Teil absurder Holzschnitte in den papiers collés. Diese Wirkung ist ganz allgemeiner und primitiver Natur. Sie überrascht überall, wo die Welt sich zu verkehren beginnt – im Zwielicht vorm Einschlafen und beim Wechsel der Jahreszeiten, besonders dort, wo man das Scheiden des Winters und den nahenden Frühling mit Maskenaufzügen begeht. Das Sein maskiert sich mit Zeit und Zeiten, doch wir kommen nicht dahinter, denn wenn wir es entlarven, bleibt uns die Maske in der Hand. Schon täuscht, schon blendet eine neue Mode, ein neues Gesicht.« (Ang, 401 f./11, 331)

Natürlich enthistorisiert Jünger das Phänomen einer epochalen Bewegung, indem er »überall« solche Verkehrungen und Übergänge feststellen kann. Im nächsten Absatz erläutert er die Aufgabe ihrer Überwindung. »Dies aber: sich in den Stand zu setzen, den Ort zu gewinnen, an dem, wenn auch nicht das sich Wandelnde, wohl aber seine Wandlungen eingesehen werden – das ist Annäherung... Die Bezwingung der Zeit durch geistige Macht, ihre Verweisung in den Vordergrund, ist eine nie endende Aufgabe. Bei jedem Anspruch ist zu prüfen, inwiefern der Durchbruch und damit die Annäherung gelungen ist.« Auch für diese Tätigkeit gibt es eine Metapher, ein Richtungswort; man geht »auf den Raster zurück«. In den Augen des Platonikers hat der Surrealismus diese Arbeit zu früh abgebrochen – als ob er sie je beabsichtigt hätte.

Die Annäherung an das surrealistische Kunstwerk aber muß danach trachten, den Schockzustand aufzulösen in die Wahrheit jenseits von zeitlichen Irritationen. »Bei den Surrealisten wird es bald unheimlich. Das gilt schon für ihre Kirchenväter: Poe, Lautréamont, Kleist, Emily Brontë, Sade. Eine Übersicht geben die Jahrgänge von ›Le Minotaure‹. Würden solche Geister das Gesetz geben, so wäre es mit der Evolution vorbei. Die Künstler erkannten das früh; es zeichnet sich auch in den Schicksalen ab.« (Ang, 400/11, 330) Aus der späten Rückschau der Gewißheit vom »Plan« läßt sich der Evolution leicht das Wort reden, zumal Jünger den Prozeß kaum mehr an den Fakten, an der konkreten Physiognomie mißt. Er fährt fort: »Das soll nicht abwerten – im Gegenteil. Der Surrealismus gibt ein Beispiel für die Annäherung, die freilich zu früh zur Kristallisation führte. Er ist ein erster Versuch des musischen Menschen, die technische Welt und ihre Häßlichkeit durch den Geist zu bändigen – ein Versuch, bei dem die Werkstättenlandschaft nicht ausgeschlossen wurde, um Idylle zu bewahren, sondern der ihre Bauten, ihre Physiognomik, ihre Gefahren einbezog. Die Kraft des Unternehmens ist schon daran zu erkennen, daß sie fixierte Stücke dieser Welt mit dem Geist des Bildes aufzuladen und (nicht nur farbig) einzufangen vermag. So die Montagen von Max Ernst (* 1891). Die Kunstgeschichte meint zu seinem Werk, daß in ihm ›Naturformen und Zivilisationsrequisiten irrationale Verbindungen eingehen‹. Das läßt sich auch einfacher ausdrücken.« (Ang, 400/11, 330)

Dem Autor der »Annäherungen« erscheint die surrealistische Welt inzwischen nah und fern zugleich.[52] Da sie aber »von Anfang an dem Rausch und dem Traum so große Aufmerksamkeit geschenkt« habe, gehört sie als Thema in sein Buch. Genau so, wie auch das Motiv vom »Erwachen« immer wieder auftaucht. Es erscheint allerdings längst nicht mehr im Umfeld der frühen militanten Versuche, die Wirklichkeit politisch zu verändern, sondern phänomenologisch »rein«. Eine solche von den epochalen Erschütterungen losgelöste Betrachtung hatte schon der Verfasser der »Afrikanischen Spiele« geliefert.[53]

»Das Erwachen, ich meine das alltägliche Erwachen, begleitet jedesmal eine orientierende Anstrengung. Das gilt besonders für das brüske Erwachen; der Kompaß erlitt eine totale Deviation. Wenn wir nachts aufschrecken, fällt es uns schwer, uns nach der Symmetrieachse zu orientieren; jeder kennt diese merkwürdige Anstrengung. Oft kann es lange dauern, ehe die Lage des Körpers im Schlafzimmer geortet worden ist. Die Alten liebten es, Schlaf und Tod zu vergleichen, auch meinten sie, daß wir in den Träumen wie Götter leben; darüber kann man verschiedener Meinung sein. Jedenfalls haben wir das Gefühl, daß uns der Tag beraubt; er zwingt uns zurück in die Zeit.« (Ang, 296f./11, 243)

»Tapferkeit« ist im Alltag nicht gefragt, der durch ein Mindestmaß an Vertrautheit definiert werden kann: die Ordnung bleibt sich gleich. Sie kann freilich auch in der Stabilität eine Bösartigkeit gewinnen, die mit Desinvoltura pariert werden muß. Das erläutert der Schriftsteller mit einem Zitat von Molière. »›Was zum Teufel habe ich auf dieser Galeere zu tun?‹ sagt mit Molières Géronte der Träumer, wenn er erwacht, vor allem in grauer, sinnloser Zeit. Synchronisierung, Gleichschaltung aller, selbst ganz entlegener Gebiete, mit der Normalzeit, ist die Hauptaufgabe der Clerks.« Man sieht da genauer, was es mit der Maxime des »Abenteuerlichen Herzens« auf sich hatte: »Erwachen und Tapferkeit«.

»Dreißig Jahre lang ließ ich die Hand vom heißen Eisen, an dem ich mich verbrannt hatte.« So leitet Jünger den zweiten Teil des letzten Kapitels, »Mexiko«, ein. Gedanklich, philosophisch führt ihn nun nichts mehr über die grundsätzlichen Bemerkungen zum Verhältnis zwischen dem »Sein« und dessen erfahrenen und erfahrbaren Ableitungen hinaus. In den fünfziger Jahren unternimmt er mit Albert Hoffmann, dem Entdecker des LSD, eine »Fahrt«, die ihn, obwohl die Dosis zu schwach ist, um geistige Tiefen aufzureißen, »aufgeräumt, grundlos heiter« macht. In einem für den Duktus der »Annäherungen« typischen, weitgespannten Bogen erinnert sich Jünger darauf nochmals an die Zeit nach dem Ersten Weltkrieg, als ihm der Gedichtband »Gehirne« von Gottfried Benn in die Hände kam. Darin die berühmten Zeilen, die sich »dem Ungesonderten näherten«. Nämlich: »O daß wir unsere Ururahnen wären, / Ein Klümpchen Schleim in einem warmen Moor. / Leben und Tod, Befruchten und Gebären / glitte aus unseren stummen Säften vor.«

In einer zweiten Konjektur fällt Jünger dazu ein Besuch bei Benn nach dem Zweiten Weltkrieg in Berlin in den Jahren »vor der Mauer« ein. »Der Korridor der ›Berliner Wohnung‹ ist fensterlos. Die Begrüßung im Halbdunkel war angenehm. Europäische Höflichkeit, fast schon zur zweiten Natur geworden wie bei den Fernöstlichen.« (Ang, 445/11, 368) Das anschließende Gespräch offenbart bei den Partnern ein Mißverstehen der Texte des anderen, das mehr als nur anekdotisch ist. Zunächst lobt Benn »Godenholm«, behauptet, die Erzählung sei »das Raffinierteste, was Sie gemacht haben«, und liest eine Passage vor, die von dem »Unum«, von der Schau des Seins handelt – nur um zu fragen und schließlich selbst zu antworten: »Was ist das, was ist das? – das ist der Penis! Das kann nur der Penis sein!« – Jünger erwidert diesen Reduktionismus mit seinen Waffen. Zurück im Hotel, liest er nochmals die Stelle des Benn-Gedichts. Der erste Kommentar gilt dem Bezug zur Moderne, näherhin zum modernen »Schmerz«, dem durch solche Entlastungen der Evokation einer vorgeschichtlichen Welt begegnet werde. »O daß wir unsere Ururahnen wären…« »Zwei Verse genügen, damit wir einem Dichter treu bleiben. Ich hatte die Gedichte mitgenommen und las noch einmal die Strophen, die mich in der Jugend bewegt hatten… Ein Zeugnis für das Maß, in dem das Leiden sich seit Rousseau verdichtete. Dem schwebten zwar auch ferne, doch humane Archipele vor. Die Klassiker lieben die Auflösung nicht; ihr ›höchstes Glück‹ ist anderer Art. Benns Einblick in die Verwesung ist weiter fortgeschritten als der Baudelaires; auch das ist eine Passage, die durchschritten werden muß.«

Erst jetzt folgt die »hermeneutische« Quittung auf Benns mißverstandene Deutung der Stelle in »Godenholm«. »Als ich mir in dem öden Zimmer die beiden Strophen vorlas, machte ich die merkwürdige Entdeckung, daß ich sie bislang stets falsch gelesen und zitiert hatte. Es schien, als hätte bisher der blinde Fleck des Auges auf dem Wörtchen *Moor* geruht. Ich hatte es als *Meer* begriffen und den Reim in ›schon zu sehr‹ gesucht. Ein Klümpchen Schleim in einem warmen Meer. Der Irrtum war nun behoben; ungern ließ ich von ihm ab.« (Ang, 449 f./11, 371 f.) Die Vision des Meeres ließ die auch im Vitalen noch philosophische, auf das »Griechische« gestimmte Lektüre die »Ursumpf«-Metaphorik übersehen. Man mag dies als Verdrängung betrachten, die, bevor sie Jünger noch selbst entlarvt, zur Revanche an Benn und dessen »freudianischer« Verharmlosung des Pensums der »Annäherungen«, wie sie schon in »Godenholm« entwickelt sein wollen, wird.

»Nun ist die Zeit nicht mehr.« Das gilt für den Zustand des Rausches, der den Schläfer den zeitlich disponierenden Ordnungen entzieht. Es gilt auch für den Auftrag, den die Lesbarkeit stellt. Erst wo sich der Lesende der Urbilder versichert, wo er also nicht mehr damit rechnen muß, in einen Entzifferungssog gezogen zu werden, der ihn nichts mehr erkennen läßt, weil alles so schnell verwirbelt, bleibt ihm die Qual der ablaufenden Fristen erspart.[54] Vom Autor verlange man eine »mehr oder minder vom Zufall befreite Welt«. Jünger meint das nicht nur ästhetisch, als Aufforderung an den Künstler, sich seiner Setzungen bewußt zu sein. Er meint es vor allem metaphysisch. Wo solche Sicherheiten gewonnen sind und mit Autorität weitergegeben werden, darf ästhetisch auch die Form des

Fragments, des Splitters, des Kaleidoskops triumphieren.[55] Es gibt dafür im Buch der »Annäherungen« den Beleg einer Idee, der sich wie eine Erwiderung auf den Orakelspruch von Maurice Merleau-Ponty liest, daß die Menschheit vielleicht wie ein Satz auf halbem Wege steckenbleiben könnte.[56] »Annäherung ist alles, und diese Annäherung hat kein greifbares, kein benennbares Ziel; der Sinn liegt im Weg.« Im Zielverzicht von Annäherungen wird das Ganze gleichwohl erahnt: nun nicht mehr als Weltbesitz, als im geschichtlichen Fortschritt einholbare Habe. Die Bemerkung, daß Rausch und Technik sich ausschlössen, meint letztlich dasselbe: die technische Welt als solche ist arm an Epiphanien, eine »entzauberte« Realität der Versachlichungen.

Eine philosophische Bestätigung für das Unternehmen der »Annäherungen« hat Jünger nicht nur bei klassischen Autoren wie Hamann oder Fechner gewonnen. Im Werk eines Zeitgenossen finden sich Theorien und Überlegungen, die auf überraschende Weise mit Jüngers Vorstellung von der Ideenschau konvergieren. Oskar Becker, Schüler von Husserl und Heidegger, habilitierte sich mit einer 1923 veröffentlichen Schrift über das Verhältnis zwischen Phänomenologie und Mathematik. Sechs Jahre später legte er in der Festschrift für Husserl einen Aufsatz vor, der in den Grundlinien eine philosophische Ästhetik entwickelt: »Von der Hinfälligkeit des Schönen und der Abenteuerlichkeit des Künstlers«. Auch wenn es Becker hier darum ging, mit »ontologischen Untersuchungen im ästhetischen Problemgebiet« die Möglichkeiten einer hermeneutischen Phänomenologie auszumessen und deren Grenzen aufzuzeigen, auch wenn er mithin scheinbar traditionell ein Problemfeld der Schulphilosophie zur Sprache brachte, läßt der Titel aufhorchen. Die »Abenteuerlichkeit« der künstlerischen Tätigkeit ebenso wie das »Hinfällige« ihres Gegenstands erinnern an das Thema, das Jünger mit seinen »Aufzeichnungen bei Tag und Nacht« unter der Überschrift »Das Abenteuerliche Herz« zeitgleich behandelte.

Sollte das nur Zufall gewesen sein? Otto Pöggeler hat deutlich gemacht, daß Beckers philosophische Anstrengung einer »mantischen Phänomenologie« galt.[57] Die Welt ist letztlich so strukturiert, daß sie in ihrem Bau als ein »gewachsener Kristall« aufgefaßt werden kann. Die mantische Phänomenologie sucht sich zu vergegenwärtigen, wie die Beziehung zwischen der Wesensgestalt und dem Anwesenden spielt. Allerdings kann das nicht für Erscheinungen gelten, die in die »historische Zeit« fallen, sondern nur für diejenigen, die der »Naturzeit« unterworfen sind: dem »Immer wieder«, der »Wiederkehr des Gleichen«.[58] Beckers Forderung nach der »reinen Schau der Natur« entspricht komplementär der Verzicht auf deren technische Beherrschbarkeit; in der Kritik am Verfügungswissen trifft sich der Schüler mit dem Lehrer Heidegger.[59]

»Hinfälligkeit« zeichnet das Schöne insofern aus, als der ästhetische Akt die Wirklichkeit zwar idealisiert, dabei jedoch ein Scheinbild von ihr erzeugt; dieses bleibt immer abhängig vom Jetzt, von der Geschichtlichkeit. Auch wenn der Künstler in Sympathie mit dem Kosmos lebt, vermag er die platonische Kluft zwischen Idee und Erscheinung nicht zu decken: seine Vision ist dem Augenblick verhaftet, wiewohl sie auf die Ewigkeit zielt. Becker zitiert in seinen Werken Jünger, und fraglos hat er erkannt, daß schon den Autor des »Abenteuerlichen Herzens« der Dualismus von »Urbild« und »Abbild« umtrieb.[60] Beckers Gedanke, daß in der Epoche der Spätmoderne nur noch der Künstler, der »Artist«, die »letzten Reste eines Menschen« verkörpert, »der noch an das Absolute glaubt und in ihm lebt«, wiederholt Nietzsches Lehre von der ästhetisch gerechtfertigten Welt – und findet seine genaue Parallele in Jüngers Theorie der »Annäherungen«. Die Welt als »Kristall«: die Vorstellung gehört zu Jüngers Grundüberzeugungen. Die kristallartigen Strukturen der Natur seien »ohne eigentliche Zeit, ohne faktisches Geschehen oder gar Sich-ereignen«, schreibt Becker.[61] Neben und hinter der Geschichte herrscht eine Ordnung, die die Mißlichkeiten alles Existentiellen wenn nicht vergessen läßt, so doch mildert. Dieser Ordnung gilt jede Form von »Annäherung«.

Der Käfersammler: »Subtile Jagden«

Und also auch jene, die scheinbar naiv nochmals das »Buch der Natur« aufschlagen läßt, damit »Lesbarkeit« aus einem Bestand gewonnen wird, der weder ins Ungesicherte von subjektiven Erregungen zu entgleiten droht, noch dem Sinnlosigkeitsverdacht ausgesetzt ist, wie er dem historischen »Gegenstand« sich aufdrängt. Was es heißt, die Natur buchstäblich dingfest zu machen, zeigt Jünger mit einem Werk, das von seiner persönlichen Passion handelt: der Käferjagd. »Subtile Jagden« erscheint 1967.

Schon deshalb muß viel Autobiographisches zur Sprache kommen. Der Duktus der dreihundertdreißig Seiten ist rhapsodisch, im Chronologischen gebrochen, stilistisch teils knapp und sachlich, teils weitläufig episch. Zur eigentlichen Sache gelangt der Autor erst nach mehr als einem Drittel, obwohl er in den Anfangskapiteln von jugendlichen Beutezügen erzählt. Das chronologische Hin und Her läßt nicht nur die verschiedenen Käferarten, denen die Aufmerksamkeit gilt, miteinander in Beziehung treten; die Zeitfolge wird gesprengt, indem die Arten und Gattungen wie Leitmotive für ein Sammlerleben wirken: Carabus, Mylabris, Antaeus, Cicindela. An die Begegnungen mit den Tieren – zuerst in Deutschland, später vor allem in Süd- und Südosteuropa – knüpfen sich Exkurse über die Physiognomie des Jägers, des Antiquars, des Kustoden, über Probleme der Systematik und der Komparatistik und immer wieder über die Ordnung der Natur, die den kleinen und kleinsten Tieren eine ungeheure Vielfalt an Formen, Farben und Funktionen gegeben hat. Die Zeichnung auf dem Rückenpanzer mancher Arten sei »hieroglyphisch«. Doch »Hieroglyphenschrift« ist im Grunde der ganze Artenreichtum, ein ständig neu zu entdeckendes und zu deutendes Netz von Bezügen und »Einrichtungen«.

Auch für dieses Buch gibt es nicht nur frühe Erfahrungen, die bis in die Kindheit zurückreichen, sondern auch »frühe Entwürfe«. Am 17. November 1938 – längst herrscht die Zeit der inneren Emigration – verfaßt Jünger fünf Seiten über die Subtile Jagd, die erst in der zweiten Gesamtausgabe abgedruckt werden. Man entnimmt ihnen nicht mehr als ein Plädoyer für die Entomologie, wo es sich »ausschließlich um das Angenehme und Erheiternde oder, wie der von Rösel es nannte, um Belustigung« handle – »freilich um eine Belustigung, die sich mit steigendem Wissen vermehrt«. Zu spüren ist, daß der Faden für eine größere Textur gewoben werden sollte. Aber es bleibt bei dem Kurzfragment – in einer Epoche, die mit dem Darwinismus der Arten in einer Weise ernst zu machen gedachte, daß der Schriftsteller vielleicht vorerst mit dem Bekenntnis zu seiner Liebhaberei abwarten wollte.

Als er aber in den sechziger Jahren beginnt, berichtet er mit unbeeinträchtigter Frische, als hätte erst die Einsicht in den Widerstand gegen alle zeitlichen Vereinnahmungen dem Stoff die letzte, höchste Beglaubigung gegeben.[62] Der »Einstieg« hebt autobiographisch an. Der Vater, der als Assistent des Chemikers Victor Meyer das zur Parfümherstellung wichtige Cumarin aus dem Waldmeister isoliert hatte, ermuntert die Söhne zu naturwissenschaftlichen Studien und Forschungsgängen und schenkt ihnen eine entomologische Grundausrüstung: Fangnetz, Ätherflasche, Pinzette, Auslegekästen. Die Familie lebte damals in dem niedersächsischen Rehburg, in ländlicher Gegend.[63] Jünger erinnert die Mußestimmung im Haus, den Besuch von Freunden und Bekannten des Vaters, die dessen große Leidenschaft, das Schachspiel, teilten. Die Landschaft ist weit und offen. Es gibt die Ableger des Steinhuder Meeres und – man denke an die fehlgelesene Benn-Strophe – das Moor. »Das Moor ist geschichtslos; da ist mehr Wesendes als Werdendes, graues und braunes Nornengespinst.«[64]

Bevor noch von den »Ewigungen« der Natur in den Verwirklichungen der Käfer die Rede ist, beschreibt der Autor die traurige Gestalt eines Schachspielers, der manchmal zu Besuch war, den Heranwachsenden auf Spaziergängen begleitete und »bald aus unserem Gesichtskreis entschwand«. Im Rückblick wird die Erinnerung symbolisch komprimiert. »Dieses Verschwinden hat mich immer beunruhigt, auch wenn ich auf schon halb bemoosten Gräbern Namen entzifferte. Schnell hinter Booten und Schiffen glättet sich die Bahn. Oft sind wir die einzigen, die den flüchtigen Gast noch im Gedächtnis haben; mit uns stirbt er noch einmal, zerbricht die letzte Stele, in die sein Name eingegraben war.« (SJa, 19/10, 19) Um so mächtiger wirkt daher das Bedürfnis, Zeitloses zu bergen, den Tod »metaphysisch« zu überwinden. Die kompensatorische Begebenheit läßt nicht auf sich warten, und wieder geht es dabei um eine »Inschrift«. An einem Dezembertag findet der junge Sammler in einem Schilfrohr des zugefrorenen Steinhuder Meeres ein erstes Exemplar der Gattung Carabus. »Zu Hause blättert man die gebräunten Stengel wie Papyri auf und wird dann durch den Anblick bunter Coccinellen und anderer Raritäten nicht minder erfreut als ein enragierter Ägyptologe durch den Hieroglyphentext.« Lesbarkeit indiziert der im Rohr verborgen gewesene Käfer. »Sein Schimmern war wie das Augenzwinkern eines großen Herrn, ein Blitz des Einverständnisses durch das Visier.« (SJa, 25/10, 23 ff.)

Ausführlicher erörtert Jünger solche Lesbarkeit im Kapitel »Anteus«. »Die Kraft der Territorien bestimmt aus großen Tiefen nicht nur die Harmonie der Lebewesen zueinander, sondern auch zur unbelebten Natur. Entfernte Dinge gewinnen Anklang, wie Worte von ganz verschiedener Bedeutung Anklang gewinnen durch den Reim. Die Welt wird dichter, wird Gedicht. Es gibt ein Schriftbild der Natur; das in der Betrachtung geübte Auge erkennt in ihnen die Charaktere eines Weltteils, einer Insel, einer Alpenkette, so wie der Kundige die Eigenart des Menschen aus seiner Handschrift zu deuten weiß... Das Lesen solcher Bilder setzt freilich wie das von Partituren lange Übung voraus. Es zielt auf Einheit, auf Harmonie der Welt. Das Mannigfaltige hingegen wirkt wie der Vorstoß dieser Einheit; die Darbietung trifft das Bewußtsein überraschend und mit großer Macht. Hier wirkt der Eros stärker als der Nomos der Welt.« (SJa, 35 f./10, 32)

Was am Beispiel der Käfer auseinandergesetzt werden soll, betrifft die Welt der Erscheinungen im ganzen. Lesen heißt, Überraschungen ableiten und zurückführen. Davon war – noch nicht vor dem Hintergrund spätneuzeitlicher Evidenzverluste – schon Johann Georg Hamann bewegt, als er in die Kontroverse mit Kant eintrat.[65] Und damit beschäftigte sich in besonderem Maß die frühromantische Universalpoesie, wobei die Metapher von der Hieroglyphe eine Auszeichnung erfuhr.[66] Die Kraft dieses Bilds beruht darauf, daß die Botschaft zwar *gesehen*, aber nicht in eine »eindeutig« gelesene Bedeutung übergeführt werden kann. Als »absolute« Metapher ist die Hieroglyphe nur erfolgreich, wenn es Champollion nie gegeben hat. Dann wird alles hieroglyphisch, was heißt: alles hat seinen geheimen Sinn. Das Vertrauen in ihn dispensiert davor, die Welt auf bloße Erkenntnisbezüge zu »reduzieren«.

Jünger selbst liefert dafür Anschauungsmaterial. Den Passagen über das Buch der Natur läßt er die Erinnerung an den Biologen Oskar Vogt folgen, dessen Schicksal ins Buch der Geschichte gehört. Von den Nationalsozialisten geächtet, konnte Vogt im Schwarzwald der Entomologie nachgehen; dort besuchte ihn der »Kollege«. Im Dachstock des Hauses ruhen, eingelagert in Paraffin, Gehirne – Studienobjekte des Vorgängers von Vogt.

»In Paraffin eingebettet, harrten die Gehirne darauf, daß der Professor oder einer der Eingeweihten sie studieren würde, wie er einst das von Lenin studiert hatte. Er kannte die feinsten Hügel, Schluchten, Brücken, Kammern und Zellen dieser Landschaft, auch sehr entlegene Orte, so wie ein Astronom die fernsten Nebelflecke kennt. Der Adlatus gab mir einen durchsichtigen Block in die Hand. Das darin eingezwingerte Gehirn war das eines Dichters: es hatte Sudermann gehört. Ich hielt es wie eine Bienenwabe – wo waren die Bilder und Gedanken, die drin gewohnt hatten? Und hatten sie, wie die Bienen, sich dereinst dieses Nest gebaut? Ein Ketzereinfall in dieser Mumienkammer – ich ließ ihn nicht laut werden.« (SJa, 41/10, 37)

Das Gehirn als Wabe: eine »Fassung« für die höhere Welt der Gedanken. Auch dieser »Ort« ist der Natur zugehörig und also Teil des Schriftbilds, das der Fachmann liest. Die Darstellung der Begebenheit mitsamt ihrer Interpretation erinnert an Sequenzen in den frühen Kriegstagebüchern. Damals hatte Jünger bildlich und real, real aber in den Farben des äußersten Entsetzens, von Gehirnen gehandelt – von zerschossenen, zerschmetterten, grausig geöffneten Schädeln. Damals bot das Gehirn Anlaß, über diesen so unbequemen, durch Bewußtsein den Schmerz der Todesantizipation produzierenden Ort des Organismus nachzudenken. Ein halbes Jahrhundert danach ist das alles und auch die expressionistische Metaphorisierung wie weggewischt. Die Lesbarkeit »transzendiert« den lebenspraktischen Aspekt am Mängelwesen.

Man muß im übrigen kaum betonen, daß das Beispiel aus der Dachbodensammlung gut gewählt war. In dem Dichter Sudermann vereinigen sich künstlerische Begabung und Mittelmaß in einer Weise, daß die Entindividualisierung zum bloßen Gedankenspeicher nicht anstößig wirkt. Das Subjekt wird zum ahnungslosen Träger einer Selektion, die einfach ihre Gaben nach einem unbekannten Verteilungsprinzip abgibt. Daß es dennoch gefährlich werden konnte, diese »Landschaften« zu lesen, demonstrierte für Jünger das politische Schicksal von Vogt. Er war bei den Nationalsozialisten deshalb in Ungnade gefallen, weil er russischen Stellen attestiert hatte, was die Historie ohnehin längst wußte: daß Lenin außerordentliche Begabungen hatte. Das Buch der Geschichte kennt nicht die interesselose Neugierde, die das Buch der Natur beim Wissenschaftler weckt.

Den Dichter Sudermann zum Opfer einer Lesbarkeitswut zu machen, fällt Jünger nicht schwer. Nichts Polemisches liegt der

Absicht zugrunde. Später nimmt er sich auf etwas andere Weise nicht davon aus. Er erzählt, wie er als Rehburger Schüler sein Wirkungsfeld nach und nach erweiterte, neue Arten und damit auch neue Verhaltensweisen und neue Passungen innerhalb der Natur entdeckte. Wie eine Epiphanie taucht ihm da auf, daß er einmal die subjektive Distanz zum Geschehen verlor und mit in die Szene, ins »Bild«, eintauchte. Das Ergebnis wird in dem Kapitel »Cicindela« erwähnt und betrifft ein Nebengeschehen während der Käferjagd. Der Schüler fischt in einem Überlauf des Steinhuder Meeres, der zur Weser führt. Der Fang wird ihm bestürzend. »Hier ging es nicht mehr um Beute, sondern um ein webendes Hin und Her mit den Eintagsfliegen und den silbernen Fischen, die ich aus dem Wasser wie aus einer dunklen Truhe hob – das muß ich gefühlt haben. Es war kein Zufall, auch kein Glück mehr, und kaum noch Wahrnehmung. Es war, als hätte mich ein Maler mit derselben Farbe, mit der gleichen grauen Paste ins Bild gemalt. Das Schilf am flachen Ufer, das stille Wasser, die moorige Luft, der Reiher, der am Meere fischte – wir waren alle in dieses Bild gebannt.« (SJa 83/10, 71)

Der Zugriff des Beutejägers weicht einer trägen Zugehörigkeit zum »Ganzen«, die selbst dem Apologeten des »Unum« unheimlich ist. Die Szene illustriert freilich eine Einschmelzung des Bewußtseins, die der Autor etwas später als »unkopernikanisch« beschreibt. Der Wildbeuter lebe in dieser »uralten Lebensform«. Noch einmal taucht das Motiv am Ende des Buches auf. Jünger erwähnt im Zusammenhang mit seinen entomologischen Reisen einen Aufenthalt in Frankreich; in der Nähe des Orts liegen die Höhlen von Lascaux. Bemerkenswert sei, daß diese frühesten Maler »die Kraft und Anmut der Tiere unübertrefflich ins Bild zu bannen wußten«, jedoch »so wenig über den Menschen hinterließen«. »... wir finden auf ihren Friesen keinen Jäger, auf den auch nur ein Teil dieser Sorgfalt verwandt wäre, vor allem kein Gesicht. Eben das verrät die wandelnde Kraft. Noch sind ihr, wie im Märchen, keine Grenzen gesetzt. Sie spiegelt die Welt, doch blickt sie nicht in den Spiegel; noch ist der Jäger identisch mit seinem Wild.« (SJa, 296/10, 243)[67]

Die Lebenswelt der Höhlenidentität ist freilich längst entschwunden. Der moderne Sammler hat die Stufe der Reflexion erreicht; er erfährt die Zeit als Dilatanz, als Versprechen auf Erfüllungen, die sich niemals vollständig und häufig nur als Überraschungen einstellen. An der Tätigkeit des Sammelns lockt das »Noch-nicht«; aber insofern ist die Lesbarkeitspflicht ein anstrengendes Unternehmen, denn es genügt nicht, an die Natur nur heranzutreten, vielmehr muß man sich ihrer Gegenstände versichern. Sie könnte auch auf Grund von räumlichen und zeitlichen Unverfügbarkeiten niemals gelingen, wenn der »Text« auf der chronologischen Achse läge. Indessen *wiederholt* er sich – und zwar in jedem Käfer. »Die Wiederholung ist ja nicht nur die Mutter der Studien, sondern der Einprägung überhaupt. Da macht der Genuß keine Ausnahme.« (SJa, 108/10, 91) Der erste Satz wirkt harmlos. Der zweite hat schon mehr Kontur. Jünger erzählt, wie ihm zum ersten Mal in Sabbioncello, zum zweiten Mal 1964 auf Xylokastron eine Pilosella zuflog. »Ich erkannte sie sofort, und als ob sich ein Kontakt schlösse, war die Spanne zwischen den beiden Begegnungen gelöscht. Warum erfreut uns solche Wiederholung? Doch wohl als Hinweis auf die Wiederkehr. Wir dürfen die Hoffnung nicht aufgeben.« (SJa, 241/10, 199) Der dritte Passus handelt schließlich von der geglückten Lektüre. »Was auf die Dauer im mürben Holz wohnt, trägt düstere Farben oder ist in herbstlichen Mustern gescheckt. Oft, wenn ich eine der Hieroglyphen zu entziffern suchte, stand ich vor der Frage: war es nicht doch ein Stückchen verwesten Splintes, ein Häufchen Vogelkot? Doch dann begann es sich auf der warmen Hand zu demaskieren, die zarten Füße und Fühler vorzustrecken: der Staub nahm Leben an. Wie oft das Rätsel sich auch löste, die Überraschung blieb die gleiche: Erschrecken, Atemholen, Heiterkeit. Die Heiterkeit erkennt, begrüßt in der Erscheinung die Wiederkehr.« (SJa, 303/10, 249) Die *Desinvoltura* erfährt das »Aufleuchten der Harmonie«.

Diese Harmonie enthält auch, was der Sammler selbst niemals an Überblick zustande brächte: sie verbürgt dem Einzelnen den Zusammenhang der Schöpfung. Das betrifft schon die Orte, an denen der Sammler fündig zu werden trachtet. Jünger beschreibt sie teils ausführlich, teils mit kurzen Angaben: die Dünen der Costa del Sol und Sylt, Marbella und Rhodos, Ceylon, Khartum, Ägypten, die dalmatische Küste, Griechenland, und immer wieder Sardinien. Auch grenzt er das Sammelgebiet ein; es ist das Paläarktikum, die Alte Welt nördlich des Wendekreises des Krebses, einschließlich der vorgelagerten Inseln, also etwa Islands, der Kanaren und des japanischen Archipels. Letztlich aber verschwimmen die Orte. »Wir suchen in ihrem Wechsel auch nicht die Gärten, sondern allein *den* Garten, den Hort der großen, festlichen Zeit.«

Das betrifft weiter die Objekte selbst, die Gattungen und Arten, das gewaltige Gewimmel, das selbst dem Kenner zuweilen als abstrakt erscheint. Unvermeidlich wird da die Frage nach dem Wozu.

»Ja, was macht das Glück aus bei solchen Bildjagden? Zuweilen begann ich mit mir zu hadern: wozu die Aneignung von hunderttausend Ideogrammen, dazu zahlloser Runen, deren Fülle selbst ein Argus nicht gewachsen ist? Freilich bedeutet das einen Genuß, den vielleicht nur ein alter Chinese im letzten zu würdigen weiß. Es ist nicht die Schönheit, denn viele Tiere sind unscheinbar; es ist auch nicht der Nutzen, der sich mit dem Wissen verbindet, denn die schädliche Art ist nicht minder willkommen als die nützliche; und es ist nicht die Freude, Dinge zu sehen und zu wissen, die kaum ein anderer sieht und weiß. All das wird vergessen in Augenblicken, in denen die Harmonie aufleuchtet. Es ist ein Geheimnis dabei, das sich hinter der, gleichviel wie gearteten, Mannigfaltigkeit verbirgt. So besteht der Text eines großen Autors aus Buchstaben, Zeichen, Sätzen und Abschnitten, und mancher liest ihn, ohne daß er die Komposition begreift.« (SJa, 101/10, 85 f.)

Kein »größerer« Autor ist allerdings denkbar als die Natur, bei deren Lektüre »zu nächtlicher Stunde« die Zeit vergessen wird – »nicht nur die unsere, sondern die Zeit als solche, die so viel Widriges birgt«.

Die Zeit, das alte Thema, ist auch hier wieder der Angriffspunkt, als das bedrängend Unverfügbare, das es zu bannen gilt. Mehrmals, vor allem in dem größeren Kapitel »Sammler und Systematiker«, kommt Jünger – gerade auch im Kontext der Zeit-Erörterung – auf zwei große Naturforscher und ihre Gedankensysteme zu sprechen. Linné und Darwin repräsentieren zwei verschiedene Jahrhunderte. Zur Entomologie bemerkt Jünger, daß sie kaum älter als zweihundert Jahre sei. Erst im Barock entfalte sich »ein besonderer Sinn für die geprägte, entwickelte Form... Auch die Natur beginnt auf eine neue Art zu sprechen; sie gewinnt große und autonome Kraft. Nicht nur die Formen werden neu gesehen, sondern mit und in ihnen das Wunder, zu dessen Kennzeichen die unbegrenzte Vervielfältigung gehört«. (SJa, 129/10, 108) Linné behandelt sie, indem er sie mit Namen belehnt und damit der Fülle entgegenzuwirken sucht. Für ihn trägt alles Gottes Prägestempel. Dazu kommt der Glaube an die Konstanz der Arten. Wenn aber Linnés Betrachtung »ein vollkommenes Gleichgewicht zwischen der wirkenden und der geprägten Natur« sieht, so bringt Darwin mit seiner dynamischen Theorie der Selektion das Element des »Fortschritts« ins Spiel. Das heiße nicht, daß Darwin an Lesbarkeit nicht interessiert gewesen wäre. »Wohin er auch den Blick auf das Naturreich richtet, auf Orchideen, Schlingpflanzen, Korallen, Finken, Tauben, Vulkane, überall springen bedeutende Antworten heraus. Man darf ihn zu den Geistern zählen, die eine neue Art zu sehen und das Gesehene zu verknüpfen begründeten. Daß seine Aufmerksamkeit sich weniger, wie bei Linné, auf die festumrissenen Gestalten als auf die Übergänge richtet, beruht auf seinem Grundverhältnis zur Zeit. Für ihn liegt die Schöpfung innerhalb, für Linné außerhalb der Zeit. Auch Linné hat natürlich beobachtet, jedoch mehr konstatierend als verknüpfend; er fischt eher mit der Angel als mit dem Netz.« (SJa, 135/10, 113)

Jünger rühmt Darwins Antworten und hebt dessen Blick für die »Übergänge« hervor. »Übergänge« ist allerdings ein Euphemismus, wenn man weiß, wie sehr der Verfasser von »On the Origin of Species by Means of Natural Selection« dem Naturgeschehen dessen Zeit-»geschichte« nachgewiesen hat. Im »struggle for life« kommt den *Untergängen* eine entscheidende, den Fortschritt regulierende Bedeutung zu. Daß Jüngers Sympathien viel mehr bei Linné, dem großen Ordnungsdenker, liegen, bedarf kaum der Erklärung. In Linnés »Systema Naturae« von 1735 ist die Idee der Physikotheologie vorherrschend, wie sie ein Jahr später Derham ausdrücklich explizierte. Göttliche Weisheit und Vorsehung hält die Welt in Balance. Alles hat sein richtiges Maß und die angemessene Zahl, nichts kann geschehen, was das »Natursystem« aus seiner Stabilität wirft: dafür sorgt das Prinzip des Ausgleichs. Es kompensiert jede Form von »Übertretung«.

Wolf Lepenies hat die historischen und ideellen Prämissen freigelegt, welche nicht nur für Linnés sammelnde und klassifizierende Tätigkeit gelten, sondern auch für die bis ins 18. Jahrhundert virulente Vorstellung von der *Naturgeschichte*.[68] Gott hat die Welt in den sechs Tagen seiner Schöpfungsvollstreckung vollständig eingerichtet; alles ist da. Dem Naturforscher bleibt nur noch, das scheinbare Chaos, die Fülle der Erscheinungen, wahrzunehmen, zu ordnen und endlich mit Benennungen zu klassifizieren. Die Lebensprozesse gehorchen letztlich der göttlichen Ökonomie, welche den Bestand im ganzen sichert. Zwar darf der Mensch innerhalb des Plans seine Sonderstellung beanspruchen, doch auch er muß sich dem Gesetz beugen. Linné suchte den Nachweis dafür in dem Werk »Nemesis Divina« zu erbringen. Er hatte Fallgeschichten zusammengetragen, welche das Regulativ der göttlichen Vorsehung bezeugen sollten; wo immer der Mensch ein Übel begeht, greift die Nemesis ausgleichend ein. Das aber heißt: nach physikotheologischer Vorgabe läßt sich die »Struktur« der Natur auf die Gesellschaft übertragen; auch sie wird bestimmt vom Gesetz der Balance. Der Einsichtige lebt daher am besten, wenn er von vornherein das Maß respektiert.[69]

Das Ende der Naturgeschichte mußte kommen, als die Paläontologie vermehrt Funde vorwies, die nicht in das System zu integrieren waren, wollte man nicht dessen innere Ordnung preisgeben.[70] Darwins Lehre markiert bereits den Höhepunkt des neuen, auch die Natur *verzeitlichenden* Denkens. Die Welt ist nicht der Ort einer absoluten »Präsenz«, gleichsam der komplette Spiegel aller platonischen Vor-Bilder. Auch Ernst Jünger ist der Zerfall von Linnés Klassifikationsschema nicht verborgen geblieben. In dem Essay »Typus, Name, Gestalt« setzt er ihn in Verbindung mit einer »Beschleunigung und Dynamisierung« des Lebens. Aber: »dynamisch« ist das Leben in seiner naturalen Prozeßhaftigkeit immer schon. Es konnte als solches vom anhebenden Fortschrittsbewußtsein des 18. Jahrhunderts nicht »erfunden«, sondern nur erkannt werden.

Natürlich erkennt Jünger das revolutionäre Naturverständnis von Darwin, welches mit dem Hinweis auf die Geschichtlichkeit auch die besseren Argumente bei der Einordnung der Phänomene vorzubringen weiß. Der Dynamik der Selektion von lebensfähigen Typen mußte schließlich gerade der Verfasser des »Arbeiters« von 1932 Rechnung tragen. Aber der Autor der »Subtilen Jagden« hat inzwischen zu viele Untergänge und Katastrophen erlebt, als daß ihn der Prozeß des Fortschritts noch interessieren könnte. Das Verführerische an Linnés Systematisierung der Natur wie an der Physikotheologie ist die Suggestion einer auf Dauer eingerichteten, statischen Ordnung. Was Kant gegen die Physikotheologie eingewandt hatte – sie nehme die Idee der systematischen Einheit absolut, anstatt sie lediglich als regulatives Prinzip für die Vernunfterfahrung der Natur zu gebrauchen –, soll den Platoniker nicht beunruhigen.[71]

Man kann das bis in ein Detail verfolgen, das Jünger in dem Kapitel über die Cicindelenjagd anbietet. Er befindet sich auf San Pietro, einer Sardinien südwestlich vorgelagerten Insel. Auf einem Wandergang scheucht er eine dunkle Natter auf. Wie es sich gehört, flieht das Tier »schnell und, wie es schien, in regelmäßiger, müheloser Windung«. Indessen findet der Beobachter alsbald eine Spur, die nicht als »Schlangenlinie«, »sondern stemmbogenartig als unzusammenhängende Folge von Halbmonden in den Sand geprägt« ist. »Das deutete eher auf eine schnellende als eine gleitende Bewegung und berührte einen meiner alten Händel mit dem Demiurgen: die physiologischen und anatomischen Komplikationen entfernen eher vom Urbild, als daß sie es ausdrückten. In dieser Hinsicht erweist sich der Demiurg als Autor – er umkreist, ohne es zu erreichen, das Unaussprechliche.« (SJa, 105/10, 89)[72]

Urbilder haben den Vorteil, daß sie nicht »verifiziert« werden können. Weshalb eine Schlange statt »stemmbogenartig« in der Wellenlinie sich fortbewegen soll, dürfte selbst von Jünger nur schwer erklärt werden können. Doch sieht man rasch den Gewinn, wenn es zu solchen Entdeckungen des Auseinanderklaffens von Erwartung und Erfahrung kommt: sie sind metaphorisch verwertbar, das heißt, auch für andere Enttäuschungen kompensatorisch zu gebrauchen. Noch in der Abweichung klingt die Wahrheit an; den Unerfüllbarkeiten innerhalb der zeitlichen Abfolge korrespondieren letztlich die Harmonien. Diese eschatologische Heimkehr, die Parusie, kann Jünger nicht mehr als geschichtlichen Vollzug erhoffen. Nur im Dreischritt von »Erschrecken, Atemholen, Heiterkeit« birgt er aus dem Vorrat der Natur Zeitloses. In »Drogen und Rausch«, dem Buch der »Annäherungen« von 1970, ist beschrieben, wie der Idee nach kein Schöpfungsverlust jemals zustande kommen kann. Der Saurier hat sich als »Gestalt« in den Erd- und Gesteinsschichten konserviert. In den »Subtilen Jagden«, drei Jahre zuvor, gibt Jünger ein Pendant zur Echsenmetapher. Er erzählt, wie er von Freunden ein Chamäleon geschenkt erhalten habe, das er in der Folge aufzog. »Auch ich fühlte gern, wie er sich in der Hand belebte, und trug ihn oft stundenlang umher. Wahrscheinlich litt er, wie alle Echsen, unter dem Heimweh nach verschollenen Erdaltern. Von dort aus gesehen sind

Pelz und Gefieder der warmblütigen Tiere nur Notbehelfe in einer unwirtlich gewordenen Welt.« (SJa, 314/10, 258)

Der Vertreibung aus dem Paradies folgt Korrektur durch Anpassung. Die Pointe des Ganzen beruht aber auf der darwinistischen Abwandlung. Nachdem einmal der Urzustand des Wohlbefindens verlassen ist, kompensieren ihn Tiere, die ihn niemals genossen haben, mit »Notbehelfen«, während der frühzeitliche Abkömmling aus Heimweh melancholisch wird. Auch in der Natur herrscht nicht Gleichzeitigkeit, wie sie noch Linné wollte.

Verführerisch wäre die Frage, ob es Gattungen gibt, die dem Urbild rein zeitlich betrachtet näher sind als andere. Dann wäre der Mensch jedenfalls am weitesten nicht nur von seinem Bild, sondern auch vom Paradies entfernt. Schon die Welt der sechs Schöpfungstage kennte dann »Verzögerungen«. Jünger, den es sonst nicht zu den Soziologen drängt, zitiert Max Weber – genauer: die berühmte Entzauberungsthese, die er freilich aktivistisch zuspitzt. »Nach Max Weber ist die Aufgabe der Wissenschaft ›die Entzauberung der Welt‹. Damit berührt er eine der Ursachen des Schwundes und des Leides, das aus ihm entspringt. Nicht die tiefste Ursache freilich, denn der Schwund gehört zu den Voraussetzungen des Gestaltwandels.« (SJa, 145/10, 121) Gerade diesen »Entzauberungen« will der Subtile Jäger entgegenwirken, indem er auf einem Feld arbeitet, das so etwas wie Heimkehr erleben lassen soll. Immer wieder kommt in den »Subtilen Jagden«, wenn auch mehr versteckt als offen, der Gegensatz zwischen dem Buch der Natur und jenem der Geschichte zum Ausdruck. In einer Ergänzung, betitelt »Carabus rutilans«, erwähnt Jünger nochmals die Entzauberung und verbindet das Thema mit einem frühen Erlebnis. »Die Meßkunst triumphiert notwendig auf Kosten des Erhabenen, das durch sie an Glanz, doch nicht an Schrecken verliert. Dem folgt ein Unbehagen, wie es mich in den zwanziger Jahren bei einem Gange durch das kahle Massiv des Monte Gallo überfiel. Im ›Sizilischen Brief an den Mann im Mond‹ suchte ich mich davon zu befreien; es gibt keinen Rückzug mehr.« (10, 309)[73]

Was an den Käfern lockt, ist einerseits die Fülle der Formen und Erscheinungen, gegenüber der jeder messende Zugriff unmöglich scheint, andererseits der Aufwand an »Prägungen«. Der Darwinismus hat bei den Käfern scheinbar nicht stattgefunden. Solchen Luxus an

Differenzierungen leistet sich die Natur selten. Vor allem aber wirkt die Suggestion eines Nebeneinanders, wo sonst das strenge Regime der Selektion herrscht und die Zeitzwänge spüren läßt. Die Käfer sterben nie. Sie können wie Früchte geerntet werden. Wenn Jünger beschreibt, wie sie gefangen und dem sanften Äthertod zugeführt werden, deutet er das Faktum des »Übergangs« nicht einmal an. Jäger ist der Sammler nur im Aufspüren der Beute. Schon als Besitz verliert das Objekt den Jagdwert, ist nun ein Steinchen im Mosaik der Ordnungen und Systeme. Die Subtile Jagd erscheint innerhalb eines auf Bedürfnisbefriedigung und Selbsterhaltung ausgerichteten Daseins als Ornament.

Das schlägt durch bis in die Stimmung des Berichts, der an Erlebnissen immerhin mehr als ein halbes Jahrhundert umfaßt.[74] »Subtile Jagden« ist ein ruhiges Buch, ruhiger als jenes von den »Annäherungen«. Die Ruhe trägt bis zu den Prinzipien der Chronologie. Sie ist aufgelöst, zerlegt und gegenläufig wieder zusammengefügt; auf die Abläufe der Zeit soll es nicht ankommen. Wie Kubin, der einer der »letzten großen Gegenspieler« der Ordnungsprinzipien, »ein Kenner und Liebhaber zeitlosen Wesens« sei, bildet der Autor den Text aus Assoziationen und Einfällen hervor. In den Schlußpartien kommt er auf Ereignisse zu reden, die in Verbindung mit der Käferjagd stehen und die er mit der Kapitelüberschrift »Zwischenfälle« versieht.

Das Abenteuer liegt weit zurück. Als Schüler entdecken Jünger und sein Bruder Friedrich Georg während einem Beutegang bei Rehburg den Einstiegschacht zu einem stillgelegten Bergwerk. Sie beschließen, abzusteigen.

»Noch bedenklicher war der Einstieg in einen lotrecht geführten Stollenhals, durch den vor Zeiten Kohle gefördert worden war. Der Eingang war durch einen Deckel gesichert, dessen Schloß wir aufbrachen. Leitern mit grünbemoosten Sprossen führten in die Tiefe hinab. Rechts davon gähnte der Förderschacht. Wir bissen die Zähne zusammen und machten uns auf den Weg... Endlich erreichten wir die Sohle und sahen im Schein der Kerze die Gänge abzweigen. Bis auf das Rauschen des Wassers, das sich am Grunde zu einem Bach vereinte, war es unheimlich still. Da verließ uns der Mut, uns weiter in die hohle Welt zu wagen; wir kehrten um. Ich war, den Bruder hinter mir, wieder zur Hälfte emporgeklommen, als ich den furchtbaren Sturz hörte. Er krachte von Plattform zu Plattform und endete im freien

Fall durch den Förderschacht auf dem untersten Grund. Dem folgte Stille, und ich fühlte, wie sich die Hände von der glitschigen Sprosse lösen wollten, an die sie sich klammerten. Endlich wagte ich, seinen Namen zu flüstern – er antwortete. Einer der schweren Brocken, die aus der Wand gebrochen waren und auf den Brettern lagen, hatte sich unter seinem Fuß gelöst.« (SJa, 263/10, 217f.)

Ist es Zufall, daß die Begebenheit am bedrohlichsten Punkt an jene Parabel des »Abenteuerlichen Herzens« erinnert, da das Opfer bei wachsendem Getöse durch eine Reihe von Kupferblechen in die Tiefe fällt?[75] Ein Jugenderlebnis mit glücklichem Ausgang könnte in eine Schlüsselmetapher von Jüngers Surrealismus verarbeitet worden sein. Es ist sinnlos, darüber spekulieren zu wollen, wie präsent dem Autor des »Abenteuerlichen Herzens« die Stollen-Geschichte noch war, als er den Text über das »Entsetzen« verfaßte. Aber daß er sie erst als Siebzigjähriger erwähnt – in der Fassung der Anekdote –, zeigt vielleicht, wie das Drama der »Zeitlichkeit« inzwischen seine Schärfen verloren hat. Nichts verdeutlicht den Schrecken der Zeit mehr als das stufenweise Einbrechen der Abstände, die den Stürzenden vom Tod trennen. Kein gleitender Übergang; vielmehr Dynamik und Beschleunigung mit harten Brechungen. Man mag das nochmals metaphorisch ausweiten und hätte dann ein Bild für die Bedrohlichkeiten des Ersten Weltkriegs: Warten, Fallen, Sterben. Die Zeit rückt nahe heran. Davon will die Anekdote nichts mehr wissen.

Was der Surrealismus als ästhetische Summe aus dem epochalen Bewußtsein zog, war der Versuch der Zeitvernichtung durch radikale Gleichzeitigkeiten. Der Zeit wurde die Richtung genommen. Darauf verweist auch Jünger im Zusatz von »Carabus rutilans«. »Die Zeit beginnt sich vom Raume abzulösen, der uns unmittelbar bedroht. Piranesi hat diese Macht der Monumente gut gesehen, doch zugleich more christiano dämonisiert. Schärfer haben die Surrealisten den Eindruck der Luftleere erfaßt, der entsteht, wenn die Zeit schwindet und die Konturen in kosmischer Strenge hevortreten.« (10, 321)[76] In den Subtilen Jagden aber weicht die Zeit dem Vergnügen, das die Ideogramme der Schönheit gewähren. Es bedarf nicht mehr surrealistischer Anstrengung, die Bewegung zu bannen. Die Lektüre der Natur genügt. Nur in einem einzigen Absatz gesteht

Jünger ein, daß das Gefühl des Mangels gleichwohl bleibt. »Überhaupt ist das tiefste Behagen unvergleichlich; es kennt kein Warum. Schon das Wie zeigt den Mangel – wo wir sagen: ›Wie bei der Mutter‹ oder ›Wie in Abrahams Schoß‹, da ist schon nicht Sicherheit mehr.« Die Metapher bindet nicht nur und stellt Zusammenhänge her. Sie läßt auch erkennen, daß zur Annäherung das Bewußtsein des Verlusts tritt.

*

Mit einem »Figurenspiel«, wie es im Untertitel des Essays »Sinn und Bedeutung« heißt, rundet Jünger das Thema der Lesbarkeit, ohne daß er es bis in die spätesten Werke je aus den Augen ließe. Der Aufsatz, erstmals 1971 in dem Almanach »Aufrisse« des Klett-Verlags erschienen, fragt in einer abstrakteren und spekulativeren Form nochmals nach dem Weltverstehen. »Die Welt ist voll von verwitternden Bedeutungen.«[77] Man müßte hinzufügen: auch von verwitterten, verlorenen, preisgegebenen Bedeutungen, die niemand mehr zu rekonstruieren vermöchte.

Was vordergründig der Begriffsklärung dient, führt bald tiefer in die Dichotomie von Sinn und Bedeutung hinein. Der Mensch hält sich in und mit Bedeutungen auf, die ihm Orientierung gewähren; der Sinn des Wegs, dem er so folgt, bleibt ihm verborgen. Daher – so folgert der Platoniker – kann der Sinn auch im scheinbar Widersinnigen nicht gefährdet sein. »Wir sind auf der Passage und nehmen nur Konstellationen wahr. Wenn uns im Ebben und Fluten des Lichtes Finsternisse treffen und Sternstunden beglücken, so bleibt das Große Gestirn davon unberührt, wie es die Gläubigen, die Dichter und die Sternkundigen immer gewußt haben.« (13, 205) Dennoch wirken zeitlose Bilder in die Zeit hinein und formen das Abbild, dessen Bedeutung gelesen werden kann. Hier kann die Physiognomik eingreifen: nicht als Methode von Fall zu Fall, sondern als Zeichenlehre. »Bedeutung… ist vom Sinn abhängig. Der Sinn schafft Bedeutungen. Darüber muß sich jede Physiognomik im klaren sein, sofern sie sich nicht selbst zur Meßkunst degradieren und bei Masken haltmachen will. Physiognomik ist mehr als Wissenschaft.« (13, 211) Auch im Unverstandenen von zeitlichen Verstellungen bleibt der Sinn unbetroffen. Zur Tragik des Menschen gehöre, daß er vielleicht niemals den Deuter, den Kenner, den Liebenden finde; so sei Dostojewskijs Fürst Myschkin unerkannt, »ohne Bedeutung« geblieben, »doch nicht ohne Sinn«. Nihilistisch indessen wäre das Unterfangen, auch den Sinn zu vernichten – ein »satanisches Kennzeichen«.

Es scheint fast zwingend, daß Jünger an dieser Stelle, im engsten zeitlichen Umfeld des Nachtrags »Carabus rutilans« zu den »Subtilen Jagden«, nochmals auf den Surrealismus, mithin indirekt auch auf das eigene Frühwerk zu sprechen kommt. Unter der Wucht der Sinnfrage enthüllt sich der Surrealismus als ästhetisch-spekulatives Programm der Sinnsuche ex negatione. »Der Surrealismus kann konstatieren, doch er kann nicht Sinn geben. Er wirkt ex negativo, indem er Verlust und Verlassenheit näher heranrückt, als es das Lichtbild vermag. Das Licht wird gleißend in luftleerer Ferne, die kein Schall mehr durchdringt. Chiricos Häuser sind leer, sie sind hohle Grüfte, in denen man den Toten vermißt. Wo mag er geblieben sein? Hier sind keine Wohnungen mehr.« (13, 217)[78] Was Jünger nicht sieht – oder möglicherweise nicht sehen wollte –, ist die Tatsache, daß der Surrealismus nicht nur die Sinngebung verweigerte, sondern absichtsvoll die Aufkündigung jeder Lesbarkeit betrieb. Die Zeit mußte der Epoche verwehren, was Jünger als der große Einzelgänger später immer zu pflegen trachtete: die geistige Muße des Blicks auf die Welt unter der Grundannahme ihrer Abhängigkeit von einer höheren Ordnung.

Von der Bedeutung zum Sinn: so läuft der Denkweg in dem Essay, wobei der Autor zum Teil wieder »phänomenologisch« vorgeht und aus kurzen »Betrachtungen« schöpft, zum Teil mehr abstrakt über das Verhältnis im »Figurenspiel« meditiert. Für die Arbeitswelt sei kennzeichnend, daß die Bedeutungen vorwiegend nach dem Schema von Ursache und Wirkung gegeben seien. Der eigentliche Genuß an ihren Rotationen beruhe auf der Anschauung dieser Bestätigung. Zeit und Raum würden immer gründlicher genutzt, auf Zwecke hin ausgerichtet. »Zeit und Raum sind um so besser zurechtzuschneiden, je mehr an Sinn ihnen entzogen wird. Es bleiben abgelöste Bedeutungen; sie sind beliebig auswechselbar.« (13, 218) Im Maß, wie der Sinn sich verdunkelt, wächst die Macht der Zeit als *Schmerz*. Das Thema des frühen Essays der Sammlung »Blätter und Steine« kehrt wieder. Wenn Jünger darauf auch auf das »körperliche

Leiden« zu sprechen kommt und auf die Vernichtungsmaschinerie der Konzentrationslager hinweist, spiegelt ihm dieser Schrecken weniger das Verbrechen oder die Grausamkeit. Da taten »Vernichtungsfunktionäre« ihre *Arbeit*. »... nicht sonderlich verschieden von den anderen, die man überall hinter den Schaltern, vor den Karteien oder am Fließband sieht. Bewußtsein des Unrechts, des bösen Gewissens ist um so weniger vorhanden, je genauer er dem Typus entspricht.« (13, 221) Der Grund, weshalb die Gesellschaft, da die Untaten ruchbar geworden sind, »als ob sie Gespenster sähe, in eine Art von Trance« fällt, liege darin, daß sie »sich selbst... in einem etwas schärfer geschliffenen Spiegel« erkennt und ihren eigenen Prinzipien begegnet.

Um welche »Prinzipien« könnte es sich handeln? Nur um jene des Nihilismus, die Jünger schon seit den fünfziger Jahren mit Blick auf die spätmoderne Zivilisation diagnostiziert. Die durchfunktionalisierte Arbeitswelt leidet zusehends unter dem Wertverlust. Zur erfolgreichen Anpassung an den Typus des »Funktionärs« gehört die Immunisierung gegenüber dem Empfinden von Gut und Böse.

Aber stimmt das auch? Schon Hermann Lübbe hat verdeutlicht, daß der Bereitschaft zu den Greueltaten der Massenvernichtung eine wenn auch pervertierte »Moralisierung« dieses Tuns vorangegangen war.[79] Man kommt deshalb nicht umhin, nochmals nach Jüngers eigener Konzeption jenes »Typus« zu fragen, den er 1932 als den »Arbeiter« agnosziert hatte. Der »Arbeiter« muß, wie damals ausgeführt wurde, den Schmerz der physischen wie der psychischen Form nach empfinden, so lange er als Vorläufer der neuen Zeit gegen die alte Zeit antritt. Es herrscht ein Mißverhältnis zwischen dem »Auftrag« und der Erfüllung: eine Verzögerung, die als Widerstand gegen den »Arbeiter« zurückschlägt.[80] Erst die vollkommen eingerichtete Welt der »Planlandschaft« würde so etwas wie schmerzfreie Identität von Lebenszeit und Weltzeit gewähren. Eine Problematik der Beziehung von »Arbeit« und »Schmerz«, die Heidegger nicht entging, als er 1955 mit seinem Essay »Zur Seinsfrage« auf Jüngers Schrift »Über die Linie« replizierte.[81]

In Jüngers Spätwerk aber verändern sich die Perspektiven, unter welchen über den Schmerz gesprochen wird. Nicht mehr ist es die *noch* ausstehende Erlösung innerhalb des geschichtlichen Prozesses, die den Schmerz bewirkt – die säkularisierte Leidenserfahrung des sich opfernden »Arbeiters«. Denn inzwischen steht auch für Jünger fest, daß keine historische Parusie erwartet werden kann, die das Paradies der Identität zu verwirklichen vermöchte. Vielmehr gibt es Schmerz als metaphysische Verzweiflung nur da, wo am *Sinn* gezweifelt wird – wo sich die Bedeutungen von ihrem stiftenden Grund abgelöst haben. Dem Platoniker fällt dazu ein Beispiel ein. Er erwähnt die fabrikartigen Anlagen, in denen Hühner gezüchtet und so lange »mutiert« werden, bis sie zu Objekten der Verwertung geworden sind. »Nun kann der Sinn dem Tier zwar entzogen, doch nicht geraubt werden. Wird seine Bedeutung gemindert, wird ihm die Achtung verweigert, so bleibt eine Lücke im Sein.« (13, 227)

Lücke im Sein: sie kann nur feststellen, wer über die Bedeutungen hinaus die Sinnordnung einsieht. Der Autor spricht vom »Deuter«. »Deutung ist freilich bei allem mehr oder weniger mitwirkend, auch in der Wissenschaft. Jeder Körper verbirgt ein Geheimnis, jedes Ereignis eine Aussage. Den Apfel hatte man seit unvordenklichen Zeiten fallen gesehen, bevor er befragt wurde. Dann hat er geantwortet. Der Fall kann erklärt werden.« Weiter heißt es, streng nach der Weise des physikoteleologischen Gottesbeweises: »Erklärung setzt Erfahrung, Deutung setzt Offenbarung voraus. Daher muß auch die Deutung, falls sie kundbar wird, sich der Erklärung entziehen. Sie liefert nicht den Stoff für den logischen, sondern für den anschauenden Geist und regt so nicht zu Erklärungen an, sondern zu sekundären Deutungen: zur Auslegung.« (13, 233) Schließlich nennt Jünger Geister und Texte, in denen sich der deutende Akt besonders maßgeblich kristallisiert hat – die Apokalypse des Johannes, Gedichte von Logau; Silesius, Hamann. »Für Hamann sind ›Bibel *und* Natur‹ die Quellen der Offenbarung – beide ›die Denkungskräfte übersteigend‹, jedenfalls für Geister, die, wie er dort sehr schön sagt, ›nicht die Begreiflichkeit einer Sache der Wahrheit vorziehen‹.« (13, 235)

Das sind ihrerseits Andeutungen einer Theorie der Unbegrifflichkeit, des anschauenden Eingedenkens, der Lektüre. Ihr beugt sich endlich auch die Evolution. Für Jünger kann sie nicht mehr ein in der Zeitachse sich verwirklichendes »Programm« sein. »... der Sinn hat keine Zukunft, hat kein Ziel.«

X.
Späte Autorschaft

Wenigen Schriftstellern ist vergönnt, auch im hohen Alter noch das Schreiben mit einer Beharrlichkeit zu pflegen, die dem Ende nicht zu trotzen braucht, weil alles wie selbstverständlich läuft. Man kann zum Spätwerk von Ernst Jünger manches und gewiß auch Kritisches sagen, aber man kann nicht sagen, daß es den mühsam erbrachten Triumph der Anstrengung über Hinfälligkeit und Versäumnis zum Ausdruck bringt. Schon eher wäre zu befürchten, daß diese eigentümliche und durchaus singuläre Immunität das Odium von Exotik inzwischen gewonnen haben könnte: der Greis, dem bis in die Physiognomie ein Aufschub von Zeitlosem geschenkt wird.

Auch er muß staunen. Am 29. März 1973, an seinem Geburtstag, notiert er ins Tagebuch: »Ich wurde achtundsiebzig Jahre alt. Möge es objektiv damit stehen, wie es wolle – merkwürdig bleibt, daß ich das Gefühl des Alters nicht aufbringe. Wunderlich erscheint mir dieses Fortschreiten in die höheren Ränge, doch eher so, als ob ich einen Dritten dabei beobachtete. Warum einen Dritten – wer ist der Andere?«[1]

Mit der Hervorbildung dessen, was heute schnell einmal »Identität« genannt wird, hat sich Jünger nie leichtgetan. Sich von sich selbst wegrücken, aus der Distanz wahrnehmen, dafür bieten schon die Kriegstagebücher zum Ersten Weltkrieg viele Belege. Könnte es sein, daß dem alten Mann als Prämie zurückkommt, was in der Jugend als Strategie des Überlebens »gelernt« sein wollte? Im Umgang mit der Furcht und mehr noch mit dem »Schmerz« hatte der Autor eine Objektivierung des eigenen Ich erwogen, von der sich sogar ein so jedem Heroismus gegenüber argwöhnischer Schriftsteller wie Ernst Weiß faszinieren ließ.[2] Dem bald Achtzigjährigen geht es freilich nicht mehr um Grenzsituationen. Geblieben ist die Lust am Schauen, am Spektakel der Lebenskonstellationen – eine Neugier, die sich niemals zu erschöpfen scheint. Ein Jahr nach Ceylon schreibt er, wiederum unter dem 29. März, diesmal in Agadir: »Bin jetzt neunundsiebzig Jahre alt, dabei voll von Ideen, auch lästigen, überhaupt zu jeder Stunde im Kopf eine Assoziationsmühle, ›letzthinnig‹ Optimist.«[3] Und nochmals zwölf Jahre später reist er nach Südostasien, um die Wiederkehr des Halleyschen Kometen vor der Schwärze des Himmels – jetzt darf man getrost sagen: zu feiern. Als Fünfzehnjähriger hatte er ihn 1910 im Kreis der Familie in Rehburg gesehen. Damals meinte der Vater, daß wohl nur der Jüngste, Wolfgang, das Naturzeichen ein zweites Mal erleben werde. Es kam anders. Gerade dem Ältesten – und nur ihm – teilt sich der Zyklus mit. Auch dem Bewußtsein von der Unwahrscheinlichkeit erweist sich das kosmische Schauspiel fast schon als Göttergeschenk. Da müssen persönliche Verdienste zwangsläufig zurücktreten. Solche Koinzidenzen entziehen sich jeder Intention.

Wenn die Macht der Zeit nicht drohend auf Körper und Geist einwirkt, wird der Ortswechsel zum Stimulans der intellektuellen Beweglichkeit. Lange Reisen, oft in ferne Länder, unternahm Jünger seit den dreißiger Jahren. Am 1. Juli 1950 übersiedelt er nach dem oberschwäbischen Wilflingen. Wilflingen ist nun die definitive Heimat: in der äußersten Abgeschiedenheit gegenüber allem, was an Technik und Beschleunigung, an Verkehr und Industriekultur die Welt des »Arbeiters« prägt. Wilflingen ist zugleich der Ausgangspunkt für weitere Reisen – ein Ort, von dem her die Kontraste überhaupt erst deutlich erlebbar werden. Immer wieder fährt Jünger ans Mittelmeer, nach Nordafrika, nach Sardinien, nach Griechenland, auf die Kanarischen Inseln. Unter den Metropolen gibt er Paris den Vorzug. Er geht nach Asien, reist nach Afrika, nach Island, nach Portugal. Erstaunen müssen die Rhythmuswechsel. Ein Beispiel: im Januar 1980 fährt er nach Paris, im April nach Griechenland, im Februar 1981 nach Singapur, im Juni nach Rhodos.

Könnten solche Reisen nur eine bis ins höchste Alter ungebrochene Vitalität belegen, so verdienten sie zwar immer noch Beachtung und – warum nicht? – Respekt, doch blieben sie letztlich Fakten für Biographen. Indessen verbinden sie sich zugleich dem *work in progress*; der späten Autorschaft, welche mit dem Roman »Die Zwille« 1973 einsetzt und über fünfzehn Jahre hinweg bis zu dem Bericht »Zweimal Halley« von 1987 führt. So dienen etwa die Aufenthalte in Agadir nicht nur der Subtilen Jagd, sondern auch der Erforschung des Schauplatzes von »Eumeswil«. In Hammamet arbeitet Jünger an der »Zwille«. In Rom beendet er die Abschrift einer Pyrenäenfahrt. Themen, Orte, Zeiten durchdringen sich.

Die Dokumente für das Leben mit und in den Texten stellen die mehr als zwölfhundert Seiten des Tagebuchs »Siebzig verweht«, das 1980 und 1981 in zwei Bänden erscheint.[4] Das Journal beginnt mit dem Datum des 30. März 1965. Ein Tag zuvor ist Jünger siebzig geworden. Jetzt heißt es: »Das biblische Alter ist erreicht – merkwürdig genug für einen, der in der Jugend niemals das dreißigste Jahr zu erleben gehofft hatte.« (SV I, 5/4, 7) Es endet am 26. Dezember 1980. Vom Tod ist die Rede und von der metaphysischen Frage, ob die Personalität »danach« in irgendeiner Weise erhalten bleibe.

Überhaupt, Tod und Sterblichkeit. Wollte man *ein* Motiv aus der Fülle der Beobachtungen und Reflexionen aus fünfzehn Jahren herausheben, es gälte dem Vergänglichen und dem Umgang mit Vergänglichkeiten. Dahinter lauert, wie könnte es anders sein, das Ärgernis der Zeit und ihrer entziehenden Macht. Für die »Werkstättenlandschaft« des »Arbeiters« diagnostiziert der Schriftsteller, ganz auf der Linie seiner früheren Essays, eine wachsende Quantifizierbarkeit der Dinge und Menschen. Am 31. Juli 1965 notiert er in Hongkong, wo die technische Bewegung wie im Kompressor gefühlt werden kann: »Der Mensch regiert nicht die Maschine, sondern er wird wie durch einen Wolf durch sie hindurchgedreht.« (SV I, 103/4, 104) Die Genese dieser Entwicklung hat Jünger längst erzählt. Deshalb kann er sich jetzt kurz fassen, einzelne Stationen in Erinnerung rufen, wenn die Wahrnehmung des Produktes »Fortschritt« besonders gereizt wird – wie in Japan. »Der Soldat wird zum Arbeiter, wie ich es an der Somme und in Flandern zunächst erlitten und dann, lustlos, erfaßt habe. Der Weg führt vom Standesheer über das bürgerliche Volksheer zu den anonymen Kombinaten der Totalen Mobilmachung.« (SV I, 132/4, 133) Zwölf Jahre später nimmt er den Gedanken wieder auf, in einem Brief an Alfred Andersch, den er im Tagebuch zitiert. »Sie bedauern, daß die ›Totale Mobilmachung‹ in eine spätere Sammlung aufgenommen worden ist. Mir geht es mit dem Essay insofern ähnlich wie Ihnen, als mir der beschriebene Vorgang immer weniger behagt. Das hat aber nichts mit seinem Stellenwert zu tun. Inzwischen haben sich die Inder, die Chinesen, die Nordvietnamesen expressis verbis gerühmt, der Totalen Mobilmachung fähig zu sein. Das ist kein Privileg der Großräume. In Vietnam kam noch der Waldgang hinzu.« (SV II, 314/5, 316)[5]

Nicht erfunden, nur benannt habe er den Vorgang der »Totalen

Mobilmachung«. Der frühen Begeisterung des Essayisten, der 1931 die Aktivierung des politischen Nationalismus auf der Basis gesteigerter technisch-ökonomischer Beweglichkeit forderte, antwortet nun die Resignation des Beobachters, der seine Diagnosen fast weltweit bestätigt sieht. Alles wird Funktion. Ihr hat sich auch die Form, die ästhetische Einkleidung, zu beugen; statt Bauwerken, die den Namen noch verdienten, sehe man dynamische Provisorien. Die Lebenswelt ist unwirtlich geworden.

Zur Prämie des langen Lebens gehört, daß geschichtliche Prozesse am Ende wie aus der Vogelschau betrachtet werden können. Allerdings nur unter der Annahme einer Entwicklung, deren Gesetze bereits feststehen und der Zukunft kaum noch Spielräume offenhalten. So muß es der Verfasser des »Arbeiters« wollen: die moderne Wirklichkeit gehorcht dem Betrieb, der die Freiheit konsumierenden Rationalität und der absoluten Verwertung. Es ist kein Zufall, daß Jünger die Summe aus solchen Mutmaßungen da zieht, wo ihm der historische Stau in der Fülle der Monumente und Mahnmale täglich entgegenschlägt. Im Frühling 1968 hält er sich als Gast der Villa Massimo in Rom auf. Am 9. Mai meditiert er über den Aufstieg des Imperiums zur Weltmacht, dann über den zeitgenössischen Trend von »Aktualisierung, Sozialisierung, Moralisierung der Geschichte«. Das bestätigt ihm seinen Befund über die späte Neuzeit: alles nur »Konsequenzen der Grundtatsache, daß Geschichte nicht mehr existiert. Eben deshalb treten wohl Titanen, nicht aber im überlieferten Sinne ›Große‹ auf. Wir sind aus dem Rahmen der Geschichte entlassen und anderen Formen und Rechten als den historisch gewachsenen unterstellt«. (SV I, 464/4, 464)

Wann hat der Eintritt in diese »posthistoire« begonnen?[6] Die letzte Periode der großen Beschleunigungen markiert Jünger mit der Zeit um 1800. Doch für den Substanzdenker müssen solche Schnittstellen in die Tiefe geführt werden. Die definitive Antwort liefert er wiederum in Rom, am 22. April 1968, und zwar im Anschluß an einen Gang zum Lateran. Der Platz erscheint ihm wie ein grauer Bahnhof; prompt stellt sich Verstimmung ein. »Das christliche Rom ist für mich um den Vatikan zentriert. Eine zweite Hauptkirche tut dem Abbruch; dazu kommen noch andere Deviationen – besonders ärgerlich ist die Zeit der Gefangenschaft der Päpste in Avignon.« Darauf beginnt er, wenn auch nur ein wenig, mit sich selbst zu hadern. »Warum lernt man so etwas nicht einfach auswendig, da man doch die Geschichte nicht korrigieren kann. Es muß der Wunsch mitwirken, große, und gleichviel welche, Mächte in ihrer Aufgabe und Einheit möglichst unversehrt zu sehen. Die Geschichte gleicht dann einer Hohlform der Gestalt, die ohne Bruch und Lücke eingegossen werden soll.« Allein, die Defizienz wird schon in frühen historischen Stadien faßbar. »Hier gibt es Steigerungen: sehe ich Rom an sich, dann überträgt sich das Bedauern bereits auf den Verfall des Imperiums und den christlichen Bruch. So könnte es weitergehen – endlich kommen wir zur Quelle des Übels: zur Unvollkommenheit der Schöpfung überhaupt.« (SV I, 443 f./4, 443 f.)[7]

Das »an sich« kann sich niemals »ohne Bruch und Lücke« realisieren; es zersplittert in Figurationen der Erscheinungswelt – und sei es nur, daß der Besucher statt dem einen Sitz zwei Hauptkirchen zur Kenntnis nehmen muß. Die platonische Idee wird in der Übertragung durch den Demiurgen abgefälscht. Das meint das Wort von der Unvollkommenheit der Schöpfung, dem Jünger im März 1973 auf Ceylon, mit Blick auf diesen Demiurgen, eine Ergänzung hinzufügt. »Die Gnostiker glaubten ihn unendlich vom wahren Schöpfergeist entfernt.«[8] Am Tag seines achtundsiebzigsten Geburtstags schließlich greift er das Thema nochmals auf. »Wir sehen immer nur die Außenwand mit ihren Zeichen, ihren Versprechungen, von der wir Schicht um Schicht abblättern.« (SV II, 119/5, 121)

Kann sich aber die Unvollkommenheit der Schöpfung steigern? Den unverfügbaren Rest zwischen Idee und Erscheinung einmal beiseite gelassen, unterstellt das der Schriftsteller für die Historie. Sie hat für ihn den »titanischen« Status erreicht, der ästhetisch – auf den Spuren von Spengler – als Form- und Stilverlust erfahren wird, dem Wesen nach jedoch »Aufgabe« und »Einheit« entbehrt. Die moderne Werkstättenlandschaft bietet Jünger ein ungeheures Tableau von technischer Mobilisierung, verworren und ohne Plan. Die Welt als eine große Deponie: die Vision wird im Tagebuch immer wieder bemüht, und sie findet auch Eingang in die späten erzählerischen Schriften. Daß dieses Verdikt der Euphorie des Essayisten der unmittelbaren Nachkriegszeit widerspricht, weiß er selbst. »Mir scheint, daß der Optimismus, wie ich ihn gegen Ende des Zweiten Weltkriegs hegte, geringer geworden ist. Siehe ›Der Friede‹ und ›Über die Linie‹. Ihn zu dämpfen, trug nicht nur die Entwicklung bei, vor allem die europäische, sondern auch der fundamentale Pessimismus Friedrich Georgs.« (SV II, 121/5, 123) Der Bruder hatte schon früh vor der »Perfektion der Technik« und dem damit verbundenen Verlust an metaphysischer Substanz gewarnt.[9]

Die Zeit läuft leer. Die Zuversicht des Geschichtsphilosophen, aus den Anstrengungen einer ungefügen Gegenwart die künftige »Planlandschaft« von Ordnung und verwalteter Fülle extrapolieren zu können, ist einer tiefen Skepsis gewichen. Das hatte Kubin schon fünf Jahre vor dem Ausbruch des Ersten Weltkriegs in seinem Roman »Die andere Seite« in schwärzesten Szenen zum Ausdruck gebracht. Daran erinnert sich Jünger auf Ceylon, wenn er von dessen Figur des Patera sagt, er trete, stellvertretend für den Weltgeist, »als unheilvoll träumender Dämon« auf. Der eigene Verdacht der Sinnlosigkeit von historischen Bewegungen markiert das Spätwerk auch da, wo es um das Verhältnis zwischen der Geschichte und dem Einzelnen geht. In Japan überdenkt Jünger die geschichtlichen Verwerfungen, die dem Land auch die »Weltsprache der Technik« aufgezwungen haben. Dann spricht er vom Schmerz der Gebildeten, die die Zerstörung von Traditionen erleben mußten. Was ist nun aber der Schmerz im letzten? »... er entspringt der reinen Wahrnehmung der inhaltlosen Zeit. Das Licht des Ursprunges wird schwächer, und jede Bewegung endet im Verlust.« (SV I, 112/4, 113) Der Mensch findet sich zunehmend in einer eigentümlichen Beziehungslosigkeit.

Deshalb erwägt der Schriftsteller, auf welche Weise die Macht eines als nihilistisch empfundenen Säkulums gebrochen werden könnte. In Nizza, Juni 1966, prägt er ein Apophthegma, ein Kondensat aus jahrzehntelanger Erfahrung. »Leben ist Zeitüberwindung.« Das erhält alsbald eine verharmlosende Zusatzerklärung, wenn er darauf hinweist, wie der Zeitzwang im Süden weniger spürbar sei. Man ist da näher am vegetativen Pol, am naturalen Rhythmus. Und vollends ins Kapitel der persönlichen Vorliebe gehört, was er am 16. November 1966 in Angola notiert. »Still, warm, viel Licht. Mein Nihilismus: am wohlsten fühle ich mich ohne Schatten bei null Fuß Meereshöhe unter dem Nullmeridian und Windstille dazu.« Wird so das Problem der Zeitüberwindung gelöst?

In Wahrheit ist sich Jünger sehr wohl bewußt, daß die Zeit nur aufgefüllt, niemals »überwunden« werden kann: das setzte ein Leben im Paradies der Urbilder voraus, wo es weder Entwicklungen noch

Dilatanzen gibt. Bemerkenswert ist gleichwohl die Hartnäckigkeit, mit der er dieser Überwindung nachdenkt. Zur psychisch-physischen Ausstattung des Menschen zählt auch das spezifische »Tempo«, mit welchem Bewegungen wahrgenommen werden. Nun, ganz im Stil des organischen Konstrukteurs, die Erwägung: »... schon ein Mensch, für den die Uhrzeit nur halb so schnell liefe, würde doppelt so viel wahrnehmen. Das würde seine Gewandtheit steigern; er würde selbst in grob physischen Geschäften, wie beim Boxen, unschlagbar sein. Die Alten wußten von einem Athleten zu berichten, der mächtige Gegner nur durch Ausweichen bezwang. Jazzmusiker kennen Drogen, nach deren Genuß der Einsatz unfehlbar wird.« (SV I, 28/4, 30) Daß es sich bei der Notiz vom 4. Juni 1965 nicht um einen mehr oder minder zufälligen Einfall handelt, belegt eine Einlassung vom 29. April 1976 auf Korfu. »Ich hatte mir manchmal gedacht, daß man auf diese Art beim Boxen unschlagbar werden könnte: man sähe die Faust im Zeitlupentempo auf sich zukommen, brauchte auch selbst nicht zu schlagen, sondern erschöpfte den Gegner durch Ausweichen. Ähnliches wird von einem antiken Boxer berichtet – überhaupt beruht ein Hauptvorteil im ›Kampf ums Dasein‹ auf einer besseren Nutzung der Zeit. Sie wird nur scheinbar gerafft wie beim Trickfilm, im Bewußtsein aber gedehnt, und damit wächst das Spielfeld, sowohl für die Wahrnehmung wie für die Aktion.« (SV II, 271/5, 273)

Ein verführerischer Gedanke: dem Anprall vielfacher Bedrohungen im darwinistischen Dschungel wäre der Stachel der Überraschung genommen. Jüngers Variation der Bären-Parabel von Kleists »Marionettentheater« soll zwar nur »Spiel« sein.[10] Dahinter steckt gleichwohl mehr – der Traum von einem Lebenszeit-Weltzeit-Verhältnis, welches durch Tempodehnung die Plötzlichkeiten wenn nicht ausschlösse, so doch minderte.[11] Auch so würde die Zeit nicht »überwunden«, aber immerhin in ihren Inhalten verzögert. Die Widrigkeiten könnten teilweise abgefangen werden, bevor sie gefährlich werden.

Im Alter wächst der Wunsch nach Einschüben, die reine, ungetrübte Dauer bezeugen. »Windstille« mit Licht und Sonne. Daß solches dem Menschen selten vergönnt ist, brauchte man dem Verfasser von »Feuer und Bewegung« nicht zu sagen. Die absolute Dauer beginnt erst mit dem Tod. Gelassenheit kennzeichnet den reflexiven

Duktus der späten Tagebücher. Und doch ist der Tod in vielen Variationen präsent. Gerade da, wo Jünger die Frage umtreibt, welche Bedeutung den Bestattungsriten zukommt. Der Vico-Leser kennt die Kulturbestimmung in der »Scienza nuova«.[12] Mehr noch: er hat als Zwanzigjähriger den Kulturentzug erfahren, das Entsetzen dessen, der sehen muß, wie die Leichen auf den Schlachtfeldern liegenbleiben. In den ersten Kapiteln der »Stahlgewitter« findet sich der entscheidende Passus. »So hatte uns neben vielen anderen Fragen auch die beschäftigt: Wie sieht wohl die Landschaft aus, in der man die Toten über der Erde läßt? Und dabei ahnten wir noch nicht einmal, daß man in diesem Kriege die Leichen oft monatelang Wind und Wetter überlassen würde, wie einst die Körper der Gehenkten am Hochgericht.«[13]

Ein halbes Jahrhundert danach besucht er die Philippinen. Zweimal zieht es ihn zum Soldatenfriedhof von Manila. Er ist allein auf dem riesigen Gräberfeld, inspiziert das Mahnmal. »Noch einmal betrachtete ich das Monument und zeichnete es ab. Selten genug begegnet man in unseren Zeiten, denen Entmythisierung als Verdienst gilt, einem Werk, dessen Schöpfer noch die mythischen Ordnungen kennt.« (SV I, 100/4, 101) Das nimmt sich wie eine persönliche Kompensation des Weltkriegsschocks aus: ein Exerzitium der Tröstung inmitten der unberührten Stille. Drei Jahre später hat er ein ähnliches Erlebnis. Er steigt hinab in die Totenkammern der etruskischen Nekropole von Cerveteri und fühlt sich auf wohltuende Weise geborgen durch die Ausstattung. Aber dann ein jäher Perspektivenwechsel. »Vor allem an den Gräbern ermißt man die Kultur. Und ihren Tiefstand an unseren ›Friedhöfen‹. Zu den Menschenrechten zählt auch das einer würdigen Heimstatt nach dem Tod. Dem galten gewaltige persönliche Aufwendungen und kollektive Anstrengungen. Ich habe in ›Heliopolis‹ eine Totenstadt im Inneren von Kalk- und Kreidemassiven erwähnt – also Einbettungen in ›organischem‹ Gestein mit ›concession à perpétuité‹ für jeden, um ihn dem Namenlosen zu entziehen.« (SV I, 459/4, 459) Wiederum fünfzehn Jahre später wird er die Erzählung »Aladins Problem« veröffentlichen, welche den Totendienst zum Thema hat.

Solche motivische Perioden über Jahre und Jahrzehnte hinweg sind charakteristisch für das gesamte Werk. Die Frage nach Planung und Regie ist dabei kaum von vordringlicher Bedeutung. Es muß hier aber an eine Stelle aus den frühen Kriegstagebüchern erinnert werden, welche mit der »concession à perpétuité« zu tun hat. In dem Journal »Das Wäldchen 125« beschreibt er den Friedhof von Puisieux. Da will ihm jedes zerschlagene Kreuz zurufen: »Es gibt keinen ewigen Frieden, es gibt nur eine ewige Bewegung, die auch das kleinste Teilchen nicht aus seinen Diensten läßt.« Wie zur Bestätigung des Nietzsche-Axioms fällt der Blick dann auf ein Grabmal und dessen Inschrift – »Concession à perpétuité«; »ein schmerzliches Hohngelächter über den Menschen und sein Verhältnis zur Zeit.« (Wä 66) Die »Bewegung« stört selbst die Ruhe der Toten.

Nun läßt sich ohne jeden spekulativen Überschuß feststellen, daß die Grabinschrift den Autor mehr als ein halbes Jahrhundert beschäftigt, bis er sie seiner Spätphilosophie – man möchte fast sagen: als programmatische Formel einfügt. Daß ungefährdete Dauer wenigstens dem Toten gegönnt sei, ist Ausdruck eines Bedürfnisses, die »ewige Bewegung« zu relativieren.[14] Die lux perpetua möge dem scheinen, der sie nicht mehr sehen kann. Da ist denn auch Gelegenheit, mit Nietzsches Lehre abzurechnen, welche dem Verfasser der frühen Kriegsschriften immerhin so etwas wie geschichtsphilosophische Beglaubigung der gewaltigen und gewalttätigen Zerstörungen geliefert hatte. Die »Replik« wird über einzelne Stufen des Einspruchs bis zur Inversion hin vollzogen. Am 20. Oktober 1965 spricht Jünger von einer »instinktiven Abneigung« gegen die ewige Wiederkehr. »Tour de force; Nietzsche wollte der Schlange den Kopf abbeißen; das ist einer seiner Angstträume.« (SV I, 215/4, 216) Am 2. Oktober 1978, während der Arbeit an dem Roman »Eumeswil«, heißt es: »›Ewig‹ und ›Wiederkehr‹ scheinen sich auszuschließen – hat es einen Anfang gegeben, muß auch ein Ende sein. Ewige Wiederkehr – eine titanische Vorstellung titanischer Qual. Hier wird Nietzsches Leiden berührt.« (SV II, 432/5, 432) Endlich der Passus in »Eumeswil«, wo er seinen Protagonisten meditieren läßt: »Das Zeitliche kehrt wieder und zwingt selbst Götter in seinen Robot – daher darf es keine Ewige Wiederkehr geben; das ist ein Paradoxon – es gibt keine Ewige Wiederkehr. Besser ist Wiederkehr des Ewigen; sie kann nur einmal stattfinden – dann ist die Zeit zur Strecke gebracht.«[15]

Nietzsche war sich der Zumutung, die sein »abgründigster« Gedanke nach sich ziehen mußte, sehr wohl bewußt.[16] Sie vermag nur zu bestehen und auszuhalten, wer die Freiheit zum *amor fati* erreicht hat. Doch dem Platoniker, der aus der Perspektive seines biblischen Alters zur letzten Klärung seines eigenen Weltbilds vordringt, wird sie zum Ärgernis. Wiederkehr des Ewigen: das allerdings kann, ja muß er statuieren. Auch wenn kein Leben genügen könnte, an ihr zu partizipieren, so sind die Annäherungen möglich – der Blick »hinter die Kulissen der raumzeitlichen Welt«.

Dazu ist wie kaum ein anderer der *Sammler* prädestiniert. Jünger vergleicht ihn geistreich mit der Figur des Don Juan. Dessen Leidenschaft, die niemals genug haben kann, entspricht auf der »Objekt«-Seite das Unerschöpfliche im Hintergrund. Zumal den Subtilen Jäger treibt solche Eroberung, ohne daß er den Schatz in seiner Substanz je gewänne. Die Tagebücher von »Siebzig verweht« sind auch das Journal des Entomologen, der in Asien oder an der Küste von Agadir, in Portugal oder auf Sardinien die Beutezüge beschreibt und die Funde nach ihrer Rarität klassifiziert. Wenn das Zeitalter als Epoche des blinden und ziellosen »Titanismus« dem geschichtsphilosophischen Ordnungsdenken entgleitet, gibt es doch immer noch die Natur in der Doppelung von *natura naturans* und *natura naturata*. Wenn dem Menschen der Spätmoderne der Austritt aus der Geschichte aufgezwungen wird, hat er gleichwohl die Möglichkeit der Seinsvergewisserung: da, wo die »Abbilder« mit der Schöpfung korrelieren. Auf San Pietro spricht Jünger von der Erfahrung des Entzugs wie auch von jener der Anamnesis. Am 29. September 1978 notiert er: »Seit Jahrzehnten bin ich auf der Flucht. Allmählich habe ich den Motor als meinen Hauptfeind erkannt, als die Perfektion der Räderuhr, die gotische Mönche vor tausend Jahren konstruiert haben. Zunächst wurde die Zeit mechanisch gemessen; dem folgt die gesamte Welt.« Drei Tage später, nach einem Gang am Meer, fällt dem Flüchtenden die Belohnung zu. »Auf dem Rückweg am Strand entdeckten wir eine Konchylienbank. Keine der dort angeschwemmten Muscheln und Schnecken war größer als eine Bohne, viele waren kleiner als eine Erbse – aber es war das Universum mit seinen Ovalen, Kreisen und Spiralen auf einigen Fußbreiten. Obelisken, gotische und romanische Bögen, Stacheln, Lanzen, Nägel, Dornenkronen, Oliven, Truthahnflügel, Gebisse, Reibeisen, Wendeltreppen, Kniescheiben… Und alles durch die Welle geformt.« (SV II, 397 ff./5, 397 ff.)

Das ist weniger harmlos, als es zunächst scheinen könnte. Das Universum gibt die Prägeformen ab; nun kommt es zu den Abgüssen, von denen auch die geschichtliche Welt, jedenfalls als Architektur, betroffen wird – Obelisken und Kathedralen. Und selbst die Heilsgeschichte bleibt davon nicht unberührt. Glaubt man nicht den zu sehen, der im Olivenhain wacht, bevor ihm die Dornenkrone aufgesetzt und der Leib mit der Lanze durchbohrt wird? Ein kleines Feld mit Treibgut; schon »rekonstruiert« Jünger die Bauprinzipien, weit über das hinaus, was noch Karl Blossfeldt mit seinen »Urformen der Kunst« beabsichtigt hatte.[17]

Dabei soll es um den konkreten Nachweis letztlich nicht gehen. »... auch die Pracht einer Muschel aus der lichtlosen Tiefsee ist nicht für unsere Augen erdacht.« (SV II, 10/5, 12) Und nochmals: »Die Muschel in lichtlosen Tiefen trägt Muster von einer Schönheit, deren wir nur durch Zufall gewahr werden.« (SV II, 178/5, 180)[18] Die Schöpfung bedarf keines Augenzeugen, der sie erst legitimierte. Sie ist auch nicht die Bühne, auf der sich das Drama der Eschatologie bis hin zur apokalyptischen Bilanz vollzieht. So erbaulich der Autor der späten Tagebücher manchmal sich gibt, so wenig tröstlich ist, was er der Sonderstellung des Menschen im Kosmos zuzutrauen gewillt scheint. Das Sein braucht keinen »Hüter«. »Die Welt ist eine ungeheure Deponie, in der sich die Abfälle unserer Vorfahren vermehren durch unsere eigenen.« Doch was soll man daraus lernen wollen? Das Ärgernis von Fortschrittsverwertungen wird in keiner negativen Dialektik aufgehoben. Nicht zufällig taucht in solchen Zusammenhängen Léon Bloy im Journal auf. Am 11. Mai 1971 sinniert Jünger auf Kreta über Denker der Endzeit und der Dekadenz. Da fällt auch der etwas enigmatische Satz: »Bloy gegenüber war ich gesichert genug, hatte auch Maurice Barrès hinter mir.« (SV II, 32/5, 34)

Anders ausgedrückt: als Carl Schmitt den Schriftsteller auf Bloy aufmerksam machte, konnte Jünger von einer theologischen Umdeutung der Geschichte nicht mehr verführt werden; er hatte bereits ein eigenes »System« gefunden.[19] Das schließt Kulturkritik natürlich nicht aus. Aber sie wird von einem Lakonismus legiert, der vor allem in den späten Tagebuchnotaten gegenüber dem, was Menschen an »Bösem« aufbieten, oft seltsam immun bleibt. Schon eher fragt Jünger, wie es dem Einzelnen gelingt, seine Unabhängigkeit innerhalb der Wirklichkeit der Vereinnahmungen zu wahren. »Heut muß man sich durch die Welt mit taktischer Präsenz bewegen, als ob man am Steuer säße; noch nie war eine Gegenwart so absolut. Wie früher die Religion, so verschlingt heute die Politik die Geschichte... Will man Erfolg haben, so muß man die Vergangenheit abwerfen, muß seinen Schatten veräußern, wie einst Peter Schlemihl. Dann steht die Welt offen.« (SV II, 216/5, 218) – Taktische Präsenz: das gilt nicht nur für denjenigen, der den Erfolg anstrebt, sondern auch für den »Anarchen«, der scheinbar mitspielt, um innere Freiheit zu behaupten. Die erzählerische Summe aus diesem Pessimismus zieht Jünger in dem Roman »Eumeswil«. Die Aufzeichnungen des Journals lesen sich insofern wie Selbstgespräche aus der Werkstatt. Es geht darum, eine Wirklichkeit zu zeigen, die alle Traditionen museal einfrieren läßt, alle Vergangenheiten anekdotisch entwertet, alle Sinnfragen verwirft. Zwei Weltkriege haben den Willen von »Babel« nicht gebrochen, ihn im Gegenteil noch gesteigert im Maß des technischen Vermögens.

Es gibt Propheten dieser Entwicklung, und Jünger zitiert sie wie in Verachtung gegenüber jeder geschichtlichen Ordnung: Piranesi, Kubin, de Chirico, Meryon, Max Ernst. Am 11. Oktober 1976 philosophiert er in Wilflingen über Hieronymus Boschs ›Die Versuchung des heiligen Antonius‹.[20] »Boschs Souveränität der Zeit gegenüber läßt sich auch daran ermessen, daß sie der Technik nicht widerspricht, sondern sie sich unterwirft. In ein solches Bild ließen sich Funktürme und Atommeiler hineindenken; das wäre kein Anachronismus, sondern eine Vermehrung der Details.« (SV II, 274/5, 276) Hineindenken, doch nicht hineinmalen. Für den Deuter des »posthistoire« sind solche Unterschiede freilich sekundär. Wer Metaphern sucht für die Diabolik der Moderne, findet sie schließlich überall. Der alte Autor, der nicht ohne Sorge sehen muß, wie die Kapuzinerkresse des eigenen Gartens vom Frost bedroht wird, hat mit der Geschichte abgeschlossen. Mehr noch: er arbeitet fast täglich an einem komplexen System von »Abgrenzungen« gegen den Anspruch der Zeit. Das Subversive der Position wider jede Legitimität politisch verfaßter Demokratie offenbart sich jetzt allerdings weniger direkt; in seitenlangen Beschreibungen der Flora von Angola oder der Meeresfauna des Mittelmeers scheint Jünger der Gegenwart wie entrückt. Kehrt er aber zum Thema des Politischen zurück, genügen ein paar Sätze, die Tagesaktualität zu »erklären«.

Im Juni 1972 erfährt er in der Türkei von Anschlägen der Baader-Meinhof-Gruppe. »Erstaunlich die Naivität der Anarchisten, wie die von Ravachol. Die Begründung ist zufällig und nebensächlich; das Mißbehagen sucht und findet sie in der Zeit... Manche sind wie Kinder, die Macht und Zauber des Feuers entdeckt haben... Auch in den Neuen steckt mehr, als sie wissen – sie meinen nicht dieses oder jenes, sondern das Gesetz schlechthin. Daher fallen sie ihm auch stets zum Opfer; nichts ist seltener als ein alter Anarchist.« (SV II, 79/ 5, 81)

Das sagt sich leicht, und zumal für den, der heimlich den Triumph des Anarchen gegen die geistige Blindheit der Anarchisten ausspielt. Alles schon da gewesen, längst bekannt und studiert. Alles zu verstehen, wenn auch nicht zu billigen. Von Besorgnis jedoch keine Spur: ein langes – und in den frühen Jahren bewegtes – Leben kann so leicht nicht mehr erschüttert werden.[21] Nicht solche Erfahrungssättigung wird man Jünger vorwerfen wollen. Aber ist ein Ethos zu gründen auf der Gewißheit, daß niemals Neues unter der Sonne auftaucht?

Nun ist auch er nicht der Zyniker, in dessen Rolle er sich manchmal gefällt und zu dessen Haltung er sich, seinerseits naiv, gelegentlich drängen läßt. Hätte er von allem Anfang an die »Unvollkommenheit« der Schöpfung hingenommen und entsprechend sich in Exerzitien der Gelassenheit eingerichtet, es wären weder die frühen geschichtsphilosophischen Großprojekte entstanden, noch hätte er so eindringlich die Nachtseite des modernen Gehäuses hervorgeholt. Vielmehr hat ihn, von Anfang an, das Mißverhältnis zwischen Weltzeit und Lebenszeit irritiert: die Unerreichbarkeit einer Geschichte, die dem Menschen die Ruhe von erfüllten Absichten gönnte. Sind es tatsächlich Abgründe, die die Anarchisten der siebziger Jahre von dem Greis trennen, der am 12. März 1978 in Wilflingen notiert: »Vorm Einschlafen hatte ich im Vehse die Biographie Friedrich Wilhelms III. beendet; eine solche Lektüre reißt alte Narben auf. Warum kann man nicht einfach aus der Geschichte austreten? Die preußische Politik vor und nach Jena bietet ein jämmerliches Schauspiel – zunächst das Schwanken zwischen den Großmächten, dann Isolierung bis zum Sturz.« (SV II, 372/5, 373)

Der Wunsch, aus der Geschichte auszutreten, nährt sich am Verdruß über die spezifischen Brechungen der *deutschen* Geschichte:

Deutschland ist nie zu einer nationalen Identität gelangt. In dem schon erwähnten Brief an Alfred Andersch bestätigt Jünger dem Adressaten, daß das Etikett des Konservativen auf ihn nicht passe. »Sie rechnen mich nicht den Konservativ-Nationalen, sondern den Nationalisten zu. Rückblickend stimme ich dem zu.« (SV II, 313/5, 315) Für einen Nationalismus des Widerstands gegen Weimar war der Zeitschriften-Mitarbeiter der zwanziger Jahre mit dem Prestige des Weltkriegs-Heroen eingetreten, eine Wende herbeizuführen, von der er freilich schon damals kein klares Bild hatte. Noch ein halbes Jahrhundert danach ärgert er sich über den »infamen Versailler Vertrag«.

Was aber hielt ihn damals davon ab, nach dem 30. Januar 1933 der Politik der Nationalsozialisten zuzustimmen? War es am Ende vor allem das Stilbewußtsein des literarischen Anarchisten, dem die neueste Version von Nationalismus als pöbelhaft und grob erschien? Mit Spengler teilte er die Begeisterung für die Eliten. Anderseits hatte er bereits den »Arbeiter« entdeckt – die Gestalt der Moderne, von der er die Verwirklichung eines »imperialen« Auftrags erwartete. Nicht an dieser politischen Eschatologie, wohl aber an der Diagnose hält er weiterhin fest, wenn er am 6. Mai 1979 in Mykene notiert: »Nietzsche hat die Katastrophe in ihrem Umfang gefühlt; er konnte sie den Figuren noch nicht im einzelnen zuordnen. Vom Krieger als Stand oder Kaste ist nichts mehr zu hoffen; er ging mit den beiden anderen Ständen, dem Priester und dem Bauern, zugrund. Spengler berief sich noch auf den Bauern, wie auch auf die Preußen; vom Arbeiter hatte er nur als von einer ›Klasse‹ ein Vorstellung.« (SV II, 480/5, 480 f.)

Lebenszeit ist nicht nur eine Frage der temporalen Quantifizierung. Sie ist auch an dem zu ermessen, was an »Welt« dem Menschen begegnet und damit zum je besonderen Leben wird. Der achtzigjährige Ernst Jünger weiß sehr wohl, daß das seine in Sachen zeitgeschichtliche Sättigung kaum zu übertreffen wäre – Gunst und Ungunst des Schicksals greifen hier, oft verwirrend, ineinander. Im Juni 1968 meditiert er, wieder einmal im Anschluß an Reflexionen über das Verfehlte deutscher Geschichte: »Hätte eben schon 1914 fallen sollen mit den ersten Freiwilligen.« Da ihm das nun einmal nicht vergönnt ward, wird ihm aus dem Rückblick des Alters so manches zum leeren Spektakel. Das wirkt so, als ob es die Schöpfung just darauf abgesehen hätte, einen Beobachter aufzubieten, der sich möglichst lange daran abarbeiten soll, wie die Geschichte quer läuft zu allem, was er sich seit seiner Jugend von ihr erhofft hat. Auch die »planetarischen« Entwicklungen müssen ihn enttäuschen. 1965 heißt es: »In den Zeitungen jetzt Berichte über Astronauten – mir kommt es vor, als ob ich diese Region bereits um 1930 herum absolviert hätte, und mit viel größerem Genuß.« (SV I, 45/4, 46)[22] Die erste bemannte Mondlandung vom 20. Juli 1969 wird im Tagebuch nicht mehr erwähnt.

Das kommt der Inszenierung des Austritts aus der Geschichte mindestens nahe. Nicht die Geschichte hört auf, zu existieren, sondern ihr Betrachter thematisiert den eigenen Abgang. Daß er es sich dabei jemals zu leicht gemacht hätte, wird man nicht behaupten können. Auch für Jüngers literarische Biographie markiert schon der Erste Weltkrieg das einschneidende Erlebnis einer »Begegnung« mit Geschichte auf der Stufe der absolut gewordenen Kontingenz. Er erläutert das am 8. September 1978 auf San Pietro, im Zusammenhang mit der Lektüre von Ernst Herhaus' Bericht »Der zerbrochene Schlaf«. »Es kommt mir vor, als ob er sich in ähnlicher Lage wie ich vor fünfzig Jahren befände: ein übermächtiges, ja tödliches Erleben ist durch Autorschaft zu bewältigen. Gelingt es nicht, so droht die Versandung durch Wiederholung, oder in immer engeren Kreisen endet das Bemühen. So schilderte ich den Ersten Weltkrieg im Erleben von vier Jahren, dann eines Monats, endlich eines Tags.« (SV II, 406/5, 407)

Gemeint sind die Tagebücher »In Stahlgewittern« (1920), »Das Wäldchen 125« (1925) und »Feuer und Blut« (1925). Die »Bewältigung« der Zeit ist nichts anderes als deren Kompression, bis der – längst verlorene – Krieg mit einer Tagesspanne scheinbar sich deckt: eine Angleichung von Weltzeit an lebenszeitliche Maße, eine Verengung auf den Punkt, da die »Welt« mit ihren Kontigenzen dem, der sie endlich in Besitz nehmen will, plötzlich zur Disposition steht.[23] Daß alles vorbei war, wußte der Dramaturg des Jahres 1925. Wußte er es wirklich? Oder glaubte er vielmehr immer noch an die Möglichkeit, die Lebenswelt so sehr zu »mobilisieren«, daß die Geschichte im Handstreich zu bändigen war? Als letzten Agenten dieses zutiefst anarchistischen Traums bot er den »Arbeiter« auf. Doch die Vision von der elitären Massenbewegung endete in der

Enttäuschung über die Brutalität der Nationalsozialisten. Nun wurde der »Arbeiter« zum Dulder, zum Märtyrer des Schmerzes.

Für einen, der sich von der Geschichte so viel versprochen hatte, muß die Vorstellung vom »posthistoire«, von der leer gewordenen, der Substanz entratenden Zeit, wie eine erlösende Bestätigung dafür kommen, daß es mit Identität bildender Handlungssubjektivität eben vorbei ist. Jetzt diagnostiziert er den Anfang vom Ende bereits für die Epoche der Revolutionskriege. Vergeblich die deutsche Einigung unter Bismarck, vergeblich die Anstrengungen des Frontsoldaten an der Somme, vergeblich überhaupt das Bemühen, so etwas wie »Geschichte« der Welt noch nachweisen zu wollen. »Babel« ist nicht zu retten. Er spricht von »titanischen Wandlungen« – von Zeiten, »in denen sich die Erde häutet«. Anders als mit erdgeschichtlichen Kategorien kann das Säkulum der historischen Sinnlosigkeit für Jünger nicht mehr erfaßt werden.[24]

Kindheitsgeschichte – »Die Zwille«

So läßt sich auch ein Projekt verstehen, von dem er im Tagebuch gelegentlich berichtet. Am 1. April 1972 erwähnt er die Arbeit an dem Roman »Die Zwille«. »Die Schule hängt mir immer noch nach, viel intensiver als das Militär.« (SV II, 74/5, 76) Dann, am 6. August: »Am Mittag schloß ich das letzte Kapitel der ›Zwille‹ ab, bei guter Laune, gutem Sonnenstand. Es muß ein Trieb bestehen, den Lebenslauf zu wiederholen und zu transponieren – im allgemeinen wird er befriedigt, indem der ›Alte‹, der Veteran, am Ofen oder am Stammtisch erzählt. Der Kreis schließt sich, die Kindheit rückt mit den Jahren näher heran.« (SV II, 95/5, 96 f.)

»Die Zwille«, 1973 publiziert, ist in der Tat eine – seine? – Kindheitsgeschichte. Die Wiederholung, von der das Tagebuch spricht, holt ein Stück Vergangenheit zurück, und zwar in einem Erzählduktus, der auf eigensinnige Weise der Tradition verhaftet ist. Von der Zeit, vom epochalen Profil erfährt der Leser wenig – doch immerhin genug, daß er in Umrissen die Wilhelminische Kultur wahrzunehmen vermag. Deren dynamische Seite verweist der Schriftsteller absichtsvoll in den Hintergrund; um den Aufbruch ins wissenschaftlich-technische Gefüge soll es weniger gehen als um Ordnungen und Werte, welche vom »Fortschritt« noch nicht abgeschliffen worden sind. Jünger deutet den Kontrast nur an. Da und dort eine Straßenbahn, ein Automobil, dazu gelegentlich ein Hinweis auf »zeitgenössische« Künstler, die in die Zukunft blicken – Munch mit seinen Bildern der existentiellen Angst, Ibsen und der sich formierende Kampf der Geschlechter.

Was ist eine Zwille? Auch die Wahl des Titels zählt zu den sanften Provokationen des Verfassers, der sich mit Unzeitgemäßem einläßt. Eine Zwille ist eine gegabelte Schleuder. Sie wird von Kindern als nicht ganz ungefährliches Spielzeug verwendet; in den Händen des Jägers wird sie zur lautlosen und tödlichen Waffe. Spiel und Ernst: das ist nun allerdings ein klassisches Jünger-Thema, spätestens seit den »Afrikanischen Spielen«. Man kann die »Zwille« als Fortsetzung der Erzählung von 1936 lesen. Sie schildert – autobiographisch freier – Kindheitserlebnisse eines Knaben, dem man freilich die Flucht in die Fremdenlegion kaum zutrauen möchte. Denn Clamor Ebling ist scheu, introvertiert, versponnen. Kein forscher Bursche, der seinesgleichen zum Kampf stellt, vielmehr ängstlich bei jedem ungewohnten Geräusch. Kann so der spätere Stoßtruppführer gewesen sein?

Das ist schwer vorstellbar, und eben darauf hat es Jünger abgesehen. Von der Annäherung an ein Selbstporträt kann nur dann gesprochen werden, wenn die Charakterstudie von Clamor um jene Dimension erweitert wird, die der Autor mit dem Bild von Teo, dem Schulgefährten, liefert. Teo ist der Draufgänger, wendig und listenreich, präsent, ein Frühreifer, scharfsinnig und unberechenbar. Er wendet sich dem Jüngeren zu, um Clamor einerseits als Botengänger und Burschen einzusetzen, ihm anderseits gewisse Regeln eines lebenspraktischen Verhaltens beizubringen. So zeigt der Autor nach den »Afrikanischen Spielen« abermals eine Initiationsgeschichte, deren Weg indessen anders verläuft, als man zuerst vermuten könnte.

Clamor Ebling fühlt sich allein. Dieses Gefühl der Einsamkeit zieht sich als Leitmotiv durch die Erzählung. In einem ersten Teil berichtet Jünger von der Herkunft des Knaben und von den besonderen Umständen, die ihn geprägt haben. Die Mutter starb, als das Kind noch klein war. Dann stirbt auch der Vater, ein Arbeiter in einer Mühle. Nun erfährt Clamor die Gunst des Müllers, der ihn fördert und der Obhut eines protestantischen Geistlichen anvertraut. Dem

Superus behagt das stille Wesen des Jungen – um so mehr, als ihm sein Sohn, Teo, Kummer bereitet. Die häusliche Lage im Haus des Superus verschärft sich, da ein Vikar der Gemeinde zugeteilt wird. Dieser läßt sich ein mit der Frau des Geistlichen, und Teo wird zum Komplizen von Heimlichkeiten, die sich nicht lange verbergen lassen. Schließlich reisen der Vikar, seine Geliebte und Teo nach dem Süden, wo die Frau des Superus stirbt. Teo aber kehrt nach einigen Abenteuern wieder zurück. Der Vater schickt ihn aufs Gymnasium in die Stadt. Dort wohnt er beim Bruder des Superus, der auswärtige Schüler und Studenten beherbergt. Und dort wird auch Clamor untergebracht, als die Zeit gekommen ist, ihm eine höhere Ausbildung angedeihen zu lassen.

Die große Stadt: für Teo bietet sie manche Abwechslung, vielerlei Verlockungen; für Clamor ist sie ein Ort wachsender Bedrohung. Schon der Schulweg erscheint ihm gefährlich. Da ist der Exerzierplatz einer Garnison, da ist eine Fabrik, deren Arbeiter abends randalieren, da ist ein Gefängnis. Der Knabe hält den Kopf gesenkt – nur nicht auffallen. Auch hat er Mühe mit den Übergängen. Dem Träumer fällt es schwer, die wechselnden Realitäten wahrzunehmen. Teo jedoch, dem halb anarchische, halb neronische Anlagen angefabelt werden, freut sich über jede neue Herausforderung. Immerhin hat er sich damals bis nach Ägypten vorgewagt. Jetzt benutzt er das Haus des Onkels für seine Streifzüge. Regelmäßig wird die Speisekammer geplündert. Im Dachstock befindet sich eine Geheimkammer, wo der Anführer mit seinen Zöglingen tagt. Gegen seinen Willen sieht sich Clamor nach wenigen Tagen unter den Befehl des Älteren gestellt, dem er mit Mutproben seine Treue beweisen muß. Als Gegenleistung bietet Teo seinen Schutz an.

Im zweiten Teil wird der Alltag in der Pension geschildert. Nichts Spektakuläres geschieht, doch immerhin genug, daß Clamor von seinen Schulpflichten abgelenkt und von Aufträgen Teos beansprucht wird, die dem Furchtsamen noch im Traum nachgehen. Er soll in einem Feinkostladen eine Handvoll Krabben stehlen; soll Beschattungen vornehmen; soll ungewöhnliche Vorkommnisse melden. Um so prekärer wird es für ihn in der Schule. Vor den Mathematiklektionen zittert er, und nicht minder ungemütlich sind die Turnstunden. Einzig auf das Zeichnen freut er sich – einerseits entwickelt er eine überraschende Begabung, anderseits bemerkt er die Sympathie des Lehrers.

Teo aber denkt ständig darüber nach, wie er den Reiz der abenteuerlichen Ausflüge noch steigern könnte. Seit langem wünscht er sich eine Zwille; sie ist in einem Jagdwaffen-Geschäft ausgestellt. Endlich gelingt es, das Geld für den Kauf aufzutreiben. Seine Gefährten müssen sich mit selbstgebastelten Holzschleudern begnügen, dann beginnen im nahen Wald die Zielübungen. Und natürlich sollen bald die Fensterscheiben anvisiert werden – zumal jene eines Lehrers, von dem man zu wissen glaubt, daß er in seiner Wohnung mit perverser Lust Schüler züchtigt, die aus Furcht darüber schweigen. Im dritten Teil beschleunigen sich die Ereignisse. Teo und seine Helfer schießen die Fenster des Lehrers in Bruch, in der Hoffnung, daß der Züchtiger, nun aufgeschreckt, von seiner Methode ablasse. Doch ach, die Rächer haben die Fenster verwechselt und jene des Kommandanten der Garnison zerstört. Der unglückliche Clamor wird gestellt und muß die Schule verlassen. Zwar werden die Praktiken des Lehrers ruchbar; aber zu spät – denn Paulchen Maibohm, ein bevorzugtes Opfer, hat sich aus Angst vor der nächsten Strafaktion erhängt. Clamor Ebling findet Aufnahme beim Zeichenlehrer und seiner Frau.

Ein Erziehungsroman? So einfach stellt sich die Geschichte nicht dar. Schon eher wäre an eine Reihe von Initiationen zu denken, die freilich mehr indirekt sich auswirken. Denn auch am Ende sollen die Wege offen bleiben, die der Knabe einschlagen wird. Insofern gemahnt »Die Zwille« an die Kurzerzählung »Die Eberjagd« – hier wie dort sind es mehr Ahnungen als Gewißheiten, eher Vermutungen als verfügbare Erkenntnisse, welche die Adoleszenz begleiten. Das gilt im übrigen nicht nur für den träumerischen Clamor, sondern auch für Teo, den listenreichen Praktiker.

Von Clamor heißt es zu Beginn: »Ursache und Wirkung vermochte Clamor schwer zu trennen – auch darin war er den anderen unterlegen, deren Gewandtheit er mit Staunen betrachtete. Er sah mehr das Nebeneinander der Bilder im Raum als ihre Folge in der Zeit. Durch ihre unbewegte Tiefe wurde er gebannt und so zum Fremdling in einer Welt, in der die Räder immer schneller kreisten – ein Hindernis.«[25]

Daß der Schriftsteller hier wenigstens in Umrissen an einem

Selbstporträt »as a young man« arbeitet, ist offensichtlich. Die synthetische und synthetisierende Begabung erweist sich der die Zeit gliedernden und nutzenden Analytik überlegen. Doch muß ein solcher Geist in den Widerspruch mit der Epoche geraten. Bereits ein mathematischer Satz zwingt ihn zur Kapitulation.

»Clamor kam über das Betrachten nicht hinaus. Der Satz war wie ein Stück Eisen, undurchdringlich, fugenlos. Auch ein lateinischer Satz war schwierig bis zum Kopfzerbrechen, doch wenn man ihn auflöste, kam etwas anderes heraus. Hier nur dasselbe – Clamor konnte sich den Unterschied nicht klar machen. Ein solcher Satz war nicht nur undurchdringlich; er war auch abstoßend. Er kam an wie die Lokomotive eines unendlich langen Zuges, der ganz mit Eisen beladen war. Er lief auf blanken Schienen – das waren Herrn Hilperts Parallelen; sie legten die Tangente an die schweren Räder, die sich über sie hinwegdrehten. Und dann die Lichter – das waren Herrn Hilperts Augen; sie vernichteten. Der Zug fuhr lautlos, obwohl er eine ungeheure Last bewältigte; die Räder, die Kolben, die stählernen Gelenke griffen nach tödlichen Gesetzen ineinander ein. Clamor stand zwischen den Parallelen; gleich würden die Räder ihn überfahren, Herrn Hilperts Augen bannten ihn an den Platz. Ein grelles Pfeifen der Lokomotive schreckte ihn empor.« (Zw, 170/18, 174)

Die Reprise des Pfiffs von Goethes »Wilhelm Meister« gibt diesem »Bild« weit über jugendliches Ungemach hinaus die kulturkritische Schärfe. Die dynamisch gewordene Welt drängt Menschen wie Clamor an den Rand. Dessen Erlösung vom Zeitzwang findet erst statt, nachdem er an den Realitäten gescheitert ist. Der Räderbetrieb der Moderne verlangt die selektive, unterscheidende Wahrnehmung. Das hat Teo mit spielerischer Sicherheit erkannt. »Erkenne die Gesetze, ohne sie anzuerkennen« – so lautet sein Wahlspruch. Doch beschäftigt sich Jünger mit diesem *alter ego* weniger beharrlich als mit dem Träumer, dem Fremdling.[26] Ihn hat er dazu ausersehen, die Bilder nicht nur in Visionen zu empfangen, sondern auch als Künstler weiterzugeben. Das Finale deutet an, wie sich die Entelechie vollendet. Der Zeichenlehrer Mühlbauer, der seine Philosophie auf die Lehre von Fechner abgestimmt hat, wird fortan zum Magister des Heranwachsenden. Freiheit gewinnt, wer am Ästhetischen reift, »denn das Schöne gehört uns allen; an ihm gibt es kein Eigentum. Es ist unteilbar; wir finden uns in ihm. Wir finden und vergessen uns im Anderen; wir sind nicht mehr allein«. (Zw, 265/18, 269)

Das ist gut romantisch gedacht. Was aber die »Wiederholung« betrifft, von der das Tagebuch spricht, so ist sie zugleich Korrektur am eigenen Lebenslauf. Oder mindestens Rekonstruktion aus dem gedanklichen Zuschuß der späten Jahre. Wenn denn doch eine Form von »Identität« erreicht werden soll, muß der kontemplative Geist des Randgängers schon dem Kind gegeben sein. Insofern fällt die traditionelle, ja »altmodische« Erzählweise zusammen mit der Kultur, aus der der Erzähler selbst hervorging. Diesen literarischen Anachronismus soll man Jünger nicht vorwerfen. Er ist im letzten wiederum Zeitverweigerung. An Unheimlichkeiten herrscht gleichwohl kein Mangel − an den schillernden Zeichen jenes epochalen Übergangs, dem sich der anarchisch begabte Teo stellt.

Roman der posthistoire: »Eumeswil«

»Teo« taucht schon vier Jahre nach dem Erscheinen der »Zwille« wieder auf, und zwar in dem großen Roman »Eumeswil«. Auch das gehört zu den überraschenden Einfällen später Autorschaft. Die Themen und Figuren sind nicht eindeutig determiniert, sondern verändern sich im Maß der Bezüge, denen sie unterworfen werden. Martin Venator, der Protagonist und Ich-Erzähler von »Eumeswil«, ist zwar nicht Teo; doch könnte er dessen älterer Bruder sein, denn auch er vertritt den Typus des Anarchen, des Spielers, der die Partie mit Nonchalance mitmacht. Auch er erkennt die Gesetze, ohne sie anzuerkennen. Daß Jünger einen solchen Charakter wählt, hat einerseits mit dem Stoff zu tun, andererseits mit der Zeit, vor deren Horizont ein Gedankenspiel um Macht und Herrschaft inszeniert wird.

»Eumeswil« ist in eine Epoche nach der zweiten Jahrtausendwende verlegt. Die geschichtlichen und geschichtsbildenden Bewegungen haben sich erschöpft, und nach einer Ära von Weltbürgerkriegen erweist sich die Freiheit als prekäres Gut. Die Stadt mit dem merkwürdig griechisch-alemannisch klingenden Namen steht unter der Herrschaft eines Tyrannen. Der Condor residiert seit Jahren auf der Kasbah, einer Hochburg, die etwas außerhalb der Stadt liegt. Dort wirkt Martin Venator. Er versieht den Dienst eines Nachtstewards; gleichzeitig nimmt er noch militärische Aufgaben wahr. Im Kreis des Machthabers hat er den Rufnamen Manuel erhalten.

Eumeswil befindet sich, wie man annehmen muß, an der südlichen Küste des Mittelmeers. Doch erfährt der Leser Näheres weder über die geographischen noch über die historischen Gegebenheiten. Ist die Stadt von Eumenes gegründet worden? Jedenfalls trägt sie seinen Namen; »jede weitere Berufung auf ihn ist eine fellachoide Anmaßung.«[27]

So spricht Venator, und er hat dabei Exponenten des »Volks« im Auge – intellektuelle Unruhestifter, die sich einerseits ducken, andererseits auf einen Umsturz hoffen, der wieder Tribunen an die Herrschaft brächte. Auch das gehört zur Ausgangslage: in Eumeswil hat sich zwar die Geschichte totgelaufen, doch befindet sich der politische Zustand in Gärung. Deshalb muß der Condor darauf bedacht sein, die Macht durch ein System von Kontrollen und Überwachungen abzusichern. Zwei Paladine stehen ihm zur Seite: der Domo als Polit-Chef, Attila als Leib- und Seelenarzt. Der Condor wird als aufgeklärter Tyrann dargestellt – er kann sich auf keine Legitimität berufen (die es in Eumeswil ohnehin nicht mehr geben könnte); doch sei sein Regime jenem von Volksdespoten vorzuziehen.

Jünger hat dieses späte, eigentümlich kühle und skeptische Buch in sechs Kapitel und einen Epilog aufgeteilt. Die Aufteilung suggeriert so etwas wie epische Bewegung. Aber weit gefehlt: nichts geschieht. Auf über vierhundert Seiten berichtet Venator das Treiben in der Stadt und auf der Kasbah, Gespräche in der Nachtbar des Condors, Ausflüge an die Küstenstriche, Diskussionen im Kreis der Hochschullehrer. Wie eine ungeheure Ouvertüre mutet an, was da aus der Perspektive des anarchischen Beobachters zusammengetragen und nach Motiven gesondert wird. Um so knapper entwirft der Autor das Finale – den Abgang, den erst der Epilog meldet.

Es wäre falsch, wollte man darin ein Zeichen für das Ungenügen des Erzählers erkennen. Vielmehr ist konsequent verwirklicht, was schon der Verfasser der späten Tagebücher beklagt: es gibt »Geschichte« nicht mehr, die Werte sind verflacht, die großen Ideen sind verbraucht, die Welt ist zur Deponie geworden.[28] Im Rhythmus der ästhetischen Formung erhält dieser Befund seine Beglaubigung, mehr noch: die Überhöhung durch die Kunst.

Anderseits ist leicht zu sehen, daß eine solche Transposition des »Oblomow«-Prinzips auf die spätmoderne Kultur der Neigung auch des Romanciers für lange reflektierende Einschübe entgegenkommt. »Eumeswil« ist nicht nur eine Geschichte um Macht und Machterhaltung zu Zeiten des Niedergangs. Das Buch ist zugleich ein Kommentar zum und eine Philosophie des *posthistoire*. Den Ausgangspunkt dafür bietet indessen nicht einfach eine zivilisationskritische Mutmaßung. Jünger fundiert den Verdacht vom Kältetod der Historie tiefer, nämlich metaphysisch. Manuel Venator argwöhnt, daß »schon die Schöpfung mit einer Einfälschung begann. Wäre es ein simpler Fehler gewesen, so ließe sich das Paradies durch Entwicklung wiederherstellen. Aber der Alte hat den Baum des Lebens sekretiert. Das streift mein Leiden: irreparable Unvollkommenheit, nicht nur der Schöpfung, sondern auch der eigenen Person.« (Eu, 10/17, 10) Diese gnostische Annahme transzendiert jede konservative Position, welche den Verfall einem Prozeß in der Zeit unterwerfen möchte. Was der Mensch *aus Erfahrung* Welt nennt, ist von Anfang an mißlungen gewesen. Zugleich wird damit die Hoffnung abgewehrt, daß ein wie immer gerichteter »Fortschritt« den Schaden beheben könnte.[29]

Das ist, wenn man so will, Rollenprosa. So radikal denkt der Autor natürlich nicht. Doch entspricht die Haltung von Venator der Wirklichkeit, in der er sich bewegt; sie stellt sich ihm als Schutthalde dar, als Gemenge von Abfällen aus Jahrtausenden. Da hat es längst keinen Sinn mehr, Stellung zu beziehen. Folgerichtig bemüht sich Manuel um »innere Neutralität«. »Ich bin, das darf ich wohl sagen, nicht schräg, sondern rechtwinklig ausgerichtet – weder nach rechts noch nach links, weder nach oben noch nach unten, weder nach Westen noch nach Osten hin belastet, sondern äquilibriert. Zwar beschäftigen mich diese Gegensätze, doch nur historisch, nicht aktuell; ich bin nicht engagiert.« (Eu, 43/17, 39) In einem ersten Teil, betitelt »Die Lehrer«, läßt Jünger seinen Protagonisten von dessen geistigen Optionen berichten. Venator ist »im Grunde« Historiker, auch wenn er eine Funktion im Dienst des Condors wahrnimmt. Zu seinen Lehrern an der Universität von Eumeswil zählen zwei Forscher – Bruno und Vigo –, welche von den meisten Studenten nicht verstanden werden; um so enger schart sich ein kleiner Kreis von Eingeweihten um sie. Bruno, der Platoniker, geht von den Urbildern aus. Vigo vertritt, auf Fechners Spuren, die Auffassung von der Allbeseeltheit. Auf Einzelheiten muß man nicht mehr eingehen. Als Historiker darf Venator ein Gerät mit Namen »Luminar« benützen – einen Datenspeicher, der ihm sämtliche Ereignisse und Wirkungen der Geschichte auf den Bildschirm zaubert. Das Auge, das alles sieht, was je geschah, lädt den Anarchen zum Träumen ein.

Der zweite Teil ist »Abgrenzung und Sicherheit« überschrieben. Hier geht der Ich-Erzähler des Näheren auf seine Aufgabe als Nachtsteward ein. Mit Bloy bezeichnet er sich als Techniker in einem Abbruchunternehmen, »der insofern mit gutem Gewissen dabei ist, als die Schlösser und Dome, ja selbst die alten Bürgerhäuser längst abgerissen sind. Ich bin Holzfäller in Wäldern mit dreißigjährigem Umtrieb; wenn ein Regime so lange aushält, kann es von Glück sagen«. (Eu, 110/17, 97 f.) Das gehört ins Kapitel der Abgrenzung: der Funktion nach ist Manuel als Barkeeper tätig; seine Neigung drängt ihn zur Historie; im Wesen behauptet er sich als Anarch. Drei Stufen, die von der unmittelbaren Pflicht zur Freiheit in den letzten Dingen führen. Der Aspekt der Sicherheit aber kommt da zur Sprache, wo Venator über die Steigerung des Anarchen zum Waldgänger meditiert. Die Möglichkeit des politischen Umsturzes anerkennt er durchaus. Deshalb hat er sich in den unwegsamen Küstenzonen des Sus einen alten Bunker als Fluchtort ausgewählt. Sollte die Lage prekär werden, ginge er ins Exil: er verschwände im Labyrinth einer wuchernden und undurchdringlichen Vegetation.

So weit ist es noch nicht. Manuel erzählt von seinem Beruf, von der nächtlichen Arbeit in der Bar. Er hat Gelegenheit, die Gespräche des Condors mit seinen Vasallen zu registrieren. Während er unauffällig seinen Dienst versieht, denkt er nach – über seine Geliebte, über den Vater und den Bruder, mit denen ihn nichts verbindet, über seinen Koch, immer wieder über die Lage und ihre Deutung. Er sei im Raum Anarch, in der Zeit Metahistoriker. Der Metahistoriker versucht die Geschichte zu überblicken, ohne sich mit ihren Ausformungen zu identifizieren. Insofern trachtet er danach, dem »Schmerz« auszuweichen, dem der Historiker gerade begegnen muß. »Das Nachspielen der großen Partien, bald auf der einen, bald auf der anderen Seite, mehrt noch den Schmerz des Historikers. Er spielt nicht gegen den einen, nicht gegen den anderen, auch nicht gegen beide, sondern gegen den gewaltigen Kronos, der seine Kinder verzehrt, und dann gegen das Chaos, das den Kronos gebar.« (Eu, 358/17, 316) Daß auch der Metahistoriker wiederholt dazu verführt wird, über die Ereignisgeschichte zu spekulieren, zeigen die seitenlangen Exkurse etwa zum deutschen Vormärz oder zu den Theorien der französischen Sozialphilosophen.

»Die Geschichte ist tot; das erleichtert den historischen Rückblick und hält ihn von Vorurteilen frei, jedenfalls für jene, die den Schmerz erlitten und hinter sich gebracht haben.« Das allerdings liest sich wie eine Stelle aus den Tagebüchern – wie ein Bekenntnis des Autors, der, indirekt, auch von vergangenen Hoffnungen und schmerzlichen Enttäuschungen spricht. Venator fährt fort: »Anderseits kann nicht gestorben sein, was die Geschichte mit Inhalt füllte und in Gang setzte. Es muß sich aus der Erscheinung in die Reserve verlagert haben – auf die Nachtseite. Wir hausen auf fossilem Grunde, der unvermutet Feuer speien kann. Wahrscheinlich ist alles Brennstoff, bis zum Mittelpunkt.« (Eu, 328/17, 338) Da findet der Verlust seine Kompensation: die Urbilder können nur verdeckt, doch nicht gelöscht werden. Auch diese Tröstung taucht in den Tagebüchern immer wieder auf.

Für die Gegenwart, in der Venator lebt, muß sie freilich insofern folgenlos bleiben, als am geschichtlichen Zustand der »Nachtseite« vorerst nichts zu ändern ist.[30] Der Anarch läßt sich vom Luminar eine hypothetische Kultur vorspielen, in welcher Fouriers Weltplan der Phalansterien realisiert ist. Bald erkennt er, daß die Utopie nicht funktioniert. Auch Fourier war davon ausgegangen, daß die Schöpfung im Guß mißlungen sei. »Sein Irrtum liegt darin, daß er sie für reparabel hält.« Und dann: »Der Anarch darf vor allem nicht progressiv denken. Das ist der Fehler des Anarchisten; damit gibt er die Zügel aus der Hand.«[31] So hält es Manuel eher mit Stirner, den er gleichfalls im Luminar herbeizitiert. Letztlich allerdings sucht er eine absolute Distanz zur Gesellschaft zu erreichen. Das Bild dafür gibt die Metapher von der Insel. Der Anarch führt eine »solitäre, eine insulare Existenz. Wenn Sindbad vom Tigris aus durch den Persischen Golf und das Arabische Meer in den Indischen Ozean segelt, verläßt er die historische, ja selbst die mythische Welt. Hier beginnt das Reich der Träume, der eigensten Gestaltung; alles ist verboten und alles erlaubt.« (Eu, 313/17, 276)

Kann sich diese Lizenz auf »politische« Träume beziehen? Das widerspräche allem, was Venator zur Distinktion des Anarchen gegenüber dem Anarchisten vorgebracht hat. So bleibt allein die ästhetische Freiheit: künstlerisch hervorzubilden, was an der Wirklichkeit so wenig wie an der Zeit geprüft werden muß. »Die Insel vereinfacht; sie liefert die Bühne, auf der sich das Spiel der Gesellschaft durch wenige Akteure darstellen läßt. Die Darstellung hat den Dichter, die Betrachtung den Philosophen immer wieder gereizt.« (Eu, 307/17, 271)[32]

Eumeswil ist keine Insel. Die Stadt, von der es heißt, sie sei steril, vom Nihilismus ausgeglüht, geschichtlich tot, zwingt denn doch zu Auseinandersetzungen mit dem Unerwarteten, mit den Kontingenzen der Lebenswelt. Das Schlußkapitel heißt »Vom Walde«. Der Anarch verwandelt sich freilich nicht in den einsamen Waldgänger. Als ihm der Domo eröffnet, daß der Condor sich zu einer großen Jagd entschlossen habe, die über die Wüste hinaus in die Wälder führen solle, entschließt er sich, an der Expedition teilzunehmen. Über die politischen Hintergründe wird kaum etwas bekannt; doch müssen alle Teilnehmer wissen, daß die Chance einer Rückkehr nach Eumeswil gering ist. Venator geht zu seiner Fluchtburg im Sus, um dort die Aufzeichnungen zu verwahren, die seine Erzählung bilden. Wenige Tage bleiben ihm, um sich auf die Reise vorzubereiten. In seinem letzten Notat berichtet er, daß er »intensiv vor dem Spiegel gearbeitet« habe. »Dabei gelang mir, was ich immer erträumt hatte: die vollkommene Ablösung von der physischen Existenz.«[33] So gewappnet gegen alle Eventualitäten des Schmerzes, bricht er auf.

Schließlich der Epilog. Nach dem Muster von »Gläserne Bienen« entdeckt der Bruder von Venator dessen Chronik und verwahrt sie im Institut von Eumeswil, wo sich viel verändert habe. Manuel, seit Jahren mit dem Tyrannen und seinem Gefolge verschollen, sei nun auch amtlich für tot erklärt worden. Die Kasbah sei verödet; Ziegenhirten weideten ihre Herden innerhalb der Burgmauer. Der Bruder gibt zu erkennen, daß er der alten Ordnung nicht nachtrauert.

Dieses Finale kann keinen mit Jünger vertrauten Leser überraschen. Kein episch gereifter Abgang schließt das Buch, sondern ein harter, beinah unvermittelter Schnitt. »Postmoderne« Wirklichkeiten dürfen, dem Charakter der »Nach-Geschichte« entsprechend, kein echtes Ende haben. Die historische Zeit läuft leer, nur hie und da bestimmte Kristallisationen, Auswürfe einer magmatischen Tätigkeit. »Wir hausen auf fossilem Grunde, der unvermutet Feuer speien kann.« Das gilt für das Zeitalter des »Arbeiters«, für den »Titanismus« der Werkstättenlandschaft. »Eumeswil« ist die konsequente Allegorie auf eine Welt, für welche sich der Schriftsteller keine geschichtlichen Impulse mehr erhofft.

Die späten Tagebücher geben nicht nur Auskunft über die Erfahrungen, die der Reisende wie Bestätigungen sammelt, sondern auch über den Prozeß der literarischen Invention und ihrer Gestaltung. Schon im Oktober 1969 befindet sich Jünger in Agadir und durchstreift die Gegend des Sus. Im April 1974 hält er sich wieder in der Stadt auf. Jetzt beschäftigt ihn die Landschaft auch als »Plan« – er erwähnt »Eumenesville«; der Titel ist noch nicht geklärt, über den Inhalt läßt er nur verlauten, daß es um das Thema der »Großen Deponie« gehe. Ein Jahr danach, am 19. September 1975, schreibt er Henri Plard, seinem Übersetzer, unter anderem: »In der Hauptsache arbeite ich an der Fortsetzung von ›Heliopolis‹. Wiederum sind einige Jahrhunderte vergangen, die Fellachisierung hat Fortschritte gemacht. Der Geschichtsraum hat sich entleert; diese Leere zieht ahistorische Figuren an, sowohl mythische wie barbarische.«

Die Fortsetzung von »Heliopolis«? Das muß überraschen. Denn was dort am Ende der Verheißung aufschien, nämlich die Rückkehr von Lucius de Geer an der Seite des Regenten, läßt sich schwerlich als Vorgabe für das Geschehen in Eumeswil verstehen. Im Gegenteil antwortet der hellen Vision nun die negative Utopie, der absolut gewordene Sinnentzug innerhalb von historischen Kategorien. Eine solche »Fortsetzung« ist deshalb primär als Korrektur jenes früheren geschichtsphilosophischen Optimismus aufzufassen, der noch 1949 – im Umkreis der »Linien«-Meditationen – die »Vergeistigung« der Werkstättenlandschaft mindestens als Möglichkeit in Aussicht gestellt hatte. Welten trennen den Helden des Romans von dem Anarchen Venator. Immerhin realisiert selbst dieser späte Typus seine Optionen nicht konsequent. Statt im Dickicht des Sus zu verschwinden, hält er dem Condor die Treue. Es ist, als ob der Autor als früherer Offizier das Wagnis denn doch nicht wollte, die Verweigerung ins Extrem zu treiben. Dafür steht ein Kommentar in den Tagebüchern. Jünger antwortet einem Leser von »Eumeswil«. »Venator kümmert sich als Anarch nicht um den contrat social, doch wenn er sich persönlich engagiert hat, spielt er die Partie bis zum Ende durch, geht daher auch mit in den ›Wald‹. Wer sich selbst treu bleibt, der hält auch sein Wort. Außerdem ist er neugierig und liebt die Gefahr.« (SV II, 389 f./5, 390 f.)

Kann man, nach Jüngers eigenem Befund, dem Geschichtsraum der Leere noch Neugier entgegenbringen? Das klingt merkwürdig nach »Afrikanischen Spielen«, nach der Erinnerung an Träume von einer phantastisch bereicherten Fremdenlegion. Doch gehören gerade solche »Dissonanzen« und Verschiebungen zum Spätwerk. Theoretisch anspruchsvoller bleibt der Gedanke von der »Großen Deponie«. Nicht in den Tagebüchern, sondern auf den letzten Seiten von »Eumeswil« gibt ihm der Schriftsteller den letzten Schliff.

»Eines der Symbole geschichtsloser Räume ist die Deponie. Der Raum wird durch den Abraum bedroht. Der Schutt wird nicht mehr bewältigt wie in den Kulturen; er überwächst die Bildungen. Wenn ein Schiff scheitert, treiben die Trümmer an den Strand. Der Mast, die Planken werden zum Bau von Hütten oder als Brennholz verwandt. So lebt man auf und von den Deponien – zwischen Schutthalden, die man ausbeutet. Der nackte Hunger folgt vergangenem Reichtum und seinem Überfluß. Der Zuwachs hält nicht mehr Schritt.« (Eu, 422 f./17, 371)

Die »Deponie« ist weniger ein Symbol als eine Metapher.[34] Als solche hält sie eine gleichermaßen »substantielle« Verbindung zur Vorgabe des Bildes. Trauer treibt den Ordnungsdenker des Natursystems um, wenn er sehen muß, wie die geschichtliche Vergangenheit im Vergessen jenes »Titanismus« verschwindet, der nur noch den verwertenden Umgang mit der Materie pflegt. Vor dieser Art von Materialismus hatte schon die Lebensphilosophie des frühen 20. Jahrhunderts gewarnt. Im Gegenzug dazu hatte der organische Konstrukteur des »Arbeiters« und noch der Autor von »Heliopolis« auch darüber spekuliert, wie der Materie so etwas wie »Leben« eingehaucht werden könnte. Eine dunkle Stelle in »Eumeswil« greift das Thema abermals auf – und führt es genau da vor den Abbruch der Reflexion, wo die Bewegung zur »Erdvergeistigung« ansetzen müßte. »Es gibt frühe Ansätze – im Schachspielautomaten, in den künstlichen Tauben und Schildkröten, im Punktamt von Heliopolis. Offenbar ist mehr, nämlich Wiederbelebung, beabsichtigt. Das berührt andere Geflechte: Anknüpfungen an Faust, Swedenborg, Jung-Stilling, Reichenbach und Huxley – an immer wiederholte Versuche, die Materie nicht metaphysisch abzuwerten, sondern – ja, hier beginnt das Problem.« (Eu, 346 f./17, 306 f.)[35]

Die Parabel von
»Aladins Problem«

Dieses Problem wird sogar titelwürdig mit der Erzählung »Aladins Problem«, welche 1983, sechs Jahre nach »Eumeswil«, erscheint. Indessen gewinnt man zunächst den Eindruck, als ob das vierteilige Prosastück von wenig mehr als hundert Seiten nichts mit der Frage nach einer metaphysischen »Aufwertung« der Materie zu tun hätte. Der Schriftsteller läßt in gewohnter Manier einen Ich-Erzähler auftreten, der, wiewohl er noch nicht vierzig ist, schon einiges erlebt und hinter sich gebracht hat. Friedrich Baroh beginnt seine Geschichte damit, daß er ein »Problem« erwähnt; das Problem treibt ihn um und verschattet seine Existenz. Immer häufiger muß er darüber nachdenken, und im Zwang zur Reflexion tritt der Alltag zurück. So holt er denn aus, von seiner Vergangenheit zu berichten. Von der Beschaffenheit des Problems erfährt man nichts.

Baroh hat in der polnischen Volksarmee gedient – zuerst als Soldat, der von einem bösartigen Feldwebel schikaniert wurde, dann als Offizier. Damals lebte er unauffällig; ein »Anarch«, der sich ohne Begeisterung dem System einfügte und in ruhigen Stunden mit einem Freund über historische Begebenheiten und deren Voraussetzungen meditierte. Eines Tages setzt er sich in den Westen ab. Er findet eine Anstellung im Bestattungsunternehmen eines Onkels und wirkt als Gerant.

Der Erkenntnis, daß der geschichtslose Mensch keinen Frieden habe und selbst seine Gräber dem »Chauffeurstil« anpasse, folgt der Versuch, diesen Mangel zu kompensieren. Baroh vertieft sich in das Studium der Bestattungsbräuche – und gründet, im »Gegenzug zur motorischen Welt«, die Firma »Terrestra«. Sie liefert allen, die sich dafür interessieren, Ruheplätze für die Ewigkeit, Gräber, die auf Dauer angelegt sind. Zu dem Zweck wird in Anatolien ein weitverzweigtes Katakombenfeld erworben. Bald blüht das Geschäft. »Ein Urtrieb wachte wieder auf.«[36] Doch der Erfolg steigert am Ende nur den Mißmut, und je weniger Baroh gefordert wird, um so mehr rückt das Problem in den Vordergrund. Im Schlußteil bekennt er, wenigstens andeutungsweise, wo der Schmerz sitzt. »Mein Leiden wohnt nicht im Gehirn. Es nistet im Körper und darüber hinaus in der

Gesellschaft – ich kranke an ihr. Erst wenn ich mich von ihr abgesondert habe, kann ich eingreifen. Vielleicht hilft sie dazu, indem sie mich aussondert. Möglich ist, daß man mich bald internieren wird.« (AP, 111/18, 361)

Dazu kommt es nicht nur deshalb nicht, weil Baroh sein Außenseitertum vorsichtig tarnt. Zuletzt nämlich findet eine Erlösung statt. Der Erzähler schildert, wie »Sendboten« anklopfen. Einer unbestimmten Sehnsucht nach dem Absoluten antworten merkwürdige Stimmen und Eingebungen. »Etwas will sich niederlassen – ein Adler, ein Nußhäher, ein Zaunkönig, ein Spaßvogel? Warum gerade bei mir? Vielleicht ein Geier – ich habe jetzt auch mit der Leber zu tun.« (AP, 111/18, 360) Die ironisch getönte Anspielung auf Mythisches verdeckt nicht lange, worum es geht. Baroh, der nun in der Stimmung einer Erwartung lebt, erhält schließlich das Bewerbungsschreiben eines Mannes mit Namen *Phares*. Er weiß – auch wenn er es eigentlich nicht wissen kann –, daß dieser Phares ihn einweihen wird in das Mysterium einer Welt, die hinter den Erscheinungen den Sinn verbürgt. Denn Phares kennt, wie es heißt, den Urtext, »von dem alle menschlichen Sprachen wie auch die der Tiere nur Übersetzungen oder Ausgießungen sind«.

Jetzt wird faßbar, worin das »Problem« bestand; es quälte den Erzähler als persönliches wie als gesellschaftliches Dilemma: in einer nihilistischen Kultur leben zu müssen, die im Maß des verfügenden Wissens die Verbindung zum »Sinn« verloren hat. »Aladins Problem war die Macht mit ihren Genüssen und Gefahren...« Und weiter: »Auch Aladin war ein erotischer Nihilist...«

Was bedeutet das? Die »Aladin«-Metapher taucht im Spätwerk immer wieder auf; oft verschlüsselt, oft nur in einem geraunten Nebensatz. Am 11. Dezember 1966 notiert Jünger in Lissabon, im Anschluß an Gedanken über weltliche und geistige Schätze: »Von anderen, wie dem der Nibelungen, weiß nur die Sage noch. Sie ruhen in der Tiefe; die Hebung kann Unheil bringen, wie es in den germanischen Sagen, den orientalischen Märchen geschildert wird. Gemeint ist der Weltenhort, von dem wir leben, wenngleich nur durch den Zins, durch eine Strahlung, die aus unerreichbarer Ferne kommt. Selbst die Sonne ist nur ein Symbolon, ein sichtbares Abbild; sie gehört zur zeitlichen Welt. Anderseits: Auch jeder auf Erden gesammelte Schatz bleibt ein Gleichnis, ein Symbolon. Er kann nicht genügen, daher der unersättliche Heißhunger.« (SV I, 374/4, 372 f.)

Die Erzählung, die diesen Konflikt wenn nicht ausdrücklich macht, so doch allegorisch ausspricht, ist »Aladins Problem«. Was hat Baroh gelernt? Daß die Geschichte nach 1888, nach dem »Dreikaiserjahr«, ins posthistoire des »Titanismus« mündet.[37] Daß dieser Titanismus alle materiellen und geistigen Ressourcen sich unterwirft, die »zeitliche Welt« demiurgisch zu beherrschen. Daß dabei der »Urtext« immer mehr zur Hieroglyphe wird, die stumm bleibt. »Aladin« *ist* der »Arbeiter« – der »titanische« Agent, der die Energien der Erde herauffördert und verwaltet, im Wahn, damit an einen Endpunkt der restlosen Befriedung und Befriedigung aller Bedürfnisse zu kommen. Das wird in der Erstausgabe der Erzählung zwar angedeutet, aber nicht »erklärt«. Hingegen findet sich in der Wiederveröffentlichung – in Band 18 der Stuttgarter Gesamtausgabe – ein Zusatz, den Jünger vor den letzten Absatz des 78. Kapitels eingefügt hat. Das Vertrauen in die allegorische Kraft hat nicht genügt; jetzt wird diese Wahrheit präzisiert. »Aladins Lampe war aus Zinn oder aus Kupfer, vielleicht nur aus Ton. Gallands Text berichtet nichts darüber – wir hören nur, daß sie in einer Grotte von der Decke hing. Sie wurde nicht entzündet, sondern gerieben, damit der Dämon erschien. Er konnte über Nacht Paläste errichten oder Städte verheeren, wie es der Herr der Lampe befahl. Sie verbürgte Herrschaft bis an die Grenzen der befahrenen Welt – von China bis nach Mauretanien. Aladin zog das Leben eines kleinen Despoten vor. Unsere Lampe ist aus Uran. Sie stellt das gleiche Problem: titanisch anströmende Macht.« (18, 362 f.)

Was müßte geschehen, damit die Materie nicht mehr nur zum Unheil des Menschen wie seines Planeten verwertet wird, sondern eine Form von »Vergeistigung«, von Harmonisierung erfährt? Der Schriftsteller gibt diesem Problem keine Antwort. Insofern geht er über den Passus in »Eumeswil« kaum hinaus. Allerdings läßt er am Ende eine Figur auftreten, welcher es obliegt, dem zweifelnden Baroh Mut zu machen. Phares, der Geheimnisvolle, war schon in »Heliopolis« erschienen – als Kapitän des Raumschiffs, das Lucius de Geer den Fernen des Alls zuführt.[38] Er steht auch jetzt wieder für eine unbekannte Macht jenseits von lebensweltlichen Erschütterungen. Er ist ein Emissär mit der Kenntnis des Urtexts; ein Lehrer von gnostischen Einweisungen.[39]

Auf der anderen Seite aber bleibt das Gefühl, daß alles Irdische an der Unvollkommenheit der Schöpfung leidet. Die letzte Station auf diesem Weg ist der Tod. Er ereilt nicht nur die individuelle Existenz, sondern auch die geschichtlichen Epochen. »Historische und insbesondere archäologische Neigungen sind ja eng mit den Gräbern verflochten; im Grunde ist die Welt ein Grab…« (AP, 94/18, 346) So meditiert Baroh, als er sich anschickt, das Geschäft mit dem Bedürfnis nach Dauer einzufädeln. Einen »Ruheplatz ad perpetuitatem anzubieten«: da taucht die Formel wieder auf. Der Gedanke, daß im Zeitalter des »Titanismus« selbst die »ewige« Ruhe gestört wird zugunsten rastloser Umtriebe und Umwälzungen, findet in »Aladins Problem« seine erzählerische Erweiterung. Doch ist er thematisiert seit den frühen Tagebüchern. Im September 1943 berichtet Jünger von der Lektüre eines Werks von Maurice Pillet, »Thèbes, Palais et Nécropoles«. »Mir wurde bei der Lektüre wieder deutlich, wie unser museales Wesen auf minderer Ebene dem ägyptischen Totenkult entspricht. Was dort die Mumie des Menschenbildes, das ist bei uns die Mumie der Kultur, und was dort metaphysische, ist hier historische Angst: daß unser magischer Ausdruck im Zeitenstrome untergehen könnte – das ist die Sorge, die uns bewegt. Die Ruhe im Schoß der Pyramiden und in der Einsamkeit der Felsenkammern inmitten von Kunstwerken, Schriften, Geräten, Götterbildern, Schmuck und reichem Totengut ist auf erhabenere Arten der Dauer angelegt.«

Die Gewißheit, inmitten einer geschichtlichen Katastrophe von gigantischen Ausmaßen sich zu befinden, leitet das Nachdenken in die Richtung der »historischen Angst«. Genau vierzig Jahre später hat sich die Beunruhigung gegenüber dem zivilisatorischen »Gestell« nicht vermindert. Aber für den Fünfundachtzigjährigen hat sie ein schärferes metaphysisches – und schließlich auch ein persönliches Profil gewonnen. Die eigene Sterblichkeit wirft ihre Schatten. Was ist *daraus* zu lernen?

»Autor und Autorschaft«

»Die Zeit ist die große, ja die einzige Quelle des Tragischen; Zeitüberwindung die große und immer nur an die Symbole heranführende Aufgabe. Die Zeit überwältigt, ist nicht zu bewältigen.«[40]

So steht es in einem Band mit Notizen, Aphorismen, Maximen und Reflexionen, der 1984 unter dem Titel »Autor und Autorschaft« erscheint.[41] Er behandelt unsystematisch das Verhältnis des Schriftstellers – grundsätzlicher: des Künstlers – zum Werk, des Schöpfers zu seiner Schöpfung, die einerseits Ausdruck seiner Absichten und Erfahrungen, anderseits aber mehr ist, nämlich die Summe von Vorgaben, deren kleinerer Teil dem reinen Wollen sich verdankt. Kann das Œuvre dem Sterblichen geben, was ihn als metaphysisches Problem nicht losläßt: Unsterblichkeit? Der Platoniker weiß ja, daß alles *Erscheinende* nur abgeleitet ist und am Ende im Zeitenstrudel wieder verschwindet. Es gibt »diesseitigere« Ärgernisse – die üble Nachrede, böswillige Kritik, Ignoranz. »Gaston Gallimard sagte mir einmal: ›Ein wirklich gutes Buch ist unverkäuflich (ne se vend pas) – wie eine anständige Frau.‹« (AA, 22) Das klingt wie ein Trostspruch, und so war es wohl auch gemeint.

Trost wofür? Für die Enttäuschung, in der Nachkriegsöffentlichkeit nicht jene Resonanz gefunden zu haben, die dem »Klassiker«, bei aller berechtigten Distanz gegenüber manchen seiner Positionsbezüge, denn doch zugestanden hätte?[42] Überraschen muß, daß eine gewisse Bitterkeit diesen Notaten nicht fremd ist. Auch zeigen sich gelegentlich Ansätze zur Tagespolemik, wo der Autor nicht nur über die Gegenwart im Allgemeinen hadert, sondern auch über Dinge, die ihn näher betreffen. Freilich könnte er selbst da noch Traditionen und Vorbilder zitieren – vor allem Rivarol, auf dessen Spuren er sich bewegt, wo die Diagnose der Epoche im ironischen Kürzel kristallisiert.

Wichtiger sind jene Passagen, die der symbolbildenden Aufgabe der Autorschaft gelten. »Autorschaft. Wie soll der Begriff gefaßt werden? Ganz allgemein als Äußerung schöpferischer Kraft. Autor ist jeder, nur wissen die meisten nichts von ihrem Glück. Literarisch genommen, muß der Begriff den Dichter ein- und darf den Schriftsteller nicht ausschließen.« (AA, 46) Daß jeder Autor ist: es bedeutet, daß das Wunder der Schöpfung, mag sie auch unvollkommen sein, von jedermann erfahren werden kann. Denn es gibt nichts, was als Erfindung neu hinzukäme; im Prinzip ist alles da – jedenfalls was die »Urbilder« betrifft. Folglich gilt: »Das Leben ist auf ein Wiederfinden ausgerichtet – das weist auf einen Verlust hin, der in der Zeit nur flüchtig und nur durch Gleichnisse gemildert werden kann –

durch Zufälle.« (AA, 193) Was Jünger im Wort von den »Annäherungen« bereits ausführlich entfaltet hat, wird jetzt nochmals variiert. »›Wiederfinden‹ ist wichtiger als ›Finden‹ – ursprünglicher.« Der Mensch erlebt den alten Dualismus: Die Kluft zwischen dem idealen Sein und der Welt der Erscheinungen. Wenn er in Momenten der Eingebung diesen Hiatus überwindet, entsteht so etwas wie Autorschaft. Sie knüpft am »ursprünglichen Bestand« an.[45]

Funktional betrachtet, muß die Entfremdung in einer Lebenswelt kompensiert werden, die einerseits »immer schon« als Produkt der Deviation zu sehen ist, andererseits aber unter dem Diktat des »Fortschritts« die Distanz laufend vergrößert. »Die Schöpfung kann nur imitiert, nicht wiederholt werden. Der Zeugende ahmt die Schöpfung nach – insofern nimmt er an einem unbegreiflichen Geheimnis teil, doch zeugt er Adamiten, nicht Adam selbst. Der Autor zieht aus dem Gleichnis seine Kraft. Die Sprache selbst ist Gleichnis nur.« Und dann: »›Eritis sicut deus.‹ Im Bestreben der Wissenschaft, in den Schöpfungsakt einzutreten und ihn teilweise zu ersetzen, ja zu übertreffen, verrät sich ein satanischer Zug. Ich glaube immer noch, daß er dem Fehltritt eines gotischen Mönchs entstammt.« (AA, 62) Bei der Naivität dieses Glaubens bräuchte man sich nicht lange aufzuhalten, wenn darin nicht zum Ausdruck käme, daß die Abweichung – oder mindestens deren Verschärfung – in die historische Zeit fiel. Gab es denn für das »Mängelwesen« jemals eine andere Wahl? Zu Jüngers später, von Fechner und von Swedenborg inspirierten »Theologie« gehört die Vorstellung eines Anfangs, der wenn auch nicht die absolute Harmonie der organischen Natur, so doch eine Nähe, eine Bezüglichkeit der verschiedenen Lebensformen stiftete. Das ist natürlich konsequent gegen Darwin gedacht. Dafür liefert eine Tagebuchnotiz vom 18. August 1977 die Vorlage. »Die Hauptpolemik gegen Darwins Theorie kann man sich sparen, wenn man die Idealität der Zeit in Rechnung stellt. Ob das ›Werde‹ mit einem Schlag verwirklicht oder ob die Hervorbringung zeitlich differenziert wurde – das bleiben taktische Unterschiede, und, notabene, Unterschiede der menschlichen Anschauung.« (SV II, 330 f./5, 332)

Die Idealität der Zeit ist die anfängliche Zeitlosigkeit einer bereits komplettierten »Naturgeschichte«. Sie muß statuieren, wer nicht akzeptieren mag, daß das »Werde« ein Prozeß auch von Untergängen, von »Opfern« zwangsläufig ist. Kann die Natur so böse sein?

Das weiß der Naturforscher sehr wohl. Doch als Metaphysiker verlegt er den Sündenfall in die Geschichte des homo *sapiens*. Als dessen Künste ins Satanische zu wuchern beginnen, prototypisch repräsentiert durch den gotischen Mönch, der die Räderuhr erfunden haben soll, da erst wird die Welt recht eigentlich zum Grab.

Es bleibt danach der Kunst – der Autorschaft – vorbehalten, so etwas wie Schöpfungserinnerung zu leisten. Jünger zitiert aus dem Brief eines französischen Lesers. »Cette déconstruction de la réalité, qui est du cœur de l'opération de l'art – déconstruction de la réalité du temps des horloges ou de la syntaxe…« Er fährt fort: »Richtig: die Zeitvernichtung ist eine der Aufgaben der Kunst – aber nicht auch der Liebe überhaupt?« (AA, 131) Im letzten gewinnt die ästhetische Aufgabe ihr existentielles Pensum. »Überwindung der Todesfurcht ist Aufgabe des Autors; das Werk muß sie ausstrahlen.« (AA, 143) Auf welche Weise? Die späten Schriften nähern sich immer mehr einem Lakonismus an, der beinah alles in Kauf zu nehmen bereit ist, wenn nur die Gewißheit sich hält, daß es die »Urschrift« gibt. Die Ultrakurzformel für jede mögliche Katastrophe bringt die Pole von Verlust und Gewinn zusammen. »Die Erde häutet sich…« (AA, 254) Auf das Individuum kommt es nicht an. Diese Einsicht – kann sie tatsächlich genügen? Doch Jünger nimmt noch eine weitere Reduktion in die Richtung der Bewegung der »Materie« vor. »… wir hören das Gespräch, das unsere Moleküle, Zellen, Säfte mit und gegeneinander führen, aber wir verstehen es nicht.« (AA, 241)

Eine Kriminalerzählung

Am 29. März 1985 begeht der Schriftsteller seinen 90. Geburtstag. Das überraschendste Geschenk macht er sich selbst – mit einer Novelle, welche mindestens auf den ersten Blick eine Kriminalgeschichte ist. Der Text hat eine besondere Herkunft. Das erste Kapitel wurde 1954 und 1956 in zwei Privatdrucken vorgestellt. Das zweite Kapitel erschien 1960. Der erste Teil des dritten Kapitels wurde 1973, der zweite Teil erst zehn Jahre später, 1983, veröffentlicht – in Band 18 der Stuttgarter Gesamtausgabe. Dort findet sich auch der Vermerk »Wird fortgesetzt.« Endlich, 1985, liegt das Ganze vor, die Erzählung in vier Kapiteln mit der Überschrift »Eine gefährliche

Begegnung«. Gleichwohl wirkt sie wie aus einem Guß. Doch unterscheidet sie sich von den anderen Romanen und Novellen Jüngers.

Denn sie spielt nicht in der Gegenwart und auch nicht in künftigen Welten, sondern im September 1888 in Paris. Gerhard zum Busche, ein junger Botschaftsattaché, geht durch die Straßen und begegnet einem älteren Mann, einem Dandy, dem das Leben nur noch wenig zu bieten hat. Ducasse lädt Gerhard zum Mittagessen ein. Wie bei Balzac – oder Zola, oder den Goncourts – wächst eine Story, die zur Affäre wird. Ducasse entdeckt in dem Lokal die Gräfin Kargané. Er weiß, daß die schöne Irene wieder Streit hat mit ihrem Mann, dem zügellosen Kapitän. Als Meister der Intrige versucht er zwischen Gerhard und Irene eine Liaison zu knüpfen, wobei ihn besonders reizt, daß Gerhard in erotischen Dingen naiv und unerfahren ist.

Der Plan wird Wirklichkeit, die Affäre läuft. An einem Nebelabend treffen sich Gerhard und Irene in einem Etablissement hinter der Madeleine. Umständliche Annäherung – als plötzlich jemand schreit. Gerhard findet auf dem Korridor eine Leiche. Die Polizei trifft ein, doch längst ist Irene verschwunden, und auch zum Busche hat sich davongemacht. Der Mord an der jungen Frau wird bekannt, die Angst breitet sich aus, in der Stadt gehen Gerüchte, daß der Londoner Frauenmörder das Terrain gewechselt habe. Ein Inspektor Dobrowsky ermittelt; ihm ist Etienne, ein junger Stabsoffizier, zugeteilt. Und wie die Erzählung begonnen wurde, wird sie beendet. Gerhard meldet sich bei der Polizei, berichtet, was er weiß; Dobrowsky glaubt ihm. Wieder in seiner Wohnung, besucht ihn ein Abgesandter des Kapitäns. Kargané, beleidigt, verlangt Genugtuung im Duell. Gerhard bestimmt einen älteren Rittmeister zu seinem Sekundanten, doch dieser, fürchtend, daß zum Busche der Sache nicht gewachsen sein könnte, teilt die Forderung dem Inspektor mit. Nun findet Dobrowsky bestätigt, was auch der Leser längst erkannt hat: Kargané tötete das Mädchen, das er in der Dunkelheit mit seiner Frau Irene verwechselt hatte. Der Inspektor fährt zum Treffpunkt, unterbricht das Duell. Der Kapitän begeht Selbstmord. Der Epilog schließlich faßt zusammen und ordnet, was noch der Klärung bedurfte.

Eine Kriminalgeschichte. Allerdings ist ihr Muster so einfach gewoben, die Handlung so offen geführt, daß das Besondere an anderem Ort zu suchen ist. Es geht darum, wie eine Epoche im Widerspiel der Figuren zur Wendezeit wird. Wichtig sind Raum und

Zeit. Denn die Zeit läuft aus. Die langen Traditionen, die Überlieferungen: noch sind sie gegenwärtig – oder werden vergegenwärtigt von einer Gesellschaft, die am Alten sich ängstlich festhält. Aber gleichzeitig drängt das Neue und duldet keinen Aufschub. Als Kargané, von dem es heißt, er wäre lieber hundert Jahre früher geboren worden, aus dem Fenster blickt, sieht er das Gerippe des Eiffelturms. Der gewaltige Bau, Symbol des »Titanismus«, steht kurz vor der Vollendung, düster und drohend.

Sich zurechtfinden? Die Zeit verstehen? Das alte Thema bestimmt als Leitmotiv auch diese Erzählung – und ist hier in eine Epoche zurückgespiegelt, die geschichtlich zwischen Herkunft und Zukunft schwankt, moralisch das Zweideutige, die Ambivalenzen begünstigt – und die Dekadenz. In Ducasse findet die Dekadenz ihren geistigen Repräsentanten, den Dandy, dessen Kenntnis »ausgewählter Vergnügungen« so sehr verfeinert ist, daß er »Lebensmosaike« auslegt. Dann der Raum, die Stadt. »Schicksalsstoff« hat sich in ihr abgelagert, ein »namenloses Leben«. Als zum Busche an jenem ersten Sonntagvormittag durch die Straßen von Paris geht, empfindet er ein »Mysterium«. »Als ob er durch Fluchten und Flure eines großen unbekannten Hauses schritte oder Schächte durchirrte, die durch geschichtetes Gestein geführt waren.«[44]

Die Stadt ein Haus, ihre Viertel die Zimmer, ihre Passagen Korridore. Der Gedanke klingt ein zweites Mal an im folgenden Kapitel, und nicht zufällig. Jünger beschreibt das Quartier der Madeleine – das Quartier des Jahres 1888, dem geheime organische Verbindungen eigneten. An einem Nebelabend – es ist die Stunde, die Gerhard und Irene zusammenführt – scheint alles Trennende aufgehoben. »Der Nebel verleiht den Städten eine intime Note, einen Kammerton. Tagsüber mildert er die Formen und dämpft das grelle Licht. Bei Nacht verwandelt er die Quartiere in große Häuser, in denen sich Flur an Flur und Zimmer an Zimmer schließt.« (GBe, 53/18, 413 f.) Die Architektur, deren Ordnung der Lebensordnung der Gesellschaft zu entsprechen scheint; ein Raum, der nicht teilt und auseinanderrückt, vielmehr bindet: ein letztes Mal wirkt die große Stadt in dieser Spätzeit als Organismus, als Einheit der Begegnungen, die möglich sind.

Wenn daher ein Verbrechen geschieht, folgt die Tat den Regeln, denen auch die Gesellschaft noch gehorcht. Sie findet statt in »Zimmern« und »Fluren«, der Akzent liegt auf dem »Kammerton«. – Zu den bedeutenden Partien der Erzählung gehören die Gespräche zwischen dem Inspektor und dem Offizier. Etienne, der Jüngere, leidet an der Zeit; »nur halb konform«, fühlt er »Augenblicke der Entfremdung«, Momente der Melancholie. Dobrowsky aber, ein Mann mit vielen Gesichtern, überspielt die Epoche. Seine Theorie des Bösen erfaßt das Menschenmögliche, Wünsche und Begierden, die keiner Ordnung mehr sich fügen wollen, Triebe, die keinen Plan mehr kennen, Regungen, die tief im Irrationalen sitzen. Darin ist er ein moderner Geist. Er weiß, daß die schwierigsten Fälle dort sich ereignen, wo die Absicht des Täters verschwimmt, wo Laune das Ziel bezeichnet. Einfach ist deshalb der Fall, der ihn beschäftigt, vorgegeben in der Physiognomie eines Schuldigen, dessen Charakter deutlich ist, dessen Wille entschieden sich äußert und dessen Moral ein Gerüst, eine Struktur hat. Kargané liebt die festen Konturen: die Bilder von Vernet, Gemälde, die Licht und Schatten trennen. Die Bilder von Turner bleiben ihm fremd, in ihrem prophetischen Glanz.

So sind die Gegenwelten der Welt, von der die Erzählung berichtet, nur skizziert: Turners Visionen, der Eiffelturm, auch ein Theater, in dem unheimliche Stücke gegeben werden, »grausige Motive«, »marionettenhafte Starre«.[45] Die Zeichen der Zukunft leuchten im Dunkel. Der Stoff jedoch, die »gefährliche Begegnung«, lebt aus Vergangenheit – die mit dem Ende der Geschichte auch ihre Wirkung verliert: sie füllt sich auf, als Dobrowsky das Ritual des Tötens unterbricht. Das Duell findet nicht mehr statt. Und der Epochenriß offenbarte sich denn – im Melodram? In einer Geschichte von Intrige und Leidenschaft, von Verbrechen und verletzter Ehre? Der Sinn des Ganzen führt vielleicht doch darüber hinaus, näher heran an die anderen Werke des Autors.

Kurz vor seinem 90. Geburtstag beendet er die einzige Erzählung, die in traditioneller Weise ein Thema gestaltet: eine Begebenheit aus dem 19. Jahrhundert. Was für spätere Zeiten nicht mehr geht – oder doch nur noch mit großer Anstrengung zu leisten ist – ist hier noch möglich. Nämlich den »Lebensstoff« auszubreiten, in der Fülle seiner Muster *und* in der Einheit einer Geschichte. Das fin de siècle ist die letzte Ära der Moderne, die den Schriftsteller zum Erzählen einlädt, bevor die Zeit selbst zum Thema wird und der Mensch sich in den Bewegungen des neuen Jahrhunderts verliert.

Jüngers Œuvre beginnt, wo seine Erzählung »Eine gefährliche

Begegnung« endet. Das gehört zum Hintersinn des Texts. Als der Schriftsteller in den zwanziger Jahren die erste Fassung der Aufzeichnungen vorlegt, die er »Das Abenteuerliche Herz« nennt, herrschen andere Wirklichkeiten. Die Gesellschaft hat sich aufgelöst, der Einzelne lebt nicht mehr in vertrauten Zusammenhängen, sondern in Konstellationen. Er erlebt die Vereinzelung, gleichzeitig den Aufmarsch der Massen. Die Technik beschleunigt die Veränderungen: unter ihrem Zugriff gewinnt die Kultur dämonische Züge – vor allem in der Großstadt, deren Zeichen und Spuren zu folgen zum Abenteuer wird. Nicht Begegnung, dafür Begegnungen; nicht mehr das Mosaik, nur noch Bruchstücke, Ausschnitte, Splitter. Wenn der Autor in der Novelle von der »marionettenhaften Starre« berichtet, mit der ein zwielichtiges Theater »grausige Motive« vorführt, dann fällt ein Strahl der Zukunft auf eine verspätete Wirklichkeit. Und wenn es nur beim Gerücht bleibt, daß Jack the Ripper von London nach Paris gekommen sei, so ist der Einbruch des Sinnlosen – noch einmal – abgewehrt. Nicht ohne Ironie greift Jünger hinter die eigene Zeit zurück: neunzig Jahre reichen dafür gerade aus.

Kosmische Konjekturen: »Zwei Mal Halley«

Eine Woche nach seinem 91. Geburtstag aber reist er in den fernen Osten. Daran wäre nichts Besonderes, wenn es nicht darum ginge, eine Konjektur von buchstäblich kosmischem Zuschnitt herzustellen. 1986 ist das Jahr der periodischen Wiederkehr des Halleyschen Kometen. Jünger hofft, ihn vor der Schwärze des malaiischen Himmels besonders deutlich sehen zu können. »Ich war – soll ich sagen: nebenbei oder hauptsächlich – mit zwei Erwartungen gekommen: einmal, wie es sich versteht, mit entomologischen, zum anderen mit dem Wunsche, den Halleyschen Kometen zu sehen oder besser noch wiederzusehen. Die gewitterschwüle Atmosphäre von Kuala Lumpur bot wenig Aussicht...«[46]

So liest man in dem hundert Seiten umfassenden Tagebuch »Zwei Mal Halley«, das von dem Unternehmen berichtet. Am 15. April wird er doch noch belohnt. »Das Wiedersehen ist doch noch gelungen – ein Markstein gesetzt. Wolfram Dufner klopfte an – um, wie ich dachte, uns zur Abfahrt zu wecken, aber es war noch dunkel, und er rief: ›Der Komet ist da!‹ Das war kaum zu glauben – wir stürzten in sein Zimmer, ich mit dem Feldstecher in der Hand. In der Tat – Halley stand ebenso deutlich am Himmel wie damals zu Rehburg vor sechsundsiebenzig Jahren, als ich ihn mit Eltern und Geschwistern gesehn hatte.« (Ha, 23)

Das Erstaunen – die Rührung gar? – greift über auf die sprachliche Fassung mit ihren altertümelnden Formen. Wer nach mantischen Bestätigungen für den Lebenslauf sucht, findet sie überall. Doch im Doppelerlebnis von Halley gelingt mehr: die Zeit scheint nicht mehr linear zu zerfließen, sondern sich zu runden. Jünger erinnert sich an das »archaische« Bild der Rehburger Familie bei der Betrachtung »eines ungewöhnlichen Zeichens am Himmel: ein Rest von Ehrfurcht läßt sich nicht abweisen«. Dann zitiert er das Wort des Vaters. »Von euch allen wird Wolfgang vielleicht den Kometen noch einmal sehen.« Er fährt fort: »Wolfgang war unser Jüngster, doch auch der erste von uns Geschwistern, der starb. So trete ich für ihn ein.« (Ha, 25 ff.) Er tritt auch für sich selbst ein, und diese Beglaubigung nicht nur des biblischen Alters, sondern überhaupt des zeitlich Menschenmöglichen ist das Wunder. Deshalb irritiert es ihn auch nicht, daß der Komet »ebenso wenig imponierend wie damals« erscheint – »schweiflos, diffus, etwa wie ein Garnknäuel«. »Die meisten Photos, die ich gesehen habe, wenigstens die von der Erde aus aufgenommenen, trügen, denn wer lange genug belichtet, kann jedem Gestirn einen Schweif von beliebiger Länge anhängen.«

Nicht der Glanz der Erscheinung ist entscheidend, sondern die Tatsache, daß sich der Mensch im Maß einer Lebenszeit in ein Verhältnis zu ihr setzen kann. Dort oben, in der kosmischen Leere, herrscht absolute Gleichgültigkeit. Zur Bedeutung gelangt das Himmelsphänomen erst, indem es auf irdische Perioden zurückprojiziert wird. Eine Woche später notiert Jünger, daß ihn nach Mitternacht eine »Dankeswelle« geweckt habe – »für Eltern, Lehrer, Kameraden, Nachbarn, unbekannte Freunde, ohne deren Hilfe ich nie mein Alter erreicht hätte. Meine Knochen würden in der Sahara bleichen, in einem Granattrichter modern; ich würde in Lagern oder Zuchthäusern verschmachtet sein... Ob bei leichten Havarien, ob in schweren Katastrophen – es war immer einer da. Das kann kein Zufall sein«. (Ha, 46 f.) Das Tagebuch hält solche und ähnliche

Meditationen fest, welche nicht nur von einer reichen Vergangenheit inspiriert sind, sondern auch vom Bewußtsein der Sterblichkeit. Der Tod rückt näher – und mit ihm die Frage nach dem »Übergang«.

Solche Beunruhigungen sind niemals zu klären. Sie prägen das Werk in wechselnden Konstellationen. Daß sie in diesen sehr späten Notizen fast beiläufig geäußert werden, zeigt den Stand der Gelassenheit, die der Schriftsteller erreicht hat. Es geht ihm auch nicht mehr darum, die Gegenwart restlos geklärt zu wissen. »Zuweilen wird uns das Phantastische, ja das Unmögliche unserer Existenz bewußt. Der Verdacht, daß wir sie nur träumen, läßt sich, besonders in den Pausen, nicht abweisen.« So heißt es, situationsgerecht, unter dem Datum des 7./8. Mai 1986 »im Flugzeug«. Die endgültige Fassung hat der Gedanke schon am 21. Juli 1979 gefunden.

»Das eigene Leben erscheint zuweilen wie der Roman eines unbekannten Autors mit Kapiteln von verschiedener Länge – wie wird er ihn fortsetzen? Manchmal scheint ihm der Stoff zu fehlen; hoffentlich wird es nicht langweilig. Ein guter Roman muß auf den Schluß hin komponiert werden. Man blättert zurück und stößt in den Anfangskapiteln auf Belangloses, scheinbar Absurdes – nun erst entdeckt man geniale Züge, deren Sinn sich nach Jahrzehnten enthüllt. Wie immer wir damit einverstanden sein mögen: ein Meister hat uns geträumt. Ihm zu entrinnen, ist unmöglich, selbst wenn wir uns töten würden: er hat den Schlußpunkt gesetzt. Der Solipsist möchte ihm die Feder aus der Hand nehmen, doch er schreibt nach Diktat.« (SV II, 500 f./5, 501)

Da geht der Autor auf in dem, was zufällt, scheinbar ohne jede Anstrengung herankommt. Daß Jahrzehnte einer literarischen Arbeit am Ende dem Meister verdankt sein sollen, der für den »Text« gesorgt hat, das ist nicht die schlechteste Altersweisheit. Sie erleichtert nicht nur den Abgang, der schließlich unvermeidlich ist. Sie erlaubt auch, die eigene Leistung mit dem Staunen dessen wahrzunehmen, der, sich selbst – oder wieder den Meister? – zitierend, sagen kann: »Dies alles gibt es also.«

Anhang

Siglen
und Abkürzungen

Für die Zitate dieses Buches wurden stets die Vorlagen der Erstausgaben von Ernst Jüngers Schriften verwendet. Ausnahmen sind vermerkt. Ferner wurde auch die Ausgabe Sämtlicher Werke (Stuttgart 1978–1983) herangezogen. Fehlt der Hinweis, hat der Autor den Passus später gestrichen.

A   Der Arbeiter. Herrschaft und Gestalt. Hamburg 1932. – Sämtliche Werke, Band 8.

AA   Autor und Autorschaft. Stuttgart 1984. – Sämtliche Werke, Band 13 (nicht vollständig).

AH I   Das Abenteuerliche Herz. Aufzeichnungen bei Tag und Nacht. Berlin 1929. – Sämtliche Werke, Band 9.

AH II   Das Abenteuerliche Herz. Figuren und Capriccios. Hamburg 1938. – Sämtliche Werke, Band 9.

Ang   Annäherungen. Drogen und Rausch. Stuttgart 1970. – Sämtliche Werke, Band 11.

AP   Aladins Problem. Stuttgart 1983. – Sämtliche Werke, Band 18.

AS   Afrikanische Spiele. Hamburg 1936. – Sämtliche Werke, Band 15.

Eu   Eumeswil. Stuttgart 1977. – Sämtliche Werke, Band 17.

FuB   Feuer und Blut. Ein kleiner Ausschnitt aus einer großen Schlacht. Magdeburg ²1926. – Sämtliche Werke, Band 1.

Gä   Gärten und Straßen. Aus den Tagebüchern von 1939 und 1940. Berlin 1942. – Sämtliche Werke, Band 2.

GB   Gläserne Bienen. Stuttgart 1957. – Sämtliche Werke, Band 15.

GBe   Eine gefährliche Begegnung. Stuttgart 1985.

GK   Der gordische Knoten. Frankfurt 1953. – Sämtliche Werke, Band 7.

Go   Besuch auf Godenholm. Frankfurt 1952. – Sämtliche Werke, Band 15.

Ha   Zwei Mal Halley. Stuttgart 1987.

Hp   Heliopolis. Rückblick auf eine Stadt. Tübingen 1949. – Sämtliche Werke, Band 16.

JdO   Jahre der Okkupation. Stuttgart 1958. – Sämtliche Werke, Band 3.

KiE   Der Kampf als inneres Erlebnis. Berlin 1922. – Sämtliche Werke, Band 7.

LdV   Lob der Vokale. In: Blätter und Steine. Hamburg 1934. – Sämtliche Werke, Band 12.

MK	Auf den Marmor-Klippen. Hamburg 1939. – Sämtliche Werke, Band 15.
Ri	Rivarol. Frankfurt 1956. – Sämtliche Werke, Band 14.
S	Über den Schmerz. In: Blätter und Steine. Hamburg 1934. – Sämtliche Werke, Band 7.
SaB	Das Sanduhrbuch. Frankfurt 1954. – Sämtliche Werke, Band 12.
SG	In Stahlgewittern. Aus dem Tagebuch eines Stoßtruppführers. Berlin ⁶1925. – Sämtliche Werke, Band 1.
Sgf	Sgraffiti. Stuttgart 1960. – Sämtliche Werke, Band 9.
SiB	Sizilischer Brief an den Mann im Mond. In: Blätter und Steine. Hamburg 1934. – Sämtliche Werke, Band 9.
SJa	Subtile Jagden. Stuttgart 1967. – Sämtliche Werke, Band 10.
Stra	Strahlungen. Tübingen 1949. – Sämtliche Werke, Band 2 und 3.
Sturm	Sturm. Stuttgart 1979.
SV I	Siebzig verweht I. Stuttgart 1980. – Sämtliche Werke, Band 4.
SV II	Siebzig verweht II. Stuttgart 1981. – Sämtliche Werke, Band 5.
TM	Die totale Mobilmachung. In: Blätter und Steine. Hamburg 1934. – Sämtliche Werke, Band 7.
TNG	Typus, Name, Gestalt. Stuttgart 1963. – Sämtliche Werke, Band 13.
ÜLi	Über die Linie. Frankfurt 1950. – Sämtliche Werke, Band 7.
Wä	Das Wäldchen 125. Eine Chronik aus den Grabenkämpfen 1918. Berlin 1925. – Sämtliche Werke, Band 1.
Wg	Der Waldgang. Frankfurt 1951. – Sämtliche Werke, Band 7.
ZM	An der Zeitmauer. Stuttgart 1959. – Sämtliche Werke, Band 8.
Zw	Die Zwille. Stuttgart 1973. – Sämtliche Werke, Band 18.

Anmerkungen

I.
Anfänge.
Die Unmittelbarkeit der Geschichte

1 Hugo von Hofmannsthal, Gesammelte Werke, VIII. Frankfurt 1979, S. 623.

2 a.a.O., IX, S. 418ff.

3 Wesentlich direkter kam Thomas Mann in seiner Antwort auf die Rundfrage zur Sache. Er trieb den Gegensatz Europa-Deutschland hervor, um mit unbeherrschter Apologetik alles Deutsche zu verteidigen. Der Krieg wurde ein »erzieherisches Erlebnis«, das Deutschland »weltkundiger« machen und einem »Dritten Reich«, der »Synthese von Macht und Geist« entgegenführen mußte. – Von deutscher Republik. Gesammelte Werke. Frankfurt 1984, S. 18ff.

4 Theodor Lessing, Geschichte als Sinngebung des Sinnlosen. München 1983, S. 85.

5 a.a.O., S. 12.

6 Oswald Spengler, Der Untergang des Abendlandes, I. München 1920, S. 61.

7 Hans Blumenberg, Lebenszeit und Weltzeit. Frankfurt 1986.

8 Ernst Jünger, In Stahlgewittern. Aus dem Tagebuch eines Stoßtruppführers. Berlin 1925 (sechste Auflage). Die Seitenzahlen der Zitate beziehen sich auf diese Ausgabe. Gleichzeitig wird, bei allen Schriften Jüngers, auch auf die 18bändige Stuttgarter Gesamtausgabe verwiesen. Fehlt der Verweis, hat Jünger den Passus gestrichen.

9 Eindringlich hat Karl Heinz Bohrer Jüngers Frühwerk in der literarischen Topologie des Schreckens, wie sie für das 19. Jahrhundert ausgewiesen werden kann, gespiegelt. Karl Heinz Bohrer, Die Ästhetik des Schreckens. München 1978.

10 Georg Simmel, Philosophische Kultur. Gesammelte Essais. Berlin 1983, S. 14ff.

11 Die »Blechsturz«-Metapher des »Abenteuerlichen Herzens« beginnt ähnlich: »Ich glaube, daß folgendes Bild das *Entsetzen* besonders treffend zum Ausdruck bringt...«. Ernst Jünger, Das Abenteuerliche Herz. Aufzeichnungen bei Tag und Nacht. Berlin 1929, S. 10.

12 Hegels Formel lautet: »Die Weltgeschichte stellt nun den Stufengang der

Entwicklung des Prinzips dar, dessen Gehalt das Bewußtsein der Freiheit ist.« G.W.F. Hegel, Vorlesungen über die Philosophie der Weltgeschichte 1: Die Vernunft in der Geschichte. Hg. von J. Hoffmeister. Hamburg 1955⁵, S. 155.

13 Friedrich Nietzsche, Sämtliche Werke. Kritische Studienausgabe. Bd. 1. München 1980, S. 283.

14 a.a.O., S. 312

15 »Aber schließlich – was ist die Masse? Sie sieht in allem nur das Erbärmliche, das in ihr selbst lebt.« (SG 197). Und Nietzsche in der Zweiten Unzeitgemäßen Betrachtung: »Das Edelste und Höchste wirkt gar nicht auf die Massen.« a.a.O., S. 320.

16 Georg Simmel, Der Krieg und die geistigen Entscheidungen. Reden und Aufsätze. München 1917, S. 9.

17 a.a.O., S. 12.

18 a.a.O., S. 25.

19 Ernst Jünger, Sämtliche Werke. Bd. 1, Der Erste Weltkrieg. Stuttgart 1978, S. 241.

20 a.a.O., S. 271.

21 a.a.O., S 286.

22 André Gide, Journal 1939 – 1949. Bibliothèque de la Pléiade. Paris 1984, S. 147.

23 Gottfried Benn, Das moderne Ich. Das Hauptwerk, Band 2. München 1980.

24 a.a.O., S. 10.

25 a.a.O., S. 14.

26 a.a.O., S. 18 ff.

27 Ernst Jünger, Der Kampf als inneres Erlebnis. Berlin 1922, S. 1. (Im weiteren wird, wenn nicht anders vermerkt, aus der Erstausgabe zitiert.)

28 Friedrich Nietzsche, Sämliche Werke. Kritische Studienausgabe. Band 4. München 1980, S. 222 ff.

29 Gottfried Benn, a.a.O., Band 1, S. 25.

30 Nämlich in dem Buch »Annäherungen« von 1970. Sämtliche Werke, Band 11. Stuttgart 1978, S. 372.

31 Diese Wirkung hat Karl Heinz Bohrer detailliert hervorgearbeitet. Bohrer, a.a.O.

32 Edgar Allan Poe, Das gesammelte Werk in zehn Bänden, Band 4. Olten 1976, S. 704 ff.

33 Friedrich Nietzsche, a.a.O. Band 5. München 1980, S. 165 ff.

34 Zitiert bei Renate Liebenwein-Krämer: Le Monument au Travail. In: Jahrbuch der Hamburger Kunstsammlungen, 25, 1980. S. 132.

35 Ernst Bloch, Das Prinzip Hoffnung. Frankfurt/Main 1973, S. 819 ff.

36 Roland Barthes, Fragmente einer Sprache der Liebe. Frankfurt/Main 1984. (Aus dem Französischen von Hans-Horst Henschen)

37 Hermann Broch, Die Schlafwandler. Frankfurt/Main 1978, S. 44.

38 Schon Joris Karl Huysmans stellte in seinem Roman A Rebours (1884) die Gehirn-Metapher als Bild nervlicher Anspannungen der Einbildungskraft heraus. Der Roman prägte, nach dem Zeugnis von Gottfried Benn, wesentlich die Literatur des deutschen Expressionismus.

39 Friedrich Nietzsche, a.a.O., Band 5. S. 139.

40 a.a.O., S. 185.

41 Ernst Jünger, Sturm. Stuttgart 1979. (Im Folgenden wird aus dieser Ausgabe zitiert.)

42 Hermann Broch, a.a.O., S. 23 ff.

43 Joris K. Huysmans, A Rebours. In deutscher Übertragung, Gegen den Strich. Aus dem Französischen von Hans Jacob. Zürich 1981, S. 83.

44 Thomas Mann, Der Zauberberg. Gesammelte Werke. Frankfurt 1981, S. 1006.

45 Ernst Jünger, Das Wäldchen 125. Eine Chronik aus den Grabenkämpfen 1918. Berlin 1925, S. VIII. (Im Folgenden wird aus dieser Ausgabe zitiert.)

46 Sigmund Freud, Unser Verhältnis zum Tode. In: Kulturtheoretische Schriften, Frankfurt 1986, S. 59.

47 a.a.O., S. 50.

48 a.a.O., S. 51.

49 a.a.O., S. 55.

50 Charles Baudelaire, Les Fleurs du Mal. In deutscher Übertragung: Die Blumen des Bösen. Aus dem Französischen von Friedhelm Kemp. München 1975, S. 326 ff.

51 Wolf Lepenies, Die drei Kulturen. Soziologie zwischen Literatur und Wissenschaft. München 1985.

52 Vgl. dazu die Darstellung von Armin Mohler, Die Konservative Revolution in Deutschland 1918–1932. Grundriß ihrer Weltanschauungen. Stuttgart 1950. Wesentlich kritischer gegenüber Jüngers früher politischer Philosophie: Gerhard Schulz, Aufstieg des Nationalsozialismus. Krise und Revolution in Deutschland. Frankfurt 1975, S. 327 ff.

53 Jüngers Zeitschriftenbeiträge aufgeführt in: Hans Peter Des Coudres, Horst Mühleisen, Bibliographie der Werke Ernst Jüngers. Stuttgart 1985, S. 123 ff.

54 Bohrer, a.a.O., S. 126 ff.

55 Ernst Jünger, Feuer und Blut. Ein kleiner Ausschnitt aus einer großen Schlacht. Magdeburg 1926[2]. (Im Folgenden daraus zitiert.)

56 Bernard von Brentano, Wo in Europa ist Berlin? Frankfurt 1978, S. 105.

57 Dazu der Aufsatz von Hans Blumenberg, Lebenswelt und Technisierung

unter Aspekten der Phänomenologie. In: ders., Wirklichkeiten, in denen wir leben. Aufsätze und eine Rede. Stuttgart 1981, S. 7ff.

58 Huysmans verwies in A Rebours darauf, daß schon Poe den depressiven Einfluß der Angst auf den Willen wirkungsreich dargestellt habe. »Er hat den Tod, mit dem alle Dramatiker Mißbrauch getrieben haben, gleichsam verschärft, verwandelt, indem er ein algebraisches, übermenschliches Element hinzufügte; er beschrieb weniger die Agonie des Sterbenden als vielmehr die moralische Agonie des Überlebenden, den neben dem Totenbett die von Schmerz und Müdigkeit erzeugten ungeheuerlichen Halluzinationen nicht loslassen.« Huysmans, a.a.O., S. 324ff.

59 In der Stuttgarter Gesamtausgabe ist der Passus dahin abgeändert, daß es nun um Werte geht, die »in dieser barbarischen Welt zum Teufel gegangen sind«. (1, 494).

60 Johann Georg Hamann, Aesthetica in nuce. In: Sämtliche Werke. Historisch-kritische Ausgabe von Josef Nadler. Wien 1949–1953. Band II, S. 114.

II.

Übergänge

Vom Surrealismus zur Theorie des »Arbeiter«

1 »Die Vernunft hat geleistet, was sie leisten kann, wenn sie das Gesetz findet und aufstellt; vollstrecken muß es der mutige Wille, und das lebendige Gefühl... Nicht genug also, daß alle Aufklärung des Verstandes nur insoferne Achtung verdient, als sie auf den Charakter zurückfließt; sie geht auch gewissermaßen von dem Charakter aus, weil der Weg zu dem Kopf durch das Herz muß geöffnet werden. Ausbildung des Empfindungsvermögens ist also das dringendere Bedürfnis der Zeit.« Friedrich Schiller, Sämtliche Werke, V. München 1968, S. 331 ff.

2 a.a.O., S. 408.

3 Hugo Ball, Zur Kritik der deutschen Intelligenz. Frankfurt 1980, S. 249.

4 a.a.O., S. 236.

5 a.a.O., S. 14 ff.

6 »Wir glauben, daß die gesamte Epoche heutiger Aufklärung als Reaktion gegen Moraldruck selber noch eine Moralidiosynkrasie sei (Wedekind). Wir stellen als Gegenideal, zwecks Überwindung, den Expressionismus auf, der gar kein Objekt mehr kennen will; der mit wahnsinniger Wollust die eigene Persönlichkeit wiederfindet und deren Diktatur aus-

ruft in hintergründigster Selbstschöpfung.« Hugo Ball, Das Psychologietheater. In: ders., Der Künstler und die Zeitkrankheit. Ausgewählte Schriften. Herausgegeben und mit einem Nachwort versehen von Bernhard Schlichting. Frankfurt 1984, S. 20.

7 Hugo Ball, Briefe 1911–1927. Einsiedeln 1957, S. 109.

8 Der Text, entstanden um 1920, umreißt die These, daß »nichts Historisches von sich aus sich auf Messianisches beziehen« könne, da erst der Messias alles historische Geschehen vollende, »und zwar in dem Sinn, daß er dessen Beziehung auf das Messianische selbst erst erlöst, vollendet, schafft«. Walter Benjamin, Gesammelte Schriften II, 1. Frankfurt 1977, S. 203.

9 Hugo Ball, Zur Kritik der deutschen Intelligenz. Frankfurt 1980, S. 97.

10 Jüngers publizistische Tätigkeit hat detaillierter M. Hietala untersucht: Der neue Nationalismus, Helsinki 1975. – Eine umfassende kritische Studie über die Epoche und das Engagement für die Sache des Nationalismus kann nicht erwartet werden, bevor Jüngers umfangreiches Privatarchiv nicht öffentlich zugänglich gemacht wird. Dasselbe gilt für eine Biographie des Autors jenseits von hagiographischen Absichten.

11 Aufschlußreich ist Niekischs Erinnerungswerk Gewagtes Leben, Berlin 1958, dem 1974, posthum, ein zweiter Band, Gegen den Strom, folgte.

12 Ernst Jünger, Der Nationalismus der Tat. Arminius 7, Nr. 41, S. 7 ff. München 1926.

13 »Der neue Aufbau... muß von Anfang an offensiv gerichtet sein. Und ein neuer Aufbau tut not! Seine Aufgaben werden am besten bezeichnet, indem man sie Aufgaben des deutschen Faschismus nennt... Die Träger dieser Anschauung finden sich nicht durch ›Gesinnung‹, Dogmen oder Gemeinsamkeit von Bildung, Stand und Besitz, sondern durch Leidenschaft.« a.a.O., S. 10.

14 a.a.O.

15 G.W.F. Hegel, Vorlesungen über Rechtsphilosophie 1818–1831. Edition in sechs Bänden von Karl-Heinz Ilting. Band 4, Stuttgart 1974, S. 915.

16 An unauffälliger Stelle seiner bemerkenswerten »Nuova Enciclopedia«, eines philosophischen Wörterbuchs, verfaßt unter dem Eindruck der faschistischen Diktatur, hat Alberto Savinio, der Bruder von Giorgio de Chirico, anekdotisch festgehalten, wie sich das Mißverhältnis zwischen Bewegung und Stillstand dem Auge der Ironie damals darbieten konnte. »Es gibt einen Ausspruch Mussolinis, der seine eigene Situation ganz deutlich definierte: ›Wer stehenbleibt, ist verloren.‹ Dieses Apophthegma prangte in riesigen Lettern auch auf den Bahnhöfen, und es weckte merkwürdige Gefühle in einem in dem Moment, in dem der Zug langsamer wurde und auf dem Bahnhof hielt, zu lesen, daß man verloren

war, wenn man stehenblieb... Bevor er in einer Katastrophe endete, war der Faschismus vor allem eine Quelle des Komischen. Mussolini war in der Situation des Radfahrers, der fahren muß, um nicht umzukippen. Als Mussolini am 25. Juli 1943 anhielt, war er verloren.« Alberto Savinio, Neue Enzyklopädie. Aus dem Italienischen von Christine Wolter. Frankfurt 1983, S. 129.

17 Ernst Jünger, Revolution und Idee. In: Völkischer Beobachter, 23./24. September, Unterhaltungsbeilage, München 1923.

18 Nietzsche schreibt in dem Abschnitt ›Vom Lesen und Schreiben‹ des »Zarathustra«: »Von allem Geschriebenen liebe ich nur Das, was Einer mit seinem Blute schreibt. Schreibe mit Blut: und du wirst erfahren, daß Blut Geist ist.« Friedrich Nietzsche, Sämtliche Werke. Kritische Studienausgabe, Band 4. München 1980, S. 49.

19 Ernst Jünger, Nationalismus und Nationalsozialismus. In: Arminius 8, Nr. 13. München 1927, S. 9.

20 »Von einer Bewegung, die beansprucht, in unserer Zeit den deutschen Willen rein zu vertreten, muß verlangt werden, daß in ihr Männer auftreten, die den besten deutschen Geistern aller Zeiten ebenbürtig sind.« a.a.O.

21 »Der deutsche Nationalismus ist Streiter für das Endreich. Es ist immer verheißen. Und es wird niemals erfüllt. Es ist das Vollkommene, das nur im Unvollkommenen erreicht wird.... Der Deutsche Nationalismus kämpft für das mögliche Reich. Der deutsche Nationalist dieser Zeit ist als deutscher Mensch immer noch ein Mystiker, aber als politischer Mensch ein Skeptiker geworden.« Arthur Moeller van den Bruck, Das dritte Reich, Hamburg 1931, S. 245.

22 Oswald Spengler, Jahre der Entscheidung. München 1933, S. IX.

23 Dazu: A. M. Kotanek, Oswald Spengler in seiner Zeit. München 1968, S. 427.

24 Das Tagebuch von Joseph Goebbels 1925/26 mit weiteren Dokumenten. Hrsg. von Helmut Heiber (Schriftenreihe der Vierteljahreshefte für Zeitgeschichte, Nr. 14), Stuttgart 1961, S. 54.

25 a.a.O., S. 86.

26 Ernst Jünger, Die Schicksalszeit. In: Arminius 8, Nr. 1. München 1927, S. 5.

27 a.a.O.

28 »Die Schicksalszeit ist die subjektive, im Gegensatz zur objektiven Zeit. Daher heißt, sich ihrer bewußt sein, nicht objektiver, nicht messender, nicht ›gerechter‹, sondern subjektiver, wertender, ›ungerechter‹ Mensch sein. Es heißt *fühlen*, was die Uhr geschlagen hat. Sehen und hören, also wissen, kann man es nicht.« a.a.O.

29 Max Weber, Zur Auseinandersetzung mit Eduard Weber. In: ders., Gesammelte Aufsätze zur Wissenschaftslehre, Tübingen 1922, S. 246.

30 »Im ewigen Strome der großen Schicksalszeit besitzt jede organische Einheit ihre besondere Schicksalszeit. Während für die eine die Sonne sich strahlend erhebt, steht sie für die andere im Zenith der Kraft und weicht für die dritte bereits dem eisigen Anhauch der Nacht. Nur die Götter stehen über der Schicksalszeit, in ewiger Jugend, Fülle und Kraft. Im Bildnis des ewigen Juden sehen wir das erschütternde Gleichnis des Lebens, das nur noch zum Dulden alles Elends der Erde bestimmt ist, weil es seinen Sinn längst erfüllt, seine Zeit beendet hat. Nicht sterben können ist der größte Fluch des Lebendigen, darum sterben die großen Vorbilder des Lebens, der Held und das Heilige, gern.« Ernst Jünger, a.a.O., S. 6.

31 a.a.O.

32 Ernst Jünger, Das Abenteuerliche Herz. Aufzeichnungen bei Tag und Nacht. Berlin 1929. Im Folgenden wird aus der Erstausgabe zitiert. In Klammern wird jeweils auch auf den Band und die Seite der Ausgabe Sämtlicher Werke verwiesen: Band 9, Stuttgart 1979. Abweichungen werden bei gegebenem Anlaß vermerkt.

33 G.W.F. Hegel, Werke in 20 Bänden. Band 11, Berliner Schriften 1818 bis 1831. Frankfurt 1986, S. 328.

34 In seiner Rezension glaubte Hegel die Nähe Hamanns zu Platon wenigstens andeuten zu müssen. Er zitierte aus Hamanns »Sokratischen Denkwürdigkeiten« die Passagen über den Apologeten der Unwissenheit, und näherhin die Stelle über den Glauben. »Der Glaube ist kein Werk der Vernunft und kann daher auch keinem Angriff derselben unterliegen; weil Glauben so wenig durch Gründe geschieht als Schmecken und Sehen.« – Johann Georg Hamann, Sokratische Denkwürdigkeiten. Sämtliche Werke. Histor.-kritische Ausgabe von Josef Nadler. Band II, Wien 1949 ff, S. 74.

35 Eine Strukturanalyse zwischen Jüngers »Abenteuerlichem Herzen« und Texten von Aragon und Breton hat Karl Heinz Bohrer detailliert herausgearbeitet. Bohrer, a.a.O.

36 Zitiert in: Maurice Nadeau, Geschichte des Surrealismus. Deutsch von Karl Heinz Laier. Reinbek bei Hamburg, 1986, S. 13.

37 André Breton, Was der Surrealismus will (1953). In: ders.: Die Manifeste des Surrealismus. Deutsch von Ruth Henry. Reinbek bei Hamburg, 1986, S. 127.

38 Franz Hessel, Ein Flaneur in Berlin. Neuausgabe von: Spazieren in Berlin. Berlin, 1984, S. 145.

39 Walter Benjamin, Gesammelte Schriften, Band II, 1. Frankfurt 1977, S. 296.

40 a.a.O., S. 229.

41 »Wir stehen am Rande eines Abgrunds. Wir spähen hinab in den Schlund – es wird uns schlimm und schwindlig. Unser erster Antrieb ist, zurückzuweichen vor der Gefahr. Doch unerklärlicherweise bleiben wir. Ganz langsam gehen Übelkeit und Schwindel und Schauder in einem Gewolk von unbenennbarem Fühlen auf. Stufenweis', doch gar unmerklicher noch, nimmt dieses Gewolk Gestalt an, wie's der Dunstrauch bei der Flasche tat, aus welcher sich der Geist in den ›Arabischen Nächten‹ erhob. Doch aus dieser *unserer* Wolke an des Abgrunds Rand erwächst, zum Greifen deutlich bald, eine Gestalt, weit schrecklicher denn jeder Dämon oder gute Geist in einem Märchen, und dennoch ist's nur ein Gedanke, wennschon ein fürchterlicher, dessen Horror in uns so wildes Entzücken weckt, daß wir ins Mark unserer Knochen hinein erschauern. Es ist bloß die Vorstellung, was wir beim rasend jähen Sturz aus solcher Höhe empfinden würden. Und dieser Sturz ins Nichts, in das Vernichtet-Sein – aus eben dem Grunde, daß er das allergräßlichste und -widerwärtigste von all den gräßlichen und widerwärtigen Bildern des Todes und des Leidens in sich beschließt, die je vor unserer Einbildung aufgestiegen sind, – aus eben dieser Ursache verlangt es uns nun um so heftiger darnach.« Edgar Allan Poe, Das gesammelte Werk in zehn Bänden. Hrsg. von Kuno Schumann und Hans Dieter Müller. Band 4. Deutsch von Arno Schmidt und Hans Wollschläger. Olten 1976, S.833 ff.

42 a.a.O., S. 522.

43 Ernst Jünger, Sämtliche Werke, Band 10. Stuttgart 1980, S. 217.

44 Arthur Rimbaud, Sämtliche Dichtungen. Französisch und Deutsch. Herausgegeben und übertragen von Walter Küchler. Heidelberg 1978, S. 315.

45 a.a.O., S. 229.

46 Lautréamont, Œuvres complètes. Bibliothèque de la Pléiade. Paris 1980. S. 162.

47 Zitiert in: Maurice Nadeau, a.a.O., S. 22.

48 H. G. Wells, Wenn der Schläfer erwacht. Aus dem Englischen von Ida Koch-Loepringen. Frankfurt 1986, S. 25.

49 »Denn wenn die Zeit, in der ein talentvoller Mensch leben muß, flach und öde ist, so ist der Künstler, manchmal sogar unbewußt, von einem Heimweh nach einem anderen Jahrhundert besessen. Da er sich selten nur mit der Umgebung, in der er lebt, in Übereinstimmung befindet und ihm die Prüfung und Analyse dieser Umgebung und ihrer Geschöpfe, die unter ihr leiden, keine Freude macht, so fühlt er in sich besondere Phänomene aufsteigen und erblühen. Verworrene Wanderwünsche entstehen, die sich in der Überlegung und im Studium entwirren. Die durch

Vererbung in ihm liegenden Instinkte, Empfindungen und Neigungen erwachen wieder, umreißen sich deutlich und setzen sich gebieterisch durch. Er erinnert sich an Wesen und Dinge, die er selbst nicht gekannt hat, und es kommt der Augenblick, da er gewaltsam aus dem Kerker seines Jahrhunderts ausbricht und in voller Freiheit in einer anderen Epoche umherstreift, während eine letzte Illusion ihn glauben läßt, daß er sich mit ihr besser verstanden hätte.« Joris K. Huysmans, Gegen den Strich. Aus dem Französischen von Hans Jacob. Zürich 1981, S. 308 ff.

50 »Von diesem phantastischen und düsteren, heftigen und wilden Künstler besaß er die Reihe der ›Religiösen Verfolgungen‹, grauenhafte Blätter, die alle von religiösem Wahnsinn erfundenen Martern enthalten, ein rasendes Schauspiel menschlicher Leiden: über Kohlenbecken geröstete Leiber, mit Säbeln abgeschlagene, von Nägeln durchbohrte oder mit Sägen zerteilte Schädel... Diese Werke voller entsetzlicher Phantasien, die brandig rochen, Blut schwitzten und von Schreckensschreien und Verfluchungen erfüllt waren, bannten Des Esseintes in das rote Zimmer und verursachten ihm eine Gänsehaut.« – a.a.O., S. 138 ff.

51 »Er lag stundenlang auf seinem Bett in anhaltender Schlaflosigkeit und fieberhafter Aufregung oder in schrecklichen Träumen, darin er den Boden unter den Füßen verlor, eine Treppe hinunterstürzte oder in einen Abgrund fiel, ohne sich festhalten zu können.« a.a.O., S. 193.

52 Arthur Rimbaud, Œuvres complètes. Bibliothèque de la Pléiade, Paris 1983, S. 250.

53 »Der Poet macht sich sehend durch eine lange, gewaltige und überlegte Entregelung der Sinne. Alle Arten von Liebe, Leiden, Wahnsinn; er sucht sich selbst, er erschöpft alle Giftwirkungen in sich, um nur die Quintessenz zu bewahren. Unsägliche Folter, wo er volles Vertrauen, alle übermenschliche Kraft braucht, wo er unter allen der große Kranke, der große Gesetzesbrecher, der große Geächtete sein wird, – und der höchste Wissende! – Denn er kommt an beim Unbekannten! Weil er seine schon reiche Seele weiter ausgebildet hat, weiter als irgend jemand sonst! Er kommt an beim Unbekannten, und wenn er, überwältigt, damit enden würde, daß er das Verständnis seiner Visionen verliert, so hat er sie doch gesehen! Mag er auch zerrissen werden bei seinem großen Satz durch die unerhörten und unsagbaren Dinge: Kommen werden andere furchtbare Arbeiter; sie werden dort weiter machen, wo der andere an seine Grenze kam!« – Arthur Rimbaud, Das poetische Werk I; aus dem Französischen übersetzt und begleitet von Hans Theise und Rainer G. Schmidt. München 1979, S. 15 ff.

54 Siehe dazu: E. M. Cioran, Der zersplitterte Fluch. Frankfurt 1987, S. 103. Cioran verweist auf Rimbauds »anachronistische« Poesie.

55 »›Welch bizarre Epoche!‹, begann Durtal wieder, indem er ihn begleitete. ›Gerade in dem Augenblick, wo der Positivismus mit vollen Backen
bläst, erwacht der Mystizismus, und die Narrheiten des Okkultismus
beginnen.‹« – Huysmans, a.a.O., S. 269. – Der Glöckner von Saint-Sul-
pice bemerkt, es sei notwendig, daß man die Gesellschaft eingrabe »und
daß eine andere Welt kommt. Gott allein kann ein solches Wunder erfüllen!«; während der Astrologe an das Wort des Raymundus Lullus erinnert, »daß das Ende der alten Welt durch die Ausbreitung der Doktrinen
des Antichrist angekündigt würde, und diese Doktrin definiert er: »Das
sind der Materialismus und das ungeheuerliche Erwachen der Magie.«
– a.a.O., S. 300 ff.

56 Ernst Jünger, Die andere Seite. In: Widerstand, 4. Jahrgang, Dresden,
März 1929.

57 »Ja, man kann sagen, daß der Künstler gerade mit seinen wesentlichen
Wurzeln jenem Grund verflochten ist, in dem das Zukünftige, das Notwendige sich vorbereitet, und daß dieses, möge es nun ein Anfang oder
ein Untergang sein, in seinem Werke zum Ausdruck kommen muß. Hier
braucht man nicht mehr nach einzelnen Prophezeiungen zu suchen, das
ganze Werk enthüllt dem kundigen Auge seine prophetische Natur. Revolutionen werden nicht durch Literaturen gemacht, sondern ganze Literaturen sind ein Anzeichen, ein Hinweis, ein erstes Grollen der Revolution. Aber was sind Revolutionen selbst anderes als ein Hinweis, daß eine
Uhr abgelaufen ist, und daß ein neues Ziffernblatt erscheint?« – a.a.O.

58 »Selbst die unbelebte Materie ist diesem rätselhaften Prozeß unterworfen, so treten in den Gebäuden Risse und Sprünge auf, Möbel und
Bücher zerfallen zu Mehl, gewebte Stoffe lösen sich in feinen Schimmel
auf. Gleichzeitig teilt sich gesellschaftlich die Traumstadt langsam in
eine Vielheit anarchistischer Individuen auf, die dennoch durch die Tatsache verbunden sind, daß sie gemeinsam, jeder auf eine Art, demselben
Untergange entgegentreiben«, bemerkt Jünger dazu. – a.a.O.

59 Alfred Kubin, Die andere Seite. Ein phantastischer Roman. München
o.J., S. 261.

60 »Ich stellte mir also vor, daß ein an sich außerzeitliches, ewig seiendes
Prinzip – ich nannte es den ›Vater‹, – aus einer unergründlichen Ursache
heraus das Selbstbewußtsein, – den ›Sohn‹, – mit der zu ihm unscheid-
bar gehörigen Welt schuf. Hier war natürlich ich selbst ›der Sohn‹, der
sich selbst, solange es dem eigentlichen, riesenhaften, ihn ja spiegelre-
flexartig frei schaffenden Vater genehm ist, narrt, peinigt und hetzt. Es
kann also ein derartiger Sohn jeden Augenblick mit seiner Welt verschwinden und in die Überexistenz des Vaters aufgehoben werden. Es
gibt immer nur *einen* Sohn, und von dessen erkennendem Gesichtspunkt

aus konnte man vergleichsweise allegorisch sagen, daß dieser ganze äffende und qualvolle Weltprozeß geschieht, damit an dieser Verwirrtheit der Vater erst seine allmächtige Klarheit und Endlosigkeit merkt, – mißt. Mit den philosophischen und poetischen Einzelausführungen des ›Sohnes als Weltenwanderer‹ füllte ich oft in nächtlichen Stunden Dutzende von Heften.« a.a.O., S. XXVII ff.

61 a.a.O., S. XXX.

62 a.a.O., S. 75.

63 Für die Surrealisten lag sie im Osten. Asien, von Robert Desnos als »Hort aller Hoffnungen« bezeichnet, stand für eine Kultur ohne Fortschrittsbewußtsein, der sich die »angekränkelten Europäerhirne« anvertrauen sollten. Das »logische Europa« dagegen martere den Geist unablässig im Hammerwerk seiner Begrifflichkeit.

64 Paul Klee, Tagebücher. Köln 1957, S. 320.

65 André Breton, Nadja. Aus dem Französischen von Max Hölzer. Frankfurt 1983, S. 39.

66 »Nadja war dazu geschaffen, ihr zu dienen, und wäre es nur dadurch, daß sie die ganze besondere Verschwörung anschaulich macht, die notwendig um jedes Wesen unterhalten wird und die nicht nur in seiner Einbildung besteht; mit ihr wird man schon einfach vom Standpunkt der Erkenntnis aus rechnen müssen, doch auch, was viel gefährlicher ist, wenn man den Kopf und dann einen Arm aus den so auseinandergebogenen Gitterstäben der Logik streckt, das heißt aus dem hassenswertesten aller Gefängnisse.« a.a.O., S. 103 ff.

67 F. Nietzsche, Jenseits von Gut und Böse. Sämtliche Werke. Kritische Studienausgabe in 15 Bänden. Band 5. München 1980, S. 123.

68 »Aber was in den feurigen Traumlandschaften des Krieges gültig war, das ist auch in der Wachheit des modernen Lebens nicht tot. Wir schreiten über gläsernen Böden dahin und ununterbrochen steigen die Träume zu uns empor, sie fassen unsere Städte wie steinerne Inseln ein und dringen auch in den kältesten ihrer Bezirke vor. Nichts ist wirklich und doch ist alles Ausdruck der Wirklichkeit. Im Heulen des Sturmes und im Prasseln des Regens vernehmen wir einen verborgenen Sinn, und schon dem Zuschlagen einer Tür in einem einsamen Haus hört selbst der Nüchternste nicht ohne Spur von Mißtrauen zu. In dem sehr rätselhaften Gefühl des Schwindels deutet sich das uns ständig wie ein unsichtbarer Schatten begleitende Bewußtsein der Bedrohung an, und Pascal bemerkt mit Recht, daß auch der größte Mathematiker, der an vollkommen sicherer Stelle vor einem Abgrunde steht, sich ihm nicht zu entziehen vermag.« (AH 1, 213 f./9, 148) – Valéry hat Pascals Abgrundangst gegen den konstruktiven Mut von Leonardo gesetzt. Der Ingenieur würde sich von der

Tiefe nicht bedrängen lassen, vielmehr danach sinnen, wie eine Brücke zu bauen wäre, die sie überwände.

69 Hugo von Hofmannsthal, Gesammelte Werke in zehn Einzelbänden. Reden und Aufsätze III, Frankfurt 1980, S. 32. Es ist möglich, wenn nicht wahrscheinlich, daß Jünger den Text der Rede damals zur Kenntnis genommen hat. Den Erstdruck besorgte die Neue Rundschau, 28. Jahrgang der freien Bühne, 7. Heft, Berlin, Juli 1927; im selben Jahr erschien der Essay auch in einer Buchausgabe.

70 a.a.O., S. 33 ff.

71 a.a.O., S. 34.

72 a.a.O., S. 35.

73 a.a.O.

74 Das Originelle daran ist, daß Benjamin das politische Erwachen mit einer Phänomenologie des ästhetischen Traums, der ihm vorausgeht, verschränkte.

75 Walter Benjamin, Das Passagen-Werk. Gesammelte Schriften, Band V, 2. Frankfurt 1982, S. 1251.

76 a.a.O., S. 1250.

77 a.a.O., S. 491.

78 a.a.O., S. 405.

79 Walter Benjamin, Gesammelte Schriften, Band I, 2. Frankfurt 1974, S. 599.

80 Walter Benjamin, Das Passagen-Werk, a.a.O., S. 962.

81 Walter Benjamin, Gesammelte Schriften, Band I, 2. a.a.O., S. 469.

82 Walter Benjamin, Das Passagen-Werk, a.a.O., S. 576.

83 »Das 19. Jahrhundert war das der Naturwissenschaft; das 20. gehört der Psychologie. Wir glauben nicht mehr an die Macht der Vernunft über das Leben. Wir fühlen, daß das Leben die Vernunft beherrscht... Das Dasein der Welt, in welcher wir auf unserem kleinen Gestirn eine kleine Episode abspinnen, ist etwas viel zu Erhabenes, als daß Erbärmlichkeiten wie ›das Glück der meisten‹ Ziel und Zweck sein könnten. In der Zwecklosigkeit liegt die Größe des Schauspiels.« Und wider jeden möglichen Widerspruch wurde angefügt: »So empfand es Goethe.« O. Spengler, Politische Schriften, München 1934, S. 85.

84 Der Sinn des Sozialismus sei, »daß nicht der Gegensatz von reich und arm, sondern der Rang, den Leistung und Fähigkeit geben, das Leben beherrscht. Das ist *unsere* Freiheit, Freiheit von der wirtschaftlichen Willkür des einzelnen«. – a.a.O., S. 104.

85 Hier mag man Parallelen zu der Dezisionismus-Theorie sehen, wie sie Carl Schmitt seit seiner Schrift »Politische Theologie« von 1925 entwickelt hat.

86 G. Simmel, Philosophische Kultur. Über das Abenteuer, die Geschlechter und die Krise der Moderne. Gesammelte Essais. Berlin 1983, S. 15.

III.
Theorie als Praxis.
Die Welt des »Arbeiter«

1 Daß der »Arbeiter« nicht nur dem Geiste Spenglers verwandt ist, sondern geradezu mit der Adresse Spenglers vor Augen geschrieben wurde, bezeugt Jüngers erst spät, nämlich 1970 eröffnete Enttäuschung, wie sehr der Verfasser des »Untergang des Abendlandes« das Werk mißverstanden hätte. Für Spengler, der längst in kosmischen Rhythmen dachte und deshalb auch dem Nationalsozialismus keinerlei Begeisterung abgewann, konnte nichts mehr Rettung vor dem endgültigen Verfall bringen – schon gar nicht ein Buch. Insofern war Jüngers Hoffnung, den Münchner Privatgelehrten tröstend umzustimmen, ebenso unberechtigt wie naiv. Allein, Geschichtsphilosophen suchen sich, um sich alsbald um so energischer zu entzweien. – Der Passus lautet: »Daß Spengler dem ›Arbeiter‹ die Zukunft absprach, schien mir erstaunlich von einem Denker, für den das ganze Abendland nur noch Antiquitätswert besaß.« In: Ernst Jünger, Annäherungen. Sämtliche Werke, Band 11. Stuttgart 1978, S. 294.

2 Ernst Jünger, Der Arbeiter. Herrschaft und Gestalt. Hamburg 1932, S. 44. Im Fortgang wird aus der Erstausgabe in Klammern zitiert. Ergänzend sind die Seitenzahlen der Ausgabe sämtlicher Werke, Stuttgart 1970 ff., Band 8, mitgeteilt. Fehlt dieser Hinweis, hat der Verfasser den betreffenden Passus später gestrichen.

3 Friedrich Nietzsche, Sämtliche Werke. Kritische Studienausgabe, Band 5. München 1980, S. 160.

4 Eine Studie, die dem Verhältnis von Jüngers Frühwerk zum Vitalismus der Epoche folgte, und zwar bis zu den Lehren von Hans Driesch, dessen Student Jünger nach dem Ersten Weltkrieg zeitweise war, fehlt bisher.

5 Der direkte Anschluß von Jüngers Gestalt-Begriff an wissenschaftliche Vorgaben ist zu sehen in der freien Übernahme der Ideen, die Christian von Ehrenfels, der Begründer der modernen Gestaltpsychologie, seit 1890 entwickelte. Doch nicht um die psychologische Durchdringung des Akts der Wahrnehmung geht es dem Verfasser des »Arbeiters«. Wichtig ist ihm vor allen anderen der Gedanke, daß die Gestalt als das »Ganze« Eigenschaften besitzt, die an seinen Teilen nicht vorfindbar sind, konkret: sie entzieht sich im Fall des Arbeiters sozialen, wirtschaftlichen oder politischen Ortungen. Damit klingen auch ältere Vorstellungen an, etwa jene Goethes, daß die Gestalt in ihrem Stil ein bestimmtes Wesen ausdrücke, oder jene Herders, daß sie »wallendes Leben« repräsentiere.

6 Friedrich Nietzsche, Sämtliche Werke. Kritische Studienausgabe, Band 4. München 1980, S. 131.

7 Heidegger interpretierte ihn daher so, daß er für das »Seiende im Ganzen« stehe.

8 In den Prosagedichten des »Spleen de Paris« stellt Baudelaire mit der müde gewordenen Begeisterung des Flaneurs lakonisch fest: »Was für Seltsamkeiten findet man doch in einer großen Stadt, wenn man umherzugehen und zu beobachten versteht. Das Leben wimmelt von unschuldigen Ungeheuern.« Der Dichter hat längst darauf verzichtet, der Erscheinungswelt ihre »philosophische« Idee aufzuprägen. Es bleibt bei den Reizen. Charles Baudelaire, Sämtliche Werke/ Briefe in acht Bänden. Herausgegeben von Friedhelm Kemp und Claude Pichois. Band 8. München 1985, S. 293. Visionen von drängenderer Bildlichkeit gibt Baudelaire in zwei – Victor Hugo – zugeeigneten Gedichten der »Fleurs du Mal«, nämlich in »Les sept vieillards« und in »Les petites vieilles«. Sie greifen in der Stimmung über auf die Nachtstücke des »Abenteuerlichen Herzens«.

9 Er findet vier Jahre später unter dem abgeänderten Titel »Sizilischer Brief an den Mann im Mond« Eingang in den Essayband »Blätter und Steine«, Hamburg 1934.

10 In späteren Auflagen mildert Jünger diesen »Arbeits«-Anspruch gegenüber der Wirklichkeit ab.

11 Siehe: Das Abenteuerliche Herz, erste Fassung, S. 223 ff.

12 Ich deute hier nur an, was Carl Schmitt im viertel Kapitel seines Buches »Der Nomos der Erde im Völkerrecht des Jus Publicum Europaeum«, Berlin 1950, theoretisch entworfen hat, nämlich die Auflösung dieses Jus publicum europaeum unter dem Einfluß moderner, das Leben als ganzes moblisierender, »totaler« Kriegsführung. Schmitt hatte den Gedanken schon fünf Jahre nach Erscheinen des »Arbeiters« mit Bezug auf dessen Verfasser in dem Aufsatz »Totaler Feind, totaler Krieg, totaler Staat« skizziert und zur Erhellung der Genealogie die Adnote riskiert, daß im Ersten Weltkrieg die Feindschaft sich allmählich aus dem Krieg entwickelt habe. Er selbst forderte 1937 den umgekehrten Vorgang. Carl Schmitt, Positionen und Begriffe im Kampf mit Weimar – Genf – Versailles, 1923–1939. Hamburg 1940, S. 239.

13 Aus der Optik von 1937 kommentierte Schmitt: »Ernst Jüngers Schrift ›Totale Mobilmachung‹ (sic!)... bewirkte den Durchbruch der Formel ins allgemeine Bewußtsein. Aber erst Ludendorffs Broschüre ›Der totale Krieg‹ (1936) hat ihre Kraft ins Unwiderstehliche und ihre Verbreitung ins Unabsehbare gesteigert.« a.a.O., S. 235.

14 Ernst Jünger, Die Arbeit-Mobilmachung. In: Die Kommenden. Überbündische Wochenschrift der deutschen Jugend. Herausgegeben von Ernst Jünger und Werner Lass. Flarchheim in Thüringen. 5. Jahrgang, 31. Folge, 1930.

15 Ernst Jünger, Feuer und Bewegung oder Kriegerische Mathematik. In: ders., Blätter und Steine, Hamburg 1934.

16 a.a.O., S. 97.

17 a.a.O., S. 98.

18 Grimms Wörterbuch bemerkt dazu in der 6. Lieferung zu Band 21 von 1931 prophetisch: »der affectgehalt, zu dem ein adjectiv der bedeutung ›vollständig, gesamt‹ an sich neigt, erscheint im fremdwort noch gesteigert; es steht deshalb mit vorliebe bei begriffen, die diese affectbetonung nahelegen…«

19 1930 erscheint bei Junker & Dünnhaupt das von Jünger herausgegebene Buch »Krieg und Krieger«; es enthält auf den Seiten 9 bis 30 »Die totale Mobilmachung«. Ein Jahr darauf gibt der Berliner Verlag für Zeitkritik den Aufsatz als selbständige Broschüre heraus. 1934 wird er aufgenommen in den Sammelband »Blätter und Steine«, aus dem im Folgenden zitiert wird. Ergänzend sind die Seitenzahlen der Ausgabe Sämtlicher Werke, Band 7, Stuttgart 1980, mitgeteilt, sofern der Autor Passagen nicht gestrichen hat.

20 »Aller kapitalistischer Produktion«, schreibt Marx, »ist es gemeinsam, daß nicht der Arbeiter die Arbeitsbedingung, sondern umgekehrt die Arbeitsbedingung den Arbeiter anwendet, aber erst mit der Maschinerie erhält diese Verkehrung technisch handgreifliche Wirklichkeit.« Die Maschine verlangt den Arbeitern ab, ihre »eigne Bewegung der gleichförmig stetigen Bewegung eines Automaten» anzupassen. Noch kürzer: »Alle Arbeit an der Maschine erfordert frühzeitige Dressur des Arbeiters.« Karl Marx, Das Kapital. Kritik der politischen Ökonomie. Ungekürzte Ausgabe nach der 2. Auflage von 1872. Band I. Berlin 1932, S. 402 ff. – Die »Dressur« ist es, vor der Jüngers »abenteuerliches Herz« zurückschreckt; sie ist ihrem Wesen nach die Zerstörung des »heroischen« Lebens.

21 Eine traurige – und überdies absurde Polemik. Sie wird nur noch überboten in einem Text, der zeitlich und thematisch aus dem Umkreis der »Mobilmachungsschrift« stammt. »Freitag am 19. Scheidings 1930« ließ Jünger in der von ihm selbst und von Werner Lass zwischen 1930 und 1931 herausgegebenen »Überbündischen Wochenschrift der deutschen Jugend« mit dem Titel »Die Kommenden« einen Leitartikel »Über Nationalismus und Judenfrage« erscheinen. Der Kurzessay kulminiert nach langen und gewundenen »Erklärungen« über die Assimilationsfähigkeit der Juden in einer fatalen Distinktion, die wohl halb Forderung, halb Prophetie sein sollte. »Im gleichen Maße…, in dem der deutsche Wille an Schärfe und Gestalt gewinnt, wird für den Juden auch der leiseste Wahn, in Deutschland Deutscher sein zu können, unvollziehbarer

werden, und er wird sich vor seiner letzten Alternative sehen, die lautet: in Deutschland entweder Jude zu sein oder nicht zu sein.« – Mit dem Nichtsein machten die Nationalsozialisten schon bald darauf auf entsetzliche Weise Ernst: indem sie sich der ideologischen wie der technischen »Mobilmachung« bedienten. Da pflegte der vormalige Zeitschriften-Agitator freilich das Schweigen des elitären Verächters gegenüber den »Barbaren«.

22 Wollte man die Distinktion zwischen der »Città del Sole« und dem »Principe« hineintragen ins 20. Jahrhundert, so entspräche dem »phänomenologischen« Zugang Machiavellis eher Carl Schmitts »Begriff des Politischen« (1927), während Campanellas Staatsutopie dem geschichtsphilosophischen Finale von Jüngers »Arbeiter« vorausgriffe.

23 Darauf hat präzise Lars Gustafsson mit der ergänzenden Bemerkung hingewiesen, daß diese vereinheitlichende Dynamik der modernen Zivilisation überhaupt innewohne. Lars Gustafsson, Die Bilder an der Mauer der Sonnenstadt. Essays über Gut und Böse. München 1987, S. 26 ff.

24 Ich greife die Formel von der Verzeitlichung der Utopie so auf, wie sie Reinhart Koselleck in einem bemerkenswerten Aufsatz geprägt und mit Beispielen kommentiert hat. Der über Jahrhunderte hinweg als räumlich entfernt gedachten Staats- oder Gesellschaftsutopie folgt seit der Aufklärung jene, die zeitlich noch aussteht. Reinhart Koselleck, Die Verzeitlichung der Utopie. In: Utopieforschung. Interdisziplinäre Studien zur neuzeitlichen Utopie. Band 3. Herausgegeben von Wilhelm Vosskamp. Stuttgart 1982.

25 Ferdinand Lasalle, Arbeiter-Programm. Über den besonderen Zusammenhang der gegenwärtigen Geschichtsperiode mit der Idee des Arbeiterstandes. In: Grundlagen und Kritik des Sozialismus. Bearbeitet von Werner Sombart. Zweiter Teil. Berlin 1919, S. 27 ff.

26 Protokoll des Vereinigungskongresses der Sozialdemokraten Deutschlands, Gotha 22. bis 27. Mai 1875. Leipzig 1875, S. 35.

27 In der Schrift »Technischer Humanismus. Philosophie und Soziologie der Arbeit bei Karl Marx« hat Ludwig Klages zusammenfassend dazu bemerkt: »›Arbeit‹ im Sinne der unmittelbaren und mittelbaren Produktionstätigkeit ist die Art und Weise, in der der Mensch sich selbst aus seiner bloß substantiellen Möglichkeitsform ›herausschafft‹ und – am Ende – der kontinuierliche Vollzug der Einheit zwischen menschlicher ›Existenz‹ und menschlichem ›Wesen‹. Marx' ›realer Humanismus‹ ist Chiffre einer technisch-szientifischen Eschatologie, bestimmt sich konkret als technischer Humanismus.« Ludwig Klages, Technischer Humanismus. Philosophie und Soziologie der Arbeit bei Karl Marx. Stuttgart 1964, S. 108.

28 W.I. Lenin, Staat und Revolution. Die Lehre des Marxismus vom Staat und die Aufgaben des Proletariats in der Revolution. In: Grundlagen und Kritik des Sozialismus. Bearbeitet von Werner Sombart. Zweiter Teil, Berlin 1919, S. 205.

29 Ernst Jünger, Trotzkis Erinnerungen. In: Widerstand, 5. Berlin 1930, S. 50.

30 a.a.O.

31 In einem späten Aufsatz hat Carl Schmitt darauf verwiesen, daß Lenin nicht nur die Theorie der Weltrevolution auf die Weltgeistlehre des preußischen Professors zurückbrachte, sondern auch die Praxis der großen Erhebung mit Gedanken verklammerte, die in der selben Epoche ein preußischer Militärschriftsteller vorbrachte: so stehen sich Hegel und Clausewitz gegenüber. In Lenins Exzerptenheft sind Clausewitz-Zitate eingetragen und mit zustimmenden Kommentaren versehen. Der Praktiker erkannte den Praktiker. Carl Schmitt, Clausewitz als politischer Denker. In: Der Staat, Band 6, Heft 4. Berlin 1967.

32 1911 ließ Mussolini eine Nietzsche-Studie in der Zeitschrift »La Voce«, Florenz, erscheinen, in welcher er vom Thema der Gewalt her auch die Konjektur zu Sorel herstellte.

33 Georges Sorel, Über die Gewalt. Aus dem Französischen von Ludwig Oppenheimer. Frankfurt 1969, S. 301.

34 a.a.O., S. 298.

35 F.-T. Marinetti, Le Futurisme. In: Le Figaro, 20.2.1909, S. 1.

36 »Car l'art ne peut être que violence, cruauté et injustice...« a.a.O.

37 Um das Anfluten der Empfindungen in den »Tiefen der organischen und lebendigen Intelligenz« dramatischer beschreiben zu können, bediente sich der Psychologe des Vergleichs mit dem Traum. »Die Einbildungskraft des Träumenden, die von der äußern Welt isoliert ist, reproduziert in bloßen Bildern und parodiert auf ihre Weise die Arbeit, die in den tiefern Regionen des geistigen Lebens unablässig in der Form von Vorstellungen vor sich geht.« Henri Bergson, Zeit und Freiheit. Eine Abhandlung über die unmittelbaren Bewußtseinstatsachen. Aus dem Französischen übertragen. Jena, 1911, S. 107.

38 Oswald Spengler, Der Untergang des Abendlandes. Umrisse einer Morphologie der Weltgeschichte. Band I, München 1923 (114. bis 117. Tausend), S. 58.

39 Oswald Spengler, Politische Schriften, München 1934, S. 23 ff.

40 a.a.O., S. 24.

41 a.a.O., S. 10. – Zu welchen absurden Vergleichen es unter dem Einfluß der Ereignisse des Ersten Weltkriegs kommen konnte, zeigt die von ihm selbst so bezeichnete »Kategorientafel des englischen Denkens«, welche

Max Scheler seinem Buch »Der Genius des Krieges und der Deutsche Krieg« von 1915 als Appendix einsetzte. Es bestehe die Tendenz, in England Kultur mit Komfort, den Krieger mit dem Räuber, Welt mit Umwelt usw. zu verwechseln.

42 a.a.O., S. 42.

43 a.a.O., S. 72.

44 Oswald Spengler, Der Mensch und die Technik. Beitrag zu einer Philosophie des Lebens. München 1951, S. 24.

45 a.a.O., S. 57.

46 Friedrich Nietzsche, Die fröhliche Wissenschaft. Nr. 329. Sämtliche Werke. Kritische Studienausgabe. Band 3. München 1980. S. 556.

47 Friedrich Nietzsche, Jenseits von Gut und Böse. Sämtliche Werke. Kritische Studienausgabe. Band 5. München 1980. S. 183.

48 Friedrich Nietzsche, Morgenröthe. Gedanken über die moralischen Vorurtheile. Sämtliche Werke, Kritische Studienausgabe. Band 3. S. 11. – In dem großen, metaphorisch überreichen Gedicht »Le Forgeron« (Der Schmied), das noch vor den »Illuminations« entstand, dichtete Rimbaud: »Arbeiter sind wir, Sire, Arbeiter, wir, die Künder / Der neuen großen Zeit, die Wissende uns macht, / Wo schmieden wird der Mensch von Morgen bis zur Nacht, / Ein Jäger großer Taten, auf Jagd nach letzten Dingen, / Wo, langsam Sieger er, die Dinge wird bezwingen / Und auf des Ganzen Thron wird steigen, wie aufs Pferd...« Arthur Rimbaud, Sämtliche Dichtungen. Herausgegeben und übertragen von Walther Küchler. Heidelberg 1978, S. 39.

49 Max Scheler, Arbeit und Weltanschauung. In: Christentum und Gesellschaft. II. Halbband: Arbeits- und Bevölkerungsprobleme. Leipzig 1924, S. 83.

50 a.a.O., S. 93.

51 Max Weber, Gesammelte Aufsätze zur Religionssoziologie, Band I. Tübingen 1986, S. 204.

52 a.a.O., S. 202.

53 Siehe dazu die bemerkenswerte Studie von Wilhelm Hennis, Max Webers Fragestellung. Studien zur Biographie des Werks. Tübingen 1987, S. 15.

54 Max Weber, Gesammelte Politische Schriften. Hrsg. von Johannes Winckelmann, Tübingen 1958, S. 542.

55 Max Weber, Was heißt Christlich-Sozial? in: Die christliche Welt, 8. Jg. (1894), Nr. 20, Sp. 472–477.

56 Leo Strauss kritisierte Webers Lakonismus dahingehend, daß er die Frage des Naturrechts zugunsten des kalten Blicks der Soziologie geopfert habe. Leo Strauss, Naturrecht und Geschichte, Stuttgart 1956.

57 Carl Schmitt, Das Zeitalter der Neutralisierungen und Entpolitisierungen. In: ders.: Positionen und Begriffe im Kampf mit Weimar – Genf – Versailles, 1923–1939. Hamburg 1940, S. 121.

58 a.a.O., S. 124.

59 a.a.O., S. 128.

60 a.a.O., S. 130.

61 a.a.O., S. 131.

62 Den mimetischen Zusammenhang zwischen Natur und Kunst, organischem Sein und gestalteter Materie verdeutlichte ohne theoretische Hartnäckigkeit, vielmehr nur mit dem Auge der Photokamera Karl Bloßfeldt in seinem Bildband »Urformen der Kunst« von 1928. Indem er Pflanzenformen in bisher nicht gesehener Weise vergrößerte, mußte die Anleihe hervorspringen, die Kunst und Architektur am natürlichen Gegenstand immer wieder machen. Das Buch war zu seiner Zeit verbreitet und erfuhr auch eine Rezension durch Walter Benjamin. Es ist unwahrscheinlich, daß es der Aufmerksamkeit des ehemaligen Botanikstudenten entgangen ist. Jedenfalls konnte es seinem Platonismus die denkbar anschaulichste Vorlage geben.

63 Siegfried Giedion, Die Herrschaft der Mechanisierung. Ein Beitrag zur anonymen Geschichte. Mit einem Nachwort von Stanislaus von Moos. Frankfurt 1982.

64 a.a.O., S. 21.

65 Hans Blumenberg, »Nachahmung der Natur«. Zur Vorgeschichte der Idee des schöpferischen Menschen. In: ders., Wirklichkeiten, in denen wir leben. Stuttgart 1981. S. 63.

IV.
Ästhetische Distanz

1 Paul Valéry, Herr Teste. Frankfurt 1984, S. 11. – Die Übersetzung von Max Rychner datiert bereits von 1927.

2 a.a.O., S. 10.

3 a.a.O., S. 12f.

4 Paul Valéry, Note et Digression. In: Œuvres, I. Bibliothèque de la Pléiade. Paris 1980, S. 1210. – In den »Cahiers« heißt es 1938 zu Leonardo: »Sein, was man ist, und dazu sein eigener Mathematiker und Physiker, auch sein eigener Konstrukteur – das heißt Beobachter, Kombinator und Arbeiter.« Paul Valéry, Cahiers / Hefte I. Auf der Grundlage der von Judith Robinson besorgten französischen Ausgabe herausgegeben von Hartmut Köhler und Jürgen Schmidt-Radefeldt. Frankfurt 1987, S. 460.

5 Paul Valéry, Herr Teste. a.a.O., S. 9.

6 ˙a.a.O., S. 19.

7 Cahiers / Hefte. a.a.O., S. 539.

8 a.a.O., S. 460.

9 Paul Valéry, Herr Teste. a.a.O., S. 31.

10 Eine detaillierte Struktur- und Bedeutungsanalyse der »Soirée avec Monsieur Teste« hat Jean Starobinski in dem Essayband »Kleine Geschichte des Körpergefühls«, Konstanz 1988, vorgelegt.

11 Paul Valéry, Herr Teste. a.a.O., S. 25.

12 Paul Valéry, Œuvres II. Bibliothèque de la Pléiade, Paris 1984, S. 65.

13 Paul Valéry, Herr Teste. a.a.O., S. 93 ff.

14 Ernst Jünger, Über den Schmerz. In: ders., Blätter und Steine. Hamburg 1934, S. 155. Im Folgenden wird aus der Erstausgabe zitiert. Daneben wird auf die achtzehnbändige Gesamtausgabe verwiesen.

15 »La douleur est due à la résistance de la conscience à une disposition locale du corps. – Une douleur que nous pourrions considérer nettement et comme circonscrire deviendrait sensation sans souffrance – et peut-être arriverions-nous par – là à connaître quelque chose directement de notre corps profond – connaissance de l'ordre de celle que nous trouvons dans la musique«, heißt es in dem vorletzten »Teste«-Stück. Paul Valéry, Œuvres II, Bibliothèque de la Pléiade, Paris 1984, S. 73. Jean Starobinski hat darauf hingewiesen, daß die Metapher des Musikalischen auch bei Freud im Zusammenhang mit den Schmerzempfindungen auftaucht. – Jean Starobinski, Kleine Geschichte des Körpergefühls, Konstanz 1988.

16 Später mildert Jünger seine Ansicht über die »organische Konstruktion« des japanischen Torpedos ab. Eingeschoben wird der Vorbehalt der nihilistischen Grenzsituation. »Freilich ist unser Ethos nicht auf solche Verhaltensweisen angelegt. Sie tauchen höchstens in nihilistischen Grenzsituationen auf.« (7, 161)

17 Schon Nietzsche hat in »Zur Genealogie der Moral« – ebenfalls aufklärungskritisch – von dem »Philosophen-Kampf« gesprochen, der gegen das Unlustgefühl geführt werde. »… es ist interessant genug, aber zu absurd, zu praktisch-gleichgültig, zu spinneweberisch und eckensteherhaft, etwa wenn der Schmerz als ein Irrthum bewiesen werden soll, unter der naiven Voraussetzung, daß der Schmerz schwinden *müsse*, wenn erst der Irrthum in ihm erkannt ist – aber siehe da! er hütete sich zu schwinden…« Friedrich Nietzsche, Sämtliche Werke. Kritische Studienausgabe, Band 5. München 1980, S. 378 f.

18 Dem Physiognomiker fällt ein, daß das »nervöse« Gesicht der liberalen Welt zugunsten des disziplinierten Gesichtes der Arbeitswelt abgelöst werde. »Was man in der liberalen Welt unter dem ›guten‹ Gesicht ver-

stand, war eigentlich das feine Gesicht, nervös, beweglich, veränderlich und geöffnet den verschiedenartigsten Einflüssen und Anregungen. Das disziplinierte Gesicht dagegen ist geschlossen; es besitzt einen festen Blickpunkt und ist im hohen Maße einseitig, gegenständlich und starr. Bei jeder Art von gerichteter Ausbildung bemerkt man bald, wie sich der Eingriff fester und unpersönlicher Regeln und Vorschriften in der Härtung des Gesichtes niederschlägt.«(S, 179/7, 165) Etwas später ist auch von der »Galvanisierung des menschlichen Umrisses« die Rede.

19 In dem Kapitel »Mechanisierung und Tod: Fleisch« von »Die Herrschaft der Mechanisierung« führt Giedion dazu aus: »Was an diesem massenweisen Übergang vom Leben zum Tod erschütternd wirkt, ist die vollkommene Neutralität des Aktes. Man spürt nichts mehr, man empfindet nichts mehr, man beobachtet nur. Möglich, daß irgendwo im Unterbewußtsein Nerven revoltieren, über die wir keine Kontrolle haben. Dann nach Tagen steigt plötzlich der eingeatmete Blutgeruch hoch, obwohl keine Spur davon an einem zurückgeblieben sein kann. Wir wissen nicht, ob die Frage zulässig ist, doch mag sie immerhin gestellt werden: Hat diese Neutralität des Tötens eine weitere Wirkung auf uns gehabt? Dieser weitere Einfluß braucht durchaus nicht in dem Lande aufzutreten, das dieses mechanisierte Töten hervorgebracht hat, und durchaus nicht unmittelbar in der Zeit, in der es entstand. Diese Neutralität des Tötens kann tief in unserer Zeit verankert sein. Sie hat sich im großen Maßstab erst im Zweiten Weltkrieg gezeigt, als ganze Bevölkerungsschichten, wehrlos gemacht wie das Schlachtvieh, das kopfabwärts am Fließband hängt, mit durchtrainierter Neutralität ausgetilgt wurden.« Siegfried Giedion, Die Herrschaft der Mechanisierung. Ein Beitrag zur anonymen Geschichte. Frankfurt 1982, S. 276f.

20 Edmund Husserl, Gesammelte Werke, Husserliana. Den Haag 1950ff., Band 6, 1954, S. 184.

21 a.a.O., S. 230. – Den Zusammenhang zwischen »Lebenswelt und Technisierung unter Aspekten der Phänomenologie« hat mit diesem Titel Hans Blumenberg thematisiert. In: ders., Wirklichkeiten, in denen wir leben. Aufsätze und eine Rede. Stuttgart 1981, S. 7ff.

22 Edmund Husserl, a.a.O., S. 46f.

23 Hans Blumenberg, a.a.O., S. 44ff.

24 Heideggers Technik-Kritik, die ihrerseits eingepaßt ist in das größere Unternehmen der Abstandnahme von der abendländischen Metaphysik als eines »vorstellenden« Denkens, führt in eine andere Richtung. Die Heideggersche Radikalisierung des Vorgangs unterscheidet sich grundsätzlich von Jüngers Wahrnehmung. Das schließt nicht aus, daß der Philosoph wesentliche Einsichten des Schriftstellers übernimmt – im

Gegenteil: Jünger liefert ihm in seinen Schriften, paradigmatisch aber mit der als Destillat gewonnenen Formel von der »totalen Mobilmachung«, das diagnostische Material. Versucht man Heideggers Kritik genetisch zu erfassen, ergibt sich, daß schon in der Vorlesung zu Kants »Kritik der reinen Vernunft« von 1927/28 von »Vergegenständlichung« gesprochen wird. In dem »Kunstwerk«-Vortrag von 1935 wird das Thema weitergesponnen, dann in einer Vorlesung von 1937/38 zu Problemen der Logik. – Ich erörtere diesen »Weg« in Heideggers Denken im VIII. Kapitel ausführlich.

25 Ernst Jünger, Sämtliche Werke, Band 10. Stuttgart 1982, S. 309. – Die Tagebuch-Notiz datiert vom 3. Mai 1967.

26 Dieser Passus findet sich in der achtzehnbändigen Gesamtausgabe nicht mehr. Dem späteren Bearbeiter seiner Texte durfte das Bedürfnis nach *geschichtlicher* Sinngebung im Maß entbehrlich werden, wie er die Angleichung der Menschheitsgeschichte an den »naturalen« Rhythmus von Werden und Vergehen betrieb. »Lob der Vokale« gehört zu den in späteren Fassungen stark umgeformten Texten.

27 Die konsonantisch geprägten semitischen Sprachen sollen insofern den Geist der Gesetze und die »Unverbrüchlichkeit« der Überlieferung repräsentieren.

28 Arnold Gehlen, Der Mensch. Seine Natur und seine Stellung in der Welt. Frankfurt 1974, S. 13. – Zu erinnern ist in diesem Zusammenhang auch an den Begriff der »exzentrischen Positionalität«, den schon 1927 Helmuth Plessner in seinem Hauptwerk »Die Stufen des Organischen und der Mensch« in dem Sinn entwickelt hat, daß anorganische Körper nur durch das sie umgebende Medium begrenzt sind, während lebendigen Körpern ihre Grenze so zugehört, daß sie an ihnen selbst schon einen Grenzübergang vollziehen. Indem sie die Grenze an sich haben, sind sie über sich hinaus und in sich hineingesetzt. Diese Positionalität ist das Grundcharakteristikum der Organismen und wandelt sich ab zu spezifischen Weisen pflanzlichen, tierischen und menschlichen Seins. Im Menschen stößt das Organische zur Form der »exzentrischen Positionalität« durch: er lebt nicht mehr nur in mittelpunktsbezogenen Austauschprozessen mit der Umwelt wie das Tier, sondern steht in Beziehung zu seiner Mitte, ist in sie hinein- und damit aus ihr herausgetreten.

29 Johann Georg Hamann, Aesthetica in nuce. In: ders., Sämtliche Werke, Band II, Wien 1950, S. 197.

30 Arthur Rimbaud, Sämtliche Dichtungen. Französisch und Deutsch. Herausgegeben und übertragen von Walter Küchler. Heidelberg 1978, S. 229.

31 Am 14. Juni 1934, nachdem er bereits die Aufnahme in die Reichsschrift-

tumskammer abgelehnt hat, teilt Jünger der Redaktion des »Völkischen Beobachters« mit: »In der ›Jungen Mannschaft‹ Beilage zum ›Völkischen Beobachter‹ vom 6./7. Mai 1934 ist ein Auszug aus meinem Buch ›Das abenteuerliche Herz‹ zum Abdruck gebracht. Da dieser Abdruck ohne Quellenangabe erfolgte, muß der Eindruck entstehen, daß ich Ihrem Blatt als Mitarbeiter angehöre. Dies ist keineswegs der Fall; ich mache vielmehr seit Jahren vom Mittel der Presse überhaupt keinen Gebrauch. In diesem besonderen Falle ist noch hervorzuheben, daß es nicht angängig erscheint, daß einerseits die offizielle Presse mir die Rolle eines Mitarbeiters zuerkennt, während andererseits der Abdruck meines Schreibens an die ›Dichterakademie‹ vom 18. November 1933 durch offizielles Presse-Kommuniqué unterbunden wird. Mein Bestreben läuft nicht darauf hinaus, in der Presse möglichst oft genannt zu werden, sondern darauf, daß über die Art meiner politischen Substanz auch nicht die Spur einer Unklarheit entsteht. Mit vorzüglicher Hochachtung, Ernst Jünger.« – Zitiert bei Karl O. Paetel, Ernst Jünger in Selbstzeugnissen und Bilddokumenten. Reinbek bei Hamburg, 1962. S. 61.

32 Oswald Spengler, Jahre der Entscheidung. Erster Teil. Deutschland und die weltgeschichtliche Entwicklung. München 1933, S. XI.

33 a.a.O.

34 Auch nach der Studie von Joseph Bendersky über Carl Schmitt als »Theorist for the Reich«, in welcher der Autor gute Gründe für Schmitts Ablehnung des Nationalsozialismus bis zum Zeitpunkt der Machtübernahme anführt, wird kontrovers bleiben, ob und in welchem Maß der frühe Schmitt mit seiner Kritik am Weimarer Parlamentarismus »faschistisches« Gedankengut entfaltete. Im Maß der Wahrnehmung der Folgen überschattet das moralische Defizit des Mannes die Einschätzung seiner Texte. – Joseph W. Bendersky, Carl Schmitt. Theorist for the Reich. Princeton 1983.

35 Ernst Jünger, Afrikanische Spiele, Hamburg 1936, S. 5. Im folgenden wird aus der Erstausgabe zitiert. Nachgewiesen werden die Stellen, so weit sie übernommen sind, auch für die achtzehnbändige Gesamtausgabe, Band 15, Stuttgart 1978.

36 Der Flaneur, schreibt Benjamin, gehe gleichsam auf dem Asphalt botanisieren. Die Metapher ist ungenau, denn der Flaneur verfährt ohne Ordnungssinn. Deshalb wird sie später ergänzt mit dem Hinweis, daß die Stadt, in deren Nischen er sich bevorzugt aufhält, die Realisierung des alten Menschheitstraums vom Labyrinth sei. »Dieser Realität geht, ohne es zu wissen, der Flaneur nach. Ohne es zu wissen – nichts ist, auf der anderen Seite törichter als die konventionelle These, die sein Verhalten rationalisiert...« Walter Benjamin, Das Passagen-Werk. Gesammelte

Schriften Band V, 1. S. 541. Dem tranceartigen Verweilen oder Schlendern entspricht die schockartige Begegnung mit dem Überraschenden, für das die »Afrikanischen Spiele« präzise Beispiele im Besuch des Wachsfigurenkabinetts oder des Restaurants geben. Die genaueste Parallele zu Jüngers Evokation findet sich in Benjamins frühen Entwürfen zu den »Passagen«. »Das Häuserlabyrinth der Stadt gleicht am hellen Tage dem Bewußtsein; die Passagen (das sind die Galerien, die in ihr vergangnes Dasein führen) münden tagsüber unbemerkt in die Straßen. Nachts unter den dunklen Häusermassen aber springt ihr kompakteres Dunkel erschreckend heraus; und der späte Passant hastet an ihnen vorüber, es sei denn, daß wir ihn zur Reise durch die schmale Gasse ermuntert haben.« – a.a.O., Band V, 2. S. 1046.

37 So heißt es auch vom Schönen, daß es, gleichviel in welche Formen und Gegenstände es sich kleide, stets eine geheimnisvolle Attraktion provoziert habe. Und weiter: »Dasselbe galt auch für das geistige Ebenmaß; wenn ich einen wohlgebildeten Gedanken oder einen ins Schwarze treffenden Vergleich hörte oder las, fühlte ich mich häufig wie durch eine ausgestreckte Hand an der Schläfe berührt – ja ich gewöhnte mich daran, dieses körperliche Gefühl als Maßstab zu nehmen, und es kam vor, daß mir das eigentliche Verständnis erst nach der unmittelbaren Überraschung aufleuchtete. Die Fähigkeit blieb mir übrigens erhalten...« (AS, 33/15, 99) Das mystische Erlebnis antizipiert den verstehenden Zugriff. Benjamin suchte gleichfalls den *Augenblick*, in welchem sich die Dinge als aus ihrem funktionalen Zusammenhang herausgesprengt offenbaren – doch nicht in der mystischen Absicht einer »Wesensschau«, sondern in der aufklärerischen Intention der Wahrnehmung ihrer subversiven Unterhöhlung des Alltäglichen.

38 Der Wirklichkeit die Unikate zu verweigern, kennzeichnet nicht nur den Platoniker, sondern auch den Autor, der der Gattung des Romans als der Gattung, wo das Einmalige in seiner epischen Vollstreckung aufscheint, unzugänglich bleibt. Das zeigt sich auch in den als »Romane« oder »Erzählungen« deklarierten Schriften.

39 Präzisierend ist in spätere Fassungen eingeschoben: »Du mußt sie dir vorstellen wie einen Ziegelstein. Er kommt aus *einer* Form, doch kannst du Häuser und Städte damit bauen. Dasselbe ist mit der Zeit, sie ist geformtes Stückwerk der Ewigkeit.« (15, 162)

40 Kierkegaard hat das Verhältnis zwischen Erinnerung und Wiederholung in der Schrift »Die Wiederholung« mit Rückgriff auf die griechischen Ursprünge geklärt. »... denn *Wiederholung* ist ein entscheidender Ausdruck für das, was bei den Griechen ›*Erinnerung*‹ gewesen ist. Wie diese einst gelehrt haben, alles Erkennen sei ein Erinnern, so wird die neuere

Philosophie lehren, das ganze Leben sei eine Wiederholung... Wiederholung und Erinnerung stellen die gleiche Bewegung dar, nur in
entgegengesetzter Richtung; denn woran man sich als Gewesenes erinnert, das wird in rückwärtiger Richtung wiederholt; wohingegen die
eigentliche Wiederholung Erinnerung in die Richtung nach vorn ist.« –
Sören Kierkegaard, Die Krankheit zum Tode und anderes. München
1976, S. 329. Der »Schwindel« ist bei Jünger zugleich Symptom und
Metapher dieser rückführenden, erinnernden Begegnung mit der Prä-
existenz.

41 Prousts »Recherche du temps perdu« hebt an mit der Beschreibung des
Einschlafens und dem Erlebnis der Grenzüberschreitung zwischen
innerer und äußerer Wirklichkeit.» ... im Schlafe hatte ich unaufhörlich
über das Gelesene weiter nachgedacht, aber meine Überlegungen
waren seltsame Wege gegangen; es kam mir so vor, als sei ich selbst,
wovon das Buch handelte: eine Kirche, ein Quartett, die Rivalität zwischen Franz dem Ersten und Karl dem Fünften. Diese Vorstellung hielt
zuweilen noch ein paar Sekunden nach meinem Erwachen an; meine
Vernunft nahm keinen Anstoß an ihr, aber sie lag wie Schuppen auf meinen Augen und hinderte mich daran, Wahrheit darüber zu gewinnen,
daß das Licht brannte. Dann wurde sie immer weniger greifbar, wie
nach der Seelenwanderung die Gedanken einer früheren Existenz; der
Gegenstand meiner Lektüre löste sich von mir ab, ich konnte mich
damit beschäftigen oder nicht...« – Marcel Proust, Auf der Suche nach
der verlorenen Zeit. Deutsch von Eva Rechel-Mertens. Frankfurt 1976,
Band I, S. 9.

42 Ernst Jünger, Das abenteuerliche Herz. Figuren und Capriccios. Hamburg 1938, S. 7. – Im Folgenden wird aus der Erstausgabe zitiert. Zudem
wird auf Band 9 der 18bändigen Stuttgarter Ausgabe Sämtlicher Werke
verwiesen. Stuttgart 1979, S. 180.

43 Walter Benjamin hat zu einem politischen Leitmotiv seiner Arbeiten seit
den frühen dreißiger Jahren die Kritik an der Ästhetisierung der sozialen
Wirklichkeit erhoben und in der scheinbar rein künstlerischen Abstraktion von den Gegebenheiten des Politischen ein Charakteristikum des
Faschismus zu erkennen geglaubt. Der Vorwurf kann insofern nicht Jünger treffen, als dessen »Oberflächen«-Philosophie der Wahrnehmung
der Diktatur nicht ausweicht.

44 In der »Metamorphose der Pflanzen« spricht Goethe rückblickend von
einer Forderung, »die mir damals unter der sinnlichen Form einer über-
sinnlichen Urpflanze vorschwebte«: »Ich ging allen Gestalten, wie sie
mir vorkamen, in ihren Veränderungen nach, und so leuchtete mir am
letzten Ziel meiner Reise, in Sizilien, die ursprüngliche Identität aller

Pflanzenteile vollkommen ein, und ich suchte diese nunmehr überall zu verfolgen und wieder gewahr zu werden.« – Goethe, Sämtliche Werke, Briefe, Tagebücher und Gespräche. I. Abteilung: Sämtliche Werke, Band 24, Schriften zur Morphologie. Herausgegeben von Dorothea Kuhn. Frankfurt 1987, S. 748. – Mit der Darstellung der Epiphanie soll das platonische Pensum zwingend beglaubigt werden.

45 Dieser Befund entspräche einem Zentralthema von Michel Foucaults Werk »Surveiller et Punir«, in welchem es der Autor unternimmt, am Beispiel des Strafvollzugs die Entwicklung einer Verdrängung der Gewalt unter dem Mantel ihrer Humanisierung freizulegen. Deutsch: Michel Foucault, Überwachen und Strafen. Die Geburt des Gefängnisses. Frankfurt 1976.

46 Auf die Funktion eines ideologisch gefestigten Gewissens auch von untergeordneten Schergen der Diktatur zur Entlastung ihrer Handlungen hat überzeugend Hermann Lübbe in einem Essay hingewiesen: Politischer Moralismus. Der Triumph der Gesinnung über die Urteilskraft. Berlin 1987, S. 26ff.

47 Der letzte Ertrag wird in einer Rivarol-Übersetzung mit begleitendem Essay von 1956 bestehen.

48 Die Geschichte der Schiffbruch-Metapher mitsamt dem Umfeld an Verhaltensdispositionen, wie sie seit der Antike angeregt wurden, hat Hans Blumenberg aufbereitet: Schiffbruch mit Zuschauer. Paradigma einer Daseinsmetapher. Frankfurt 1979.

49 Anamnesis ist im Kern Wiederholung. Siehe dazu Anmerkung 40.

50 Dazu: Reinhart Koselleck, Vergangene Zukunft. Zur Semantik geschichtlicher Zeiten. Frankfurt 1979.

51 Dem Thema der visionären Enthüllung im Augenblick hat Günter Wohlfart eine Monographie gewidmet: Der Augenblick. Zeit und ästhetische Erfahrung bei Kant, Hegel, Nietzsche und Heidegger mit einem Exkurs zu Proust. Freiburg i. Br. 1982.

52 Es gibt Bilder, die in der Luft liegen, um ähnliche wissenschaftliche oder literarische Absichten bekräftigend auszuweisen. Am 14. April 1938 teilt Walter Benjamin Gershom Scholem in einem Brief mit, welche Intentionen ihn bei der Arbeit an dem »Passagen-Werk« und näherhin bei dem begleitenden Baudelaire-Essay beschäftigen. »Ich will Baudelaire, wie er ins neunzehnte Jahrhundert eingebettet ist, zeigen, und der Anblick davon muß ebenso neu erscheinen, auch eine ebenso schwer definierbare Anziehung ausüben, wie der eines seit Jahrzehnten im Waldboden ruhenden Steins, dessen Abdruck, nachdem wir ihn mit mehr oder weniger Mühe von der Stelle gewälzt haben, überaus deutlich und unberührt vor uns liegt.« – Walter Benjamin, Gershom Scholem, Briefwechsel

1933–1940. Herausgegeben von Gershom Scholem. Frankfurt 1980, S. 262. – Bei Jünger wie bei Benjamin kommt hier alles auf die Überraschung und die Bannung des Augen-Blicks an.

53 Sigmund Freud, Kulturtheoretische Schriften. Frankfurt 1974, S. 571.

54 Dazu ausführlich: Karl Heinz Bohrer, Die Ästhetik des Schreckens. Die pessimistische Romantik und Ernst Jüngers Frühwerk. München 1978, S. 210 ff.

55 E.T.A. Hoffmann, Fantasie- und Nachtstücke. München 1960, S. 356.

56 a.a.O., S. 336.

57 a.a.O., S. 356.

58 Das vierte, Leipzig überschriebene Stück des »Abenteuerlichen Herzens« in der ersten Fassung endet so: »Die Gestalt erhob sich ganz langsam und starrte mich an. Ihre Augen waren glühend und nahmen mit der Schärfe des Anstarrens an Umfang zu, was ihnen etwas grauenhaft Drohendes verlieh. In dem Augenblick, in dem ihre Größe und ihr roter Glanz unerträglich wurden, zersprangen sie und rieselten in Funken herab. Es war, als ob glühende Kohlenbrocken einen Rost durchglitten. Nur die schwarzen, ausgebrannten Augenhöhlen blieben zurück, gleichsam das absolute Nichts, das sich hinter dem letzten Schleier des Grauens verbirgt.« (AH I, 13/9, 37). Das Stück ist auch in die zweite Version wieder aufgenommen worden.

59 E.T.A. Hoffmann, Die Serapions-Brüder. München 1963, S. 330.

60 a.a.O., S. 343.

61 E.T.A. Hoffmann, Fantasie- und Nachtstücke, München 1960, S. 346. – Hoffmanns an keine Außenwelt gebundene Projektionen der Einbildungskraft hat mit Deutlichkeit Peter von Matt nachgewiesen: Die Augen der Automaten. E.T.A. Hoffmanns Imaginationslehre als Prinzip seiner Erzählkunst. Tübingen 1971.

62 Marie Bonaparte, Edgar Poe. Eine psychoanalytische Studie. Mit einem Vorwort von Sigmund Freud und einem Nachwort von Oskar Sahlberg. Frankfurt 1981.

63 E.T.A. Hoffmann, Späte Werke. München 1965, S. 597.

V.
Der Zeit widerstehen:
Erzählung und Tagebuch

1 Dazu: Hans R. Klieneberger, The ›Innere Emigration‹: a disputed issue in twentieth-century German literature. In: Monatshefte für deutschen Unterricht. Heft 1, S. 271 ff., Wisconsin 1965.

2 Noch am 7. September 1945 machte Thomas Mann in einem Brief an Walter von Molo geltend, daß der Nationalsozialismus anders verlaufen wäre, wenn die deutschen Intellektuellen von Anfang an sich geschlossen gegen ihn gestellt hätten. Er selbst schwieg auch drei Jahre. »Zuweilen empörte ich mich gegen die Vorteile, derer Ihr genosset. Ich sah darin eine Verleugnung der Solidarität. Wenn damals die deutsche Intelligenz, alles, was Namen und Weltnamen hatte, Ärzte, Musiker, Lehrer, Schriftsteller, Künstler, sich wie ein Mann gegen die Schande erhoben, den Generalstreik erklärt, manches hätte anders kommen können, als es kam.« Thomas Mann, Briefe II (1937–1947). Frankfurt 1979, S. 440 ff.

3 Erika Mann, Briefe und Antworten 1922–1950. München 1988, S. 84.

4 a.a.O., S. 88.

5 Eduard Korrodi, Deutsche Literatur im Emigrantenspiegel. In: Neue Zürcher Zeitung, Nr. 143 vom 26.1.1936.

6 Thomas Mann, Briefe 1, 1889–1936. Herausgegeben von Erika Mann. Frankfurt 1979, S. 415.

7 Erika Mann, a.a.O., S. 90.

8 Gottfried Benn, Ausgewählte Briefe. Wiesbaden 1957, S. 14.

9 Limes-Lesebuch, II. Folge. Wiesbaden 1958, S. 45.

10 Gottfried Benn, Gesammelte Werke in vier Bänden. Herausgegeben von Dieter Wellershoff. Wiesbaden 1958 ff. Band I, S. 99.

11 Thomas Mann, Gesammelte Werke in dreizehn Bänden. Frankfurt 1974, Band XI, S. 137.

12 Zitiert in: Benn-Chronik. Daten zu Leben und Werk. Zusammengestellt von Hanspeter Brode. München 1978, S. 90.

13 Im »Journal 1952/1953« berichtet Döblin über die Rolle Benns während der Akademie-Sitzungen, die zum Eklat und zum Rücktritt Heinrich Manns führten. Auch merkt er an, es sei schwierig gewesen, Benn als Mitglied aufzunehmen, »weil er urologisch dichtete, zugleich kosmisch und prähistorisch, jedenfalls hochgebildet und weithin unverständlich«. Alfred Döblin, Autobiographische Schriften und letzte Aufzeichnungen. Olten 1977, S. 477.

14 Gottfried Benn, Gesammelte Werke, a.a.O., Band 4, S. 239 ff.

15 Wolf Lepenies, Die Moral der Form und die Verführung der Macht. Gottfried Benn in den Dreißiger Jahren. Unveröffent. Vortrag, Badenweiler 1988.

16 Gottfried Benn, Briefe. Zürich 1960, S. 7 f.

17 Gottfried Benn, Das Hauptwerk. Herausgegeben von Marguerite Schlüter. Band 2, München 1969, S. 65.

18 a.a.O., S. 68.

19 a.a.O., S. 70.

20 a.a.O., S. 72.

21 a.a.O., S. 130ff.

22 a.a.O., S. 136.

23 Gottfried Benn, Briefe an F.W. Oelze. Herausgegeben von Harald Steinhagen und Jürgen Schröder. Erster Band, 1922–1945. München 1977, S. 41f.

24 Am 24. Mai 1935 schrieb Benn an Oelze, daß ihm Jünger »kein ganz klares Problem« sei.»... ich finde bei ihm enorm viel inneren Kitsch u. was er als ›Angriff‹ gesehn haben möchte, ist mehr Vorwölbung u. Blähung bei ihm als Front. Daher mir eine Jugend, die ihn aufs Schild erhebt, an sich fraglich erscheint.« a.a.O., S. 51f. – In dem Briefwechsel mit Oelze sollte erst im September 1947 wieder die Rede auf Jünger kommen, anläßlich seiner Schrift »Sprache und Körperbau«.

25 Im Januar 1941 rezensierte Max Frischknecht das Buch in der »Neuen Zürcher Zeitung«. Wie schon Swift habe der Verfasser »aus einer lebendigen Not« seine Erzählung allegorisiert, »weil eine Sache nämlich anders, als so chiffriert und maskiert, gar nicht gesagt werden kann«. Max Frischknecht, »Auf den Marmorklippen«. Zu dem neuen Buche von Ernst Jünger. In: Neue Zürcher Zeitung, Nr. 36 und 39 vom 8./ 9.1.1941. Im selben Blatt notierte Hans Keller unter dem Titel »Beim Wiederlesen von Jüngers ›Marmor-Klippen‹« am 1. November 1942 (Nr. 1946), unverkennbar sei »der Bezug auf die Gegenwart in der Schilderung der Mechanik des Schreckens«.

26 Ernst Jünger, Auf den Marmor-Klippen. Hamburg 1939, S. 29. – Im Folgenden wird aus der Erstausgabe zitiert; gleichzeitig wird auf die 18bändige Gesamtausgabe verwiesen. Stuttgart 1978, Band 15, S. 265.

27 Das Bild bleibt die knappste »Definition« des Nihilismus. Jünger zieht die Nietzsche entlehnte Metapher von der Wüste der diskursiven Bestimmung des Phänomens vor und wiederholt sie später oft in seinen Schriften.

28 Schon in den beiden Fassungen des »Abenteuerlichen Herzens« wählte Jünger für viele seiner »Träume« Zeit und Staffage des Mittelalters, der damals noch als »dark ages« angesehenen Epoche, deren symbolbildende Vorprägungen nach den deutschen Romantikern vor allem Poe, Baudelaire, Rimbaud, Lautréamont und Huysmans für die »apokalyptische« Eingrenzung des 19. Jahrhunderts nutzten.

29 Zu den zentralen Motiven bei Poe wie bei E.T.A. Hoffmann gehört das Schicksal jener Helden, die über ihre »Entelechie« bei gleichzeitiger Projektion auf einen anderen so lange unaufgeklärt bleiben, bis es für die Rettung zu spät ist. Das Ich erzeugt Außenwelten, bis um so heftiger diese ins Innere der Einbildungskraft zurückstürzen.

30 Es gibt für den Orden der Mauretanier eine reale Vorgabe, an die Jünger bei der Namengebung möglicherweise anknüpfte. Nach 1050 war Mauretanien das Ausgangsgebiet der islamischen Reform-Bruderschaft der Almoraviden. Zeitgeschichtlich steht die Chiffre für die nationalrevolutionären Gruppierungen während der Weimarer Republik.

31 Hermann Broch wollte sich rückblickend davon nicht beeindrucken lassen. Obwohl es Jünger nie an Mut gefehlt habe und die Verbreitung der »Marmor-Klippen« damals eine »Heldentat« gewesen sei, schwinge »sublimierter Nazismus« mit. Hermann Broch, Kommentierte Werkausgabe. Herausgegeben von Paul Michael Lützeler. Briefe 3, Frankfurt 1986, S. 123 f.

32 Diesen Vorgang der Erinnerung und die ästhetische Notwendigkeit seiner genauen Gestaltung hat am schärfsten Proust erfaßt. Im Finale der »Recherche du temps perdu« verweigert der Epiker jener Literatur, die sich damit zufriedengebe, »de ›décrire les choses‹«, jede Berechtigung. Marcel Proust, A la recherche du temps perdu. Tome septième: le temps retrouvé. Paris 1932, S. 32 f.

33 Er ist insofern der Adept von Nietzsches »Zarathustra«-Lehre. – Man muß hier an einen Brief von Hermann Broch an Hans Sahl vom 12. März 1944 erinnern. Unter dem Eindruck der Selbstzerstörung Europas schrieb der prophetische Schriftsteller der »Schlafwandler«-Trilogie, die Entwicklung der Menschheit stehe unter einem »Trotzdem«. »Jede technische Entwicklung... hat... die Humanität erschwert, aber mit jeder Erschwerung wird sie... aus innern wie äußern Gründen notwendiger. Jede Humanitätserschwerung äußert sich in zunehmend grauslicheren Rückfällen, jeder Rückfall wird mit zunehmender Humanität beantwortet... Dieses Wechselspiel wird wahrscheinlich so lange währen, so lange die Menschheit besteht, doch es ist natürlich möglich, daß während eines Barbareirückfalles die Sache definitiv schief geht.« Der ethisch bekennende Geschichtsphilosoph wollte daran nicht denken. »Mit dieser Möglichkeit haben wir uns jedoch nicht zu befassen; am verbotensten aber ist es, sie als Notwendigkeit zu betrachten: das Resultat ist Spenglerei, zynische Literaten-Jüngerei (Ernst Jünger – jüngelhaftes Geernstel) und schließlich Hitlerismus.« Hermann Broch, a.a.O., Briefe 2, S. 382. – Nach dem Abwurf der ersten Atombombe am 6. August 1945 auf Hiroshima sah Broch freilich nur noch eine »von der Technik zur Barbarei und Sadismus verdammte Welt«. a.a.O., Briefe 3, S. 16.

34 Georg Simmel, Philosophische Kultur. Gesammelte Essais. Berlin 1983, S. 13 ff.

35 Der Sinnlosigkeitsverdacht, dessen Voraussetzung noch immer einen »Sinn« statuieren muß, war ein Hauptmotiv des »Abenteuerlichen Her-

zens« und – auf bedrängendere Weise – des »Arbeiters« gewesen. In den »Marmor-Klippen« scheint er definitiv »überwunden«.

36 Thomas Manns Irritation ist bezeugt in einem Brief an Agnes E. Meyer vom 14. Februar 1945. Die »Marmor-Klippen« seien »das Renommier-buch der 12 Jahre und sein Autor zweifellos ein begabter Mann, der ein viel zu gutes Deutsch schrieb für Hitler-Deutschland. Er ist aber ein Weg-bereiter und eiskalter Genüßling des Barbarismus und hat noch jetzt, unter der Besetzung, offen erklärt, es sei lächerlich, zu glauben, daß sein Buch mit irgendwelcher Kritik am nationalsozialistischen Regime etwas zu tun habe. Das ist mir lieber, als das humanistische Schwanzwedeln und die gefälschten Leidens-Tagebücher gewisser Renegaten und Op-portunisten. Aber eine Hoffnung für die ›deutsche Demokratie‹ stellt Ernst Jünger auch nicht gerade dar«. – Thomas Mann, Briefe II, 1937–1947. Herausgegeben von Erika Mann. Frankfurt 1961–1965, S. 464. – Aus der Distanz von drei Jahrzehnten bestätigte Jünger schließlich in den siebziger Jahren gegenüber Dolf Sternberger, die Publikation der Erzählung sei ein »Ritt über den Bodensee« gewesen.

37 Am 16. Juni 1956, drei Wochen vor seinem Tod, schrieb Gottfried Benn aus Schlangenbad die letzte Postkarte an F.W. Oelze und nahm, wohl nicht ohne Skepsis, die Höhen-Metapher als Mittel einer Beruhigung, deren »literarischen« Gebrauch er Jünger bis zuletzt nicht gegönnt hatte. »Herrn Oelze, Jene Stunde… wird keine Schrecken haben, seien Sie beruhigt, wir werden nicht fallen wir werden steigen – Ihr B.« Gottfried Benn, a.a.O., dritter Band, S. 267.

38 Deshalb bezeichnete Siegfried Giedion sein Werk »Die Herrschaft der Mechanisierung« im Untertitel mit »Ein Beitrag zur anonymen Geschichte«. Diese hat kein »Subjekt« mehr.

39 In der achtzehnten und letzten These spricht Benjamin von der Gegen-wart als von der »Jetztzeit, die als Modell der messianischen in einer ungeheueren Abbreviatur die Geschichte der Menschheit zusammen-faßt«. Eben diese Zuspitzung auf den »Begriff einer Gegenwart, die nicht Übergang ist sondern in der die Zeit einsteht und zum Stillstand gekommen ist« (These 16), im »Abenteuerlichen Herzen« unter die Signatur »Erwachen und Tapferkeit« gestellt, ist nun für Jünger nicht mehr dringlich. – Walter Benjamin, Über den Begriff der Geschichte. Gesammelte Schriften, Band I, 2. Frankfurt 1974, S. 702f.

40 Ernst Jünger, Gärten und Straßen. Berlin, 1942, S. 78f. Im Folgenden wird aus der Erstausgabe zitiert. Gleichzeitig wird auf die Stuttgarter Aus-gabe Sämtlicher Werke verwiesen, Band 2, Stuttgart 1979, S. 94.

41 Im August 1944 reist Jünger von Paris ab, seit September, nach der Ent-lassung aus dem Militärdienst, befindet er sich wieder in Kirchhorst.

42 Ernst Jünger, Strahlungen. Tübingen 1949. Der Band endet mit einem Notat vom 11. April 1945. Das folgende Tagebuch, Die Hütte im Weinberg. Jahre der Okkupation, erscheint erstmals 1958, als eigenständige Schrift, unter dem Titel »Jahre der Okkupation«. Es beginnt am gleichen Tag: dem 11. April 1945. Jünger beendet es am 2. Dezember 1948.

43 Unter dem Datum des 5. Januar 1836 gibt sich Hebbel Rechenschaft über das Unternehmen des Tagebuchs, das er seit dem 23. März 1835 führt. Die größte Pflicht des Menschen, der schreibe, sei es, Materialien zu seiner Biographie zu liefern. Wichtig sei es, die eigenen Irrtümer daraus entnehmen zu können. »Darum werde ich von jetzt an dieses Buch zu einem Barometer bestimmen für den jetzigen Jahreszeitenwechsel meiner Seele und zugleich zuweilen den Blick rückwärts kehren, ob ich hie und da einen geistigen Wendepunkt entdecken kann.« – Friedrich Hebbel, Tagebücher 1835–1843. München 1966/67, S. 30.

44 Die Literarisierung von Piranesi hebt Ende des 18. Jahrhunderts an, in England mit Horace Walpole, später mit Coleridge und De Quincey. Sie greift über auf die französische Romantik und findet ihre eindringlichste Fassung bei Gautier, Hugo und Baudelaire. Dazu: Luzius Keller, Piranèse et les Romantiques Français. Le mythe des escaliers en spirale. Paris, 1966. – Der Untertitel von Kellers Schrift bezeichnet genau das Motiv der Faszination: die endlose Spirale der Treppe als Symbol einer unbeherrschbar gewordenen Welt.

45 Friedrich Georg Jünger, Die Perfektion der Technik. Hamburg 1939.

46 Carl Schmitt, Der Leviathan in der Staatslehre des Thomas Hobbes. Sinn und Fehlschlag eines politischen Symbols. Hamburg 1938. – Schmitts Einwand gegen Hobbes lautet, daß der Versuch einer Wiederherstellung einer »natürlichen« Volkseinheit mit dem »Leviathan« gescheitert sei. 1938 sah der von der Triade »Staat – Bewegung – Volk« überzeugte Staatsrechtler in der Vertragskonstruktion ein ebenso »künstliches« wie untaugliches Mittel der Identitätsstiftung.

47 Meryon hat die Zerstörung des alten Paris unter dem Druck von Haussmanns Umgestaltungen in ätzend vibrierenden Radierungen festgehalten. Als Visionär des Untergangs hat er auch die Bewunderung von Walter Benjamin in dessen »Passagen-Werk« gefunden.

48 Am 2. Juli 1936 schrieb Benn an F.W. Oelze: »Manchen Tag bin ich zoddelig wie ein Faun vor Cynismus u. Ironie gegen die angehäufte Ordnungswelt, Adrettheit, Korrektismus, sie erscheint mir locker u. abblasereif wie der Schaumkopf einer Butterblume.« – G. Benn, Briefe an F.W. Oelze, 1932–1945. Wiesbaden 1977, S. 131.

49 Nach dem Sündenfall ist die Schöpfung als Ganzes unlesbar geworden. »Die Schuld mag aber liegen, woran sie will, (außer oder in uns): wir

haben an der Natur nichts als Turbatverse und disiecti membra poetae zu unserm Gebrauch übrig. Diese zu sammeln ist des Gelehrten; sie auszulegen, des Philosophen; sie nachzuahmen – oder noch kühner! – sie in Geschick zu bringen des Poeten bescheidener Theil.« – Johann Georg Hamann, Sämtliche Werke, Band II. Historisch-kritische Ausgabe von Josef Nadler. Wien 1950, S. 198f.

50 Arthur Schopenhauer, Die Welt als Wille und Vorstellung I. Erster Teilband. Zürich 1977, S. 232.

51 a.a.O., S. 237.

52 Thomas Mann, Schopenhauer. In: ders., Leiden und Größe der Meister. Gesammelte Werke in Einzelbänden. Frankfurter Ausgabe. Frankfurt 1982.

53 Schopenhauer, a.a.O., S. 239.

54 a.a.O., S. 264.

55 Thomas Mann, a.a.O., S. 715.

56 a.a.O., S. 700. – Am entschiedensten hat Karl R. Popper die These von Hegels »totalitärer« Vorläuferschaft mit Rekurs bis auf Platon in seinem Werk »The Open Society and Its Enemies, II. The High Tide of Prophecy«, London 1945, verfolgt.

57 Mit Blick auf Schopenhauer spricht Thomas Mann von Mitleidserkenntnis. »Eines solchen Erkennenden Entschluß ist die Entsagung, die Resignation, die Gelassenheit.« – Thomas Mann, a.a.O., S. 691.

58 In einem Aphorismus vom Oktober 1846 schreibt der Schopenhauer-Verehrer Hebbel: »Der Schmerz ist der geheime Gruß / An dem die Seelen sich verstehn.« – Friedrich Hebbel, Tagebücher 1843–1847. München 1966/67, S. 231. Später taucht der Gedanke auf, daß das individuelle Lebensgefühl – »unser Bewußtsein« – ein Schmerzgefühl sein könnte; durch die organische »Differenz« entstünde Erkenntnis.

59 Dazu: Odo Marquard, Zur Geschichte des philosophischen Begriffs »Anthropologie« seit dem Ende des 18. Jahrhunderts. In: Collegium Philosophicum. Studien Joachim Ritter zum 60. Geburtstag. Basel 1965, S. 209ff.

60 Jean Cocteau hat sich in seinem Tagebuch, welches die Jahre 1951 und 1952 abdeckt, an eine Bemerkung von Jünger während der Besatzungszeit erinnert. Anfang Dezember 1952 notiert er: »Pendant l'Occupation, Jünger me disait: ›Si les journaux paraissaient sur un timbre-poste, il resterait encore assez de place pour vous injurier.‹« Jean Cocteau, Le Passé Défini, I. Journal 1951–1952. Paris 1983, S. 401.

61 Dazu: Hermann Lübbe, Geschichtsbegriff und Geschichtsinteresse. Analytik und Pragmatik der Historie. Basel 1977, S. 269ff.

62 Gemeint ist Jacob Burckhardts »Die Kultur der Renaissance in Italien«.

63 André Gide, Journal 1939–1949. Bibliothèque de la Pléiade, Paris 1984, S. 147. – Daselbst meldet Gide auch die Lektüre von »Routes et Jardins« (1. Dezember 1942).

64 In Kleists Text »Über das Marionettentheater« ist das Thema der Automatenwelt in ironischer Brechung erstmals als mögliches Verhängnis der Wirklichkeitsbeherrschung aus dem Geist des Konstruktivismus geschildert. Dort heißt es von den Gliederpuppen unter anderem, einer ihrer Vorteile sei, daß sie sich niemals zierten. Diesem unzimperlichen Einsatz war der Autor des »Arbeiters« auf der Spur gewesen, um später Kleists Allegorie mit dem Erschrecken dessen zu zitieren, der das moderne Laboratorium des Automatismus deutlicher als andere in seinen Folgen erkannte.

65 Der Begriff vom Weltbürgerkrieg ist von Carl Schmitt übernommen, der ihn seit den dreißiger Jahren zuerst untergründig, dann offener mit seiner These vom Ende des klassischen europäischen Völkerrechts verband.

66 Dazu: Carl Schmitt, Der Nomos der Erde im Völkerrecht des Jus Publicum Europaeum. Hamburg 1950, S. 292 ff.

67 Carl Schmitt, Das Zeitalter der Neutralisierungen und Entpolitisierungen. In: ders., Positionen und Begriffe im Kampf mit Weimar – Genf – Versailles. Hamburg 1940, S. 120 ff.

68 Die Schrift »Die Perfektion der Technik« von Friedrich Georg Jünger, im Frühling 1939 begonnen und im Sommer desselben Jahres beendet, konnte erst 1946 – unter diesem Titel – erscheinen.

69 Der Begriff des Katechon entstammt dem 2. Thessalonicherbrief (Kapitel 2, Vers 7) und wird in der Folge auf das Imperium Romanum angewendet, welches das apokalyptische Ende der Zeiten aufhalten sollte. Carl Schmitt entwickelte ihn auf seine Weise in der Schrift »Land und Meer – Eine weltgeschichtliche Betrachtung«, Leipzig 1942, S. 10.

70 Helmuth Plessner, Das Schicksal deutschen Geistes im Ausgang seiner bürgerlichen Epoche. Der Titel des Werks von 1935 wurde für die zweite Auflage von 1959 in den griffigeren, zum Schlagwort avancierten Titel »Die verspätete Nation« umgewandelt.

71 Schon 1912 beschrieb Walther Rathenau die Angleichung individuell gewachsener Nationalkulturen an die Physiognomie der technisch universalisierenden Moderne. »In ihrer Struktur und Mechanik sind alle größeren Städte der weißen Welt identisch. Im Mittelpunkt eines Spinnwebes von Schienen gelagert, schließen sie ihre versteinernden Straßenfäden über das Land. Sichtbare und unsichtbare Netze rollenden Verkehres durchziehen und unterwühlen die Schluchten und pumpen zweimal täglich Menschenkörper von den Gliedern zum Herzen. Ein zweites, drittes, viertes Netz verteilt Feuchtigkeit, Wärme und Kraft, ein elektri-

sches Nervensystem trägt die Schwingungen des Geistes.« – Walther Rathenau, Zur Kritik der Zeit, Berlin 1912, S. 15.

72 Das Widerstands-Motiv innerhalb der Biographie der vierziger Jahre bedürfte einer genauen Klärung vor dem Hintergrund sämtlicher zu Leben und Werk verfüg- und einsehbaren Dokumente.

73 Darauf läuft das von konservativer Seite vorgebrachte Plädoyer auch im so genannten Historikerstreit des Jahres 1986 hinaus. Siehe: »Historiker-Streit.« Die Dokumentation um die Einzigartigkeit der nationalsozialistischen Judenvernichtung. München, 1987.

74 Franz Kafka, Das Stadtwappen. In: ders., Beschreibung eines Kampfes. Novellen, Skizzen, Aphorismen aus dem Nachlaß. Herausgegeben von Max Brod. Frankfurt 1986, S. 70f. Der apokalyptische Schluß lautet: »Alles was in dieser Stadt an Sagen und Liedern entstanden ist, ist erfüllt von der Sehnsucht nach einem prophezeiten Tag, an welchem die Stadt von einer Riesenfaust in fünf kurz aufeinanderfolgenden Schlägen zerschmettert werden wird. Deshalb hat auch die Stadt die Faust im Wappen.«

75 Bemerkenswert mutet die stilistische Koinzidenz an, die zwischen Jüngers Notaten und dem langen Eintrag Hebbels vom 24. Oktober 1843 in sein Tagebuch besteht. Hebbel erreicht die Nachricht vom Tod seines Sohnes Max. »Mein Max, mein holdes, lächelndes Engelkind mit seinen tiefen blauen Augen, seinen süßen blonden Locken, ist tot. Sonntag, den 22sten, mittags um 1 Uhr erhielt ich die Nachricht.« – Friedrich Hebbel, Tagebücher 1843–1847. München 1966/67, S. 16.

76 Als »Einmalige Feldausgabe für die Soldaten im Bereich des Wehrmachtbefehlshabers in Norwegen« wurden 1943 die »Briefe aus Norwegen« unter dem Titel » Myrdun« veröffentlicht, die Jünger vom 6. Juli bis zum 26. August 1935 an den Bruder Friedrich Georg geschrieben hatte. 1948 publizierte der Zürcher Arche-Verlag eine zweite, 1949 der Heliopolis-Verlag Tübingen eine dritte Auflage.

77 Die philologisch-editorischen Probleme der Friedensschrift haben, so weit sie bis zu diesem Zeitpunkt überblickbar sind, Hans Peter Des Coudres und Horst Mühleisen in ihrer Bibliographie der Werke Ernst Jüngers, Stuttgart 1985, S. 42f., dargelegt. Seit 1944 zirkulierten hektographierte Vervielfältigungen. Einer Ausgabe von 1968 ist das Faksimile des Titelblatts des Manuskripts beigegeben, dem zu entnehmen ist, daß Jünger die Schrift schon im Winter 1941 konzipiert habe; die Niederschrift sei zwischen dem 27. Juli und dem 30. Oktober 1943 im Pariser Hotel »Majestic« erfolgt. – In der Stuttgarter Ausgabe Sämtlicher Werke findet sie sich in Band 7, 1980, S. 193ff.

78 Sie muß sich insofern den historischen Erfahrungen entgegenstellen,

die schon für die Republica Christiana den Frieden nicht als raum-
losen, normativistischen Allgemeinbegriff ausweisen, sondern stets als
Reichsfrieden, Landfrieden, Kirchenfrieden usw. konkret orten. Eher
entspricht ihr Spinozas Definition. »Frieden ist nicht die Abwesenheit
von Krieg, sondern eine Tugend, die aus Seelenstärke entspringt.«

79 Nach-Geschichte in dem Sinn, wie Arnold Gehlen den Begriff seit 1954
im Anschluß an Cournot in Umlauf gebracht hat. Sie ist identisch mit
Gehlens Wortverwendung von »posthistoire«.

80 »Der Mythos geht in die Aufklärung über und die Natur in bloße Objektivität. Die Menschen bezahlen die Vermehrung ihrer Macht mit der Entfremdung von dem, worüber sie Macht ausüben. Die Aufklärung verhält
sich zu den Dingen wie der Diktator zu den Menschen. Er kennt sie, insofern er sie manipulieren kann.« Max Horkheimer, Gesammelte Schriften. Band 5: »Dialektik der Aufklärung« und Schriften 1940–1950.
Frankfurt 1987, S. 31.

81 Julien Bendas »La Trahison des Clercs«, 1927 im Original erschienen,
lehrt, daß die Intellektuellen ihr Amt in dem Maß verraten hätten, wie sie
sich vor allem seit dem 19. Jahrhundert mit der praktischen Politik einlie-
ßen. »Das moderne Europa…, mit seinen gelehrten Autoritäten, die ihm
die Schönheit seiner realistischen Instinkte glaubhaft machen, tut Böses
und verehrt das Böse… Der Frieden, sollte es ihn jemals geben, wird
nicht auf Furcht vor dem Krieg sich gründen, sondern auf Friedensliebe.
Nicht die Unterlassung einer Tat verwirklicht ihn, sondern die Heraufkunft einer gewissen seelischen Haltung – eines Geisteszustandes, der
sich eventuell einstellt.«– Julien Benda, Der Verrat der Intellektuellen.
Aus dem Französischen von Arthur Merin. München 1978, S. 206f. – Im
Mai 1928 rezensierte Walter Benjamin Bendas Werk kritisch und nannte
den Versuch, den Literaten wieder der Klausur des utopischen Idealismus überantworten zu wollen, »eine streng reaktionäre Geistesverfas-
sung«.

82 Dazu: Carl Schmitt, Der Nomos der Erde im Völkerrecht des Jus Publicum Europaeum. Hamburg 1950, S. 187ff.

83 Gleichzeitig sucht Heidegger mit seinem Philosophieren die »Seinsvergessenheit« zu überwinden, was freilich meint: auch die Stadien des
metaphysischen »Vorstellens«. Das Mißverständnis Jüngers gegenüber
Heidegger wird sich in den fünfziger Jahren auf freundschaftliche Weise
verschärfen.

84 Diesen Eindruck hatten sowohl Thomas Mann wie Gottfried Benn.

85 Am härtesten urteilte in einem Brief an Waldemar Gurian vom 30.
November 1946 aus Princeton Hermann Broch: »…sublimierter Nazismus bleibt trotzdem Nazismus, und der heroische Friede, der da Jünger

vorschwebt – es ist eine Bezeichnung, die man ihm eigentlich zur Verfügung stellen müßte –, ist nichts anderes als eine Fortsetzung des Krieges
mit anderen Mitteln, in deren Kreis er gnädig auch religiösen Mitteln
Einlaß gewährt.« Hermann Broch, Kommentierte Werkausgabe. Band
13/3, Briefe 3 (1945–1951), S. 123f.

VI.
Weltgeschichtliche Betrachtung

1 »Jahre der Okkupation« erscheint erst 1958, als zweite Veröffentlichung
Jüngers im Verlag Ernst Klett, Stuttgart.
2 Die Schrift wird vom Zürcher Verlag Die Arche übernommen und 1948
publiziert.
3 Der junge Hebbel nennt die Sprache des genialen Kunstwerks ein
»Anagramm der Schöpfung«. Friedrich Hebbel, Tagebücher 1835–
1843. München 1966/67, S. 31.
4 Das dritte Kapitel der Abhandlung »Politische Theologie. Vier Kapitel
zur Lehre von der Souveränität« (1922), dessen Überschrift mit dem
Werktitel zusammenfällt, wird eingeleitet mit dem Satz: »Alle prägnan-
ten Begriffe der modernen Staatslehre sind säkularisierte theologische
Begriffe.«
5 Insofern das Seitenthema dem Ritus der Totenbestattung und dem daran
anknüpfenden »Bedürfnis« des Menschen nach einem bleibenden
Ruheort auf der Erde gilt. – Ernst Jünger, Aladins Problem, Stuttgart
1983.
6 »Alle Wissenschaften und Künste sind heute bekanntlich hochspeziali-
siert, z.T. fast personalisiert, es kommt vor, daß sie auf wenigen Augen
stehen... Wir leben in einer Zeit, in der das nicht zum Problem
Gemachte das Haltende wird, in der selbst die Wahrheit nicht mehr ganz
überzeugt...« Arnold Gehlen, Konsum und Kultur (1955). In: ders., Einblicke. Gesamtausgabe Band 7, Frankfurt 1978, S. 8ff. Dazu auch Gehlens Aufsatz »Die Säkularisierung des Fortschritts«, a.a.O., S. 403ff.
7 Diesen Prozeß der Hypothetisierung der Wahrheit hat wiederum Gehlen
zu einem Thema seiner Kulturanalysen seit den fünfziger Jahren
gemacht. – Dazu weiterführend: Robert Spaemann, Überzeugungen in
einer hypothetischen Zivilisation. Bemerkungen zu einem Gesellschafts-
problem der Gegenwart. In: Neue Zürcher Zeitung, Nr. 279, 1976.
8 Ernst Jünger, Jahre der Okkupation. Stuttgart 1958, S. 81. Im Folgenden
wird auch auf Band 3 der Gesamtausgabe, Stuttgart 1979, verwiesen;
S. 467. Seit der ersten Stuttgarter Ausgabe betitelt Jünger dieses Tage-

buch, biblisch beschwichtigend, mit »Die Hütte im Weinberg. Jahre der Okkupation«.

9 Man muß hier an das Einleitungsstück der ersten Fassung des »Abenteuerlichen Herzens«, 1929, erinnern, wo der Autor davon spricht, daß er das Gefühl habe, »als ob ein aufmerksam beobachtender Punkt aus exzentrischen Fernen« das menschliche Getriebe kontrollieren und mit einem »mokanten Lächeln« begleiten würde. (AH 1, 5/9, 31)

10 Das signalisiert zugleich die Abkehr vom »Dezisionismus« der politischen Frühschriften, übrigens in ähnlichem Maß, wie der »Erfinder« dieses Begriffs seit den vierziger Jahren von seiner Entscheidungslehre zugunsten des konkreten Ordnungsdenkens Abstand nimmt. Die Wege von Jünger und Carl Schmitt laufen insofern parallel.

11 J.G. Herder, Sämtliche Werke, hsg. von B. Suphan, 1877–1913. II, S. 170.

12 Georg Simmel, Fragmente und Aufsätze aus dem Nachlaß. Hamburg 1923, S. 6.

13 K. Rossmann (Hsg.), Deutsche Geschichtsphilosophie von Lessing bis Jaspers. 1959, S. 112.

14 F. Schlegel, Philosophische Vorlesungen (1800–1807), 2. Teil. In: Kritische Friedrich-Schlegel-Ausgabe. Hsg. von E. Behler, Band XIII, Paderborn 1964, S. 14 f.

15 Diese Beobachtung erweist sich der Nomos-Theorie von Carl Schmitt insofern als überlegen, als die technischen Forderungen der Tendenz nach das Politisch-Raummäßige überspielen können.

16 Das ist das heimliche Hauptthema von »Aladins Problem«: die Verführbarkeit des Menschen durch den Zugriff auf die Ressourcen der Natur.

17 Beispielhaft steht dafür die Erzählung von 1837/38, »The Narrative of Arthur Gordon Pym of Nantucket«.

18 B. Brecht, Arbeitsjournal 1942 bis 1955. Herausgegeben von Werner Hecht. Frankfurt 1974, S. 473. – Kritisch kommentiert Brecht die Forderung Einsteins, die Bombe dürfe nicht an Rußland ausgeliefert werden.

19 a.a.O., S. 475. – Das Selbstzitat im Anschluß an eine Lesung des Prologs durch Charles Laughton.

20 Carl Schmitt, Das Zeitalter der Neutralisierungen und Entpolitisierungen. In: ders., Positionen und Begriffe im Kampf mit Weimar – Genf – Versailles 1923–1939. Hamburg 1940, S. 120 ff.

21 1960 erscheint der Essay »Der Weltstaat. Organismus und Organisation«.

22 Heinrich von Kleist, Sämtliche Werke und Briefe in vier Bänden. Herausgegeben von Helmut Sembdner. Band III, München 1982, S. 341.

23 a.a.O., S. 342. – Bemerkenswert ist, wie Hebbel in seinem Tagebuch

ebenfalls den Gedanken von der gestörten Balance – ein »dramaturgi-
sches« Motiv par excellence – aufnimmt, um eine seiner zahlreichen
»Schmerz«-Analysen voranzutreiben. Im April 1845 notiert er in Rom:
»Wenn in uns das Einzelgefühl des Teils das Gemein-Gefühl des Organismus überragt, entsteht Schmerz. Könnten wir nicht in diesem Sinne
Schmerzen Gottes sein?« – F. Hebbel, Tagebücher 1843–1847. München 1966/67, S. 188.

24 Heinrich von Kleist, a.a.O., S. 345.

25 Darauf hat mit Nachdruck Jean Starobinski in einem klärenden Essay,
»Porträt des Künstlers als Gaukler«, Frankfurt 1985, hingewiesen.

26 Die Begeisterung des schuldlos mit Anschauung Beschenkten teilt sich
schon in jenen »Phantasien eines Realisten« mit, welche der gelernte
Maschineningenieur Josef Popper-Lynkeus in das fin de siècle von Wien
hinein veröffentlichte. Ein Sechstel seiner Geschichten sind aufgezeich-
nete Träume. Die Schlüsselstelle des Stücks »Träumen wie Wachen«, das
Freud davon überzeugte, einen Gesinnungsverwandten in Sachen
Traumdeutung gefunden zu haben, bietet die genaue Passung für Jüngers Theorie der zugefallenen Wahrheiten. »Mein Denken und mein
Träumen sind Zweige eines Stammes und stützen einander in der artig-
sten Weise. Ich bin Eins, ungeteilt…« Josef Popper-Lynkeus, Phantasien
eines Realisten. Leipzig 1986, S. 277.

27 Unausgesprochen spielt hier die ästhetische Biographie von Kubin und
dessen Roman »Die andere Seite« mit. Kubin hielte sich, nach Jüngers
Unterscheidung, im Grenzbereich zwischen Vergangenheit und Gegenwart auf.

28 Zwischen Novalis' christlich gestreiftem Pantheismus und Hoffmanns
Autonomie der ästhetischen Imagination klafft der Riß im platonischen
Weltbild der Romantik. Dazu: Peter von Matt, Die Augen der Automaten. E.T.A. Hoffmanns Imaginationslehre als Prinzip seiner Erzählkunst. Tübingen 1971.

29 Eine »natürliche Disziplin«, so schreibt Valéry, verbinde in Deutschland
die Einzelhandlung mit jener des ganzen Landes, so daß daraus gegen-
seitige Stärkung resultiere. Paul Valéry, Œuvres I, Bibliothèque de la
Pléiade, Paris 1980, S. 973.

30 »… une méthode bien faite réduit beaucoup les efforts d'invention. Elle
permet aux recherches de s'ajouter… En Allemagne…, les procédés si
justes sont plus facile à appliquer que dans tout autre pays.« a.a.O., S. 984 f.

31 1923/24 war Jünger Landesführer Sachsen des Freikorps Rossbach, das
Gerhard Rossbach nach dem Ersten Weltkrieg als national-konservative
militärische Organisation für den Kampf gegen die Kommunisten wie
auch letztlich gegen die Republik von Weimar aufgebaut hatte.

32 In der Gesamtausgabe ergänzt Jünger: »Bestimmt hätte er Unheil gebracht.« (3, 614)

33 Dazu: Joseph Bendersky, Carl Schmitt. Theorist for the Reich. Princeton 1983, S. 219 ff.

34 Noch 1932 konnten die Nationalsozialisten nicht damit rechnen, die »Machtübernahme« in naher Zukunft durchzusetzen. Jüngers »Arbeiter« konnte ihnen verdächtig vorkommen, weil die Vision vom Weltimperium vom Unmittelbaren durchaus absah: von der Anerkennung der »Bewegung« im innenpolitischen Kampf um die Herrschaft.

35 »Komfort« ist ein wiederkehrender und wiederkehrend ambivalenter Begriff innerhalb von Jüngers Werk. Er meint einerseits den Zustand einer schmerzlos gewordenen Wirklichkeit, die der Arbeit und ihrer Vereinnahmungen nicht mehr bedarf; anderseits signalisiert er schon in den frühen Schriften, dann auch in den zivilisationskritischen späten Essays die trügerische Utopie vom Glück durch den technischen Automatismus.

36 Hans Freyer, Die politische Insel. Eine Geschichte der Utopien von Platon bis zur Gegenwart. Leipzig 1936, S. 131.

37 J.G. Fichte, Einige Vorlesungen über die Bestimmung des Gelehrten. In: Werke, hsg. von Fritz Medicus, Band I. Leipzig 1908, S. 227.

38 Novalis, Schriften. Hsg. von Paul Kluckhohn und Richard Samuel. Dritter Band. Stuttgart 1960, S. 524.

39 a.a.O., S. 421.

40 a.a.O., Erster Band, S. 140. »Mit den Menschen ändert die Welt sich.«

41 Dazu polemisch: Carl Schmitt, Politische Romantik. München 1919, S. 109 ff. Schmitt hebt die »occasionalistische Struktur« des romantischen Denkens hervor.

42 Novalis, a.a.O., Dritter Band, S. 435.

43 a.a.O., S. 677.

44 Der Chiliasmus ist schon voll entwickelt in Joachim von Fiores »Ewigem Evangelium«. Vgl. dazu: Lucien Goldmann, Der verborgene Gott. Studien über die tragische Weltanschauung in den »Pensées« Pascals und im Theater Racines. Frankfurt 1985, S. 69 ff.

45 Ernst Jünger, Heliopolis. Rückblick auf eine Stadt. Tübingen 1949. – Sämtliche Werke, Band 16, Stuttgart 1980.

46 Jünger wird den Ich-Erzähler in »Eumeswil« wie auch in »Aladins Problem« wieder favorisieren.

47 Die Typisierung der Figuren, ein Charakteristikum aller erzählenden Schriften Jüngers, erreicht mit »Heliopolis« die Höhe der Abstraktion gegenüber aller »realistischen« Individualität.

48 Schon die Romantik entdeckt die »Kinderseite der Geschichte« als

Latenz, die als Status der Unschuld in die Realität der Utopie einzuholen wäre: das Gute soll absolut werden.

49 Die Parallele zu Hauffs Märchen vom Kalten Herzen ist unübersehbar. Die Befreiung vom »moralischen Gesetz« als Bedingung der Möglichkeit, sich analytisch und zugleich wie ein Schlafwandler der materiellen Welt zu bemächtigen, endet in einem Automatismus, der auf Dauer nicht zu ertragen ist.

50 Eine »Hommage« an den Salinenassessor Novalis.

51 Eine Kurzparaphrase von Novalis' »Evangelium der Zukunft«: Mythologie ist die Lehre von der Transformation des – lebensweltlich längst entschwundenen – Mythos in die Utopie der Geschichte, »wie sie seyn soll«.

52 Vgl. Strahlungen 118/2, 329. – Eine deutsche Übersetzung von James Rileys Erinnerungen erschien schon 1818: James Rileys Befehlshabers und Supercargos des Americanischen Kauffahrtheischiffs Commerce Schicksale und Reisen an der Westküste und im Innern von Africa in den Jahren 1815 und 1816. Von ihm selbst beschrieben; nebst Nachrichten von Tombuctoo und der, bisher unentdeckten, großen Stadt Wassanah. Aus dem Englischen. Jena 1818.

53 Foelix ist die Parallelfigur zum Pater Lampros der »Marmor-Klippen«: der Repräsentant der für Jünger seit den späten dreißiger Jahren zunehmend bedeutungsvolleren christlichen Weltsicht.

54 »... Boethius verlegt den freien Willen in die Zeit, die Fügung aber in die Ewigkeit. Da wir in *beiden* leben, so schalten wir in unseren Taten in voller Freiheit, und dennoch sind sie zugleich in jeder Einzelheit vorherbestimmt.« (Gä, 94/2, 109)

55 Das Bestattungs-Motiv indiziert seit den Tagebüchern zum Ersten Weltkrieg eine Beunruhigung. Die unbestatteten Toten auf den Schlachtfeldern lassen darauf schließen, daß der Status der Kultur – nach der Definition, die ihr Vico gegeben hat – gefährdet ist; ein bösartiger Naturzustand kehrt wieder. Jünger verfolgt die Idee der »ewigen Ruhe« mit merkwürdiger Hartnäckigkeit bis in die späte Erzählung »Aladins Problem«, in der die Hauptperson ein Bestattungsunternehmer ist. – Am 28. September 1945 notiert er im Tagebuch: »Die Beziehung humanitas – humare verrät Vicos genialen Blick. Alle Kulturen, die diesen Namen verdienen, beruhen auf Gräberdienst... Der Verlust wird jetzt wieder spürbar, wo man die Gräber entbehrt.«

56 Vgl. dazu den »Proteus«-Traum, der im Tagebuch unter dem Datum des 12. April 1948 notiert ist.

57 Eine apokalyptische Fassung hatte Kubin mit seinem auch für Jünger folgenreichen Roman »Die andere Seite« vorgelegt. Patera, der »sterbliche Gott«, scheitert, sein Reich zerfällt. Und doch will es die Geschichte, daß

eine heimliche Korrespondenz zwischen der »Vorsehung« und dem Untergang von Perle besteht – der Stadt, die in ihrem architektonischen Eklektizismus Heliopolis antizipiert.

58 Hier verbindet Jünger Visionen von Novalis mit Fichtes handgreiflicherer Idee vom »geschlossenen Handelsstaat«. Dazu: Hans Freyer, a.a.O., S. 137 ff.

59 Vgl. Strahlungen 118/2, 329.

60 Ergänzend schreibt Jünger in der revidierten Fassung: »Die Edelsteinmine ist die Ewige Stadt, die Johannes in der Offenbarung beschreibt; sie ist das Ziel, das den Weg belohnt.« (2, 428) Eine säkularisierte Apokalyptik, als Sinnzuschuß appliziert auf die Lebenszeit.

61 Jünger wird das Thema novellistisch in der Erzählung »Besuch auf Godenholm« (1952) und autobiographisch in dem Buch »Annäherungen. Drogen und Rausch« (1970) aufgreifen.

62 Es ist wohl doch mehr als Zufall, daß »Logbuch« auch die Bezeichnung ist, die Valéry über das letzte Kapitel seines »Monsieur Teste« setzte. Es geht – wie dem Valéry-Kenner Jünger nicht entgangen sein kann – um nichts anderes als um die Notate, in welchen der Protagonist seine Bemühungen um eine Erfahrung der Transzendenz und der höheren Ordnung von Wirklichkeit festlegt.

63 Die dualistische Glaubenslehre des Zoroaster beschäftigt nicht nur den Verfasser von »Heliopolis«. Hinweise finden sich etwa in dem »Sanduhrbuch«. Dem Gnostiker bietet sich die Theorie der Differenz vor dem Hintergrund seiner Urbild-Abbild-Philosophie an.

64 E.A. Poe, Das gesamte Werk in zehn Bänden. Hsg. von Hans Dieter Müller. Olten 1976, Band 4, S. 735.

65 Die Begegnungen im »Spiegel« gehören bei E.T.A. Hoffmann wie bei Poe zu den modernen Deutungen des Grauens, die nicht mehr die Objektivität einer gefährlichen Außenwelt voraussetzen müssen. Darin vollzieht die Romantik eine »kopernikanische« Wende zum Ich. – Ausführlich dazu die große Abhandlung von Mario Praz, Liebe, Tod und Teufel. Die schwarze Romantik. München 1988.

66 Die Formel, die Schopenhauer in »Die Welt als Wille und Vorstellung« als kürzeste Wahrheit der Selbstbegegnung alles Seienden zitiert, fungiert bei Jünger in doppelter Bedeutung. »Das bist du!« meint einerseits, daß der Mensch immer wieder gezwungen wird, auch seine »Nachtseite« wahrzunehmen; anderseits erinnert sie an das »Ecce homo« und legt die Philosophie des Mitleids nahe. – Darüber ausführlich im folgenden Kapitel.

67 Gehlens späte kulturkritische Schriften zeigen den Versuch, die Legitimität des Fortschritts als obsolet zu deklarieren. Die Freiheit des Indivi-

duums schwindet im Prozeß der wissenschaftlich-technischen Beschleunigungen.

68 Ernst Jünger, Der gordische Knoten. Frankfurt 1953, S. 20. – Sämtliche Werke, Band 7, 387.

69 Den Gegensatz zwischen einem absoluten Cäsarismus und einer politisch »gehegten« Diktatur hat mit Blick auf die europäische Geschichte Carl Schmitt herausgearbeitet. – Carl Schmitt, Die Diktatur. Von den Anfängen des modernen Souveränitätsgedankens bis zum proletarischen Klassenkampf. Berlin 1928.

70 »Die Naturgeschichte zeigt uns einen angstvollen Kampf ums Dasein, und dieser nämliche Kampf erstreckt sich bis weit in Völkerleben und Geschichte hinein.« – Jacob Burckhardt, Weltgeschichtliche Betrachtungen. München 1978, S. 188.

71 Der Theoretiker einer »planetarischen« Zukunft übersieht dabei, daß die äußersten Mittel der militärischen Technik die Hemmungen gegenüber Großraum-Interventionen gerade fördern. Die Atombombe trägt zur Renaissance des Partisanenkriegs bei.

72 Mit der Herausbildung der Technik sei der Mensch »sozusagen eine Art Prothesengott geworden«, notiert Freud, um gleichzeitig darauf hinzuweisen, daß die technische Leistung wie die – undurchschaute – Erfüllung von Märchenwünschen anmute. – Sigmund Freud, Kulturtheoretische Schriften, Frankfurt 1986, S. 222.

73 Walter F. Otto, Die Götter Griechenlands. Das Bild des Göttlichen im Spiegel des griechischen Geistes. Frankfurt 1987, S. 9.

74 a.a.O., S. 77.

75 Theodor Däubler, Das Nordlicht. München 1910.

76 Carl Schmitt, Theodor Däublers »Nordlicht«. Drei Studien über die Elemente, den Geist und die Aktualität des Werkes. München 1916.

77 a.a.O., S. 57.

78 a.a.O., S. 40.

79 a.a.O., S. 60. – Dem politischen Theologen Schmitt ist diese apokalyptische Finalisierung der Geschichte eine der Grundwahrheiten von Däublers Epos.

80 Die künstlerische »Vorlage« ist bei Bosch und Breughel zu finden – bei Malern, die spätestens seit dem »Abenteuerlichen Herzen« ihren festen Platz in Jüngers ikonologischem Repertoire haben.

81 Ernst Jünger, Sämtliche Werke, Band 5. Stuttgart 1982, S. 266.

VII.
Das Bild vom Menschen

1 Arnold Gehlen, Der Mensch. Seine Natur und seine Stellung in der Welt. Wiesbaden 1986, S. 38. – Gehlens Hauptwerk erschien zuerst 1940.

2 Im Sachregister von »Der Mensch« fehlen die Stichworte ›Krieg‹, ›Tod‹ und ›Töten‹ bezeichnenderweise, und auch im Text selbst sind sie keine anthropologischen Distinktionen. Darüber hinaus lehnt Gehlen im dritten Teil die von ihm so genannten Trieblehren als Theorien einer gelungenen Charakterisierung des Menschen ausdrücklich ab. In der Regel artikulierten sich die menschlichen Bedürfnisse »nicht in ›triebhafter‹ Weise…, sondern in irgendwie geordneten und ›eingefaßten‹«. a.a.O., S. 331.

3 Mit Blick auf die Griechen und ihre Welt hat Walter Burkert eine anthropologische Grundbestimmung im Komplex des Jagd-Opfer-Toten-Rituals erkannt. Zur »archaischen Psyche« des Menschen gehört der Akt des Tötens. Walter Burkert, Homo Necans. Interpretationen altgriechischer Opferriten und Mythen. Berlin 1972.

4 Friedrich Nietzsche, Sämtliche Werke. Kritische Studienausgabe, Band 5. München 1980, S. 81.

5 Roger Caillois, Der Mensch und das Heilige. München 1988, S. 230. – Die französische Originalausgabe erschien 1950 unter dem Titel »L'homme et le sacré«.

6 Diese totalisierende Hoffnung nährte – mit deutlich anderen politischen Optionen – auch Walter Benjamin, wenn er in seinem »Passagen-Werk« die träumende Welt des bürgerlichen 19. Jahrhunderts zu decouvrieren trachtete. Im Anschluß an Vorstellungen von Fourier wird der Revolution das »Aufknacken der Naturteleologie« zugemutet. – Walter Benjamin, Das Passagen-Werk. Gesammelte Schriften, Band V, 2. Frankfurt 1982, S. 777.

7 Für die Weimarer Republik lieferte auf dem Gebiet der Staatswissenschaften nicht Carl Schmitt, sondern Rudolf Smend eine ausdrückliche Integrationslehre. 1928 legte er sein Werk »Verfassung und Verfassungsrecht« vor, dessen geistiger Urvater der »preußische« Hegel ist und dessen zeitgeschichtlich attraktives Vorbild trotz einigen Einwänden das Italien Mussolinis sein sollte.

8 Arnold Gehlen, a.a.O., S. 51. Gehlen zitiert hier zustimmend Hobbes, der in »De homine« (A, 3) davon spricht, daß den Menschen »schon der künftige Hunger hungrig macht«.

9 Friedrich Nietzsche, Werke IV. Hsg. Karl Schlechta. München 1969, S. 338.

10 Friedrich Hebbel, Tagebücher 1835–1843. München 1984, S. 46.

11 a.a.O., S. 473; Tagebücher 1843–1847, München 1984, S. 66.

12 Tagebücher 1835–1843, S. 511.

13 Tagebücher 1843–1847, S. 62.

14 Insofern ist der Essay vom »Arbeiter« nichts anderes als eine polemisch formulierte und nationalpolitisch geprägte Integrationslehre. Siehe Anmerkung 7.

15 AH II, 124/9, 260. – Stendhal erwähnt die Désinvolture als *disinvoltura*. Sie zeichne die jungen Leute der Mailänder Gesellschaft aus, die »ernst und schweigsam, aber nicht traurig« seien, und bedeute das Gegenteil von Unüberlegtheit. – Henri Beyle-de Stendhal, Reise in Italien. Berlin 1922, S. 74.

16 Ernst Jünger, Sämtliche Werke. Stuttgarter Ausgabe. Band 6, Reisetagebücher. Stuttgart 1982, S. 68.

17 Das biblische Ungeheuer erfährt hier die »Säkularisierung« der Metapher. Der Staat ist es nun, mit welchem »keine Macht auf Erden« verglichen werden kann. Statt des Fisches schmückt ein gewaltiger Mensch, zusammengesetzt aus vielen kleinen Menschen, das Frontispiz. Er hält ein Schwert und einen Bischofsstab, die Insignien der weltlichen und der geistlichen Macht, schützend über eine Stadt. Schon hier die integrierende, »organische« Konstruktion.

18 Carl Schmitt, Römischer Katholizismus und politische Form. München 1925. – Schon in dieser Schrift versuchte der Jurist eine Kritik des ökonomischen Denkens und dessen liberaler Philosophie vor dem Hintergrund des Primats der politischen Institution. Zu Hobbes äußerte sich Schmitt eingehend in dem Buch von 1938 »Der Leviathan in der Staatslehre des Thomas Hobbes. Sinn und Fehlschlag eines politischen Symbols«.

19 »Man könnte alle Staatstheorien und politischen Ideen auf ihre Anthropologie prüfen und danach einteilen, ob sie bewußt oder unbewußt, einen ›von Natur bösen‹ oder ›von Natur guten‹ Menschen voraussetzen.« Carl Schmitt, Der Begriff des Politischen. Text von 1932 mit einem Vorwort und drei Corollarien. Hamburg 1963, S. 59.

20 Weiter heißt es, weil der Nihilist eine Beziehung zur Ordnung habe, sei er auch schwer zu durchschauen, also besser getarnt. (Stra, 469/3, 213)

21 Dieser Genealogie hat nicht grundlos in seinem Aufsatz »Eine Art Einzige« Oswald Wiener widersprochen. Der Nihilist gehe, vom Standpunkt des Erlebenden aus, einer Konvention auf den Leim, »da er sich schematischen, konsensfähigen, erklärungen verschreibt«. Dagegen sei die Haltung des Dandy viel zwiespältiger; »für das einmal verstandene in einem zweiten anlauf beseelende gründe zu finden sieht er kein motiv, man ist

nicht systematisch.« Zwar habe der Dandy eingesehen, daß seine Ergrif-
fenheiten internen Gesetzmäßigkeiten folgten und ihm dennoch vorge-
zwungen sind. Er »entdeckt die mechanik immer größerer teile dessen,
was er für seine freiheit gehalten hat, bis hin zum apparat der verzweiflung. wo bin ich?« Aber deshalb sucht er das Identische seiner Person um
so entschiedener in der Verweigerung gegenüber den Schematismen:
Das bist nicht du. – Oswald Wiener, Eine Art Einzige. In: Verena von der
Heyden-Rynsch (Hsg.), Riten der Selbstauflösung. München 1982,
S. 36 f. – Als nihilistisch ließe sich diese Absatzbewegung mindestens
insofern verstehen, als für die Selbsterhaltung des Dandy die Negation
ethischer Verbindlichkeiten zwingend ist: der Dissens wird ästhetisch
absolut und hinterläßt deshalb ein moralisches Vakuum. Für Jünger
kommt es hier natürlich gerade darauf an, nicht den Verdacht zu nähren,
der »Anarch« sei ein Zwilling des Dandy.

22 Max Stirner, Der Einzige und sein Eigentum. Leipzig o. J.

23 a.a.O., S. 414.

24 Darauf hat nachdrücklich Karl Löwith aufmerksam gemacht. »Mit seinem einzigen ›Ich‹ glaubte sich Stirner über jede gesellschaftliche
Bestimmtheit, die proletarische wie die bürgerliche, erhaben... Kierkegaard begegnet sich mit Stirner als Antipode von Marx: er reduziert wie
jener die ganze soziale Welt auf sein ›Selbst‹.« Karl Löwith, Von Hegel zu
Nietzsche. Der revolutionäre Bruch im Denken des 19. Jahrhunderts.
Frankfurt 1969, S. 270 f.

25 Im dritten Band der Abteilung »Essays« der Stuttgarter Ausgabe folgen
den beiden Fassungen des »Abenteuerlichen Herzens« die Notizen von
»Sgraffiti« unmittelbar.

26 Ernst Jünger, Sgraffiti. Stuttgart 1960.

27 Die Metapher darf nicht nur im Sinne einer geistigen Distanz verstanden
werden. Sie meint zugleich die Placierung derer, die sich als Kritiker der
Aufklärung gesehen haben. Zu ihnen gehören, gemäß Jüngers literarischer Topologie, Hamann, Baudelaire, Rimbaud, aber auch etwa der
Radierer Meryon.

28 Ernst Jünger, Der Waldgang. Frankfurt 1951, S. 27 f. – Sämtliche Werke,
Band 7, S. 297.

29 Leo Strauss, Naturrecht und Geschichte. Stuttgart 1956, S. 306 f.

30 Seine Huxley-Lektüre kommentierend, notiert Jünger unter dem Datum
des 4. September 1943 in das zweite Pariser Tagebuch: »Der Rhythmus
der Maschine ist rasend, aber es fehlt ihr an Periodizität. Ihre Schwingungen sind unzählig, aber gleichmäßig, vibrierend, ohne Unterschied.
Die Maschine ist ein Symbol, das Ökonomische an ihr ist Augentrug – sie
ist eine Art von Gebetsmühle.« (Stra, 399/3, 140) Gemeinsam ist Huxley

und Jünger die Bewunderung für einen Künstler, dessen Visionen beide Autoren als Antizipationen eines Zeitalters der Angst verstehen; in Bezug auf die Folge der »Carceri«-Blätter von Piranesi hat Huxley von »states of the soul« gesprochen.

31 Der Zeitgeist wird hier als ein »gewaltiger Abbruchunternehmer« bezeichnet. Das Epitheton wird nicht ausgewiesen; an anderer Stelle aber erwähnt Jünger, daß *Léon Bloy* stets eine Visitenkarte mit dem Titel »Abbruchunternehmer« mitgeführt habe.

32 Der Nomos-Begriff ist wohl von Carl Schmitt inspiriert. Die Theorie besagt, daß die konkrete politische Ordnung unter dem Druck einer ubiquitär herrschenden Technik sich zusehends auflöst. Schmitt hat sie in dieser Deutlichkeit freilich niemals vorgebracht.

33 Wieder wäre an Piranesi, mehr noch an Kubin und seinen »Angststrich« zu erinnern. Das »Aktuelle« an Jüngers Befund ist insofern anachronistisch, als sich der Schriftsteller kaum je näher mit der zeitgenössischen Kunst der Nachkriegsära beschäftigt.

34 Schon Montaigne hat – wohl nicht ohne Blick auf Pascals Wort »Vous êtes embarqué« – vom allgemeinen Schiffbruch der Welt (»cet universel nauffrage du monde«) gesprochen und moralistische Hinweise darauf gegeben, wie man sich gleichwohl als Zuschauer verhalten könne. – Dazu: Hans Blumenberg, Schiffbruch mit Zuschauer. Paradigma einer Daseinsmetapher. Frankfurt 1979, S. 18.

35 In der Gesamtausgabe ist hinzugefügt: »Sie war den Gnostikern bekannt, den Einsiedlern der Wüste, den Vätern und wahren Theologen seit Anbeginn.« (7, 329)

36 Diese Reduktion auf die »Grunderfahrung« scheint als Populärfassung den Bestimmungen zu entsprechen, die Heidegger vom Entwurf eines »eigentlichen Seins zum Tode« gegeben hat. Sie verfehlt aber die Intention des Philosophen, weil Jünger die Angst durch die Furcht substituiert. Für den Empiriker der großen Kriegserlebnisse ist es die Furcht, die in wechselnden Gestalten an ihn herantritt. Für den Existentialontologen genügt schon die »Gestimmtheit«: »Die Befindlichkeit..., welche die ständige und schlechthinnige, aus dem eigensten vereinzelten Sein des Daseins aufsteigende Bedrohung seiner selbst offen zu halten vermag, ist die Angst. In ihr befindet sich das Dasein vor dem Nichts der möglichen Unmöglichkeit seiner Existenz.« – Martin Heidegger, Sein und Zeit. Tübingen 1976, S. 265 ff.

37 Das Thema der Linien-Querung war 1950, ein Jahr vor der Veröffentlichung des »Waldgangs«, zu einer selbständigen Publikation ausgebaut worden, nachdem Jünger eine Urfassung in die Festschrift zu Heideggers 60. Geburtstag hatte einrücken lassen. – Ernst Jünger, Über die Linie. Frankfurt 1950.

38 1963 legte Carl Schmitt als »Zwischenbemerkung zum Begriff des Politischen« eine »Theorie des Partisanen« vor. Diese Figur mußte Schmitt faszinieren, seit er das Thema der Auflösung des alten europäischen Völkerrechts genauer erforschte. Der Partisan durchbricht die Regeln des gehegten Kriegs, indem er als Zivilperson mit kriegerischen Absichten auftritt. In einer Fußnote (26) ist auf Jüngers »Waldgang«-Essay ausdrücklich verwiesen. – Übrigens hat in einer Diskussionsbemerkung Helmut Spinner zu einem Referat von Julien Freund ergänzend geäußert, daß einer Theorie des militärischen Schocks diejenige eines ästhetischen Schocks geistesverwandt sei. Der Partisanenkrieg sei die Fortsetzung des ästhetischen Schocks mit anderen Mitteln. Er komme auf nach dem Bankrott der idées générales des abendländischen Rationalismus und sei gedanklich von einer Partisanen- zu einer Intellektuellentheorie zu erweitern. Das aber führte genau in die Richtung von Jüngers Diagnosen. – Complexio Oppositorum. Über Carl Schmitt. Vorträge und Diskussionsbeiträge des 28. Sonderseminars 1986 der Hochschule für Verwaltungswissenschaften Speyer. Herausgegeben von Helmut Quaritsch. Berlin 1988, S. 387–399.

39 Unüberbietbar lakonisch dazu die berühmte Maxime von Vauvenargues »Große Gedanken entspringen dem Herzen.« Und ergänzend: »Die Vernunft begreift nicht die Ideen des Herzens.« – Die französischen Moralisten. Herausgegeben und übersetzt von Fritz Schalk. Band 1, München 1973, S. 116.

40 Zum modernen Verbrechen gehört die Großstadt als »Tatort« spezifisch moderner, das heißt dynamischer und anonymisierter Verhältnisse. Vor Dostojewskij hat freilich schon Thomas De Quincey darüber berichtet, und zwar in dem Traktat »On Murder Considered as one of the Fine Arts« (1827–1854). Eine Nachschrift von 1854 schildert sehr genau die Morde, die ein gewisser Williams im Londoner Osten begangen hatte.

41 Die französische Literatur des Existentialismus ist Jünger wohlvertraut, als er den »Waldgang«-Essay konzipiert. Für eine ganze Generation von Autoren, denen der Sinnlosigkeitsverdacht zum Vorwurf gegenüber allen Formen gesellschaftlicher Normierung wurde, hat Albert Camus paradigmatisch in seinem »Etranger« das Wechselverhältnis von *ennui* und Revolte dargestellt. Darauf hat auch Sartre in seiner Schrift »Qu'est-ce que la littérature« von 1947 hingewiesen und von einer Literatur »extremer Situationen« gesprochen. »Auf jeder Seite, auf jeder Zeile ist es immer der ganze Mensch, der in Frage steht.« Jean-Paul Sartre, Was ist Literatur? Reinbek bei Hamburg, 1981, S. 172.

42 Der Waldgänger tritt zeitgeschichtlich als Typus deutlicher in dem Maß
   hervor, wie etwa der Unbekannte Soldat in den Hintergrund rückt. Die
   Ursache sieht Jünger in einem Verlust an Ethos und »Soldatischem«.
   Den Übergang markiere die Epoche der Zwischenkriegszeit; der Zweite
   Weltkrieg zeichne sich dann nicht nur als Weltbürgerkrieg aus, sondern
   auch durch die markante Entwicklung auf die Automatismen hin.

43 Jeremia, 4, 29.

44 Hosea, 2, 14.

45 Immanuel Kant, Gesammelte Schriften. Hsg. von der kgl. preußischen
   Akademie der Wissenschaften. Berlin 1900 ff., Band X, S. 369.

46 H. Jäger, Politische Metaphorik im Jakobinismus und im Vormärz. 1971,
   S. 34 ff.

47 Darauf hat auch Robert Spaemann aufmerksam gemacht. Robert Spaemann, Rousseau – Bürger ohne Vaterland. Von der Polis zur Natur. München 1980, S. 28.

48 Diese Lesart gab schon die Action française – auch mit bindender Wirkung für den deutschen Konservativismus – aus. Am schärfsten urteilte
   Charles Maurras über den egalitären Romantiker. – Robert Spaemann,
   a.a.O., S. 15 ff.

49 Max Horkheimer, Gesammelte Schriften Band 5. Frankfurt 1987,
   S. 113 f.

50 a.a.O., S. 118.

51 Max Horkheimer, Gesammelte Schriften, Band 12, Frankfurt 1985,
   S. 269. – Ähnlich argumentiert Hermann Broch: »Rebell und Verbrecher,
   sie beide bringen ihre Ordnung, ihre eigenen Wertgebilde an das Bestehende heran – während der Rebell das Bestehende unterjochen will,
   sucht der Verbrecher sich ihm einzufügen.« – Hermann Broch, Die
   Schlafwandler. Kommentierte Werkausgabe Band 1. Frankfurt 1978,
   S. 465.

52 Wolf Lepenies, Autoren und Wissenschafter im 18. Jahrhundert. Buffon,
   Linné, Winckelmann, Georg Forster, Erasmus Darwin. München 1988,
   S. 39 ff.

53 Georges Bataille, Die Literatur und das Böse. München 1987, S. 127.

54 Charles Baudelaire, Mon cœur mis à nu. »Etre un homme utile m'a paru
   toujours quelque chose de bien hideux.« – Œuvres complètes, Band I.
   Bibliothèque de la Pléiade. Paris 1975, S. 679.

55 Zum Verhältnis von moderner Großstadt und modernem Verbrechertum
   notiert De Quincey im Zusammenhang mit den Williams-Morden zu
   London im Winter 1812: »Coleridge, den ich einige Monate nach diesen
   schrecklichen Ereignissen sprach, erzählte mir, daß er von der alles
   beherrschenden Panik nicht ergriffen worden wäre, obwohl er sich

damals gerade in London aufhielt. Als Philosophen gaben ihm die Vorgänge Anlaß zu tiefgründigen Betrachtungen über die ungeheure Macht, die ein Mensch in Händen hält, wenn er Furcht und Gewissenszwang abgeworfen hat.« – Thomas De Quincey, Der Mord als schöne Kunst betrachtet. Frankfurt 1971, S. 107. – Eine ausführliche Monographie zum Thema der Aufklärungsarchitektur und zu den Subversionen, die sie freisetzt, stammt von Anthony Vidler, The Writing of the Walls, Princeton 1988. Die Perspektive weist von den Utopien Ledoux' und Boullées bis zu den Metaphernspielen von Fourier und Sade. – Jünger meldet den Erhalt einer De Quincey-Ausgabe am 8. September 1942 in den »Strahlungen« (Stra, 160/2, 373).

56 Ernst Jünger, Rivarol. Frankfurt 1956. – Sämtliche Werke, Band 14. Stuttgart 1978.

57 Sie ist insofern »dezisionistische« Reduktion von Komplexität. »Moralistik, die uns an elementare Lebenszwecke und Lebensführungsregeln erinnert, ist in jeder Hochkultur ein Bestandteil literarischer und philosophischer Überlieferung, und selbstverständlich kann keine Rede davon sein, daß in der modernen Zivilisation solche Moralistik entbehrlich würde. Insoweit ist eher das Gegenteil richtig.« Hermann Lübbe, Politischer Moralismus. Der Triumph der Gesinnung über die Urteilskraft. Berlin 1987, S. 87.

58 Barbey d'Aurevilly, Vom Dandytum und von G. Brummell. Ins Deutsche übertragen und eingeleitet von Richard von Schaukal. Nördlingen 1987.

59 »So ist es eine der Konsequenzen des Dandytums, einer seiner wesentlichen Charakterzüge – besser: sein hervorragendster Charakter –, immer das Unerwartete hervorzubringen, das, was der an das Joch der Regeln gewöhnte Geist vernünftigerweise nicht erwarten kann.« a.a.O., S. 50. Der ästhetische Schock sucht die moderne Verlorenheit zu überspringen, ohne eigene Substanz.

60 Notat vom 13. Februar 1940.

61 Ausführlich dazu: Robert Spaemann, Praktische Gewißheit. Descartes' provisorische Moral. In: ders., Zur Kritik der politischen Utopie. Zehn Kapitel politischer Philosophie. Stuttgart 1977, S. 41 ff. – Weiterführend vor allem im Hinblick auf den Dezisionismus auch: Hermann Lübbe, Zur Theorie der Entscheidung. In: ders., Theorie und Entscheidung. Studien zum Primat der praktischen Vernunft. Freiburg 1971, S. 7 ff.

62 Aber Jüngers Künstler entscheidet nicht; er findet vor. Darauf beruht die platonische Voraussetzung, die dem Kern nach als anti-modern bezeichnet werden könnte. Der Platonismus läßt den ästhetischen Schock nicht zu. Deshalb hat Jünger die »Philosophie« des Dandy höchstens in der Frühzeit als persönliche Herausforderung erfahren.

63 Das Fragment 206 von Pascals »Pensées« lautet: »Das ewige Schweigen dieser unendlichen Räume erschreckt mich.« – Eindringlich hat Lucien Goldmann Pascals tragische Weltsicht vor dem Hintergrund des anhebenden Rationalismus herausgearbeitet. Lucien Goldmann, Der verborgene Gott. Studien über die tragische Weltanschauung in den »Pensées« von Pascal und im Theater Racines. Frankfurt 1985. – Die Originalausgabe erschien 1955 unter dem Titel »Le dieu caché«.

64 Friedrich Nietzsche, Sämtliche Werke. Kritische Studienausgabe, Band 5. München 1980, S. 124.

65 a.a.O., Band 2, S. 57 ff.

66 a.a.O., Band 8, S. 418.

67 a.a.O., S. 459. – »La Rochefoucauld und die Christen fanden den Anblick des Menschen *häßlich*: dies ist aber ein moralisches Urtheil und ein anderes kannte man nicht.« a.a.O., Band 9, S. 295.

68 a.a.O., Band 10, S. 67.

69 a.a.O., S. 86.

70 Im Hauptwerk sind zahlreiche Maximen von La Rochefoucauld zitiert. Auf dem Vorsatzblatt seines Exemplars der »Maximen und Reflexionen« schreibt Schopenhauer von dem »unübertrefflichen Buch«; man müsse die Besonnenheit des Geists bewundern, »welche... so kalt u. objektiv Reflexionen anstellen ließ«. – Arthur Schopenhauer, Der handschriftliche Nachlaß in fünf Bänden. Hsg. von Arthur Hübscher. Band 5, München 1985, S. 445.

71 Arthur Schopenhauer, Die Welt als Wille und Vorstellung I. Erster Teilband. Zürich 1977, S. 279 ff. – In einer Anmerkung zitiert der Philosoph aus Jakob Böhmes »De signatura rerum«: »Ein jedes Ding hat seinen Mund zur Offenbarung. – Und das ist die Natursprache, darin jedes Ding aus seiner Eigenschaft redet und sich immer selber offenbart und darstellt. – Denn ein jedes Ding offenbart seine Mutter, die die Essenz und der Willen zur Gestaltniss also gibt.« – Jünger paraphrasiert diesen Gedanken schon in der ersten Fassung des »Abenteuerlichen Herzens«: »...noch das kleinste, entfernteste Ding ist von jenem mystischen Leben erfüllt, von dem wir selbst ein Teilchen sind. Das Erlebnis, durch das Jakob Böhme beim Anblick eines zinnernen Gefäßes plötzlich die ganze Liebe Gottes empfand, ist keineswegs außergewöhnlicher Natur...« (AH, 1, 8 f./9, 35)

72 a.a.O., S. 280.

73 a.a.O., S. 295. – Es gibt eine bemerkenswerte Gedankenlinie von der platonisierenden Weltanschauung Schopenhauers zu dem Biologen und Lebensphilosophen Hans Driesch, einem der wenigen akademischen Lehrer von Jünger. Arnold Gehlen hat sie, ohne Hinweis auf Jünger, in

seiner Dissertation »Zur Theorie der Setzung und des setzungshaften Wissens bei Driesch« 1927 freigelegt. In Schopenhauers System finde sich auch der Punkt, in dem die Subjekt-Objekt-Korrelation für aufgehoben erklärt und Identität von Beschauer und Weltgrund verkündet werde. Darauf zitiert Gehlen einen daraus »abgeleiteten« Satz von Driesch. »Mein reines Wissen-Schauen befreit mich von dem Haben von Affekten, ja, wie schon *Spinoza* wußte, mein reines Wissen-Schauen der Affekte befreit mich ganz besonders von ihnen. Ich ›will‹ diese Befreiung und will daher dieses reine Schauen.« – Arnold Gehlen, Gesamtausgabe. Philosophische Schriften I (1925–1933). Frankfurt 1978, S. 82 f.

74 Repräsentativ für viele weitere Stellen eine Einlassung in »Sgraffiti« unter dem Titel »Universalien«: Im Garten dachte ich … über ein System des Monanthropismus nach. Es müßte davon ausgehen, daß es nur *einen* Menschen gibt. Die Mannigfaltigkeit der Völker, Geschlechter und Individuen ist Facettierung, ist sekundär. Von überall erschallt dem Liebenden die Antwort: ›Das bist du‹.« (Sg, 89/9, 397)

75 Ernst Jünger, Gläserne Bienen. Stuttgart 1957, S. 30 f. – Sämtliche Werke, Band 15, 442.

76 Typisch etwa die Beschreibung in der Erzählung »Landschaft mit Haus« aus den »Phantastischen Fahrten«, wo von der Gartenanlage berichtet wird, daß sie »ein Stück ›Komposition‹« sei und der Mann, der sie eingerichtet, als Künstler, »und zwar einer mit dem geschulten Blick für Formen«, angesehen werden müsse. – E. A. Poe, Das gesamte Werk in zehn Bänden. Hsg. von Kuno Schumann und Hans Dieter Müller. Band 4. Olten 1976, S. 651.

77 Der dramaturgische Trick ruft für die nachfolgenden Ereignisse die alte Devise »Erwachen und Tapferkeit« in Erinnerung.

78 Die Akzeleration der Zeit innerhalb des technischen Raumes ist die – theoretisch noch nicht auf den Punkt gebrachte – Erfahrung schon des Frontsoldaten im Ersten Weltkrieg. Die frühen Tagebücher lassen die Beunruhigung über die Spaltung in »organische« und »technische« Lebenszeit spüren: jene gehört, wenn auch nur hypothetisch, dem naturalen Rhythmus zu, diese ist der geschichtlichen Weltzeit ausgeliefert.

79 Der nationalrevolutionär gestimmte Zeitgenosse der zwanziger Jahre erlebt den Kontrast als Unbehagen am Widerstand, den die bürgerliche Kultur gegen die Neue Zeit aufbietet. Noch sieht sich Jünger damals als Parteigänger der »totalen Mobilmachung«.

80 Darin offenbarte sich die positive Seite von Jüngers zuhöchst ambivalentem »Komfort«-Begriff. Vgl. auch Anmerkung 35 des Kapitels VI.

81 Ein handfesteres »Eingangs«-Emblem ist schon in den »Marmor-Klippen« beschrieben, da der Ich-Erzähler und sein Bruder erstmals die Fol-

terstätte der Schinderhütte erblicken. »Über dem dunklen Tore war im Giebel-Felde ein Schädel festgenagelt, der dort im fahlen Lichte die Zähne bleckte und mit Grinsen zum Eintritt aufzufordern schien.« (MK, 91/15, 309) – Schädel und Ohr: Metonymien für den geschundenen Menschen.

82 Eine anthropologische Fundierung dieser Reduktion hat unter Bezugnahme auf Nietzsche Arnold Gehlen versucht. Der Intellekt bekommt nur eine Auswahl von Erlebnissen vorgelegt, in Nietzsches Worten »lauter vereinfachte, übersichtlich und faßlich gemachte, also gefälschte Erlebnisse«. – Arnold Gehlen, Der Mensch. Seine Natur und seine Stellung in der Welt. Wiesbaden 1986, S. 322. – Die literarisch endgültige Darstellung des Vorgangs, da die Ergänzung zu Bewußtsein kommt und allmählich Gestalt gewinnt, hat Proust geleistet; im Nachbild erhält der zuvor verdrängte Augenblick Dauer. Vgl. dazu: Henri Bergson, Zeit und Freiheit. Eine Abhandlung über die unmittelbaren Bewußtseinstatsachen. Jena 1911, S. 102 ff.

83 Die Technik der Rahmen-Erzählung, genauer: der als solche deklarierten Rückschau, deren Funktion eine Entzeitlichung der Begebenheiten ist, findet sich bei Jünger schon in den »Afrikanischen Spielen« (1936), dann in den »Marmor-Klippen« und in »Heliopolis«.

84 Sämtliche Werke, Band 6. Stuttgart 1982, S. 384.

85 Es ist die Symbolfigur der Chimäre, die hier – in metonymischer Verdichtung und zoologisch leicht modifiziert – zitiert wird. Am 29. April 1941 notiert Jünger in Paris: »Notre-Dame, ihre Dämonen betrachtet, die tierischer sind als die von Laon. Diese Imagos starren so wissend auf die Dächer der Weltstadt und doch zugleich auf Reiche, deren Kenntnis versunken ist. Die Kenntnis freilich, aber auch die Existenz?« (Stra, 31 f./2, 236) – Der Radierer Charles Meryon hat mit seinem Blatt »Le Stryge« (1853) die Szene bereits »beschrieben«. Jünger war das Blatt bekannt. Am 10. Mai 1943 (Paris) nennt er Meryon »den großen Zeichner und Schilderer der Stadt«. (Stra, 328/3, 68)

86 Ein Vorgang innerhalb des Herrschaftsprozesses der Mechanisierung. Das Schlüsselerlebnis für den Soldaten des Ersten Weltkriegs war die Begegnung von Langemarck zwischen dem Bajonett und dem Maschinengewehr.

87 Hier treffen sich die Tag- und Nachtseite des von Jünger immer wieder beschworenen »Komfort«-Charakters der Moderne.

88 In der Gesamtausgabe ist ergänzt: »Aber wir können uns die Zeit nicht aussuchen.« (15, 479) – Die Sturz-Szene ist vorgeprägt als Gedankenspiel in dem kurzen Text »Die Schicksalszeit« von 1927 (Zeitschrift »Arminius«, Nr. 1, S. 5 bis 7).

89 Ihn könnte auch die Devise »Erwachen und Tapferkeit« nicht mehr aufheben. Das »Kontinuum der Geschichte« aufzusprengen, wovon Walter Benjamin in seinen späten geschichtsphilosophischen Thesen ausging, wäre unmöglich.

90 »Schmerz« ist hier die Metapher des Universalhistorikers für das Unverfügbare, dem weder eine »organische« noch eine historistische Konstruktion beikommen kann.

91 René Descartes, Die Prinzipien der Philosophie. Übersetzt von A. Buchenau. Leipzig 1922, S. 236.

92 R. Specht, Commercium mentis et corporis. Über Kausalvorstellungen im Cartesianismus. Stuttgart 1966, S. 7ff.

93 Die Formel stammt von Lewis Mumford, Mythos der Maschine. Kultur, Technik und Macht. Frankfurt 1977, S. 43f.

94 Julien Offray de La Mettrie, Der Mensch eine Maschine. Leipzig 1909, S. 57f.

95 M. Foucault, Überwachen und Strafen. Die Geburt des Gefängnisses. Frankfurt 1977, S. 174.

96 Dazu: Alex Sutter, Göttliche Maschinen. Die Automaten für Lebendiges. Frankfurt 1988, S. 145ff.

97 Ernst Jünger, Sämtliche Werke, Band 12. Stuttgart 1979, S. 171f.

VIII.

Sein als Zeit

1 Thomas Mann, Joseph und seine Brüder, II. Frankfurter Ausgabe. Herausgegeben von Peter de Mendelssohn. Nachwort von Albert von Schirnding. Frankfurt 1983, S. 295.

2 Eine essayistische Fassung dieses Plädoyers gibt der am 16. Mai 1929 in München gehaltene Vortrag über »Die Stellung Freuds in der modernen Geistesgeschichte«. Freuds Lehre sei »der Mystik entkleidete, Naturwissenschaft gewordene Romantik«. Ihr Forschungsinteresse gelte »der Nacht, dem Traum, dem Triebe, dem Vorvernünftigen«; aber sie sei »weit entfernt, sich durch dies Interesse zur Dichterin des verdunkelnden, schwärmenden, zurückbildenden Geistes machen zu lassen«. Thomas Mann, Leiden und Größe der Meister. Frankfurter Ausgabe. Herausgegeben und mit Nachbemerkungen versehen von Peter de Mendelssohn. Frankfurt 1982, S. 902ff.

3 Ernst Jünger, 15/501.

4 Robert Musil hat das Wort in seinem »Mann ohne Eigenschaften« verwendet; es soll dort die verschiedenen Vorbereitungen für das Regie-

668

rungsjubiläum der Doppelmonarchie bezeichnen. In Wahrheit verweist es auch auf den Prozeß des Erzählens, den Musil mit ähnlichen »Verschiebungen« vorantreibt wie Proust. Prousts »Recherche« ist die beinah idealtypische Vorgabe für die Synthetisierung differenter Zeit-Folgen.

5 Dieser Gefahr ist etwa Poe dadurch entgangen, daß er seine Phantastik mit der Psychologie verwob, mehr noch: sie manchmal völlig in ihr aufgehen ließ. Anders Jules Verne, dessen technische Welten leblos und starr anmuten.

6 Ernst Jünger, Über die Linie. Frankfurt 1950. – Sämtliche Werke, Band 7, Stuttgart 1980.

7 Dazu: Otto Pöggeler, Heideggers politisches Selbstverständnis. In: Heidegger und die praktische Philosophie. Herausgegeben von Annemarie Gethmann-Siefert und Otto Pöggeler. Frankfurt 1988, S. 21.

8 Jünger denkt hier an die Figur des Raskolnikow in »Schuld und Sühne«: an den wahnhaft von seiner Macht träumenden Proto-Nihilisten, der am Ende die christliche Konversion erfährt.

9 Daß hier die »Arbeiter«-Philosophie der »organischen Konstruktion« gleichsam rückwirkend an der Realität ausgewiesen wird, verdeutlicht indirekt den Zweifel ihres Erfinders, ob es denn je solche Menschen gegeben haben kann.

10 Die Beobachtung macht schon Friedrich Georg Jünger in seiner 1939 verfaßten und 1946 erschienenen Schrift »Die Perfektion der Technik«; deren formalisierte und universalisierte »Sprache« sorgt für die zunehmende Angleichung der Lebensordnungen an einen »Weltstil«.

11 In Hebbels Tagebüchern findet sich ein in Kopenhagen niedergeschriebenes, aber in die Wiener Aufzeichnungen von 1846 eingerücktes Notat über den Brand von Hamburg, das bereits das Thema dieser »Abtragung« behandelt. »Das Überwältigende, was die Sinne nicht bloß erfüllte, sondern sie zerriß, schien neue Organe im menschlichen Geist zu erschließen...« – Friedrich Hebbel, Tagebücher 1843–1847. München 1984, S. 206f.

12 »Die Totale Mobilmachung ist in ein Stadium eingetreten, das an Bedrohlichkeit noch das vergangene übertrifft. Der Deutsche freilich ist nicht mehr ihr Subjekt, und damit wächst die Gefahr, daß er als ihr Objekt begriffen wird.« (UeLi, 36/7, 271)

13 Das ist auch die Lehre, welche Heidegger in der Schrift »Der Ursprung des Kunstwerkes« (1935/36) entwickelt. »Die Kunst ist Geschichte in dem wesentlichen Sinne, daß sie Geschichte gründet.« – Martin Heidegger, Gesamtausgabe, Band 5: Holzwege. Frankfurt 1977, S. 65.

14 Martin Heidegger, Sein und Zeit. Tübingen 1976, S. 22.

15 a.a.O., S. 320.

16 Man darf sich nicht davon beirren lassen, daß Heidegger – ursprünglich in Absetzung von der Lebensphilosophie – die Optik der Kulturkritik stets zurückgewiesen hat.

17 Das Wort »Vergegenständlichung« taucht schon in einer Kant-Vorlesung von 1927 auf. – Gesamtausgabe, Band 25, S. 25.

18 Ernst Troeltsch, Die Revolution in der Wissenschaft. Gesammelte Schriften Band 4. Aalen 1966, S. 653–677.

19 Martin Heidegger, Sein und Zeit. – a.a.O., S. 384 f.

20 a.a.O., S. 384.

21 Die Verstrickungen Heideggers in die Politik des Nationalsozialismus hat mit großer Sorgfalt der Freiburger Sozialhistoriker Hugo Ott nachgewiesen. Jede Beschönigung muß an der erdrückenden Last der Fakten abgleiten. – Hugo Ott, Martin Heidegger. Unterwegs zu seiner Biographie. Frankfurt 1988. – Siehe auch: Otto Pöggeler, a.a.O.

22 Martin Heidegger, Gesamtausgabe, Band 54, S. 127.

23 Dazu: Otto Pöggeler, a.a.O. – Sehr eingehend und schlüssig die Bemerkungen von Jürgen Habermas im Vorwort zu: Victor Farias, Heidegger und der Nationalsozialismus. Frankfurt 1989, S. 11–37.

24 Es wäre Jünger ein Leichtes gewesen, die von ihm im »Arbeiter« 1932 verheißene Zukunft deutschnationalen Zuschnitts an den Gegebenheiten nach der Machtergreifung vom 30. Januar 1933 auszuweisen. Doch diesen Realitäten verweigerte sich der Geschichtsphilosoph, während andere, unter ihnen Heidegger, zur Verklärung des »Aufbruchs« drängten: die Zeit sollte sich erfüllt haben.

25 Martin Heidegger, Gesamtausgabe, Band 40, S. 40.

26 a.a.O., S. 42.

27 Pierre Bourdieu, Die politische Ontologie Martin Heideggers. Frankfurt 1975, S. 50.

28 Zitiert bei Pöggeler, a.a.O., S. 30.

29 In seinem Nachwort des Herausgebers berichtet Friedrich-Wilhelm von Herrmann, daß die Publikationsentscheidung die Sache des testamentarisch eingesetzten Nachlaßverwalters Hermann Heidegger gewesen sei, der den Wunsch hegte, die »Beiträge« zum 100. Geburtstag des Philosophen im September 1989 zu veröffentlichen. – Martin Heidegger, Beiträge zur Philosophie. Frankfurt 1989.

30 Eine »dialektische« Lesart von Max Webers Theorie, welcher der Soziologe, hätte er länger gelebt, vielleicht durchaus zugestimmt hätte.

31 Martin Heidegger, Beiträge zur Philosophie. a.a.O., S. 143.

32 Die totale Weltanschauung stelle sich nicht in Frage. »Die Folge ist die: das Schaffen wird im vorhinein ersetzt durch den Betrieb – die Wege und Wagnisse einstmaligen Schaffens werden in das Riesenhafte der

Machenschaft eingerichtet und dieses Machenschaftliche ist der Anschein der Lebendigkeit des Schöpferischen.« a.a.O., S. 41.

33 Diese Vermutung hat Otto Pöggeler geäußert.

34 Martin Heidegger, Gesamtausgabe, Band 53, S. 106.

35 Es konnte bisher nicht genau geklärt werden, wann sich Jünger und Heidegger zum ersten Mal begegneten. H. Schwilk vermutet, daß dies in den frühen dreißiger Jahren bereits der Fall gewesen sein könnte.

36 Martin Heidegger, Die Technik und die Kehre. Pfullingen 1962. – Den zweiten Vortrag hielt Heidegger – in erweiterter Fassung – unter dem Titel »Die Frage nach der Technik« auch in München, am 18. November 1953. Unter den Zuhörern befanden sich damals auch Werner Heisenberg und Ernst Jünger.

37 Die frühesten Ansätze lassen sich bis in die Jahre 1930/31 zurückverfolgen. Dazu: Jürgen Habermas, Heidegger – Werk und Weltanschauung. In: Victor Farias, Heidegger und der Nationalsozialismus. Frankfurt 1989, S. 17 ff.

38 Martin Heidegger, Die Technik und die Kehre. a.a.O., S. 5.

39 a.a.O., S. 14.

40 a.a.O., S. 18. – Das Wagnis des Wortneugebrauchs hält sich in Grenzen. Wichtiger ist die Frage, ob Heidegger damit eine genuin neue Sicht auf die Technik etabliert. »Technik«-Philosophien lagen schon früher vor. 1926 veröffentlichte der Ingenieur und Biophysiker Friedrich Dessauer seine »Philosophie der Technik«. 1877 war die Schrift »Grundlinien einer Philosophie der Technik« von Ernst Kapp erschienen. Dort heißt es: »Denn der Mensch wird niemals sein Selbst mit einem technischen Gestell verwechseln.« Heideggers Dramatisierung des Worts »Gestell« beruht auf der Ausweitung ins »Wesensmäßige«; was zuvor nur Form und Ausdruck war, soll nun für das Ganze des seinsverdunkelnden Zugriffs auf die Natur stehen.

41 Martin Heidegger, a.a.O., S. 28. – Diese »Rettung« erwartete Heidegger bis in die vierziger Jahre vom historischen »Aufbruch« der nationalsozialistischen Bewegung. Erst nach 1945 tritt der Quietismus hervor: der Mensch kann die Wende nicht herstellen, sie muß sich ereignen.

42 Vgl. dazu: Günter Figal, Martin Heidegger. Phänomenologie der Freiheit. Frankfurt 1988, S. 276 ff.

43 Martin Heidegger, a.a.O., S. 40 f., S. 45 f.

44 Martin Heidegger, Beiträge zur Philosophie, a.a.O.

45 Martin Heidegger, Zur Seinsfrage. in: ders., Wegmarken. Frankfurt 1978, S. 379 ff.

46 a.a.O., S. 384. – Ein weiterer Passus aus den bisher unveröffentlichten Notaten zu Jüngers »Arbeiter« ist zitiert in: Ernst Jünger. Leben und

Werk in Bildern und Texten. Herausgegeben von Heimo Schwilk. Stuttgart 1988, S. 131. »Der ›Arbeiter‹ als der zum unbedingten *Herrn* aufgespreizte unbedingte *Knecht* – d. h. der neuzeitliche ›freie‹ Vollstrecker der Technik im Sinne der planend-züchtend-berechnenden Sicherstellung des Seienden im Ganzen (auch des Menschen) in seiner Machbarkeit. Vollstreckung ist nicht nur Ausführung eines bereitliegenden – sondern Wesensvollendung. Der ›Arbeiter‹ und die unbedingte Subjektivität der völligen Anthropomorphie daher aber: Wesung des Seins als Machenschaft.«

47 Martin Heidegger, Zur Seinsfrage. a.a.O., S. 387.

48 a.a.O., S. 388.

49 Die Furcht des Seinsphilosophen, als Kulturkritiker mißverstanden zu werden, war insofern durchaus berechtigt.

50 a.a.O., S. 399.

51 Mit der Zurückweisung der Metaphysik, »sei sie des lebendigen oder toten Gottes«, scheint für Heidegger das Thema der Parusie in ihrer klassischen Tradition erledigt. Und doch kann sich Heidegger nicht wirklich davon befreien. Ein Kernsatz des berühmt gewordenen »Spiegel«-Gesprächs lautet: »Nur noch ein Gott kann uns retten. Die einzige Möglichkeit einer Rettung sehe ich darin, im Denken und im Dichten eine Bereitschaft vorzubereiten für die Erscheinung des Gottes oder für die Abwesenheit des Gottes im Untergang.« – Antwort. Martin Heidegger im Gespräch. Herausgegeben von Günther Neske, Emil Kettering. Pfullingen 1988, S. 99 f.

52 Martin Heidegger, Zur Seinsfrage. a.a.O., S. 418.

53 Ernst Jünger, Das Sanduhrbuch. Frankfurt 1954, S. 8. – Sämtliche Werke, Band 12. Stuttgart 1979, S. 103.

54 In »Annäherungen. Drogen und Rausch« (1970) notiert Jünger: »Wenn es einem Maler wie Chirico gelänge, ein beliebiges Haus am Mittelmeer vollkommen zu entleeren, es durch Weißung seiner Bedeutung zu entkleiden, es nicht nur zu entmythisieren, sondern auch zu enthumanisieren, es bis auf die Atome zu entflechten und dann wieder aufzuladen – so würde er damit zugleich ein magisches Netz über die Skyline von New York werfen. Er wäre dann auf den Raster zurückgegangen und hätte etwa einen Lastzug von Kalk und Ziegeln gegen ein Atom Farbe getauscht. Das bleibt ein Modell auf Papier oder Leinen, doch dahinter geht es um mehr als um Städte und Kunstwerke.« – Sämtliche Werke, Band 11. Stuttgart 1978, S. 333.

55 Martin Heidegger, Sein und Zeit. a.a.O., S. 412 ff.

56 a.a.O., S. 420.

57 a.a.O., S. 424.

58 Bei Campanella, dem totalisierenden Konstrukteur des »Sonnenstaats«, findet sich das Bild, die Welt sei ein Horologium in der Hand Gottes. Diese Vorbestimmtheit verhindert nicht, daß der Mensch Kreativität freisetzen kann.

59 Zitiert bei: Hans Blumenberg, Lebenszeit und Weltzeit. Frankfurt 1986, S. 54. – Insofern diese Heimat (noch) niemals bewohnt worden ist, ist der Mensch – als »Mängelwesen« – zur Wissenschaft freilich gerade gezwungen.

60 Das eigentliche Problem ist der Referenzverlust: die Preisgabe einer »dogmatischen« Verbindlichkeit, die einst das Symbol aus sich erzeugte.

61 Martin Heidegger, Sein und Zeit. a.a.O., S. 424.

62 Walter Benjamin, Über den Begriff der Geschichte, XV. In: ders., Gesammelte Schriften, Band I, 2. Abhandlungen. Herausgegeben von Rolf Tiedemann und Hermann Schweppenhäuser. Frankfurt 1974, S. 702.

63 Ernst Jünger, An der Zeitmauer. Stuttgart 1959, S. 40. – Sämtliche Werke, Band 8. Stuttgart 1981, S. 424.

64 Dazu: Hanno Helbling. Die Gesamtdeuter Spengler und Toynbee. In: ders., Die Zeit bestehen. Europäische Horizonte. Zürich 1983. S. 201 bis S. 217.

65 Vgl. dazu: Jürgen Habermas, a.a.O. S. 26 ff.

66 AH, 1, 16/9, 38.

67 Siehe: Lucien Goldmann, Der verborgene Gott. Studien über die tragische Weltanschauung in den »Pensées» Pascals und im Theater Racines. Frankfurt 1985, S. 120.

68 Hans Blumenberg, Die Lesbarkeit der Welt. Frankfurt 1981, S. 282 ff.

69 Darauf hat Hans Blumenberg hingewiesen: »Nachahmung der Natur«. Zur Vorgeschichte der Idee des schöpferischen Menschen. In: ders., Wirklichkeiten, in denen wir leben. Stuttgart 1981, S. 60 ff.

70 »... die Berufung auf den schon vorhandenen und das Fluggeschäft gottgegebenerweise ausübenden Vogel hat gar nicht so sehr die Funktion einer genetischen Erklärung. Sie ist vielmehr der Ausdruck für das mehr oder weniger bestimmte Gefühl der *Illegitimität* dessen, was der Mensch da für sich beansprucht.« a.a.O., S. 61. – Davon scheint übrigens noch Freud betroffen gewesen zu sein. »Mit all seinen Werkzeugen vervollkommnet der Mensch seine Organe – die motorischen wie die sensorischen – oder räumt die Schranken für ihre Leistung weg. Die Motoren stellen ihm riesige Kräfte zur Verfügung, die er wie seine Muskeln in beliebige Richtungen schicken kann, das Schiff und das Flugzeug machen, daß weder Wasser noch Luft seine Fortbewegung hindern können.« – Sigmund Freud, Das Unbehagen in der Kultur. In: ders., Kulturtheoretische Schriften. Frankfurt 1986, S. 221.

71 »Das Erwachen als ein stufenweiser Prozeß, der im Leben des Einzelnen wie der Generationen sich durchsetzt. Schlaf deren Primärstadium. Die Jugenderfahrung einer Generation hat viel gemein mit der Traumerfahrung. Ihre geschichtliche Gestalt ist Traumgestalt. Jede Epoche hat diese Träumen zugewandte Seite, die Kinderseite.« Und etwas später, beinah wie ein Novalis-Fragment: »Aufgabe der Kindheit: die neue Welt in den Symbolraum einzubringen.« – Walter Benjamin, Das Passagen-Werk. Gesammelte Schriften Band V, 1. Frankfurt 1982, S. 490 ff.

72 Weltzeit wäre wieder und fortan Lebenszeit. – Nietzsche hat diese »Kehre« im »Zarathustra« gefeiert: »Unschuld ist das Kind und Vergessen, ein Neubeginnen, ein Spiel, ein aus sich rollendes Rad, eine erste Bewegung, ein heiliges Jasagen.« – Krit. Studienausgabe, Bd. 4. München 1980, S. 31.

73 Insofern markiert der Schluß von Blochs »Prinzip Hoffnung« eine Konvergenz mit der – überwundenen – frühen »Arbeiter«-Philosophie. »Die Wurzel der Geschichte aber ist der arbeitende, schaffende, die Gegebenheiten umbildende und überholende Mensch. Hat er sich erfaßt und das Seine ohne Entäußerung und Entfremdung in realer Demokratie begründet, so entsteht in der Welt etwas, das allen in die Kindheit scheint und worin noch niemand war: Heimat.« Ernst Bloch, Das Prinzip Hoffnung. Frankfurt 1959, S. 1628.

74 Eine Rezeption Bloys im deutschen Sprachraum hat bisher noch nicht einmal in Ansätzen stattgefunden.

75 Léon Bloy, Œuvres, III. Paris 1964, S. 14.

76 a.a.O., S. 132 ff.

77 Léon Bloy, Journal. 4 Bände. Paris 1959 ff.

78 Léon Bloy, Œuvres XV. Paris 1975, S. 19. – Alle auch für Carl Schmitt maßgeblich gewordenen Theoretiker der Gegenrevolution tauchen bei Bloy, zustimmend zitiert, auf: Bonald, Maistre, Donoso Cortés.

79 Heinrich Meier, Carl Schmitt, Leo Strauss und »Der Begriff des Politischen«. Zu einem Dialog unter Abwesenden. Stuttgart 1988. – Meier vertritt – mit guten Argumenten – die These, daß Schmitt von dem jungen Leo Strauss dazu gebracht worden sei, seine Theorie des Politischen sukzessive in die Richtung ihrer »theologischen« Fundierungen zu präzisieren.

80 Zitiert bei Meier, a.a.O., S. 27.

81 a.a.O., S. 91.

82 a.a.O., S. 73 ff. – *Seine* Antwort wird Carl Schmitt zwanzig Jahre später direkt an Jünger adressieren. Eine geschichtliche Situation dürfe nicht mit der Lehre vom Zyklus relativiert werden; sie sei »erst dann begriffen..., wenn wir sie als einmalige konkrete Antwort auf den Anruf einer

ebenso einmaligen konkreten Situation begriffen haben«. Carl Schmitt: Die geschichtliche Struktur des heutigen Weltgegensatzes von Ost und West – Bemerkungen zu Ernst Jüngers Schrift: »Der Gordische Knoten«. In: Freundschaftliche Begegnungen – Festschrift für Ernst Jünger zum 60. Geburtstag. Frankfurt 1955, S. 135–167.

83 Friedrich Nietzsche, a.a.O., Band 9. München 1980, S. 443.

84 Diese Vision vom Zeitalter des Geistes hatte mit endzeitlichen Erwartungen Joachim von Fiore. Dazu: Jakob Taubes, Abendländische Eschatologie. Bern 1947, S. 77 ff.

85 Bachofen dachte entelechetisch. Der Weg der Kultur führt vom »Erdmuttertum« über die verschiedenen Stufen der Gynaikokratie zum Vaterrecht und seiner metaphysisch-geistigen Lebensordnung. Zugleich aber ist er dem Kreislauf von Anfang und Ende unterworfen. Als Movens des Ganzen wird die die Religionsverpflichtung des Menschen angesehen.

86 Für Schmitt ist der Weltstaat eine politische Chimäre. Die ihn einfordern, wollen die Unmöglichkeit eines Endzustands, in welchem scheinbar »die Dinge sich selbst verwalten«. Der Weltstaat wäre die endgültige »Neutralisierung« und Entpolitisierung. Zu seinen wenn auch zögernden Propagandisten gehört allerdings Jünger. Schon 1950 leitet er aus dem Vorgang des Weltbürgerkriegs dessen Überwindung ab. »Das Ungeheure der Mächte und Mittel läßt darauf schließen, daß nunmehr das Ganze auf dem Spiele steht. Dazu kommt die Gemeinsamkeit des Stils. Das alles deutet auf den Weltstaat hin. Es handelt sich nicht mehr um nationalstaatliche Fragen, auch nicht um Großraumabgrenzungen. Es geht um den Planeten überhaupt.« (ÜLi, 28/7, 262) Zehn Jahre später widmet er dem Thema eine selbständige Schrift: Der Weltstaat. Organismus und Organisation. Stuttgart 1960.

87 Ernst Jünger, Adnoten zum »Arbeiter«. Sämtliche Werke, Band 8. Stuttgart 1981, S. 349.

88 Zwischen 1959 und 1971 wirkt Jünger als Mitherausgeber der Zeitschrift »Antaios«, Stuttgart. In der programmatischen Ankündigung heißt es: »ANTAIOS soll an den Riesen erinnern, dessen Kraft sich durch die Berührung seiner Mutter, der Erde, erneut... Antaios berührt den gemeinsamen Grund, aus dem die Völker in ihrer Vielzahl als Brüder erwachsen sind.« Sämtliche Werke, Band 14. Stuttgart 1978, S. 168.

89 Sämtliche Werke, Band 12. Stuttgart 1979, S. 466.

90 Paul Valéry, Les principes d'an-archie pure et appliquée. Paris 1984, S. 19.

91 a.a.O., S. 160.

92 Friedrich Nietzsche, Kritische Studienausgabe, Band 3. München 1980, S. 570.

IX.

Formen der Lesbarkeit

1 Im Hinblick auf das Faszinosum des Automaten hat Arnold Gehlen darauf hingewiesen, daß dessen Konstruktion ein tiefes menschliches Bedürfnis zum Ausdruck bringe: die Menschenmaschine stehe als Bild dafür, daß die Gleichförmigkeit des Naturverlaufs »abgelesen« werden könne; wie in der Rhythmik des Herzschlags oder der Atmung triumphiere hier – durch »übernatürliche Technik« – eine wenn auch nur scheinbare naturale Gesetzlichkeit. Der Automat suggeriert Beständigkeit. Eben diese Tugend hatte Jünger dem »Arbeiter« gewünscht. – Arnold Gehlen, Die Seele im technischen Zeitalter. Hamburg 1957, S. 13 ff.

2 »Lesbarkeit« setzt das Vertrauen voraus, daß die Welt ein Schriftbild birgt, dessen Entzifferung auf den Bauplan, die Absicht und die Ordnung schließen läßt. Die Geschichte dieses Vertrauens von den biblischen Vorgaben über mittelalterliche Transformationen bis zu neuzeitlichen Annäherungen hat Hans Blumenberg dargestellt, indem die Befrager des »Buchs der Natur« wie des »Buchs der Geschichte« ihrerseits nach ihren Intentionen befragt werden. Hans Blumenberg, Die Lesbarkeit der Welt. Frankfurt 1981. – Zum Thema auch: Ernst Robert Curtius, Europäische Literatur und lateinisches Mittelalter. Bern 1948.

3 Der Sprach-Spiegel reflektiert die Ideen. Aber mit der Umlenkung ist auch gegeben, daß die Wahrheit nur geahnt werden kann.

4 Ernst Jünger, Sämtliche Werke, Band 13. Stuttgart 1981, S. 11.

5 Die Bühnenmetapher findet sich schon bei Platon. Im »Philebos« (50 b) spricht der Philosoph von der »Tragödie und Komödie des Lebens«. Erst in der frühchristlichen Apokalyptik artikuliert sich die Gewißheit, daß mit der Zeiterlösung auch das Rollenspiel zu Ende ist. Jüngers Eschatologie sucht mithin das zeitliche Schauspiel in seine Voraussetzungen aufzuheben – eine »Rückkehr«, die Platon allem Irdischen verweigerte.

6 Die Entgrenzung des individuellen Bewußtseins wäre Bedingung dafür, daß ein nicht mehr objektivierendes Weltverhalten zustande kommt. »Die wache Welt ist eine diskontinuierliche, von Grenzen gegliederte Welt, während die imaginäre Welt die aus Einzelgliedern geformte Kette zerreißt und damit die Kontinuität des Seins freisetzt.« Elisabeth Lenk, Die unbewußte Gesellschaft. Über die mimetische Grundstruktur in der Literatur und im Traum. München 1983, S. 82.

7 »Einstieg« ist die bei Jünger wiederkehrende, der Bergwerk-Metaphorik entnommene Chiffre, um den Zugang zu den »Urbildern« herbeizubeschwören.

8 Die Insel ist der aus dem geschichtlichen Raum-Zeit-Kontinuum herausgesprengte Ort, die Utopia, wo alles möglich werden kann. Jünger besetzt sie hier nicht mehr politisch; im Gegenteil entspricht ihr der »Wald« einer primordialen Natur.

9 Ernst Jünger, Besuch auf Godenholm. Frankfurt 1952, S. 28. – Sämtliche Werke, Band 15, S. 380.

10 Ernst Jünger, Myrdun. Briefe aus Norwegen. Mit 13 Federzeichnungen von Alfred Kubin. Oslo 1943. Diese »Einmalige Feldausgabe für die Soldaten im Bereich des Wehrmachtsbefehlshabers in Norwegen 1943«, wie es in der Erstausgabe heißt, enthält 13 Briefe vom 6. Juli bis zum 26. August 1935 an den Bruder Friedrich Georg. »Ganz anders findet hier oben der Geist hinter den schmalen Kulissen des menschlichen und historischen Seins das völlig ungeformte chaotische Element und mit ihm die herrlichste Gelegenheit zum Ausruhen. Ich meine damit nicht die Welt der kimmerischen Nebel, sondern die blaue Tiefe des metaphysischen Raumes, in der sich der Geist wie in unsichtbaren Kammern erholt.« (6, 81)

11 »Leere« im Sinne der deutschen Mystik verwendet: nach Tauler ist der Mensch zur Empfängnis des heiligen Geistes im Maß bereit, wie er sich von allem Kreatürlichen »entleert« hat.

12 Aber freilich in seiner säkularisierten Fassung. Die Metapherngeschichte in ihrer spezifisch neuzeitlichen Prägung setzt schon bei Campanella ein und führt als figurale Bibelexegese bis zu Bloch. Vgl. dazu auch: Mark Girouard, Cities and People. A social and architectural History. London 1985, S. 348.

13 Dazu: Elisabeth Lenk, Die unbewußte Gesellschaft. a.a.O., S. 42 ff.

14 Charles Baudelaire, Œuvres complètes I. Edition de la Pléiade, Paris 1975, S. 16. »O douleur! ô douleur. Le Temps mange la vie.« Aus dem Gedicht »L'Ennemi« der »Fleurs du Mal«.

15 a.a.O., S. 76.

16 »L'enfant voit tout en nouveauté; il est toujors ivre. Aucun aspect de la vie n'est émoussé.« – Œuvres complètes II. a.a.O., S. 690 f.

17 Ernst Jünger, Sgraffiti. Stuttgart 1960, S. 25. – Sämtliche Werke, Band 9, S. 345.

18 Hinweise gibt in seinem Nachwort zu einer Auswahl von Schriften Fechners Gert Mattenklott. – Gustav Theodor Fechner, Das unendliche Leben. München 1984, S. 169 ff.

19 a.a.O., S. 190.

20 Im dritten Band seiner Porträtreihe »Die Deutschen«, den er den »Verschwärmten Deutschen« widmete, stellt Moeller van den Bruck die Mystiker dar: Meister Eckhart, Paracelsus, Böhme, Silesius, Hölderlin,

Novalis, Mombert und Fechner. Die von Jünger diagnostizierte Opposition zwischen dem positivistischen Jahrhundert Comtes und dem Beseelungsdenken Fechners präparierte schon der Deutschnationale in kulturkritischer Absicht heraus. Fechner habe »Innenschau« betrieben, indem er die »Außenwahrheiten anderer Völker« von ihrer Kehrseite her illuminierte. »Diesen Gedanken durchgeführt und ihn auf die doppelte Psyche angewandt zu haben, die in Frage stand, auf die Psyche des Menschen und auf die Psyche des Alls, ist im wesentlichen Fechners Tat. Sein Ziel war, Natur und Gott, und sein Ziel war, Leib und Seele zu versöhnen.« – Arthur Moeller van den Bruck, Verschwärmte Deutsche. Vom Mystischen, Minden o.J., S. 201 ff. – Dagegen beurteilte Hans Driesch in seiner »Metaphysik der Natur« von 1927 die Leistung von Fechner wesentlich kritischer. Fechners Lehre von der Psychophysik sei voll von Widersprüchen, welche den Grund dafür bildeten, »daß Fechners Metaphysik vielleicht auf gewisse schwärmerische Gemüter, aber fast gar nicht auf den Gang der wissenschaftlichen Philosophie gewirkt hat«. – Hans Driesch, Metaphysik der Natur. München 1927, S. 66.

21 »Fechners Gedanken über die Beseelung der Himmelskörper und der Pflanzen mußten in einer Zeit verhallen, in der mechanistische Theorien sich mit unerhörter Wucht Bahn brachen... Immerhin kommen stets wieder Zeiten, die sich der Einheit der Anschauung annähern. Sie kann nie absolut gelingen, denn sowohl das mathematisch-physikalische Weltbild als auch das naturphilosophische der Reichenbach und Fechner sind nur Aspekte des ›Inneren der Natur‹.« – Ernst Jünger, Annäherungen. Drogen und Rausch. Stuttgart 1970, S. 35. – Sämtliche Werke, Band 11, S. 30.

22 Ernst Jünger, Typus, Name, Gestalt. Stuttgart 1963, S. 27. – Sämtliche Werke, Band 13, S. 98.

23 Doch verwendet er das Zitat, um seine eigene Geschichtstheorie zu sichern: die Natur verfügt gegenüber der Historie über einen Sinnzuschuß.

24 Gustav Theodor Fechner, a.a.O., S. 76.

25 Ernst Jünger, Drogen und Rausch. Für Mircea Eliade. In: Antaios 10. Stuttgart 1968.

26 Ernst Jünger, Annäherungen. Drogen und Rausch. Stuttgart 1970, S. 23. – Sämtliche Werke, Band 11, S. 21.

27 Thomas De Quincey, Confessions of an English Opium Eater. London 1821. Der Text erschien zuerst anonym in zwei Teilen im London Magazine.

28 In »Zend-Avesta« räumt Fechner ein, daß der Opiumrausch die Einsicht in die geistigen Prinzipien fördern könne: der erleuchtete Zustand antizipiert den Tod und die Erinnerung an das Jenseits.

29 Der Ästhetik des Traums und den Formationen, in denen er auftritt, hat Elisabeth Lenk eine Monographie gewidmet. Mit Jüngers »Träumen« beschäftigt sie sich nicht. – Elisabeth Lenk, Die unbewußte Gesellschaft. Über die mimetische Grundstruktur in der Literatur und im Traum. München 1983.

30 Die Korrespondenz zwischen Mensch und Pflanze gründete Fechner im Austauschprozeß der Natur. »Mit demselben Rechte, als man sagt, daß die Menschen und Tiere die Früchte des Feldes essen und fressen, kann man in der Tat sagen, daß die Früchte des Feldes die Menschen und Tiere wieder fressen; denn alles, was von Menschen und Tieren abgeht, geht wieder in die Pflanzen über und muß in sie übergehen, damit sie wachsen und gedeihen.« – Gustav Theodor Fechner, a.a.O., S. 45.

31 Die »Chiffre«- oder »Hieroglyphe«-Metapher findet sich bei Hamann, Herder, Winckelmann, Novalis, Baader. Dazu weiterführend: Ernst Robert Curtius, Europäische Literatur und lateinisches Mittelalter. a.a.O., S. 350f.

32 Jünger zitiert die Formel etwa in seinem Tagebuch »Siebzig verweht I«: »Führung besteht, wie immer die Existenz verlaufen möge, auf jeden Fall. Das Gebet bestätigt über das individuelle Schicksal hinaus die Weltordnung, daher gewährt es absolute Sicherheit. Bloy: ›Was auch geschehe – es ist anbetungswert‹.« (4, 577)

33 Zitiert bei Albert Béguin, Bloy. Mystique de la douleur. Paris 1948, S. 63.

34 Hier hat Nietzsches *Amor fati* seinen Ort. Vgl. Kapitel VIII, Anm. 92.

35 Dazu dokumentierend: Ernst Jünger, Leben und Werk in Bildern und Texten. Herausgegeben von Heimo Schwilk. Stuttgart 1988, S. 79ff.

36 Vgl. Elisabeth Lenk, a.a.O., S. 74f. »Die eminent wichtige Funktion des Spiegels bei der Disziplinierung des Menschen liegt darin, daß er den Menschen sich selbst zum Objekt machen, sich selbst beobachten lehrt… Die Katastrophe des Erwachens findet in dem Moment statt, da derjenige, der Objekt des Blickes war, sich dieses Blickes bewußt wird, da er den fremden Blick auf sich spürt, da er ihn selbst auf sich wirft.«

37 Nämlich die Zertrümmerung des ästhetischen Ganzen durch die »Entregelung aller Sinne«.

38 Dazu: Elisabeth Lenk, a.a.O., S. 338ff.

39 Alfred de Musset übersetzte die »Confessions« 1828 ins Französische. 1860 legte Baudelaire eine Auswahl vor. Dazu auch: Grevel Lindop, The Opium-Eater. A Life of Thomas de Quincey. New York 1981.

40 Thomas De Quincey, Bekenntnisse eines englischen Opiumessers. Aus dem Englischen von Peter Meier. Wien 1982, S. 131.

41 »Vain prayer! Empty adjuration! Profitless rebellion against the laws

which season all things for the inexorable grave!« – Thomas De Quincey, Revollections of the Lakes and the Lake Poets. London 1978, S. 92.

42 Thomas De Quincey, Bekenntnisse eines englischen Opiumessers. a.a.O., S. 146.

43 Thomas De Quincey, Recollections of the Lakes and the Lake Poets. a.a.O., S. 33 ff.

44 Thomas De Quincey, Bekenntnisse eines englischen Opiumessers. a.a.O., S. 197.

45 Das literarisch-metaphorische Motiv der Spirale hat vor dem Hintergrund der großen Piranesi-Rezeption bei den französischen Romantikern Luzius Keller untersucht. Keller weist darauf hin, daß das »paradis artificel« des Traums oder des Rausches ein Bewußtsein der unmittelbaren Beziehung zur Dingwelt vermittle – »espace ou moment où la conscience du rêveur se reconnait immédiatement, sans rupture, dans les objets et où ces objets sont portés à un maximum d'expressivité«. – Luzius Keller, Piranèse et les Romantiques Français. Le mythe des escaliers en spriale. Paris 1966, S. 93.

46 Charles Baudelaire, Les paradis artificiels. In: ders., Œuvres complètes, I. Edition de la Pléiade. Paris 1975, S. 515.

47 a.a.O., S. 154.

48 Benjamin hat einerseits Protokolle seiner Drogenerlebnisse angefertigt, anderseits daraus zwei literarisch anspruchsvolle Berichte gewonnen. In dem Text »Haschisch in Marseille« vom September 1928 heißt es, bemerkenswert sei, wie im Drogenrausch sich die Dinge und Ereignisse miteinander verknüpften – eine Art Synthetisierung der Welt, in die auch der Träumende einbezogen sei. Eine zweite Fassung gestaltete Benjamin in dem Stück »Myslowitz – Braunschweig – Marseille«. »Alsbald kamen die Zeit- und Raumansprüche zur Geltung, die der Haschischesser macht. Die sind ja bekanntlich absolut königlich. Versailles ist dem, der Haschisch gegessen hat, nicht zu groß, und die Ewigkeit dauert ihm nicht zu lange. Und auf dem Hintergrund dieser riesigen Dimensionen des inneren Erlebens, der absoluten Dauer und der unermeßlichen Raumwelt, verweilt mit jenem seligen Lächeln ein wundervoller Humor desto lieber bei der grenzenlosen Fragwürdigkeit alles Seienden.« – Walter Benjamin, Gesammelte Schriften, Band IV, 1. Frankfurt 1972, S. 414. Band IV, 2. Frankfurt 1972, S. 734.

49 Spengler, der sich auf Grund seines Cäsarenideals dazu genötigt sah, die nationalsozialistische Machtergreifung als lächerlich zu verharmlosen und Hitler als den Vorsteher eines »Faschingsministeriums« und als »Schafskopf« zu kennzeichnen, täuschte sich insofern auch über den Grad an »Mobilmachung«, den Deutschland inzwischen erreicht hatte.

– Zitiert bei Hermann Lübbe, Historisch-politische Exaltationen. Spengler wiedergelesen. In: Christian Ludz (Hsg.), Spengler heute. München 1980, S. 15.

50 Die Metapher mutet merkwürdig an: »Landschaft« soll das quasi Naturgeschichtliche dieses Prozesses ausdrücken; mit dem »Übergang« wird hingegen die naturale Ruhe dynamisiert.

51 Jünger unterscheidet sich von den Surrealisten auch dadurch, daß jedes Bild stets Stellvertretung bedeutet. Nach der Klärung der Bedeutung soll der eigentliche Sinn sich offenbaren.

52 Fern vor allem deshalb, weil ihm der politische Aktionismus als längst verbraucht erscheint; die zeitgeschichtlich-gesellschaftliche Erlösung hat nicht stattgefunden.

53 Und zwar in der »Inversion« des Einschlafens. »Keine Spannung unseres Tages ist geheimnisvoller als der Augenblick, der dicht vorm Einschlafen liegt. Wir treten zögernd in den Schlaf ein wie in eine Höhle, die in ihren ersten Windungen noch vom Eingang her der matte Abglanz des Tages erhellt. Während wir in einer immer tieferen Dämmerung die inneren Formen zu entziffern suchen, fallen wir einem Zustand der Faszination anheim, in der der Gegenstand höhere Kraft als das ihn betrachtende Auge gewinnt.« (15, 243) – Es kommt zu der paradoxen Situation, daß die Lesbarkeit als Seinserschließung am stärksten wirkt, wo nicht mehr genau »gelesen« werden kann. Das Verlassen der (platonischen) Höhle bringt demgegenüber eine Aufklärung, die ihren Gegenstand von sich abgerückt sieht. – Dazu: Hans Blumenberg, Höhlenausgänge. Frankfurt 1989.

54 Das »Buch der Geschichte« stellt das Problem eines sich beschleunigenden Schriftbildes. Deshalb optiert Jünger nach den geschichtsphilosophischen Enttäuschungen – alles kam anders als gedacht und erhofft – für das »Buch der Natur«.

55 »Lesbarkeit« kann ohnehin niemals mehr sein als das statuierte *pars pro toto*; oder mit Jüngers Metapher aus dem »Abenteuerlichen Herzen«: Historia in nuce.

56 »Es ist nicht einmal ausgeschlossen, daß die Menschheit wie ein Satz, der sich nicht zu Ende führen läßt, auf halbem Wege stecken bleibt.« Zitiert bei: Hans Blumenberg, Die Lesbarkeit der Welt. Frankfurt 1981, S. 404.

57 Otto Pöggeler, Hermeneutische und mantische Phänomenologie. In: ders. (Hsg.), Heidegger. Perspektiven zur Deutung seines Werkes. Königstein 1984, S. 321 ff.

58 a.a.O., S. 327.

59 »Wer seine Geschäfte maschinenmäßig betreibt, der bekommt ein

Maschinenherz. Wenn einer aber ein Maschinenherz in der Brust hat, dem geht die reine Einfalt verloren.« a.a.O., S. 333.

60 a.a.O., S. 332.

61 a.a.O., S. 327.

62 Der Sammler kämpft gegen die Zeit – gegen die Zerstreuung und gegen die Verworrenheit. Das hat Walter Benjamin in einem Seitenkapitel seines »Passagen-Werks« scharf erkannt. »Es ist die tiefste Bezauberung des Sammlers, das Einzelne in einen Bannkreis einzuschließen, indem es, während ein letzter Schauer (der Schauer des Erworbenwerdens) darüber hinläuft, erstarrt… Man muß nicht denken, daß gerade dem Sammler der topos hyperuranios, der nach Platon die unverwandelbaren Urbilder der Dinge beherbergt, fremd sei. Er verliert sich, gewiß. Aber er hat die Kraft, an einem Strohhalm sich von neuem aufzurichten und aus dem Nebelmeer, das seinen Sinn umfängt, hebt sich das eben erworbene Stück wie eine Insel. – Sammeln ist eine Form des praktischen Erinnerns und unter den profanen Manifestationen der ›Nähe‹ die bündigste.« – Walter Benjamin, Gesammelte Schriften. Band V, 1. Frankfurt 1982, S. 271.

63 Dazu: Ernst Jünger. Leben und Werk in Bildern und Texten. Herausgegeben von Heimo Schwilk. Stuttgart 1988, S. 19 ff.

64 Ernst Jünger, Subtile Jagden. Stuttgart 1967, S. 14. – Sämtliche Werke, Band 10, S. 16.

65 Johann Georg Hamann, Schriften zur Sprache. Einleitung von Josef Simon. Frankfurt 1967, S. 219 ff.

66 Schon Herder verwendet den Topos. »Mensch! Bild Gottes! und selbst das sichtbare Nachbild und Hieroglyphe der Schöpfung!« – J. G. Herder, Sämtliche Werke, hsg. von B. Suphan. Band VI, S. 314.

67 Um es bildlich zu fassen: die Vertreibung aus der Höhle als Zwang zur theoretischen Neugierde hat noch nicht stattgefunden.

68 Wolf Lepenies, Das Ende der Naturgeschichte. Wandel kultureller Selbstverständlichkeiten in den Wissenschaften des 18. und 19. Jahrhunderts. München 1976.

69 Dazu: Wolf Lepenies, Autoren und Wissenschaftler im 18. Jahrhundert. Buffon, Linné, Winckelmann, Georg Forster, Erasmus Darwin. München 1988, S. 26 ff.

70 Wolf Lepenies, Das Ende der Naturgeschichte… a.a.O., S. 41 ff.

71 Immanuel Kant, Kritik der reinen Vernunft, 1787. Akademie-Textausgabe, Band III. Berlin 1968, S. 454 f.

72 Dazu: Hans Blumenberg, »Nachahmung der Natur«. Zur Vorgeschichte der Idee des schöpferischen Menschen. In: ders., Wirklichkeiten, in denen wir leben. Stuttgart 1981, S. 64 ff.

73 Der Bericht findet sich in dem Reisetagebuch »Aus der goldenen Muschel« von 1929, das erst 1944 veröffentlicht wurde. (6, 92 ff.)

74 Unter der Kapitelüberschrift »Steglitz« erinnert sich Jünger an den Winter 1933, als es in Berlin »unwirtlich« wurde. »Seit langem war da ein Knistern im Gebälk, zuweilen auch die Wahrnehmung der wachsenden Irrealität von Wohnungen, Häusern, Stadtvierteln. Auch Träume trugen dazu bei. Eine hektische Bautätigkeit, die ganze Straßenzüge in Schutt verwandelte und über Nacht wieder auferstehen ließ, verstärkte eher das Mißtrauen.« (SJa, 177/10, 148) Dem folgte der Umzug aufs Land, nach Goslar im Harz.

75 »Auf das oberste Blatt dieses gewaltigen Stoßes hebe ich dich empor, und sowie das Gewicht deines Körpers es berührt, reißt es krachend entzwei. Du stürzt, und stürzt auf das zweite Blatt, das ebenfalls, und mit heftigerem Knalle, zerbirst. Der Sturz trifft auf das dritte, vierte und fünfte Blatt und so fort, und die Steigerung der Fallgeschwindigkeit läßt die Detonationen in einer Beschleunigung einander folgen, die den Eindruck eines an Tempo und Heftigkeit ununterbrochen verstärkten Trommelwirbels erweckt. Immer noch rasender werden Fall und Wirbel, in einen mächtigen Donner sich verwandelnd, bis endlich ein einziger, fürchterlicher Lärm die Grenzen des Bewußtseins sprengt.« (AH, 1, 10 f./9, 35 f.)

76 Der Konnex zwischen Piranesi und den Surrealisten ist nicht gesucht. Piranesis graphische Folge der »Carceri« zeigt eine »unmögliche«, den euklidischen Raum sprengende Architektur. Phantastisch gesättigt sind auch die Zyklen der »Prima parte« und der »Antichità Romane« mit ihren oftmals hypothetischen Darstellungen der römischen Altertümer.

77 Ernst Jünger, Sinn und Bedeutung. Ein Figurenspiel. In: ders., Sämtliche Werke, Band 13. Stuttgart 1981, S. 195.

78 Das Lichtbild – die Photographie – gehört für Jünger zu den dauernden Ärgernissen innerhalb des Prozesses von technischen Reproduktionen. Dahinter steckt die naive Vorstellung, die Ablichtung bilde »objektiv« ab.

79 Hermann Lübbe, Politischer Moralismus. Der Triumph der Gesinnung über die Urteilskraft. Berlin 1987, S. 27 f.

80 Distanzierung gegenüber dem eigenen Körper, objektivierende Vergegenständlichung, hatte der Autor von »Über den Schmerz« gefordert. Eine kritische Antwort darauf gab schon 1938 der Schriftsteller Ernst Weiß in seinem – allerdings erst 1963 veröffentlichten – Roman »Der Augenzeuge«. Weiss bildete einen Protagonisten hervor, dessen Hauptcharakteristikum die Schmerzempfindlichkeit sein sollte. Die quälende Erfahrung der leiblichen Hinfälligkeit gehört zu den Grundmotiven von Weiss' Romanen: die Wirklichkeit erhellt sich erst vor dem Horizont des Leidens an der Welt. Dazu bedarf es freilich des von Jünger so genannten

»zweiten Bewußtseins« – im Schmerz nimmt der Mensch sich gleichsam als sein Doppelgänger wahr.

81 Martin Heidegger, Wegmarken. Frankfurt 1978, S. 397 f.

X.
Späte Autorschaft

1 Ernst Jünger, Siebzig verweht II. Stuttgart 1981, S. 118 f. – Sämtliche Werke, Band 5. Stuttgart 1982, S. 120.

2 Vgl. Anmerkung 80, Kapitel IX.

3 Ernst Jünger, Siebzig verweht II. Stuttgart 1981, S. 166. – Sämtliche Werke, Band 5. Stuttgart 1982, S. 169.

4 Ernst Jünger, Siebzig verweht I. Stuttgart 1980. – Sämtliche Werke, Band 4. Stuttgart 1982. Ernst Jünger, Siebzig verweht II. Stuttgart 1981. – Sämtliche Werke, Band 5. Stuttgart 1982.

5 Alfred Andersch war stets ein vorsichtig abwägender Bewunderer von Jünger. Aus Anlaß von Jüngers achtzigstem Geburtstag verfaßte er für die Zeitschrift »Merkur« einen Essay, der zugleich Zustimmung und Distanz ausdrücken sollte. Kritisch beurteilte Andersch die Schrift »Die totale Mobilmachung«; darauf bezieht sich Jünger in seinem Brief. Dagegen beklagte er, daß Jünger bei einer weiten Öffentlichkeit immer noch als »Un-Person« rangiere. »Jünger, der eigentlich verpflichtet wäre, ein Greis zu sein, und möglicherweise verbittert, ist das Gegenteil davon: er ist produktiv, ein ruhiger Arbeiter, freundlich, heiter.« Wiederveröffentlicht in: Alfred Andersch, Öffentlicher Brief an einen sowjetischen Schriftsteller, das Überholte betreffend. Reportagen und Aufsätze. Zürich 1977, S. 88 f. Der Essayband enthält auch die »Amriswiler Rede« von Andersch zum 75. Geburtstag Jüngers.

6 Schon 1952 führte Arnold Gehlen den Begriff »post-histoire« in die Soziologie ein. Die »Nach-Geschichte« korreliert mit dem in den späten achtziger Jahren in Kurs gesetzten Wort von der »Postmoderne«. Von den Kritikern einer postmodernen Philosophie und Ästhetik wird freilich gerne übersehen, daß Gehlen wie auch Ernst Jünger keinesfalls als deren Apologeten verstanden werden können; im Gegenteil enthält die Beschreibung des epochalen Zustands – mag sie nun im Einzelnen zutreffen oder nicht – die Abwehr des postmodernen Anspruchs.

7 In diesem Zusammenhang äußert sich Jünger kritisch über Léon Bloy. Der Apokalyptiker habe – wie vor ihm Vico und Bachofen – versucht, sein Geschichtsdenken um die Dimension des Mythos zu erweitern – »ohne

Erfolg, denn das Christentum hat, wie alle Schriftreligionen, legenden-, aber nicht mythenbildende Kraft. Schon Moses hat entmythisiert.« (SV I, 464/4, 464)

8 Das betrifft den »Dualismus«, den fast alle gnostischen Systeme statuieren. Die Differenz zwischen dem absoluten Sein der Ideen und seiner phänomenalen Vergegenwärtigung durch den Demiurgen findet sich im übrigen, folgenreich vorgebildet, im Schöpfungsmythos von Platons »Timaios«.

9 »Die Ohnmacht der Staaten gegenüber den explosiven Vorgängen, welche die Durchbildung der Technik zur Folge hat, ist offensichtlich. Es gibt keinen Staat, der diese Vorgänge meistert, denn in alle staatliche Organisation hat sich die technische hineingeschoben; sie höhlt den Staat von innen her aus. Der Mensch meistert die mechanische Gesetzlichkeit nicht mehr, die er selbst in Gang gebracht hat. Diese Gesetzlichkeit meistert ihn.« – Friedrich Georg Jünger, Die Perfektion der Technik. Frankfurt 1953, S. 197.

10 Kleists Bär leistet die Antizipation des gegnerischen Angriffs dadurch, daß er, so scheint es, im Anderen »liest«: »Nicht bloß, daß der Bär, wie der erste Fechter der Welt, alle meine Stöße parierte; auf Finten (was ihm kein Fechter der Welt nachmacht) ging er gar nicht einmal ein: Aug in Auge, als ob er meine Seele darin lesen könnte, stand er, die Tatze schlagfertig erhoben, und wenn meine Stöße nicht ernsthaft gemeint waren, so rührte er sich nicht.« – Heinrich von Kleist, Sämtliche Werke und Briefe in vier Bänden. Herausgegeben von Helmut Sembdner, Band III. München 1982, S. 345.

11 Vgl. dazu das 12. Kapitel von Hans Blumenbergs »Lebenszeit und Weltzeit«, Frankfurt 1986, betitelt »Biologischer Funktionstausch von Lebenszeit und Weltzeit«. Blumenberg verweist dort auch auf den Physiologen und Zoologen Karl Ernst von Baer, der als erster auf die Frage nach spezifischen Differenzen der für die Wahrnehmung maßgebenden Zeitgrößen gekommen sei.

12 »Betrachten wir alle Völker, barbarische und zivilisierte, durch ungeheure Abstände des Ortes und der Zeit getrennte, auf verschiedene Art gegründete: so beobachten sie alle folgende drei menschliche Sitten: sie haben alle irgend eine Religion, sie schließen alle die Ehen in feierlicher Form, sie begraben alle ihre Toten.« – G. B. Vico, Die Neue Wissenschaft über die gemeinschaftliche Natur der Völker. Nach der Ausgabe von 1744 übersetzt und eingeleitet von Erich Auerbach. München 1924, S. 126.

13 Ernst Jünger, In Stahlgewittern. Aus dem Tagebuch eines Stoßtruppführers. 6. Auflage. Berlin 1925, S. 20. (In der Stuttgarter Ausgabe Sämtlicher Werke ist dieser Passus gestrichen.)

14 Für die Stuttgarter Ausgabe Sämtlicher Werke hat Jünger die Stelle gelöscht, so daß die Konjektur verborgen bleiben muß.

15 Ernst Jünger, Eumeswil. Stuttgart 1977, S. 97. – Sämtliche Werke, Band 17. Stuttgart 1980, S. 88.

16 Die Formel, von Nietzsche selbst so bezeichnet, lautet: »Alles geht, Alles kommt zurück; ewig rollt das Rad des Seins. Alles stirbt, Alles blüht wieder auf, ewig läuft das Jahr des Seins. Alles bricht, alles wird neu gefügt; ewig baut sich das gleiche Haus des Seins. Alles scheidet, Alles grüßt sich wieder, ewig bleibt sich treu der Ring des Seins.«

17 Im Vorwort zu Blossfeldts Werk heißt es: »Tausendfach ist das Leben und tausendfach sind die Wandlungen der Menschen. Beglückend, weit über das ästhetische Erlebnis hinaus, ist die Erkenntnis, daß die verborgenen schöpferischen Kräfte, in deren Auf und Ab wir als naturgeschaffene Wesen eingespannt sind, überall mit gleicher Gesetzmäßigkeit walten, sowohl in den Werken, die jede Generation als Geichnis ihres Daseins hervorbringt, wie in den vergänglichsten, zartesten Gebilden der Natur.« – Urformen der Kunst. Photographische Pflanzenbilder von Professor Karl Blossfeldt. Herausgegeben und mit einer Einleitung von Karl Nierendorf. Berlin 1929, S. IX.

18 Das Muschel-Gleichnis findet sich, mit einer entscheidenden Akzentverlagerung, auch bei Valéry. »Ewig wird der Muschel die Schönheit ihres Werkes unbekannt bleiben.« Hans Blumenberg hat darauf hingewiesen. daß es Valérys Gedanke gewesen sei, daß der Genuß des »Werks« den exzentrischen Betrachter erfordere. »Valérys Ästhetik verbietet das Privileg und den Schutz der Zentralstellung; sie ist in einem dezidiert nachholenden Sinne kopernikanisch. Der Mensch genießt das Schöne, weil er das Geheimnis nicht kennt, nicht der Gott geworden ist, der zu sein die Schlange ihm verheißen hatte, an die zu denken Valéry und Nietzsche gemeinsam war. Erfahrung des Schönen ist Selbsttröstung für Weltignoranz…« – Hans Blumenberg, Die Selbsterfindung des Unpoeten. Paul Valérys mögliche Welten. In: Neue Zürcher Zeitung, 18./19. Dezember 1982, Nr. 295, S. 57. – Jünger »überbietet« hier und insofern noch diese Ignoranz: die Erfahrung der ästhetischen Kompensation kann nicht stattfinden.

19 »Die Byzantinistik und die Aufklärung waren einander fremd, ja feindlich; daß dagegen ein Außenseiter wie Léon Bloy, der Geschichte theologisch umdeutete, sich von Byzanz angezogen fühlen mußte, leuchtet ein.« (SV II, 325/5, 327)

20 Das Motiv der Heiligenversuchung ist Jünger auch in der Fassung wohlvertraut, die ihm Callot mit seiner großen Radierung gegeben hat. Jünger erwirbt während der Pariser Besatzungszeit einen Abzug.

21 Kein größerer Gegensatz ist hier denkbar als der zwischen Jünger und Max Frisch. Frisch, während der Entführung von H. M. Schleyer von Helmut Schmidt zusammen mit anderen Schriftstellern in das Bonner Kanzlerbungalow geladen, um den Vorgang und Möglichkeiten der Krisenbeilegung zu erörtern, zeigte sich in (unveröffentlichten) Notaten tief betroffen und ratlos.

22 Nämlich in dem »Sizilischen Brief an den Mann im Mond« von 1930, der 1934 in die Sammlung »Blätter und Steine« aufgenommen wurde.

23 »Jede Sekunde will die vorhergehende in ihrem glühenden Rachen verschlingen, obwohl eine Steigerung ganz unmöglich scheint, und vor dieser rasenden Orgie versinken alle bisher erlebten Schlachten wie ein harmloses Kinderspiel«. (FuB, 101)

24 Noch am 20. April 1986 notiert Jünger auf Malaysia, die Formel steigernd: »Die Gäa häutet sich nicht nur; sie zieht sich in ihren Geheimnisstand zurück«. – Ernst Jünger, Zwei Mal Halley. Stuttgart 1987, S. 44.

25 Ernst Jünger, Die Zwille. Stuttgart 1973, S. 15. – Sämtliche Werke, Band 18, Stuttgart 1983, S. 19.

26 Joachim Kaiser hat in einer ausführlichen Rezension anläßlich des Erscheinens der »Zwille« darauf hingewiesen, daß die »Mühe des Werdens« hier alptraumhaft thematisiert sei. Darauf gründe die »verwirrende und provokative« Spannung des Buchs: in der Sympathie für die Schwäche, im Mitleid für die Ängstlichen, im Nachweis der Gegenwelt zur heroisch stilisierten der frühen Schriften. »Der Mutloseste, der Abenteuer-Unlustigste darf passiver Held einer Tragödie sein...« In: Süddeutsche Zeitung, 30. Mai 1973.

27 Ernst Jünger, Eumeswil. Stuttgart 1977, S. 95. – Sämtliche Werke, Band 17. Stuttgart 1980, S. 86.

28 Oder, weniger pessimistisch gestimmt, zum Museum. Hermann Lübbe hat in mehreren Essays gezeigt, daß dieser Vorgang – mindestens teilweise – als Antwort auf die orientierungsgefährdenden Beschleunigungen der wissenschaftlich–technischen Moderne zu verstehen ist. »Durch die progressive Musealisierung kompensieren wir die belastenden Erfahrungen eines änderungstempobedingten kulturellen Vertrautheitsschwundes.« – Hermann Lübbe, Der Fortschritt und das Museum. Über den Grund unseres Vergnügens an historischen Gegenständen. Institute of German Studies, University of London 1982, S. 18.

29 In seiner Schrift »Die vollkommene Schöpfung. Natur oder Naturwissenschaft« von 1969 dachte Friedrich Georg Jünger weniger radikal. Der Dualismus ist für ihn primär ein innerhalb der Geschichte sich bemerkbar machender Riß zwischen der Naturvorgabe und deren Wahrnehmung und Ausdeutung durch den Menschen.

30 Die quietistische Konsequenz daraus ist das Gegenteil der »Mobilisierung« der Arbeitswelt zum Zweck ihrer absoluten Beherrschung.
Demiurgische Selbstermächtigung ist sinnlos geworden, weil der
Mensch der »Deponie« längst zum Opfer seiner Errungenschaften
geworden ist.

31 Fourier war freilich weniger Anarchist als Sozialutopiker mit genossenschaftlichen Ideen. »Fourier will die Welt entziffern, um sie neu zu machen…« Roland Barthes, Sade, Fourier, Loyola. Frankfurt 1974, S. 111.

32 Das spielt direkt an auf den eigenen Versuch, den Jünger 1952 mit der
Erzählung »Besuch auf Godenholm« unternommen hat.

33 Weiterführend zur Spiegel-Metaphorik: Christiaan L. Hart Nibbrig,
Spiegelschrift. Spekulationen über Malerei und Literatur. Frankfurt
1987, S. 225 ff.

34 Zur Differenz zwischen Symbol und Metapher: Hans Blumenberg, Para-
digmen zu einer Metaphorologie. Bonn 1960, S. 123 ff.

35 Swedenborg wird von Jünger schon in der ersten Fassung des »Abenteuerlichen Herzens« (AH, 1, 128) zustimmend zitiert. In »De commercio
animae et corporis« (1769) legt Swedenborg seine kosmische Spirituali-
tät dar. Gott muß alles Geistige in sichtbare Gewänder hüllen, denn nur
so kann der endliche Mensch die Schöpfungsabsicht wahrnehmen. Folglich ist auch die Materie als Abglanz des Geistigen zu sehen. Die Seele ist
das Organ, das die Verbindung zwischen den Phänomenen und ihrer
göttlichen Abkunft herzustellen hat – allerdings nur die Seele des Eingeweihten, dessen »innere Atmung« die Gedanken trägt. Die mystische
Erfahrung der Intuition »rekonstruiert« so – eine Weiterführung des neu-
platonischen Erbes von der Auffasung der Seele – die Urbilder.

36 Ernst Jünger, Aladins Problem. Stuttgart 1983, S. 102. – Sämtliche
Werke, Band 18. Stuttgart 1983, S. 352.

37 Der »Titanismus« ist die Adaptation der mythischen Konstellation auf
die moderne Wirklichkeit. Die Titanen, aus der Verbindung von Gäa und
Uranos hervorgegangen, sind Repräsentanten der kosmischen Urpoten-
zen.

38 Phares ist ein Lichtbringer. Die Namengebung kommt vom französischen »phares«: Lichtbündel, Leuchttürme. »Les Phares« ist ein
Gedicht von Baudelaire aus dem Zyklus der »Fleurs du Mal« betitelt:
acht Künstler werden besungen, welche gleich Leuchttürmen mit ihren
Werken die Dunkelheit der Welt erhellt hätten.

39 Für die spätantiken Gnostiker stellt die Erkenntnis sich ein, wenn der
»Ruf« vernommen worden ist; dieser zieht Erlösung wie Befreiung aus
den Fesseln der Welt nach sich, wie es bei Irenäus heißt. Just diesem
»Ruf« folgt am Ende der Protagonist.

40 Ernst Jünger, Autor und Autorschaft. Stuttgart 1984, S. 17.

41 Jünger ließ manche Stücke daraus schon ab 1981 in der Zeitschrift »Scheidewege« erscheinen.

42 Im Sommer 1982 kam es in Deutschland zu politischen und literaturpolitischen Kontroversen, als Ernst Jünger der Goethe-Preis der Stadt Frankfurt zugesprochen wurde. Vor allem die Partei der »Grünen« protestierte heftig. In der Folge gab Jünger drei Redakteuren der Zeitschrift »Der Spiegel« ein Interview. Die bedenkliche Provokationslust bestätigte der 87jährige mit der Antwort auf die Frage, was er Hitler eigentlich vorzuwerfen habe. »Sein ganz offenbares Unrecht nach 1938. Mit Hitlers Sudetenland-Politik und dem Anschluß Österreichs bin ich noch völlig d'accord. Aber den Charakter Hitlers habe ich sehr bald erkannt.« In: Der Spiegel, Nr. 33, 36. Jhg., 16. August 1982. – Auf der anderen Seite hat Wolf Lepenies anläßlich seiner Rezension von Karl Heinz Bohres Werk »Die Ästhetik des Schreckens« im »Merkur« (Nr. 365, 1978, 1055ff.) dahingehend sich geäußert, daß Jünger in Frankreich – und also als französischer Schriftsteller – bei gleicher Vergangenheit längst zum Mitglied der Académie Française berufen worden wäre.

43 Insofern ist sie, im platonischen Sinn, auch Anamnesis: Erinnerung an den Ideenbestand.

44 Ernst Jünger, Eine gefährliche Begegnung. Stuttgart 1985, S. 8. – Sämtliche Werke, Band 18. Stuttgart 1983, S. 374. (Dort fehlt das Ende.)

45 Die Automaten-Faszination hat sich »geläutert«: jetzt verweist die dämonisch anmutende Starre voraus auf die Schrecken einer mechanisierten und den Tod mechanisch multiplizierenden Zivilisation.

46 Ernst Jünger, Zwei Mal Halley. Stuttgart 1987, S. 21.

Personenregister

Kemp, F. 617, 628
Kettering, E. 672
Keyserling, H. von 407
Kierkegaard 334, 427, 474, 481,
   638, 660
Kirchner, Ernst Ludwig 536
Klages, L. 496, 630
Klee, Paul 138, 625
Kleist 298, 367–370, 389, 399,
   546, 575, 648, 652, 653, 685
Klett, E. 496
Klieneberger, H.R. 641
Klinger, Max 124, 135
Korrodi, E. 291f., 642
Koselleck, Reinhart 630, 640
Kotanek, A.M. 620
Krüger, F. 70
Kubin, Alfred 20f., 103, 104,
   126, 133, 134–138, 218, 329,
   563, 574, 580, 624, 653, 655, 661,
   677
Küchler, W. 187

Labriola, A. 187
La Mettrie 210, 464f., 668
Landauer, G. 103
Landshut, S. 198
Lang, Fritz 86
Laotse 152
La Rochefoucauld 337, 440, 447ff.,
   665
Lass, W. 628f.
Lassalle, F. 179, 630
Laughton, Ch. 366, 652
Lautréamont 59, 115ff., 118, 119,
   123f., 131, 434, 546, 622, 643
Lavater, Johann Caspar 496
Le Corbusier 212
Ledoux, Claude N. 51, 664
Léger, Fernand 209, 212
Lenin 118, 180ff., 555, 631

Lenk, E. 676, 677, 679
Leonardo da Vinci 152, 214ff.,
   500f., 633
Lepenies, Wolf 81, 295, 435, 559,
   617, 642, 663, 682, 689
Lessing 377
Lessing, Theodor 18, 32, 615
Liebenwein-Krämer, R. 616
Liebermann, Max 294
Liebknecht, Karl 179
Lilienthal, Otto 501, 532
Linné, Carl von 315, 435, 558ff.,
   562, 663, 682
Li-tai-pe 63
Locke 178
Löns, Hermann 81
Löwith, Karl 660
Logau, Friedrich 568
Loyola, Ignatius von 688
Ludendorff, E. 35, 107, 174, 407,
   628
Lübbe, H. 567, 640, 647, 664, 681,
   683, 687
Lützeler, P.M. 644
Lukács, Georg 298
Luther 100, 191

Machiavelli 84, 177, 363, 630
Macrobius 337
Maistre, Joseph de 506, 674
Mallarmé, Stéphane 116
Mann, Erika 290ff., 642, 645
Mann, Heinrich 290, 294
Mann, Katja 291
Mann, Klaus 290ff., 293, 294
Mann, Otto 440
Mann, Thomas 14, 19, 36, 69,
   70, 133, 290ff., 294, 298, 333ff.,
   468f., 615, 617, 642, 645, 647,
   650, 668
Mannheim, K. 163

Marinetti, Filippo-Tommaso 60,
144, 158, 185ff., 297, 631
Marquard, O. 647
Marx 119, 154ff., 161, 167, 179ff.,
183, 189, 191f., 418, 629f.
Matt, Peter von 641, 653
Mattenklott, G. 677
Maupassant, Guy de 113, 340
Maurras, Ch. 663
Mayer, Hans 14
Medicus, F. 654
Meier, H. 507, 674
Meinecke, F. 177
Melville, Herman 337
Mendelssohn, Peter de 668
Mercier, Louis-Sébastien 178,
379
Merleau-Ponty, M. 550
Meryon, Charles 157, 329, 580,
646, 660, 667
Meyer, V. 553
Michaux, H. 116
Michelet 183
Miller, Henry 473
Milton 541
Mirbeau, Octave 432
Moeller van den Bruck, A. 83, 108,
526, 620, 677, 678
Mohler, A. 617
Molière 548
Molo, W. von 642
Moltke, H. von 372
Mombert, A. 678
Mommsen, Theodor 338
Montaigne 257, 440, 447, 661
Morand, P. 337
Moreau, Gustave 128
Moritz, Karl Philipp 114
Moses 181, 685
Mühleisen, H. 617, 649
Mühsam, E. 103

Müller, Adam 178
Münzer, Thomas 100f.
Mumford, L. 668
Musil 668
Musset, Alfred de 543, 679
Mussolini 158, 184, 188, 619f.,
631, 658

Nadar 157
Nadeau, M. 621f.
Napoleon 100, 212, 398
Nerval, Gérard de 116, 126
Neske, G. 672
Niekisch, Ernst 83, 103f., 107, 108,
182, 619
Nierendorf, K. 686
Nietzsche 20, 27, 32, 35, 39, 41, 43,
44, 48, 51, 56, 61, 64, 71f., 75, 81,
93, 107, 110, 123, 136, 144, 151f.,
161, 164f., 167ff., 185, 193, 194,
198, 200, 215, 221, 229, 298, 332,
338, 356, 359, 364, 399, 407, 409,
411, 418, 421f., 424, 427, 429,
433, 435, 446–450, 470f., 474ff.,
477ff., 481f., 486f., 496, 503,
506, 507ff., 510, 513, 532, 533,
551, 577f., 582, 616, 617, 620,
625, 627, 631f., 634, 640, 643,
644, 658, 660, 665, 667, 674, 675,
686
Novalis 289, 371, 376, 378–381,
522, 653, 654, 655f., 674, 678,
679

Oelze, F. W. 294ff., 297, 298, 335,
643, 645, 646
Oppenheimer, L. 183, 631
Orwell, George 273, 422
Ott, H. 670
Otto, Walter F. 400f., 657
Ovid 42, 511